ISBN 978-0-260-94874-8
PIBN 11194895

For support please visit www.forgottenbooks.com

1 MONTH OF
FREE
READING

at

www.ForgottenBooks.com

By purchasing this book you are eligible for one month membership to ForgottenBooks.com, giving you unlimited access to our entire collection of over 1,000,000 titles via our web site and mobile apps.

To claim your free month visit:
www.forgottenbooks.com/free1194895

English
Français
Deutsche
Italiano
Español
Português

www.forgottenbooks.com

Mythology Photography **Fiction**
Fishing Christianity **Art** Cooking
Essays Buddhism Freemasonry
Medicine **Biology** Music **Ancient**
Egypt Evolution Carpentry Physics
Dance Geology **Mathematics** Fitness
Shakespeare **Folklore** Yoga Marketing
Confidence Immortality Biographies
Poetry **Psychology** Witchcraft
Electronics Chemistry History **Law**
Accounting **Philosophy** Anthropology
Alchemy Drama Quantum Mechanics
Atheism Sexual Health **Ancient History**
Entrepreneurship Languages Sport
Paleontology Needlework Islam
Metaphysics Investment Archaeology
Parenting Statistics Criminology
Motivational

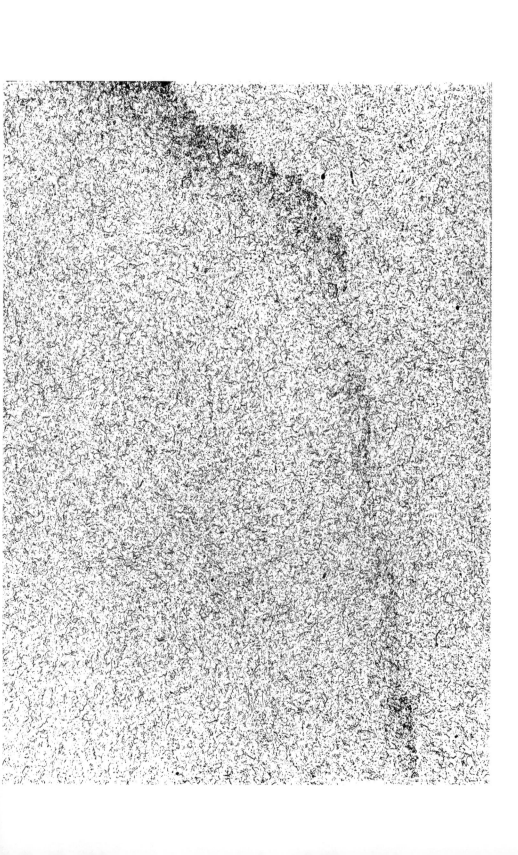

1906. XV.

Протоколы

Общества Естествоиспытателей

при

Императорскомъ Юрьевскомъ Университетѣ,

издаваемые подъ редакціей

прив. доц. **Н. В. Култашева.**

————✳————

Sitzungsberichte

der

Naturforscher-Gesellschaft

bei der Universität Jurjew (Dorpat)

redigirt von

Priv.-Doz. **N. V. Kultascheff.**

Юрьевъ. 1906—1907.	**Jurjew (Dorpat) 1906—1907.**
Изданіе Общ. Естествоиспытателэй.	Verlag d. Naturforscher-Gesellschaft.
На комиссіи у	In Commission bei:
К. ф. Кёлеръ въ Лейпцигѣ, и К. Глюкъ,	K. F. Koehler in Leipzig & C. Glück, vorm.
бывш. Е. Каровъ въ Юрьевѣ.	E. J. Karow, in Jurjew (Dorpat).

Печатано по постановленію Правленія Общества.

За содержаніе научныхъ статей отвѣчаютъ лишь авторы ихъ.

Für die wissenschaftlichen Abhandlungen sind die Autoren allein verantwortlich.

Gedruckt bei C. Mattiesen in Jurjew (Dorpat).

Оглавленіе.

Inhaltsverzeichnis.

I. Оффиціальная часть.

I. Offizieller Teil.

II. Научный отдѣлъ.

II. Wissenschaftlicher Teil.

III. Матеріалы по изслѣдованію озеръ Лифляндской губерніи.

III. Materialien zur Erforschung der Seen Livlands.

Посвящается

памяти

Димитрія Ивановича

Менделѣева.

———•———

Dem Andenken

von

D. J. Mendelejew

gewidmet.

Протоколъ 403-го экстреннаго засѣданія въ память Д. И. Менделѣева.

8 февраля 1907 г.

Присутствуетъ 32 члена, 50 гостей.

Послѣ вступительнаго слова предсѣдателя, проф. Н. И. Кузнецова, память почившаго 20 января с. г. почетнаго члена Общества Д. И. Менделѣева была почтена вставаніемъ.

Заслушаны доклады:

Прив.-доц. Н. В. Рулташева: Періодическая система элементовъ;

Прив.-доц. Р. Холлманнъ: Объ удѣльномъ объемѣ бинарныхъ жидкихъ смѣсей;

Ассист. В. А. Бородовскаго: Основа и цѣль общественной эволюціи по Менделѣеву;

Проф. Б. И. Срезневскаго: Труды Менделѣева въ области физико-атмосферы.

Общее собраніе постановило повѣсить портретъ Д. И. Менделѣева въ залѣ засѣданій Общества.

Protokoll der 403. Extra-Sitzung zum Andenken an D. I. Mendelejew

am 8. Febr. 1907.

Anwesend 32 Mitglieder, 50 Gäste.

Nach der einleitenden Rede des Präsidenten, Prof. N. Kusnezow, wurde das Andenken des am 20. Januar d. Jahres verstorbenen Ehrenmitgliedes der Gesellschaft, D. I. Mendelejew durch Erheben von den Sitzen geehrt.

Es fanden folgende Vorträge statt:

Priv.-Doz. N. Kultaschew: Das periodische System der Elemente;

Priv.-Doz. R. Hollmann: Ueber das spezifische Volum binärer Flüssigkeitsgemische;

Assist. W. Borodowsky: Grundlage und Ziel der sozialen Evolution nach Mendelejew;

Prof. B. Sresnewsky: Mendelejew's Arbeiten im Gebiete der atmosphärischen Physik.

Die Versammlung hat beschlossen das Bild des Verstorbenen in dem Sitzungssaale der Gesellschaft aufzuhängen.

1906. XV, 1.

Протоколы
Общества Естествоиспытателей

при

Императорскомъ Юрьевскомъ Университетѣ,

издаваемые подъ редакціей

прив. доц. **Н. В. Култашева.**

---※---

Sitzungsberichte

der

Naturforscher-Gesellschaft

bei der Universität Jurjew (Dorpat)

redigirt von

Priv.-Doz. **N. V. Kultascheff.**

Jurjew (Dorpat) 1906.

Verlag der Naturforscher-Gesellschaft.

In Commission bei:

K. F. Koehler in Leipzig & J. Anderson, vorm. E. J. Karow, in Jurjew (Dorpat).

Печатано по постановленію Правленія Общества.

Gedruckt bei C. Mattiesen in Jurjew (Dorpat).

I.

Оффиціальный отдѣлъ.

—

Geschäftlicher Theil.

I*

387-ое засѣданіе.

17 февраля 1906 г.

Годичное собраніе и день рожденія К. Э. фонъ Бэра.

Присутствовало: 25 членовъ, 10 гостей.

1. Предсѣдатель открылъ засѣданіе рѣчью, посвященной памяти К. Э. фонъ Бэра (см. стр. VII). Собраніе почтило память К. Э. фонъ Бэра вставаніемъ.

2. Заслушанъ и утвержденъ протоколъ предыдущаго засѣданія.

3. Предсѣдатель сообщилъ, что по ревизіи книгъ и кассы Общества ревизіонной коммиссіей касса и книги найдены въ полномъ порядкѣ; членамъ ревизіонной коммисіи г.г. доц. А. Д. Богоявленскому и ассист. Н. А. Сахарову выражена Обществомъ благодарность.

4. Секретарь прочелъ отчетъ за 1905 годъ. Отчетъ былъ утвержденъ собраніемъ.[1])

5. Въ дѣйствительные члены Общества былъ избранъ Д-ръ I. Ю. Мейеръ. (24 голоса за и 1 противъ).

6. Въ дѣйствительные члены предлагаются: Д-ръ Ф. Блонскій, предлагаютъ проф. Н. И. Кузнецовъ и прив. доц. Г. А. Ландезенъ, Д-ръ филос. Э. Маттисенъ, предлагаютъ проф. Н. И. Кузнецовъ и редакторъ А. Гассельблатъ.

7. О своемъ желаніи выбыть изъ числа членовъ Общества заявили г.г. С. ф. Кизерицкій и провизоръ А. Томсонъ. Принято къ свѣдѣнію.

8. Секретарь проситъ о доставкѣ адресовъ слѣдующихъ членовъ Общества: Ассист. Л. Э. Каупингъ, барона В. Кампенгаузенъ, врача Э. Ландау, фарм. М. Микутовича, студ.

---

1) Напечатанъ въ т. XIV, вып. 2.

А. А. Семыкина, ветеринарнаго врача Р. Шабака, ассист. Р. Штудемейстеръ и студ. бот. А. И. Мальцева. Принято къ свѣдѣнію.

9. По поводу предложеній Правленія Общества, выработанныхъ въ засѣданіи Правленія 13-го декабря 1905 года для урегулированія поступленія членскихъ взносовъ, общее собраніе сдѣлало слѣдующія постановленія:

a) Членскіе взносы уплачиваются въ началѣ каждаго года. Отсрочка половины членскаго взноса до начала второго полугодія допускается.

b) Лишь члены уплатившіе членскій взносъ, имѣютъ право на полученіе „Протоколовъ“ за то время, за которое членскій взносъ ими уплаченъ.

c) Членскіе взносы засчитываются въ послѣдовательномъ порядкѣ, не пропуская ни года, ни полугода.

d) Для освѣдомленія г.г. членовъ, не уплатившихъ своего членскаго взноса, въ спискѣ членовъ ставится у ихъ именъ крестикъ (✕) за каждый неуплаченный или не вполнѣ уплаченный годъ; кромѣ того казначей посылаетъ напоминанія таковымъ членамъ объ уплатѣ членскаго взноса.

e) Утверждается постановленіе Правленія Общества отъ 17-го ноября 1895 года пунктъ 5: „Считать выбывшими тѣхъ членовъ, которые въ теченіи трехъ лѣтъ членскаго взноса не платили“. Предъ приведеніемъ въ исполненіе этого постановленія Правленіе Общества принимаетъ всѣ мѣры для выясненія, желаетъ-ли соотвѣтствующій членъ оставаться въ составѣ Общества.

f) На повѣсткѣ о первыхъ засѣданіяхъ Общества въ каждомъ году помѣщается приглашеніе объ уплатѣ членскаго взноса.

10) Предложенія коммиссіи по урегулированію изданій Общества были единогласно приняты и согласно этимъ предложеніямъ было постановлено слѣдующее:

a) Сдѣлать „Протоколы“ періодическимъ изданіемъ и выпускать ихъ четыре раза въ годъ въ неопредѣленномъ объемѣ, сохранивъ однако прежнее распредѣленіе матеріала, входящаго въ „Протоколы“, т. е. на часть I, оффиціальную, часть II-ую, содержащую научныя статьи, и часть III-ью, содержащую работы озерной коммиссіи; наконецъ увеличить форматъ „Протоколовъ“ до формата Archiv f. d. Naturkunde Liv-, Est- und Kurlands.

b) Оставить безъ измѣненія Archiv f. d. Naturkunde Liv-, Est- und Kurlands.

c) Сохранить „Труды" съ форматомъ in 4° и впредь этого формата не измѣнять.

11) Но предложенію Правленія Общества, было постановлено избрать редактора для изданій Общества и произвести это избраніе въ слѣдующемъ засѣданіи.

При этомъ проф. А. И. Яроцкій предложилъ возложить обязанности редактора на вице-предсѣдателя и внести это предложеніе въ общее собраніе, когда будутъ происходить выборы новаго вице-предсѣдателя.

12. Предсѣдатель сообщилъ, что Правленіе считаетъ желательнымъ избрать хранителя ботаническихъ коллекцій Общества и предлагаетъ на эту должность г-на Г. Г. фонъ Эттингена. Сообщеніе было принято къ свѣдѣнію и баллотировка отложена до слѣдующаго засѣданія.

13. Проф. Д. М. Лавровъ сдѣлалъ сообщеніе: „Къ вопросу о химизмѣ пептическаго и триптическаго перевариванія бѣлковыхъ веществъ". (См. ч. II этого выпуска.)

14. Проф. Б. И. Срезневскій сдѣлалъ сообщеніе: „Связь между погодою и преломленіемъ свѣта въ атмосферѣ". (См. ч. II этого выпуска.)

Памяти К. Э. фонъ Бэра.

Рѣчь предсѣдателя Общества проф. Н. И. Кузнецова.

М. Г-ни и М. Г-ри!

Открывая собраніе, я долженъ напомнить присутствующимъ, что сегодняшнее засѣданіе посвящено памяти акад. Карла Эрнста фонъ Бэра, 114 годовщину со дня рожденія котораго мы празднуемъ согласно уставу нашего Общества. Карлъ Максимовичъ Бэръ, долголѣтній и высокочтимый президентъ Общества, родился 17 февраля 1792 года въ имѣніи Пикъ, Эстляндской губ. Окончивъ ревельскую гимназію, Бэръ поступилъ на медицинскій факультетъ нашего Университета, который окончилъ въ 1814 году. Но окончаніи курса въ Дерптскомъ Университетѣ Бэръ отправился въ Германію, гдѣ подъ руководствомъ проф. Дёллингера въ Вюрцбургѣ занимался сравнительною анатоміей. Съ 1817 г. онъ состоялъ прозекторомъ при проф. Бурдахѣ въ Кёнигсбергѣ, а черезъ два года послѣ этого избранъ былъ на кафедру зоологіи въ томъ же Университетѣ. Въ 1829 г. Бэръ избранъ былъ Петербургской Академіей Наукъ и сдѣлался однимъ изъ ея самыхъ дѣятельныхъ членовъ, участвуя въ цѣломъ рядѣ разностороннихъ научныхъ предпріятій и изслѣдованій. Въ Академіи Бэръ пробылъ до 1862 года, когда сложилъ съ себя званіе академика и переселился въ Дерптъ, гдѣ прожилъ остатки своихъ дней, руководя въ качествѣ президента дѣятельностью нашего Общества Естествоиспытателей и не переставая работать научно. Но сложивъ съ себя званіе академика Бэръ не прервалъ связи съ этимъ научнымъ учрежденіемъ, въ которомъ онъ столь много и плодотворно работалъ, или вѣрнѣе говоря, Академія Наукъ не пожелала прервать связи съ выдающимся своимъ сочленомъ, столь много сдѣлавшимъ для науки вообще, для развитія научныхъ предпріятій Академіи въ частности. Академія Наукъ избрала своего бывшаго сочлена почетнымъ членомъ и въ этомъ высокомъ научномъ званіи отошелъ Бэръ въ иной міръ, скончавшись 28 ноября 1876 года, т. е. почти 30 лѣтъ назадъ. Бэръ умеръ въ Дерптѣ. Его земная оболочка истлѣла, но духъ его остался безсмертенъ не только для Дерпта, не только для нашего Общества Естествоиспытателей, но и для всей науки. Памятникъ Бэра, построенный на пожертвованія, собранныя нашимъ Обществомъ Естествоиспытателей, украшаетъ нашъ Домбергъ, портретъ его неизмѣнно находится въ залѣ засѣданій нашего Общества, но еще цѣннѣе, еще важнѣе для насъ этихъ внѣшнихъ памятниковъ о великомъ ученомъ, тотъ памятникъ нерукотворный, который онъ самъ себѣ создалъ своими великими и разносторонними научными трудами. Сочиненія академика Бэра отличаются такимъ яснымъ и точнымъ изложеніемъ, что читая ихъ, получаешь самое реальное представленіе описываемыхъ имъ явленій, фактовъ. Но вмѣстѣ съ этимъ сочиненія его проникнуты философскимъ міровоззрѣніемъ, стремленіемъ не только изобразить точно факты, но и найти имъ общее значеніе, философское объясненіе. Въ особенности извѣстенъ Бэръ какъ знаменитый эмбріологъ. Открытія его въ этой области знанія останутся классическими навсегда. Не менѣе важно значеніе Бэра въ вопросѣ о происхожденіи видовъ, въ вопросѣ объ эволюціи органической жизни. Всѣмъ Вамъ, конечно, извѣстно міровое значеніе ученія Дарвина, перевернувшаго всѣ естественныя науки, поставившаго ихъ на новый плодотворный путь. Но какъ всякое крупное міровое явленіе — и ученіе Дарвина явилось не сразу; цѣлый рядъ предшественниковъ, въ свое время не признаваемыхъ ученою толпою, подготовлялъ путь новому ученію, и, не признанные современниками, бодро шли они впереди вѣка, не смущаясь тѣмъ, что ихъ еще не понимаютъ, что мысли ихъ еще не раздѣляютъ, гордые сознаніемъ своей правоты, вопреки большинству, вопреки консервативной толпѣ. Изъ числа такихъ предшественниковъ Дарвина были и К. Э. фонъ Бэръ. Ученіе Дарвина о происхожденіи видовъ, произведшее революцію въ наукѣ и окончательно побѣдившее научную рутину своего времени, появилось въ свѣтъ въ 1858 году. Но за 30 лѣтъ до Дарвина, въ 1828 году, въ сочиненіи своемъ „Entwickelungsgeschichte der Thiere“, Бэръ уже высказалъ мысль объ эволюціи животнаго міра. Причину эволюціи формъ Бэръ видѣлъ во внутреннемъ стремленіи организмовъ къ прогрессивному развитію. Это стремленіе къ прогрессивному развитію Бэръ назвалъ терминомъ „Zielstrebigkeit“ и въ этихъ своихъ взглядахъ на причину развитія органическаго міра Бэръ явился послѣдователемъ другого болѣе ранняго предтечи Дарвина, Ламарка, изложившаго подобные же взгляды на развитіе организмовъ въ 1809 году въ своемъ знаменитомъ сочиненіи „Philosophie zoologique“. Только взгляды Бэра были проведены гораздо послѣдовательнѣе и глубже взглядовъ Ламарка и нашли дальнѣйшее свое развитіе въ знаменитомъ ученіи Негели, появившемся уже гораздо позднѣе ученія Дарвина. И Негели, подобну Ламарку и Бэру, видитъ основную причину развитія организмовъ во внутреннемъ стремленіи или во внутреннемъ, присущемъ всѣмъ организмамъ, свойствѣ къ совершенствованію, къ прогрессивному развитію. Негели называлъ свойство это „Progressionsprincip“ или „Vervollkommnungsprincip“, но этотъ негелевскій принципъ прогрессивнаго развитія въ сущности своей ничѣмъ не отличается отъ „Zielstrebigkeit“ Бэра. Изучая эмбріологію организмовъ, изучая развитіе сложно построеннаго организма изъ одной единственной материнской клѣтки, изучая однимъ словомъ онтогенезъ, Бэръ общіе выводы изъ этого изученія развитія индивидуума старается перенести на представленіе свое о развитіи вообще организмовъ, на развитіе всего животнаго (и растительнаго) міра. И какъ эволюція многоклѣтнаго и сильно дифференцированнаго организма изъ одной единственной материнской клѣтки происходитъ въ силу особаго присущаго этой живой клѣткѣ свойства къ прогрессивному развитію, такъ, по мнѣнію Бэра, происходило и происходитъ развитіе органическаго міра изъ простѣйшихъ одноклѣтныхъ организмовъ вплоть до самаго совершеннаго, самаго сложнаго организма. Не внѣшнія причины или вліянія, по мнѣнію Бэра, являются непосредственными руководителями эволюціи организмовъ, а присущее организмамъ свойство, стремленіе къ прогрессивному развитію, къ совершенствованію, къ усложненію своей организаціи. Это свойство организмовъ, это внутреннее присущее имъ стремленіе къ эволюціи, Бэръ старается возвести въ особый законъ природы и называетъ его, какъ мы уже выше сказали „Zielstrebigkeit“.

Конечно, современные натуралисты далеко не всѣ согласны съ воззрѣніями Бэра и Негели. Современное ученіе объ эволюціи видовъ разбилось на два главныхъ противоположныхъ теченія — на нео-ламаркизмъ и нео-дарвинизмъ. И если представители перваго теченія какъ Бэръ, Негели и другіе видятъ во внутреннемъ свойствѣ организмовъ, скажемъ въ особенностяхъ строенія протоплазмы, основную причину прогрессивнаго развитія органическаго міра, то другіе — нео-дарвинисты, изъ которыхъ теперь однимъ изъ выдающихся представителей является Вейсманнъ, главную причину эволюціи видовъ ищутъ въ подборѣ, регулируемомъ борьбою за существованіе, въ подборѣ не только въ томъ болѣе тѣсномъ смыслѣ, какъ понималъ его Дарвинъ, но въ болѣе общемъ, въ болѣе широкомъ смыслѣ, въ борьбѣ не только между индивидуумами даннаго вида, но и въ борьбѣ или конкуренціи разныхъ частей организма между собою, въ борьбѣ или конкуренціи между отдѣльными частицами плазмы каждой клѣтки, въ борьбѣ или конкуренціи м. б. даже отдѣльныхъ молекулъ бѣлковаго вещества плазмы.

Которое изъ этихъ двухъ главныхъ и противоположныхъ направленій одержитъ окончательный верхъ въ наукѣ, восторжествуетъ ли нео-дарвинизмъ или возьметъ окончательный верхъ нео-ламаркизмъ, сказать сейчасъ затруднительно. Новые факты, новыя соображенія приводятъ то въ пользу одного, то въ пользу другого ученія. Но для насъ сейчасъ важно было не разрѣшеніе этой одной изъ крупнѣйшихъ задачъ біологіи, а важно было лишь показать, что въ вопросѣ объ эволюціи видовъ Бэръ занимаетъ одно изъ почетныхъ мѣстъ, будучи въ свое время піонеромъ въ этихъ вопросахъ, мужественнымъ борцомъ въ пользу ученія, которое въ тѣ времена еще только только пробивалось на свѣтъ, еще было мало понятно, мало и оцѣнено современниками, строго державшимися ученія постоянства видовъ.

Широта взглядовъ Бэра, его философское міровоззрѣніе, его разносторонность сказывалась однако и на цѣломъ рядѣ другихъ его научныхъ работъ, значеніе которыхъ въ большинствѣ случаевъ не утратилось и понынѣ. Будучи главнымъ образомъ эмбріологомъ, К. Э. фонъ Бэръ интересовался самыми разнообразными вопросами естественныхъ наукъ, и въ каждой работѣ своей онъ вносилъ нѣчто самобытное, оригинальное и вмѣстѣ съ тѣмъ строго научное. О законѣ Бэра, о причинѣ размыванія правыхъ береговъ рѣкъ, мы слышали въ прошломъ году интересный докладъ нашего сочлена проф. Колосова. Бэровскимъ именемъ окрещены находящіеся въ Астраханской губ. продолговатые холмы, чрезвычайно правильной и однообразной формы, имѣющіе направленіе съ востока на западъ. Этимъ Бэровскимъ буграмъ посвящена особая работа Бэра „Kaspische Studien“ 1859 года. Вопросу о причинахъ безлѣсія южно-русскихъ степей Бэръ тоже удѣлилъ свое вниманіе и внесъ въ него интересныя точки зрѣнія, а кто читалъ описаніе природы Новой Земли, составленное Бэромъ въ небольшой, но ярко написанной статьѣ, у того не изгладится изъ памяти оригинальная картина природы далекаго полярнаго сѣвера нашей страны. Бэръ много путешествовалъ по Россіи, изучая ея природу, а въ 1851—56 гг. занялся изслѣдованіемъ рыболовства на оз. Пейпусъ, на русскихъ берегахъ Балтійскаго моря и на Каспійскомъ морѣ и результаты своихъ изслѣдованій изложилъ въ сочиненіяхъ „Изслѣдованія о состояніи рыболовства въ Россіи“ Спб. 1860 и „О каспійскомъ рыболовствѣ“ 1853. Интересовался Бэръ также устричнымъ промысломъ и въ изданіяхъ Академіи Наукъ напечаталъ статью „Ueber ein neues Projekt Austern-Bänke an der Russischen Ostsee-Küste anzulegen“. Насколько разнообразны труды Бэра въ области естественныхъ наукъ, видно, кромѣ ранѣе сказаннаго, изъ того, что рядомъ съ крупнѣйшими и классическими монографіями по эмбріологіи и сравнительной анатоміи, гдѣ онъ былъ вполнѣ хозяиномъ положенія, и которыя перечислить всѣ здѣсь невозможно, К. Э. фонъ Бэръ писалъ трактаты по антропологіи и краніологіи, наприм. объ ископаемыхъ черепахъ (Crania selecta), писалъ трактаты о причинахъ вымиранія животныхъ „Ueber das Aussterben der Thierarten“, о перелетѣ птицъ „Ueber die Wanderungen der Zugvögel“, о „мѣстѣ человѣка въ природѣ“, о „разведеніи финиковой пальмы по берегу Каспійскаго моря“ и др. Вмѣстѣ съ Гельмерсеномъ Бэръ въ теченіе 29 лѣтъ (съ 1839—1868) издавалъ при Академіи весьма важное для познанія природы Россіи изданіе: „Beiträge zur Kenntniss des Russischen Reichs“, а послѣ его смерти проф. Штида издалъ посмертное его сочиненіе: „Ueber die homerischen Locali-täten in der Odyssee“, Брауншвейгъ. 1877.

Передъ глазами нашими невольно выступаетъ изъ этой рамки образъ человѣка, посвятившаго всю жизнь кипучей научной дѣ-тельности, образъ ученаго, интересовавшагося самыми разнообраз-ными вопросами естественныхъ наукъ, научными задачами, которые и по сейчасъ могутъ составить задачи изученія и изслѣдованія для нашего Общества Естествоиспытателей. И мы можемъ смѣло ска-зать, что духъ Бэра не умеръ, что онъ витаетъ среди насъ, что онъ и по сейчасъ является нашимъ духовнымъ президентомъ и направляетъ наши научныя работы.

М. Г-ни и М. Г-ри! Изъ скромной квартиры на Прудовой улицѣ мы перешли въ новое, болѣе широкое, болѣе удобное помѣ-щеніе. Будемъ надѣяться, что новоселье наше, совпавшее невольно съ знаменательнымъ для насъ днемъ годовщины памяти К. Э. фонъ Бэра послужитъ толчкомъ для болѣе широкой дружной совмѣстной научной работы и, имѣя передъ глазами своими образъ неутомимаго энергичнаго ученаго и мыслителя, нашего многолѣтняго бывшаго президента Карла Эрнста фонъ Бэра, почтимъ память о немъ вставаніемъ и подбодряемые его примѣромъ безкоры-стной любви къ наукѣ, постараемся въ этомъ новомъ помѣщеніи соз-дать общими усиліями въ научномъ отношеніи достойный пьедесталъ къ тому нерукотворному научному памятнику, который самъ себѣ создалъ великій ученый — Бэръ.

388-ое засѣданіе.

9 марта 1906 г.

Присутствовало: 26 членовъ и 3 гостей.

1. Предсѣдатель, открывая засѣданіе, привѣтствовалъ при-сутствовавшаго на засѣданіи почетнаго члена Общества академика Фр. Б. Шмидта. Акад. Фр. Б. Шмидтъ сообщилъ собранію объ окончаніи работы по опредѣленію геологическихъ коллекцій Обще-ства, которая въ настоящее время печатается.

2. Протоколъ предыдущаго засѣданія былъ заслушанъ и ут-вержденъ.

3. Секретарь доложилъ текущія дѣла:

a) отъ „Museum für Natur- und Heimatkunde zu Magdeburg" поступилъ т. I, тетрадь 1 его изданія „Abhandlungen und Berichte" 1905 г. съ предложеніемъ вступить въ обмѣнъ изданіями.

Постановлено вступить въ обмѣнъ.

b) Отъ „Deutsche Malacologische Gesellschaft" поступило предложеніе на подписку на изданіе этого Общества „Nachrichtsblatt der Deutschen Malacologischen Gesellschaft" за 1906 г.

Постановлено: подписаться.

c) Отъ J. Perthes Geographische Anstalt in Gotha поступили: 1) Корректура свѣдѣній для „Geographenkalender" о нашемъ Обществѣ, которая по просмотрѣ выслана обратно. 2) Предложенія на подписку на „Geographenkalender" и „Stielers Handatlas".

Постановлено: выписать „Geographenkalender" за всѣ 4 года, а также и „Stielers Handatlas".

d) Отъ „Landwirtschaftlicher und gewerblicher Kasino in Altstadt" поступила просьба о присылкѣ изданій Общества, подходящихъ для составленія популярныхъ чтеній.

Постановлено: передать въ библіотечную коммиссію.

e) Обществу присланы были слѣдующія приглашенія:

1) The Academy of Sciences of St. Louis приглашаетъ принять участіе въ обѣдѣ въ субботу 10 марта 1906 г., даваемомъ по случаю 50-тилѣтія со дня основанія академіи.

Сообщеніе предсѣдателя, что имъ было отправлено письмомъ поздравленіе по этому поводу, было принято къ свѣдѣнію.

2) The American Philosophical Society in Philadelphia U. S. A. приглашаетъ Общество послать представителя для принятія участія въ празднованіи 200-лѣтія со дня рожденія Веньямина Франклина, основателя этого Общества, имѣющаго быть отъ 17 до 20 Апрѣля нов. ст. сего года.

Постановлено: послать поздравленіе.

f) Отъ Г-на Попечителя Рижскаго Учебнаго Округа поступило увѣдомленіе объ утвержденіи имъ всѣхъ лицъ, избранныхъ Обществомъ въ 1905 г. въ дѣйствительные члены.

Сообщеніе принято къ свѣдѣнію.

g) Въ библіотеку Общества пожертвовано г-жей Ф. Галлеръ — 1 книга, доц. А. Д. Богоявленскимъ — 15 книгъ, доц. Ѳ. В. Бухгольцъ — 5 книгъ, учителемъ К. Мазингъ — 3 книги.

Постановлено: жертвователей благодарить.

h) Въ коллекціи Общества пожертвовано:

1. Г-іомъ Е. ф. Миддендорфъ — гербарій покойнаго академика ф. Миддендорфа.

2. Г-номъ ф. Эссенъ — чучело Astur palumbarius L.

3. Г-номъ Н. И. Бояриновымъ — образцы лавъ Везувія различныхъ годовъ.

Постановлено: жертвователей благодарить.

4. Заслушанъ отчетъ г. Г. Г. ф. Эттингена о состояніи гербарія Общества; составителю отчета выражена благодарность Общества за труды по ознакомленію съ состояніемъ этихъ гербаріевъ.

5. Въ дѣйствительные члены избраны: Д-ръ Ф. Блонскій (21 за и 5 противъ) и Д-ръ фил. Э. Маттисенъ (20 за и 6 противъ).

6. Въ дѣйствительные члены Общества предлагаются: 1) Слуш. фармаціи І. А. Штамъ; предлаг. г. Э. Ландау и проф. Е. А. Шепилевскій. 2) Лаборантъ В. R Десслеръ; предл. учен. апт. И. В. Шиндельмейзеръ и проф. А. И. Яроцкій. 3) Ассистентъ Н. И. Лепорскій; предл. ассист. Н. И. Мищенко и ассист. Н. А. Сахаровъ. 4) Др. И. Римшнейдеръ; предл. г. М. ф. цуръ Мюленъ и проф. Н. И. Кузнецовъ.

Баллотировка имѣетъ быть въ слѣдующемъ засѣданіи.

7) По поводу предложеній Правленія Общества сдѣланы слѣдующія постановленія:

a) Признано желательнымъ, чтобы каждый докладчикъ давалъ авторефератъ своего доклада для помѣщенія въ „Протоколахъ“.

b) Постановлено отмѣчать въ „Протоколахъ“, гдѣ печатается работа, о которой сдѣлано сообщеніе въ засѣданіи Общества.

c) Утверждено постановленіе Правленія Общества, чтобы проэкціонный фонарь со всѣми принадлежностями употреблялся только въ помѣщеніи Общества и для цѣлей Общества.

8. Предсѣдатель сообщилъ, что Правленіе Общества, въ виду чрезмѣрнаго обремененія своими обязанностями секретаря Общества, предлагаетъ избрать особаго редактора изданій Общества, и поставилъ на обсужденіе вопросъ, желаетъ-ли Общество принять предложеніе Правленія или же возложить обязанности редактора, согласно предложенію проф. А. Н. Яроцкаго (см. протоколъ прошлаго собранія) на вице-предсѣдателя. Постановлено избирать ежегодно особаго редактора, который имѣетъ слѣдующія права и обязанности:

1) На редактора возлагается: a) забота о печатаніи назначенныхъ къ печатанію статей, b) составленіе извлеченій изъ протоколовъ общихъ собраній и печатаніе ихъ, 3) собираніе отъ докладчиковъ рефератовъ для отпечатанія въ „Протоколахъ“.

2) Редакторъ имѣетъ голосъ въ Правленіи Общества по дѣламъ, касающимся изданій Общества.

9. Предсѣдатель сообщилъ, что срокъ избранія вице-предсѣдателя кончился и собранію надлежитъ поэтому приступить къ новому избранію вице-предсѣдателя, и предложилъ избрать вновь настоящаго вице-предсѣдателя, проф. К. К. С е н т ъ - И л е р а.

Закрытой баллотировкой былъ затѣмъ избранъ въ вице-предсѣдатели проф. К. К. С е н т ъ - И л е р ъ (14 за, 11 противъ).

Но поводу состоявшагося избранія вице-предсѣдателя, собраніе постановило по предложенію Д. Н. С е в а с т ь я н о в а внести въ протоколъ мнѣніе проф. Г. Н. М и х а й л о в с к а г о: „Собраніе признаетъ состоявшееся избраніе вице-предсѣдателя законченнымъ, но выражаетъ желаніе, чтобъ впредь при избраніяхъ имѣлась возможность выставлять и другихъ кандидатовъ“.

10. Въ редакторы изданій Общества избранъ закрытой баллотировкой (17 за, 4 противъ) прив. доц. Н. В. К у л т а ш е в ъ.

11. Хранителемъ ботаническихъ коллекцій Общества избранъ раг acclamation г. Г. Г. ф. Э т т и н г е н ъ.

12. Ассист. Д. Н. С е в а с т ь я н о в ъ сдѣлалъ сообщеніе: „Экскурсія на ледникъ рѣки Теберды (Зап. Кавказъ)“.

„Въ августѣ 1904 докладчикъ совершилъ съ геологическою цѣлью экскурсію въ ледниковую область верх. р. Теберды (Зап. Кавказъ). Имъ были посѣщены ледники: правый Чётчä, ледники надъ Клухорскимъ переваломъ и верховьевъ Китчä-Мурутчу, причемъ ледникъ правый — Чётчä былъ пройденъ до середины фирноваго поля. Ледникъ Чётчä отступилъ со времени посѣщенія его Б у ш е м ъ въ 1897 приблизительно на 90 сажень. Въ періодѣ отступанія находятся также и остальные посѣщенные докладчикомъ ледники.

Докладчикъ наблюдалъ также древнія ледниковыя отложенія, частью уже описанныя М у ш к е т о в ы м ъ и нѣкоторыя другія явленія, къ числу которыхъ относятся двѣ террасы, прослѣженныя почти по всей долинѣ Теберды и несомнѣнно являющіяся результатомъ эрозіонной дѣятельности древняго ледника. Верхняя террасса проходитъ на высотѣ около 2500 met., нижняя — на высотѣ около 1900 metr.

Большая часть наблюденныхъ явленій зарегистрирована фотографіей“. (Автореф.)

389-ое засѣданіе.

23 марта 1906 г.

Присутствовало: 25 членовъ и 4 гостей.

1. Протоколъ предыдущаго засѣданія былъ заслушанъ и утвержденъ.

2. Было принято къ свѣдѣнію сообщеніе предсѣдателя о томъ, что имъ была послана къ 16-му марта въ Лейпцигъ почетному члену Общества, проф. Артуру фонъ Эттингенъ, поздравительная телеграмма отъ имени Общества слѣдующаго содержанія:

„Leipzig, Prof. Dr. Arthur von Oettingen.

Die Naturforscher-Gesellschaft in Dorpat sendet ihrem Ehrenmitgliede die wärmsten Glückwünsche zur Feier des siebzigsten Geburtstages. Präsident Prof. Kusnezow“.

3. Секретарь сообщилъ текстъ адреса, отправленнаго American Philosophical Society въ Филадельфію:

„Die Naturforscher-Gesellschaft bei der Kaiserlichen Universität Dorpat entbietet der American Philosophical Society in Philadelphia zur Feier der zweihundertsten Wiederkehr des Geburtstages ihres Begründers, Benjamin Franklin, die wärmsten Wünsche des ferneren Gedeihens und weiterer erfolgreicher wissenschaftlicher Tätigkeit zum Wohle der Menschheit. Präsident Prof. N. Kusnezow.

Dorpat, März 1906“.

Сообщеніе было принято къ свѣдѣнію.

4. Секретарь доложилъ о текущихъ дѣлахъ:

a) Въ библіотеку Общества поступила въ качествѣ подарка отъ автора статья Д-ра Адольфи: „Ueber das Verhalten der Wirbeltierspermatozoen in strömenden Flüssigkeiten“.

Постановлено было жертвователя благодарить.

b) Слѣдующіе дѣйствительные члены Общества сообщили о своемъ желаніи выбыть изъ состава Общества: Д-ръ Р. Вейнбергъ, Проф. К. Раупахъ, Д-ръ Э. Іеше и канд. хим. Р. фонъ Заменъ.

Принято къ свѣдѣнію.

5) Состоялось избраніе новыхъ членовъ, предложенныхъ въ предыдущемъ засѣданіи; были избраны: Слуш. фарм. І. А. Штамъ (21 за, 3 противъ). Лаборантъ В. К. Десслеръ (23 за, 1 противъ).

Ассист. Н. И. Лепорскій (23 за). Д-ръ И. Римшнейдеръ (20 за, 4 противъ).

6) Въ дѣйствительные члены Общества былъ предложенъ преподаватель. матем.: Е. И. Смирновъ, предлагаютъ препод. М. Г. Ребиндеръ и проф. Н. И. Кузнецовъ.

7) Преподаватель Ф. Синтенисъ предложилъ выписать для библіотеки Общества только что вышедшее въ свѣтъ сочиненіе: „Die Wirbelthiere Europas, mit Berücksichtigung der Faunen von Vorderasien und Nordafrika, von Prof. Dr. O. Schmiedeknecht".

Предложеніе было принято и постановлено выписать названное сочиненіе.

8) Ассистентъ Д. Н. Севастьяновъ обратилъ вниманіе собранія на то, что было бы весьма желательно использовать въ научномъ отношеніи для цѣлей геологическихъ изслѣдованій многочисленныя земляныя работы, которыя постоянно производятся въ городѣ (какъ то: заложеніе буровыхъ скважинъ, копаніе колодцевъ, рвовъ для канализаціи и проведенія газовыхъ трубъ, закладка фундаментовъ и т. д.) и предложилъ сдѣлать объявленіе въ газетѣ съ просьбой, чтобы о началѣ такихъ работъ заблаговременно увѣдомляли Общество.

Постановлено сдѣлать предложенную публикацію въ мѣстной газетѣ и послать въ тоже время въ городскую управу просьбу увѣдомлять Общество о началѣ подобныхъ работъ въ городѣ, а эти извѣщенія пересылать въ геологическій кабинетъ Университета.

9) Проф. Б. И. Срезневскій сдѣлалъ сообщеніе: „О научныхъ работахъ почетнаго члена Общества пр. А. ф. Эттингена. (по поводу 70-лѣтія со дня рожденія.)"

По предложенію предсѣдателя было постановлено пріобрѣсти для библіотеки Общества работы проф. ф. Эттингенъ, насколько онѣ имѣются въ продажѣ, и обратиться къ нему съ просьбой пожертвовать въ Общество сочиненія, не имѣющіяся въ продажѣ.

10) Проф. Н. И. Кузнецовъ сдѣлалъ сообщеніе: „Къ вопросу о происхожденіи видовъ: варіяція или мутація". Пренія были отложены до слѣдующаго засѣданія.

Къ сообщенію проф. Б. И. Срезневскаго. (Ауторефератъ).

16 марта исполнилось 70 лѣтъ почетному члену Общества Естествоиспытателей Артуру Александровичу фонъ Эттингену, заслуженному профессору нашего университета по кафедрѣ физики,

бывшему дѣятельнымъ участникомъ трудовъ Общества и редакторомъ его Протоколовъ и Архива für die Naturkunde Liv-, Est- und Kurlands съ 1875 по 1893 г. А. А. Э т т и н г е н ъ оставилъ по себѣ видный слѣдъ какъ въ Обществѣ, такъ и въ исторіи Дерптскаго Университета, при которомъ онъ долгое время состоялъ не только профессоромъ и деканомъ, но и фактически во главѣ физико-математическаго факультета; разносторонне образованный, владѣющій живою образною рѣчью, страстно увлекающійся наукою во всѣхъ ея проявленіяхъ, особенно же изученіемъ природы, — физики, метеорологіи, астрономіи, художникъ въ душѣ — онъ легко передавалъ свои увлеченія и слушателямъ, среди которыхъ оставлялъ неизгладимое и симпатичное впечатлѣніе.

Краткая біографія и описаніе дѣятельности А. А. ф. Э т т и н г е н а въ Дерптѣ по 1893 г. помѣщены мною въ Біографическомъ Словарѣ профессоровъ и преподавателей Н. Ю. У. (изд. проф. Левицкимъ), куда я и обращаю интересующихся за точными фактическими данными и литературными ссылками [1]). Переселившись въ 1893 г. въ Лейпцигъ, ф. Э т т и н г е н ъ сталъ читать лекціи при мѣстномъ университетѣ, сначала въ качествѣ приватъ-доцента, а затѣмъ почетнаго ординарнаго профессора. Тамъ же онъ принялъ подъ свою редакцію изданіе Ostwald's Klassiker, а затѣмъ и III и IV томовъ Poggendorff's Lexicon. Въ 1898—99 гг. ф. Э т т и н г е н ъ совершилъ путешествіе въ Африку, причемъ, начавши съ Юга, онъ возвратился въ Европу чрезъ Восточную Африку. Сближеніе его съ Африканскимъ ученымъ міромъ выразилось участіемъ его въ трудахъ Ю. Африканскаго Химико-Металлургическаго Общества (1899). Въ 1900 г. Эттингенъ посѣтилъ Россію и свидѣлся съ многими своими почитателями на съѣздѣ Естествоиспытателей въ С. Петербургѣ.

А. ф. Э. оставилъ свое имя въ физикѣ главнымъ образомъ работами по колебательному электрическому разряду. Ему принадлежитъ между прочимъ опытное подтвержденіе теоретическаго вывода К и р х о ф а касательно чередованія знака остаточнаго за-

---

1) Дополню составленный мною списокъ его произведеній слѣдующими: „Gedächtnissrede z. Feier d. 100-jährigen Geburtstages v. Wilhelm Struve" 1894. — Переводъ съ итальянскаго Stefferi „Neue rationelle Gesangschule", два изданія, 1890 и 1896 г. — Die Werthigkeit der Sinne für Leben u. Wissenschaft (Vortrag), Balt. Mon.-Schrift XXXVII 1890. — Bemerkung zu Heydweiler's: Funkenentladung des Inductoriums in normaler Luft. Wied. Ann. XL. — „Eine Forderung d. malerischen Perspective v. mathem. Standpuncte aus betrachtet". Berichte d. Leipz. Ges. d. Wiss. LIII.

ряда Лейденской банки въ зависимости отъ длины разрядной искры, чѣмъ доказывается, что вообще разрядъ бываетъ колебательнымъ при достаточной длинѣ искры и не слишкомъ большомъ сопротивленіи цѣнѣ.

Но отношеніи къ метеорологіи за А. А. ф. Э. значится заслуга учрежденія соотвѣтственныхъ каѳедры и обсерваторіи при Дерптскомъ университетѣ и привлеченіе къ работамъ на этомъ поприщѣ покойнаго Вейрауха. — математика по спеціальности. Многія работы по метеорологіи были выполнены Эттингеномъ и Вейраухомъ по общей мысли и при взаимной поддержкѣ; весьма оригинальные методы разработывались ими совмѣстно, и трудно распознать по оставленной ими литературѣ, кому изъ двухъ сотрудниковъ принадлежала иниціатива. Я говорю главнымъ образомъ о разработкѣ составляющихъ вѣтра, объ „анемометрическихъ шкалахъ“ и о Wind-komponenten-integrator’ѣ. Повидимому Вейраухъ болѣе сосредоточивалъ свое вниманіе на вычислительныхъ методахъ, ф. Эттингенъ же — на реальномъ осуществленіи идеи: ему же всецѣло принадлежитъ и конструкція вышеупомянутаго прибора, который имѣется на здѣшней обсерваторіи въ двухъ экземплярахъ и понынѣ ведетъ непрерывную запись вѣтра. Эттингену же принадлежитъ и организація дождемѣрной сѣти станцій при Имп. Лифляндскомъ Экономическомъ Обществѣ; въ основу разработки многочисленныхъ наблюденій, доставляемыхъ колеблющимся составомъ этой сѣти, ф. Э. положилъ раздѣленіе области сѣти на квадраты, подобное раздѣленію океановъ, принятому гидрографами. Это раздѣленіе удержалось и понынѣ въ изданіи трудовъ сѣти.

Вышеупомянутые методы, которые вводитъ въ метеорологію ф. Э., составляя плодъ его оригинальной мысли, къ сожалѣнію не получили среди спеціалистовъ ни широкаго распространенія, ни даже надлежащей оцѣнки; климатологъ, повидимому, склоненъ заподозрить въ этихъ методахъ скрытое допущеніе геометрической правильности распредѣленія мет. элементовъ, которое не уживается съ его современнымъ стремленіемъ проникнуть въ подробности топографическихъ вліяній и климатическаго разнообразія. Преемникъ ф. Эттингена по мѣрѣ силъ старается, чтобы основные пріемы и идеи Дерптскихъ метеорологовъ не подверглись забвенію.

Астрономическую подготовку А. ф. Э. считалъ одною изъ необходимыхъ частей физико-географическаго образованія и считалъ для своихъ учениковъ обязательнымъ ознакомленіе съ опредѣленіемъ географическихъ координатъ. Пользуясь содѣйствіемъ извѣстнаго Пулковскаго астронома Дёллена, А. ф. Э. самъ не мало занимался опредѣленіями азимута и времени помощью переноснаго пассажнаго инструмента.

Среди ученыхъ трудовъ А. ф. Эттингена занимаютъ видное мѣсто его изысканіе въ области музыки. На этомъ поприщѣ А. ф. Э. является сотрудникомъ и отчасти даже предшественникомъ знаменитаго Гельмгольца; въ классическомъ трудѣ послѣдняго о звуковыхъ ощущеніяхъ можно найдти рядъ ссылокъ на теорію „двойного развитія системы музыкальной гармоніи" (1866 г.) — на тоническіе и фоническіе лады, какъ аналоги современныхъ мажора и минора. Пониманіе минора сопряжено съ трудностями какъ въ смыслѣ теоретической закономѣрности, такъ и въ смыслѣ слуховаго благозвучія; привычка къ нему слагалась исторически и минорное трезвучіе еще 150 лѣтъ тому назадъ не считалось достаточно консонирующимъ аккордомъ для заключенія піесъ. Для минорной гаммы существуютъ и понынѣ практикуются три отдѣльныхъ звукоряда. А. ф. Э. объединяетъ эти звукоряды и подводитъ миноръ подъ схему мажора при помощи принципа симметріи: интервалы мажорной гаммы, откладываемые внизъ отъ основнаго тона, даютъ идеализированный миноръ, — т. наз. фоническій ладъ. Если мажорное трезвучіе можно объяснять, по Гельмгольцу, какъ комбинацію обертоновъ основного тона, то минорное или фоническое трезвучіе является по Эттингену комбинаціею основныхъ тоновъ, имѣющихъ общій обертонъ. Если мажорное трезвучіе есть такое, которое содержитъ большую терцію, считаемую отъ нижняго тона вверхъ, то минорное или фоническое (съ малою терціею) можно разсматривать какъ трезвучіе съ большою терціею, считаемою отъ верхняго тона внизъ. Переходя отъ музыкальныхъ интерваловъ къ счету чиселъ колебаній, мы можемъ замѣнить принципъ симметріи принципомъ обратности отношеній этихъ чиселъ. Если тоническое трезвучіе выразить отношеніями $1, \frac{5}{4}, \frac{3}{2}$, то фоническое выразится отношеніями $1, \frac{4}{5}, \frac{2}{3}$ или что все равно, умноживъ на 3: $\frac{3}{2}, \frac{6}{5}, 1$, и написавъ въ обратномъ порядкѣ: $1, \frac{6}{5}, \frac{3}{2}$; нетрудно видѣть, что это суть интервалы минорнаго трезвучія, съ малою терціею $\frac{6}{5}$. Вотъ въ самыхъ общихъ чертахъ основы, изъ которыхъ вытекаетъ двоякое построеніе системы гармоніи. Фоническій ладъ А. ф. Эттингена оказывается тождественнымъ съ древнимъ дорическимъ ладомъ, но послѣднему доселѣ не удавалось найдти себѣ истолкователей среди музыкантовъ. Нынѣ композиторы, въ особенности наши обратили серьезное вниманіе на гармоническія построенія А. ф. Эттингена. Самъ авторъ фонической системы возвратился на склонѣ лѣтъ къ разработкѣ этого плода научной фантазіи молодыхъ лѣтъ и посвятилъ въ послѣдніе годы три особыя статьи теоріи музыки, напечатанныя въ Ostwald's Annalen der Naturphilosophie (I—III). Какъ памятникъ увлеченія А. А. фонъ Эттингена музыкальной акустикой, въ нашемъ Университетѣ остается, построенный по его планамъ гармоніумъ, содержащій пять октавъ по 53 ступени въ каждой. Раздѣленіе октавы на 53 равныхъ интервала даетъ возможность избѣгнуть погрѣшностей обычной равномѣрной темпераціи и получить чистыя терціи и сексты, большія и малыя, на всѣхъ ступеняхъ, между тѣмъ какъ фальшь этихъ интерваловъ на обычныхъ гармоніумахъ дѣлаетъ для тонкаго музыкальнаго уха слишкомъ явною недопустимость, принятой нынѣ равномѣрной темпераціи.

Разнообразіе предметовъ, затронутыхъ въ настоящемъ очеркѣ научной дѣятельности А. А. фонъ Эттингена, еще не исчерпываютъ всего комплекса знаній, въ которомъ неутомимо и плодотворно работала мысль нашего славнаго почетнаго члена. Я считаю себя слишкомъ мало компетентнымъ, чтобы распространяться о трудахъ его въ области геометріи и перспективы.

Высоко цѣня тѣ результаты, какихъ достигалъ А. А. ф. Э. въ областяхъ знанія мнѣ знакомыхъ, я тѣмъ болѣе нахожу естественнымъ послѣдовать влеченію своей души и высказать здѣсь, предъ лицомъ сочленовъ, свое восхищеніе и преклоненіе предъ высокою талантливостью, преданностью наукѣ, разносторонностью знаній и полетомъ научной фантазіи, а кромѣ того и сердечную симпатію личности нашего чествуемаго сочлена А. А. ф. Эттингена.

Къ сообщенію проф. Н. И. Кузнецова. (Авторефератъ).

Что виды непостоянны, въ этомъ едва-ли кто либо изъ натуралистовъ въ настоящее время сомнѣвается. Но какъ именно произошли виды другъ отъ друга — это до сихъ поръ окончательно не установлено. Дарвинъ и Уоллесъ придаютъ большое значеніе индивидуальнымъ варьяціямъ. Индивидуальныя варьяціи, почему либо полезныя организму въ борьбѣ за существованіе, удерживаются естественнымъ подборомъ, закрѣпляются изъ поколѣнія въ поколѣніе и ведутъ такимъ образомъ къ образованію новой рассы, новаго вида. Въ послѣднее время появилось однако ученіе, отвергающее значеніе индивидуальныхъ варьяцій въ дѣлѣ образованія новыхъ видовъ; по мнѣнію Коржинскаго и Гуго де

Ф р и з а новые виды образуются не путемъ подбора въ борьбѣ за существованія индивидуальныхъ варьяцій, а путемъ закрѣпленія внезапныхъ, появляющихся скачками, уклоненій отъ нормальнаго типа, путемъ т. наз. гетерогенеза или мутаціи. Индивидуальныя же варьяціи, подверженные закону Quetelet, закону, который Дарвину былъ не извѣстенъ и который выражается математической формулой $(a+b)^n$, по мнѣнію этихъ ученыхъ, не могутъ служитъ источникомъ образованія новыхъ формъ.

Изучая издавна растительныя формы, докладчикъ никакъ не можетъ согласиться съ воззрѣніями К о р ж и н с к а г о и Д е Ф р и з а; если бы виды происходили другъ отъ друга скачками, толчками, гетерогеннымъ путемъ, путемъ мутаціи, а не варьяціи, то между видами всегда были бы опредѣленныя, рѣзкія границы. На самомъ дѣлѣ въ природѣ этого не замѣчается. Многіе виды, легко отличаемые другъ отъ друга въ крайнихъ своихъ типахъ, до того однако сливаются при помощи формъ переходныхъ, что границы между ними оказываются совершенно неясными, неопредѣлимыми и многіе экземпляры такихъ переходныхъ формъ съ любымъ правомъ можно отнести къ тому или иному виду. Докладчикъ не можетъ понять, какъ К о р ж и н с к і й, самъ бывшій систематикомъ и изучавшій многія флоры и многія полиморфныя группы, не убѣдился въ расплывчатости растительныхъ формъ, въ невозможности зачастую провести рѣзкую грань между ними.

Эта расплывчатость формъ, являясь результатомъ именно индивидуальныхъ варьяцій, отнюдь не мутацій, ведетъ однако же за собою и обособленіе видовъ и образованіе новыхъ обособленныхъ типовъ. Хорошій примѣръ представляетъ число листьевъ въ мутовкѣ *Paris quadrifolia*. Докладчикъ наблюдалъ растеніе это на Аландскихъ островахъ лѣтомъ 1905 г. и произвелъ измѣренія болѣе 1000 экз. У большинства экземпляровъ оказалось 4 листа въ мутовкѣ, попадались однако-же экземпляры съ 5 листьями, 6-ю листьями, и 3-мя листьями. Варьяція эта можетъ быть изображена графически соотвѣтствующей линіей, указывающей на постепенность варьяціи этого признака. Представимъ себѣ однако же тотъ же *Paris*, но въ иныхъ условіяхъ, гдѣ въ силу окружающихъ причинъ, въ борьбѣ за существованія выигрывали бы экземпляры съ количествомъ листьевъ въ мутовкахъ не 4, а 5 или 6. Тогда мы должны были бы получить новые типы, новыя формы на почвѣ той же индивидуальной варьяціи — количества листьевъ въ мутовкахъ.

И дѣйствительно, въ Сибири мы имѣемъ весьма близкій къ

P. quadrifolia видъ — *P. obovata*, у котораго количество листьевъ въ мутовкахъ варьируетъ отъ 4—8, съ максимумомъ на 5, въ Камчаткѣ — *P. hexaphylla* имѣетъ максимумъ листьевъ въ мутовкѣ на 6, въ Дауріи — *P. verticillata* имѣетъ максимумъ на 8, на Кавказѣ — *P. incompleta* тоже на 8 при варьяціяхъ отъ 6—12, въ Гималаѣ *P. polyphylla* имѣетъ максимумъ на 10. Этотъ примѣръ — выдавая самостоятельность на почвѣ такого индивидуальнаго признака, какъ количество листьевъ въ мутовкѣ, ясно иллюстрируетъ положеніе, что именно индивидуально варьирущій признакъ могъ дать начало образованію особыхъ формъ, особыхъ видовъ подъ вліяніемъ естественнаго отбора.

Докладчикъ приводитъ цѣлый рядъ другихъ примѣровъ произведенныхъ имъ лѣтомъ 1905 г. измѣреній индивидуальныхъ признаковъ растеній съ Аландскихъ острововъ, при томъ же среди видовъ устойчивыхъ, т. наз. „хорошихъ видовъ“. Таковы счисленія, произведенныя имъ надъ количествомъ лепестковъ у *Anemone nemorosa* и *Anemone ranunculoides*, у *Tricutalis europaea*, надъ количествомъ краевыхъ (язычковыхъ) цвѣтовъ въ соцвѣтіи такого постояннаго вида, какъ *Chrysanthemum leucanthemim*, измѣренія надъ длиною вѣнчика *Gentiana caucasica*, распространенной въ альпійской области всего Кавказа. Если большинство т. наз. „хорошихъ видовъ“ обнаруживаетъ довольно правильную, закономѣрную варьяцію признака, обнаруживающуюся однимъ максимумомъ и постепеннымъ паденіемъ кривой или ломаной линіи въ обѣ стороны, или хотя бы даже въ одну сторону, то совсѣмъ иную картину даютъ виды, нынѣ распадающіеся на новые виды подъ вліяніемъ фиксированія естественнымъ отборомъ того или иного индивидуальнаго признака. Къ такимъ распадающимся видамъ приходится совершенно неожиданно отнести *Chrysanthemum leucanthemim*, до сихъ поръ всѣми авторами считавшимся однимъ видомъ. Индивидуальная варьяція его выражается по крайней мѣрѣ двумя главными максимумами. Еще интереснѣе кривая варьяцій *Gentiana caucasica*. Этотъ видъ несомнѣнно распадается на Кавказѣ на два молодыхъ вида — *G. caucasica* собственно и *G. Marcowiczi*. Общая кривая этихъ двухъ видовъ имѣетъ ясно обозначенные два максимума, соотвѣтствующіе двумъ максимумамъ каждаго изъ этихъ двухъ видовъ. Но границы между обоими видами весьма неясны, ибо многіе экземпляры нельзя точно опредѣлить и съ увѣренностью отнести къ тому или иному виду. Здѣсь, на примѣрѣ *G. caucasica* мы можемъ даже предположительно прослѣдитъ причину давшую преобладающее развитіе той или иной индивидуальной варьяціи. Очевидно, что длина вѣнчика этихъ двухъ „видовъ" зависитъ отъ длины хоботка насѣкомыхъ, обезпечивающихъ перекрестное опыленіе этихъ двухъ „видовъ".

Приведенные примѣры, въ особенности нѣсколькихъ видовъ *Paris* и указанныхъ видовъ *Gentiana*, съ убѣдительностью, по мнѣнію докладчика, доказываютъ, что именно на почвѣ индивидуальной варьяціи могутъ легко происходить и неизбѣжно должны происходить новые виды.

Но наблюденія надъ большимъ количествомъ экземпляровъ одного и того же вида, которыя невольно приходится дѣлать при біометрическихъ изслѣдованіяхъ, показываютъ, что въ природѣ весьма и весьма нерѣдки, и можетъ быть даже гораздо обыкновеннѣе, чѣмъ думаютъ К о р ж и н с к і й и д е Ф р и з ъ, явленія мутаціи или гетерогенеза. Докладчикъ приводитъ цѣлый рядъ примѣровъ гетерогенныхъ (а не индивидуальныхъ) варьяцій, какъ съ Аландскихъ острововъ, такъ и съ Кавказа. Несмотря однако на то, что явленія гетерогенеза (или мутаціи) и весьма обыкновенны въ природѣ, эти явленія, по мнѣнію докладчика, никогда не могутъ дать начало новымъ видамъ, новымъ растительнымъ типамъ. Эти явленія всегда будутъ носить характеръ явленій тератологическихъ, ненормальныхъ, уродливыхъ.

Въ заключеніе докладчикъ вкратцѣ останавливается на изслѣдованіяхъ Г у г о д е Ф р и з а, на его экспериментахъ съ *Oenothera Lamarkiana* и высказывается критически по адресу полученныхъ д е Ф р и з о м ъ опытномъ путемъ „новыхъ видовъ". Но мнѣнію докладчика, многолѣтнія опыты Г у г о д е Ф р и з а вовсе не доказали, что виды происходятъ путемъ мутаціи. Полученные Г у г о д е Ф р и з о м ъ „новые виды" во первыхъ столь мало отличаются другъ отъ друга, что скорѣе ихъ надо разсматривать, какъ происшедшіе на почвѣ индивидуальныхъ варьяцій безсознательнымъ, тк. ск. невольнымъ, искусственнымъ отборомъ. Тѣ же признаки ихъ, которые отличаютъ ихъ болѣе рѣзко другъ отъ друга, которые произошли путемъ мутаціи, а не варьяціи — носятъ именно характеръ признаковъ тератологическихъ и эти признаки не могутъ въ природѣ обезпечить существованіе полученныхъ д е Ф р и з о м ъ „новыхъ видовъ". Въ естественномъ состояніи д е Ф р и з о в с к і е „новые виды" *Oenothera* обречены на гибель, на вымираніе, что впрочемъ не отрицаетъ и самъ д е Ф р и з ъ.

Докладчикъ не понимаетъ, какъ могутъ утверждать д е Ф р и з ъ и К о р ж и н с к і й, что въ природѣ нѣтъ переходныхъ формъ между видами, что виды, даже элементарные виды, отграничены рѣзко другъ отъ друга. Изучая въ теченіе многихъ лѣтъ монографически такую богатую флору, какъ флора Кавказа, докладчикъ убѣдился на многихъ формахъ въ ихъ полной неустойчивости признаковъ, въ ихъ широкой способности къ варьированію. Изъ опубликованныхъ имъ до сихъ поръ детально изученныхъ на основаніи обширнаго матеріала 197 формъ кавказской флоры, лишь 62 формы могутъ считаться „хорошими“, рѣзко отграниченными видами, 135 формъ представляютъ виды и разновидности „дурные“, т. е. мало устойчивые въ своихъ признакахъ. Т. е. лишь $1/3$ видовъ является болѣе устойчивой, $2/3$ находятся въ состояніи болѣе или менѣе сильной варьяціи. И докладчикъ полагаетъ, что подобныя же отношенія мы найдемъ и въ другихъ флорахъ и фаунахъ. И это вполнѣ будетъ понятно, если мы признаемъ, что естественный отборъ работаетъ именно надъ индивидуальными признаками, дѣйствуя на нихъ постоянно и неизбѣжно, отбирая индивидуальныя признаки изъ года въ годъ, изъ столѣтія въ столѣтіе въ извѣстномъ направленіи. Подъ вліяніемъ естественнаго подбора растительныя и животныя формы находятся постоянно и неизбѣжно, и внѣ дѣйствія естественнаго отбора ихъ также нельзя себѣ представить, какъ нельзя себѣ представить какое либо тѣло внѣ дѣйствія силы земнаго притяженія. Подбору способствуютъ — географическая изоляція, вліяніе скрещиванія, сезонный или цвѣтной диморфизмъ и много другихъ побочныхъ факторовъ видообразованія, но подборъ есть основная причина видообразованія и притомъ подборъ именно легкихъ, индивидуальныхъ, постепенныхъ варьяцій, а ничуть не подборъ признаковъ гетерогенныхъ, мутаціонныхъ.

387. Sitzung

am 17. Februar 1906.

Jahresversammlung und Jahresfeier zur 114. Wiederkehr des Geburtstages von K. E. v. Baer.

Anwesend 25 Mitglieder, 10 Gäste.

1. Die Sitzung wurde vom Präsidenten, Prof. N. Kusnezow, mit einer Rede, dem Andenken von K. E. v. Baer gewidmet, eröffnet.

2. Das Protokoll der vorigen Sitzung wurde von der Versammlung genehmigt.

3. Der Präsident teilte mit, dass die Revisionscommission die Bücher und die Casse der Gesellschaft in voller Ordnung gefunden hat; den Mitgliedern der Revisionscommission Herrn Doc. A. D. Bogojawlensky und Assist. N. A. Sacharow wurde der Dank der Gesellschaft ausgesprochen.

4. Der Sekretär verlas den Jahresbericht[1] für das Jahr 1905, welcher von der Versammlnng genehmigt war.

5. Als ordentliches Mitglied wurde Dr. J. Meyer aufgenommen. (24 pro, 1 contra).

6. Als ordentliche Mitglieder wurden vorgeschlagen: Dr. F. Blonsky — von Prof. N. Kusnezow und Priv.-Doc. G. Landesen; Dr. phil. E. Mattiesen — von Prof. N. Kusnezow und Redacteur A. Hasselblatt.

7. Aus den Mitgliedern der Gesellschaft sind ausgetreten die Herren S. von Kieseritzky und Provisor A. Thomson.

8. Der Secretär bittet um Zustellung von Adressen folgender Mitglieder der Gesellschaft: Assistent L. Kauping, Baron B. Campenhausen, Arzt E. Landau, pharm. M. Mikutowicz,

---

1) Abgedruckt in den Sitzungsberichten, Bd. XIV, H. 2.

stud. A. S s e m y k i n , Vet.-Arzt R. S c h a b a k, Assistent R. S t u d e-
m e i s t e r und stud. bot. A. M a l z e w.

9. Gemäss dem Antrage des Directoriums der Gesellschaft,
betreffend die Regulierung der Zahlungen von Mitgliedsbeiträgen,
wurden von der Versammlung folgende Beschlüsse gefasst:

a) Der Mitgliedsbeitrag (5 Rbl. jährlich) wird im Anfang eines
jeden Jahres entrichtet. Eine Stundung der Hälfte des Mitglieds-
beitrages bis zum Beginn des zweiten Halbjahres ist zulässig.

b) Nur diejenigen Mitglieder, welche ihren Mitgliedsbeitrag
bezahlt haben, erhalten das Recht auf Bezug der „Sitzungsberichte"
für die Zeit, für welche sie ihren Mitgliedsbeitrag entrichtet haben.

c) Die Mitgliedsbeiträge werden in aufeinanderfolgender Reihe
angerechnet; ein Ueberspringen von einzelnen Jahren oder Halb-
jahren ist nicht zulässig.

d) Zur Kenntnisnahme werden im Mitglieder-Verzeichnis die
Namen derjenigen Mitglieder, welche ihren Beitrag nicht bezahlt
haben, mit je einem Kreuz (✕) für jedes nicht bezahlte oder nicht
voll bezahlte Jahr versehen; ausserdem hat der Schatzmeister der
Gesellschaft solche Mitglieder an die Bezahlung zu erinnern.

e) Folgender Beschluss des Directoriums vom 17. Nov. 1895
wird bestätigt: Mitglieder, welche während dreier Jahre keinen
Beitrag gezahlt haben, werden als aus der Zahl der Mitglieder der
Gesellschaft ausgeschieden betrachtet. Bevor dieser Beschluss in
Erfüllung gebracht wird, hat das Directorium der Gesellschaft, alle
Massregeln zu besorgen um klarzustellen ob das betreff. Mitglied in
der Gesellschaft noch bleiben will.

f) Es wird den Einladungen zu den ersten Sitzungen eines
jeden Jahres die Aufforderung zur Bezahlung der Mitgliedsbeiträge
beigefügt.

10. Laut Anträgen der Commission zur Regulierung der
Editionen der Gesellschaft, wurden einstimmig folgende Beschlüsse
gefasst:

a) Die „Sitzungsberichte" der Naturforscher-Gesellschaft werden
von jetzt ab periodisch erscheinen, nämlich vier mal jährlich in
zwanglosen Heften, mit Beibehaltung der früheren Verteilung des
Materials, das heisst: Teil I — Geschäftlicher Teil, T. II —
Wissenschaftlicher Teil, und T. III — mit den Arbeiten der Commission zur Erforschung der Seen. Das Format der „Sitzungsberichte" wird gleich dem Formate des „Archives f. d. Naturkunde
Liv-, Est- und Kurlands" sein.

b) „Archiv f. d. Naturkunde Liv-, Est- und Kurlands". bleibt ohne Aenderungen.

c) Das Format der „Schriften" bleibt in 4^0 und darf auch später nicht verändert werden.

11. Laut Antrag des Directoriums, war es beschlossen einen Redacteur für die Editionen der Gesellschaft zu wählen und diese Wahlen in der nächsten Sitzung zu vollziehen.

Prof. Dr. A. J a r o t z k y machte dabei den Vorschlag das Amt des Redacteurs mit dem des Vicepräsidenten zu vereinigen, mit der Bitte seinen Vorschlag in der nächsten Sitzung, in welcher die Redacteurwahlen stattfinden werden, anzuzeigen.

12. Der Präsident teilte mit, dass das Directorium als wünschenswert betrachtet, einen Conservator der botanischen Sammlungen der Gesellschaft zu wählen, und für dieses Amt Herrn H. v. O e t t i n g e n proponiert. Diese Mitteilung wurde zu Kenntnis genommen und es wurde beschlossen die Wahl in der nächsten Sitzung vorzunehmen.

13. Prof. D. L a w r o w hielt einen Vortrag: Zur Frage über die Wirkung der kohlensauren Alkalien auf die Eiweisskörper". (Siehe im II. Teil dieser Lieferung).

14. Prof. B. S r e s n e v s k y hielt einen Vortrag: „Ueber die Beziehungen zwischen dem Wetter und der optischen Strahlenbrechung in der Atmosphäre". (Siehe im II. Teil dieser Lieferung).

388. Sitzung

am 9. März 1906.

Anwesend 26 Mitglieder und 3 Gäste.

1. Der Präsident begrüsste das anwesende Ehrenmitglied der Gesellschaft Acad. F r. S c h m i d t, welcher die Mitteilung machte, dass er die Bestimmungen der geologischen Sammlungen der Gesellschaft beendigt und diese Arbeit zu drucken begonnen hat.

2. Das Protokoll der vorigen Sitzung wird genehmigt.

3. Der Secretär machte folgende Mitteilungen:

a) Vom „Museum für Natur- und Heimatkunde zu Magdeburg" ist Bd. I, H. 1 seiner Edition: „Abhandlungen und Berichte" 1905 mit dem Tauschangebote eingelaufen.

Es wurde beschlossen in Tausch zu treten.

.b) Von der „Deutschen Malacologischen Gesellschaft" ist eine Subscriptioneinladung auf das „Nachrichtsblatt der Deutschen Malacologischen Gesellschaft f. 1906" eingelaufen.

Es wurde beschlossen auf das genannte Blatt zu abonnieren.

c) Von J. Perthes geographischer Anstalt in Gotha sind eingelaufen: 1) Eine Correctur der Angaben über unsere Gesellschaft für den Geographenkalender, welche nach Durchsicht zurückgeschickt ist; 2) Subscriptionsangebot auf „Geographenkalender" und „Stielers Handatlas".

Es wurde beschlossen den „Geographenkalender" für alle 4 Jahre und „Stielers Atlas" zu kaufen.

d) Vom „Landwirtschaftlichen und gewerblichen Kasino in Altstadt" ist eine Bitte um Zusendung von Editionen der Gesellschaft, welche für die Zusammenstellung von populären Vorträgen dienen könnten, eingelaufen.

Es wurde beschlossen der Bibliothekcommission zu übergeben.

e) Es sind folgende Einladungen eingelaufen: 1) The Academy of Sciences of St. Louis ladet im Anlasse ihres 50-jährigen Bestehens am Sonnabend den 10. März 1906 zum Diner ein.

Die Mitteilung des Präsidenten, dass er eine briefliche Gratulation geschickt habe, wurde zu Kenntnis genommen.

2) The American Philosophical Society in Philadelphia U. S. A. fordert die Gesellschaft auf, zur Teilnahme an der Feier der 200-jährigen Wiederkehr des Geburtstages ihres Begründers Benjamin Franklin vom 17. bis 20. April dieses Jahres, ihren Vertreter zu schicken.

Es wurde beschlossen eine Gratulation zu senden.

f) Vom Herrn Curator des Rigaer Lehrbezirks ist die Mitteilung eingelaufen, dass alle im Jahre 1905 gewählten Mitglieder bestätigt sind.

Es wurde zu Kenntnis genommen.

g) In die Bibliothek der Gesellschaft sind folgende Bücher geschenkt: von Frau von Haller 1 Buch; von Doc. A. D. Bogojawlensky — 15, von Doc. Th. Buchholz — 5, von Oberlehrer K. Masing — 3 Bücher.

Es wurde beschlossen für die Geschenke zu danken. .

h) In die Sammlungen der Gesellschaft sind geschenkt: .

1) Von Herrn E. v. Middendorf — ein Herbarium des weil. Acad. v. Middendorf.

2) Von Herrn v. Essen — ein ausgestopftes Exemplar des Astur palumbarius L.

3) Von Director P. Bojarinow — einige Stufen von Vesuvlava verschiedener Jahre.

Es wurde beschlossen für alle Geschenke zu danken.

4. H. von Oettingen berichtete über den Zustand des Herbariums der Gesellschaft; dem Berichterstatter wurde der Dank der Gesellschaft ausgesprochen.

5. Zu ordentlichen Mitgliedern der Gesellschaft wurden Dr. F. Blonski (21 pro, 5 contra) und Dr. phil. E. Mattiesen (20 pro, 6 contra) gewählt.

6. Als ordentliche Mitglieder werden vorgeschlagen: 1) Stud. pharm. J. Stamm — von Dr. E. Landau und Prof. E. Schepilevsky. 2) Laborant W. Dessler — von Gel. Apoth. Schindelmeiser und Prof. A. Jarotzky. — 3) Assistent N. Leporsky — von Assistent P. Mischtschenko und Assistent N. Sacharow. 4) Dr. J. Riemschneider — von Cand. M von zur Mühlen und Prof. N. Kusnezow.

Die Wahlen werden in der nächsten Sitzung vollzogen werden.

7. Laut dem Antrage des Directoriums der Gesellschaft wurden folgende Beschlüsse gefasst:

a) Es ist wünschenswert, dass jeder Vortragende ein Autoreferat für die Sitzungsberichte der Gesellschaft gäbe.

b) In den „Sitzungsberichten" muss vermerkt sein, wo die Arbeit, von welcher ein Vortrag in der Gesellschaft gemacht war, gedruckt wird.

c) Der Beschluss des Directoriums, dass der Projectionsapparat mit allem Zubehör nur in den Räumen und für die Zwecke der Gesellschaft gebraucht werden kann, wurde bestätigt.

8. Der Präsident teilte mit, dass das Directorium der Gesellschaft beschlossen habe, in Anbetracht der grossen Arbeit, welche auf dem Sekretär der Gesellschaft liegt, einen besonderen Redacteur für die Editionen der Gesellschaft zu wählen. Infolgedessen wurde discutiert: ob die Gesellschaft den Antrag des Directoriums anzunehmen, oder nach dem Antrage des Prof. A. Jarotzky (siehe das Protokoll der vorigen Sitzung) das Amt des Redacteurs mit dem

des Vicepräsidenten zu vereinigen wünsche. Es wurde beschlossen jedes Jahr einen besonderen Redacteur zu wählen, dessen Rechte und Obliegenheiten folgende sind:

1) Der Redacteur hat zu besorgen: a) den Druck der wissenschaftlichen Arbeiten; b) die Zusammenstellung von Auszügen aus den Protokollen der Sitzungen und deren Druck; c) das Sammeln von Autoreferaten der Vorträge, um dieselben in den Sitzungsberichten zu drucken.

2) Der Redacteur hat Stimmrecht in dem Directorium der Gesellschaft in Fragen, welche sich auf die Editionen beziehen.

9. Der Präsident teilte mit, dass die Jahresfrist, für welche der Vicepräsident der Gesellschaft gewählt war, abgelaufen sei und dass die Versammlung die Neuwahl zu vollziehen habe. Er proponierte den jetzigen Vicepräsidenten Prof. K. Saint-Hilaire wiederzuwählen.

Durch geheimes Ballotement wurde Prof. K. Saint-Hilaire gewählt (14 pro, 11 contra).

Im Anlasse dieser stattgefundenen Wahl des Vicepräsidenten, wurde auf Antrag des Herrn D. Sewastjanow beschlossen folgende Meinung des Herrn Prof. G. Michailovsky in das Protokoll einzutragen: Die Versammlung betrachtet die Wahlen des Vicepräsidenten als stattgefunden, äussert aber den Wunsch, dass es möglich wäre zukünftig bei den Wahlen auch andere Candidaten vorschlagen zu können.

10. Als Redacteur der Editionen der Gesellschaft wurde Priv.-Doc. N. Kültascheff gewählt (17 pro, 4 contra).

11. Als Conservator der botanischen Sammlungen der Gesellschaft wurde H. von Oettingen gewählt.

12. Assistent D. Sewastjanow hielt einen Vortrag: Eine Excursion auf dem Gletscher des Flusses Teberda (W.-Kaukasus).

„Der Referent machte im August 1904 eine geologische Excursion in dem Glacial-Gebiete der oberen Teberda (W.-Kaucasus). Folgende Gletscher wurden von ihm besucht: Rechter Čötčä, die Gletscher über dem Kluchor-Pass und die der oberen Kitčä-Murutču; der erste Gletscher wurde dabei bis zur Mitte des Firnfeldes passiert. Seit dem Jahre 1897, als N. A. Busch ihn besuchte, ist er um ca. 90 Faden zurückgetreten. Auch die übrigen vom Referenten besuchten Gletscher befinden sich in der Abschmelzperiode.

Der Referent beobachtet ausserdem einige ältere glaciale Ablagerungen, welche zum Teil von Muschketow beschrieben sind, und einige andere Glacialbildungen, wie zwei Terrassen, welche fast über das ganze Teberda-Thal sich hinziehend gesehen wurden, und ohne Zweifel als Resultat der Erosionstätigkeit des alten Gletschers betrachtet werden müssen. Die obere Terrasse befindet sich auf der Höhe von ca. 2500 Meter, die untere — auf der Höhe von ca. 1900 Meter.

Die meisten von den beobachteten Erscheinungen sind photographirt worden". (Autoreferat).

389. Sitzung

am 23. März 1906.

Anwesend 25 Mitglieder und 4 Gäste.

1. Das Protokoll der vorigen Versammlung wird genehmigt.

2. Es wurde zu Kenntnis die Mitteilung des Präsidenten genommen, dass er am 16. März dem Ehrenmitgliede der Gesellschaft Prof. Dr. A. v. Oettingen, Leipzig, folgendes Glückwunschtelegramm abgeschickt hat:

„Leipzig, Prof. Dr. Arthur von Oettingen.

Die Naturforscher-Gesellschaft in Dorpat sendet ihrem Ehrenmitgliede die wärmsten Glückwünsche zur Feier des siebzigsten Geburtstages. Präsident Prof. Kusnezow".

3. Der Secretär teilte den Inhalt der Adresse mit, welche der American Philosophical Society in Philadelphia geschickt worden war:

„Die Naturforscher-Gesellschaft bei der Kaiserlichen Universität Dorpat entbietet der American Philosophical Society in Philadelphia zur Feier der zweihundertsten Wiederkehr des Geburtstages ihres Begründers, Benjamin Franklin, die wärmsten Wünsche des ferneren Gedeihens und weiterer erfolgreicher wissenschaftlicher Tätigkeit zum Wohle der Menschheit. Präsident Prof. N. Kusnezow.

Dorpat, März 1906".

Die Mitteilung wurde zu Kenntnis genommen.

4. Der Sekretär machte folgende Mitteilungen:

a) In die Bibliothek der Gesellschaft ist vom Verfasser ein Separat-Abdruck: „Ueber das Verhalten der Wirbeltierspermatozoen in strömenden Flüssigkeiten", von Dr. Adelphi geschenkt.

Es wurde der Dank der Gesellschaft ausgesprochen.

b) Folgende ord. Mitglieder der Gesellschaft äusserten den Wunsch aus der Gesellschaft auszutreten: Dr. R. Weinberg, Prof. K. Raupach, Dr. E. Jesche und cand. chem. R. v. Sahmen.

Es wurde zu Kenntnis genommen.

5. Zu ordentlichen Mitgliedern der Gesellschaft wurden die in der vorigen Versammlung vorgeschlagenen Herren gewählt: Stud. pharm. J. Stamm (21 pro, 3 contra), Laborant W. Dessler (23 pro, 1 contra), Assistent N. Leporski (einstimmig), Dr. J. Riemschneider (20 pro, 4 contra).

6. Als ordentliches Mitglied wird Oberlehrer E. Smirnow — von Prof. Kusnezow und Oberlehrer M. Rehbinder vorgeschlagen.

7. Nach dem Antrage des Herrn Oberlehrers F. Sintenis, wurde beschlossen für die Bibliothek zu kaufen: „Die Wirbeltiere Europas mit Berücksichtigung der Faunen von Vorderasien und Nord-Afrika, von Prof. Dr. O. Schmiedeknecht".

8. Assistent D. Sewastjanow lenkte die Aufmerksamkeit der Versammlung darauf, dass es in wissenschaftlicher Hinsicht, nämlich für die Zwecke der geologischen Forschung sehr wünschenswert wäre, alle Erdarbeiten auszunutzen, die in der Stadt beständig geführt werden, wie: Bohrungen, Brunnengrabungen, Kanalisations- und Gasleitungsführungen, Fundamentslegungen etc., und schlug vor in der Zeitung eine Annonce mit der Bitte zu drucken, von den Anfängen solcher Arbeiten die Naturforscher-Gesellschaft rechtzeitig in Kenntnis zu setzen.

Es wurde beschlossen diese Publikation in der örtl. Zeitung zu machen, und ausserdem sich an das Stadt-Amt mit der Bitte zu wenden, die Gesellschaft von dem Anfange solcher Arbeiten zu benachrichtigen. Diese Ankündigungen müssen dann in das Geologische Kabinet der Universität übergeben werden.

9. Prof. B. Sresnewsky hielt einen Vortrag: „Ueber die wissenschaftlichen Arbeiten des Ehrenmitgliedes der Gesellschaft Prof. Dr. A. v. Oettingen (in Anlass seines 70. Geburtstages)".

Nach dem Antrage des Präsidenten wurde beschlossen für die Bibliothek diejenigen Arbeiten des Prof. A. v. Oettingen zu kaufen, welche noch käuflich sind, und ihn zu bitten die übrigen, welche nicht mehr im Handel sind, der Gesellschaft zu schenken.

10. Prof. N. Kusnezow hielt einen Vortrag: „Zur Frage über Entstehung der Arten: Variabilität oder Mutabilität".

Infolge der vorgerückten Zeit wurde die Discussion vertagt.

390-ое засѣданіе.

13 апрѣля 1906 г.

Присутствовало 23 члена и 1 гость.

1. Секретарь Общества прив.-доц. Г. А. Ландезенъ произнесъ рѣчь, посвященную памяти Н. Кюри, безвременно скончавшагося 6/19 апрѣля с. г. въ Парижѣ. Собраніе почтило память покойнаго вставаніемъ.

2. По утвержденіи протокола предыдущаго засѣданія секретарь Общества доложилъ текущія дѣла: a) получена благодарность отъ проф. А. ф. Эттингена за посланное ему Обществомъ поздравленіе; b) коммандировки получили слѣдующіе дѣйствительные члены Общества: ассистентъ Д. Н. Севастьяновъ — въ губерніи Эстляндскую, Лифляндскую и Курляндскую для геологическихъ изслѣдованій, и студ. бот. А. И. Мальцевъ — въ Корочанскій уѣздъ Курской губ. — для ботаническихъ изслѣдованій.

3. Въ библіотеку Общества пожертвовано: проф. К. Купферомъ — 3 статьи, проф. Н. Н. Кузнецовымъ — томъ VI, вып. 4, Трудовъ Ботаническаго Сада И. Ю. Университета.

4. Въ дѣйствительные члены Общества избранъ преподаватель Е. И. Смирновъ.

5. Въ дѣйствительные члены Общества предлагаются: студ. мед. Р. Адельгеймъ — прив.-доцентомъ Г. А. Ландезенъ и г-номъ Г. Г. ф. Эттингенъ; баронъ Э. Майдель — прив.-доцентомъ Г. А. Ландезенъ и преподавателемъ Ф. Синтенисъ; помощникъ консерватора СПБ-скаго Ботаническаго Сада И. В. Палибинъ — проф. Н. И. Кузнецовымъ и проф. К. К. Сентъ-Илеръ.

6. Г-нъ И. В. Палибинъ сдѣлалъ сообщеніе: „Нѣкоторыя данныя о третичной флорѣ Кавказа, ея отношеніе къ современной".

„Докладчикъ, изложивъ въ общихъ чертахъ ходъ работъ по изученію флоры Кавказа съ начала XVIII столѣтія, остановился болѣе на результатахъ ботанико-географическихъ изслѣдованій новѣйшаго времени, особенно трудахъ Г. Н. Радде и Н. Н. Кузнецова, подробно изложивъ раньше высказанные взгляды послѣдняго на исторію ближайшаго прошлаго Кавказа и тѣ данныя, которыя ихъ подтверждаютъ въ новѣйшее время. Разсматривая въ хронологическомъ порядкѣ данныя относительно ископаемой флоры Кавказа, докладчикъ далъ характеристику палеоценовой флоры южной Россіи и подробнѣе остановился на растительныхъ остаткахъ тропической флоры азіатскаго типа, найденныхъ въ отложеніяхъ Sumgait-series, Апшеронскаго полуострова, изученныхъ проф. Felix. Олигоценовымъ видомъ Кавказа является и нынѣ еще живущая форма: *Orphanidesia gaultherioides* Boiss. et Bal., найденная въ Лазистанѣ и указанная для нижнеолигоценовыхъ отложеній Замланда въ Пруссіи, гдѣ ботаники Caspary и Conwentz указали форму почти тождественную съ нынѣ живущей. Міоценовая флора на Кавказѣ обнаружена въ отложеніяхъ средиземноморскихъ и сарматскихъ. Остатки субтропическихъ растеній были найдены Д. В. Голубятниковымъ въ Дагестанѣ въ спаніодонтовыхъ горизонтахъ и опредѣлены Палибинымъ. Растенія сармата найдены также на Кавказѣ и въ Крыму. Въ Дагестанѣ, около Кумторкале, въ нижнесарматскихъ известнякахъ, найдены остатки морскихъ водорослей, а въ Кубанской области остатки двудольныхъ, частью вѣчнозеленыхъ древесныхъ породъ. Эти послѣднія находки пріурочены въ эрвиліевому горизонту, въ которомъ также на Керченскомъ полуостровѣ были найдены остатки вѣчнозеленыхъ двудольныхъ растеній и шишки хвойныхъ *(Pinus)*. Остатки растеній эрвиніевыхъ слоевъ Крыма и Кавказа изучены Палибинымъ. Изложивъ данныя объ остаткахъ третичной и потретичной флоры, докладчикъ сдѣлалъ попытку дать картину физико-географическихъ особенностей Кавказа и вліянія ихъ на развитіе современной флоры, въ теченіи второй половины третичнаго періода. Указавъ на особенности кавказской міоценовой флоры, докладчикъ указалъ на вѣроятныя климатическія условія, имѣвшіяся на Кавказѣ въ періодъ выдвиганія главныхъ кавказскихъ хребтовъ и отложенія понтическихъ осадковъ и, наконецъ, ледниковаго времени. Ко времени предшествовавшему ледниковому, по мнѣнію докладчика, исчезли изъ состава флоры Кавказа большинство представителей субтропической растительности, а формы наиболѣе приспособившіяся къ условіямъ жизни въ холодномъ климатѣ могли быть частью оттѣснены на югъ отъ Кавказа, частью сохраниться въ горахъ и долинахъ Закавказья и на Черноморскомъ побережьѣ. Исходя изъ данныхъ Н. А. Соколова, касательно исторіи южнорусскихъ степей съ конца третичнаго періода, докладчикъ высказалъ предположеніе, что сухой періодъ, смѣнившій ледниковую эпоху былъ временемъ, въ которое ксерофильныя формы переселились на сѣверъ и заняли не только Закавказье, но и равнины сѣвернаго Кавказа и, быть можетъ даже, переселились въ это время на южные склоны крымскихъ горъ. Послѣднимъ актомъ въ исторіи развитія флоры Кавказа было усыханіе Маныча, когда впервые съ третичнаго времени Кавказъ соединился съ лессовыми равнинами юга Россіи, Крымъ соединился съ сушей на сѣверѣ, климатъ сталъ болѣе влажнымъ, началось образованіе чернозема и степныя растенія, до тѣхъ поръ обитавшія на равнинахъ южной Рессіи и западной Европы, заселили сѣверный Кавказъ и проникли въ горы Крыма и Кавказа. Докладчикъ иллюстрировалъ свое сообщеніе коллекціями ископаемыхъ растеній, діапозитивами и картами".

(Авторефератъ).

391-ое засѣданіе.

20 апрѣля 1906 г.

Присутствовало 32 члена и 25 гостей.

1. Протоколъ предыдущаго собранія утвержденъ.

2. Въ обмѣнъ постановлено вступить: съ доцентомъ Будапештскаго Университета Dr. A. von Degen, обмѣнивая его изданіе: „Magyar Botanikai Lapok, Ungarisch-botanische Blätter" томъ I—IV (1902—1905) на „Протоколы", и съ Тюрингенскимъ Ботаническимъ Обществомъ, обмѣнивая его изданіе: „Mitteilungen des Thüringenschen Botanischen Vereins, Weimar" на „Протоколы".

3. Утверждено постановленіе Правленія Общества отъ 17 апрѣля 1906 г.:

„1) Рефераты докладчиковъ печатаются только на томъ

языкѣ, на которомъ они были представлены редактору изданій Общества.

2) Авторы, желающіе, чтобы содержаніе ихъ докладовъ вошло и въ нѣмецкую часть „Протоколовъ“ или, въ случаѣ нѣмецкаго доклада — въ русскую часть, благоволятъ передавать редактору соотвѣтственный переводъ, или въ крайнемъ случаѣ краткое résumé на этомъ языкѣ“.

4. Въ библіотеку Общества пожертвовано г. г. проф. Н. И. Андрусовымъ, Г. ф. Эттингенъ и Э. Маттисенъ 3 книги, за что Обществомъ имъ выражена благодарность.

5. Принято къ свѣдѣнію заявленіе дѣйств. члена Общества Э. Таубе о выходѣ его изъ числа членовъ Общества вслѣдствіе отъѣзда его заграницу.

6. Въ дѣйствительные члены Общества выбраны: Р. Адельгеймъ (23 за, 3 противъ, 1 воздерж.), баронъ Э. Майдель (20 за, 5 противъ, 2 воздерж.), И. В. Палибинъ (26 за, 1 противъ).

7. Въ дѣйствительные члены Общества предлагаются: Канд. мат. Н. Ф. Тимоновъ — г. г. П. И. Бояриновымъ и Е. И. Смирновымъ; ассистентъ В. И. Воронцовъ — г. г. И. В. Шиндельмейзеръ и В. R. Десслеръ; студ. мед. А. А. Варонъ — г. г. И. В. Шиндельмейзеръ и Э. Ландау.

8. Вслѣдствіе окончанія срока избранія предсѣдателя и секретаря Общества, были произведены выборы. Въ предсѣдатели Общества записками были предложены: Проф. Н. И. Кузнецовъ — 24 голосами, проф. К. К. Сентъ-Илеръ — 2, проф. Г. В. Колосовъ — 1, проф. М. И. Ростовцевъ — 1 и проф. В. Ѳ. Чижъ. — 1. Присутствовавшіе на засѣданіи Г. В. Колосовъ, К. R. Сентъ-Илеръ и В. Ѳ. Чижъ отъ баллотировки отказались. Закрытой баллотировкой проф. Н. Н. Кузнецовъ получилъ 25 голосовъ за и 3 противъ, проф. М. Н. Ростовцевъ — 9 за и 19 противъ. Въ предсѣдатели Общества выбранъ проф. Н. И. Кузнецовъ.

Въ секретари Общества были предложены записками: прив.-доц. Р. А. Ландезенъ — 25 голосами, и доц. А. Д. Богоявленскій — 3 голосами. За отказомъ А. Д. Богоявленскаго отъ баллотировки былъ выбранъ par acclamation въ секретари Общества Г. А. Ландезенъ.

9. Проф. К. К. Сентъ-Илеръ сдѣлалъ сообщеніе „Объ иннерваціи хроматофоровъ у головоногихъ". (Напечатано въ XV т. вып. 1, стр. 54 „Протоколовъ".

10. Проф. В. Ѳ. Чижъ сдѣлалъ сообщеніе: „О наслѣдственности талантовъ". (См. ч. II этого выпуска).

392-ое засѣданіе.

9 мая 1906 г.

Присутствовало 28 членовъ и 9 гостей.

1. Протоколъ предыдущаго засѣданія утвержденъ.

2. Въ коллекціи Общества пожертвованы доц. А. Д. Богоявленскимъ собранныя имъ окаменѣлости изъ окрестностей Аренсбурга на Эзелѣ, за что Общество выразило ему благодарность.

3. Проф. В. И. Срезневскій произнесъ рѣчь, посвященную памяти недавно скончавшагося извѣстнаго астрофизика и метеоролога S. P. Langley. Память покойнаго была почтена вставаніемъ.

4. Предсѣдатель сообщилъ, что библіотечная коммиссія закончила главную часть своего труда по приведенію въ порядокъ, каталогизированію и установкѣ библіотеки и предложилъ собранію выразить благодарность Общества г. г. А. Д. Богоявленскому, Н. А. Сахарову, С. В. Шарбе, П. И. Мищенко, Н. В. Култашеву, В. К. Абольду, Н. И. Виноградову и Н. А. Малицкому за совершенный ими большой трудъ, прося ихъ продолжать и довести до конца оставшуюся еще часть работъ по библіотекѣ Общества.

Предложеніе предсѣдателя принято.

5. Предсѣдатель сдѣлалъ слѣдующія сообщенія:

a) Озерная коммиссія, которая продолжаетъ свои работы, будетъ заниматься въ предстоящее лѣто особенно изслѣдованіемъ планктона; работы эти взяли на себя Н. А. Самсоновъ и Г. Г. ф. Эттингенъ.

b) Одинъ изъ членовъ Общества, пожелавшій остаться неизвѣстнымъ, пожертвовалъ на работы озерной коммиссіи 25 рублей.

Жертвователю выражена Обществомъ благодарность.

c) На осенней имѣющей быть здѣсь сельско-хозяйственной выставкѣ желательно было бы выставить результатъ работъ озерной коммиссіи.

Собраніе поручило озерной коммиссіи совмѣстно съ правленіемъ Общества озаботиться осуществленіемъ этого плана.

d) Осенью будетъ праздноваться 25-лѣтній юбилей Россійскаго Общества рыбоводства и рыболовства. Поэтому предсѣдатель предлагаетъ поручить передать поздравленія отъ нашего Общества предсѣдателю озерной коммиссіи М. фонъ-цуръ-Мюлену, который будетъ лично присутствовать на юбилеѣ.

Предложеніе принято.

6. Предсѣдатель сообщилъ, что казначей Общества, преподаватель Ф. Синтенисъ, слагаетъ съ себя эту должность за недостаткомъ времени, и предложилъ выразить ему глубокую благодарность за десятилѣтнее веденіе денежныхъ дѣлъ Общества.

Собраніе единогласно выразило благодарность г-ну Ф. Синтенисъ.

7. Произведены выборы казначея: записками были предложены: прозекторъ Адольфи — 19 голосами, доцентъ А. Д. Богоявленскій — 2, проф. Гаппихъ — 1, проф. Г. В. Колосовъ — 2, ассист. П. И. Мищенко — 1, и проф. В. И. Срезневскій — 1 голосомъ.

За отказомъ г. г. Богоявленскаго, Гаппиха, Колосова, Мищенко, Срезневскаго отъ баллотировки, прозекторъ Г. А. Адольфи былъ выбранъ par acclamation въ казначеи Общества.

8. Въ дѣйствительные члены Общества были избраны: Н. Ф. Тимоновъ (25 за, 2 противъ, 1 возд.), В. И. Воронцовъ (26 за, 1 противъ, 1 везд.), А. А. Баронъ (26 за, 1 противъ, 1 везд.).

9. Въ дѣйствительные члены Общества предлагаются: студ. бот. Д. М. Софинскій — проф. Н. И. Кузнецовымъ и ассист. П. И. Мищенко; г-жа М. А. Кузнецова — доц. А. Д. Богоявленскимъ и прив.-доц. Г. А. Ландезенъ; г-жа О. А. Гартьеръ — проф. Н. И. Кузнецовымъ и ассист. П. И. Мищенко; студ. зоол. Ф. А. Розенбергъ — проф. Н. И. Кузнецовымъ и студ. Г. Г. ф. Эттингенъ.

10. Студ. Г. Г. ф. Эттингенъ демонстрируетъ построенный имъ приборъ для измѣренія температуръ воды на различныхъ глубинахъ для цѣлей озерной коммиссіи.

11. Предсѣдатель демонстрируетъ экземпляръ бабочки, найденной студ. Дьяконовымъ на Уралѣ и экземпляръ ивы, найденный Н. И. Борщовымъ.

12. Предсѣдатель сообщаетъ, что. докладъ прив.-доц. С. Б. Шарбе: „Объ астрономическихъ таблицахъ для широты города Юрьева" не могутъ состояться по болѣзни докладчика, но что С. Б. Шарбе проситъ напечатать эту работу въ „Протоколахъ". Постановлено напечатать. (См. ч. II этого выпуска).

13. Проф. Г. В. Колосовъ сдѣлалъ сообщеніе: „О математической теоріи эволюціи видовъ проф. К. Pearson'а, съ приложеніемъ къ послѣднему сообщенію проф. Н. И. Кузнецова". (См. ч. II этого выпуска).

390. Sitzung

am 13. April 1906.

———

Anwesend 23 Mitglieder und 1 Gast.

1. Der Secretär der Gesellschaft Priv.-Doc. G. Landesen hielt eine Rede, dem Andenken von P. Curie, welcher in Paris den 6./19. April d. J. in Folge eines Unglückfalles starb, gewidmet. Das Andenken des Verschiedenen wurde durch Erheben von den Sitzen geehrt.

2. Nachdem das Protokoll der vorigen Sitzung genehmigt wurde, hat der Secretär der Gesellschaft die laufenden Geschäfte mitgeteilt: a) es ist ein Dankschreiben von Prof. Dr. A. v. Oettingen eingelaufen für die ihm seitens der Gesellschaft übersandte Gratulation; b) folgende Mitglieder der Gesellschaft sind für wissenschaftliche Excursionen abkommandirt: Assistent D. Sewastjanow — nach Liv-, Est- und Kurland zwecks geologischer Untersuchungen, und stud. bot. A. Malzew in den Kreis Korotscha, Gouv. Kursk, zwecks botanischer Untersuchungen.

3. In die Bibliothek der Gesellschaft sind geschenkt: von Prof. K. Kupffer — 3 Abhandlungen und von Prof. N. Kusnezow — Bd. VI, Lief. 4 der Arbeiten des Botanischen Gartens bei der Kais. Universität Jurjew.

4. Als ordentliches Mitglied wurde Lehrer E. Smirnow aufgenommen.

5. Als ordentliche Mitglieder der Gesellschaft wurden vorgeschlagen: stud. med. R. Adelheim — von Priv.-Doc. G. Landesen und stud. H. v. Oettingen; Baron E. Maydell — von Priv.-Doc. G. Landesen und Oberlehrer F. Sintenis; Gehilfe des Conservators im Botanischen Garten zu St. Petersburg J. Palibin — von Prof. N. Kusnezow und Prof. K. Saint-Hilaire.

6. Herr J. Palibin hielt einen Vortag: „Einiges über die tertiäre Flora des Kaukasus, ihr Verhältniss zur gegenwärtigen Flora".

391. Sitzung

am 20. April 1906.

Anwesend waren 32 Mitglieder und 25 Gäste.

1. Das Protokoll der vorigen Sitzung wurde genehmigt.

2. Es wurde beschlossen in Tausch zu treten: mit Dr. A. v. D e g e n, Docent an der Universität zu Budapest, seine Edition: „Magyar botanikai Lapok, Ungarisch-botan. Blätter", Bd. I—IV (1902—1905) gegen „Sitzungsberichte" der Gesellschaft, und mit dem Thüringenschen Botanischen Verein, seine Edition: „Mitteilungen des Thüringenschen Botanischen Vereins, Weimar" — gegen „Sitzungsberichte" der Gesellschaft.

3. Folgender Beschluss des Directoriums vom 17. April 1906 wurde bestätigt:

„1) Die Referate der Vorträge werden nur in der Sprache gedruckt, in welcher sie dem Redacteur der Editionen der Gesellschaft abgegeben wurden.

2) Die Autoren, welche wünschen, dass der Inhalt ihres Vortrages auch im deutschen Teile der „Sitzungsberichte" oder im Falle eines deutschen Vortrages — im russischen Teile wiedergegeben werde, werden ersucht dem Redacteur die betreff. Uebersetzung oder ein kurzgefasstes Résumé in der betreffenden Sprache zu übergeben.

4. In die Bibliothek der Gesellschaft sind von Prof. N. A n - d r u s s o w, H. v. O e t t i n g e n und E. M a t t i e s e n — 3 Bücher geschenkt, wofür den genannten Herren der Dank der Gesellschaft ausgesprochen wurde.

5. Es wurde die Mitteilung des ordentl. Mitgliedes E. T a u b e zu Kenntnis genommen, dass er in Folge seiner Abreise ins Ausland aus der Zahl der Mitglieder der Gesellschaft austrete.

6. Zu ordentlichen Mitgliedern der Gesellschaft wurden gewählt: R. A d e l h e i m (23 pro, 3 contra, 1 Stimmenenthaltung) Baron E. M a y d e l l (20 pro, 5 contra, 2 Stimmenenthalt.), J. P a - l i b i n (26 pro, 1 contra).

7. Zu ordentlichen Mitgliedern wurden vorgeschlagen: Cand. math. N. T i m o n o w — von Dir. E. B o j a r i n o w und Oberlehrer E. S m i r n o w; Assistent W. W o r o n z o w — vom Gel. Apoth. J. S c h i n d e l m e i s e r und Assist. W. D e s s l e r; Stud med. A. B a r o n — vom Gel. Apoth. J. S c h i n d e l m e i s e r und Dr. E. L a n d a u.

8. Da die Zeit, auf welche der Präsident und der Secretär der Gesellschaft gewählt waren, verflossen ist, wurden neue Wahlen vorgenommen. Zu Präsidenten wurden folgende Mitglieder durch Zettel vorgeschlagen: Prof. N. K u s n e z o w — mit 24 Stimmen, Prof. K. S a i n t - H i l a i r e — 2, Prof. G. K o l o s s o w — 1, Prof. M. R o s t o w z e w — 1, Prof. W. T s c h i s h — 1. Die Herren G. K o l o s s o w, K. S a i n t - H i l a i r e und W. T s c h i s h, welche bei der Sitzung anwesend waren, haben ihre Candidatur abgelehnt. Bei dem geheimen Ballotement hat Prof. N. K u s n e z o w 25 St. pro und 3 contra, und Prof. M. R o s t o w z e w — 9 pro und 19 contra erhalten. Zum Präsidenten der Gesellschaft ist somit Prof. N. K u s n e z o w gewählt.

Zu Secretären der Gesellschaft wurden folgende Herren durch Zettel vorgeschlagen: Privat.-Doc. G. L a n d e s e n mit 25 Stimmen und Doc. A. B o g o j a w l e n s k i — 3 St. Da Doc. B o g o j a w l e n s k i seine Candidatur abgelehnt hatte, wurde Priv.-Doc. G. L a n d e s e n par acclamation zum Secretär der Gesellschaft gewählt.

9. Prof. K. S a i n t - H i l a i r e hielt einen Vortrag: „Innervation der Chromatophoren bei den Cephalopoden". (Abgedruckt in Bd. XV, H. 1, Seite 60, der Sitzungsberichte).

10. Prof. W. T s c h i s h hielt einen Vortrag: „Ueber Erblichkeit der Talente".

---

392. Sitzung

am 11. Mai 1906.

Anwesend waren 28 Mitglieder und 9 Gäste.

1. Das Protocoll der vorigen Sitzung wurde genehmigt.

2. Doc. A. B o g o j a w l e n s k y hat für die Collectionen der Gesellschaft einige von ihm bei Arensburg, Oesel, gesammelte Versteinerungen geschenkt, wofür ihm der Dank der Gesellschaft ausgesprochen wurde.

3. Prof. B. S r e s n e v s k y hielt eine Rede dem Andenken des vor kurzem verstorbenen berühmten Astrophysiker und Meteorologen S. P. L a n g l e y gewidmet. Das Andenken des Verschiedenen wurde durch Erheben von den Sitzen geehrt.

4. Der Präsident teilte mit, dass die Bibliothek-Commission den Hauptteil ihrer Arbeit, das Ordnen, Katalogiesirung und Umstellung beendigt hat, und schlug vor den Dank der Gesellschaft den Herren: A. Bogojawlenski, N. Sacharow, S. Scharbe, P. Mischtschenko, N. Kultaschew, W. Abold, N. Winogradow und N. Malizky auszusprechen mit der Bitte, ihre Arbeiten fortzusetzen und das Übriggebliebene zu Ende zu führen. Der Vorschlag des Präsidenten wurde angenommen.

5. Der Präsident teilte Folgendes mit:

a) Die Seecommission wird sich in diesem Sommer besonders mit Plankton-Untersuchungen beschäftigen; diese Arbeit haben die Herrn N. Samsonow und H. v. Oettingen übernommen.

b) Ein Mitglied der Gesellschaft, welches unbekannt bleiben will, hat der Seecommission 25 Rbl. geschenkt. Es wurde ihm der Dank der Gesellschaft ausgesprochen.

c) Es wäre wünschenswert, dass die Seecommission die Resultate ihrer Arbeit auf der Nordlivländischen Landwirtschaftlichen August-Ausstellung ausstelle.

Die Versammlung hat der Seecommission vorgeschlagen, in Gemeinschaft mit dem Directorium der Gesellschaft dieses Project zu verwirklichen.

d) Die Russische Gesellschaft für Fischzucht und Fischfang wird in diesem Herbst das 25. Jubiläum ihres Bestehens feiern. Der Präsident schlägt darum vor, Herrn M. v. z. Mühlen, welcher dem Jubiläum beiwohnen wird, zu bitten, die Gratulationen unserer Gesellschaft zu übergeben. Der Vorschlag wurde angenommen.

e) Der Präsident teilte mit, dass der Schatzmeister der Gesellschaft, Herr Oberlehrer F. Sintenis, sein Amt infolge Zeitmangels niedergelegt habe, und schlug vor, ihm für seine zehnjährige Führung der Casse der Gesellschaft den tiefsten Dank der Gesellschaft auszusprechen.

Der Vorschlag wurde angenommen.

7. Es wurden die Wahlen für das Amt eines Schatzmeisters vorgenommen: durch Zettel waren vorgeschlagen die Herren: Prosector G. Adolphi — 19 St., Doc. A. Bogojawlensky — 2, Prof. Happich — 1, Prof. G. Kolossow — 2, Assistent P. Mischtschenko — 1, Prof. B. Sresnewsky — 1. Da die Herren Bogojawlenski, Happich, Kolossow, Mischtschenko und Sresnevsky das Ballotement ablehnten, wurde

Prosector G. A d o l p h i par acclamation zum Schatzmeister der Gesellschaft gewählt.

8. Zu ord. Mitgliedern der Gesellschaft wurden gewählt die Herren: N. T i m o n o w (15 pro, 2 contra, 1 St.-Enth.), W. W o r o n - z o w (26 pro, 1 contra, 1 St.-Enth.), A. B a r o n (26 pro, 1 contra, 1 St.-Enth.).

9) Zu ord. Mitgliedern der Gesellschaft wurden vorgeschlagen: Stud. bot. D. S o p h i n s k i — von Prof. N. K u s n e z o w und Assist. P. M i s c h t s c h e n k o; Frau M. K u s n e z o w — von Doc. A. B o g o j a w l e n s k i und Priv.-Doc. G. L a n d e s e n; Frl. O. H a r t i e r — von Prof. N. K u s n e z o w und Assist. P. M i s c h - t s c h e n k o; Stud. zool. F. R o s e n b e r g — von Prof. N. K u s n e - z o w und stud. H. v. O e t t i n g e n.

10. Stud. H. v. O e t t i n g e n hat einen Apparat demonstriert, welchen er für Temperaturmessungen von Wasserschichten in ver- schiedener Tiefe für die Zwecke der Seecommission construirt hat.

11. Der Präsident hat ein Exemplar eines Schmetterlings de- monstriert, welches stud. D j a k o n o w im Ural gefunden hatte, und ein von Herrn N. B o r s c h t s c h o w gcfundenes Exemplar einer Weide.

12. Der Präsident teilte mit, dass der Vortrag des Priv.-Doc. S. S c h a r b e infolge der Erkrankung des Vortragenden nicht statt- finden kann, und dass Herr S. S c h a r b e diese Arbeit: „Ueber astro- nomische Tabellen für die Breite Dorpats" in den Sitzungsberichten abzudrucken bitte.

Es wurde beschlossen, die genannte Abhandlung zu drucken. (S. II. Teil dieses Heftes).

13. Prof. G. K o l o s s o w hielt einen Vortrag: „Mathematische Theorie der Evolution der Arten nach Prof. K. P e a r s o n, mit Anwendung auf den letzten Vortrag von Prof. N. K u s n e z o w". (S. II. Teil dieses Heftes).

393-ье засѣданіе.

14 сентября 1906 г.

—

Присутствовало: 32 члена, 15 гостей.

1. Протоколъ предыдущаго собранія утвержденъ.

2. Асс. Н. А. С а х а р о в ъ произнесъ рѣчь, посвященную памяти безвременно скончавшихся P. D r u d e и L. B o l t z m a n n; собраніе почтило ихъ память вставаніемъ.

3. По предложенію асс. Д. П. С е в а с т ь я н о в а собраніе выразило свое сочувствіе дѣйств. члену Общества В. R. Д е с с л е р у, арестованному въ августѣ сего года.

4. Предсѣдатель сообщилъ, что озерная комиссія Общества приняла участіе въ августовской сельскохозяйственной и промышленной выставкѣ въ Юрьевѣ, и была удостоена золотой медали отъ Императорскаго Россійскаго Общества Рыболовства и Рыбоводства; кромѣ того, члены этой комиссіи получили: Д-ръ И. Р и м ш н е й д е р ъ — большую серебрянную медаль отъ Лифляндскаго земледѣльческаго Общества, Г. Р. фонъ Э т т и н г е н ъ — тоже, и Н. А. С а м с о н о в ъ — серебрянную медаль отъ Общ. Рыболовства и Рыбоводства.

5. Секретарь сообщилъ текущія дѣла:

a) Отъ The American Philosophical Society въ Филадельфіи получена благодарность за посланныя ему нашимъ Обществомъ поздравленія.

b) Thüringischer Botanischer Verein въ Веймарѣ согласился на предложенный ему Нашимъ Обществомъ обмѣнъ изданіями.

c) Въ библіотеку Общества поступили подарки отъ гг.: S. Riesler, В. К у р р и к а, G. Kolosoff und E. Paukull, J. Negotin, Р. Ш и р я е в а, В. Т а л і е в а и Р. Ш и р я е в а, R. Hollmann, А. Л е б е д и н ц е в а, А. Л е б е д и н ц е в а и В. К и з е р и ц к а г о, и отъ Имп. Росс. Общества Рыболовства и Рыбоводства — всего 27 книгъ.

Въ коллекціи Общества пожертвовано: г. Фредеркингъ — чучело дикой утки, г. Ф. Синтенисъ — коллекціи насѣкомыхъ, г. Леманъ — чучело молодого орла, г. М. фонъ цуръ Мюленъ — коллекціи рыбъ, раковъ и чучело норки, г. А. А. Лебединцевымъ — три бутылки, употребляемыя для изслѣдованія теченій, г. Н. И. Борщовымъ — зубъ мамонта.

Всѣмъ жертвователямъ выражена благодарность Общества.

d) Открытые листы этимъ лѣтомъ были выданы отъ Общества г. R. Товарову для геологическихъ изслѣдованій въ Курмышскомъ, Алатырскомъ и Бугенскомъ уѣздахъ Симбирской губ. и проф. К. Сентъ-Илеру — для зологическихъ изслѣдованій въ Архангельской губ.

6. По предложенію Н. А. Самсонова постановлено предложить вступить въ обмѣнъ изданіями съ нашимъ Обществомъ біологической станціи въ Plön, Schleswig.

7. Въ дѣйствительные члены Общества были выбраны: г-жа М. А. Кузнецова — (29 за, 1 противъ), г-жа О. А. Рартьеръ (28 за, 2 противъ), студ. бот. Д. М. Софинскій (29 за, 1 противъ), студ. зоол. Ф. А. Розенбергъ (26 за, 3 противъ, 1 возд).

8. Проф. R. R. Сентъ-Илеръ сдѣлалъ сообщеніе: Экскурсія на берегъ Двинскаго залива лѣтомъ 1906 г.

9. Р. Г. Сумаковъ сдѣлалъ сообщеніе: Энтомологическая экскурсія въ Сыръ-Дарьинскую и Закаспійскую области. (Напечатано въ Трудахъ Русскаго Энтомологическаго Общества, т. XXXVIII стр. XLV).

10. Д. П. Севастьяновъ сдѣлалъ сообщеніе: Вулканическій пепелъ изъ третичныхъ отложеній Кавказа.

„Докладчикъ описалъ своеобразныя породы изъ верхнетретичныхъ отложеній Таманскаго полуострова и Бакинской губ., полученныя имъ для обработки отъ проф. Андрусова. Породы представляютъ рыхлые бѣлые или свѣтложелтые песчаники, залегающіе среди глинъ и др. породъ прослойками. Порода легко растирается пальцемъ и на ощупь напоминаетъ трепелъ. Нодъ микроскопомъ она представляетъ скопленіе мелкихъ стекловатыхъ частицъ, пронизанныхъ воздушными порами и составляющихъ главную массу породы; среди этихъ частицъ попадаются обломки и мелкіе кристаллики полевыхъ шпатовъ, слюды, роговой обманки и др. Химическій анализъ показалъ составъ близкій къ вулканическимъ стекламъ. На основаніи химическаго и петрографическаго изслѣдованія докладчикъ приходитъ къ заключенію, что описываемыя имъ породы являются продуктомъ изверженій вулкановъ, дѣйствовавшихъ въ то время въ этой области или смежныхъ съ нею. Возрастъ отложеній, заключающихъ породы, относится къ мэотическому ярусу на Таманскомъ полуостровѣ и къ акчагыльскимъ и апшеронскимъ пластамъ въ Бакинской губ." (Авторефератъ.)

394-ое засѣданіе.

30 сентября 1906 г.

Присутствовало: 31 членъ и 23 гостя.

1. Протоколъ предыдущаго собранія утвержденъ.

2. Секретарь сообщилъ текущія дѣла:

a) Въ библіотеку Общества поступили подарки отъ: г. А. Лютера и отъ Имп. Росс. Общества Рыболовства и Рыбоводства — 4 книги.

b) Въ коллекціи Общества поступилъ подарокъ: отъ г. Ф. Синтенисъ — червь изъ кишечника орла, убитаго около Пейпуса.

Постановлено жертвователей благодарить.

3. Въ дѣйствительные члены Общества предлагаются:

Химикъ А. Лютеръ — прив.-доцентомъ Г. А. Ландезенъ и доц. А. Д. Богоявленскимъ; студ. мед. Б. Отто — проф. Н. И. Кузнецовымъ и пр.-доц. Р. А. Ландезенъ; асс. Б. В. Сукачевъ — проф. Н. Н. Кузнецовымъ и проф. К. К. Сентъ-Илеръ; пом. прозект. И. Н. Широкогоровъ — проф. К. К. Сентъ-Илеръ и докт. Э. Ландау; асс. А. Я. Орловъ — астрон.-наблюд. К. Д. Покровскимъ и проф. Н. И. Кузнецовомъ.

4. Предсѣдатель сообщилъ, что въ Правленіе Общества поступило заявленіе четырехъ членовъ Общества: Н. В. Култашева, Н. А. Сахарова, А. Д. Богоявленскаго и Н. Н. Лепорскаго съ просьбой внести на обсужденіе общаго собранія представленный ими „Проэктъ правилъ распредѣленія суммы, назначенной на научныя экскурсіи, работы озерной комиссіи и другія научныя предпріятія и работы"; поэтому Правленіе Общества предлагаетъ назначить закрытое экстренное засѣданіе 4 октября для обсужденія этого проэкта и смѣты на 1907.

Предложеніе Правленія было принято.

5. Предсѣдатель проситъ разрѣшить Правленію выдать по ходатайству библіотечной комиссіи 90 руб. на ея нужды.

Постановлено произвести этотъ расходъ.

6. Предсѣдатель сообщилъ, что вице-предсѣдатель Общества проф. К. К. Сентъ-Илеръ слагаетъ съ себя эту должность вслѣдствіе обремененія другими работами и недостатка свободнаго времени, не смотря на просьбы со стороны различныхъ членовъ Общества остаться еще на этой должности.

Выборы имѣютъ быть произведены на слѣдующемъ засѣданіи Общества.

7. Предсѣдатель сообщилъ, что вслѣдствіе отказа проф. К. К. Сентъ-Илера отъ должности вице-предсѣдателя Общества онъ принужденъ также сложить съ себя должность предсѣдателя Общества. Послѣ того какъ попытки различныхъ членовъ Общества побудить проф. Н. Н. Кузнецова взять назадъ свой отказъ не увѣнчались успѣхомъ, сообщеніе предсѣдателя было принято къ свѣдѣнію; выборы имѣютъ быть произведены на слѣдующемъ засѣданіи Общества.

8. Проф. Г. В. Колосовъ сдѣлалъ сообщеніе: Объ аркахъ инженера С. И. Белзецкаго въ примѣненіи къ желѣзно-дорожному дѣлу, съ демонстраціей діапозитивовъ.

Передъ преніями предсѣдатель привѣтствовалъ отъ имени Общества присутствовавшаго на засѣданіи г. С. И. Белзецкаго.

9. Д-ръ Э. Ландау сдѣлалъ сообщеніе: Къ вопросу о фиксаціи тканей кипяченіемъ. (Напечатано въ XV т. стр. 75 Протоколовъ).

395-ое засѣданіе.

4 октября 1906 г.

Экстренное закрытое засѣданіе, на которомъ присутствовало 36 членовъ, было посвящено обсужденію „Нроэкта правилъ распредѣленія суммы, назначенной на научныя экскурсіи, работы озерной комиссіи и другія научныя предпріятія и работы."

Для окончательнаго редактированія проэкта въ принятомъ видѣ выбраны секретарь Общества и авторы проэкта.

Обсужденіе смѣты на 1907 г. отложено.

396-ое засѣданіе.

12 октября 1906 г.

Присутствовало 30 членовъ и 5 гостей.

1. Протоколъ предыдущаго собранія утвержденъ.

2. Доц. А. Д. Богоявленскій сообщилъ о послѣдовавшей 5 окт. с. г. кончинѣ академика Ѳ. Ѳ. Бейльштейна. Память почившаго почтена была вставаніемъ.

Секретарь сообщилъ текущія дѣла.

a) Академія Наукъ въ Санъ Франциско проситъ выслать ей всѣ періодическія изданія нашего Общества, въ виду того, что библіотека ея погибла во время землетрясенія 18—20 апр. с. г.

Постановлено исполнить просьбу по мѣрѣ возможности.

b) Въ библіотеку Общества поступили подарки отъ г. г. Н. Богоявленскаго, А. Лебединцева, А. Лебединцева и А. Добротворскаго, А. Мальцева, В. Грабаря — всего 6 книгъ. Постановлено жертвователей благодарить.

4. Въ дѣйствительные члены Общества выбраны г. г.: А. Лютеръ (27 за, 3 противъ), Б. Отто (26 за, 4 противъ) Б. В. Сукачевъ (30 за), И. Н. Широкогоровъ (29 за, 1 противъ), А. Я. Орловъ (28 за, 2 возд.).

5. Въ дѣйствительные члены Общества предлагается инж. С. Н. Белзецкій — проф. Р. В. Колосовымъ и проф. Н. Н. Кузнецовымъ.

6. Собраніемъ приняты единогласно выработанныя редакціонной комиссіей „Правила распредѣленія суммы, назначенной на научныя экскурсіи, работы озерной комиссіи и другія научныя предпріятія и работы“, въ слѣдующей редакціи:

Правила

распредѣленія суммы, назначенной на научныя экскурсіи, работы озерной комиссіи и другія научныя предпріятія и работы для членовъ Общества Естествоиспытателей при Императорскомъ Юрьевскомъ Университетѣ.

§ 1. Члены Общества, желающіе получить пособія на вышеуказанныя цѣли, представляютъ въ Правленіе Общества не позже 1 октября мотивированную докладную записку съ указаніемъ повода, цѣли, а также размѣра испрашиваемаго пособія и смѣту расходовъ.

§ 2. Правленіе Общества обязано представить вышеозначенныя докладныя записки общему собранію, сопровождая ихъ своими мотивированными заключеніями, къ сроку, указанному въ § 3.

§ 3. Въ случаѣ желанія члена Общества, испрашивающаго пособіе, сдѣлать докладъ въ общемъ собраніи о предполагаемомъ имъ научномъ предпріятіи, Правленіе Общества обязано дать возможность сдѣлать таковой докладъ до засѣданія, назначеннаго для присужденія испрашиваемыхъ пособій, см. § 5.

§ 4. Пособія присуждаются общимъ собраніемъ закрытой баллотировкой простымъ большинствомъ голосовъ. Въ случаѣ равенства голосовъ порядокъ удовлетворенія рѣшается жребіемъ.

§ 5. Первое ноябрьское засѣданіе назначается для обсужденія смѣты на будущій годъ, а слѣдующія ноябрьскія засѣданія, по утвержденіи смѣты, начинаются съ присужденія пособій.

Примѣчаніе: Дѣла упомянутыя въ § 5, должны быть поставлены на повѣстку.

§ 6. Члены, получившіе отъ Общества пособія на вышеозначенныя цѣли, обязаны представить общему собранію отчетъ о научныхъ результатахъ предпріятія.

* * *

7. По предложенію предсѣдателя обсужденіе смѣты на 1907 г. отложено, и постановлено назначить въ этомъ году срокъ для подачи докладныхъ записокъ на 1 ноября, а для обсужденія смѣты на 15 ноября.

8. Собраніе приступило къ выборамъ вицепредсѣдателя; записками были предложены: проф. К. К. Сентъ-Илеръ — (21), прив.-доц. С. Б. Шарбе (1), проф. В. Е. Тарасенко (1), проф. Б. Н. Срезневскій (1), доц. А. Д. Богоявленскій (1), прив. доц. Г. А. Ландезенъ (2). Въ виду отказа отъ баллотировки г. г. Богоявленскаго, Ландезена, Срезневскаго, Шарбе, баллотировка двухъ остальныхъ кандидатовъ, въ виду ихъ отсутствія, была отложена до слѣдующаго засѣданія.

9. Выборы предсѣдателя было постановлено (всѣми противъ 2) тоже отложить до слѣдующаго засѣданія.

10. Асс. А. Я. Орловъ сдѣлалъ сообщеніе: О колебаніяхъ земной коры (см. ч. II этого выпуска).

393. Sitzung

am 14. September 1906.

Anwesend 32 Mitglieder, 15 Gäste.

1. Das Protokoll der vorigen Versammlung wird genehmigt.

2. Herr Assist. N. Sacharow hielt eine Rede, dem Andenken der verstorbenen P. Drude und L. Boltzmann gewidmet. Die Anwesenden haben durch Erheben von den Sitzen das Andenken der Verstorbenen geehrt.

3. Laut Antrag des Herrn D. Sewastjanow hat die Versammlung ihre Teilnahme dem ord. Mitgliede Herrn W. Dessler, welcher imAugust d. J. verhaftet worden ist, ausgedrückt.

4. Der Präsident teilte mit, dass die Seenkommission der Gesellschaft an der landwirtschaftlichen und gewerblichen August-ausstellung in Dorpat teilgenommen und eine goldene Medaille der Kaiserlichen Russischen Gesellschaft für Fischfang und Fischzucht bekommen hat; ausserdem haben die Mitglieder derselben Kommission folgende Preise bekommen: Herr Dr. J. Riemschneider — die grosse silberne Medaille der Livl. landwirtsch. Gesellschaft, Herr H. v. Oettingen — dasselbe, und Herr N. Samsonow — die silberne Medaille der Gesellschaft für Fischfang und Fischzucht.

5. Der Sekretär teilte die laufenden Geschäfte mit:

a) Vom American Philosophical Society in Philadelphia ist ein Dankschreiben für die von der Gesellschaft übersandten Glückwünsche eingelaufen.

b) Der Türingische botanische Verein in Weimar ist einverstanden, mit der Gesellschaft in Tausch zu treten.

c) In die Bibliothek der Gesellschaft sind 27 Bücher geschenkt, nämlich von den Herren: S. Riesler, W. Kurrik, G. Kolosoff und E. Paukull, J. Negotin, G. Schirjaew, W. Taliew und G. Schirjaew, R. Hollmann, A. Lebedinzew, A. Lebedinzew und W. Kieseritzky und von der Kais. Russ. Gesellschaft für Fischfang und Fischzucht.

In die Sammlungen der Gesellschaft sind geschenkt von den Herren: Frederking — ein ausgestopftes Exemplar einer wilden Ente, F. Sintenis — eine Insektensammlung, Lehmann — ein ausgestopftes Exemplar eines jungen Adlers, M. von zur Mühlen — eine Sammlung von Fischen und Krebsen und ein ausgestopftes Exemplar des Nörzes, A. Lebedinzew — drei Flaschen, welche bei Stromuntersuchungen gebraucht werden, N. Borschtschow — ein Mammutzahn.

Den genannten Herren wurde der Dank der Gesellschaft ausgesprochen.

d) Die Gesellschaft hat in diesem Sommer abkommandiert: Herrn K. Towarow — für geologische Untersuchungen in den Kreisen Kurmysch, Alatyr und Bugensk des Simbirsk'schen Gouvernements und Herrn Prof. K. Saint-Hilaire — für zoologische Untersuchungen im Archangelsk'schen Gouvernement.

6. Auf Antrag des Herrn N. Samsonow wurde beschlossen mit der biologischen Station in Plön, Schleswig, in Tausch zu treten.

7. Zu ord. Mitgliedern der Gesellschaft wurden gewählt: Frau M. Kusnezow — (29 pro, 1 contra), Frl. O. Hartier — (28 pro, 2 contra), stud. bot. D. Sophinsky (29 pro, 1 contra), stud. zool. F. Rosenberg (26 pro, 3 contra, 1 St.-Enth.).

8. Prof. K. Saint-Hilaire hielt einen Vortrag: Exkursion an den Strand der Dwina-Bai im Sommer 1906.

9. Herr G. Sumakow hielt einen Vortrag: Entomologische Exkursion in die Gebiete Syr-Darja und Transkaspien.

10. Ass. D. Sewastjanow hielt einen Vortrag: Vulkanische Asche aus den Tertiär-Ablagerungen des Kaukasus.

„Der Vortragende beschrieb ein eigenartiges Gestein aus den obertertiären Ablagerungen der Halbinsel Taman und des Gouvernements Baku, welches er von Prof. N. Andrussow zwecks Untersuchungen bekommen hatte. Dieses Gestein bildet lockeren weissen oder gelblichen Sandstein, welcher zwischen Tonen und anderen Gebirgsarten schichtenartig liegt. Das Gestein lässt sich leicht mit den Fingern zerreiben und errinnert an Kieselgur. Unter dem Mikroskop beobachtet, sieht man ein Aggregat von kleinen gläsernen Teilen, welche von Luftkanälchen durchbohrt sind und die Hauptmasse des Gesteines bilden; zwischen diesen gläsernen Partien finden sich Bruchstücke und einzelne kleine Kristalle von Feldspat, Glimmer, Hornblende u. s. w. Nach einer chemischen Analyse ist die Zusammensetzung nahe der der vulkanischen Gläser. Der Vortragende schliesst aus seiner chem. und petrograph. Analyse, dass das betreff. Gestein als Produkt der Tätigkeit der Vulkane betrachtet sein soll, welche während dieser Epoche in dieser und den benachbarten Gegenden tätig waren. Das Alter der Ablagerungen, in welchen das untersuchte Gestein liegt, ist gleich dem der maeotischen Ablagerungen der Halbinsel Tamanj und der Akčagyl- und Apscheron-Ablagerungen des Gouvernements Baku". (Autoreferat).

394. Sitzung

am 30. September 1906.

Anwesend 31 Mitglieder, 23 Gäste.

1. Das Protokoll der vorigen Sitzung wird genehmigt.

2. Der Sekretär teilte die laufenden Geschäfte mit:

a). In die Bibliothek der Gesellschaft schenkten Herr A. Luther und die Kais. Russ. Gesellschaft für Fischzucht und Fischfang — 4 Bücher.

b) In die Sammlungen der Gesellschaft schenkte Herr F. Sintenis einen Wurm aus dem Darm eines Adlers, welcher in der Nähe des Peipus geschossen war.

3. Als ordentliche Mitglieder der Gesellschaft sind vorgeschlagen: Herr A. Luther — von Priv.-Doz. G. Landesen und Doz. A. Bogojawlensky; stud. med. B. Otto — von Prof. N. Kusnezow und Priv.-Doz. G. Landesen; Assist. B. Sukatschew — von Prof. N. Kusnezow und Prof. K. Saint-Hilaire; Pros.-Geh. J. Schirokogorow — von Prof. K. Saint-Hilaire und Dr. E. Landau; Assist. A. Orlow — von Astron. K. Pokrowsky und Prof. N. Kusnezow.

4. Der Präsident teilte mit, dass vier Mitglieder der Gesellschaft, die Herren: A. Bogojawlensky, N. Kultascheff, N. Leporsky und N. Sacharow in das Direktorium der Gesellschaft einen Antrag eingebracht haben, mit der Bitte das von ihnen verfasste „Projekt über den Vorteilungs-Modus der Summe, welche zu wissenschaftlichen Exkursionen, Arbeiten der Seen-Kommission und anderen wissenschaftlichen Arbeiten und Unternehmungen bestimmt ist", zur Beratung in der Sitzung der Gesellschaft vorzulegen. Das Direktorium schlägt eine geschlossene Extra-Sitzung für diese Beratung vor sowie auch für die Beratung des Budjets für das Jahr 1907 auf den 4 Oktober festzusetzen.

Der Vorschlag des Direktoriums wird angenommen.

5. Laut Antrag des Präsidenten wird dem Direktorium die Erlaubnis erteilt, für die Arbeiten der Bibliothek-Kommission 90 Rbl. auszugeben.

6. Der Präsident teilte mit, dass der Vize-Präsident der Gesellschaft, Prof. K. Saint-Hilaire, in Folge Ueberbürdung mit anderen Arbeiten und aus Mangel an Zeit sein Amt niederlegt, trotz der Bitten mehrerer Mitglieder der Gesellschaft noch länger dieses Amt zu bekleiden.

Die Wahlen finden in der nächsten Sitzung statt.

7. Der Präsident teilte mit, dass er, in Folge des Rücktritts Prof. K. Saint-Hilaire's von dem Amte eines Vize-Präsidenten der Gesellschaft, sich genötigt sehe, das Amt des Präsidenten der Gesellschaft niederzulegen. Nachdem die Bitten mehrerer Mitglieder der Gesellschaft an Prof. N. Kusnezow, seine Rücktrittserklärung zurückzunehmen, keinen Erfolg hatten, wurde die Mitteilung des Präsidenten zur Kenntnis genommen.

Die Wahlen finden in der nächsten Sitzung statt.

8. Prof. G. Kolosoff hielt einen Vortrag: Ueber die Bogen des Ingeniers S. J. Belsetcki in Anwendung beim Eisenbahnbau. (Mit Demonstrationen). Vor den Debatten hat der Präsident den anwesenden Herrn S. Belsetcki im Namen der Gesellschaft begrüsst.

9. Dr. E. Landau hielt einen Vortrag: Versuche über Hitzefixation. (Abgedruckt im XV. Bd. der Sitzungsberichte, pag. 75.)

395. Sitzung

am 4. Oktober 1906.

Diese geschlossene Extrasitzung, zu welcher 36 Mitglieder anwesend waren, war für die Beratung eines Projectes über den Verteilungs-Modus der Summe, welche zu wissenschaftlichen Exkursionen, Arbeiten der Seen-Kommission und anderen wissensch. Arbeiten und Untersuchungen bestimmt ist, gewidmet.

Die endgiltige Redigierung des Projektes in der von der Versammlung acceptierten Form wurde dem Sekretär der Gesellschaft und den Autoren des Projektes auferlegt.

Die Beratung des Budgets wurde vertagt.

396. Sitzung

am 12. Oktober 1906.

Anwesend 30 Mitglieder, 5 Gäste.

1. Das Protokoll der vorigen Sitzung wird genehmigt.

2. Herr Doz. A. Bogojawlensky gedachte des Akademikers F. Beilstein, welcher am 5. Okt. verschieden ist. Die Versammelten ehrten sein Andenken durch Erheben von den Sitzen.

3. Der Sekretär teilte die laufenden Geschäfte mit:

a) Die Akademie der Wissenschaften in San Francisco wandte sich an unsere Gesellschaft mit der Bitte, ihr alle unsere Editionen zu senden, weil ihre Bibliothek während des Erdbebens am 18. bis 20. April vernichtet ist.

Es ist beschlossen, nach Möglichkeit die Bitte zu erfüllen.

b) In die Bibliothek der Gesellschaft sind 6 Bücher geschenkt von den Herren: N. Bogojawlensky, A. Lebedinzew, A. Lebedinzew und A. Dobrotworsky, A. Malzew, W. Hrabar.

Den Schenkern wurde der Dank der Gesellschaft ausgesprochen.

4. Zu ord. Mitgliedern wurden gewählt die Herren: A. Luther (27 pro, 3 contra), B. Otto (26 pro, 4 contra), B. Sukatschew (30 pro), J. Schirokogorow (29 pro, 1 contra), A. Orlow (28 pro, 2 St.-Enth.)

5. Als ord. Mitglied wird Herr Ing. S. Belsetcki von Prof. N. Kusnezow und Prof. G. Kolosoff vorgeschlagen.

6. Die Versammlung hat einstimmig angenommen die von der Redigierungs-Kommission ausgearbeiteten Regeln über die Verteilung der Summe, welche zu wissenschaftlichen Exkursionen u. s. w. bestimmt ist" in folgender Fassung:

Regeln

über die Verteilung an die Glieder der Naturforscher-Gesellschaft bei der Kaiserlichen Universität Jurjew (Dorpat) der Summe, welche zu wissenschaftlichen Excursionen, Arbeiten der Seen-Kommission und anderen wissenschaftlichen Unternehmungen und Arbeiten bestimmt ist.

§ 1. Die Mitglieder der Gesellschaft, welche eine Unterstützung zu genannten Zwecken zu erhalten wünschen, stellen dem Direktorium der Gesellschaft nicht später als am 1. Oktober einen motivier-

ten Bericht vor, in welchem Anlass, Zweck und Betrag der nachgesuchten Unterstützung nebst Kostenüberschlag angegeben sind.

§ 2. Das Direktorium der Gesellschaft ist verpflichtet, die oben
genannten Berichte, versehen mit seinem motivierten Gutachten, zum
m § 3 angegebenen Termin der allgemeinen Versammlung vorzulegen.

§ 3. Wenn das um eine Unterstützung nachsuchende Mitglied der Gesellschaft den Wunsch hat, vor der allgemeinen Versammlung einen Vortrag über die von ihm beabsichtigte wissenschaftliche Unternehmung zu halten, so ist das Direktorium der Gesellschaft verpflichtet, demselben die Möglichkeit zu einem solchen
Vortrag vor derjenigen Sitzung, in welcher die Zuerkennung der nachgesuchten Unterstützungen zu erfolgen hat (vergl. § 5), zu verschaffen.

§ 4. Die Unterstützungen werden von der allgemeinen Versammlung mittelst verdeckten Ballotements durch einfache Stimmenmehrheit zuerkannt nnd in der Reihenfolge der Stimmenmehrheit
befriedigt. Im Falle einer Stimmengleichheit wird letztere Reihenfolge durch das Los bestimmt.

§ 5. In der ersten November-Sitzung hat die Beratung des
Budgets für das nächste Jahr zu erfolgen, während die, nach Bestätigung des Budgets, folgenden November-Sitzungen mit der Zuerkennung der Unterstützungen zu beginnen haben.

Anmerkung. Die im § 5 genannten Verhandlungs-Gegenstände
müssen in der Sitzungsanzeige bekannt gegeben werden.

§ 6. Die Mitglieder, welche von der Gesellschaft Unterstützungen zu oben genannten Zwecken erhalten haben, sind verpflichtet,
der allgemeinen Versammlung einen Bericht über die wissenschaftlichen Ergebnisse ihres Unternehmens vorzulegen.

7. Laut Antrag des Präsidenten wurde die Beratung
des Budgets vertagt, und beschlossen, in diesem Jahre den Termin
für die Abgabe der Berichte auf den 1. November, und für die Beratung des Budgets auf den 15. November festzusetzen.

8. Es wurden die Wahlen des Vize-Präsidenten vorgenommen:
durch Zettel wurden vorgeschlagen die Herren: Prof. K. Saint-
Hilaire — (21 St.); Priv.-Doz. S. Scharbe — (1), Prof. W.
Tarassenko — (1), Prof. B. Sresnewsky — (1); Doz. A. Bogo-
jawlensky — (1), Priv.-Doz. G. Landesen — (2). Die Herren:
A. Bogojawlensky, G. Landesen, B. Sresnewsky, S. Scharbe
haben ihre Kandidatur abgelehnt; wegen der Abwesenheit der anderen
Kandidaten wurde das Ballotement bis zur nächsten Sitzung vertagt.

9. Es wurde beschlossen (alle gegen 2), auch die Wahlen
des Präsidenten bis zur nächsten Sitzung zu vertagen.

10. Assist. A. Orlow hielt einen Vortrag: Ueber die Schwankungen der Erdrinde. (S. im III. Teil dieses Bandes).

397-ое засѣданіе.

2-го ноября 1906 г.

Присутствуетъ 29 членовъ, 12 гостей.

1. За отсутствіемъ предсѣдателя и вицепредсѣдателя предсѣдательствуетъ казначей д-ръ Р. А. Адольфи.

2. Предсѣдатель сообщаетъ, что вслѣдствіе болѣзни секретаря Общества, прив.-доц. Г. А. Ландезена, Правленіе просило редактора изданій Общества, прив.-доц. Н. В. Култашева замѣщать секретаря во время его болѣзни. Общее собраніе утверждаетъ это постановленіе.

3. Протоколъ предыдущаго собранія заслушанъ и утвержденъ.

4. И. д. секретаря сообщаетъ текущія дѣла:

a) Отъ Императорскаго Русскаго Общества акклиматизаціи животныхъ, отдѣла Ихтіологіи, поступила просьба пополнить ихъ сгорѣвшую во время вооруженнаго возстанія въ Москвѣ въ декабрѣ 1905 года библіотеку. Постановлено: передать въ библіотечную коммиссію для исполненія по мѣрѣ возможности.

b) Въ отвѣтъ на просьбу Романово-Борисоглѣбской уѣздн. земской управы о высылкѣ въ земскую библіотеку изданій Общества. Постановлено: запросить о томъ, возможенъ ли обмѣнъ изданіями.

c) Въ коллекціи Общества подарены г-номъ Ф. Синтенисъ двѣ энтомологическія коллекціи.

Въ библіотеку Общества пожертвованы Юрьевской Городской управой, г. г. Р. Мейеръ, И. Арнольди, С. Шарбе — 7 книгъ.

Всѣмъ жертвователямъ выражена благодарность Общества.

5. Предсѣдатель сообщаетъ, что нижеслѣдующіе дѣйствительные члены Общества прислали заявленія о выходѣ изъ числа членовъ Общества: проф. Ф. Ю. Левинсонъ-Лессингъ,

д-ръ А. Цандеръ, ред. Танчшеръ, канд. Г. Кохъ, канд.
Р. Цепфель. Заявленія приняты къ свѣдѣнію.

6. Въ дѣйств. члены Общества предлагаются ассистентъ
Николай Ниловичъ Бурденко — ассист. Н. А. Сахаровымъ и ассист. Н. Н. Лепорскимъ; студ. бот. Константинъ Андреевичъ Фляксбергеръ — проф. Н. Н.
Кузнецовымъ и прив.-доц. Б. Б. Гриневецкимъ.

7. Въ дѣйствительные члены Общества выбранъ инж. С. Н.
Белзецкій (единогласно).

8. Произведены выборы вицепредсѣдателя Общества. Записками были предложены: Проф. К. К. Сентъ-Илеръ —
3 записки, доц. А. Д. Богоявленскій — 3, прив.-доц. Г. А.
Ландезенъ — 17. За отказомъ проф. К. К. Сентъ-Илера
и А. Д. Богоявленскаго, баллотировался Г. А. Ландезенъ, и былъ выбранъ 17 положительными противъ 5 отрицательныхъ.

9. Произведены были выборы предсѣдателя Общества. Записками предложены: проф. Б. Н. Срезневскій — 1 зап.,
доц. А. Д. Богоявленскій — 2, проф. Н. Н. Кузнецовъ
— 20. За отказомъ проф. Б. Н. Срезневскаго и А. Д.
Богоявленскаго, баллотировался проф. Н. Н. Кузнецовъ
и былъ выбранъ 21 положительными противъ 4 отрицательныхъ
голосовъ.

10. Канд. М. фонъ цуръ Мюленъ сдѣлалъ сообщеніе:
Къ исторіи развитія озера Шпанкау и нѣкоторыхъ другихъ озеръ
въ окрестности Юрьева. (Отпечатано въ т. XV. ч. III. стр. 5
Протоколовъ.) Докладъ касался также и поданной докладчикомъ
(на основаніи § 3 Правилъ для распредѣленія суммы, назначенной на научныя экскурсіи и т. д.) докладной записки отъ коммиссіи по изслѣдованію озеръ Лифляндской губерніи.

11. Прив.-доц. С. Б. Шарбе сдѣлалъ сообщеніе: Объ астрономическихъ таблицахъ для гор. Юрьева. (Отпечатано въ т. XV,
ч. II, стр. 81 Протоколовъ.)

398-ое засѣданіе.

9 ноября 1906 г.

Присутствовало: 32 члена и 17 гостей.

1. За отсутствіемъ предсѣдателя и вицепредсѣдателя предъ-
сѣдательствуетъ прозекторъ Д-ръ Р. А. Адольфи.

2. Протоколъ предыдущаго собранія заслушанъ и утвержденъ.

3. Н. д. секретаря сообщилъ текущія дѣла:

Отъ Имп. Россійскаго Общества рыболовства и рыбоводства поступила просьба прислать ему изданія нашего Общества въ обмѣнъ на его изданія.

Постановлено удовлетворить по мѣрѣ возможности.

Въ библіотеку Общества пожертвовано проф. Н. Н. Кузнецовымъ, асс. А. Я. Орловымъ, прив.-доц. С. Б. Шарбе — 6 книгъ.

Жертвователямъ выражена благодарность Общества.

4. Произведены выборы секретаря. Записками были предложены г.г. Н. А. Самсоновъ — 1, П. И. Мищенко — 1, проф. К. К. Гаппихъ — 1, А. Я. Орловъ — 1, проф. Г. В. Колосовъ — 1, прив.-доц. Б. Б. Гриневецкій 2, доц. А. Д. Богоявленскій — 3, асс. Б. В. Сукачевъ — 3, прив.-доц. Н. В. Култашевъ — 17. За отказомъ всѣхъ, кромѣ Н. Култашева, баллотировался Н. В. Култашевъ. Нзбранъ 28, противъ 2.

5. Въ члены Общества предлагается помощн. прозектора А. А. Мальманъ; предлагаютъ проф. Кундзинъ и канд. М. фонъ цуръ Мюленъ.

6. Въ дѣйствительные члены Общества выбраны: Н. Н. Бурденко — 29 положит.; К. А. Фляксбергеръ — 23 полож., 5 отриц., 1 возд.

7. Ассист. Д. П. Севастьяновъ сдѣлалъ сообщенія: Предполагаемая экскурсія на сѣверный островъ Новой Земли. (На основаніи § 3 Правилъ для распредѣленія суммы, назначенной на научныя экскурсіи, работы озерной коммиссіи и т. д.)

„Докладчикъ, кратко изложивъ исторію экспедицій на сѣверный островъ Новой Земли, указалъ на то, что всѣ онѣ до сихъ поръ изслѣдовали только береговую полосу и ни одна не пыталась проникнуть внутрь острова; мы до сихъ поръ не имѣемъ точныхъ данныхъ о внутренней части острова. Но предположеніямъ прежнихъ изслѣдователей сѣверный островъ покрытъ фирновыми полями, ледниками или, можетъ быть, даже сплошнымъ ледянымъ покровомъ. Докладчикъ предполагаетъ въ теченіи лѣта 1907 года произвести рекогносцировочную экскурсію на с. островъ съ цѣлью предварительнаго разслѣдованія внутренности его. Предполагается воспользоваться рейсами пароходовъ Мурманскаго Общ., которые заходятъ на Новую Землю дважды въ годъ, а именно въ началѣ іюля и въ началѣ сентября, давая въ распоряженіе экскурсіи 2 мѣсяца. Участники экскурсіи (не болѣе трехъ человѣкъ), прибывъ на пароходѣ въ становище самоѣдовъ на Маточкиномъ Шарѣ, переправляются на лодкахъ на с. остр. и оттуда предпринимаютъ экскурсіи внутрь острова пѣшкомъ. Докладчикъ предполагаетъ сдѣлать или одну большую экскурсію, пытаясь пробраться какъ можно дальше вглубь острова или нѣсколько короткихъ, но по различнымъ направленіямъ. Продолжительность этихъ экскурсій предполагается около мѣсяца, т. к. болѣе продолжительныя были бы трудны по невозможности взять съ собой достаточное количество провіанта". (Авторефератъ).

8. Проф. К. Гаппихъ сдѣлалъ сообщеніе: Двѣ опасныя болѣзни крыжовника.

„Состоя членомъ здѣшняго общества любителей садоводства я, въ теченіе лѣта, неоднократно получалъ изъ города и его окрестностей вѣточки больного крыжовника, при изслѣдованіи которыхъ мнѣ пришлось констатировать двѣ различныя болѣзни, изъ которыхъ одна т. н. американская мучная роса настолько опасна, что если не принять тотчасъ же самыхъ энергичныхъ мѣръ — мы черезъ 2—3 года вовсе не будемъ имѣть ягодъ. Эта угрожающая опасность и побудила меня, главнымъ образомъ, сдѣлать здѣсь докладъ на эту тему.

Первая болѣзнь это „ржавчина крыжовника". Она появилась у насъ въ 1905 году раннею весною. Какъ только стали распускаться листья, на нихъ появились красныя пятна. Послѣднія кругловатыя. Сначала 1—2 сантиметра въ діаметрѣ, потомъ, вмѣстѣ съ развитіемъ листа и пятна увеличиваются, достигая величины въ 4—6 и до 7 сант. въ діаметрѣ. Пятна эта появляются массами впослѣдствіи и на цвѣткахъ, на черешкахъ листьевъ, на цвѣтоножкахъ и въ особенности на ягодахъ, которыя вслѣдствіе этого развивались неправильно, искривлялись и часто опадали до созрѣванія. На листьяхъ пятна большею частью показываютъ сверху чашкообразное углубленіе, а на нижней поверхности листа образуется сначала свѣтложелтаго, а потомъ оранжеваго цвѣта подушечка съ многочисленными возвышеніями. При вызрѣваніи грибка на возвышеніяхъ образуются малыя отверстія, изъ которыхъ высыпается желтый порошокъ — споры грибка.

Насколько сильно кусты были поражены отъ этой болѣзни, показываетъ слѣдующая табличка. Я избралъ у себя въ саду кустъ, пораженный въ средней степени. Отъ этого куста взяты были

2 вѣточки: одна сверху, расположенная свободно, а другая снизу на уровнѣ земли, изъ глубины куста.

На обѣихъ вѣточкахъ сосчитаны были здоровые и больные листья; послѣдніе опять группировались по количеству пятенъ на нихъ. Результатъ былъ слѣдующій:

вѣточка съ поверхности куста			вѣточка изъ сре- дины куста	
	боль- ныхъ	здоро- выхъ	боль- ныхъ	здоро- выхъ
	л и с т ь е в ъ		л и с т ь е в ъ	
съ 1 пятномъ	94		33	
2 пятнами	75		38	
3 „	56		25	
4 „	44		16	
5 „	37		10	
6 „	19		6	
7 „	22		6	
8 „	15		3	
9 „	9		3	
10—15 „	7		8	
	378	233	148	189
	я г о д ъ		я г о д ъ	
	19	78	7	25

Расположенныя свободно вѣтки оказались, значитъ, гораздо сильнѣе пораженными чѣмъ спрятанныя въ глубинѣ куста.

Вредъ, приносимый ржавчиной листьямъ, былъ демонстриро- ванъ на срѣзахъ черезъ пораженный участокъ. При окрашиваніи гематоксилинъ-эозиномъ зрѣлыя споры, расположенныя у направлен- ной внизъ верхушечки эцидія, окрашены въ красный цвѣтъ, нахо- дящіяся же у основанія луковицы молодыя клѣтки — гематокси- линомъ въ синій.

Развитіе паразита на листьяхъ не остается безъ вліянія на дальнѣйшую судьбу ихъ. Уже по истеченіи нѣсколькихъ недѣль они начинаютъ ссыхаться и наконецъ отпадаютъ. Прежде всего это бываетъ съ листьями, черешки которыхъ поражены. Они составляютъ 10 % общаго числа заболѣвшихъ, потомъ съ наиболѣе пораженными листьями. Листья съ одиночными пятнами остаются однако до поздней осени.

Окружность пятенъ засыхаетъ и пятна теряютъ яркій цвѣтъ и такъ какъ образуется много новыхъ листьевъ, а новыхъ инфекцій въ іюнѣ нѣтъ, то уже въ концѣ этого мѣсяца кусты теряютъ свой пестрый, больной видъ. Кое-гдѣ было замѣчено развитіе этого грибка на листьяхъ красной и черной смородины, но на цѣломъ рядѣ кустовъ я нашелъ не болѣе какъ 2—3 больныхъ листа.

Потерю самыхъ ягодъ отъ преждевременнаго отпаданія и неправильнаго развитія надо считать отъ 20 до 50 %.

Что касается борьбы съ этимъ грибкомъ, то Helm совѣтуетъ сжигать пораженныя грибкомъ части, уничтоженіе осокъ въ окружности фруктовыхъ садовъ и опрыскиваніе кустовъ бордосской жидкостью. Ячевскій рекомендуетъ тѣ же мѣры и сверхъ того воздѣлывать крыжовникъ на высокихъ сухихъ мѣстахъ вдали отъ болотъ.

Двѣ другія наблюдавшіяся здѣсь въ 1905 г. на крыжовникѣ болѣзни относятся къ разряду такъ наз. „мучнистой росы".

Одна болѣзнь, относительно мало опасная, вызванная паразитомъ Microsphaera grossulariae, характеризуется образованіемъ бѣлаго налета, принимающаго впослѣдствіи пепельный цвѣтъ.

Совершенно другое слѣдуетъ сказать относительно третьей болѣзни, т. наз. „американской мучнистой росы", вызываемой грибкомъ Sphaerotheca mors uvae Berkelev et Curtius. Въ Прибалтійскомъ краѣ онъ появился впервые въ 1902 г. Въ это время онъ регистрируется въ нѣкоторыхъ мѣстностяхъ Эстляндской губерніи и въ 1904 году Винклеръ пишетъ, что буквально всѣ сады въ окрестностяхъ г. Риги, а быть можетъ вся Курляндія и южная часть Лифляндіи заражена имъ. Въ 1905 году мнѣ приходилось видѣть этотъ грибокъ въ окрестностяхъ Феллина и Пернова и теперь мы эту заразу имѣемъ у себя въ городѣ. Грибокъ является весною и поражаетъ всегда лишь молодыя части кустовъ. На концахъ вѣточекъ молодые побѣги длиною въ 3—4, самое большее въ 10 сантиметровъ съ имѣющимися на нихъ неразвившимися листьями сплошь покрываются бѣлымъ мучнистымъ налетомъ. Впослѣдствіи этотъ налетъ дѣлается толстымъ, бархатистымъ, принимаетъ темнокоричневый шеколадный цвѣтъ.

Листья отстаютъ въ развитіи, остаются малыми, конецъ молодого побѣга засыхаетъ. Вслѣдствіе этого лежащіе ниже почки и ростки сильнѣе развиваются, но и ихъ ждетъ та же участь и достигши 4—6 сантиметровъ самая верхушка погибаетъ. Вѣточка, пораженная этимъ грибкомъ, поэтому имѣетъ своеобразный видъ. Отъ сильнаго развитія съ послѣдующимъ засыханіемъ концовъ образуется пучекъ короткихъ больныхъ побѣговъ. Но особенно пышно грибокъ развивается на ягодахъ. Онѣ покрываются толстымъ темно-коричневымъ бархатистымъ налетомъ, высасываются грибкомъ, засыхаютъ и отпадаютъ. Болѣзнь въ высшей степени заразительная.

Морфологически грибокъ характеризуется тѣмъ, что перитеціи содержатъ 1 лишь аскусъ съ 8 спорами и что придатки невѣтвисты — образуются у основанія перитеція. Конидіи щеткообразны. Пока мнѣ пришлось констатировать этотъ грибокъ въ Юрьевѣ въ трехъ садахъ.

Что касается мѣръ, которыя надлежитъ принять противъ этихъ болѣзней, то прежде всего нужно сказать, что всякаго рода мѣры принесутъ пользу только тогда, когда онѣ будутъ приниматься совмѣстно всѣми, имѣющими у себя больныя растенія, а для этого требуется ознакомленіе владѣльцевъ садовъ съ болѣзнями и грозящей отъ нея опасностью и съ мѣрами противъ нея. Послѣдними можно рекомендовать :

1) Всѣ пораженные американскою мучнистою росою кусты должны быть уничтожены сожиганіемъ.

2) Всѣ имѣющіеся подъ кустомъ листья и ягоды должны быть сожжены, а почва на мѣстѣ бывшихъ больныхъ кустовъ должна быть освобождена отъ болѣзнетворныхъ грибковъ посыпкою ѣдкой известью.

3) Весною, раза три со времени распусканія почекъ и дальше черезъ каждые 10—14 дней кусты должны быть опрыскиваемы посредствомъ распылителя 1 % растворомъ бордосской жидкости или ¹/₂ % растворомъ карболинеума. (2 % растворъ бордосской жидкости или 1 % растворъ карболинеума по моимъ наблюденіямъ вредно отзывается на молодыхъ листьяхъ) или сѣрнистымъ кали (K_2S) 3 лота на ведро воды (употреблявшимся въ С.-Петербургѣ съ успѣхомъ). Владѣльцы частныхъ садовъ могутъ получить распылители отъ здѣшняго общества любителей садоводства.

4) Такъ какъ безусловно торговое садоводство является разсадникомъ заразы, нужно просить владѣльцевъ не продавать больныхъ кустовъ и деревцовъ“.   (Авторефератъ).

9. М. Р. Ребиндеръ сдѣлалъ сообщеніе: О вращеніи тяжелаго твердаго тѣла вокругъ неподвижной точки.

399-ое засѣданіе.

16 ноября 1906 г.

Присутствуетъ 21 членъ, 7 гостей.

1. Протоколъ предыдущаго собранія заслушанъ и утвержденъ.

2. Секретарь докладываетъ текущія дѣла:

a) Въ Правленіе Общества поступили на основаніи Правилъ о распредѣленіи суммы и т. д. слѣдующія докладныя записки: Озерной коммиссіи, г. Р. Сумакова, г. Р. ф. Эттингена и г. Д. Севастьянова.

b) Предложеніе проф. Н. И. Кузнецова: вступить въ обмѣнъ изданіями съ кавказскимъ отдѣломъ Н. Р. Географическаго Общества.

Постановлено вступить въ обмѣнъ.

c) Въ библіотеку Общества поступили подарки отъ г.г. Н. Штаммъ, М. Г. Ребиндера — 8 книгъ.

Постановлено жертвователей благодарить.

3) Предложенная Правленіемъ, на обсужденіе смѣта на 1907 годъ принята единогласно въ слѣдующемъ видѣ:

Доходы:

Проценты съ бумагъ	500	руб.
Продажа изданій	25	„
Членскіе вносы	475	„
Пособіе отъ Университета	400	„
Пособіе отъ Государств. Казначейства	2500	„
Итого	3900	руб.

Расходы:

Наемъ квартиры	750	руб.
Жалованье служащимъ	250	„
Хозяйственные расходы	200	„
На библіотеку	600	„
На содержаніе коллекцій	100	„
На работы Озерной коммиссіи, экскурсіи и др. научныя предпріятія и работы	1000	„
Печатаніе изданій	975	„
Непредвидѣнные расходы	25	„
Итого 3900 руб.		

4. Прив.-доц. С. Б. Шарбе докладываетъ о новыхъ логариѳмическихъ таблицахъ ироф. Глазенапа.

5. Въ дѣйствительные члены Общества выбранъ единогласно г-нъ А. Мальманъ.

6. По предложенію предсѣдателя Общество почтило вставаніемъ память великихъ ученыхъ: К. Э. фонъ Бэра и Н. Н. Пирогова.

7. Д-ръ И. Римшнейдеръ сдѣлалъ сообщеніе: Ueber die Baltischen Land- und Süsswassermollusken. (Отпеч. въ томѣ XV, ч. III, стр. 19 Протоколовъ Общества.)

8. Студ. К. А. Фляксбергеръ сдѣлалъ сообщеніе: Водяныя устьица новаго типа у Lobelioideae. (Отпечатано въ т. XV, ч. II стр. 119 Протоколовъ.)

9. Студ. Г. ф. Эттингенъ сдѣлалъ сообщеніе: О предполагаемой поѣздкѣ въ Дагестанъ. (На основаніи § 3 Правилъ для распредѣленія суммы, назначенной на научныя экскурсіи и т. д.).

„Занимаясь почти въ теченіи 2-хъ лѣтъ монографической обработкою высокогорнаго рода кавказской флоры *Saxifraga* исключительно по гербарнымъ даннымъ, я натолкнулся на многія интересныя детали, какъ морфологическаго такъ и ботанико-географическаго характера, окончательно разобраться въ которыхъ возможно лишь на живомъ матеріалѣ и на мѣстѣ, т. е. на самомъ Кавказѣ. Съ этой цѣлью главнымъ образомъ, а также съ цѣлью ботанико-географическихъ изслѣдованій Кавказа вообще, я имѣю въ виду совершить экскурсію на Кавказъ, въ Дагестанскую область, преимущественно въ средній Дагестанъ. Избрать именно эту область объектомъ моихъ изслѣдованій побуждаютъ меня слѣдующія соображенія:

1) Дагестанъ является однимъ изъ крупныхъ центровъ эндемическихъ кавказскихъ формъ, и средняя часть его пока еще недостаточно изслѣдована.

2) Мы еще не имѣемъ ботанико-географической карты средней части, имѣть которую весьма желательно, чтобы связать ея данныя съ картою Н. А. Буша для западнаго Дагестана.

При этомъ позволю себѣ еще обратить вниманіе Общества на тотъ фактъ, что флора Кавказа нынѣ усиленно обрабатывается многими изъ членовъ О-ва, и первые 13 выпусковъ „Florae Caucasicae criticae" уже вышли въ свѣтъ. Можно надѣяться, что и та часть моего матеріала, которую я самъ обработать не буду въ состояніи, въ самомъ непродолжительномъ времени будетъ разобрана спеціалистами. Такимъ образомъ нѣтъ опасенія, чтобы собранный мною матеріалъ пропалъ или былъ-бы недостаточно обработанъ, какъ это, къ сожалѣнію, довольно часто случается.

Н. А. Бушъ совершилъ въ прошломъ году путешествіе въ западномъ Дагестанѣ, гдѣ пробылъ 2 мѣсяца, и истратилъ на это 400 рублей. Предполагая, что мнѣ придется экскурсировать почти при такихъ же условіяхъ, честь имѣю просить О. Е. ассигновать мнѣ на предполагаемое путешествіе субсидію въ четыреста (400) руб. Предполагаемый мною маршрутъ приблизительно слѣдующій: Гунибъ, вверхъ по Каракойсу, черезъ Гинда въ Тлярата, внизъ по Аварскому Койсу и обратно въ Гунибъ.

Если О. Е. найдетъ возможнымъ исполнить мою просьбу, то постараюсь всѣми силами оправдать оказанное мнѣ довѣріе".

(Авторефератъ).

400-ое засѣданіе.

30 ноября 1906 г.

Присутствуетъ 43 члена, 15 гостей.

1. Протоколъ предыдущаго собранія заслушанъ и утвержденъ.

2. Секретарь докладываетъ поступившія въ Правленіе на основаніи Правилъ о распредѣленіи суммы, назначенной на научныя экскурсіи и т. д. докладныя записки: предсѣдателя Озерной Коммиссіи — о предположенныхъ ею работахъ на 1907 г. со смѣтой въ 450 руб. (См. стр. LX); дѣйств. члена Г. Сумакова — о предполагаемой имъ экскурсіи въ Туркестанъ и Закаспійскую область съ энтомо-географической цѣлью со смѣтой въ 150 руб.; дѣйств. члена Г. ф. Эттингенъ — о предполагаемой имъ экскурсіи съ ботанической цѣлью въ Дагестанъ со смѣтой въ 400 руб. (См. стр. LXVII); дѣйств. члена Д. Севастьянова — о предполагаемой имъ экскурсіи съ географо-геологической цѣлью на сѣверный островъ Новой Земли — со смѣтой въ 400 руб. (См. стр. LXI).

3. Секретарь докладываетъ нижеслѣдующее заключеніе Правленія Общества отъ 27 ноября по поводу поданныхъ докладныхъ записокъ:

„Правленіе Общества Естествоиспытателей, обсудивъ въ засѣданіяхъ своихъ 24 и 27 ноября поданныя на основаніи Правилъ для распредѣленія суммы, назначенной на научныя экскурсіи, работы Озерной коммиссіи и другія научныя предпріятія и работы, докладныя записки, имѣетъ честь доложить Общему Собранію нижеслѣдующее:

1) Для обсужденія означенныхъ докладныхъ записокъ Правленіе Общества сочло необходимымъ пригласить въ засѣданіе свое 27 ноября дѣйств. членовъ Общества, гг. проф. Г. Н. Михайловскаго, Ф. Синтениса, проф. Б. Н. Срезневскаго. Изъ нихъ проф. Г. Н. Михайловскій письмомъ на имя предсѣдателя увѣдомилъ, что на засѣданіи быть не можетъ.

2) Заслушавъ мнѣнія г.г. Ф. Синтениса и проф. Б. Н. Срезневскаго и отзывъ проф. Н. Н. Кузнецова, Правленіе Общества пришло къ заключенію, что научныя задачи, намѣченныя всѣми четырьмя докладными записками, поставлены правильно.

3) Размѣръ испрашиваемыхъ Озерной коммиссіей и г. ф. Эттингенъ субсидій по мнѣнію Правленія Общества соотвѣтствуетъ поставленнымъ задачамъ; что же касается предполагаемыхъ расходовъ въ докладныхъ запискахъ гг. Севастьянова и Сумакова, то Правленіе Общества не имѣло возможности опредѣлить, насколько они соотвѣтствуютъ намѣченнымъ авторами цѣлямъ.

4. Закрытая баллотировка дала слѣдующіе результаты: Озерная коммиссія — 33 положит., 8 отриц.; г. Сумаковъ — 27 полож., 14 отриц.; Р. ф. Эттингенъ — 25 полож., 16 отриц.; Р. Севастьяновъ — 12 полож., 29 отриц.; всего голосовало 42 члена.

Такимъ образомъ пособія присуждены: Озерной Коммиссіи, г.г. Сумакову и ф. Эттингенъ и удовлетворены въ указанныхъ авторами размѣрахъ.

5. Въ дѣйствительные члены Общества предлагаются: препод. Н. Е. Орловъ — г.г. Н. А. Сахаровымъ и Н. Н. Мищенко; ассист. Д. Н. Левиновичъ — гг. Н. Н. Лепорскимъ и Н. А. Сахаровымъ.

6. Ностановлено отложить выборы редактора изданій Общества, вмѣсто прив.-доц. Н. В. Култашева, выбраннаго секретаремъ, до окончанія печатаніемъ XV тома.

7. Въ библіотеку Общества пожертвовано: гг. А. Ярило-вымъ, Е. А. Шепилевскимъ, Н. Н. Кузнецовымъ, Б. Н. Срезневскимъ — 8 книгъ.

Постановлено жертвователей благодарить.

8. Студ. С. Н. Малышевъ сдѣлалъ сообщеніе: Топогра-фическая способность насѣкомыхъ.

9. Ассист. Н. Н. Широкогоровъ сдѣлалъ сообщеніе: Тромбозъ воротной вены. (Напечатано въ т. XV, ч. II, стр. 135 Протоколовъ.)

401-ое засѣданіе.

7 декабря 1906 г.

Присутствуетъ 25 членовъ, 9 гостей.

1. Протоколъ предыдущаго собранія заслушанъ и утвержденъ.

2. Секретарь докладываетъ текущія дѣла:

Въ библіотеку Общества пожертвованы: прив.-доц. А. Наль-дрокъ — 3 книги.

3. Состоялись выборы членовъ ревизіонной коммиссіи. Вы-браны г.г. А. Нальдрокъ и Н. Н. Бояриновъ.

4. Въ дѣйствительные члены Общества выбраны: асс. Д. Левиновичъ (24 за, 1 противъ), преподав. Н. Е. Орловъ (24 за, 1 противъ).

5. Въ дѣйствительные члены предлагаются: студ. С. И. Малышевъ — проф. Н. Н. Кузнецовымъ и студ. А. Н. Мальцевымъ; препод. М. R. Тредьяковъ — Г. Сума-ковымъ, проф. Н. Н. Кузнецовымъ и ассист. Н. И. Мищенко.

6. Проф. К. К. Сентъ-Илеръ сдѣлалъ предложеніе: организовать обсужденіе въ Обществѣ вопросовъ, связанныхъ съ преподаваніемъ математики, физики, химіи и естественныхъ наукъ въ среднихъ школахъ. Въ преніяхъ, открытыхъ по этому поводу, многіе члены Общества поддерживали это предложеніе. Голосо-ваніемъ выяснено принципіальное согласіе Общества съ этимъ предложеніемъ (21 за, 1 противъ, 2 возд.) и постановлено: 1) просить проф. К. К. Сентъ-Илера взять на себя иниціативу и собрать предварительное собраніе членовъ Общества, интере-сующихся этимъ начинаніемъ (13 за, 6 противъ, 4 возд.); 2) по-ставить на обсужденіе одного изъ слѣдующихъ засѣданій это пред-ложеніе (18 за, 1 противъ, 4 возд.).

7. Прив.-доц. А. К. Нальдрокъ сдѣлалъ сообщеніе: О гонококкахъ.

„Приведя статистическія данныя о венерическихъ болѣзняхъ, Н. подробнѣе изложилъ вопросъ о перелоѣ. Онъ сторонникъ того взгляда, что трипперъ есть „общезахватывающая (кон-ституціональная) организмъ инфекціонная бо-лѣзнь“. Если послѣ зараженія трипперомъ не заболѣваетъ тотчасъ же весь организмъ гонококками, то происходитъ это по большей части благодаря соотвѣтствующему лѣченію, которое только въ рѣдкихъ случаяхъ позволяетъ болѣзни распространяться дальше.

Н. демонстрируетъ разводки гонококковъ, выросшія на его питательной средѣ. Онъ изслѣдовалъ 28 различныхъ питательныхъ средъ на ихъ годность для разведенія гонококковъ и произвелъ при этомъ 18 тысячъ посѣвовъ. На основаніи полученныхъ ре-зултатовъ П. пришелъ къ заключенію, что гонококки ра-стутъ только на питательныхъ средахъ содер-жащихъ человѣческіе сывороточныя бѣлки; гоно-кокки не растутъ на Тальманскомъ агорѣ или на нутрозеагарѣ Вассерманна.

Гонококковая питательная среда Пальдрока имѣемъ слѣ-дующій составъ: 1 часть человѣческой асцитической жидкости + 2 части агара. Асцитическую жидкость стерилизуютъ только одинъ разъ, въ продолженіе двухъ часовъ, при + 55⁰ С. и затѣмъ замо-раживаютъ ее при — 15⁰ или — 20 ⁰ С. — Къ мясной водѣ прибав-ляютъ 4 % пептона и 3 % агара, если приготовляютъ агаръ.

Стерильный, лакмусовонейтральный агаръ разжижается и охлаждается до + 50⁰ С.; къ нему прибавляется до + 50⁰ С. нагрѣтая асцитическая жидкость; всю смѣсь разливаютъ по 5 сcm. въ пробирки и охлаждаютъ въ косомъ положеніи. — Докладъ со-ставляетъ краткій очеркъ только-что появившейся въ печати книги автора: „Der Gonokokkus Neisseri“. — Eine literärische und bacteriologisch experimentelle Studie. Verlag von Fritz Schledt — Dorpat 1907“. (Авторефератъ).

8. Ассист. А. Я. Орловъ сдѣлалъ сообщеніе о своихъ ра-ботахъ надъ сейсмографами. (Напечатано въ т. XV, ч. II, стр. 147 Протоколовъ.)

397. Sitzung

am 2. November 1906.

———

Anwesend 29 Mitglieder, 12 Gäste.

1. In Abwesenheit des Präsidenten und des Vizepräsidenten präsidiert der Schatzmeister, Dr. H. A d o l p h i.

2. Der Vorsitzende teilt mit, dass das Direktorium der Gesellschaft beschlossen hat, den Redakteur der Editionen der Gesellschaft, Priv.-Doc. N. K u l t a s c h e f f zu bitten, während der Krankheit des Sekretärs der Gesellschaft, Priv. - Doc. G. L a n - d e s e n sein Amt zu vertreten.

Dieser Antrag wird von der Versammlung genehmigt.

3. Das Protokoll der vorigen Sitzung wird genehmigt.

4. Der stellvertret. Sekretär teilt die laufenden Geschäfte mit:

a) Von der Kaiserlichen Russischen Gesellschaft für Acclimatisation der Tiere ist die Bitte eingelaufen, ihre während des Aufstandes in Moskau im Dezember 1905 vernichtete Bibliothek mit unseren Edition zu komplettieren.

Es wurde beschlossen die Bitte der Bibliothek-Kommission zur Erfüllung nach Möglichkeit zu übergeben.

b) Auf die Bitte des Kreis-Landschaftsamtes zu Romanowo-Borissogljebsk ihr die Editionen der Gesellschaft zu schicken wurde beschlossen, das genannte Amt zu erfragen, ob Tausch der Editionen möglich sei.

c) Für die Kollektionen der Gesellschaft sind von Herrn F. S i n t e n i s zwei entomologische Kollektionen geschenkt.

In die Bibliothek der Gesellschaft sind von dem hiesigen S t a d t a m t e, von den Herren: R. M e y e r, J. A r n o l d i, S. S c h a r b e — 7 Bücher geschenkt.

Es wurde der Dank der Gesellschaft ausgesprochen.

5. Der Vorsitzende teilt mit, dass folgende Mitglieder der Gesellschaft ihren Austritt aus der Gesellschaft gemeldet haben:

Prof. F. Loewinson-Lessing, Dr. Zander, Red. Tanz-scher, Cand. H. Koch, Cand R. Zoepfell.

Es wurde zur Kenntnis genommen.

6. Zu ord. Mitgliedern wurden vorgeschlagen: Assist. N. Burdenko — von Assist. N. Ssacharow und Assist. N. Leporski; stud. bot. K. Flachsberger — von Prof. N. Kusnezow und Priv.-Doz. B. Hryniewecky.

7. Zum ord. Mitgliede wurde Herr S. Belsetcky (einstimmig) gewählt.

8. Es wurden die Wahlen des Vizepräsidenten der Gesellschaft vorgenommen. Durch Zettel wurden vorgeschlagen: Prof. K. Saint-Hilaire — 3, Doz. A. Bogojawlensky — 3, Priv.-Doz. G. Landesen — 17. Da die Herren Prof. K. Saint-Hilaire und A. Bogojawlenski das Ballotement ablehnten, wurde Herr Priv.-Doz. G. Landesen mit 17 pro und 5 kontra gewählt.

9. Es wurden die Wahlen des Präsidenten vorgenommen. Durch Zettel wurden vorgeschlagen: Prof. B. Sresnewsky — 1, Doz. A. Bogojawlensky — 2, Prof. N. Kusnezow — 20. Da die Herren Prof. B. Sresnewsky und A. Bogojawlensky das Ballotement abgelehnt haben, wurde Herr Prof. N. Kusnezow mit 21 pro und 4 kontra gewählt.

10. Cand. M. von zur Mühlen hielt einen Vortrag: Zur Entwickelungsgeschichte des Spankauschen Sees wie auch einiger anderer Seen in der Umgebung Dorpats. (Abgedruckt im Bd. XV, T. III, S. 5 der Sitzungsberichte.) In diesem Vortrage hat der Vortragende auch den von ihm im Namen der Seenkommission eingereichten Bericht nach dem § 3 der Regeln über die Verteilung der Summe, welche zu wissenschaftlichen Exkursionen u. s. w. bestimmt ist, erwähnt.

11. Priv.-Doz. S. Scharbe hielt einen Vortrag: Ueber astronomische Tabellen für die Stadt Dorpat. (Abgedruckt im Bd. XV, T. II, S. 81 der Sitzungsberichte.)

398. Sitzung

am 9. November 1906.

Anwesend 32 Mitglieder, 17 Gäste.

1. In Abwesenheit des Präsidenten und des Vizepräsidenten präsidiert der Schatzmeister Dr. H. Adolphi.

2. Das Protokoll der vorigen Sitzung wird genehmigt.

3. Der stellvertretende Sekretär teilte Folgendes mit :

a) Von der Kais. Russ. Gesellschaft für Fischfang und Fischzucht ist die Bitte eingelaufen, die Editionen der Gesellschaft in Tausch auf ihre zu schicken.

Es wurde beschlossen, nach Möglichkeit die Bitte zu erfüllen.

b) In die Bibliothek der Gesellschaft sind von den Herren : Prof. N. Kusnezow, Ass. A. Orlow, Priv.-Doz. S. Scharbe — 6 Bücher geschenkt.

Es wurde der Dank der Gesellschaft ausgesprochen.

4. Es wurden die Wahlen des Sekretärs vorgenommen. Durch Zettel wurden folgende Herren vorgeschlagen : N. Samsonow — 1, P. Mischtschenko — 1, Prof. K. Happich — 1, A. Orlow — 1, Prof. G. Kolossow — 1, Priv.-Doz. B. Hryniewiecky — 2, Doz. A. Bogojawlensky — 3, B. Sukatschew — 3, Priv.-Doz. N. Kultascheff — 17. Da alle ausser N. Kultascheff das Ballotement ablehnten, wurde N. Kultascheff mit 28 pro und 2 kontra gewählt.

5. Zum ord. Mitgliede der Gesellschaft ist Herr Pros.-Gehülfe A. Mahlmann von Prof. Kundsin und Cand. M. von zur Mühlen vorgeschlagen.

6. Zu ord. Mitgliedern wurden gewählt die Herren N. Burdenko (29 pro), K. Flachsberger (23 pro, 5 kontra, 1 St.-Enth.).

7. Herr D. Sewastjanow hielt einen Vortrag : Ueber eine von ihm beabsichtigte Exkursion auf die N.-Insel der Nowaja-Semlja. (Nach dem § 3 der Regeln über die Verteilung der Summe, welche zu wissenschaftlichen Exkursionen u. s. w. bestimmt ist.)

8. Prof. K. Happich hielt einen Vortrag : Zwei gefährliche Krankheiten unseres Stachelbeerstrauches.

9. Herr M. Rehbinder hielt einen Vortrag : Ueber Rotation eines schweren starren Körpers um einen fixen Punkt.

399. Sitzung

am 16. November 1906.

Anwesend 21 Mitglieder, 7 Gäste.

1. Das Protokoll der vorigen Versammlung wird genehmigt.

2. Der Sekretär teilte Folgendes mit :

a) Dem Direktorium der Gesellschaft sind nach den Regeln über die Verteilung der Summe, welche zu wissenschaftlichen Exkursionen u. s. w. bestimmt ist, folgende Berichte eingereicht worden: der Seen-Kommission, der Herren: G. Sumakow, H. von Oettingen, D. Sewastjanow.

b) Prof. N. Kusnezow hat den Vorschlag gemacht mit der Kaukasischen Abteilung der Kais. Russ. Geogr. Gesellschaft in Tausch mit Editionen zu treten.

Es wurde beschlossen in Tausch zu treten.

c) In die Bibliothek der Gesellschaft sind geschenkt: von den Herren J. Stamm, M. Rehbinder — 8 Bücher.

Es wurde der Dank der Gesellschaft ausgesprochen.

3. Der vom Direktorium zur Beratung vorgeschlagene Budget-Voranschlag für das Jahr 1907 wurde einstimmig in folgender Form angenommen:

Einnahmen:

Zinsen der Wertpapiere	500	Rbl.
Verkauf der Editionen	25	„
Mitgliedsbeiträge	475	„
Beitrag der Universität	400	„
Zuschuss aus dem Reichsschatz	2500	„
Summa	3900	Rbl.

Ausgaben:

Wohnungsmiete	750	Rbl.
Besoldung der Beamten	250	„
Haushaltungsausgaben	200	„
Für die Bibliothek	600	„
Instandhaltung der Sammlungen	100	„
Für die Arbeiten der Seen-Kommission, Exkursionen und andere wissenschaftliche Unternehmungen und Arbeiten	1000	„
Druckkosten	975	„
Unvorhergesehene Ausgaben	25	„
Summa	3900	Rbl.

4. Herr Priv.-Doz. S. Scharbe berichtete über neue logarithmische Tafeln von Prof. Glasenapp.

5. Zum ord. Mitgliede der Gesellschaft ist Herr A. Mahlmann einstimmig gewählt.

6. Der Präsident forderte die Versammlung auf das Andenken der berühmten Gelehrten K. E. v. B a e r und N. P i r o g o w zu ehren.

Die Versammelten haben durch Erheben von den Sitzen das Andenken derselben geehrt.

7. Dr. J. R i e m s c h n e i d e r hielt einen Vortrag: Ueber die baltischen Land- und Süsswassermollusken. (Abgedruckt in Bd. XV, T. III, pag. 19.)

8. Herr Stud. K. F l a c h s b e r g e r hielt einen Vortrag: Wasserspalten des neuen Typus bei Lobelioideae. (Abgedruckt im Bd. XV, T. II, pag. 119 der Sitzungsberichte.)

9. Herr H. von O e t t i n g e n hielt einen Vortrag: Ueber eine von ihm geplante Exkursion nach Dagestan. (Nach dem § 3 der Regeln, welche zu wissenschaftlichen Exkursionen u. s. w. bestimmt sind.)

„Seit mehr als 2 Jahren bin ich mit einer monographischen Bearbeitung der kaukasischen Saxifragaceen beschäftigt, und befinde mich nunmehr in der Lage, um meine Arbeiten fortführen zu können, unbedingt eine Reise in den Kaukasus unternehmen zu müssen. Teils muss das vorhandene Material ergänzt werden, teils die Standortsbedingungen einer genaueren Analyse unterworfen werden. Ich gedenke den mittleren Teil Daghestans zu bereisen, und zwar aus folgenden Gründen:

1) Daghestan gehört zu den wichtigen Zentren des Kaukasus, die besonders reich an endemischen Arten sind, und die leider noch viel zu wenig erforscht werden sind.

2) Besitzen wir wohl eine genaue botanisch-geographische Beschreibung des Westlichen Daghestans, doch fehlt es uns noch an derartigen Daten aus dem Mittleren Daghestan, der bisher nur floristisch untersucht worden ist.

Gegenwärtig wird die Kaukasische Flora von einem grossen Konsortium Gelehrter, an deren Spitze Prof. N. J. K u s n e z o w steht, einer genauen monographischen Bearbeitung unterzogen, so dass sämtliches Material, welches ich persönlich für meine Arbeiten nicht bedarf, in kürzester Zeit von massgebenden Persönlichkeiten wird untersucht und verwertet werden können. 13 Lieferungen der „Flora Caucasica Critica" liegen bereits vor, und weitere sind im Erscheinen begriffen.

Unter solchen Auspicien dürfte eine Reise in das genannte Gebiet wohl lohnend sein. Ich gedenke Anfang Juni aus Gunib auszureiten, den Kara-Koissu hinauf, dann mich nach W. zu wenden um über Ginda nach Tlarata zu gelangen. Von dort will ich längst dem Awarischen Koissu nach N., um -nach kleinen Umwegen wieder nach Gunib zurückzukehren. Im vergangenen Jahr hat N. B u s c h für eine derartige Reise ünter recht ähnlichen Bedingungen 400 Rubel erhalten. Daher wende ich mich an die N. G. mit der Bitte, mir eine Subvention von ebenfalls 400 Rubel gewähren zu wollen".

(Autoreferat.)

400. Sitzung

am 30. November 1906.

Anwesend 43 Mitglieder, 15 Gäste.

1. Das Protokoll der vorigen Versammlung wird genehmigt.

2. Der Sekretär trägt die Berichte vor, welche nach den Regeln über die Verteilung der Summe, welche zu wissenschaftlichen Exkursionen u. s. w. bestimmt ist, in das Direktorium der Gesellschaft eingelaufen sind: den Bericht des V o r s i t z e n d e n d e r S e e n k o m m i s s i o n — über die von der Seenkommission für das Jahr 1907 geplanten Arbeiten mit dem Kostenanschlage von 450 Rbl. (s. Seite LXXIII); den Bericht des ord. Mitgliedes G. S u m a k o w — über die von ihm geplante entomologische Exkursion nach Turkestan und Transkaspien mit dem Kostenanschlage von 150 Bbl.; der Bericht des ord. Mitgliedes H. v o n O e t t i n - g e n — über eine von ihm geplante botanische Exkursion nach Dagestan mit dem Kostenanschlage von 400 Rbl. (s. Seite LXXVI); den Bericht des ord. Mitgliedes D. S ė w a s-t j a n o w — über eine von ihm geplante geographisch-geologische Exkursion auf der N.-Insel der Nowaja Semlja mit dem Kostenanschlag von 400 Rbl. (siehe S. LXI.)

3. Der Sekretär trägt folgendes Gutachten des Direktoriums über die oben erwähnten Berichte vor:

„Nach der Beratung in den Sitzungen vom 24. und 27. November der eingelaufenen Berichte nach den Regeln über die Verteilung der Summe, welche zu wissenschaftlichen Exkursionen, Arbeiten der Seenkommission und anderen wissenschaftlichen Untersuchungen und Arbeiten bestimmt ist, hat das Direktorium der Gesellschaft die Ehre, der allgemeinen Versammlung Folgendes mitzuteilen:

1) Das Direktorium hat für notwendig befunden für die Beratung der obenerwähnten Berichte die ord. Mitglieder der Gesellschaft, Herren: Prof. G. M i c h a i l o w s k y, F. S i n t e n i s, Prof. B. S r e s n e w s k y zur Sitzung, welche am 27. Nov. stattgefunden hat, einzuladen. Herr Prof. G. M i c h a i l o w s k y hat den Präsidenten der Gesellschaft brieflich benachrichtigt, dass er zu der Sitzung nicht kommen könne.

2) Nachdem die Meinungen der Herren F. S i n t e n i s und Prof. B. S r e s n e w s k y und das Gutachten des Herrn Prof. N. K u s - n e z o w zur Kenntnis genommen worden, hat das Direktorium die wissenschaftlichen Aufgaben, welche in allen vier Berichten gestellt sind, für richtig befunden.

3) Der Betrag der seitens der S e e n k o m m i s s i o n und des Herrn H. von O e t t i n g e n nachgesuchten Subventionen entspricht den von den Autoren gestellten Aufgaben; was die Kostenanschläge in den Berichten von den Herren D. S e w a s t j a n o w und G. S u m a - k o w anbelangt, so hatte das Direktorium keine Möglichkeit gehabt zu urteilen, in welchem Masse diese Kostenanschläge den von den Autoren gestellten Aufgaben entsprechen.

4. Durch verdecktes Ballotement haben erhalten: die S e e n - k o m m i s s i o n — 33 pro, 8 kontra; Herr G. S u m a k o w — 27 pro, 14 kontra; Herr H. v o n O e t t i n g e n — 25 pro, 16 kontra; Herr D. S e w a s t j a n o w — 12 pro, 29 kontra; am Ballotement haben 42 Mitglieder teilgenommen.

Die Subventionen sind folglich der S e e n k o m m i s s i o n, den Herren G. S u m a k o v und H. von O e t t i n g e n zuerkannt und in der von den Autoren gestellten Grösse befriedigt.

5) Zu ord. Mitgliedern der Gesellschaft sind vorgeschlagen: die Herren Oberlehrer J. E. O r l o w — von den Herren N. S s a - c h a r o w und P. M i s c h t s c h e n k o; Assist. D. J. L e w i - n o w i t s c h — von Herren N. L e p o r s k i und N. S s a - c h a r o w.

6. Es ist beschlossen die Wahlen eines Redakteurs an Stelle des Priv.-Doz. N. K u l t a s c h e w, welcher zum Sekretären gewählt wurde, bis zum Schluss des Druckes des XV. Bd. der Sitzungsberichte zu vertagen.

7. In die Bibliothek der Gesellschaft sind von den Herren: A. J a r i l o w, Prof. E. S c h e p i l e w s k i, Prof. N. K u s n e - z o w, Prof. A. S r e s n e w s k y — 8 Bücher geschenkt.

Es wurde der Dank der Gesellschaft ausgesprochen.

8. Herr Stud. M a l y s c h e w hielt einen Vortag : Ueber to-pographische Fähigkeit der Insekten.

9. Herr Assist. J. S c h i r o k o g o r o f f hielt einen Vortrag : Trombosis venae portae. (Abgedruckt im Bd. XV, T. II, S. 135 der Sitzungsberichte.)

401. Sitzung

am 7. Dezember 1906.

Anwesend 25 Mitglieder, 9 Gäste.

1· Das Protokoll der vorigen Versammlung wurde genehmigt.

2. Der Sekretär teilte die laufenden Geschäfte mit :

In die Bibliothek der Gesellschaft sind von Herrn Priv.-Doz. Dr. A. P a l d r o k 3 Bücher geschenkt.

Es wurde der Dank der Gesellschaft ausgesprochen.

3. Es wurden die Wahlen der Revisionskommission vorge-nommen. Gewählt wurden die Herren : Priv.-Doz. Dr. A. P a l-d r o k und Direktor P. B o j a r i n o w.

4. Zu ord. Mitgliedern der Gesellschaft wurden gewählt die Herren : Assist. D. L e w i n o w i t s c h (24 pro, 1 kontra), Ober-lehrer J. O r l o w (24 pro, 1 kontra).

5. Zu ord. Mitgliedern der Gesellschaft sind vorgeschlagen die Herren : Stud. S. M a l y s c h e w — von Prof. N. K u s n e-z o w und Stud. A. M a l z e w; Oberlehrer M. T r e d j a k o w — von den Herren G. S s u m a k o w, Prof. N. K u s n e z o w und Assist. P. M i s c h t s c h e n k o.

6. Prof. K. S a i n t - H i l a i r e machte den Vorschlag : in der Gesellschaft eine Beratung über die mit dem Unterrichte in der Ma-thematik, Physik und den Naturwissenschaften in den mittleren Lehr-anstalten verbundenen Fragen zu organisieren. In der über diesen Vorschlag eröffneten Diskussion haben sich mehrere Mitglieder der Gesellschaft zu Gunsten dieses Vorschlages geäussert. Bei dem darauffolgenden Ballotement stimmten für diesen Vorschlag 21 Mit-glieder, gegen — 1, bei 2 Stimmen-Enthaltungen. Es wurde be-schlossen : 1) Prof. K. S a i n t - H i l a i r e zu bitten, eine vorläufige Beratung der Mitglieder, welche sich für diese Frage interessieren, zu organisieren (13 pro, 6 kontra, 4 St.-Ent.), 2) diesen Vorschlag in einer der nächsten Sitzungen einer Beratung zu unterwerfen (18 pro, 1 kontra, 4 St.-Enth.).

7. Priv.-Doz. Dr. A. P a l d r o k hielt einen Vortrag: Ueber Gonokokken.

„Nachdem Vortragender einige statistische Daten über venerische Krankheiten wiedergegeben hatte, ging er näher auf die Gonorrhoe ein. Er vertrat die Meinung, dass der Tripper als „e i n e k o n s t i t u t i o n e l l e I n f e k t i o n s k r a n k h e i t" anzusehen ist. Wenn wir nicht nach jeder Tripperinfektion gleich den ganzen Körper an Gk. erkranken sehen, so verdanken wir das zum grossen Teil der zweckentsprechenden Therapie, die es selten über eine Lokalerkrankung hinauskommen lässt.

Vortragender demonstriert auf seinem Nährboden gezüchtete Genokokkenreinkulturen. Er hat 25 Nährböden auf ihre Verwendbarkeit zur Gk.-Zucht untersucht und dabei 18 tausend Aussaaten gemacht. An der Hand der gewonnenen Resultate kommt er zum Schlusse, dass G k. n u r a u f N ä h r b ö d e n g e d e i h e n, d i e m e n s c h l i c h e s S e r u m a l b u m i n e n t h a l t e n; Gk. wachsen nicht auf Thalmanns Agar und auch nicht auf Wassermanns Nutrose agar.

P a l d r o c k's G k.- N ä h r b o d e n besteht aus 2 Teilen Agar $+$ 1 Teil Ascitesflüssigkeit. Der Agar wird aus: Fleischwasser $+$ 4 $^0/_0$ Pepton $+$ 3 $^0/_0$ Agar bereitet. — Steriler, Lakmusneutraler, flüssiger, 50 ^{0} C. warmer Agar wird mit steriler 50^0 C. warmer Ascitesflüssigkeit gemischt und in Röhrchen abgefüllt, wo das Gemisch schräg zum Erstarren gebracht wird.

Zum Sterilisieren der Ascitesflüssigkeit bedient man sich, neben einmaligem Sterilisieren bei 55^0 C., noch des Gefrierenlassens bei minus 15—20^0 C.

Der Vortrag war ein kurzer Inhalt seines Buches: D e r G o n o k o k k u s N e i s s e r i". — Eine literärische und bakteriologisch experimentelle Studie. Verlag von Fritz Schledt — Dorpat. 1907".

(Autoreferat.)

8. Assist. A. O r l o w machte einige Mitteilungen über seine Arbeiten mit Seismographen. (Abgedr. im Bd. XV, T II, S. 147 der Sitzungsberichte.)

II.

Научный отдѣлъ.

Wissenschaftlicher Theil.

Водная растительность въ бассейнѣ рѣки Корочи Курской губерніи[1].

А. И. Мальцевъ.

Изучая въ теченіи послѣднихъ трехъ лѣтъ (1903—1905 гг.) флору Корочанскаго у. Курской губ., я въ частности обращалъ особенное вниманіе и на водную растительность даннаго раіона, собирая относящіеся сюда матеріалы и дѣлая попутно флористическія наблюденія. Задачей моихъ работъ и наблюденій было — разграничить сферы вліянія двухъ совершенно разнородныхъ факторовъ: a) естественныхъ закоиовъ распредѣленія растеній и b) вліянія культуры, которая кладетъ свою руку на дикую растительность страны, и затѣмъ, на основаніи сдѣланныхъ наблюденій надъ тѣмъ и другимъ, — бросить нѣкоторый свѣтъ на прошлую, докультурную картину растительности въ такомъ маленькомъ уголкѣ нашего обширнаго отечества, каковымъ является долина рѣки Корочи. Исходя изъ того убѣжденія, что „послѣдовательное и систематическое изученіе отечественной нашей флоры можетъ быть съ наибольшимъ успѣхомъ достигнуто не путемъ экскурсій и экспедицій, всегда скоропреходящихъ, и даже случайныхъ, а трудомъ мѣстныхъ жителей, которые могутъ провѣрять свои наблюденія"[2], я, какъ житель Корочанскаго у. Курской губ., заинтересовался флорой нашей мѣстности тѣмъ болѣе, что она до настоящаго времени оставалась terra incognita въ ботаническомъ отношеніи.

Не касаясь тѣхъ ботаническихъ работъ, которыя вообще относятся къ флорѣ Курской губ. — всѣ онѣ разобраны В. Су-

---

1) Содержаніе этой работы было предметомъ изложенія реферата, произнесеннаго мною въ Обществѣ Естествоиспытателей при Имп. Юрьевск. Университетѣ 3-го Ноября 1905 года.

2) Кн. Вл. Голицынъ. „Очеркъ флоры Епиф. у. Тульск. г." Труд. Бот. Сад. Имп. Юрьев. Унив. Т. V. в. 4. стр. 234—235. 1905.

качевымъ[1]) — я только отмѣчу относящіяся къ описанію растительности одного Корочанскаго уѣзда. Одни изъ флористовъ первой половины прошлаго столѣтія — Линдеманнъ[2]) и Мизгеръ[3]) — оставили въ своихъ трудахъ почти голые списки
нѣсколькихъ десятковъ растеній, приводимыхъ для нашего края,
безъ точнаго указанія ихъ мѣстонахожденій; причемъ нѣкоторыя
изъ нихъ должны быть исключены, какъ синонимы, иныя-же
требуютъ подтвержденія. Другіе ботаники — Калениченко[4])
и Литвиновъ[5]) — изслѣдовали только такіе уголки нашего
уѣзда, которые поражаютъ богатствомъ флоры и рѣдкихъ видовъ,
не касаясь растительности всего раіона. Оба ученые, какъ извѣстно, посѣтили с. Бекарюковку; причемъ Калениченко открылъ
здѣсь въ бору (въ 1849 г.) алтайскій, рѣдкій эндемическій видъ,
который онъ назвалъ *Daphne Sophia* Kalenicz. и который, какъ
оказалось впослѣдствіи по изслѣдованіямъ Голенкина[6]), тождественъ съ *Daphne altaica* Pall.., и подробно описалъ впервые
самый Бекарюковскій боръ; Литвиновъ-же интересовался этимъ
сколкомъ бора на мѣлу, какъ „горнымъ соснякомъ", представляющимъ, по его мнѣнію, остатокъ ледниковаго періода съ сохранившимися въ немъ „реликтовыми видами" (*Daphne altaica* Pall.,
Viscum album L.). Что-же касается флористовъ послѣдняго времени, то В. Сукачевъ, посѣтившій три раза (въ 1899—1901 г.г.)
юго-восточную часть Курской губ., а слѣдовательно и Корочанскій у., въ одной своей работѣ[7]) совершенно не касается водной
растительности этого уѣзда и приводитъ только нѣсколько видовъ
для корочанскихъ мѣловыхъ обнаженій („Бѣлая горя", „Кручки")
по частнымъ сообщеніямъ г.г. Ширяевскаго и Паллона, чѣмъ

1) В. Сукачевъ. „Очеркъ растительности ю.-вост. части Курской губ." Отд. отт. изъ Изв. СПБ. Лѣсн. Инст. в. IX. стр. 6—9. 1903 г.
2) Lindemann. „Nova revisio florae Kurskianae". „Addenda ad novam revisionem etc." Bulletin de la soc. des nat. de Moscou. 1865.
3) Мизгеръ. „Конспектъ растеній дикорастущихъ и разводимыхъ въ Курской губ." 1869.
4) Kaleniczenko. „Quelques mots sur les daphnes russes etc." Bulletin de la soc. Imp. des natur. de Moscou. 1849. „Encor quelques mots sur la *Daphne Sophia*". Bulletin de la soc. des nat. de Moscou. 1873.
5) Литвиновъ. „Геоботаническія замѣтки о флорѣ Европейской Россіи". Bulletin de la soc. des natur. de Moscou. 1890. „О реликтовомъ характерѣ каменистыхъ склоновъ въ Европейской Россіи". Труд. Бот. Муз. Им. Акад. Наук. в. I. 1902.
6) Голенкинъ. „Замѣтка о *Daphne Sophia* Kalen". Прилож. къ проток. Имп. Моск. Общ. Испыт. Прир. Январь. 1899.
7) Сукачевъ. „О болотной и мѣловой растительности юго-восточной части Курской губерніи". Отд. отт. изъ Труд. Общ. Испыт. природ. при Имп. Харьк. Унив. Т. XXXVII. 1902.

между прочимъ и воспользовался В. Н. Таліевъ[1]); въ другомъ-же трудѣ[2]) онъ откровенно заявляетъ, что „по рѣкѣ Корочѣ ему не пришлось экскурсировать“ и для характеристики водной растительности рѣки Корочи приводитъ, по крайней мѣрѣ въ текстѣ, всего 16 вульгарныхъ видовъ, заимствованныхъ опять у тѣхъ-же Паллона и Ширяевскаго. Отсюда нѣтъ ничего удивительнаго, что въ его списокъ флоры для всей юго-вост. части Курской губ. не вошли даже такія древесныя породы, какъ осина (*Populus tremula* L.), всюду распространенная, и рябина *(Sorbus Aucuparia* L.), рѣже встрѣчаемая у насъ, а цѣлыя семейства другихъ растеній, какъ напр. *Salicineae, Cyperaceae* и отчасти *Gramineae*, остались совершенно не изслѣдованными въ Корочанскомъ у. Поэтому-то въ послѣднее время начали появляться „дополненія къ списку растеній В. Сукачева[3]) для юго-восточной части Курской губерніи“ и я увѣренъ, что при болѣе внимательномъ и детальномъ изученіи нашего, богатаго растительностью раіона, прійдется еще значительно увеличить количество новыхъ видовъ не только не указанныхъ для Корочанскаго у., но и для всей Курской губерніи.

Такимъ образомъ, рѣка Короча и вся долина, по которой она протекаетъ, остались почти не изслѣдованными въ отношеніи флоры; это особенно нужно сказать относительно водной растительности. А между тѣмъ — это одинъ изъ красивѣйшихъ уголковъ, богатыхъ флорою, въ которомъ не только можно изучить представителей всѣхъ растительныхъ формацій, но и, такъ сказать, въ маленькомъ масштабѣ, не разбрасываясь, можно еще легко наблюдать столь интересную соціальную жизнь растеній, борьбу цѣлыхъ растительныхъ сообществъ, условія ихъ роскошнаго развитія, смѣны и постепеннаго вымиранія.

Если обратить вниманіе на юго-восточную часть Корочанскаго у., то сразу бросятся въ глаза три, почти параллельно идущія съ N. на S., долины, по которымъ текутъ рѣки системы Донца — Корень, Короча и Нежеголь; два высокихъ водораздѣла между

1) В. И. Таліевъ. „Растительность мѣловыхъ обнаженій южной Россіи“. Отд. отт. изъ Труд. Общ. Исп. Прир. при Имп. Хар. Унив. Т. XXXIX. в. I. 1904. стр. 131—135.
2) В. Сукачевъ. „Очеркъ растит. юго-восточн. части Курской губ.“ Отд. отт. изъ Изв. СПБ. Лѣсн. Инст. IX в. 1903. стр. 40.
3) I. Паллонъ. „Дополненіе къ списку раст. въ Очер. раст. ю.-в. ч. Курск. губ. В. Сукачева“. Труд. Бот. Сад. Импер. Юрьев. Универ. Т. VI. в. I. 1905. стр. 35--36.

ними разграничиваютъ ихъ одну отъ другой. Теченіе этихъ рѣкъ съ сѣвера на югъ объясняется общимъ уклономъ всего раіона въ этомъ направленіи. Самое высокое мѣсто въ уѣздѣ находится не далеко отъ ихъ истоковъ — у с. Плотавца; высота здѣсь надъ уровнемъ Чернаго моря = 918 англ. футовъ [1]); около г. Корочи у с. Проходного уже 810, а затѣмъ паденіе высотъ идетъ прогрессивно въ южномъ направленіи до 700 англ. фут.; поэтому и рѣки уѣзда текутъ на югъ, а соотвѣтственно имъ идутъ и водораздѣльныя возвышенности. Тутъ-же замѣчу, что эти водораздѣлы, начиная приблизительно съ половины всей длины рѣки Корочи, въ южной своей части облѣсены и до сихъ поръ покрыты сплошными дубовыми лѣсами; сѣверная-же ихъ половина, какъ мнѣ кажется, представляла когда-то, по всей вѣроятности, участки степи, въ которую вклинивались полоски лѣса; послѣдніе, какъ и степь, теперь уничтожены, почва распахана и пущена подъ богатыя нивы. Этотъ фактъ — отсутствіе лѣсовъ на водораздѣлахъ въ сѣверной ихъ части — имѣетъ весьма важное значеніе въ томъ смыслѣ, что онъ всецѣло отразился на характерѣ всей рѣки Корочи — на качествѣ ея воды и грунта, на глубоководности самого бассейна и его растительномъ мірѣ; наконецъ онъ-же является, какъ увидимъ ниже, одной изъ важнѣйшихъ причинъ въ дѣлѣ усыханія и заболачиванія рѣки Корочи. Я не буду говорить о двухъ другихъ рѣкахъ въ нашемъ уѣздѣ — Корени и Нежеголи; экскурсіи по нимъ ничего не прибавили къ моимъ наблюденіямъ, сдѣланнымъ по рѣкѣ Корочѣ, на которой и остановимся подробнѣй.

Небольшая наша рѣченка, Короча беретъ свое начало на границѣ съ сосѣднимъ Старо-Оскольскимъ у. вблизи села Ольховатки и, направляясь съ N. по S., прорѣзываетъ самый г. Корочу и его уѣздъ почти на протяженіи 70 верстъ въ этомъ направленіи и, соединившись съ лѣвой стороны съ р. Нежеголью, а съ правой — съ Коренькомъ — впадаетъ въ Донецъ въ сосѣднемъ Бѣлгородскомъ у. Течетъ она по узкой долинѣ прерывныхъ луговъ и ольшатниковъ, имѣя по правую сторону очень крутыя мѣловыя или глинистыя обнаженія, покрытыя въ южной половинѣ дубовыми лѣсами, а по лѣвую — отлогую возвышенность черноземныхъ полей, въ которыя часто вдаются балки и рвы, заросшіе мелкими кустарниками и довольно богатой степной раститель-

---

1) Высоты позаимствованы изъ 10-ти-верстной карты Генеральн. Штаба.

ностью. Изъ притоковъ ея имѣется единственный — въ видѣ ручья съ лѣвой стороны — рѣчонка Ивичка. Эта послѣдняя замѣчательна въ томъ отношеніи, что она несетъ чистую ключевую воду, зимой не замерзаетъ и беретъ свое начало подъ сл. Соколовкой изъ громаднаго родника подъ горою. Направляясь отсюда къ р. Корочѣ по логу, изобилующему ключами и родниковыми отдушинами, она имѣетъ по правую сторону великолѣпно развитыя мѣловыя обнаженія, а у подошвы ихъ — интересную полосу мягкихъ, подушкообразныхъ гипновыхъ болотъ и мощныя залежи торфа у своего истока.

Возвращаясь къ самой р. Корочѣ, мы, для удобства характеристики, раздѣлимъ ее на двѣ приблизительно равныя части: — сѣверную, отъ истока до с. Терновой (въ 12-ти верст. отъ г. Корочи на S.), гдѣ въ нее впадаетъ притокъ Ивичка; и — южную, отъ этого пункта до соединенія съ рѣкою Нежеголью.

Это искусственное дѣленіе рѣки Корочи совпадаетъ и съ естественными условіями ея существованія.

Сѣверная ея половина извивается узкой лентой, рѣдко болѣе сажени въ ширину и — аршина въ глубину; зачастую можно встрѣтить мѣста, гдѣ гуси и утки могутъ только ходить по водѣ, а не плавать; вода мутная и непрозрачная; грунтъ русла топкій и вязкій, за исключеніемъ тѣхъ рѣдкихъ мѣстъ, гдѣ рѣка Короча очень близко подходитъ къ водораздѣльной возвышенности (какъ напр. у „Трехъ Кручекъ" съ остатками лѣса). Правый берегъ въ общемъ круче лѣваго, часто подбитый прибоемъ воды, иногда обрывистый; лѣвый отлогій и непосредственно переходитъ въ заливные луга; какъ тотъ, такъ и другой бѣдны прибрежной растительностью, да и погруженные въ воду виды не богаты. Водораздѣльныя возвышенности здѣсь лишены лѣсовъ и пущены подъ пашни, а потому, при таяніи снѣга и сильныхъ ливняхъ, несвязанныя массы рыхлой почвы захватываются вешними водами и сносятся въ рѣку, размѣры которой съ каждымъ годомъ съуживаются, она мелѣетъ и совершенно забивается; весенніе разливы здѣсь достигаютъ громадныхъ размѣровъ; эта половина долины заливается тогда водою на цѣлыя версты въ стороны, затопляя сосѣднія села, а на поймѣ остается большой слой ила, содѣйствующій роскошному развитію растительности поемныхъ луговъ.

Болѣе интересна южная половина рѣки Корочи — ширина ея здѣсь довольно значительна — отъ 2-хъ до 10 саж.; глубина въ среднемъ отъ одной сажени до 3-хъ. Вода довольно чистая, но непрозрачная и, какъ кажется, болѣе всего проясняется впаденіемъ ключевой воды изъ р. Ивички; грунтъ русла болѣе твердый, иногда даже песчаный; берега равномѣрно-крутые, рѣдко обрывистые. Этотъ характеръ южной половины рѣки несомнѣнно стоитъ въ связи съ облѣсеніемъ здѣсь водораздѣловъ: сохранившійся въ данномъ случаѣ лѣсъ, связывая вверху почву, сохранилъ внизу и рѣку Корочу въ ея лучшемъ видѣ.

Но можно указать еще одинъ важный признакъ, которымъ характеризуется вся рѣка Короча въ двухъ ея половинахъ — это черезчуръ рѣзкое зигзагообразное направленіе русла. Это обстоятельство сильно содѣйствуетъ съ одной стороны заболачиванію самого водоема, съ другой — изгибы и извороты въ стороны образуютъ массу затоновъ и небольшихъ заливчиковъ, изолированныхъ отъ общаго сравнительно быстраго потока воды на срединѣ русла, въ тиши которыхъ главнымъ образомъ и развертывается во всей своей прелести водная флора — въ результатѣ чего получается опять-таки засореніе рѣки жизнедѣятельностью самихъ-же растеній.

Всю водную растительность рѣки Корочи я раздѣлю на два типа: a) собственно-водная, т. е. погруженная въ воду растительность (прикрѣпленные и свободно плавающіе виды) и b) береговая растительность или прибрежно-рѣчная (высокорослые виды, низкорослые или растительныя амфибіи и сорныя травы мокрыхъ луговъ).

Ближе всѣхъ къ быстрому теченію воды на срединѣ русла подходятъ водныя прикрѣпленныя растенія: бѣлоснѣжныя кувшинки (*Nymphaea alba*) и золотистыя кубышки (*Nuphar luteum*), которыя разбрасываются живописнымъ узоромъ по поверхности воды, обыкновенно образуя сплошныя заросли. За ними ближе къ берегу идутъ Наядовыя-Рдесы:

Potamogeton pectinatus
P. natans
P. perfoliatus
P. crispus.

Всѣ они даютъ густыя заросли. Къ нимъ присоединяются:

Ceratophyllum demersum
Myriophyllum verticillatum,

производя въ водѣ полный эффектъ, откуда какъ-бы высматриваетъ цѣлый сказочный лѣсъ этихъ подводныхъ растеній. Иногда они замѣняются самостоятельными, довольно значительными, хотя и рѣдкими зарослями одного воднаго лютика *Ranunculus circi-natus,* который особенно интересенъ въ періодѣ своего цвѣтенія (въ первой половинѣ іюня), когда вода на большомъ пространствѣ покрывается бѣлой пеленой нѣжныхъ цвѣточковъ.

У самыхъ береговъ и особенно въ тихихъ заливчикахъ и затонахъ, тамъ, гдѣ вода застаивается, роскошно развиваются свободно-плавающіе виды, какъ:

Водокрасъ *(Hydrocharis Morsus ranae)*

Нузырчатка *(Utricularia vulgaris);*

тутъ-же разстилается трясучій коверъ рясокъ:

Lemna trisulca

L. minor

L. polyrhiza,

а со дна поднимаются:

Callitriche verna

C. autumnalis.

Рѣже здѣсь можно встрѣтить красивыя заросли

Potamogeton lucens

P. pusillus v. *tenuissimus.*

Этими видами и исчерпывается собственно водная раститель-ность р. Корочи.

Что-же касается прибрежно-рѣчной растительности, то она, по моимъ наблюденіямъ, распредѣляется въ зависимости отъ ха-рактера и топографіи береговъ рѣки, какъ это можно подмѣтить по крайней мѣрѣ въ большинствѣ случаевъ.

Тамъ, гдѣ берега пологіе и открытые для доступа вѣтровъ, особенно хорошо себя чувствуютъ высокорослые виды, изъ кото-рыхъ дальше другихъ заходятъ въ воду сплошныя заросли тро-стника *(Phragmites communis)* или отдѣльныя вкрапливанія камышей *(Scirpus lacustris).* За ними идутъ:

Thypha latifolia

Th. angustifolia (рѣдко)

Acorus Calamus (оч. рѣдко),

почти никогда не образующія сплошныхъ зарослей. Часто эти послѣднія смѣняются громаднымъ количествомъ различныхъ осокъ *(Carices: C. riparia, C. stricta, C. vulpina, C. Pseudocyperus* etc.), водныхъ злаковъ: *Glyceria spectabilis*

G. fluitans (рѣдко),

и одного вида камышей *(Scirpus silvaticus).*

Въ мѣстахъ-же, защищенныхъ отъ вѣтровъ, на тѣхъ-же пологихъ берегахъ, гдѣ высокорослыя однодольныя растенія прерываются, начинается сфера растительныхъ амфибій, т. е. видовъ обыкновенно низкорослыхъ и хорошо развивающихся, какъ въ водѣ, такъ и на сушѣ. Здѣсь всегда можно встрѣтить:

Menyanthes trifoliata
Sagittaria sagittifolia
Alisma Plantago
Hippuris vulgaris
Sparganium ramosum
Iris Pseudacorus
Butomus umbellatus и др.

Нѣкоторые изъ нихъ: *Hippuris vulgaris* и особенно *Menyanthes trifoliata* иногда образуютъ большія заросли, сплошь покрывающія берегъ.

Наконецъ крутые берега, часто подмытые прибоемъ воды, бываютъ обыкновенно лишены прибрежной растительности того или другого вида, а прямо переходятъ въ лугъ и бываютъ покрыты лѣтомъ луговыми травами, а раннею весною — особенно обильно желтыми цвѣтами *Caltha palustris*. При этомъ, если также крутые берега непосредственно примыкаютъ къ лугу и не бываютъ посѣщаемы человѣкомъ или скотомъ, то въ большинствѣ случаевъ мнѣ здѣсь приходилось наблюдать большія заросли:

Polygonum amphibium f. *terrestre*
P. lapatifolium typ.

къ нимъ присоединяются:

Veronica anagalloides
Oenanthe aquatica и друг.

ближе къ водѣ: *Rumex maritimus*
R. Hydrolapatum
Cyperus fuscus и друг.

заходятъ въ воду: *Scirpus maritimus*
Polygonum amphibium f. *natans*.

Если-же крутые берега заросли ивами или, какъ у насъ называютъ вербами *(Salices: S. fragilis, S. alba* и др.), то тутъ почти всегда можно встрѣтить:

Mentha sativa f. *verticillata*
Nasturtium palustre
N. austriacum
Lepidium latifolium

Lycopus exaltatus
Leonurus marrubiastrum
и др. сорные виды.

Въ мѣстахъ-же наиболѣе бойкихъ — у плотинъ, водопоевъ и т· п. крутые берега несутъ совсѣмъ жалкую растительность, общипанную скотомъ. Тутъ обыкновенно стелется *Polygonum aviculare* вмѣстѣ съ *Potentilla anserina,* да торчатъ кое-гдѣ объѣденные кустики: *Polygonum persicaria*
Gnaphalium uliginosum
Pulicaria vulgaris
Alopecurus geniculatus и др.

Вотъ такую въ общемъ флористическую картину представляетъ рѣка Короча, — таково приблизительно распредѣленіе въ ней гидрофитной растительности. На первый взглядъ кажется, что гидрофиты, т. е. растенія любящія влагу, поселяются тамъ, гдѣ только она окажется, не соблюдая никакого порядка въ своемъ поселеніи, а перемѣшиваясь видами совершенно случайно. На самомъ-же дѣлѣ, если всмотрѣться въ распредѣленіе гидрофитовъ, то нельзя не подмѣтить нѣкоторой закономѣрности въ ихъ разселеніи въ одномъ и томъ-же бассейнѣ. Эта закономѣрность обусловливается несомнѣнно различными механическими приспособленіями, которыя выработаны этими растеніями по отношенію къ окружающей ихъ средѣ и, можетъ быть отчасти, ея питательными свойствами. Поэтому, мы и видимъ, что въ мѣстахъ сравнительно быстраго потока воды, или лучше сказать тамъ, гдѣ быстрое теченіе переходитъ въ слабое, поселяются погруженные въ воду виды, которые могутъ прикрѣпляться; впереди идутъ такіе сильные біологическіе борцы, какъ *Nymphaeaceae*, съ громадными корневищами и широкими листьями, подъ которыми всякая растительная жизнь заглушается и которыми они удерживаются на водѣ, какъ-бы при помощи парашютовъ; затѣмъ слѣдуютъ *Najadaceae* съ *Ceratophyllum, Myriophyllum* и *Ranunculus divaricatus*, т. е. такія растенія, которыя безъ вреда могутъ выдерживать сильное волненіе воды вслѣдствіе своихъ нитевидно-разсѣченныхъ листьевъ.

Напротивъ, въ тихихъ затончикахъ и заливахъ, ближе къ берегу, гдѣ вода застаивается и гдѣ богатый планктонъ, тамъ мы обыкновенно находимъ свободно-плавающіе виды, которые могутъ здѣсь безопасно обитать и развиваться. Таковы ряски *(Lemnae)* и водокрасъ *(Hydrocharis Morsus ranae)*, замѣчательный, какъ извѣстно, тѣмъ, что въ его неповрежденныхъ волоскахъ можно великолѣпно наблюдать вращательное движеніе плазмы въ видѣ цыфры 8; сюда-же относится и насѣкомоядная пузырчатка *(Utricularia vulgaris)*, вылавливающая изъ планктона въ свои ловушки циклоповъ, дафній и друг. рачковъ.

Прибрежная растительность, кажется, тоже подчиняется подобной-же закономѣрности. По крайней мѣрѣ чаще приходится видѣть на открытыхъ берегахъ цѣлое колеблющееся море метелокъ различныхъ однодольныхъ — тростника *(Phragmites)*, камышей *(Scirpus)*, рогозовъ *(Thypha)* и т. д.; всѣ они крѣпко сидятъ въ почвѣ своими большими корневищами, а длинные ихъ стебли и лентообразные листья, легко сгибаясь, свободно выдерживаютъ безъ вреда сильные напоры вѣтра. На берегахъ-же, защищенныхъ отъ вѣтровъ, чаще поселяются растительныя амфибіи. Но какъ тѣ, такъ и другія предпочитаютъ пологіе берега, гдѣ почва болѣе вязка, куда, слѣдовательно, они могутъ свободно запускать свои корневища, и избѣгаютъ по противоположнымъ причинамъ береговъ крутыхъ, у которыхъ обыкновенно сосредоточивается бойкая дѣятельность человѣка и скота, и гдѣ селятся уже травы луговъ и различныя сорныя прибрежныя растенія.

Изъ этого краткаго описанія рѣки Корочи и ея растительности можно видѣть, что наша рѣченка принадлежитъ къ типу тѣхъ маленькихъ, вульгарныхъ бассейновъ, орошающихъ черноземную почву, которые особенно удобны для развитія водной растительности. Этотъ, въ большинствѣ случаевъ, илистый грунтъ бассейна; небольшая его глубоководность; тихое движеніе воды; масса затоновъ и заливчиковъ — все это сильно содѣйствуетъ развитію водной флоры, которая, при относительномъ богатствѣ и разнообразіи видовъ, размножается здѣсь въ поражающемъ количествѣ.

Заболачиваніе рѣки Корочи.

Но такъ роскошно развиваясь въ такомъ маленькомъ бассейнѣ, каковымъ является наша р. Короча, водныя растенія медленными, но вѣрными шагами создаютъ себѣ такую обстановку, при которой ихъ смерть и гибель самого бассейна является неизбѣжной. Поразительно быстрое размноженіе погруженныхъ въ воду растеній при помощи т. н. зимующихъ почекъ *(Hydrocharis, Utricularia)*, побѣговъ *(Potamogeton)* и корневищъ *(Nymphaeaceae)* приводитъ несомнѣнно къ тому, что постепенно-увеличивающееся молодое поколѣніе быстро заполняетъ собою маленькій бассейнъ, стѣсняя другъ друга въ развитіи, а масса отмершихъ труповъ старыхъ растеній покрываетъ слоями дно водоема, значительно понижая его глубоководность. Такимъ образомъ, погруженныя въ воду растенія уже сами по себѣ — благодаря сильному размноженію и отмиранію — сильно засоряютъ р. Корочу. Такое засореніе рѣки особенно рѣзко выражено подъ с. с. Стрѣлицей и Большимъ Городищемъ. Здѣсь встрѣчаются такіе участки, въ которыхъ все русло водоема заполнено погруженными въ воду и плавающими растеніями различныхъ водныхъ видовъ; послѣдніе такъ сильно здѣсь переплелись своими стеблями и корневищами, какъ-бы въ отчаянной схваткѣ отбивая другъ у друга каждую каплю воды и всякій пузырекъ воздуха, что совершенно нѣтъ никакой возможности какимъ-бы-то ни было способомъ перебраться съ одного берега на другой. Большинство водныхъ видовъ, перечисленныхъ выше для характеристики растительности р. Корочи, были мною собраны въ этихъ мѣстахъ.

Но этого еще мало. При заполненіи водоема большимъ количествомъ живыхъ и отмершихъ растеній, естественно задерживается свободный протокъ воды, а это въ свою очередь способствуетъ осажденію на дно большого количества ила, особенно во время весеннихъ разливовъ рѣки. Въ этомъ случаѣ уничтоженіе лѣсовъ по водораздѣламъ и послѣдующее распахиваніе почвы, является, выражаясь въ отрицательномъ смыслѣ, — наилучшимъ способомъ засорить рѣку, понизить ея глубоководность и наконецъ совершенно уничтожить ее. Демонстративнымъ примѣромъ этого, какъ уже было упомянуто, можетъ служить вся сѣверная половина р. Корочи, въ которой, какъ у насъ выражаются мѣстные обыватели, „воды — воробью по колѣно".

Какъ только это засореніе рѣки началось, то погруженныя въ воду растенія очутились уже въ неблагопріятныхъ условіяхъ существованія: — территорія ихъ обитанія сузилась и жизнь, въ смыслѣ развитія индивидуумовъ, стѣснилась; а между тѣмъ борьба за существованіе естественно усилилась и тѣмъ болѣе осложнилась, что мелководность наполненнаго иломъ водоема создала почву, благопріятную для поселенія здѣсь наиболѣе сильныхъ конкурентовъ — растеній прибрежныхъ. Эти послѣднія стѣною надвигаются на обмелѣвшіе участки и безъ труда отвоевываютъ ихъ, пуская все дальше и дальше свои громадныя корневища. Впереди обыкновенно идутъ высокорослые виды въ такомъ приблизительно порядкѣ: сначала *Phragmites* и *Scirpus*, за ними — *Thypha* и

Glyceria, а потомъ ужъ различныя *Carices.* Въ другихъ случаяхъ заростаніе выпадаетъ на долю низкорослыхъ растительныхъ амфибій, изъ которыхъ *Menyanthes* и *Hippuris* образуютъ не рѣдко сплошныя и густыя заросли. Конечно, этотъ процессъ заростанія и заболачиванія рѣки сначала имѣетъ мѣсто въ участкахъ, гдѣ вода застаивается, т. е. въ заливчикахъ и особенно затонахъ. Характернымъ примѣромъ этого можетъ служить одинъ затонъ, лежащій между дер. Афанасовой и с. Терновымъ. Здѣсь р. Короча дѣлаетъ очень крутой изгибъ (почти подъ угломъ въ 90°) и затѣмъ даетъ большое озероподобное расширеніе русла въ одну (лѣвую) сторону. Тутъ-же вправо высятся высокія и крутыя обнаженія мѣла, на вершинѣ обезлѣсенныя и распаханныя. Три — четыре года тому назадъ на этомъ Афанасовскомъ Затонѣ ходили челноки (маленькая лодка рыбаковъ), а терновскіе крестьяне здѣсь ловили рыбу, вытаскивая сѣтями на берегъ погруженные въ воду рдесы (различн. *Potamogeton),* урутъ *(Myriophyllum)* и роголистникъ *(Ceratophyllum),* который они называли „водяной крапивкой“; красивымъ ковромъ здѣсь разстилались кубышки *(Nuphar)* и кувшинки *(Nymphaea)* и только съ одной стороны наступали незначительныя заросли тростника *(Phragmites communis).* Теперь-же эта картина на нашихъ глазахъ уже совершенно измѣнилась. Съ сосѣднихъ склоновъ такъ наз. „горы Куцовки“, на вершинѣ которой распахиваютъ землю, почва весною сползаетъ внизъ въ видѣ черныхъ полосъ гумуса на бѣломъ фонѣ мѣловыхъ склоновъ; она сносится въ затонъ и за послѣдніе три года въ немъ отложилась такая масса илу, что на разстояніи 2—3-хъ саженей отъ береговъ образовалась топкая грязь, а слой воды ее покрываетъ не болѣе, какъ на четверть. Погруженные въ воду виды совершенно исчезли; напротивъ, тростники съ одной стороны значительно подвинулись впередъ и заняли бо́льшую площадь; съ другой-же стороны затона по илу далеко отъ прежнихъ береговъ успѣла уже распространиться низкорослая прибрежная растительность и осоки. Подобныхъ затоновъ по рѣкѣ Корочѣ — много; ихъ можно встрѣтить подъ с. с. Нечаевой, Тюриной, Стрѣлицей и т. д.; всѣ они переживаютъ процессъ заболачиванія, подобно Афанасовскому затону. Мы видимъ, такимъ образомъ, что заболачиваніе нашей рѣки особенно интенсивно идетъ въ затонахъ и заливахъ, и совершается подъ вліяніемъ жизнедѣятельности водныхъ и прибрежно-рѣчныхъ видовъ при большомъ содѣйствіи человѣка. Но если, кромѣ этого факта, принять еще во вниманіе общую мелководность нашего водоема, отсутствіе притока въ него ключевыхъ, постоянныхъ водъ и очистки русла, сильное пересыханіе въ жаркія лѣта и заростаніе высохшихъ участковъ различною растительностью, механическое забиваніе и засореніе русла особенно въ мѣстахъ водопоевъ („стойла для скота") и свалки различныхъ отбросовъ, — то станетъ вполнѣ понятнымъ, почему рѣка Короча находится въ критической стадіи своего усыханія, особенно въ сѣверной ея половинѣ, почему она такими гигантскими шагами идетъ, можетъ быть, къ превращенію въ недалекомъ будущемъ въ цѣлый рядъ болотъ.

Болота.

Если представить себѣ, что затонъ, подобный Афанасовскому, будетъ отшнурованъ или отрѣзанъ отъ рѣки перемѣщеніемъ ея русла въ сторону отъ него, то мы и получимъ типъ тѣхъ болотъ, которыя по сторонамъ (особенно лѣвой) сопровождаютъ всю рѣку Корочу, располагаясь вблизи ея на лугу. Это не тѣ сфагновыя болота сѣвера, которыя нѣмцы называютъ „Moosmoore", а тѣ „луговыя" болота, которыя они обозначаютъ словами: „Wiesenmoore" или „Niederungsmoore". При болѣе внимательномъ наблюденіи надъ этими луговыми болотами, ихъ положеніемъ вблизи рѣки, растительностью, — всегда можно подмѣтить тѣ слѣды, по которымъ бывшій затонъ шелъ къ превращенію въ болото. Эти слѣды въ большинствѣ случаевъ являются или въ видѣ прежде бывшаго хорошо замѣтнаго русла рѣки, измѣненнаго въ участокъ кислаго луга или въ формѣ такъ наз. „ложбинокъ" — низкихъ, мокрыхъ мѣстъ, связывающихъ полосками рѣку съ близъ-лежащими болотами, растительность которыхъ почти тождественна съ прибрежной. Что именно этотъ генезисъ нашихъ луговыхъ болотъ, сопровождающихъ рѣку Корочу, возможенъ и фактически подтверждается, обратимъ вниманіе на то, что дѣлается съ участками рѣки, изолированными при искусственномъ отведеніи ея русла въ сторону. Подобное явленіе имѣло мѣсто недалеко отъ выше разсмотрѣннаго Афанасовскаго затона подъ с. Терновой. Здѣсь года 4 тому назадъ было прорыто новое русло рѣки въ видѣ широкой канавы, соединяющей два колѣна прежняго русла на значительномъ разстояніи. Большой участокъ стараго широкаго русла оказался, такимъ образомъ, отшнурованнымъ и отрѣзаннымъ отъ протока воды. Такъ какъ по берегамъ здѣсь прежде росли главнымъ образомъ тростники (*Phragmites communis*), то, при усыханіи водоема, они быстро его заросли и на мѣстѣ русла рѣки образовалось типичное „камышевое" болото, которое въ наукѣ называется „*Phragmiteta*". Здѣсь мы видимъ цѣлый лѣсъ очень высокаго тростника, представляющаго качающееся море своихъ изящныхъ метелокъ. Только по краямъ къ нему присоединяются:

Thypha angustifolia
Glyceria spectabilis
Carex stricta
— *vulgaris;*

старое-же высохшее русло заросло:

Alisma Plantago
Sagittaria sagittifolia
Butomus umbellatus
Rumex hydrolapatum
Sium latifolium
Oenanthe aquatica
Cyperus fuscus
Veronica anagalloides и т. д.

Здѣсь-же мною былъ найденъ *Ranunculus polyphyllus* W. K. въ двухъ формахъ — водной и наземной; при чемъ я подобралъ переходы отъ первой къ послѣдней. Этотъ лютикъ является новостью для Курской губерніи; въ другой разъ я его встрѣтилъ въ лужахъ на лугу подъ им. Лазаревкой.

Но то, что искусственно было продѣлано подъ с. Терновой, было далеко раньше воспроизведено уже чисто естественнымъ путемъ въ другихъ мѣстахъ и теперь совершается предъ нашими глазами. Для примѣра укажу на большія болотистыя мѣста подъ сл. Плуталовкой (въ 7 верст. отъ г. Корочи). Здѣсь давно, но еще на моей памяти, рѣка Короча вѣтвилась на два рукава, соединяющихся снова въ недалекомъ разстояніи. Одинъ изъ этихъ рукавовъ, который подходитъ ближе къ водораздѣлу и логу, прорѣзывающему его (т. наз. „Проходенскому"), имѣлъ тогда громадный и глубокій затонъ, который игралъ роль естественнаго става предъ выстроенной здѣсь-же водяной мельницей. Ежегодными громадными наносами ила и камней изъ Проходенскаго лога, особенно весною и во время ливней, — ближайшій къ нему рукавъ рѣки и затонъ были совершенно завалены. Вода, конечно, перестала заходить сюда изъ рѣки и теперь на мѣстѣ бывшаго затона образовались кислыя болота, отъ которыхъ расходятся въ стороны слѣды прежняго рукава рѣки, да по близости на сушѣ, по злой ироніи судьбы, остались погруженныя въ почву развалины водяной мельницы, какъ печальнаго свидѣтеля прежде бывшихъ здѣсь процессовъ уничтоженія рѣки. Точно въ такомъ-же траги-комическомъ положеніи очутилась на сухомъ мѣстѣ и другая водяная мельница подъ с. Терновой (т. наз. „Морозовская"). Какъ здѣсь, такъ и тамъ вновь образовавшіеся болотистые участки отличаются обиліемъ различныхъ осокъ *(Carices);* сравнительно съ ними *Phragmites, Typha* и др. растенія, образующія сплошныя заросли въ другихъ мѣстахъ, здѣсь отходятъ на задній планъ. Мы имѣемъ предъ собою въ данномъ случаѣ другой типъ болотъ „осоковыхъ" — *„Cariceta",* въ растительномъ составѣ которыхъ преобладаютъ различныя осоки — *Carices (C. vulgaris, C. vulpina, C. acuta, C. riparia, C. stricta, C. hirta* и друг.) Для примѣра опишу растительность осоковыхъ болотъ подъ Плуталовкой. Фонъ ихъ составляютъ осоки:

C. vulgaris
C. vulpina
C. riparia

рѣже встрѣчаются *C. hirta* и *C. stricta.*

Къ нимъ присоединяются водные злаки:

Glyceria spectabilis
G. fluitans (рѣдко)
Catabrosa aquatica;

затѣмъ слѣдуютъ травы мокрыхъ луговъ:

Nasturtium amphibium
Sium latifolium (по краямъ)
Oenanthe aquaticæ
Galium uliginosum
Myosotis caespitosa
Rumex confertus (по краямъ)
Stachys palustris
Juncus lampocarpus
Scirpus maritimus
Sc. silvaticus
Alopecurus arundinaceus
A. geniculatus
Agrostis alba
Equisetum palustre.

Осоковыя болота подъ с. Терновой дополняютъ растительность Плуталовскихъ болотъ въ качественномъ отношеніи, хотя количественныя отношенія составляющихъ растительность видовъ остаются и здѣсь аналогичными. Кромѣ указанныхъ выше осокъ мы здѣсь еще находимъ:

C. vesicaria

C. paludosa,

а по канавамъ: *C. ampullacea* и *C. Pseudocyperus.*

По краямъ болотъ — злаки:

Beckmannia eruciformis (обильно)

Glyceria spectabilis

G. fluitans;

травы мокрыхъ луговъ:

Oenanthe aquatica

Sium latifolium

Galium palustre

G. uliginosum

Triglochin palustre

Scirpus silvaticus

Heleocharis palustris

Alopecurus fulvus

Equisetum limosum

E. palustre.

Подобными осоковыми болотами особенно обильна долина р. Корочи: ихъ можно видѣть подъ „Кручками“ (въ 3—5 верстахъ отъ г. Корочи на N.), на Пушкарскомъ, Терновскомъ, Тюренскомъ лугахъ; подъ с. с. Стрѣлицей, Цыплаевой, Стариковой и т. д. это обыкновенно — котловины, овальной или вытянутой формы, лежащія вблизи рѣки (особенно по лѣвую ея сторону), маловодныя или мокрыя, часто пересыхающія и особенно переполненныя водою весною. Въ это время, по спаденіи полой воды, когда луга только-что зазеленѣютъ травкой, особенно интересно наблюдать эти болота съ сосѣдней водораздѣльной возвышенности: на зеленомъ фонѣ игриво извивается змѣйкой рѣка Короча, а по лѣвую ея сторону тутъ-же примыкаетъ цѣлая полоска блестящихъ на солнцѣ пятенъ болотъ, анастомозирующихъ между собою и съ рѣкою; невольно эта картина наводитъ на мысль, что вся эта красивая и густая сѣть болотъ была, по всей вѣроятности, частью нашей заболоченной и забитой, когда-то болѣе широкой, рѣки Корочи.

Если сравнить растительность камышевыхъ — „*Phragmiteta*“ и осоковыхъ — „*Cariceta*“ — болотъ, то различіе по видимому составу будетъ только количественное: въ первомъ случаѣ преобла-

дають камыши — *Phragmites communis*, во второмъ — доминирующую роль играютъ различныя осоки — *Carices*, да къ нимъ
еще присоединяются водные злаки и травы мокрыхъ луговъ.
Вообще-же растительность тѣхъ и другихъ очень сходна между
собою по своему видовому составу, тѣмъ болѣе, что осоковыя и
камышевыя болота имѣютъ массу переходовъ и рѣзко выраженный
ихъ типъ не часто можно встрѣтить. Такъ какъ генезисъ нашихъ
луговыхъ болотъ связанъ съ жизнедѣятельностью прибрежновод-
ныхъ видовъ, то поэтому ихъ растительность есть та-же прибрежно-рѣчная; у береговъ рѣки она, такъ сказать, начинаетъ
свое развитіе, а въ болотахъ достигаетъ только своего апогея,
причемъ перевѣсъ берутъ то одни виды *(Phragmites)*, то другіе
(Carices).

При дальнѣйшемъ высыханіи этихъ луговыхъ болотъ растительность ихъ отмираетъ и иногда даетъ незначительныя, черныя
и землистыя отложенія, которыя нельзя назвать уже потому
одному торфомъ, что наружный ихъ видъ, разсыпчатость, большое присутствіе неорганическихъ веществъ и т. п. свойства —
вызванныя, вѣроятно, быстрымъ гніеніемъ и сгораніемъ при до-
ступѣ воздуха, отличаютъ эти отложенія отъ настоящаго торфа.

Сравнительно большимъ разнообразіемъ растительности и,
такъ сказать, особымъ своимъ видомъ, отличаются моховыя болота,
которыми, нужно замѣтить, очень бѣдна долина рѣки Корочи.
Они пріурочены здѣсь главнымъ образомъ къ мѣстамъ выхода
ключевыхъ водъ, встрѣчаются довольно рѣдко, — въ отдаленіи
отъ русла рѣки Корочи, сосредоточиваясь обособленными участками
главнымъ образомъ подъ лѣвымъ водораздѣломъ и имѣютъ очевидно генезисъ аналогичный камышевымъ и осоковымъ болотамъ,
но нѣсколько отъ нихъ отличный. Тамъ, какъ мы видѣли, роль
заболачиванія отдѣленныхъ отъ рѣки участковъ играютъ главнымъ
образомъ различныя однодольныя (особенно *Phragmites* и *Carices*),
здѣсь она выпадаетъ на долю мховъ — различныхъ видовъ рода
Hypnum; это будетъ третій типъ нашихъ луговыхъ болотъ —
„моховыя“, которыя называются „*Hypneta*“; другихъ-же моховыхъ
болотъ „*Sphagneta*“, у насъ нѣтъ, можетъ быть потому, что наши
воды, имѣя въ подпочвѣ мѣловыя отложенія и глины, довольно
много содержатъ кальція (углесолей), котораго, какъ извѣстно,
избѣгаетъ *Sphagnum*. Далѣе, если заболачиваніе идетъ путемъ
дѣятельности однодольныхъ, то водоемъ быстро усыхаетъ и не
даетъ отложеній настоящаго продуктивнаго торфа; мхи-же, напро-

тивъ, при заболачиваніи поддерживаютъ влажность, благодаря своей гигроскопичности; — при помощи капиляровъ, каковыми являются волосныя клѣтки въ ихъ стеблѣ и особыя безцвѣтныя продырявленныя клѣтки въ ихъ листочкахъ, — они, какъ губка, вбираютъ въ себя воду, не столько снизу, изъ болота, какъ можно думать, сколько сверху, изъ воздуха, и въ то время, какъ старыя части отмираютъ, и, медленно сгорая подъ водою, со временемъ даютъ мощныя залежи торфа, молодыя наростаютъ, вверху, сплетаясь все плотнѣе въ зыбкій коверъ. Такимъ подвижнымъ подушко-образнымъ ковромъ покрыты болота, которыя съ перерывами тянутся узкой полоской по правую сторону рѣченки Ивички у подножія сильно развитыхъ мѣловыхъ склоновъ. Здѣсьже у подошвы горы бьютъ многочисленные ключи, питающіе эти болота. Такъ какъ подпочва тутъ — сизоватая глееобразная глина, непроницаемая для воды, то ключевыя воды скопляются въ видѣ родниковъ на сухихъ мѣстахъ; — изъ такого громаднаго родника, между прочимъ, беретъ начало и сама рѣченка Ивичка подъ с. Соколовкой, — и въ видѣ такъ называемыхъ „отдушинъ" или „оконъ" въ болотахъ, прикрытыхъ гипновымъ слоемъ. Эти отдушины очень интересны; лишенныя какой-бы-то ни было водной растительности, онѣ наполнены чудной, чистѣйшей ключевой водой; обыкновенно очень глубоки, нѣкоторыя въ діаметрѣ — болѣе сажени и представляютъ опасныя, засасывающія мѣста для неосторожныхъ посѣтителей.

На этихъ гипновыхъ болотахъ прибрежно-рѣчная растительность уже плохо себя чувствуетъ, выдѣляясь жалкими островками по краямъ болотъ, — можетъ быть потому, что торфяниковая почва, бѣдная азотистыми веществами, каліемъ и солями фосфорной кислоты вмѣстѣ съ холодной ключевой водой, является неблагопріятной для ея развитія, но за то хорошо произрастаетъ здѣсь другая растительность.

Наиболѣе характерными растеніями моховыхъ гипновыхъ болотъ, конечно, прежде всего являются преобладающіе мхи; различные виды рода *Hypnum*, а также *Marschantia* и *Fontinalis* и друг., составляющіе фонъ болотъ. На немъ разбрасываются почти исключительно свойственныя такимъ болотамъ и ключевымъ водамъ: *Cardamine amara*

C. pratensis

Parnassia palustris

Epilobium palustre

Veronica anagallis
V. Beccabunga
Pedicularis palustris
Sparganium simplex
Juncus alpinus
Scirpus tabernaemontani
Carex vulgaris
C. flava
C. hirta
C. diluta
Catabrosa aquatica
Glyceria fluitans
Equisetum limosum (около болотъ)
E. palustre.

Къ нимъ присоединяются менѣе характерныя травы болотистыхъ мѣстъ: *Ranunculus sceleratus*
R. Lingua
Cicuta virosa
Malachium aquaticum
Linum catharticum
Lathyrus palustris
Galium uliginosum
Bidens cernuus
Menyanthes trifoliata
Scrophularia alata
Triglochin palustre и друг.;

ближе къ берегамъ и по краямъ болотъ обыкновенно ютятся:
Ranunculus repens
Heleocharis palustris
Caltha palustris
Senecio palustris и друг.

Но канавамъ легко найти здѣсь:
Lythrum salicaria
L. virgatum (рѣдко)
Epilobium hirsutum
E. angustifolium (рѣдко)
Solanum dulcamara
Bidens tripartitus
Lycopus europaeus

Sparganium ramosum

Carex ampulacea и друг.

Тамъ-же, гдѣ посуше, гдѣ болото переходитъ въ мокрый лугъ, растутъ: *Polygonum lapatifolium*

Orchis maculata (рѣдко)

O. incarnata

Veratrum album

Alopecurus geniculatus и друг.

Но особенно характерна для моховыхъ гипновыхъ болотъ пушица — *Eriophorum angustifolium;* бѣлоснѣжныя шелковистыя ея головки на зеленомъ фонѣ мховъ невольно приковываютъ взоры наблюдателя.

Другое типичное гипновое болото, но небольшихъ размѣровъ, находится на лугу подъ с. Сѣтной, около Лазаревскаго торфяника. Къ растительности Ивицкихъ болотъ здѣсь присоединяются наиболѣе характерныя:

Veronica scutellata

Juncus effusus

Scirpus compressus

Carex diluta

C. flava

C. tomentosa,

да разнообразныя травы болотистыхъ луговъ:

Lychnis Flos Cuculi

Lathyrus pratensis

Sanguisorba officinalis

Lysimachia Nummularia

Scutellaria galericulata

Triglochin maritimum

Equisetum palustre и друг.

Много также *Eriophorum angustifolium.*

Небольшія гипновыя болота имѣются также, кромѣ этихъ, еще подъ „Кручками“ около Дмитріевки и въ нѣкоторыхъ другихъ мѣстахъ; но всѣ онѣ плохо развиты и имѣютъ растительность аналогичную только-что описаннымъ. Гипновыя болота *(Hypneta)*, какъ видимъ, рѣзко отличаются отъ камышевыхъ и осоковыхъ: a) характеромъ растительности (мхи и особая болотная флора), b) характеромъ заболачиванія (медленность его и задержаніе влаги мхами, отложенія торфа), c) и, наконецъ, расположеніемъ въ мѣстахъ выхода ключевыхъ водъ, защищенныхъ отъ вѣтровъ.

Послѣднее обстоятельство естественно можетъ наводить на мысль, что при заболачиваніи водоема имѣетъ немаловажное значеніе, какъ движеніе вѣтра, такъ и волненіе воды. Если однодольныя (*Phragmites* и *Carices*) растенія приспособлены къ тому, что-бы отражать пагубное дѣйствіе вѣтровъ, — ихъ лентовидные листья и длинные стебли, способные пригинаться при напорѣ вѣтра, а длинныя ползучія корневища могутъ совершенно свободно противостоять волненію воды, — то погруженныя въ воду подушки *Hypnum*'а, какъ въ томъ, такъ и въ другомъ случаѣ, какъ не имѣющія соотвѣтствующихъ приспособленій, будутъ легко разорваны напоромъ вѣтра, сбиты къ берегамъ и волненіемъ воды выброшены на сушу. Поэтому-то, мнѣ кажется, однодольныя охотнѣе заболачиваютъ открытыя мѣста по рѣкѣ Корочѣ — затоны, заливчики и отшнурованные отъ рѣки участки, находя здѣсь въ илу больше питательныхъ веществъ, чѣмъ въ бѣдной ими торфняковой почвѣ; а слабые мхи поселяются у ключевыхъ водъ, въ мѣстахъ защищенныхъ отъ вѣтровъ, гдѣ вода течетъ равномѣрно и слабо, гдѣ они могутъ, такъ сказать, спокойно жить и такъ-же тихо отмирать, давая залежи торфа.

Торфяники.

Залежами торфа, какъ и гипновыми болотами (*Hypneta*) долина рѣки Корочи бѣдна. Да это и вполнѣ понятно, если на торфяники смотрѣть, какъ на естественное продолженіе тѣхъ-же моховыхъ болотъ, которымъ они и обязаны своимъ происхожденіемъ. Такъ напр. немного въ сторонѣ отъ истока р. Ивички находятся сравнительно значительныя залежи торфа, на которыхъ, между прочимъ, расположились крайніе дворы и левады большой слободы Соколовки; эти залежи несомнѣнно когда-то были соединены съ ивицкими гипновыми болотами, отъ которыхъ они отдѣлены теперь сухимъ лугомъ, занесеннымъ иломъ и камнями; за это-же говоритъ и близость ихъ расположенія и тождество растительности, которую мы находимъ здѣсь и тамъ. Различіе сводится только къ тому, что Ивицкія *Hypneta* находятся еще въ дѣятельной стадіи отложенія торфа; здѣсь-же эта стадія давно уже завершилась — Соколовскій торфяникъ успокоился. Разработка его производится въ настоящее время для заводскихъ цѣлей въ одномъ мѣстѣ, у самыхъ дворовъ слоб. Соколовки, по дорогѣ сюда изъ с. Ивицы, тамъ, гдѣ этотъ торфяникъ примыкаетъ къ отлогому склону черноземныхъ полей. Здѣсь на искусственныхъ разрѣзахъ по краямъ, гдѣ отложенія торфа выклиниваются и выбираются до дна, хотя съ трудомъ, но все-же можно наблюдать слѣдующіе, незамѣтно переходящіе другъ въ друга слои:

1. Поверхностный, черноземный слой толщиною отъ одной четверти до $\frac{1}{2}$ арш.; по всей вѣроятности, наносный съ сосѣдняго склона, такъ какъ онъ утолщается по направленію къ нему, хотя въ отдаленіи отъ этого склона принимаетъ нѣсколько другой буровато-черный видъ, отличный отъ чернозема, и можетъ быть здѣсь представляетъ изъ себя продуктъ вывѣтриванія того-же торфа. Изъ остатковъ въ немъ попадаются палочки *Salix*'овъ и *Alnus.*

2. Затѣмъ слѣдуетъ уже настоящій торфъ мощностью до 2-хъ аршинъ, коричневый на видъ, въ вернихъ частяхъ безъ запаха и невскипающій съ HCl, въ нижнихъ — имѣющій слабый запахъ и дающій слабое-же вскипаніе съ соляной кислотой. Растительные остатки ближе къ краямъ торфяника преобладаютъ и представляютъ отмершія корневица, стебли и листья *Phragmites, Carices* и *Equisetum;* иногда встрѣчаются раковинки прѣсноводныхъ моллюсковъ изъ порядка *Pulmonata (Gasteropoda)* семейства *Helicidae* и *Limnacidae.* Какъ растительные, такъ и животные остатки хорошо сохранились и замѣтно уменьшаются количественно по направленію къ центру торфяника, гдѣ основная масса торфа состоитъ изъ отмершихъ мховъ рода *Hypnum,* листочки которыхъ часто можно различать при внимательномъ изслѣдованіи.

3. Далѣе, разсмотрѣнный второй слой незамѣтно переходитъ въ послѣдній, черный, землистый, въ которомъ ничего нельзя различить; онъ незначительной мощности и наконецъ подстилается тою-же сизой глиной, которую мы видимъ въ подпочвѣ Ивицкихъ гипновыхъ болотъ.

Общая мощность торфа въ мѣстѣ разработки у склона не превышаетъ сажени, но по направленію къ центру торфяника; она гораздо больше. Если обратить вниманіе на топографію этого Соколовскаго торфяника и на распредѣленіе въ немъ растительныхъ остатковъ, то путемъ логическихъ умозаключеній можно бросить нѣкоторый свѣтъ на прошлый характеръ флоры бывшаго здѣсь водоема. Такъ какъ по ту (восточную) сторону сл. Соколовки и торфяника на картахъ генеральнаго штаба до сихъ поръ обозначается рѣка Мокрая, которая теперь уже не существуетъ, а по эту (западную) сторону сл. Соколовки начинается рѣка Ивичка, въ которую впадаютъ родниковые ручьи изъ слободы и торфяника, то очевидно Соколовскій торфяникъ, на которомъ отчасти расположились крестьянскіе дворы и левады, до заселенія этого пункта, былъ, по всей вѣроятности, связующимъ звеномъ между бывшей рѣкой Мокрой и Ивичкой. Судя-же потому, что онъ удаленъ отъ р. Ивички на небольшое разстояніе въ сторону, можно съ увѣренностью предполагать, что это былъ — широкій и глубокій затонъ, что подтверждается, какъ его формой — озероподобно расширенной, такъ и близостью расположенія отъ р. Ивички, куда онъ даетъ ручьи, текущіе по „ложбинкамъ“. Но этотъ затонъ, находящійся при соединеніи рр. Мокрой и Ивички, пережилъ стадію заболачиванія, главнымъ образомъ, мхами *(Hypnum)*, и въ то время, какъ р. Мокрая, прекративъ чрезъ него свободный протокъ воды, была забита и исчезла, въ конечномъ результатѣ заболачиванія затона получилась со временемъ залежь торфа. Сохранившіеся въ послѣднемъ остатки *Phragmites* и *Carices* говорятъ только о томъ, что они, располагаясь по берегамъ бывшаго затона, играли второстепенную роль въ дѣлѣ заболачиванія, сравнительно со мхами *(Hypnum)*. Что-же касается растительности этого Соколовскаго торфяника, то на немъ кое-гдѣ торчатъ молодые кусты *Salix cinerea, S. nigricans, Alnus glutinosa*, да на левадахъ роскошно растутъ *Salix alba* и *S. frangula*, несомнѣнно поселившіяся здѣсь въ позднѣйшее время, какъ и Соколовскіе дворы; травянистая-же растительность здѣсь такая-же какъ и на Ивицкихъ болотахъ, только гораздо бѣднѣе въ количественномъ отношеніи и съ большою примѣсью сорныхъ видовъ особенно около мѣста разработки торфа.

Рораздо богаче растительностью другой торфяникъ, такъ называемый „Лазаревскій“, находящійся на Сѣтенскомъ лугу и непосредственно примыкающій къ вышеописаннымъ, расположеннымъ тамъ, небольшимъ гипновымъ болотамъ. Этотъ торфяникъ то-же когда-то разрабатывался, но теперь, изрытій выемками, забытъ и оставленъ. Но характеру своихъ залежей онъ близокъ къ Соколовскому, но интересенъ въ томъ отношеніи, что на немъ можно найти представителей самыхъ разнообразныхъ растительныхъ сообществъ. Около него съ одной стороны близко проходитъ бойкая дорога, по которой постоянно ходятъ и ѣздятъ изъ деревни Афанасовой въ с. Сѣтное и обратно, съ другой — примыкаетъ ольшатникъ и мокрый лугъ, наконецъ съ третьей — близко находятся культурныя поля. Все это является причиной того, что растительность Лазаревскаго торфяника бьетъ въ глаза своимъ разнообразіемъ и представляетъ пеструю смѣсь различныхъ видовъ. Прежде всего поражаетъ здѣсь обиліе древесныхъ породъ, смѣшаннаго насажденія. Здѣсь, на сравнительно небольшомъ участкѣ, мною были найдены почти всѣ *Salices*, извѣстныя для Курской губерніи; при чемъ *S. repens* L. до сихъ поръ не приводилась для Корочанскаго у., а *S. depressa* L. v. β. *bicolor* Fries — является новостью для флоры Курской губ. Не менѣе здѣсь и осины — *Populus tremula*, а также и ольхи — *Alnus glutinosa*, которая зашла сюда изъ сосѣднихъ ольшатниковъ. Между этими древесными породами ютятся представители трехъ типовъ болотъ: *Phragmiteta*, *Cariceta* и *Hypneta*, особенно въ мѣстахъ бывшихъ выемокъ торфа. Здѣсь можно видѣтъ перемѣшанными заросли *Phragmites* съ *Carex*'ами, типичныхъ болотныхъ травъ, какъ напр.

> *Epilobium palustre*
> *Epipactis palustris*
> *Equisetum palustre* и т. п.

съ луговыми растеніями, какъ:

> *Geranium pratense*
> *Geum rivale*
> *Valeriana officinalis*
> *Polygonum Bistorta*
> *Rumex aquaticus* и др.

Къ нимъ присоединяется растительность ольшатниковъ; напр.:

> *Angelica palustris*
> *Archangelica officinalis*
> *Eupatorium cannabinum*
> *Impatiens noli tangere*
> *Calystegia Sepium*
> *Humulus lupulus* и т. д.

Канавы почти сплошь заросли слѣдующими видами:

> *Cardamine pratensis*
> *Lythrum Salicaria*
> *Cicuta virosa*
> *Lysimachia vulgaris*
> *Mentha sativa* f. *verticillata*
> *Epilobium hirsutum* и т. д.

Встрѣчаются даже по сухимъ мѣстамъ между осинками и лѣсные виды въ родѣ:

> *Angelica silvestris*
> *Scrophularia nodosa*
> *Veronica latifolia* и друг.

Но особенно много сорныхъ травъ:

Lappa tomentosa

Atriplex nitens

A. hastatum

Carduus nutans

Leonurus Marrubiastrum

Rumex crispus

Polygonum sp.

и громаднѣйшія заросли крапивы *Urtica dioica*. Такъ разнообразна въ смыслѣ видового состава растительность Лазаревскаго торфяника!

Ольшатники, ивняки и кочкарники.

Этотъ-же примѣръ Лазаревскаго торфяника, обильнаго древесными породами, хорошо показываетъ, что, какъ только заболачиваніе (въ данномъ случаѣ мхами) кончилось, то дальнѣйшее превращеніе всѣхъ трехъ типовъ болотъ — камышевыхъ, осоковыхъ и гипновыхъ, сводится къ тому, что они начинаютъ быстро усыхать, а уплотненіе отмершаго растительнаго покрова создаетъ почву пригодную для поселенія здѣсь древесныхъ водолюбивыхъ породъ. Появляются сначала на высохшихъ болотахъ небольшіе кусты ивъ, причемъ впереди другихъ въ дѣлѣ облѣсенія идетъ *Salix cinerea*, которая нерѣдко заходитъ даже въ воду; къ ивамъ присоединяется ольха *(Alnus glutinosa)* и изрѣдка на совершенно сухихъ мѣстахъ поселяется осина *(Populus tremula)*. Насажденіе этихъ породъ быстро развивается и густѣетъ, и если въ такой заросли преобладаетъ ольха *(Alnus glutinosa)*, что наблюдается весьма часто, то мы имѣемъ передъ собой ольшатники, если доминирующую роль играютъ ивы — *Salices* — то получаются ивняки, довольно обыкновенные у насъ; наконецъ, если перевѣсъ въ количественномъ отношеніи выпадаетъ на долю осины — *Populus tremula* — то при извѣстныхъ условіяхъ, хотя и рѣдко, но можно встрѣтить на лугу осинникъ. Такое преобладаніе той или другой древесной породы въ насажденіи лучше всего объясняется почвенными условіями. Я въ данномъ случаѣ вполнѣ согласенъ съ Танфильевымъ, который говоритъ, что „самооблѣсеніе есть явленіе роковое, неизбѣжное, вызываемое постепеннымъ измѣненіемъ состава почвы, одного изъ главнѣйшихъ факторовъ въ вопросахъ топографіи растеній“ [1]). Болота, при своемъ усыханіи,

_____

[1]) Г. И. Танфильевъ. „Предѣлы лѣсовъ на югѣ Россіи“, 1894.

даютъ, какъ извѣстно, кислыя почвы: *Hypneta* — торфъ; *Phrag-miteta* и *Cariceta* — кислый гумусъ; и тотъ и другой сначала содержатъ много свободныхъ гуминовыхъ кислотъ, но, при даль-нѣйшихъ процессахъ (отведеніи воды, усыханіи, вывѣтриваніи и т. п.) выщелачиваются и являются уже благопріятными для поселенія древесныхъ породъ. Изъ послѣднихъ ольха *(Alnus glutinosa)*, кажется, лучше другихъ мирится съ кислыми почвами, поэтому ольшатники обыкновенно и занимаютъ у насъ такіе кислые участки луга, на которыхъ иногда еще продолжаются процессы заболачиванія. Подобнымъ свойствомъ еще отличаются *Salix ci-nerea* и *S. nigricans;* они никогда не образуютъ сплошныхъ зарослей, но свободно заходятъ въ болота и ольшатники. Другія-же ивы *(Salices)* повидимому не любятъ и избѣгаютъ кислыхъ почвъ: мы видимъ значительные острова зарослей *Salix triandra, S. pen-tandra* (образующія т. н. лозняки) и *S. fragilis, S. alba* (вербы, дающія ивняки на левадахъ), которыя селятся или на сухихъ лу-гахъ, по селамъ, или, какъ обыкновенно, у береговъ рѣки, и остаются на илистыхъ наносныхъ мѣстахъ только въ томъ случаѣ, когда они находятся подальше отъ края поймы, т. е. выбираютъ все такія мѣста, которыя особенно благопріятны для дренажа и выщелачиванія. Тѣ-же луговые участки, которые немного при-подняты надъ низинами, гдѣ почва хорошо выщелочена и превра-щена изъ кислаго гумуса (по-датски Mor) въ обыкновенный пере-гной (по-датски Muld, а по-нѣмецки Mull), являются особенно пригодными для обитанія осины *(Populus tremula)*, которая, играя у насъ важную роль при смѣнѣ лѣсныхъ породъ, и въ данномъ слу-чаѣ является піонеромъ нашихъ водораздѣльныхъ лѣсовъ нанизинахъ.

Въ Лазаревскомъ торфяникѣ, между прочимъ, очень хорошо можно наблюдать распредѣленіе указанныхъ древесныхъ породъ въ зависимости отъ почвенныхъ условій, вполнѣ согласное съ выска-заннымъ теоретическимъ представленіемъ. Ольха *(Alnus gluti-nosa)* тамъ заходитъ въ старыя выемки торфа, которыя киснутъ, какъ болота; ивы (различныя *Salices*) придерживаются или про-точныхъ канавъ или окраинъ торфяника, ближе къ сухому лугу; группы-же осинъ *(Populus tremula)* ютятся на возвышенныхъ буграхъ, представляющихъ или нетронутые или набросанные при выработкѣ участки торфа, вполнѣ вывѣтрившагося и почти неот-личимаго отъ лѣсного перегноя.

Приступая къ описанію растительности ольшатниковъ, я долженъ замѣтить, что она также разнообразна въ каждомъ

отдѣльномъ случаѣ и очень сходна въ различныхъ мѣстахъ, какъ это мы видѣли на примѣрѣ Лазаревскаго торфяника. По рѣкѣ Корочѣ можно встрѣтить много ольшатниковъ; обыкновенно они располагаются на кислыхъ лугахъ островами или небольшими группами и близко подходятъ къ селамъ и деревнямъ, а потому часто посѣщаются человѣкомъ; крестьяне ходятъ сюда рубить дрова и рѣзать лозу на корзины; крестьянки — брать кору съ ольхи на окраску тканей, а дѣтишки собирать ягоды и пасти лошадей. Это обстоятельство, конечно, сопровождается тѣмъ, что въ ольшатники заносится масса растительности, которая измѣняетъ и засоряетъ натуральный обликъ ольшатниковой формаціи. Для примѣра достаточно описать одинъ ольшатникъ, находящійся на Сѣтенскомъ лугу, около того-же Лазаревскаго торфяника, чтобы получить болѣе или менѣе ясное представленіе о растительности и многихъ другихъ нашихъ ольшатниковъ. Собственно ольшатниковые виды не многочисленны; въ заросляхъ ольхи можно встрѣтить ягодниковые кустарники: *Rhamnus frangula*
        Ribes nigrum
        Viburnum Opulus
        Rubus Idaeus.

травянистый покровъ состаляютъ:
        Angelica palustris
        Archangelica officinalis
        Sium latifolium
        Impatiens noli tangere
        Chrysosplenium altermifolium
        Eupatorium cannabinum
        Cirsium oleraceum
        Lysimachia vulgaris
        L. thyrsiflora (рѣдко)
        Filipendula Ulmaria
        Solanum dulcamara
        Scrophularia alata
        Polygonum Hydropiper;

всѣ они переплетаются хмѣлемъ *(Humulus lupulus)* и вьюнкомъ *(Calystegia Sepium)*, а нѣкоторыя, особенно изъ с. *Umbelliferae* — *Archangelica officinalis, Filipendula Ulmaria, Eupatorium cannabinum* — достигаютъ здѣсь гигантскихъ размѣровъ. Характеренъ еще для ольшатниковъ одинъ папоротникъ *Asplenium Thelipteris*, часто заходящій въ воду и образующій иногда большія заросли.

Затѣмъ въ ольшатники заходятъ представители всѣхъ трехъ типовъ болотъ, главнымъ образомъ осоки *(Carices)* и травы мокрыхъ луговъ; изрѣдка встрѣчаются и лѣсные виды:

Angelica silvestris

Scrophuloria nodosa

Glechoma hederacea etc.

и цѣлая масса сорниковъ во главѣ съ *Urtica dioica*.

Всѣ эти элементы, изъ которыхъ слагается растительный покровъ ольшатниковъ, въ безпорядкѣ перемѣшиваются между собою и поражаютъ разнообразіемъ видового состава.

Растительность ивняковъ не имѣетъ своей строго выраженной физіономіи и подходя близко по составу, то къ растительности ольшатниковъ, то мокрыхъ луговъ и сорныхъ мѣстъ, не представляетъ опредѣленной формаціи, а потому мы не будемъ на ней останавливаться. Отмѣчу только, что нѣкоторыя растенія, какъ напр. *Scutellaria hastifolia*

Lepidium latifolium

Leonurus marrubiastrum etc.

особенно любятъ ивняки.

Нѣсколько интереснѣе растительность осинниковъ. Представляя какъ бы переходъ отъ мезофитнаго широколиственнаго лѣса къ гидрофитному сообществу, осинники на сухихъ лугахъ особенно оригинально выглядятъ весною, когда несутъ характерную травянистую растительность нашихъ лѣсовъ. Одинъ изъ такихъ осинниковъ находится на лугу около имѣнія Лазаревки (въ 9 верстахъ на S. отъ г. Корочи). Здѣсь весною чувствуешь себя, какъ въ дубовомъ лѣсу на водораздѣлѣ; подъ ногами разстилается коверъ *Scilla cernua*, а къ ней присоединяются:

Gagea lutea

G. minima

Corydalis solida

Glechoma hederacea

Taraxacum officinale

Adoxa Moschatellina etc.

Лѣтомъ-же этотъ осинникъ обращается въ полномъ смыслѣ слова въ сорное мѣсто и въ этомъ случаѣ человѣкъ, какъ мы видѣли и раньше, играетъ важную роль. Больше этого, человѣкъ немилосердно уничтожаетъ и ольшатники и ивняки и осинники, вырубая ихъ, а постоянное пасеніе скота на вырубкахъ сопровождается оббиваніемъ оставшихся пней, утаптываніемъ почвы и

образованіемъ кочекъ. Лѣсные участки низинъ переходятъ такимъ образомъ въ кочкарники, которые вначалѣ сохраняютъ
представителей прежде бывшихъ здѣсь сообществъ, но скоро засе-
ляются луговыми травами и постепенно переходятъ въ лугъ. Впрочемъ, въ кочкарники обращаются и болота всѣхъ трехъ описанныхъ
выше типовъ — *Phragmiteta, Cariceta* и *Hypneta,* — минуя стадію
облѣсенія указанными древесными породами. Особенно это нужно
отнести къ осоковымъ болотамъ; большинство осокъ растутъ обыкновенно пучками, крѣпко связывая своими корневищами липкую
и сырую почву. Если по такимъ болотамъ будетъ ходить скотъ,
то почва около связанныхъ осоками участковъ будетъ утоптана,
а эти послѣдніе обратятся въ кочки. На гипновыхъ-же болотахъ
кочки могутъ образоваться благодаря напр. тому, что скотъ груз-
нетъ туда ногами, проваливается и вслѣдствіе неравномѣрной
прочности покрова, получаются тоже, при усыханіи, кочки. Кочкарники есть форма переходная къ лугу, а потому растительность
ихъ не представляетъ самостоятельнаго сообщества.

Заключеніе.

Бросая общій взглядъ на современную картину бассейна рѣки
Корочи и ея гидрофитной растительности, мы приходимъ къ слѣдующимъ выводамъ:

a) Рѣка Короча, и такъ незначительная, находится въ настоящее время въ критической стадіи заболачиванія и исчезновенія,
происходящаго отъ взаимодѣйствія двухъ факторовъ: 1) интенсивной жизнедѣятельности водныхъ и прибрежно-рѣчныхъ растеній и ихъ взаимной борьбы, и 2) вліянія культурныхъ стремленій
человѣка, который вырубкой лѣсовъ по водораздѣламъ и ихъ распахиваніемъ, а часто и непосредственнымъ воздѣйствіемъ, только
содѣйствуетъ процессу заболачиванія рѣки, особенно въ затонахъ.

b) Намѣчены три типа болотъ: камышевое, осоковое и гипновое, которыя всѣ являются характерными луговыми болотами
(Wiesenmoore); настоящихъ-же моховыхъ, сфагновыхъ болотъ
(Moosmoore) у насъ нѣтъ. Всѣ они имѣютъ одинъ и тотъ-же
генезисъ и являются результатомъ отдѣленія или отшнурованія
отъ рѣки озероподобныхъ участковъ (затоновъ) или естественнымъ
путемъ перемѣщенія русла въ сторону или искусственнымъ отведеніемъ его. Развиваясь прогрессивно въ біологическомъ, но не

количественномъ отношеніи, эти болота различаются между собою слѣдующими признаками:

1) *Phragmiteta* и *Cariceta:*
Заболачиваніе однодольными
Присутствіе кислаго гумуса
Нріуроченность къ открытымъ
водоемамъ.

2) *Hypneta:*
Заболачиваніе мхами *(Hypnum)*
Отложеніе продуктивнаго торфа
Нріуроченность къ защищеннымъ
мѣстамъ выхода ключевыхъ водъ.

с) Всѣ три типа болотъ при дальнѣйшемъ превращеніи могутъ: 1) проходя стадію заростанія древесными породами, обращаться въ ольшатники или ивняки, а эти — въ свою очередь — въ кочкарники; или 2) минуя стадію облѣсенія, могутъ сами непосредственно переходить въ кочкарники, а эти послѣдніе въ луга.

Вотъ схема переходовъ и замѣны одного гидрофитнаго сообщества другимъ. Она показываетъ намъ тотъ историческій путь, посредствомъ котораго долина рѣки Корочи приняла современный свой видъ. Но вѣдь въ настоящемъ всегда есть отголоски и указанія на далекое прошлое; поэтому, дѣлая обратныя заключенія, мы можемъ бросить нѣкоторый свѣтъ на прежнюю, дикую картину бассейна рѣки Корочи и ея растительности приблизительно въ такомъ видѣ. Рѣка Короча въ далекое прошлое время была шире, глубже и многоводнѣе, чѣмъ теперь. Это подтверждаютъ многочисленныя болота всѣхъ типовъ, обыкновенно расположенныя полоской вблизи самой рѣки и часто связанныя съ нею; если ихъ разсматривать какъ участки, отдѣленные отъ рѣки тѣмъ или инымъ способомъ на мѣстѣ бывшаго ея русла, то мы вправѣ заключать, что вначалѣ занимавшее ихъ мѣсто русло теперь съузилось и уменьшилось въ размѣрѣ, а слѣдовательно и глубоководности. Тѣ остатки водяныхъ мельницъ, которые мы видимъ стоящими далеко въ сторону отъ настоящаго русла, кромѣ преданій и свидѣтельствъ очевидцевъ говорятъ о томъ, что уже въ сравнительно недавнее время рѣка Короча заходила и туда, гдѣ мы теперь видимъ только кислые луга. Торфяники еще съ большей очевидностью подтверждаютъ, что процессы заболачиванія въ долинѣ рѣки Корочи начались очень давно, что водная флора того времени была гораздо богаче травянистой и древесной растительностью, чѣмъ теперь, когда она истребляется человѣкомъ и скотомъ, что, слѣдовательно, гидрофитное сообщество растеній является однимъ изъ древнихъ въ растительномъ мірѣ долины рѣки Корочи.

Въ данномъ случаѣ, относительно древности у насъ гидро́фитнаго сообщества, я вполнѣ солидаренъ со взглядомъ В. Сукачева по этому вопросу; но сомнѣваюсь въ томъ, что остальныя растительныя формаціи, — о которыхъ будемъ говорить въ другой разъ, — за исключеніемъ только „лѣса“, являются „наиболѣе молодыми и по всей вѣроятности ровесниками человѣку въ этой области“, какъ онъ выражается [1]). Невольно вспоминаются слова Б. Келлера: „да знаетъ-ли Сукачевъ, насколько древне существованіе человѣка въ юго-восточной части Курской губерніи?“ [2])

Въ заключеніе я не буду приводить полнаго списка всѣхъ гидрофитныхъ растеній, собранныхъ мною въ предѣлахъ бассейна рѣки Корочи, такъ какъ они войдутъ въ общій списокъ растеній для всего Корочанскаго уѣзда, который я надѣюсь опубликовать въ скоромъ времени. Но укажу на нѣсколько видовъ, которые являются интересными или, какъ новости для флоры Курской губерніи, — такіе отмѣчены знакомъ **, или, какъ растенія, нахожденіе которыхъ въ Корочанскомъ уѣздѣ требовало подтвержденія. Эти виды будутъ слѣдующіе:

1. ** *Ranunculus polyphyllus* W. K. f. a. *aquaticus* et f. b. *terrestris*. 19 9/VI 04. На лугахъ около болотъ подъ с. Терновой и им. Лазаревкой. Рѣдко. Шмальгаузенъ (Флора Средн. и Южн. Росс. Т. I, стр. 17), приводитъ этотъ видъ для Курск. губ. (Ст.-Оск. у Скородное), но неизвѣстно, на основаніи какого источника. Такъ какъ Ledebour, Мизгеръ, Lindemann и Сукачевъ не имѣютъ его въ своихъ спискахъ, то я вправѣ считать это растеніе, вообще довольно рѣдкое, новостью для Курской флоры.

2. ** *Galium saturejaefolium* Ter. 19 7/VII 04. По мокрымъ мѣстамъ, на лугу около с. Сѣтного. Рѣдко. Шмальгауз. (Ibid. Т. II, p. 16) это растеніе подъ названіемъ *G. palustre* L. β. *elongatum* Presl. приводитъ, какъ рѣдкое, для южныхъ провинцій Россіи. Въ гербаріѣ Имп. Юрьев. Унив. имѣются только кавказскіе экземпляры этого вида. Никѣмъ изъ авторовъ не приводилось для Курской губ.

---

1) В. Сукачевъ. „Очеркъ растительности ю.-в. части Курской г.“ СПБ. 1903.
2) Б. Келлеръ. „Труды Бот. Сада Имп. Юрьев. Унив.“ Т. V; в. 1. стр. 42. 1904.

3. *Polygonum Hydropiper* L. 19 ^{13}/VIII 04. По мокрымъ мѣстамъ и около ольшатниковъ. Не рѣдко:

Это обыкновенное растеніе для средней Россіи почему-то Сукачевымъ не помѣщено въ общій списокъ растеній для „Ю.-вост. части Курской губ.“, хотя въ текстѣ его работы („Очеркъ“ etc. 51 стр.) оно упоминается.

4. ** *Rumex maximus.* Schreb. 19 ^{7}/VIII 05. По влажнымъ лугамъ около с. Сѣтного. Рѣдко.

Шмальгауз. (Ibid. II Т. 398 стр.) это растеніе разсматриваетъ какъ *R. Hydrolapitum* $\times$ *R. aquaticus*, изрѣдка встрѣчаемое въ средней Россіи. Никѣмъ изъ флористовъ не приводилось для Курской губ.

5. ** *Rumex aquaticus* L. 19 ^{2}/VIII 05. Тамъ-же, гдѣ и предъидущее. Рѣдко. То-же до сихъ поръ оставалось неизвѣстнымъ въ литературѣ по флорѣ Курской губ.

6. *Populus tremula* L. 19 $\frac{\text{fl. 12. IV}}{\text{fr. 18. V}}$ 05. Обыкновенно по лѣсамъ; изрѣдка заходитъ и на низины. Привожу это обыкновенное у насъ растеніе только потому, что оно отсутствуетъ въ спискахъ Lindemann'a („Nova revisio etc.“ p. 199), или помѣщено безъ указанія мѣстонахожденія. (Его-же „Addenda etc.“ p. 601) и совсѣмъ не вошло въ списки В. Сукачева (его „Очеркъ etc.“).

7. ** *Salix depressa* L. β. *bicolor* Fries. 19 $\frac{\text{fl. 29. IV}}{\text{fr. 25. V}}$ 05 Лазаревскій торфяникъ около с. Сѣтного. Рѣдко. Ledebour (Fl. Ross. Т. III, pars II; 611 p.) приводитъ, повидимому, подобную иву подъ названіемъ S. laurina? со знакомъ (?) по Höfft'y (Cat. Kursk p. 62). Мизгеръ („Конспектъ раст. etc.“ Курскъ. 1869 г. стр. 312 за № 926) называетъ типичную *S. depressa* L., но безъ указанія на мѣстонахожденіе. У другихъ авторовъ нѣтъ на нее указаній для Курской губ.

8. *Salix repens* L. 19 $\frac{\text{22. IV}}{\text{25. V}}$ 05. Тамъ-же, гдѣ и предъидущее. Рѣдко. Это растеніе было впервые открыто для Курской губ. (въ Бѣлгородскомъ у. Ibid. стр. 212) В. Сукачевымъ и до сихъ поръ не указывалось для Корочанскаго у.

9. *Potamogeton pectinatus.* L. 19 ^{29}/VII 04. Въ рѣкѣ Корочѣ подъ им. Лазаревкой. Рѣдко. Приводится Мизгеромъ

(Ibid. 318 p.) и Lindemann'омъ (Ibid. 201 p.) для Курской губ., но безъ указанія на мѣстонахожденіе. Сукачевъ не вноситъ въ общій списокъ курскихъ растеній, хотя и упоминаетъ о немъ въ текстѣ своего „Очерка“ (Ibid. стр. 25).

10 * * *Heleocharis ovata* R. Br. 19 ^{28}/VI 05. По мокрымъ лугамъ около сл. Пушкарной. Рѣдко. Мизгеръ (Ibid. 324 p.) и Lindemann (Ibid. 203 p.) хотя и приводятъ это растеніе для Курской губерніи, но безъ указанія на мѣсто нахожденія. У остальныхъ авторовъ оно отсутствуетъ.

11. * * *Carex stricta* Good. По болотамъ (*Hypneta*) подъ с. Сѣтной; кислый лугъ подъ с. Плуталовкой. 19 ^{10}/V 05. Рѣдко.

12. * * *Carex vesicarvia* L. 19 ^{20}/V 05. По болотамъ подъ с. Терновой и въ др. мѣстахъ. Не рѣдко[1]).

13. * * *Carex tomentosa* L. 19 ^{29}/V 05. Моховыя болота (*Hypneta*) на лугу подъ с. Сѣтной [2]).

14. *Carex diluta* М.В. 19 ^{18}/VI 05. Тамъ-же гдѣ и предъидущее. Впервые указано В. Сукачевымъ для Курской губ. (Найдено имъ въ Бѣлгородскомъ у. Ibid. стр. 219); теперь подтверждается мною и для Корочанскаго уѣзда.

15. *Equisetum limosum* L. 19 ^{3}/VI 04. По илистымъ мѣстамъ на Сѣтенскомъ лугу; образуетъ большія заросли. Этотъ хвощъ былъ приведенъ Сукачевымъ, какъ новость для Курской губ. (Найденъ имъ въ Бѣлг. у. Ibid. 224 стр.), теперь найденъ мною и въ Корочанскомъ уѣздѣ.

16. * * *Chara fragilis* sp. 19 ^{5}/VI 05. Лазаревскій торфяникъ, по выемкамъ торфа и канавамъ; обращаетъ вниманіе своимъ обильнымъ развитіемъ.

Всѣ приведенные здѣсь виды точно опредѣлены и сличены съ великолѣпными экземплярами, хранящимися въ гербаріумѣ „Flo-

---

[1] Эти двѣ осоки я считаю новостями для Курской флоры по тѣмъ-же причинамъ, какъ и *Heleocharis ovata* R. Br.

[2] Эта *Carex* впервые мною указывается, какъ новинка для Курской флоры.

rae Rossicae" въ Ботаническомъ Саду Имп. Юрьев. Университета. Имѣю случай выразить мою глубокую признательность профессору Н. И. Кузнецову за руководство въ моихъ научныхъ занятіяхъ и Н. Н. Мищенко и Н. Н. Борщову — за помощь при опредѣленіяхъ и провѣрку моего гербарнаго матеріала.

Дерптъ,
1905 года Ноября 25 дня.

Къ вопросу о дѣйствіи углекислыхъ щелочей на бѣлковыя вещества.

Д. Лавровъ.

Въ сообщеніи „Zur Kenntnis des Chemismus der peptischen und tryptischen Verdauung der Eiweisskörper"[1]) мною приведены данныя моихъ опытовъ, произведенныхъ съ цѣлью выяснить ту роль, какую играетъ соляная кислота при пептическомъ перевариваніи бѣлковыхъ веществъ. Эти мои данныя подтверждаютъ въ общемъ экспериментальныя данныя Fr. Goldschmidt'a, относящіяся къ этому-же вопросу[2]) и стоятъ въ противорѣчіи съ относящимися сюда опытными данными L. Langstein'a[3]) и Neuberg'a (id.) По Fr. Goldschmidt'y „дѣйствіе пепсина — солян. кислоты при 40° С отличается отъ дѣйствія соляной кислоты (взятой безъ пепсина) только скоростью процесса, но не качествомъ конечныхъ продуктовъ перевариванія". L. Langstein указываетъ на то, что 1%-ная сѣрная кислота не могла при t = 37° С втеченіе мѣсяцевъ растворить кристаллическій яичный альбуминъ, высушенный при 100° С. Какъ сообщаетъ только-что названный авторъ, Neuberg при годовомъ дѣйствіи 1%-ной сѣрной кислоты на желатину не обнаружилъ ни слѣдовъ моноаминокислотъ. На основаніи своихъ опытовъ, произведенныхъ для выясненія дѣйствія 0,5%-ой соляной кислоты на бѣлковыя вещества, я пришелъ къ слѣдующему выводу: 0,5%-ая соляная кислота при болѣе или менѣе продолжительномъ искусственномъ пептическомъ перевариваніи желатины, гемоглобина лошадиной крови и бѣлковъ, входящихъ въ составъ стѣнокъ желудка (—свиныхъ желудковъ), играетъ значительную роль, а именно указанныя бѣлковыя тѣла при дѣйствіи этой кислоты (указанной

---

1) Hoppe-Seyler's Zeitschr. f. physiol. Chemie. B. XLIII, H. 5, S. 447—463, II Mitteilung.

2) Ueber die Einwirkung von Säuren auf Eiweissstoffe. Inaug.-Diss. 1898.

3) Hoppe-Seyler's Zeitschr. f. physiol. Chemie. B. XXXI, S. 208—209.

концентраціи), при $t = 37\,^0$ C, медленно расщепляются съ образованіемъ такъ называемаго амфопептона (K ü h n e) и азотистыхъ продуктовъ кислотнаго характера, не осаждающихся фосфорновольфрамовою кислотою.

Продукты расщепленія бѣлковыхъ веществъ, возникающіе при дѣйствіи $0{,}5\,^0/_0$ - ой кислоты, мною не были изслѣдованы.

Переходя къ изложенію опытныхъ данныхъ, служащихъ предметомъ моего настоящаго сообщенія, я долженъ указать на то, что эти данныя являются полученными при предварительномъ изслѣдованіи вопроса о томъ, какую непосредственную по отношенію къ бѣлкамъ роль играетъ углекислый натрій въ процессѣ триптическаго перевариванія бѣлковыхъ веществъ.

Какъ извѣстно, трипсинъ способенъ переваривать resp. разлагать бѣлковыя вещества при нейтральной, слабокислой и щелочной реакціи; энергичнѣе всего онъ дѣйствуетъ при щелочной реакціи. Искусственное триптическое перевариваніе бѣлковыхъ веществъ производится при наличности $0{,}3 - 0{,}5\,^0/_0$ углекислаго натрія.

Такимъ образомъ, является общепринятымъ, что углекислый натрій (равно какъ и какая-либо другая щелочь) значительно способствуетъ тому гидролитическому дѣйствію, какое трипсинъ производитъ на бѣлковыя вещества, при перевариваніи этихъ послѣднихъ.

Въ виду такого значенія углекислаго натрія для триптическаго перевариванія бѣлковыхъ веществъ, является интереснымъ выяснить, какъ сама по себѣ дѣйствуетъ названная щелочь, будучи взята въ $0{,}3-0{,}5\,^0/_0$ -омъ растворѣ, на бѣлковыя вещества, а именно при $37-40\,^0$ C, — температурѣ, при которой искусственное триптическое перевариваніе обычно производится.

По литературнымъ даннымъ, относящимся къ разсматриваемому вопросу, оказывается, что этотъ вопросъ очень мало разработанъ. Такъ имѣются работы, выясняющія въ общихъ чертахъ дѣйствіе ѣдкихъ щелочей на бѣлковыя вещества, дѣйствіе гидрата окиси барія, гидрата окиси кальція; но дѣйствіе на означенныя тѣла слабыхъ растворовъ углекислыхъ щелочей, особенно болѣе или менѣе продолжительное дѣйствіе ихъ, экспериментально очень мало выяснено. Дѣйствіе на бѣлковыя вещества болѣе или менѣе крѣпкихъ растворовъ (напр. $5-20\,^0/_0$ -ыхъ) ѣдкихъ щелочей является въ общемъ довольно интенсивнымъ: подъ ихъ вліяніемъ бѣлковыя вещества послѣдовательно превращаются въ алкалиальбуминаты, альбумозы, такъ называемые пептоны и наконецъ дають рядъ простѣйшихъ продуктовъ распада бѣлковой частицы, какъ-то сѣроводородъ, аммiакъ, моноаминокислоты и проч. Подобное дѣйствiе ѣдкихъ щелочей, взятыхъ въ видѣ болѣе или менѣе крѣпкихъ растворовъ, наиболѣе интензивно проявляется при болѣе или менѣе высокихъ температурахъ. Что касается болѣе или менѣе разведенныхъ растворовъ ѣдкихъ щелочей, то таковые обнаруживають вообще болѣе или менѣе слабое дѣйствiе на протеиновыя вещества. Такъ О. Maas[1]) показалъ, что подъ влiянiемъ 1/16 N, 1/4 N, и N-растворовъ ѣдкихъ щелочей, дѣйствующихъ при 15 ⁰ — 40 ⁰ — 90 ⁰ С, бѣлковыя вещества (яичный бѣлокъ, сывороточный альбуминатъ) медленно измѣняются resp. распадаются: при 24—48-час. обработкѣ при указанныхъ температурахъ изъ вышеобозначенныхъ бѣлковъ возникають въ незначительныхъ количествахъ альбумозы и въ очень незначительныхъ количествахъ (слѣды) такъ называемые пептоны.

Какъ видно изъ вышеприведеннаго, a priori надо ожидать, что слабые растворы углекислыхъ щелочей способны только слабо, можетъ быть очень слабо, воздѣйствовать на бѣлковыя вещества.

Для моихъ предварительныхъ опытовъ служили слѣдующiя вещества:

a. альбумины и глобулины лошадиной кровяной сыворотки
b. лошадиный гемоглобинъ
c. альбуминатъ щелочной
d. альбумозы
e. желатина.

a. Бѣлки лошадиной кровяной сыворотки.

Эти бѣлки были получены путемъ свертыванiя (при нагрѣванiи до 85—90 ⁰ С и подкисленiи уксусною кислотою) разведенной лошадиной сыворотки. Свернутыя бѣлковыя вещества были тщательно промыты кипящею дестиллированною водою. Часть этихъ бѣлковъ была послѣ промыванiя высушена, а именно сначала на водяной банѣ, потомъ въ воздушной банѣ при 105—108 ⁰ С.

b. Лошадиный гемоглобинъ.

Это бѣлковое вещество было получено обычнымъ образомъ изъ лошадиной лаковой крови; для опыта былъ взятъ препаратъ,

---

1) Hoppe-Seyler's Zeitschrift f. physiol. Chemie. B. XXX, S. 67—74.

два раза перекристаллизованный. Часть этого препарата была использована для опыта непосредственно, а именно непосредственно была подвергнута настаиванью съ 0,5 %-ымъ растворомъ углекислаго натрія; часть-же была предварительно подвергнута свертыванію, а именно при 75—80 °, при каковой температурѣ свернутое бѣлковое вещество держалóсь, — послѣ полнаго свертыванія, — около 30 мин, послѣ чего оно было промыто кипящею дестиллированною водою.

c. Щелочной альбуминатъ.

Лошадиная сыворотка, разведенная въ 5 разъ 2 %-ымъ растворомъ ѣдкаго натра, держалась при 80—85 ° C втеченіе 2 часовъ, послѣ чего растворъ былъ нейтрализованъ, — выпалъ обильный хлопчатый осадокъ. Осадокъ былъ отдѣленъ фильтрованіемъ, тщательно промытъ теплою дестиллированною водою, (сначала путемъ декантаціи, потомъ на фильтрѣ) и растворенъ въ 0.5 %-омъ растворѣ углекислаго натрія. Въ присутствіи щелочей или кислотъ этотъ альбуминатъ очень легко растворяется въ водѣ.

d. Альбумозы.

Этотъ препаратъ былъ полученъ слѣдующимъ образомъ. Растворъ пептона Witte былъ слабо подкисленъ соляною кислотою, причемъ выпалъ небольшой осадокъ, который былъ отдѣленъ; фильтратъ отъ этого осадка былъ насыщенъ сѣрнокислымъ аммоніемъ при 85 ° C, — возникъ обильный осадокъ альбумозъ, которыя были очищены путемъ двукратнаго растворенія въ большомъ количествѣ воды и послѣдовательнаго осажденія вышеозначенною солью (при 85 ° C). Водный растворъ такимъ образомъ очищенныхъ альбумозъ былъ освобожденъ съ помощью свѣжеосажденнаго углекислаго барія отъ сѣрнокислаго аммонія и осажденъ фосфорновольфрамовою кислотою, а именно въ присутствіи 0,5 %-ой сѣрной кислоты. Осадокъ, полученный съ фосфорновольфрамовою кислотою, былъ тщательно промытъ дестиллированною водою, слабо подкисленною сѣрной кислотой, и разложенъ, при 35—40 ° C, свѣжеосажденнымъ углекислымъ баріемъ. Имѣвшійся въ результатѣ растворъ альбумозъ былъ освобожденъ, — съ помощью сѣрной кислоты, — отъ барія.

e. Желатина.

Нродажная желатина была растворена въ теплой дестиллированной водѣ, растворъ нагрѣтъ (на водяной банѣ) до 80—85 ° C, при каковой температурѣ онъ держался, при постоянномъ помѣшиваніи, 30 минутъ, послѣ чего онъ былъ охлажденъ до 40 ⁰ С и къ нему было прибавлено углекислаго натрія до 0,5 %.

Параллельно пробамъ, настаиваемымъ съ углекислымъ натріемъ (— содержавшимъ 0,5 % этой щелочи, считая на безводную), было произведено настаиваніе вышеозначенныхъ бѣлковыхъ препаратовъ съ 0,5 % соляною кислотою (считая на абсолютную соляную кислоту).

Настаиваніе всѣхъ пробъ производилось при 37—40 ⁰ С, втеченіе 3 — 4½ мѣсяцевъ. Всѣ пробы содержали въ избыткѣ хлороформъ.

Послѣ настаиванія пробы были изслѣдованы въ томъ отношеніи, что въ нихъ были опредѣлены:

a. общее количество азота веществъ, содержавшихся въ растворѣ resp. перешедшихъ въ растворъ;

b. общее количество азота веществъ альбумознаго и амфопептоноваго характера;

c. количество азота „амфо-пептона“, — продуктовъ, не осаждающихся сѣрнокислымъ аммоніемъ.

d. количество моноамиднаго азота, т. е. количество азота веществъ, не осаждающихся фосфорновольфрамовою кислотою въ присутствіи минеральныхъ кислотъ.

Амфо-пептонъ изолировался по способу Kühne. Осажденіемъ фосфорновольфрамовой кислотой, — для отдѣленія веществъ основного характера отъ веществъ, неосаждающихся фосфорновольфрамовою кислотою, — производилось въ присутствіи 0,5 % сѣрной кислоты, а именно слѣдующимъ образомъ. Опредѣленный объемъ изслѣдуемаго раствора вносился въ калибрированную колбу, причемъ, если взятый растворъ реагировалъ щелочно (проба съ углекислымъ натріемъ), онъ подкислялся (въ колбѣ) сѣрною кислотою до слѣдовъ реакціи съ конго-бумажкою. Далѣе прибавлялось опредѣленное количество сѣрной кислоты, — до 0,5 %, считая на объемъ данной калибрированной колбы, — и производилось осторожное осажденіе фосфорновольфрамовою кислотою, а именно въ теченіи 6—24 часовъ. Если ожидалось болѣе или менѣе относительно значительное количество продуктовъ, осаждающихся фосфорновольфрамовою кислотою (напр. пробы съ альбумозами, желатиною), то брались небольшія количества изслѣдуемаго раствора, напр. 50—75 к. с., которыя разводились, при осажденіи, до 500 к. с. Изслѣдуемые растворы, содержавшіе мало бѣлковыхъ ве-

ществъ, напр. фильтраты, полученные послѣ настаиванія съ углекислымъ натріемъ сывороточныхъ бѣлковъ, гемоглобина, брались
для осажденія въ количествѣ 250—400 к. с.; каковыя количества
разводились, — при осажденіи —, до 500 куб. сант. Для опредѣленія моноамиднаго азота (по Kjeldahl'ю) бралось опредѣленное (100—400 к. с.) количество фильтрата отъ осадка, возникшаго
съ фосфорновольфрамовою кислотою. Фильтрованіе производилось
спустя са. 24 часа послѣ произведеннаго осажденія; передъ фильтрованіемъ смѣсь тщательно взбалтывалась.

Аналитическія данныя, полученныя съ вышеуказанными про-
бами, приводятся въ прилагаемой таблицѣ, при чемъ данныя, содержащіяся въ колоннѣ „Na_2CO_3“, относятся къ пробамъ, которыя
настаивались съ 0,5 % Na_2CO_3; данныя-же, содержащіяся въ ко-
лоннахъ „HCl“, относятся къ пробамъ, которыя настаивались съ
0,5 % HCl. Въ таблицѣ приводятся количества того или другого
азота, выраженныя въ граммахъ, разсчитанныя на каждые 100 куб.
сантиметр. изслѣдуемаго первоначальнаго раствора resp. фильтрата.

Продукты распада желатины и альбумозъ, которые не осаждаются фосфорновольфрамовой кислотою и которые были получены
при данной обработкѣ, — съ помощью углекислаго натрія и соля-

	Общій азотъ		Азотъ, альбумозъ и амфо-пептона		Азотъ амфопеп-тона		Моно-амидный азотъ	
	Na_2CO_3	HCl	Na_2CO_3	HCl	Na_2CO_3	HCl	Na_2CO_3	HCl
Бѣлки кровяной сы-воротки, не сушe-ные	0,0057	0,092	—	—	—	—	0,0	0,0195
Бѣлки кровяной сы-воротки, высушен-ные	0,0187	0,1265	—	—	—	—	0,0073	0,0327
Гемоглобинъ, — пе-свернутый . . .	0,0496	0,0876	—	—	—	—	0,0047	0,0263
Гемоглобинъ, — свернутый . . .	0,0847	0,1723	0,0149	0,1577	—	—	0,0067	0,034
Альбуминатъ . . .	0,1416	—	0,0153	—	0,0089	—	0,0041	--
Альбумозы	0,7125	0,7125	—	—	0,0864	—	0,0443	0,1095
Желатина	0,4851	0,4939	—	—	—	—	0,0254	0,1880

ной кислоты, — даютъ слабую біуретовую реакцію, не осаждаются реактивомъ Эсбаха и сулемою.

На основаніи вышеприведенныхъ аналитическихъ данныхъ, относящихся къ пробамъ, которыя настаивались съ углекислымъ натріемъ, можно сдѣлать слѣдующія заключенія:

1. Альбумины и глобулины лошадиной кровяной сыворотки, взятые въ свернутомъ состояніи, при болѣе или менѣе продолжительномъ дѣйствіи на нихъ 0,5 %-аго раствора углекислаго натрія, а именно при 37—40 ° С, очень мало растворяются resp. измѣняются. Въ данномъ случаѣ настаиваніе продолжалось почти 4 1/2 мѣсяца.

Будучи подвергнуты предварительному высушиванію при 105—108 ° С, разсматриваемыя бѣлковыя вещества остаются мало растворимыми resp. измѣняемыми подъ вліяніемъ углекислаго натрія при данныхъ условіяхъ, при чемъ однако оказывается, что подобное предварительное высушиваніе этихъ бѣлковъ до нѣкоторой степени способствуетъ ихъ растворенію resp. измѣненію при указанныхъ условіяхъ.

При данной обработкѣ этихъ бѣлковъ съ помощью разсматриваемой щелочи азотистые продукты распада бѣлковой частицы, неосаждающіеся фосфорновольфрамовой кислотой, не возникаютъ — resp. возникаютъ въ весьма незначительномъ количествѣ.

2. Лошадиный гемоглобинъ при сirca 4-хъ-мѣсячномъ настаиваніи его съ 0,5 % растворомъ углекислаго натрія растворяется и разлагается, при чемъ въ растворъ переходитъ только небольшое количество (около 0,3 %) его бѣлка, — глобина. Почти все количество глобина, находящагося въ растворѣ, имѣетъ свойства ацидальбумина: при нейтрализаціи щелочнаго раствора, получаемаго при этомъ настаиваньѣ, возникаетъ осадокъ, по отдѣленіи котораго получается фильтратъ, обнаруживающій едва уловимые слѣды реакціи на бѣлковыя вещества.

При разсматриваемомъ дѣйствіи 0,5 %-аго раствора углекислаго натрія на гемоглобинъ возникаютъ въ очень незначительномъ количествѣ продукты распада глобина, неосаждающіеся фосфорновольфрамовою кислотою.

Предварительное свертываніе (при 75—80 ° С) гемоглобина способствуетъ, повидимому, растворенію resp. разложенію его при данныхъ условіяхъ дѣйствія на него углекислаго натрія.

3. Щелочные альбуминаты подвергаются при разсматриваемой обработкѣ ихъ 0,5 %-ымъ растворомъ углекислаго натрія, а

именно втеченіи почти 2 мѣсяцевъ, послѣдовательнымъ измѣненіямъ съ возникновеніемъ альбумозъ, амфопептона (въ незначительномъ количествѣ) и азотистыхъ продуктовъ распада, неосаждающихся фосфорновольфрамовою кислотою (въ незначительномъ количествѣ).

4. Вышеописанныя альбумозы, будучи настаиваемы съ $0,5\,\%$-ымъ растворомъ углекислаго натрія втеченіи почти 4 мѣсяцевъ, претерпѣли измѣненія съ образованіемъ амфопептона (= приблизительно $12\,\%$ считая на азотъ).

5. Растворъ желатины, предварительно стерилизованный вышеуказаннымъ образомъ, при данномъ настаиваньѣ его съ углекислымъ натріемъ, а именно втеченіи около 4 мѣсяцевъ, измѣнился, — возникли продукты распада желатины, неосаждающіеся фосфорновольфрамовою кислотою (= приблизительно $5\,\%$, считая по азоту).

Подводя общій итогъ вышеприведеннымъ заключеніямъ, приходится отмѣтить, какъ главное, слѣдующее:

a. Нативныя бѣлковыя вещества очень мало, повидимому, измѣняются подъ непосредственнымъ вліяніемъ углекислаго натрія, взятаго въ $0,5\,\%$-омъ растворѣ, при 37—40° C; по крайней мѣрѣ глобинъ лошадинаго гемоглобина, — бѣлковое вещество, легко измѣняющееся подъ вліяніемъ протеолитически дѣйствующихъ агентовъ, — оказывается въ высокой степени резистентнымъ по отношенію къ дѣйствію $0,5\,\%$-аго раствора разсматриваемой щелочи.

b. Нредварительныя свертываніе и высушиваніе нативныхъ бѣлковыхъ веществъ усиливаетъ непосредственное дѣйствіе $0,5\,\%$-аго раствора углекислаго натрія на эти вещества.

c. Бѣлковыя вещества, переведенныя въ альбуминатъ и альбумозы, оказываются болѣе доступными непосредственному дѣйствію разсматриваемой щелочи, чѣмъ нативныя, при чемъ альбумозы подъ вліяніемъ этой щелочи образуютъ амфопептонъ и вещества типа моноаминокислотъ въ относительно пе небольшихъ количествахъ.

d. Значеніе углекислаго натрія при триптическомъ перевариваніи бѣлковыхъ веществъ, какъ агента, непосредственно дѣйствующаго на нативныя бѣлковыя вещества, очень невелико: непосредственное дѣйствіе этой щелочи при этомъ процессѣ обнаруживается въ сколько-нибудь значительной мѣрѣ на альбумозахъ. Вообще-же, несомнѣнное ускоряющее дѣйствіе углекислаго натрія при триптическомъ перевариваніи бѣлковыхъ веществъ, зависитъ, повидимому, главнымъ образомъ отъ того, что благодаря этой щелочи нейтрализуются продукты кислотнаго характера, возникающіе въ большомъ количествѣ при разсматриваемомъ протеолитическомъ ферментативномъ процессѣ.

Если мы обратимся къ тѣмъ аналитическимъ даннымъ вышеприведенныхъ опытовъ, которыя относятся къ пробамъ, подвергнутымъ параллельному продолжительному настаиванью съ 0,5 %-ою соляною кислотою, то мы увидимъ, что 1) эти данныя подтверждаютъ тѣ выводы, которые сдѣланы по сему вопросу Goldschmidt'омъ и мною, и которыя приведены выше и 2) непосредственное дѣйствіе 0,5 %-ой соляной кислоты на бѣлковыя вещества при процессѣ пептическаго перевариванія этихъ веществъ, — въ присутствіи этой кислоты, — представляется гораздо болѣе энергичнымъ, чѣмъ соотвѣтствующее дѣйствіе углекислаго натрія при триптическомъ перевариваніи бѣлковъ, — въ присутствіи этой щелочи.

Такимъ образомъ значеніе трипсина при триптическомъ перевариваніи бѣлковыхъ веществъ (въ присутствіи углекислаго натрія resp. калія), какъ катализатора, выступаетъ гораздо рельефнѣе, чѣмъ значеніе пепсина при пептическомъ перевариваніи бѣлковыхъ веществъ (въ присутствіи соляной кислоты).

Юрьевъ (Лифляндія)
XI. 905.

Zur Frage über die Wirkung der kohlensauren Alkalien auf die Eiweisskörper.

D. Lawrow.

Die coagulirten Albumine und Globuline des Blutserums des Pferdes, das Pferdehämoglobin, uncoagulirt und coagulirt, das Alkalialbuminat, die durch Ammoniumsulfat fällbaren, aus dem Witte-Pepton gewonnenen, durch Phosphorwolframsäure gereinigten Albumosen und Gelatine sind mit 0.5 % Na_2CO_3 (wasserfrei), bei 37—40° C, 2—4 $\frac{1}{2}$ Monate, und zwar in Gegenwart von Chloroform digerirt. Ein Theil von den genannten Albuminen und Globulinen ist nach dem Trocknen bei 105—108° C digerirt.

Dieselben Eiweisskörperpräparate sind auch der parallelen Digestion mit 0.5 % Salzsäure (wasserfrei) unterworfen.

In den digerirten Lösungen resp. den gewonnenen Filtraten wurde der Gesammtstickstoffgehalt, und derjenige der verschiedenen Digestionsprodukte, und zwar der Albumosen + Amphopeptons (Kühne), des Amphopeptons für sich und der durch Phosphorwolframsäure unfällbaren Substanzen (Monoamino-Stickstoff) ermittelt (s. die Tabelle).

Aus den Analysen zeigte sich Folgendes. 1) Die protrahierte Wirkung des angegebenen Alkali auf die genannten Albumine und Globuline, das Pferdehämoglobin, als auch auf das Alkalialbuminat ist sehr schwach. Durch das Coaguliren und Trocknen werden die nativen Eiweisskörper etwas mehr zugänglich der Einwirkung dieses Alkali. 2) Aus den Albumosen entstehen unter einer protrahierten Einwirkung von 0.5 % Na_2CO_3 das sogenannte Amphopepton und die durch P.-W.-Säure unfällbaren Spaltungsproducte, und zwar in verhältnissmässig nicht unbedeutenden Mengen. 3) Die Resultate der angegebenen Digestion der angeführten Eiweisspräparate mit 0.5 %-iger Salzsäure stimmen mit den Resultaten der hierauf bezüglichen Untersuchung Fr. Goldschmidt, (Inaug.-Diss. 1898) und der meinigen (Hoppe-Seyler's Zeitschr. f. physiol. Ch. XLIII, S. 447—463).

Im Allgemeinen resultirt, dass die unmittelbare Wirkung von $0.5\,^0/_0$ Na_2CO_3 auf die Eiweisskörper beim Processe der tryptischen Verdauung der Eiweisssubstanzen viel schwächer ist, als auch die entsprechende Wirkung von $0.5\,^0/_0$ HCl bei der peptischen Verdauung der gesammten Körper, so dass die Rolle des Trypsins, als Katalysators, bei dem angegebenen Processe viel mehr hervor tritt, als die entsprechende Rolle des Pepsins bei der peptischen Verdauung.

Dorpat (Livland),
   XI. 905.

О соотношеніи между погодою и преломленіемъ свѣтовыхъ лучей въ атмосферѣ [1].

Б. И. Срезневскій.

1. Горизонтальное распредѣленіе температуры не оказываетъ существеннаго вліянія на земную рефракцію въ вертикальной плоскости. Аномаліи распредѣленія давленія практически также не оказываютъ сколько нибудь замѣтнаго вліянія.

2. Измѣненія послѣдней зависятъ главнымъ образомъ отъ измѣненій размѣра пониженія температуры съ высотою.

3. Если мы выдѣлимъ въ атмосферѣ плоскость, во всѣхъ точкахъ которой плотность воздуха одна и та же, то въ такой плоскости лучъ свѣта не можетъ распространяться прямолинейно. Свѣтовая волна будетъ имѣть большую скорость по ту сторону плоскости, гдѣ воздухъ разрѣженъ, и меньшую тамъ, гдѣ воздухъ

Фиг. 1.

сгущенъ; слѣдовательно, лучъ свѣта вообще обязательно долженъ быть криволинейнымъ, если только атмосферные слои не суть плоскости, перпендикулярныя къ лучу.

4. Прямолинейное распространеніе свѣта, какъ частный случай, возможно тогда, когда температура падаетъ съ высотою на $3\frac{1}{2}^0$ на каждые 100 метровъ — случай исключительный.

5. Въ идеальной атмосферѣ, состоящей изъ совершенно *плоскихъ* слоевъ, лучъ свѣта долженъ проходить изъ точки A въ точку B черезъ болѣе разрѣженные слои.

6. Въ дѣйствительной атмосферѣ состоящей обыкновенно изъ сферическихъ слоевъ, лучъ свѣта проходитъ между точками A и B

---

1) Рефератъ сообщенія, сдѣланнаго на засѣданіи Общества 17 февраля 1906.

49

через болѣе плотные слои (см. пунктирная кривая AB на фиг. 1). Противъ этого погрѣшаютъ всѣ элементарные учебники.

7. Кривизна луча свѣта AB въ земной атмосферѣ всегда меньше кривизны земной поверхности, ибо отношеніе радіусовъ кривизны, представляющее т. наз. Гаусову постоянную рефракцію, всегда < 1. Прóтивъ этого элементарныя схемы также грѣшатъ.

8. Увеличеніе дальности видимаго горизонта зависитъ отъ того, что лучъ свѣта иногда описываетъ сильно выпуклую кверху кривую. При этомъ онъ достигаетъ глаза наблюдателя не сверху, какъ это иногда изображаютъ, а снизу, причемъ рефракція лишь уменьшаетъ геометрическую депрессію горизонта δ. Противъ этого также грѣшатъ элементарныя изложенія.

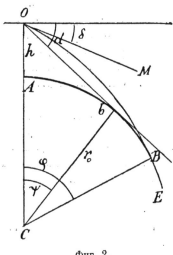

Фиг. 2.

9. Земную рефракцію надлежитъ излагать для сферическихъ, а не плоскихъ атмосферныхъ слоевъ.

10. Извѣстное Монжевское объясненіе миража должно быть излагаемо въ согласіи съ пунктами 6, 7 и 9. При разсмотрѣніи сферическихъ воздушныхъ слоевъ, уголъ паденія на нихъ наклоннаго луча послѣдовательно увеличивается и можетъ достигнуть полнаго внутренняго отраженія даже и безъ искривленія луча.

11. Докладчикъ находитъ неудачными данныя г.г. Петерсомъ и Броуновымъ схематическія объясненія для ненормальной дальности горизонта; эти авторы объясняютъ ненормальною рефракціею видѣніе противоположнаго берега, который, судя по чертежу, долженъ быть всегда виденъ, т. к. лежитъ надъ математическимъ горизонтомъ.

12. Объясненіе, данное П. И. Броуновымъ замѣченному соотношенію между аномальной рефракціею и наступающему за нимъ ненастью, не вполнѣ удовлетворительно ни въ оптическомъ, ни въ метеорологическомъ отношеніи. Усиленное излученіе тепла землею на окраинѣ надвигающагося циклона, да еще лѣтомъ, едва ли вѣроятно. Повидимому, все дѣло въ особенностяхъ нашихъ лѣтнихъ дождей, которые образуются преимущественно надъ на-

3*

грѣтою сушею и на побережья являются обыкновенно со стороны континента вмѣстѣ съ массою теплаго воздуха. Это-то теплое теченіе и даетъ на побережьяхъ тѣ инверсіи температуры и изотерміи, которыя нужны для аномальной усиленной рефракціи и дальности горизонта.

13. По Тейссеранъ-де-Бору и др. изотерміи и инверсіи въ нижнемъ слоѣ являются спутниками антициклоновъ, а отнюдь не циклоновъ; но въ этомъ не слѣдуетъ видѣть противорѣчія съ вышеизложеннымъ, ибо между циклонами Запада Европы и лѣтними дождями Запада Россіи нѣтъ того родства, которое многіе теоретики склонны допускать. Даже и крупные циклоны лѣтомъ иногда бываютъ у насъ явленіемъ самостоятельнымъ, а не заноснымъ.

14. Попытки Ассмана установить связь между осадками и инверсіями температуры, пока не привели къ желанному результату потому, что не было сдѣлано надлежащей дифференціаціи явленія: Берлинскія наблюденія соединены вмѣстѣ съ Гамбургскими (береговыми), низкія инверсіи съ высокими, мѣстные осадки съ циклоническими и др.

15. Наблюденія низкихъ инверсій могутъ быть развиты при помощи наблюденій астрономической рефракціи, и для послѣднихъ докладчикъ имѣетъ въ виду измѣрять вертикальный діаметръ восходящаго и заходящаго солнца, для чего строится микрометръ совершенно новаго типа.

16. Попытки г. Маурера въ Цюрихѣ установить соотношеніе между земною рефракціею и типами горизонтальнаго распредѣленія давленія приводятъ, по мнѣнію докладчика, къ весьма существеннымъ для практической метеорологіи результатамъ, находящимся въ согласіи съ теоретическими ожиданіями.

Ueber die Beziehungen zwischen dem Wetter und der optischen Strahlenbrechung in der Atmosphäre [1].

B. Sresnewsky.

1. Die horizontale Verteilung der Lufttemperatur und des Luftdrucks übt keinen wesentlichen Einfluss auf die verticale terrestrische Strahlenbrechung aus.

2. Die Variationen der letzteren hängen hauptsächlich von den Variationen der Temperaturänderung mit der Höhe ab.

3. Die Fortpflanzung des Lichtes in einer isosteren Fläche (i. e. einer nahezu horizontalen Fläche mit constanter Luftdichtigkeit) kann im Allgemeinen nicht geradlinig erfolgen, weil die Lichtwelle über dieser Fläche, wo die Luft dünner ist, eine grössere Geschwindigkeit hat, als unter derselben Fläche, wo die Luftdichtigkeit eine grössere ist.

4. Das Licht kann sich im Allgemeinen nur in der Richtung normal zur isosteren Fläche geradlinig fortpflanzen. In dem Falle, wenn die Lufttemperatur mit der Höhe um $3^0.5$ pro 100 Meter fällt, pflanzt es sich nach allen Richtungen geradlinig fort.

5. In einer ideellen aus planparallelen Schichten bestehenden Atmosphäre erfolgt der Durchgang der Lichtstrahlen zwischen den Puncten A und B derselben Schicht durch d ü n n e r e Schichten.

6. In der reellen gewöhnlich aus sphärischen Schichten bestehenden Erdatmosphäre erfolgt der Durchgang der Lichtstrahlen zwischen den Puncten A u. B derselben Schicht durch d i c h t e r e Schichten. (S. punktierte Kurve auf d. Fig. 1). Zu diesem Satze stehen die üblichen Darstellungen in den elementaren Lehrbüchern im Widerspruch.

7. Die Krümmung eines Lichtstrahls AB in der Erdatmosphäre ist immer kleiner als diejenige der Erdoberfläche, da das Verhältniss

---

1) Resumé des Vortrages, welcher auf der Sitzung am 17. Februar 1906 gehalten war.

beider Krümmungen, die sog. Gauss'sche Constante, immer < 1 ist. Auch zu diesem Satze, stehen die üblichen Darstellungen in den elementaren Lehrbüchern im Widerspruch.

8. In den letzteren wird auch die anomale Erweiterung des sichtbaren Horizontes falsch erläutert; da diese Anomalie in der Erdatmosphäre nur aus der Verringerung der geometrischen Depression des Horizontes durch die Refraction herrührt, so gelangt der Lichtstrahl zum Auge des Beobachters gewöhnlich von unten, (Tangente OM auf d. Fig. 2), und nicht von oben, wie es oft dargestellt wird.

9. Man muss die terrestrische Refraction nicht für plane, wohl aber für sphärische Luftschichten betrachten.

10. Bei der Erklärung der Luftspiegelung müssen die Sätze 6, 7 u. 9 berücksichtigt werden. Schneidet ein Lichtstrahl eine Reihe von concentrischen Luftschichten bei stetig sich änderndem Einfallswinkel, so braucht er nicht gekrümmt zu sein um in gewisser Höhe total reflectirt zu werden.

11. Die in Lehrbüchern von Müller-Peters und Brounow gegebenen graphischen Darstellungen der anomalen Sehweite befriedigen den Referenten auch in der Beziehung nicht, dass dieselben die Sichtbarkeit der Küste eines Wasserbeckens als eine Anomalie erklären, obgleich die Küste, nach der Zeichnung zu urteilen, auch unmittelbar sichtbar ist.

12. Die von Prof. Brounow gegebene Erklärung für die Beziehung zwischen der anomalen Sehweite und dem nachfolgenden Regenwetter befriedigt den Referenten weder im geodätischen noch im meteorologischen Sinne. Die verstärkte Ausstrahlung der Wärme an der Peripherie einer heranziehenden Zyklone, insbesondere im Sommer ist kaum denkbar. Die Ursache der Anomalie scheint darin zu liegen, dass unsere Sommerregen sich meistenteils über dem erwärmten Boden bilden und zu den Küstenländern von der Seite des Continentes mit den w a r m e n Luftmassen hinkommen. Diese warme obere Strömung scheint die Ursache der Isothermien und Temp.-Inversionen zu sein, welche die anomale Refraction und Sehweite bedingen.

13. Nach Teisserenc-de-Bort und anderen sind die Isothermien und Inversionen gewöhnlich Begleiterscheinungen der Antizyklonen, nicht aber der Zyklonen. Diese Beobachtung steht aber in keinem Widerspruch zu dem Obengesagten, weil unsere Sommerregen in keiner engen Verwandtschaft zu den westeuropäischen Zyklonen ste-

hen, wie es die meisten Theoretiker annehmen wollen. Sogar grosse Sommer-Zyklonen entwickeln sich in Russland oft selbständig.

14. Die Versuche Prof. Assmann's, einen Zusammenhang zwischen den Niederschlägen und Temp.-Inversionen aufzustellen, haben bisher nicht zum erwünschten Resultat geführt; es wäre vielleicht zweckmässig die Differentiation der Erscheinung weiter zu entwickeln und die Berliner Beobachtungen mit den Küstenbeobachtungen in Hamburg, die niedrigen Inversionen mit den hohen, und die Lokalregen mit den zyklonischen nicht zu vereinigen.

15. Die Untersuchung der niedrigen Inversionen kann mit Hülfe der Beobachtungen der astronomischen Refraction weitergeführt werden. Ein practisches Mittel dazu findet der Referent in der Messung des verticalen Durchmessers der auf- oder untergehenden Sonne. Zu diesem Zwecke soll ein besonderes Mikrometer construirt werden.

16. Der Versuch des Hrn. J. Maurer in Zürich, einen Zusammenhang zwischen der terrestrischen Refraction und den Typen der horizontalen Verteilung des Luftdrucks aufzustellen, führt nach Meinung des Referenten zu sehr wesentlichen Resultaten für die practische Meteorologie, welche auch mit den theoretischen Erwartungen übereinstimmen.

Къ вопросу объ иннервацiи хроматофоровъ у головоногихъ моллюсковъ (Cephalopoda).

(Предварительное сообщенiе)

Проф. К. Сентъ-Илеръ.

Во время моего пребыванiя въ Трiестѣ весною сего года я занялся изученiемъ нервной системы у головоногихъ моллюсковъ. Нервоначально моей цѣлью было изученiе въ этомъ направленiи железъ; но при первыхъ опытахъ окраски нервовъ метиленовой синью мнѣ удалось получить таковую въ кожѣ Eledone, что и заставило меня продолжать работу надъ нервами кожи и у другихъ головоногихъ. Тема эта представляетъ значительный интересъ въ виду того, что до сихъ поръ вопросъ объ иннервацiи и физiологiи хроматофоровъ, не смотря на многочисленныя работы, является далеко не рѣшеннымъ.

Было бы слишкомъ долго излагать всѣ имѣющiяся въ литературѣ свѣдѣнiя о храматофорахъ; я изложу только наиболѣе существенное. Хроматофоръ головоногихъ представляетъ собой какъ бы мѣшочекъ, наполненный зернами пигмента. Онъ можетъ стягиваться такъ, что представляетъ собой маленькiй черный комочекъ, или растягиваться въ тонкую пластинку того или другого цвѣта. Уже Koelliker показалъ, что къ этому мѣшочку прикрѣпляются особыя волокна, идущiя радiально отъ самого хроматофора.

Вотъ около этихъ радiальныхъ волоконъ и сосредоточились главнымъ образомъ наблюденiя различныхъ изслѣдователей. Относительно ихъ значенiя было высказано два противуположныхъ мнѣнiя. Одни, начиная съ Koelliker'а, считаютъ ихъ за мышечныя волокна, которыя и обусловливаютъ растяженiе хроматофора; сжатiе его они объясняютъ эластичностью его оболочки. Это мнѣнiе наиболѣе распространенное (Klemensewič, Frédéricq, Krukenberg, Jung, Phisalix, Rabl). Другiе авторы (Girod,

Uexküll, Joubin) считаютъ радіальныя волокна за соединительнотканныя, которыя только на подобіе резиновыхъ нитей пассивно растягиваютъ хроматофоръ. Самъ же онъ стягивается, какъ амебообразная клѣтка.

Есть еще одно мнѣніе, о которомъ приходится упомянуть — это, что игра хроматофоръ происходитъ при содѣйствіи кожной мускулатуры (Uexküll).

Вопросъ объ иннерваціи хроматофоровъ имѣетъ конечно большое значеніе для выясненія ихъ физіологіи. Однако въ этомъ направленіи наши свѣдѣнія весьма скудны. Joubin нашелъ на молодыхъ хроматофорахъ нервное волокно прямо въ нихъ упирающееся. Онъ сажалъ маленькихъ Loligo въ растворъ метиленовой сини и затѣмъ находилъ подъ кожей у нихъ окрашенную нервную сѣть. Нѣкоторые другіе авторы описывали такое же подхожденіе нерва. Chun рисуетъ очень нѣжную сѣть нервныхъ волоконъ между хроматофорами. Во время ихъ развитія онъ видѣлъ соединеніе нервнаго волокна съ нѣкоторыми радіальными волокнами. Его рисунки однако довольно схематичны. Наибольшій интересъ для меня лично представляетъ наблюденіе Solger'a, которому при помощи метиленовой сини удалось окрасить нервныя окончанія въ радіальныхъ волокнахъ. Эти наблюденія до сихъ поръ не нашли себѣ подтвержденія; на мой же взглядъ они заслуживаютъ наибольшаго вниманія.

Матерьяломъ для моихъ изслѣдованій служили слѣдующія головоногія: Eledone, Loligo и Sepiola, которыхъ я по большей части покупалъ прямо на рынкѣ. Характерно, что на тѣхъ экземплярахъ Eledone, которыхъ я получилъ изъ акваріума, окраска почти не удавалась. Растворъ метиленовой сини ($1/8$—$1/10$ %) въ физіологическомъ растворѣ поваренной соли я впрыскивалъ подъ кожу и оставлялъ животное нѣсколько времени лежать на воздухѣ. Окраска наступала въ различные сроки: скорѣе всего (черезъ 2—3 часа) у Loligo. У Eledone наилучшіе результаты получаются только на слѣд. день.

Степень окраски бываетъ различная. Сначала обыкновенно окрашиваются нервы, а потомъ и мышечные элементы. Къ сожалѣнію зарисовать свѣжій препаратъ очень трудно, т. к. окраска быстро блѣднѣетъ. Для фиксированія я употреблялъ или молибденовокислый аммоній (10 %) или пикриновокислый аммоній (насыщенный водный растворъ) съ прибавленіемъ формалина (5—10 к. сент. продажнаго формалина на 100 к. с. раствора). Оба способа не вполнѣ сохраняютъ однако картины, получаемы на свѣжемъ препаратѣ.

Радіальныя волокна прекрасно видны на такихъ препаратахъ. Хорошо замѣтно, что они на концахъ развѣтвляются на тончайшія ниточки, распространяющіяся въ соединительной ткани, причемъ волокна сосѣднихъ клѣтокъ переплетаются между собой. Это видѣли уже раньше Girod, Steinach, Phisalix. Точнаго описанія и изображенія этого сплетенія я однако не нашелъ въ литературѣ. А происходитъ оно весьма различнымъ способомъ. Обыкновенно три радіальныхъ волокна трехъ лежащихъ рядомъ или даже на значительномъ разстояніи, хроматофоровъ сходятся въ одномъ мѣстѣ, и тамъ ихъ отростки или непосредственно переходятъ другъ въ друга, или подходятъ съ боку. Одно волокно можетъ по своей длинѣ отпускать въ бокъ многочисленные отростки, которые сливаются послѣдовательно съ нѣсколькими пересѣкающими первое волокно волокнами сосѣдней клѣтки. Каждый хроматофоръ соединяется повидимому со многими.

Радіальныя волокна прикрѣпляются, какъ это извѣстно, широкими основаніями къ пигментному тѣлу, такъ что вокругъ него образуется какъ бы кольцо. Chun описываетъ такое кольцо на молодыхъ клѣткахъ. Girod, Phisalix и Steinach видѣли продолженіе волоконъ радіальныхъ клѣтокъ на тѣло хроматофора, а послѣдній авторъ говоритъ даже, что они соединяются вмѣстѣ въ одну мускульную зону. Но оси радіальнаго волокна распалагается фибриллярное болѣе темное вещество. Иногда эта осевая часть какъ бы отрывается отъ основанія, стягивается и переходитъ въ дистальную часть волокна въ видѣ утолщенія.

На двухъ препаратахъ мнѣ удалось наблюдать одно явленіе, которое, если будетъ подтверждено дальнѣйшими изслѣдованіями, будетъ имѣть весьма важное значеніе для объясненія дѣятельности хроматофора. Поэтому только я и рѣшаюсь описать эти случаи, несмотря на ихъ малочисленность. Картина была такая: пигментное тѣло хроматофора выпало; отъ хроматофора осталось какъ бы кольцо, состоящее изъ соединенныхъ основаній радіальныхъ волоконъ. Но кромѣ него я замѣтилъ перемычки, которыя служили какъ бы продолженіемъ радіальныхъ волоконъ подъ пигментнымъ тѣломъ. Вся эта система прѣдставляла картину, напоминающую ирисъ діафрагму.

Нервы окрашивались лучше всего у Loligo. Тамъ мнѣ удалось получить замѣчательно чистую окраску. Можно было видѣтъ стволики, состоящіе изъ большаго или меньшаго числа воло-конъ. Прослѣдить въ нихъ ходъ отдѣльныхъ волоконъ не удается, такъ какъ они извиваются очень причудливо, соединяясь то съ однимъ стволикомъ, то съ другимъ. Конечныя развѣтвленія нер-вовъ бываютъ варикозны. Такія варикозныя нити располагаются по ходу радіальныхъ волоконъ, слѣд. также лучеобразно по отно-шенію къ хроматофору. Они идутъ на очень большое разстояніе отъ хроматофора.

На основаніяхъ волоконъ замѣчаются фигуры вполнѣ похо-жія на рисунки Solgèr'а. Нервное волокно кажется сложеннымъ петлями, что вѣроятно обусловливается сокращеніемъ радіальнаго волокна, по которому идетъ нервъ. Болѣе детальное изслѣдованіе показываетъ слѣдующее. Во первыхъ, на радіальномъ волокнѣ можно видѣтъ часто не одно нервное волокно, идущее по его длинѣ, но два. Во вторыхъ, нервныя волокна не всегда оканчи-ваются такъ, какъ это рисуетъ Solger, но идутъ дальше: иногда упираются въ пигментное тѣло; иногда съ одного радіальнаго во-локна переходятъ на сосѣднее по ихъ основаніямъ, прилегающимъ къ пигментному тѣлу.

Въ большинствѣ случаевъ между отдѣльными радіальными нервами существуютъ анастамозы. Эти послѣднія очень часто располагаются по поверхности той тоненькой оболочки, которую описывали уже Klemensiewič, Phisalix и др., въ которой хроматофоръ лежитъ какъ сердце въ своей сумкѣ. Нервныя волокна образуютъ здѣсь кольцо, которое соединяется съ радіаль-ными нервами маленькими вѣточками. Эти вѣточки направляются обыкновенно вверхъ по волокну отъ хроматофора. На участкахъ радіальныхъ волоконъ, лежащихъ между кольцомъ и хроматофоромъ въ этихъ случаяхъ я рѣдко находилъ нервныя окончанія. Очень часто у Eledone я видѣлъ, что довольно толстое волокно образуетъ около отдѣльныхъ хроматофоровъ недалеко отъ ихъ поверхности почти полное кольцо, но видѣтъ связи его съ радіальными нервами не удается. Анастамозы между сосѣдними радіальными нервами существуютъ повидимому не въ одномъ мѣстѣ; по крайней мѣрѣ мнѣ иногда удавалось видѣтъ ихъ и на далекомъ разстояніи отъ тѣла хроматофора.

Такимъ образомъ хроматофоръ и его радіальныя волокна оказываются совершенно оплетенными развѣтвленіями нервныхъ волоконъ.

Наибольшій интересъ представляетъ конечно рѣшеніе вопроса,

какимъ образомъ радіальныя нервныя волокна соединяются со стволиками нервной системы, которыя, какъ показываютъ мои препараты, въ изобиліи проникаютъ всю толщу кожи. Оказывается на дѣлѣ, что видѣть этотъ переходъ въ высшей степени трудно главнымъ образомъ вслѣдствіе того, что волокна здѣсь проходятъ на громадномъ разстояніи и окрасить ихъ равномѣрно по всей длинѣ не удается. На удачныхъ препаратахъ я замѣчалъ слѣдующее: нервное волокно изъ стволика направляется къ какому нибудь радіальному волокну и переходитъ на него; это происходитъ на различныхъ разстояніяхъ отъ хроматофора. Я не могъ констатировать, чтобы каждое радіальное нервное волокно имѣло сообщеніе со стволикомъ. Иногда подходящее нервное волокно раздвояется и расходится внизъ и вверхъ по радіальному волокну. Иногда въ томъ мѣстѣ, гдѣ эти послѣднія соединяются своими отростками, они оплетаются нервными волокнами. Мнѣ приходилось также видѣть, что нѣсколько (2, 3, 4) радіальныхъ нервныхъ волоконъ упираются въ одно — мимо проходящее.

Мы знаемъ, что даже въ небольшихъ участкахъ кожи головоногихъ продолжаются ритмическія движенія хроматофоровъ; можно предположить, что въ самой кожѣ есть нервныя клѣтки, которыя управляютъ этимъ движеніемъ. Дѣйствительно въ кожѣ Eledone окрашиваются метиленовой синью многочисленныя большія клѣтки съ очень длинными отростками, переплетающимися между собой. Притомъ одинъ изъ этихъ отростковъ, какъ мнѣ казалось при наблюденіи на свѣжемъ препаратѣ, переходитъ въ нервное волокно. На фиксированныхъ препаратахъ эти клѣтки настолько блѣднѣютъ, что подтвердить это наблюденіе не удается. Поэтому я пока не могу рѣшить окончательно вопроса: нужно ли отнести эти клѣтки къ нервнымъ или къ соединительно-тканнымъ, похожимъ на клѣтки слизистой или эмбріональной ткани.

У другихъ головоногихъ — у Sepiola и Loligo есть подобныя же клѣтки, но видъ ихъ нѣсколько иной: отростки ихъ не столь длинны, но ихъ больше и вся клѣтка кажется компактнѣе.

При выясненіи роли нервныхъ волоконъ, оплетающихъ отростки хроматофоръ, можетъ быть имѣетъ значеніе тотъ фактъ, что на этихъ же препаратахъ прекрасно окрашиваются двигательные нервы мышцъ, оособенно въ плавникахъ у Loligo и Sepiola. Нервы здѣсь развѣтвляются и оканчиваются въ пучкахъ гладкихъ мышцъ.

Многіе вопросы остаются еще нерѣшенными, но мнѣ кажется, что и теперь уже можно сдѣлать нѣкоторыя заключенія. Иннервація хроматофоровъ оказывается весьма сложной; представлять ее себѣ ввидѣ подхожденія одного нервнаго волокна прямо къ хроматофору нельзя. Рисунки Solger'а изображаютъ только незначительные участки нервовъ, но я считаю возможнымъ согласиться съ нимъ и признать, что радіальныя волокна, какъ считаютъ и многіе другіе авторы (Phisalix, Rabl, Steinach и др.), суть мышечныя и что они иннервируются особыми нервными волокнами. Эти послѣднія находятся между собой въ соединеніи, образуя какъ бы одну общую систему; этимъ объясняется то, кажущееся съ перваго взгляда непонятнымъ, обстоятельство, что всѣ радіальныя мышцы работаютъ при сокращеніи одновременно. Вмѣстѣ съ тѣмъ, какъ мы знаемъ изъ наблюденій, можетъ происходить также и разстройство координаціи движеній хроматофора. Это зависитъ, надо думать, отъ того, что импульсы идутъ по отдѣльнымъ радіальнымъ волокнамъ. Движеніе этихъ послѣднихъ можетъ происходить и пассивно вслѣдствіе сокращенія радіальныхъ волоконъ сосѣднихъ хроматофоровъ, соединенныхъ съ первыми своими конечными развѣтвленіями. Такимъ образомъ, для объясненія растяженія хроматофоровъ я присоединяюсь къ общепринятому мнѣнію объ активной роли радіальныхъ волоконъ. Что же касается до сокращенія, то я думаю, что и тѣ авторы, которые главную роль въ этомъ приписываютъ эластической оболочки хроматофора, не совсѣмъ увѣрены въ точности этого вывода. Дѣйствительно, физіологическія наблюденія (Phisalix) показываютъ, что сокращеніе можетъ быть также активнымъ, напр. при раздраженіи извѣстныхъ отдѣловъ мозга. Если мои наблюденія относительно существованія мышечнаго кольца подъ пигментнымъ тѣломъ подтвердятся, то мы получимъ объясненіе этого явленія. Я слѣд. считаю возможнымъ предполагать, что сокращеніе хроматофора производится не пассивнымъ стягиваніемъ эластической оболочки, но дѣйствіемъ особыхъ мышцъ.

Связи радіальныхъ мышечныхъ волоконъ съ мышцами кожи, какъ изображаетъ Steinach, мнѣ пока не удалось найти.

Я надѣюсь, что въ скоромъ времени буду имѣть возможность представить по этому вопросу болѣе подробное изслѣдованіе, снабженное рисунками, и разъяснить нѣкоторыя сомнѣнія, которыя мнѣ встрѣтились на пути.

Ueber die Innervation der Chromatophoren bei den Cephalopoden.

(Vorläufige Mitteilung).

Von

Prof. K. Saint - Hilaire.

Im Frühling dieses Jahres habe ich mich während meines Aufenthaltes in Triest mit dem Studium des Nervensystems der Cephalopoden beschäftigt. Ursprünglich war es meine Absicht die Drüsen in dieser Hinsicht zu untersuchen, aber bei den ersten, mit Methylenblau angestellten Färbeversuchen erhielt ich an der Haut von Eledone derartige Bilder, dass ich mich veranlasst sah, meine Untersuchung auf die Hautnerven auch anderer Cephalopoden auszudehnen. Dieses Thema bietet insofern ein erhebliches Interesse, als die Frage nach der Innervation und physiologischen Funktion der Chromatophoren, trotz zahlreicher darauf gerichteter Arbeiten, bisher noch lange nicht gelöst ist.

Es würde zu weit führen, wollte ich alles in der Litteratur über die Chromatophoren mitgeteilte aufzählen; ich will mich auf das Wesentlichere beschränken. Jeder Chromatophor eines Cephalopoden ist gleichsam ein Säckchen, das mit Pigmentkörnern angefüllt ist. Er kann sich so zusammenziehen, dass er ein kleines schwarzes Klümpchen darstellt, oder sich zu einem dünnen Blättchen von dieser oder jener Farbe ausdehnen. Schon Koelliker hat gezeigt, dass sich an dieses Säckchen besondere Fasern befestigen, die direkt vom Chromatophor in radialer Richtung abgehen.

Auf diese radialen Fasern sind nun die Beobachtungen der verschiedenen Untersucher hauptsächlich gerichtet worden. Ueber ihre Bedeutung wurden zwei entgegengesetzte Ansichten geäussert. Die Einen, mit Koelliker an der Spitze, halten sie für Muskelfasern, welche die Ausdehnung des Chromatophors bewirken. Die Zusammenziehung des Chromatophors käme durch die Elasticität

seines Zellmembran zu stande. Dieses ist die am weitesten verbreitete Ansicht (Klemensiewicz, Frédéricq, Krukenberg,
Jung, Phisalix, Solger, Rabl und Steinach).

Andere Autoren (Girod und Joubin) halten die Radialfasern
für Bindegewebefasern, welche gleich Kautschukfäden den Chromatophor nur passiv ausdehnen. Das Zusammenziehen besorge der
Chromatophor, gleich einer amöboiden Zelle, selbst.

Es existiert noch eine dritte Ansicht, die erwähnt werden muss.
Es ist die, dass das Spiel der Chromatophoren unter Mitwirkung
der Hautmuskulatur zu stande komme. (Uexküll; teilweise auch
Steinach).

Die Frage nach der Innervation der Chromatophoren hat natürlich eine grosse Bedeutung für die Erklärung ihrer physiologischen
Funktion. Leider sind unsere Kenntnisse in dieser Hinsicht sehr dürftig.

Joubin fand an jungen Chromatophoren einen Nervenfaden,
welcher sich direkt an dieselben anheftete. Er brachte junge Exemplare von Loligo in eine Lösung von Methylenblau und erzielte so
die Färbnng eines unter der Haut gelegenen Nervennetzes. Einige
andere Autoren beschreiben ein ebensolches Herantreten der Nerven
an die Chromatophoren.

Chun zeichnet zwischen den Chromatophoren ein zartes Netz-
werk von Nervenfasern. Während der Entwickelung beobachtete er,
wie sich die Nervenfaser mit mehreren Radialfasern in Verbindung
setzte. Die Zeichnungen sind allerdings recht schematisch.

Das grösste Interesse hat für mich persönlich eine Beobachtung
von Solger, dem es mit Hilfe von Methylenblau gelang die Nervenendigungen an den Radialfasern zu färben. Diese Beobachtung
ist bisher noch nicht bestätigt worden; meiner Meinung nach ver-
dient sie aber die grösste Beachtung.

Als Material zu meinen Untersuchungen dienten mir folgende
Cephalopoden: Eledone, Loligo, und Sepiola, die ich grösstenteils
auf dem Markte von Triest kaufte. Charakteristisch ist, dass mir
an den Exemplaren von Eledone, welche ich aus dem Aquarium erhielt, die Färbung kaum gelang.

Ich spritzte den Tieren eine Lösung von Methylenblau
($^1/_8$—$^1/_{10}$ proc.) in physiologischer Kochsalzlösung unter die Haut,
und liess sie dann einige Zeit an der Luft liegen. Der Eintritt der
Färbung erfolgte verschieden schnell: am schnellsten bei Loligo
(in 2—3 Stunden), bei Eledone trat der beste Erfolg oft erst am
folgenden Tage ein.

Der Grad der Färbung kann verschieden sein. Anfangs färben sich meist die Nerven, dann die Muskelelemente. Leider lässt
sich das frische Präparat sehr schwer zeichnen, denn die Färbung
blasst schnell ab. Zum Fixieren benutze ich entweder molybden-
saures Ammon (10 proc.) oder pikrinsaures Ammon (gesättigte wäss-
rige Lösung) mit einem Zusatz von Formalin (5—10 Kubik-Cm. des
käuflichen Formalin auf 100 Kubik-Cm. der Lösung). Beide Methoden conservieren freilich das Bild, welches man am frischen Präparate
erhält, nicht ganz vollständig.

Die Radialfasern sind an solchen Präparaten sehr schön sichtbar. Es ist deutlich zu bemerken, wie sie sich am Ende in aller-
feinste Fädchen verästeln, welche sich im Bindegewebe ausbreiten,
wobei die Fasern benachbarter Zellen sich miteinander verflechten.
Das haben Girod, Steinach und Phisalix schon früher gesehen.
Eine genaue Beschreibung und Abbildung dieses Flechtwerkes habe
ich jedoch in der Litteratur nicht gefunden. Das Flechtwerk kann
aber auf sehr verschiedene Weise zu stande kommen.

Gewöhnlich treffen drei Radialfasern, die dreien Chromatophoren angehören, welche neben einander oder auch in erheblicher
Entfernung von einander liegen, an einer Stelle zusammen, wo dann
ihre Ausläufer entweder unmittelbar in einander übergehen, oder
seitlich an einander herantreten. Eine Faser kann in ihrem Verlauf
zahlreiche seitliche Ausläufer abgeben, welche sich in der Folge mit
mehreren Fasern einer benachbarten Zelle vereinigen. Augenscheinlich verbindet sich in dieser Weise jeder Chromatophor mit vielen
anderen.

Die Radialfasern befestigen sich bekanntlich mit breiter Basis
an dem Pigmentkörper, so dass um letzteren gewissermassen ein
Ring gebildet wird. Chun beschreibt solch einen Ring an jungen
Zellen. Girod, Phisalix und Steinach sahen die Radialfasern
sich auf den Körper des Chromatophors fortsetzen und letzterer be-
hauptet sogar, dass sie sich zu einer Muskelzone vereinigen.

In der Achse der Radialfaser findet sich eine fibrilläre, dunk-
lere Substanz. Bisweilen ist dieser axiale Teil gleichsam wie von
der Basis abgerissen, er hat sich zusammengezogen und geht in
Form einer Anschwellung in den distalen Teil der Faser über.

An zwei Präparaten gelang es mir eine Erscheinung zu beobachten, die, wenn weitere Untersuchungen sie bestätigen, eine sehr
wichtige Rolle in der Erklärung der Tätigkeit des Chromatophors
spielen wird. Ich sehe mich daher veranlasst diese Fälle trotz ihrer

geringen Anzahl zu beschreiben. Das Bild war folgendes: der Pigmentkörper des Chromatophors war ausgefallen, ein Ring war zurückgeblieben, gebildet durch die vereinigten Basen der Radialfasern. Letztere setzten sich in das Innere des Ringes fort, wo sie zusammentrafen. Dieses ganze System bot auf einem der Präparate einen Anblick, welcher an ein Iris-Diaphragma erinnerte.

Am besten färben sich die Nerven bei Loligo. Hier gelang es mir eine recht reine Färbung zu erzielen. Man konnte Nervenstämmchen sehen, die aus einer grösseren oder geringeren Anzahl von Fasern bestanden. Den Verlauf der einzelnen Fasern in ihnen zu verfolgen gelang nicht, denn sie machen sprunghafte Wendungen, indem sie sich bald diesem, bald jenem Stämmchen anschliessen. Die Endverzweigungen der Nerven sind varikös. Solche variköse Fäden sind dem Verlaufe der Radialfasern angelagert, sie sind also gleichfalls radial zum Chromatophor gerichtet. Sie ziehen sich über weite Strecken hin.

An den Basen der Fasern sieht man Bilder, die den Abbildungen von Solger ganz entsprechen. Die Nervenfaser erscheint zu Schlingen zusammengelegt, was wahrscheinlich bedingt wird durch die Verkürzung der Radialfaser, längs welcher der Nerv hinzieht.

Eine in das Einzelne gehende Untersuchung ergiebt folgendes: Erstens, sieht man häufig an den Radialfasern nicht nur einen Nervenfaden entlang ziehen, sondern deren zwei. Zweitens, enden die Nervenfäden nicht immer so, wie Solger das gezeichnet hat, sondern sie gehen weiter. Der Nervenfaden geht bisweilen zu dem Pigmentkörper, oder geht von einer Radialfaser auf eine benachbarte über, und zwar längs der dem Pigmentkörper anliegenden Basis. Meist bestehen Anastomosen zwischen den verschiedenen radialen Nerven. Sie liegen sehr häufig auf der Oberfläche jener dünnen Membran, welche schon Klemensiewicz, Phisalix und andere beschrieben haben und in welcher der Chromatophor liegt wie das Herz in seinem Beutel. Die Nervenfasern bilden hier gleichsam einen Ring, welcher sich durch kleine Aestchen mit den radialen Nerven vereinigt. Diese Aestchen ziechen gewöhnlich längs den Radialfasern vom Chromatophor weg. An den Abschnitten der Radialfasern, welche zwischen den Ringen und dem Chromatophor lagen, konnte ich in diesen Fällen gewöhnlich keine Nervenendigungen auffinden. Bei Eledone sah ich sehr häufig, wie eine ziemlich dicke Faser um einzelne Chromatophoren unweit ihrer Oberfläche einen nahezu geschlossenen Ring bildete, seine Verbindung mit den

Radialfasern konnte ich aber nicht wahrnehmen. Anastomosen zwischen benachbarten Radialnerven existieren augenscheinlich an mehreren Stellen, wenigstens gelang es mir bisweilen, sie auch in weitem Abstande vom Körper des Chromatophors aufzufinden.

Auf diese Weise sind der Chromatophor und seine Radialfasern vollständig von den Verästelungen der Nervenfäden umsponnen.

Das grösste Interesse bietet natürlich die Entscheidung der Frage, auf welche Weise die radialen Nervenfasern sich mit den Nervenstämmchen verbinden, welche, wie meine Präparate zeigen, in reicher Menge die ganze Dicke der Haut durchsetzen. Tatsächlich erweist es sich, dass diese Uebergänge in höchstem Grade schwierig zu sehen sind, hauptsächlich deswegen, weil die Fasern über grosse Strecken hinlaufen, und es nicht gelingt sie in ganzer Ausdehnung gleichmässig zu färben. An gelungenen Präparaten bemerkte ich folgendes: eine Nervenfaser begiebt sich aus dem Stämmchen zu einer Radialfaser und geht in diese über; dieses kann in verschiedener Entfernung vom Chromatophor stattfinden. Dass jede radiale Nervenfaser mit einem Nervenstämmchen in Verbindung stehe, konnte ich nicht konstatieren. Bisweilen teilt sich der herantretende Nervenfaden dichotomisch und läuft längs der Radialfaser sowohl hinauf als auch hinunter. Bisweilen werden die Radialfasern an der Stelle, wo sich ihre Ausläufer vereinigen, von Nervenfäden umsponnen. Gelegentlich sah ich auch wie mehrere (2, 3 oder 4) radiale Nervenfasern sich einer vorüberziehenden Faser anschlossen.

Wir wissen, dass sogar in kleinen Stücken von Cephalopodenhaut die rhythmische Bewegung der Chromatophoren fortdauert; man kann daher voraussetzen, dass in der Haut die Nervenzellen existieren, welche diese Bewegung beherrschen. Tatsächlich werden in der Haut von Eledone durch Methylenblau zahlreiche grosse Zellen gefärbt, deren Ausläufer sich unter einander verflechten. Ausserdem gewann ich bei Betrachtung frischer Präparate den Eindruck, als ob einer dieser Ausläufer in eine Nervenfaser überginge. An den fixierten Präparaten waren diese Zellen so stark abgeblasst, dass die Bestätiguug der Beobachtuug misslang. Ich kann daher zur Zeit die Frage nicht endgültig entscheiden, ob man diese Zellen für Nervenzellen halten soll, oder für Bindegewebszellen, die den Zellen des Schleim- oder embryonalen Gewebes ähnlich sind.

Bei anderen Cephalopoden, Sepiola und Loligo, giebt es ähnliche Zellen, doch ist ihre Form etwas abweichend; die Ausläufer sind nicht so lang und die ganze Zelle ist gedrungener.

Bei der Beurteilung der Nervenfäden, welche die Fortsätze des Chromatophors umspinnen, ist vielleicht auch die Tatsache von Bedeutung, dass sich an denselben Präparaten die motorischen Nerven der Muskeln sehr schön färben, besonders in den Flossen von Loligo und Sepiola. Die Nerven verästeln sich hier und enden in Bündeln von glatten Muskelfasern.

Viele Fragen bleiben zwar unentschieden, doch scheint es mir trotzdem jetzt schon möglich einige Schlüsse zu ziehen. Die Innervation der Chromatophoren erweist sich als sehr kompliziert, man darf sich nicht vorstellen, als trete eine Nervenfaser direkt an den Chromatophor heran. Solger bildet zwar nur einen gewissen Teil der Nerven ab; ich kann ihm aber darin beistimmen, dass er die Radialfasern, gleich Phisalix, Rabl, Steinach und anderen für Muskelfasern ansieht, die von besonderen Nervenfäden innerviert würden. Letztere vereinigen sich unter einander und bilden gleichsam ein einheitliches System. So erklärt sich die zunächst unverständliche Erscheinung, dass alle Radialmuskeln sich gleichzeitig kontrahieren. Es kann aber auch, wie wir aus der Beobachtung wissen, die Coordination der Bewegungen des Chromatophors gestört werden. Man muss sich vorstellen, dieses hänge davon ab, dass die Impulse längs verschiedenen Radialfasern verlaufen. Ihre Bewegung kann auch passiv zu stande kommen und zwar durch Zusammenziehung von Radialfasern benachbarter Chromatophoren, mit deren Endverästelungen sie in Verbindung steht. In der Erklärung der Ausdehnung der Chromatophoren schliesse ich mich somit der allgemein anerkannten Meinung an, dass die Radialfasern hierbei eine aktive Rolle spielen. Was aber die Zusammenziehung anbetrifft, so glaube ich, dass auch die Autoren, welche hierbei der elastischen Hülle des Chromatophors die Hauptrolle zuschreiben, von der Richtigkeit ihrer Schlussfolgerungen nicht ganz überzeugt sind. Tatsächlich zeigt die physiologische Beobachtung (Phisalix), dass die Zusammenziehung auch aktiv erfolgen kann, z. B. bei Reizungen gewisser Abschnitte des Hirnes. Wenn meine Beobachtungen über das Vorhandensein eines Muskelringes unter dem Pigmentkörper sich bestätigen, so erhalten wir eine Erklärung dieser Erscheinung, und zwar folgende: Ich glaube annehmen zu dürfen, die Zusammenziehung des Chromatophors komme nicht durch die passive Kontraktion der elastischen Hülle zu stande, sondern durch die Tätigkeit besonderer Muskeln.

Verbindungen der radialen Muskelfasern mit den Muskeln der Haut aufzufinden, wie Steinach sie abbildet, ist mir nicht gelungen.

Ich hoffe demnächst in der Lage zu sein eine ausführlichere, mit Abbildungen versehene Arbeit über dieses Thema veröffentlichen zu können und dabei einige Zweifel zu zerstreuen, die mir unterwegs gekommen sind.

Ich benutze die Gelegenheit der Verwaltuug der K. K. Zoologischen Station in Triest und hauptsächlich Herrn Direktor Prof. Cori meinen besten Dank auszusprechen.

Въ томъ XIV, вып. 2. вкрались слѣдующія опечатки: Въ статьѣ проф. Г. Колосова:

			Напечатано:	слѣдуетъ:
Стр. 188	5 стр.	сверху:	Каріолиса	Коріолиса
„ 188	14 „	„	(1)	(2)
„ 190	4 „	„	Каріолиса	Коріолиса

Наслѣдственность таланта у нашихъ извѣстныхъ дѣятелей.

В. Ф. Чижа.

Прошло болѣе тридцати пяти лѣтъ со времени появленія извѣстнаго труда Galton'a: Hereditary Genius. 1869 (въ русскомъ переводѣ „Наслѣдственность таланта". 1875), въ которомъ этотъ извѣстный ученый старался доказать наслѣдственность таланта. Хотя выводы Гальтона подтвердилъ только De-Candolle, и то лишь по отношенію къ ученымъ (Histoires des savants et des sciences), ученіе Гальтона считалось прочно обоснованнымъ и получило право гражданства.

Съ 1869 г. наши понятія о законахъ наслѣдственности, а также о происхожденіи геніальности, значительно измѣнились, и мнѣ казалось необходимымъ провѣрить выводы Гальтона. Наслѣдственностью таланта нашихъ дѣятелей никто не занимался, а потому изученіе вопроса о наслѣдственности таланта, по отношенію къ нашимъ дѣятелямъ, имѣетъ особо важное значеніе.

Главная трудность настоящаго изслѣдованія состоитъ въ выборѣ источника, въ которомъ собраны свѣдѣнія о талантливыхъ дѣятеляхъ; казалось-бы проще всего пользоваться Энциклопедическимъ Словаремъ Эфрона-Брокгауза. Но просматривая этотъ словарь, легко убѣдиться, что онъ совершенно не подходитъ для разрѣшенія занимающаго насъ вопроса: въ этомъ словарѣ приведены свѣдѣнія о всѣхъ, или почти всѣхъ, нашихъ дѣятеляхъ, но многіе изъ нихъ талантливости не проявили, а лишь работали на томъ поприщѣ, на которое ихъ выдвинуло рожденіе, образованіе и т. п. Можно было-бы въ этомъ словарѣ выбрать біографіи всѣхъ талантливыхъ дѣятелей, но я не счелъ себя въ правѣ на такой выборъ, такъ какъ тутъ неизбѣжны ошибки и пристрастіе. Изъ всѣхъ источниковъ наиболѣе подходящимъ, по моему мнѣнію, оказывается Энциклопедическій Словарь извѣстнаго издателя Ф. Павленкова (1899 г.); онъ составленъ весьма хорошо [1]); въ немъ приведены свѣдѣнія лишь о лицахъ, дѣйствительно чѣмъ либо проявившихъ свою талантливость. Для опредѣленія родства между собою дѣятелей, упомянутыхъ въ этомъ словарѣ, я пользовался всѣми доступными мнѣ источниками.

По понятнымъ соображеніямъ, я не могъ пользоваться свѣдѣніями о выдающихся дѣятеляхъ церкви: значительная ихъ часть состояла въ монашескомъ санѣ; конечно это лишаетъ мое изслѣдованіе полноты.

Общее число всѣхъ замѣчательныхъ лицъ **1618.**

Правильнѣе всего этихъ лицъ раздѣлить на три группы. Первую группу составляютъ лица, которыя свои выдающіяся способности проявили дѣлами; сюда входятъ государственные и общественные дѣятели, воины, лица много сдѣлавшія для промышленности и торговли.

Вторую группу составляютъ лица, обладавшія выдающимися умственными способностями — ученые, публицисты, критики.

Третью группу составляютъ лица, проявившія свою талантливость въ сферѣ искусства — поэты, романисты, художники, артисты.

Конечно относительно нѣкоторыхъ лицъ, прославившихъ себя разнообразною дѣятельностью, была необходима крайняя осмотрительность при зачисленіи въ ту или другую группу; напр. Д. А. Милютина болѣе правильно отнести въ первую группу, такъ какъ его государственная дѣятельность имѣетъ больше значенія, чѣмъ научная. В. Н. Даль болѣе ученый, чѣмъ художникъ, и потому я внесъ его во вторую группу.

Въ I-ой группѣ   420 лицъ.
Во II-ой группѣ   772 лица.
Въ III-ей группѣ   426 лицъ [2]).

---

1) Конечно, и въ этомъ трудѣ вкрались ошибки; напр. Алексѣю Кирилловичу Разумовскому приписывается то, что сдѣлано его братомъ Андреемъ (стр. 1962); канцлеръ Горчаковъ названъ Александромъ Дмитріевичемъ (стр. 531).

2) Такъ какъ до сихъ поръ нѣтъ точныхъ свѣдѣній объ участіи въ созиданіи нашей цивилизаціи отдѣльныхъ народностей. то не лишены интереса собранныя мною цифры. Изъ 1618 талантливыхъ лицъ, русскихъ 1232; нѣмцевъ (лютеранъ) 203; лицъ всѣхъ остальныхъ народностей (поляки, евреи, армяне и т. д.) 183. Распредѣляя всѣхъ этихъ лицъ по роду дѣятельности, оказываются слѣдующія цифры:

	Государственная дѣятельность.	Ученые.	Художники.
Русскіе	322	577	333
Нѣмцы	50	121	32
Всѣ остальныя народности	48	74	61
	420	772	426

Талантливыхъ женщинъ оказалось мало, а именно всего 53; больше всего талантливости женщины обнаружили въ художественной дѣятельности; въ этой группѣ 26 женщинъ; въ эту группу зачислены всѣ актрисы и пѣвицы; 21 женщина проявили свою талантливость на поприщѣ науки и литературы; въ первой группѣ всего шесть женщинъ.

Несомнѣнны случаи талантливости отца и сына; если не всѣ, то значительное большинство такихъ случаевъ могутъ быть объяснены лишь наслѣдственностью. Такихъ семействъ у насъ оказалось очень немного, а именно **35**; между родственниками этихъ лицъ не было талантливыхъ людей. Сюда же мы должны причислить два семейства, въ которыхъ отецъ и два сына отличались выдающимися способностями. Историкъ С. М. Соловьевъ имѣлъ двухъ талантливыхъ сыновей; два сына И. В. Васильчикова пріобрѣли извѣстность.

Наслѣдственность талантливости въ этихъ семьяхъ доказывается тѣмъ, что только въ 4-хъ случаяхъ сыновья проявили свои способности на другихъ поприщахъ, чѣмъ ихъ талантливые отцы. Чаще всего, а именно въ 13 случаяхъ, отецъ и сынъ прославили себя научной дѣятельностью; въ 11 случаяхъ отецъ и сынъ были надѣлены талантами художника; въ 9 случаяхъ отецъ и сынъ проявили свои способности на поприщѣ государственной и общественной дѣятельности. Среди лицъ этихъ счастливыхъ семействъ было мало крупныхъ талантовъ: М. В. Скопинъ-Шуйскій, Н. М. Садовскій, В. С. Соловьевъ самые талантливые между ними.

Повидимому въ этихъ семьяхъ наростаніе таланта столь-же рѣдко, какъ и ослабленіе; несомнѣнно П. М. Садовскій былъ талантливѣе своего сына; тоже можно сказать про Н. Н. Бантышъ-Каменскаго и Э. Н. Эйхвальда, но М. В. Скопинъ-Шунскій, А. Ф. Кони талантливѣе своихъ отцовъ. Историкъ Соловьевъ и его сынъ, философъ, одинаково талантливы.

Семей, въ которыхъ двое братьевъ завоевали себѣ извѣстность, было 52; въ девяти семьяхъ талантливостью выдѣлялись болѣе двухъ братьевъ; всего талантливыхъ братьевъ въ этихъ 9 семьяхъ было 29.

Въ 10 случаяхъ дѣятельность талантливыхъ братьевъ была различна; въ 19 случаяхъ братья прославились ученой дѣятельностью; въ 13 случаяхъ братья обладали художественными талантами и лишь въ 10 случаяхъ два брата прославились государственной дѣятельностью. Необходимо отмѣтить, что въ числѣ этихъ лицъ были люди, безспорно геніальные: В. В. Верещагинъ и Ф. М. Достоевскій. Въ большинствѣ случаевъ два талантливыхъ брата приблизительно поровну одарены способностями. Тоже слѣдуетъ сказать о 29 талантливыхъ братьяхъ изъ 9 семей.

Непрерывная передача талантливости въ трехъ поколѣніяхъ составляетъ явленіе столь исключительное, что допускаетъ право сомнѣваться въ его существованіи. У насъ такихъ семействъ было всего четыре, а именно Демидовы, Румянцевы, Воронцовы и Разумовскіе-Перовскіе. Изученіе дѣятельности членовъ вышеназванныхъ семействъ приводитъ къ заключенію, что талантливость дѣда, отца и сына явленіе, по меньшей мѣрѣ, сомнительное. Намъ извѣстны три Демидова: Никита, его сынъ Акинфій, и сынъ послѣдняго Прокопій Акинфіевичъ. Никита и Акинфій Демидовы были люди талантливые; есть основанія допускать, что отцомъ Акинфія былъ Петръ Великій. Прокопій Демидовъ извѣстенъ самодурствомъ и благотворительностью; талантливымъ его считать нельзя. Александръ Николаевичъ Румянцевъ былъ выдающійся сотрудникъ Петра Великаго; еще болѣе извѣстенъ его сынъ Петръ Александровичъ, побѣдитель при Кагулѣ; его сынъ Николай Петровичъ оказалъ крупныя услуги русской наукѣ; относительно его государственной дѣятельности мнѣнія расходятся. Братъ способнаго и смѣлаго Михаила Илларіоновича Воронцова, Романъ извѣстенъ лихоимствомъ; два его сына Александръ и Семенъ и дочь Екатерина (Дашкова) были талантливы: сынъ Семена Романовича, Михаилъ извѣстенъ, какъ воинъ и государственный человѣкъ. Кириллъ Григорьевичъ Разумовскій былъ братомъ „случайнаго" человѣка; его сынъ Алексѣй, какъ министръ народнаго просвѣщенія, не пріобрѣлъ права на безсмертіе, его дѣти Перовскіе, Алексѣй, Василій и Левъ были талантливы.

Совершенно непонятенъ намъ переходъ талантливости отъ дѣда непосредственно къ внуку, но такіе случаи несомнѣнны. А. Д. Басмановъ и внукъ его Петръ Федоровичъ были талантливые полководцы. Семенъ Андреевичъ и внукъ его, Викторъ Степановичъ Порошины заслужили извѣстность литературною дѣятельностью. Общеизвѣстны заслуги Фридриха

Струве и его внука Петра Бернгардовича. Въ Словарѣ Павленкова упомянутъ внукъ Михаила Николаевича Муравьева, покойный министръ иностранныхъ дѣлъ Михаилъ Николаевичъ, но этотъ Муравьевъ извѣстенъ лишь своею неспособностью, зато въ этомъ Словарѣ пропущенъ безусловно талантливый дѣдъ бѣлаго генерала, Иванъ Никитичъ Скобелевъ. Наконецъ, у крупнаго дѣятеля XVIII-го вѣка Николая Ерофеевича Муравьева было четыре талантливыхъ внука — Александръ (декабристъ), Андрей (писатель), Михаилъ (Виленскій), Николай (Карскій) Николаевичи.

Талантливость дяди и племянника и двоюродныхъ братьевъ — явленіе столь рѣдкое, что можетъ быть объяснено случайностью; такихъ лицъ всего 12; если я и пропустилъ нѣсколько случаевъ такого родства, то все-же цифра будетъ очень невелика.

Гораздо болѣе имѣютъ значенія тѣ случаи, въ которыхъ талантливость наблюдалась у нѣсколькихъ членовъ семьи, не связанныхъ между собою родствомъ первой степени. Братъ Сергѣя Тимофеевича Аксакова, Николай, ничѣмъ не проявилъ своихъ выдающихся способностей; сынъ С. Т., Иванъ и сынъ Н. Т., Александръ были безспорно талантливые люди. Константинъ Карловичъ Гротъ былъ видный государственный дѣятель; научныя заслуги его брата Якова, и сына послѣдняго, Николая, общеизвѣстны. Тоже слѣдуетъ сказать о братьяхъ Полевыхъ, Ксенофонтѣ и Петрѣ и сынѣ послѣдняго Петрѣ. Такія же родственныя отношенія мы встрѣчаемъ въ семьѣ Голицыныхъ. Однако такихъ семействъ такъ мало, что нельзя дѣлать какихъ либо выводовъ.

Талантливыхъ дѣятелей, связанныхъ между собою разными степенями родства, оказывается много, а именно 253; эта цифра, по отношенію къ общему числу талантливыхъ лицъ, оказывается большой. Но если мы исключимъ изъ нея число всѣхъ талантливыхъ братьевъ, относительно которыхъ мы должны предполагать врожденность, а не наслѣдственность талантливости, то она убавится болѣе чѣмъ вдвое. Всего талантливыхъ братьевъ 133 (104+29); слѣдовательно наслѣдственность таланта можетъ быть допущена лишь въ 120 случаяхъ. Но на основаніи вышеизложенныхъ данныхъ эту цифру необходимо нѣсколько сократить; въ концѣ концовъ число случаевъ безспорной наслѣдственности таланта оказывается скромнымъ.

Такимъ образомъ значеніе наслѣдственности въ общемъ числѣ

талантливыхъ людей очень не велико; талантливость — явленіе случайное и потому не можетъ часто повторяться въ одномъ и томъ-же семействѣ. Едва-ли можно сомнѣваться, что талантливость, — какъ случайное уклоненіе, встрѣчается одинаково рѣдко во всѣхъ классахъ общества, и потому только открывая всѣмъ доступъ ко всѣмъ родамъ дѣятельности, мы можемъ увеличить число талантливыхъ дѣятелей.

Къ фаунѣ жесткокрылыхъ Прибалтійскаго края (Coleoptera).

Г. Г. Сумаковъ.

Въ прилагаемый списокъ внесены болѣе рѣдкіе виды моихъ лѣтнихъ сборовъ въ окрестностяхъ Юрьева и Вендена. Изъ 16 видовъ, вошедшихъ въ списокъ, 13 являются новыми для фауны Прибалтійскаго края.

Сем. Dytiscidae.

*1. *Brychius rossicus* **Sem.** — Ленценгофъ, около Вендена. Много.

Сем. Staphylinidae.

*2. *Falagria splendens* **Kr.** — Юрьевъ; 2 экз.

*3. *Omalium oxyacanthae* **Grav.** — Юр. 1 экз.

Сем. Anisotomidae.

*4. *Cyrtusa minuta* **Ahr.** — Юр.; 1 экз.

Сем. Corylophidae.

*5. *Orthoperus coriaceus* **Rey.** — Юр.; 1 экз.

Сем. Scaphidiidae.

*6. *Scaphisoma laeviusculum* **Reitt.** — Юр. 1 экз.

Сем. Lathridiidae.

*7. *Corticaria elongata* **Gyll.** — Юр.; 2 экз.

Сем. Tritomidae.

*8. *Typhaea fumata* **L.** — Юр.; 2 экз.

Сем. Cleridae.

*9. *Corynetes scutellaris* **Ill.** — Юр.; 1 экз.

Сем. Anthicidae.

10. *Anthicus bimaculatus* **Gyll.** — На занесенной пескомъ полянѣ, около Юрьева; 6 экз.

Сем. Pythidae.

11. *Salpingus bimaculatus* **Gyll.** — Юр.; 2 экз.
12. „ *foveolatus* **Zjingt.** — Юр.; 1 экз.

Сем. Curculionidae.

*13. *Bagous binodulus* **Hrb.** — Юр.; 1 экз.
*14. *Elleschus scanicus v. pallidisignatus* **Gyll.** — Юр.; много.

Сем. Chrysomelidae.

*15· *Donacia (Plateumaris) discolor* **Pz.** — Юр.; 2 экз.
*16· *Cryptocephalus pusillus v. marshami* **Ws.** — Юр.; 1 экз.

№№: 2, 4—8, 11, 12, 14 опредѣлены Е. Reitter'омъ (in Paskau), 1 — А. Семеновымъ, 3 — А. Яковлевымъ, 15 и 16 — Г. Якобсономъ, 10 и 13 — авторомъ.

* обозначены новые для указаннаго края виды.

Къ вопросу о фиксаціи тканей кипяченіемъ [1]).

Э. Г. Ландау.

Непреодолимыя препятствія техники, а подчасъ и спеціальныя соображенія часто заставляютъ отказываться отъ изученія тканей подъ микроскопомъ въ живомъ видѣ, и приходится мириться съ необходимостью изслѣдовать ихъ въ убитомъ состояніи, т. е. изучать протеиновыя вещества (см. прил. I), составляющія главную часть тканевыхъ элементовъ, не въ естественномъ, а въ денатурированномъ видѣ. Это, какъ извѣстно, достигается искусственной коагуляціей бѣлковъ, т. н. закрѣпленіемъ или фиксированіемъ, при чемъ чѣмъ совершеннѣе и быстрѣе — при наименьшемъ съеживаніи ткани — это свертываніе бѣлковъ будетъ происходить, тѣмъ лучшей будетъ считаться фиксація. Подобная коагуляція тканей въ микроскопической техникѣ достигается или съ помощью фиксирующихъ жидкостей, или-же высокой температурой [2]).

Къ фиксирующимъ жидкостямъ принадлежатъ нѣкоторыя соли, кислоты, „нейтральныя вещества“, какъ спиртъ, ацетонъ, формальдегидъ и различныя сочетанія всѣхъ этихъ веществъ. Въ 1899 г. вышла изъ печати обширная монографія A. Fischer’a „Fixirung, Färbung und Bau des Protoplasmas“, посвященная изученію вліянія этихъ веществъ на различныя бѣлковыя тѣла. Въ этомъ трудѣ,

---

1) Доложено на засѣданіи 30 сент. 1906 г.
2) Чрезвычайно важныя, но пока еще почти совершенно не получившія примѣненія попытки избѣгать фиксированія вообще, обезвоживая свѣжія ткани подъ эксикаторомъ при t⁰ —80⁰ С., съ послѣдующей непосредственной заливкой въ параффинъ къ данной темѣ не относятся. (см. R. Altmann. „Die Elementarorganismen und ihre Beziehungen zu den Zellen.“ 2-ое изд. 1894 г. Лейпцигъ. Стр. 27—31. — W. Kolmer und H. Wolf „Ueber eine einfache Methode zur Herstellung von dünnen Paraffinschnitten ohne Reagenswirkung“, Zeitschr. f. wiss. Mikr. Томъ XIX. 1902 г.).

какъ извѣстно, авторъ in vitro доказываетъ, что a priori совершенно однородныя бѣлковыя тѣла подъ вліяніемъ той или другой фиксирующей жидкости выпадаютъ то въ видѣ различной величины и формы зеренъ, то въ видѣ сверткевъ (Gerinnsel). На основаніи подобныхъ опытовъ Fischer высказывается крайне скептически по поводу предсуществованія въ протоплазмѣ видимыхъ въ ней послѣ фиксаціи структуръ въ видѣ зернистостей, сѣтей, ячеекъ, волоконецъ и т. п. W. v. Wasielewski[1]), K. v. Tellyesniczky [2]), W. Spalteholz [3]) подобно Fischer'y высказываютъ увѣренность, что при существующихъ методахъ изслѣдованія въ цитологіи врядъ-ли удастся создать что-либо принципіально новое, да изъ найденнаго въ ней до сихъ поръ врядъ-ли все вполнѣ соотвѣтствуетъ дѣйствительности. Ясно, конечно, что отъ того, будетъ-ли фиксирующая жидкость изотонична [4]) съ тканью или нѣтъ, радикальной перемѣны въ данномъ вопросѣ быть не можетъ, и если найденный такой составъ въ видѣ насыщеннаго раствора сулемы въ $4\frac{1}{2}$ % растворѣ тростниковаго сахара [5]) теоретически очень интересенъ, практически въ микроскопіи рѣшающаго значенія имѣть не можетъ.

Второй способъ фиксаціи — это коагуляція бѣлковъ высокой температурой (см. прил. II). Этотъ способъ имѣетъ то крупное преимущество, что здѣсь получаются чистые денатурированные бѣлки, а не ихъ соединенія съ фиксирующимъ началомъ. Распространяться здѣсь о громадномъ значеніи въ бактеріологіи и гематологіи одного изъ видовъ этого способа фиксаціи, а именно: *сухимъ жаромъ,* — я считаю излишнимъ. *Влажнымъ* жаромъ пользуются рѣже. Обыкновенно жаръ комбинируется съ той или другой фиксирующей жидкостью, т. е. объектъ изслѣдованія погружается въ какую-либо фиксирующую жидкость, предварительно нагрѣтую до желательной температуры. Изъ попытокъ фиксировать въ обыкновенномъ кипяткѣ могу, напр., указать на опытъ v. Wa-

---

1) W. v. Wasielewski. „Ueber Fixirungsflüssigkeiten in der botanischen Mikrotechnik." Zeitschr. f. wiss. Mikrosk. Томъ XXI. 1899 г. стр. 325 и 347.
2) K. v. Tellyesniczky. „Fixation" въ Encykloped. der mikroskop. Techn. 1903 г.
3) W. Spalteholz. „Mikroskopie und Mikrochemie". Лейпцигъ. 1904 г.
4) т. е. такая, осмотическое давленіе которой равно осмотическому давленію въ фиксируемой ткани.
5) Dr. Helene Stöltzner. „Der Einfluss der Fixirung auf das Volumen der Organe." Zeitschr. f. wiss. Mikrosk. Томъ XXIII. 1906 г.

sielewski'аго [1]). За цѣлесообразность такого способа съ точки зрѣнія теоріи высказался v. Tellyesniczky [2]).

Крупная помѣха возможности убѣдиться въ пригодности такого способа фиксированія заключалась въ необходимости переводить ткань для обезвоживанія черезъ спиртъ, который самъ по себѣ энергично фиксируетъ, но способъ, предложенный въ прошломъ году В. Павловымъ [3]), освобождаетъ насъ отъ этой необходимости. Павловъ обезвоживаетъ ткань посредствомъ буковаго креозота (creosot. fagi), а изъ буковаго креозота переноситъ въ чистый креозотъ (creosot. alb.) и ксилолъ (послѣдн. не обязат.), а затѣмъ переноситъ въ параффинъ. Мнѣ лично этотъ методъ далъ прекрасные результаты. Благодаря этому методу я и считаю возможнымъ сообщить о своихъ попыткахъ фиксировать ткани въ горячей водѣ. На основаніи своихъ опытовъ, о подробностяхъ которыхъ здѣсь распространяться не буду, могу въ данную минуту предложить слѣдующій способъ. Небольшіе кусочки свѣжей ткани погружаются минутъ на 15—20 въ подкисленный уксусной кислотой 0,9 %-ый растворъ хлористаго натрія, а затѣмъ переносятся въ предварительно нагрѣтую до кипѣнія воду. Для кусочковъ толщиною въ 3—4 миллим. optimum фиксированія получался при погруженіи препарата въ кипятокъ минутъ на 20. Необходимо поддерживать кипѣніе воды, не доводя ее до бурленія, т. к. послѣднее развариваетъ ткань. Непереведенные черезъ креозотъ эти препараты прекрасно заливаются въ параффинъ, легко даютъ серіи толщиною въ 2 μ., хорошо пристаютъ къ предметному стеклу при его смачиваніи дестиллированной водой, чрезвычайно легко окрашиваются. Довольно хорошіе результаты мнѣ дали мозговая ткань, зародышъ проростающаго боба, железистые органы, легкое, мышцы. Зафиксировать глазъ этимъ способомъ мнѣ пока еще не удалось. Требуются, несомнѣнно, дальнѣйшія изслѣдованія съ цѣлью установить optimum температуры для различныхъ тканей; иногда, вѣроятно, придется прибѣгать къ жидкостямъ, точка кипѣнія которыхъ гораздо выше, чѣмъ у воды; важно будетъ повторить надъ бѣлками опыты Fischer'a и съ высокой температурой, но уже въ предлагаемомъ грубомъ видѣ этотъ простой, дешевый и сравнительно очень быстро ведущій къ цѣли методъ даетъ

1) v. Wasielewski. l. c. стр. 345.
2) K. v. Tellyesniczky. l. c. стр. 383.
3) W. Pawlow. „Kreosot als wasserentziehendes Mittel bei der Einbettung in Paraffin." Zeitschr. f. wiss. Mikr. Томъ XXII. 1905 г.

въ общемъ вполнѣ удовлетворительные результаты. Если этотъ способъ привьется и дастъ хорошіе результаты, то въ немъ мы найдемъ очень цѣнное пріобрѣтеніе, т. к. здѣсь не приходится употреблять различныхъ веществъ, химически дѣйствующихъ на ткани и потому ихъ болѣе или менѣе рѣзко измѣняющихъ.

Работа производилась въ Патологическомъ Институтѣ профессора В. А. Афанасьева.

Приложеніе I.

Главнѣйшіе виды бѣлковъ, встрѣчаемыхъ въ клѣткѣ. (Составлено по O. Hammarsten'y „Учебникъ физіологической химіи". 2-ое русск. изд. 1904 г. Глава V. „Животная клѣтка".

I. Бѣлковыя вещества **протоплазмы**.
1. Слѣды: Альбумина.
2. Весьма незначит. колич.: Глобулина.
3. Главнымъ образомъ: Протеиды

Нуклеоальбумины
(нѣкотор. Вителлины)

Гликопротеиды   Нуклеопротеиды
(Тканевой Фибриногенъ, Цитоглобинъ
Преглобулинъ или Неуклеогистонъ)

Клѣточные   Ядерные
(очень богаты фосфоромъ и
обладаютъ сильно кислымъ
характеромъ).

4. Клѣточная оболочка — изъ веществъ близкихъ къ Эластину и Кератину.
5. Ксантиновыя вещества — продукты распада.

II. Бѣлковыя вещества **ядра**.
1. Нуклеиновыя кислоты.
2. Нуклеопротеиды (нуклеинов. кисл. + бѣлковое вещество).
2а. Истинный Нуклеинъ — денатурированный нагрѣваніемъ Нуклеопротеидъ.
3. Ксантиновыя вещества — продукты распада клѣточнаго ядра и Нуклеиновъ.

Приложеніе II.

Вліяніе кипяченія на различныя бѣлковыя вещества. (Изъ H. Sahli „Учебникъ клиническихъ методовъ изслѣдованія", II. русск. изд. 1900 г., стр. 498).

Сывороточные бѣлки (Альбуминъ, бѣлокъ въ болѣе тѣсномъ смыслѣ) — свертыв. при слабо-кислой реакціи.

Глобулины (Сыв. Глобул., Фибриногенъ) — свертыв. въ соляномъ растворѣ.

Фибринъ — свертывается.

Альбумозы ⎨ первичныя (Протальбум., Гетероальбум.) — свертываются въ растворѣ поварен. соли.
⎩ вторичныя — не свертываются.

Пептонъ — не свертывается.

Протеиды ⎨ Гемоглобинъ — свертывается и разлагается.
⎨ Нуклеоальбуминъ — сверт. при прибавл. уксусной кисл.
⎩ Муцинъ — ?.

Versuche über Hitzefixation.[1)]

E. Landau.

Zusammenfassung.

Dem Gedankengange der neueren Histologie folgend, stellte ich
eine Reihe von Versuchen mit Hitzefixation an. Um dabei dem
Zweifel aus dem Wege zu gehen, ob nicht bei der Entwässerung
mit Alkohol die Fixation von letzterem besorgt werde, entwässerte
ich die Präparate nach W. Pawlow ausschliesslich mit Creosotum fagi.
Nun konnte ich mich überzeugen, dass die Hitze (kochend heisses
— nicht siedendes — Wasser) das Gewebe sehr gut fixirt, hauptsächlich bei vorhergehender Durchsäuerung mit 2—3 % Essigsäure
in 0,9 % Kochsalzlösung. Stückchen von 3—4 mm. Dicke wurden
in 10—20 Min. durchsäuert und in 20—25 Min. fixirt. So gaben
Lunge, Gehirn, Drüsengewebe, Muskulatur und Wurzelspitzen von
Vicia Faba befriedigende Resultate. Die karyokinetilschen Figuren
in der Vicia Faba waren sehr gut fixirt; Safranin und Hämatoxylin
färben die karyokinetischen Figuren gleich gut.

---

1) Vortrag, gehalten in der Sitzung vom 30. Sept. 1906.

Вспомогательныя астрономическія таблицы для широты г. Юрьева (58° 22'8).

С. Б. Шарбе, П. П. Образцова и Э. Г. Шёнберга.

1. Восходъ и заходъ солнца и луны.

Таблица I по данному склоненію δ центра солнца даетъ часовой уголъ Т восхода и захода верхняго края.

Принято постояннымъ:

Параллаксъ солнца $\qquad = 0.15$

Горизонтальная рефракція $= 34.9$

Радіусъ солнца $\qquad = 16.0$

Откуда зенитное разстояніе z центра солнца при восходѣ и заходѣ равно:

$$z = 90^0 - 0.15 + 34.9 + 16.0 = 90^0\ 50.75$$

Прибавляя къ уравненію времени и вычитая изъ него полученный изъ таблицы I часовой уголъ, мы получаемъ среднее время восхода и захода верхняго края солнца.

I. Часовой уголъ восхода и захода верхняго края солнца.

δ	T	δ	T	δ	T	δ	T
^{0}	h m	^{0}	h m	^{0}	h m	^{0}	h m
−24	3 4.8	−12	4 46.2	0	6 6.4	+12	7 27.8
−23	15.2	−11	4 53.3	+1	12.9	+13	35.4
−22	25.0	−10	5 0.2	+2	19.4	+14	42.9
−21	34.4	−9	7.2	+3	26.0	+15	50.7
−20	43.5	−8	13.9	+4	32.6	+16	7 58.7
−19	3 52.1	−7	20.6	+5	39.2	+17	8 6.9
−18	4 0.5	−6	27.3	+6	45.9	+18	15.4
−17	8.6	−5	33.8	+7	52.7	+19	24.2
−16	16.5	−4	40.4	+8	6 59.4	+20	33.5
−15	24.2	−3	46.9	+9	7 6.4	+21	43.1
−14	31.7	−2	5 53.5	+10	13.4	+22	8 53.3
−13	39.0	−1	6 0.0	+11	20.6	+23	9 4.2
−12	4 46.2	0	6 6.4	+12	7 27.8	+24	9 15.8

6

Нримѣръ.

13 января 1907 г. (нов. стиль).

$$\text{Уравненіе времени} = + \; 0^{\text{h}} \; 8.5^{\text{m}}$$
$$\text{Склоненіе солнца } \delta = - \; 21.6^{\bullet}$$

Изъ таблицы находимъ, интерполируя:
$$T = 3^{\text{h}} \; 28.8^{\text{m}}$$

Сред. время восхода $12^{\text{h}} \; 8.5^{\text{m}} - 3^{\text{h}} \; 28.8^{\text{m}} = 8^{\text{h}} \; 39.7^{\text{m}}$

„ „ захода $\; 0^{\text{h}} \; 8.5^{\text{m}} + 3^{\text{h}} \; 28.8^{\text{m}} = 3^{\text{h}} \; 37.3^{\text{m}}$

Итакъ солнце восходитъ въ $8^{\text{h}} \; 40^{\text{m}}$ утра ⎫
„ „ заходитъ „ $3^{\text{h}} \; 37^{\text{m}}$ дня ⎬ ср. Юр. вр.
⎭

Таблица II служитъ для интерполированія временъ прохожденія луны черезъ меридіанъ. Она даетъ для первыхъ разностей
кратныя n долготы Юрьева отъ Гринвича, Нарижа и Берлина,
выраженной въ дняхъ и кратныя $\dfrac{n(1-n)}{2}$ для вторыхъ разностей.

II.

	Гринвичъ		Парижъ		Берлинъ	
	n	$\dfrac{n(1-n)}{2}$	n	$\dfrac{n(1-n)}{n}$	n	$\dfrac{n(1-n)}{n}$
	d	d	d	d	d	d
1	0.07	0.03	0.07	0.03	0.04	0.02
2	0.15	0.07	0.14	0.06	0.07	0.03
3	0.22	0.10	0.20	0.09	0.11	0.05
4	0.297	0.13	0.271	0.13	0.148	0.07
5	0.371	0.17	0.338	0.16	0.185	0.09
6	0.445	0.21	0.406	0.19	0.222	0.11
7	0.52	0.24	0.47	0.22	0.26	0.12
8	0.59	0.28	0.54	0.25	0.30	0.14
9	0.67	0.31	0.61	0.28	0.33	0.16

Примѣръ.

Время прохожденія луны черезъ меридіанъ Гринвича (Nautical almanac 1907):

			Перв. разн.	Втор. разн.
20 янв.	5^{h}	34.7^{m}		
			$- 44.6^{\text{m}}$	
19 янв.	4	50.1		$- 1.8^{\text{m}}$
			$- 46 \cdot 4$	
18 янв.	4	3.7		

$$— 40. \times n = — 2.97$$
$$— 4. \times n = — 0.30$$
$$— 0.6 \times n = — 0.04$$
$$— 1. \times \frac{— n(1—n)}{2} = + 0.03$$
$$— 0.8 \times \frac{— n(1—n)}{2} = + 0.03$$

$$\text{Сумма} = — 3.25$$

Для Юрьева 20 янв. время прохожденія чрезъ меридіанъ
$$= 5^{h} 34.7^{m} — 3.2^{m} = 5^{h} 31.5^{m} \text{ Юр. ср. вр.}$$

Таблица III по двумъ аргументамъ, именно склоненію δ центра луны (вертикальный) и движенію по прямому восхожденію $\Delta\alpha$ въ 1 минуту средняго времени (горизонтальный арг.) даетъ часовой уголъ Т восхода и захода верхняго края луны въ среднемъ времени.

Принято постояннымъ:

Параллаксъ луны $= 57.0'$

Горизонтальная рефракція $= 34.9'$

Радіусъ луны $= 15.5'$

Откуда зенитное разстояніе центра луны при восходѣ и заходѣ равно:

$$z = 90^{0} — 57.0' + 34.9' + 15.5' = 89^{0} 53.4'$$

Таблица III.

Δα \ δ	1.5	1.6	1.7	1.8	1.9	2.0	2.1	2.2	2.3	2.4	2.5	2.6	2.7	2.8	2.9	3.0
	h m															
−29°	1 43.3	43.5	43.7	43.8	44.0	44.2	44.4	44.6	44.7	44.9	45.1	45.3	45.5	45.6	45.8	46.0
−28	2 1.9	2.1	2.3	2.5	2.7	2.9	3.1	3.3	3.6	3.8	4.0	4.2	4.4	4.7	4.9	5.1
−27	17.9	18.2	18.4	18.7	18.9	19.2	19.4	19.7	19.9	20.2	20.4	20.6	20.9	21.1	21.4	21.6
−26	32.3	32.6	32.8	33.1	33.3	33.6	33.9	34.1	34.4	34.6	34.9	35.2	35.5	35.7	36.0	36.3
−25	45.3	45.6	45.9	46.1	46.4	46.7	47.0	47.3	47.5	47.8	48.1	48.4	48.7	49.0	49.3	49.6
−24	2 57.3	57.6	57.9	58.2	58.5	58.8	59.1	59.4	59.8	0.1*	0.4*	0.7*	1.0*	1.4*	1.7*	2.0*
−23	3 8.6	8.9	9.2	9.6	9.9	10.2	10.5	10.9	11.2	11.6	11.9	12.2	12.5	12.9	13.2	13.5
−22	19.1	19.4	19.8	20.1	20.5	20.8	21.2	21.5	21.9	22.2	22.6	22.9	23.3	23.6	24.0	24.3
−21	29.2	29.6	29.9	30.3	30.6	31.0	31.4	31.7	32.1	32.4	32.8	33.2	33.5	33.9	34.2	34.6
−20	38.8	39.2	39.5	39.9	40.2	40.6	41.0	41.4	41.7	42.1	42.5	42.9	43.3	43.7	44.1	44.5
−19	48.0	48.4	48.8	49.1	49.5	49.9	50.3	50.7	51.1	51.5	51.9	52.3	52.7	53.2	53.6	54.0
−18	3 56.8	57.2	57.6	58.1	58.5	58.9	59.3	59.7	0.1*	0.5*	0.9*	1.3*	1.7*	2.2*	2.6*	3.0*
17	4 5.4	5.8	6.2	6.6	7.0	7.4	7.8	8.3	8.7	9.2	9.6	10.0	10.5	10.9	11.4	11.8
−16	13.7	14.1	14.6	15.0	15.5	15.9	16.3	16.7	17.2	17.6	18.0	18.5	18.9	19.4	19.8	20.3
−15	21.7	22.1	22.6	23.0	23.5	23.9	24.4	24.8	25.3	25.7	26.2	26.7	27.1	27.6	28.0	28.5
−14	29.6	30.0	30.5	30.9	31.4	31.8	32.3	32.8	33.2	33.7	34.2	34.7	35.2	35.6	36.1	36.6
−13	37.2	37.7	38.2	38.6	39.1	39.6	40.1	40.5	41.0	41.4	41.9	42.4	42.9	43.4	43.9	44.4
−12	44.6	45.1	45.6	46.1	46.6	47.1	47.6	48.1	48.5	49.0	49.5	50.0	50.5	51.0	51.5	52.0
−11	52.0	52.5	53.0	53.5	54.0	54.5	55.0	55.5	56.1	56.6	57.1	57.6	58.1	58.6	59.1	59.6
−10	4 59.2	59.7	0.2*	0.8*	1.3*	1.8*	2.3*	2.8*	3.4*	3.9*	4.4*	4.9*	5.4*	6.0*	6.5*	7.0*
−9	5 6.3	6.8	7.3	7.9	8.4	8.9	9.4	10.0	10.5	11.1	11.6	12.2	12.7	13.3	13.8	14.4
−8	13.2	13.7	14.3	14.8	15.4	15.9	16.4	17.0	17.5	18.1	18.6	19.2	19.8	20.3	20.9	21.5
−7	20.2	20.7	21.3	21.8	22.4	22.9	23.5	24.0	24.6	25.1	25.7	26.3	26.9	27.4	28.0	28.6
−6	27.2	27.8	28.3	28.9	29.4	30.0	30.6	31.1	31.7	32.2	32.8	33.4	34.0	34.5	35.1	35.7
−5	33.9	34.5	35.0	35.6	36.1	36.7	37.3	37.9	38.4	39.0	39.6	40.2	40.8	41.4	42.0	42.6
−4	40.6	41.2	41.8	42.4	43.0	43.6	44.2	44.8	45.3	45.9	46.5	47.1	47.7	48.3	48.9	49.5
−3	47.3	47.9	48.5	49.2	49.8	50.4	51.0	51.6	52.2	52.8	53.4	54.0	54.6	55.3	55.9	56.5
−2	5 54.0	54.6	55.2	55.9	56.5	57.1	57.7	58.3	58.9	59.5	0.1*	0.7*	1.4*	2.0*	2.7*	3.3*
−1	6 0.7	1.3	1.9	2.5	3.1	3.7	4.3	4.9	5.6	6.2	6.8	7.5	8.1	8.8	9.4	10.1
0	6 7.3	7.9	8.5	9.2	9.8	10.4	11.0	11.7	12.3	13.0	13.6	14.3	14.9	15.6	16.2	16.9

Перемѣна часа означена *.

Таблица III.

Δz \ δ	s 1.5	1.6	1.7	1.8	1.9	2.0	2.1	2.2	2.3	2.4	2.5	2.6	2.7	2.8	2.9	3.0
0	6 7.3	7.9	8.5	9.2	9.8	10.4	11.0	11.7	12.3	13.0	13.6	14.3	14.9	15.6	16.2	16.9
+1	14.0	14.6	15.3	15.9	16.6	17.2	17.9	18.5	19.2	19.8	20.5	21.2	21.8	22.5	23.1	23.8
+2	20.6	21.3	21.9	22.6	23.2	23.9	24.6	25.2	25.9	26.5	27.2	27.9	28.5	29.2	29.8	30.5
+3	27.4	28.0	28.7	29.3	30.0	30.6	31.3	32.0	32.6	33.3	34.0	34.7	35.4	36.1	36.8	37.5
+4	34.1	34.8	35.5	36.1	36.8	37.5	38.2	38.9	39.5	40.2	40.9	41.6	42.3	43.0	43.7	44.4
+5	40.8	41.5	42.2	42.8	43.5	44.2	44.9	45.6	46.3	47.0	47.7	48.4	49.1	49.8	50.5	51.2
+6	47.5	48.2	48.9	49.5	50.2	50.9	51.6	52.3	53.1	53.8	54.5	55.2	55.9	56.7	57.4	58.1
+7	6 54.4	55.1	55.8	56.5	57.2	57.9	58.6	59.3	0.1*	0.8*	1.5*	2.2*	3.0*	3.7*	4.5*	5.2*
+8	7 1.3	2.0	2.7	3.5	4.2	4.9	5.6	6.3	7.1	7.8	8.5	9.3	10.0	10.8	11.5	12.3
+9	8.2	8.9	9.7	10.4	11.2	11.9	12.6	13.4	14.1	14.9	15.6	16.4	17.1	17.9	18.6	19.4
+10	15.3	16.0	16.8	17.5	18.3	19.0	19.8	20.5	21.3	22.0	22.8	23.6	24.4	25.1	25.9	26.7
+11	22.6	23.4	24.1	24.9	25.6	26.4	27.2	27.9	28.7	29.4	30.2	31.0	31.8	32.5	33.3	34.1
+12	30.0	30.8	31.5	32.3	33.0	33.8	34.6	35.4	36.1	36.9	37.7	38.5	39.3	40.1	40.9	41.7
+13	37.4	38.2	39.0	39.7	40.5	41.3	42.1	42.9	43.7	44.5	45.3	46.1	46.9	47.8	48.6	49.4
+14	44.9	45.7	46.5	47.3	48.1	48.9	49.7	50.5	51.4	52.2	53.0	53.8	54.6	55.5	56.3	57.1
+15	7 52.9	53.7	54.5	55.2	56.0	56.8	57.6	58.4	59.3	0.1*	0.9*	1.8*	2.6*	3.5*	4.3*	5.2*
+16	8 0.8	1.6	2.5	3.3	4.2	5.0	5.8	6.6	7.5	8.3	9.1	10.0	10.8	11.7	12.5	13.4
+17	9.0	9.8	10.7	11.5	12.4	13.2	14.0	14.9	15.7	16.6	17.4	18.3	19.2	20.0	20.9	21.8
+18	17.5	18.4	19.2	20.1	20.9	21.8	22.6	23.5	24.3	25.2	26.0	26.9	27.8	28.7	29.6	30.5
+19	26.2	27.1	27.9	28.8	29.6	30.5	31.4	32.2	33.1	33.9	34.8	35.7	36.6	37.6	38.5	39.4
+20	35.2	36.1	37.0	37.8	38.7	39.6	40.5	41.4	42.3	43.2	44.1	45.0	45.9	46.9	47.8	48.7
+21	44.8	45.7	46.6	47.5	48.4	49.3	50.2	51.1	52.0	52.9	53.8	54.7	55.7	56.6	57.6	58.5
+22	8 54.7	55.6	56.5	57.5	58.4	59.3	0.2*	1.1*	2.1*	3.0*	3.9*	4.9*	5.8*	6.8*	7.7*	8.7*
+23	9 5.3	6.2	7.1	8.1	9.0	9.9	10.8	11.8	12.7	13.7	14.6	15.6	16.6	17.5	18.5	19.5
+24	16.4	17.3	18.3	19.2	20.2	21.1	22.1	23.0	24.0	24.9	25.9	26.9	27.9	29.0	30.0	31.0
+25	28.2	29.2	30.2	31.1	32.1	33.1	34.1	35.1	36.0	37.0	38.0	39.0	40.0	41.0	42.0	43.0
+26	40.8	41.8	42.8	43.7	44.7	45.7	46.7	47.7	48.8	49.8	50.8	51.8	52.9	53.9	55.0	56.0
+27	9 54.9	55.9	56.9	57.9	58.9	59.9	0.9*	1.9*	3.0*	4.0*	5.0*	6.1*	7.1*	8.2*	9.2*	10.3*
+28	10 10.5	11.6	12.6	13.7	14.7	15.8	16.8	17.9	18.9	20.0	21.0	22.1	23.2	24.3	25.4	26.5
+29	10 28.7	29.8	30.8	31.9	32.9	34.0	35.1	36.2	37.2	38.3	39.4	40.5	41.7	42.8	44.0	45.1

Перемѣна часа означена *.

Примѣръ.

При вычисленіи восхода и захода луны необходимо дѣлать два приближенія, т. к. склоненіе луны быстро измѣняется, между тѣмъ какъ одинъ изъ аргументовъ есть склоненіе въ моментъ восхода и захода.

Первое приближеніе.

20 января 1907 г. время прохожденія луны чрезъ меридіанъ г. Юрьева:

$5^h 31^m .5$ (см. выше); въ Гринвичѣ въ этотъ моментъ время равно: $5^h 31^m .5 - 1^h 46^m .9$ (долгота) $= 3^h 44^m .6$ Ср. врем. Гринв.

Изъ Nautical almanac находимъ:

склон. луны для этого момента $\delta = + 3\overset{\bullet}{.}5$;

движ. по прям. восхожденію $\Delta\alpha = 1\overset{s}{.}95$

По этимъ двумъ аргументамъ находимъ въ таблицѣ III интерполируя: $T = 6^h 33^m .7$.

Приближенное время восхода и захода луны въ Юрьевѣ по Гринвичскому времени равно:

восхода: $3^h 44^m .6 - 6^h 33^m .7 = 21^h 11^m$ (19 января астр. счетъ)
захода: $3^h 44^m .6 + 6^h 33^m .7 = 10^h 18^m$ (20 января).

Второе приближеніе.

Для $21^h 11^m$ находимъ $\delta = + 2\overset{\bullet}{.}3$

Изъ таблицы III имѣемъ: $T = 6^h 25^m .6$

Поэтому время восхода въ Юрьевѣ по Юрьевскому среднему времени будетъ:

$5^h 31^m .5 - 6^h 25^m .6 = \mathbf{11^h\ 6^m}$ утра   (20 января нов. ст. по гражд. счету часовъ).

Для $10^h 18^m$ находимъ $\delta = + 4\overset{\bullet}{.}7$

Откуда $T = 6^h 41^m .8$

Время захода въ Юрьевѣ по Юрьевскому среднему времени будетъ:

$5^h 31^m .5 + 6^h 41^m .8 = \mathbf{12^h\ 13^m}$ ночи (21 января нов. ст. по гражд. счету часовъ).

Таблица IV даетъ по данному часовому углу восхода и захода солнца (T ☉) и луны (T ☾) поправку часового угла за радіусъ, принятый равнымъ 16′, т. е. даетъ возможность узнать время восхода и захода не верхняго края, а центра обоихъ свѣтилъ. Эта же таблица можетъ служить для исправленія часовыхъ угловъ, если мы примемъ другую рефракцію, параллаксъ или радіусы. Именно при часовомъ углѣ T измѣненію въ одну минуту зенитнаго разстоянія соотвѣтствуетъ шестнадцатая часть данныхъ въ таблицѣ чиселъ ∆T.

IV.

T ☉	T ☾	∆ T	T ☾	T ☉
	h	m	h	
	1.6	6.1	10.9	
	2.1	4.6	10.4	
h	2.6	3.7	9.8	h
3.0	3.1	3.1	9.3	9.0
3.5	3.6	2.7	8.8	8.5
4.0	4.1	2.5	8.3	8.0
4.5	4.7	2.3	7.8	7.5
5.0	5.2	2.1	7.2	7.0
5.5	5.7	2.1	6.7	6.5
6.0	6.2	2.0	6.2	6.0

Примѣръ.

Въ вышеприведенномъ случаѣ восхода и захода солнца для 13 янв. 1907 г. мы получили T = 3.5. По данному T ☉ изъ таблицы IV получаемъ ∆T = 2.7; итакъ

время восхода центра солнца равно:

$$8^h 39.7^m + 2.7^m = 8^h 42^m \text{ утра}$$

время захода центра солнца равно:

$$3^h 37.3^m - 2.7^m = 3^h 35^m \text{ дня}.$$

Если въ томъ же примѣрѣ взять рефракцію равною 36.9′, т. е. на 36.9′ − 34.9′ = 2.0 больше, то время восхода и захода надо исправить на $\dfrac{2.7^m \times 2}{16} = 0.3^m$, именно изъ времени восхода — вычесть, а къ времени захода прибавить эту величину, т. е.

время восхода равно $8^{h} 39.7^{m} - 0.3^{m} = 8^{h} 39.4^{m}$
время захода равно $3^{h} 37.3^{m} + 0.3^{m} = 3^{h} 37.6^{m}$

Таблицы I—IV вычислены П. П. Образцовымъ и провѣрены С. Б. Шарбе.

2. Предвычисленіе покрытій звѣздъ луною.

Задача предвычисленія момента покрытія звѣзды луною сводится (см. Bessel, Abhandl. B. I) къ рѣшенію относительно t слѣдующаго уравненія:

$$K^{2} = \left\{ \frac{\cos \delta \sin (\alpha - A)}{\sin \Pi} - r \cos \varphi' \sin t \right\}^{2} +$$

$$+ \left\{ \frac{\sin \delta \cos D - \cos \delta \sin D \cos (\alpha - A)}{\sin \Pi} - \right.$$

$$\left. - r (\sin \varphi' \cos D - \cos \varphi' \sin D \cos t) \right\}^{2}$$

гдѣ A прямое восхожденіе
D склоненіе $\Big\}$ покрываемой звѣзды.
t часовой уголъ

α прямое восхожденіе
δ склоненіе $\Big\}$ луны
Π экваторіальный параллаксъ

φ' геоцентр. широта $\Big\}$ мѣста наблюденія.
r „ радіусъ

$K = 0.2725$ есть радіусъ луны въ единицахъ экваторіальнаго радіуса земли.

Уравненіе это, какъ трансцендентное, можно рѣшить точно только послѣдовательными приближеніями. Съ точностью же требуемою для предвычисленій оно рѣшается слѣдующимъ образомъ.

Введемъ обозначенія:

$$\frac{\cos \delta \sin (\alpha - A)}{\sin \Pi} = p$$

$$r \cos \varphi' \sin t = u$$

$$\frac{\sin \delta \cos D - \cos \delta \sin D \cos (\alpha - A)}{\sin \Pi} = q$$

$$r (\sin \varphi' \cos D - \cos \varphi' \sin D \cos t) = v$$

Тогда данное уравненіе напишется такъ:

$$(p - u)^2 + (q - v)^2 = K^2.$$

Составимъ разности $(p - u)$ и $(q - v)$ для трехъ моментовъ T_1 T_2 и T_3 (проще всего круглыхъ часовъ), выбранныхъ около момента соединенія звѣзды и луны по прямому восхожденію. Моментъ этотъ, равно какъ величины p и q для выбранныхъ трехъ часовъ находятся изъ астрономическихъ календарей, напр. Berliner Jahrbuch, Connaissance des Temps, Nautical almanac, — величины u и v найдемъ изъ прилагаемой таблицы (u — по аргументу t часовому углу звѣзды, v — по двумъ аргументамъ: часовому углу звѣзды t и склоненію ея D). Имѣя разности $(p - u)$ и $(q - v)$ для трехъ моментовъ, мы найдемъ моментъ покрытія звѣзды resp. моментъ появленія ея изъ-за края графически на листѣ миллиметровой бумаги, наклеенной на картонъ или полотно, чтобы пользоваться имъ всегда. Въ серединѣ листа чертимъ кругъ радіусомъ $K = 0.273 = 136.5$ миллиметрамъ, принимая 0.001 равнымъ 0.5 милл. Отъ центра этого круга, какъ начала координатъ откладываемъ величины $(p - u)$ и $(q - v)$ по двумъ взаимно-перпендикулярнымъ направленіямъ для трехъ нашихъ моментовъ. Три полученныя точки соединяемъ прямой (онѣ должны приблизительно лежать на прямой).

Моментъ покрытія найдемъ тогда по отношенію отрѣзка прямой до пересѣченія ея съ кругомъ къ длинѣ ея между двумя часами.

Отношеніе это есть та доля часа, которую нужно прибавить къ предыдущему круглому часу, чтобы получить моментъ покрытія съ достаточною точностью (въ среднемъ ± 0.25).

Если положительное направленіе горизонтальной оси $(p - u)$ направить влѣво, а положительное направленіе вертикальной оси $(q - v)$ вверхъ, то начерченная прямая будетъ представлять путь звѣзды относительно луны такъ, какъ онъ представляется въ астрономическую трубу. Если интересно знать позиціонный уголъ покрытія или выхода звѣзды изъ-за края, то его легко отсчитать по транспортиру.

При выборѣ часовъ T_1, T_2 и T_3 нужно помнить, что вслѣдствіе параллакса видимое соединеніе произойдетъ позже геоцентрическаго, если луна на западѣ и раньше геоцентрическаго, если она на востокѣ. Поэтому въ первомъ случаѣ необходимо выбрать моменты T_1, T_2 и T_3 такъ, чтобы моментъ геоцентрическаго соединенія приходился между T_2 и T_3, а во второмъ случаѣ такъ, чтобы онъ приходился между T_1 и T_2.

Таблица V.

$$u = r \cos \varphi' \sin t.$$

t	u	t	u	t	u
± 0ʰ 0ᵐ	± 0.000	± 3ʰ 0ᵐ	± 0.372	± 6ʰ 0ᵐ	± 0.526
10	022	10	388	10	525
20	046	20	403	20	524
30	069	30	417	30	521
40	091	40	431	40	518
50	114	50	443	50	513
1 0	136	4 0	455	7 0	508
10	158	10	466	10	501
20	180	20	476	20	494
30	201	30	486	30	486
40	222	40	494	40	476
50	243	50	501	50	466
2 0	263	5 0	508	8 0	455
10	282	10	513	10	443
20	302	20	518	20	431
30	320	30	521	30	417
40	338	40	524	40	403
50	355	50	525	50	388
± 3 0	± 0.372	± 6 0	± 0.526	± 9 0	± 0.372

Таблица VI.

$$v = r\,(\sin \varphi' \cos D - \cos \varphi' \sin D \cos t).$$

−25°	0.990	989	983	974	961	945	925	904									
24	988	986	981	972	960	944	926	905									
23	986	984	979	970	958	943	925	905	883								
22	983	981	976	968	957	942	925	906	885								
21	980	978	974	966	955	941	925	906	886								
20	976	974	971	963	953	939	924	906	887	867							
19	973	971	967	960	950	938	922	906	887	868							
18	969	967	963	957	947	935	921	905	888	869							
17	964	963	959	953	944	933	920	904	888	870							
16	960	959	955	949	940	930	917	903	887	871							
15	955	954	951	944	938	927	915	902	887	871	855						
14	950	948	946	940	933	924	912	900	886	871	856						
13	944	943	940	935	928	920	909	898	885	871	857						
12	938	937	935	930	924	916	906	896	884	871	858						
11	932	931	929	926	919	912	903	894	883	871	858						
10	926	925	923	919	914	907	899	890	881	870	858	847					
9	920	919	917	913	909	903	896	887	879	869	859	848					
8	913	912	910	908	903	898	892	884	876	868	859	849					
7	906	905	903	901	897	893	887	881	873	866	858	850					
6	899	898	897	894	891	887	882	876	870	864	857	850					
5	890	890	889	888	885	881	877	872	867	862	856	851	845				
4	882	882	881	880	878	875	872	868	864	860	855	851	845				
3	874	874	873	872	870	868	866	863	860	857	854	850	846				
2	866	866	865	864	863	862	860	858	856	854	852	850	847				
−1	856	856	856	856	856	855	854	853	852	851	850	849	848				
0	848	848	848	848	848	848	848	848	848	848	848	848	848				
+1	839	839	839	839	841	841	842	843	844	845	847	848					
2	829	829	830	831	832	833	834	836	838	840	842	845	848				
3	819	820	821	822	823	825	827	830	833	836	839	843	847				
4	809	810	811	812	814	817	820	824	828	832	836	841	846				
5	799	800	801	802	805	809	813	817	822	827	833	839	845	839			
6	788	789	791	793	796	800	805	810	816	822	829	836	844	836			
7	777	778	780	783	787	791	796	802	809	817	825	833	843	833			
8	766	767	769	772	777	782	787	795	803	812	821	830	841	830			
9	755	756	758	762	767	773	779	788	796	806	816	827	838	827	816		
10	744	745	747	752	757	763	770	780	789	800	811	823	835	823	811		
11	732	733	735	739	746	753	761	771	782	794	806	819	832	819	806		
12	720	721	724	728	735	743	752	763	775	787	801	815	829	815	801		
13	708	709	712	717	723	733	743	754	767	781	796	811	826	811	796	781	
14	696	697	699	706	712	721	733	745	759	774	790	806	823	806	790	774	
15	683	684	687	693	702	712	723	736	751	766	784	801	819	801	784	766	
.6	670	671	676	682	690	699	713	727	742	760	778	796	815	796	778	760	
.7	657	659	664	669	678	689	702	717	734	752	771	791	811	791	771	752	734
.8	644	646	650	656	666	678	691	708	725	744	764	785	806	785	764	744	725
.9	630	633	636	644	655	666	680	697	716	736	757	779	802	779	757	736	716
0	617	619	624	630	642	654	669	688	707	728	750	773	797	773	750	728	707
1	603	605	609	618	629	643	659	678	697	719	743	766	792	766	743	719	697	6
2	589	592	597	604	617	631	647	667	687	711	735	760	786	760	735	711	6
3	575	577	582	592	603	618	635	655	678	702	727	754	780	754	727	702	678	6
4	561	563	568	576	590	605	624	645	667	692	719	747	774	747	719	692	667	6
5	545	548	554	564	576	593	611	633	657	684	711	739	768	739	711	684	657	6
6	531	533	540	549	563	581	600	622	647	674	703	732	762	732	703	674	647	6
7	517	519	525	536	549	566	586	610	636	665	692	724	756	724	693	665	636	6
8	502	504	510	521	536	553	573	598	624	655	684	716	748	716	684	655	624	5

| t | h m 0 0 | h m 0 30 | h m 1 0 | h m 1 30 | h m 2 0 |

Примѣръ.

Предвычисленіе покрытія звѣзды ξ^2 Ceti 21 января 1907 г. для Юрьева.

Въ Connaissance des temps на 1907 г. на страницѣ 544 находимъ:

Моментъ соединенія по прям. восх.: $8^h 58^m.9$ Парижскаго ср. врем.

Долгота Юрьева отъ Парижа: $\dfrac{1^h 37^m.5}{}$

Моментъ соед. по Юрьевск. ср. вр.: $10^h 36^m.4$

Тамъ же находимъ часовой уголъ звѣзды въ мом. соединенія

$$38^0 58'.8 = 2^h 35^m.9 \text{ для Парижа}$$

$$\text{Долгота Юрьева: } + \dfrac{1^h 37^m.5}{}$$

Часовой уголъ зв. для $10^h 36^m.4$ средн. Юрьевск. вр. $4^h 13^m.4$

Онъ западный; поэтому выбираемъ часы 10.5^h 11.5^h и 12.5^h

Часовой уголъ зв. въ $10^h 30^m$ равенъ: $4^h 13^m.4 - 6^m.4 = 4^h 7^{m}$

$$\text{въ } 11^h 30^m = 5^h 7^m$$

$$\text{въ } 12^h 30^m = 6^h 7^m$$

Изъ календаря выписываемъ: часовое измѣненіе p : $p' = +0.521$
(p_0 въ моментъ соединенія всегда $= 0$)

Величина q въ моментъ соединенія: $q_0 = +0.669$

Часовое измѣненіе q: $q' = +0.183$

Склоненіе звѣзды: $D = +8^0 2.5$

$$p = p't \qquad -u \qquad p-u$$
$$\text{(по. табл. V)}$$

Для 10.5^h $\quad +0.521 \times \left(-\dfrac{6.4}{60}\right) = -0.056 \quad -0.463 \quad -0.519 = -259.5 \text{ м}$

„ 11.5 $\quad -0.056 + 0.521 = +0.465 \quad -0.511 \quad -0.046 = -23.0$

„ 12.5 $\quad +0.465 + 0.521 = +0.986 \quad -0.525 \quad +0.461 = +230.5$

$$q = q_0 + q't \qquad -v \qquad q-v$$
$$\text{(по табл. VI).}$$

„ 10.5 $\quad +0.669 + 0.183\left(-\dfrac{6.4}{60}\right) = +0.649 \quad -0.805 \quad -0.156 = -78.0 \text{ м}$

, 11.5 $\quad 0.649 + 0.183 = +0.832 \quad -0.823 \quad +0.009 = +4.5$

, 12.5 $\quad 0.832 + 0.183 = +1.015 \quad -0.839 \quad +0.176 = +88.0$

Отложивъ значенія p—u и q—v, соединяемъ полученныя точки прямою. Измѣреніе даетъ:

Длина прямой между 10.5^h и 11.5^h = 250.0 милл.

„ „ , 11.5^h и 12.5^h = 266.0 „

Отрѣзокъ отъ точки 10.5^h до пересѣченія съ кругомъ 134.0 милл.

„ „ „ 11.5^h „ „ „ „ 150.0 „

$$\text{Моментъ покрытія} = 10^h\ 30.0^m + \left(\frac{134.0}{250.0}\right)^h = 11^h\ 2.2^m$$

$$\text{„ вых. звѣзды} = 11^h\ 30.0^m + \left(\frac{150.0}{266.0}\right)^h = 12^h\ 3.8^m$$

Таблицы V и VI составлены и вычислены Э. Г. Шён-бергомъ.

Neue baltische Coleopteren.

Von

H. von Rathlef.

Als ich im März 1905 meine „Coleoptera baltica" der Oeffentlichkeit übergab, war ich der Meinung, dass dieser Catalog wohl
binnen nicht zu langer Zeit einer Vervollständigung bedürfen würde.
Darauf deutet schon die grosse Zahl der als mutmasslich vorkom-
mend aufgenommenen Arten. Dass aber bereits über 60 neue Formen
in meinen eigenen Determinanden steckten und dass Herr Jos. M.
Mikutowicz gleichzeitig über 130 neue Formen anzeigen würde,
hatte ich mir allerdings nicht gedacht. Von den Letzteren decken
sich einige mit meinen Novis, sodass sich der Zuwachs der baltischen Fauna auf c. 180 Arten und Varietäten beläuft. Das erforderliche Supplement werde ich nach Erscheinen der neuen Auflage
des „Catalogus Coleopterorum Europae Caucasi et Armeniae Rossicae" von Reitter Stein & Weise, die eben gedruckt und zum
nächsten Frühjahr fertig sein wird, herausgeben. Dieselbe dürfte
auch einige weitere Aenderungen veranlassen, die dann gleichzeitig
zu machen wären. Im Folgenden will ich nur die von mir gefundenen und von den Herren Edmund Reitter, Kaiserlicher Rath,
Paskau, Dr. Max Bernhauer, Wien, L. Gylek, Wien, Dr. Max
Hagedorn, Hamburg, R. von Weingärtner, Agram, determinirten Arten mit den resp. Fundorten anzeigen.

Zunächst scheint eine kurze Charakteristik der Fundorte erforderlich.

1) Tammist, 16 Werst nordöstlich von Dorpat in einer ganz
flachen Gegend mit schwerem Lehmboden. Sehr hoch in Kultur.
Viel moorige Wiesen und einige kleine, von Lichtungen unterbrochene
Laub- und Fichtenwaldstücke in der Nähe. Mehrere Teiche in den
Wiesen, in die Gutsabwässer münden.

2) Kockora, 45 Werst nördlich von Dorpat, 7 Werst vom Peipus. Coupirtes Terrain, zum Teil mit Dünenformation, leichter, sandiger, nicht besonders hoch kultivirter, sehr steiniger Boden, mehrere kleine Seen, viel Nadelholz, auch Kiefern; der Wald sehr hügelig und daher für Entomologen ausserordentlich günstig, zumal er viel Holzschläge und Windbrüche enthält, die ja bekanntlich Brutstätten für alle Arten von Insecten sind.

3 & 4) Techelfer und Rathshof in der Peripherie Dorpats, nur gelegentliche Fangorte.

5) Weissenstein, 6 Werst von Wenden, nur 1 mal besucht im Frühfrühling, wo ich die Tiere aus verschiedenen Winterverstecken holte. Der Boden ist nicht hoch kultivirt und die Gegend sandig und stark hügelig.

6, 7 & 8) Sadjerw, Kaiafer und Jegel. Auch nur gelegentlich der Seenuntersuchung besucht. Gehören zum Nordlivländischen Seengebiet mit hohen Grandbergen und steinigem, leichtem Boden. Sind auch nicht bes. hoch in Kultur. Nähere Angaben siehe in meinem coleopterologischen Bericht zur Kenntniss der nordlivländischen Seen pag. 36—46 der Berichte der Seencommission.

Carabus cancellatus Ill.
> var. *tuberculatus Dej.* Gylek det.
> Tammist (1) 12. IV. 03, (1) 31. VIII. 03, (2) 17. V. 04, (1)
> 5. VI. 04., Kockora (2) 4. VI. 03, (1) 5. VIII. 04, (1) 6.
> VI. 05, Rathshof (1) 4. V. 04, (1) 1. V. 05, Jegel (1) 7.
> VI. 05.
> Es scheint vornehmlich die var. vorzukommen, denn alle nach
> Wien gesandten Stücke gehörten ihr an und ich kann
> mich nicht erinnern, unter den zahlreichen Exemplaren,
> die ich besass, aber fortgeworfen habe, ein Stück gesehen
> zu haben, das der mir von Herrn Gylek als Stammform
> übersandten Type entsprochen hätte.

Bembidium lampros Hrbst.
> var. *properans Steph.* Reitter det.
> Tammist, (1) 11. VI. 03, (1) 6. V. 04, (1) 5. VI. 04, (1) 26.
> V. 05, Techelfer, (1) 3. V. 04.

Bembidium *dentellum Thnb.* Reitter det.
> Rathshof, (2) 19. V. 05.

Bembidium obliquum Strm.
> ab. *immaculatum Sahlb.* Reitter det.

Tammist, (1) 17. V. 04, (4) 5. VI. 04, (1) 3. VII. 04, (1)
26. V. 05, Kockora, (3) 6. VI. 05, Rathshof, (1) 12. V.
05, (5) 19. V. 05, Jegel, (7) 7. VI. 05.

Acupalpus dorsalis Fbr.
    var. *notatus Muls & Rey.* Reitter det.
Tammist, (1) 26. V. 05, Rathshof, (2) 19. V. 05.

Hydroporus *bilineatus Strm.* Reiter det.
Tammist, (1) 20. VIII. 03, (5) 4. IX. 03, (1) 6. V. 04, (2)
18. V. 04.

Hydroporus *morio Gemm.* — *Har.* Reitter det.
Techelfer, (2) 3. V. 04.

Hydroporus *pubescens Gyll.* Reitter det.
Tammist, (1) 12. IV. 03, (1) 25. V. 03, Kaiafer, (1) 4. VI.
05, Dr. Schmelzer, (1) ohne Fundort und Datum.

Hydroporus *Kraatzi Schaum* Reitter det.
Kockora, (1) 13. VI. 03, im Waldgraben.

Aleochara *fumata Er.* Bernhauer det.
Sadjerw, (1) 20. V. 05.

Oxypoda *umbrata Gyll.* Bernhauer det.
Kockora, (1) 4. VIII. 04, an einem Pilz.

Phlocopora reptans Grav. Bernhauer det.
Tammist, (1) 6. V. 04 unter fauler Espenrinde.

Myrmedonia *funesta Grav.* Rernhauer det.
Weissenstein, (28) 28. III. 04, unter der Rinde eines Laubholz-
stumpfes in einem grossen Ballen zusammengedrängt im
Winterlager.

Myrmedonia *lugens Grav.* Bernhauer det.
Ebendort mit der vorigen und anderen Myrmedonien 1 Stück.

Atheta *picipennis Mannh.* Bernhauer det.
Sadjerw, (1) 20. V. 05, an Pferdemist.

Atheta *microptera Thoms.* Bernhauer det.
Kockora, (2) 6. VI. 05 in einer tiefen Grube mit faulenden
Vegetabilien bei einem Fuchsbau in altem Fichtenwald.

Atheta *pallidicornis Thoms.* Bernhauer det.
Kockora, (1) 1. VIII. 04, (1) ohne Fundort und Datum.

Gyrophaena *strictula Er.* Bernhauer det.
Tammist, (1) 16. V. 04. an einem Fichtenschwamm.

Stenus *Rogeri Kraatz* Bernhauer det.
Kockora, (1) 6. VI. 05, am Peipusufer.

Stenus *latifrons Er.* Bernhauer det.
Tammist, (1) 26. V. 05, Wiesenteich unter Ufergemüll.

Stenus *pubescens Steph.* Bernhauer det.
Sadjerw, (1) 21. V. 05 am Seeufer.

Arpedium brachypterum Grav. Bernhauer det.
Kockora, (1) 6. VI. 05. am Peipusufer.

Phloeonomus *planus Payk.* Bernhauer det.
Techelfer, (1) 3. V. 04, unter Baumrinde, (1) Dr. Schmelzer
ohne Fundort und Datum.

Acrulia inflata Gyll. Bernhauer det.
Kockora, (1) 1. VIII. 04, an einem Birkenschwamm.

Cercyon *lugubris Payk.* Reitter det.
Ellistfer, (1) 4. VI. 05.

Apalochrus femoralis Er. Reitter det.
Kockora, (1) 6. VI. 05. Peipusufer.

Dasytes *alpigradus Kiesw.* Reitter det.
Kockora, (1) 12. VI. 04, auf Sorbusblättern.

Dasytes *flavipes Muls.* Reitter det.
Kockora, (1) 14. VI. 03, (5) 15. VI. 03, (1) 28. VII. 04,
Tammist, (2) 17. VIII. 04, (1) 19. VII. 04.
Demnach dürfte sich Seidlitz wohl mit seiner Bemerkung über
flavipes geirrt haben, . derzufolge alle Angaben nordischer
Autoren zu plumbeus Müll. zu rechnen seien.

Ptinus *brunneus Duft.* Reitter det.
Kockora, (3) 12. VI, 03, Dorpat, (1) 25. V. 05.

Cis *micans Hrbst.* Reitter det.
Elwa Dr. Schmelzer (1) — VIII. 01, unter Birkenborke.

Rhopalopus *fronticornis Panz.* Reitter det.
Weissenstein, (2) 28. III. 04, Techelfer, Dr. Schmelzer (1) —
IX. 01, in einem Weidenpilz.

Meligethes coracinus Strm.
var. *pumilus Er.* Reitter det.
Sadjerw, (2) 20. V. 05, (1) 21. V. 05, (2) 22. V. 05.

Crypthophagus dentatus Hrbst.

var. *pallidulus* Strm. Reitter det.

Tammist, (5) 3. VII. 04, an Gebüsch, Dorpat, (1) Winter 1902/3, Dr. Schmelzer (3) ohne Fundort und Datum.

Lathridius *Bergrothi Reitt.* Reitter det.

Techelfer, Dr. Schmelzer, (3) —IX. 01, an einem Weidenpilz.

Corticaria *fulva Comolli* Reitter det.

Riga, (1) 15. IX. 05, Dr. Schmelzer (3) ohne Fundort und Datum.

Cerylon *fagi Bris.* Reitter det.

Kockora, (1) 12. VI. 04, auf Sorbusblüten, (2) 31. VII. 04, unter Espenrinde.

Hippodamia variegata Goeze.

var. *ustulata Weise* Reitter det.

Tammist, (1) 5. VI. 04.

Clytra *laeviuscula Ratzb.* Weingärtner det.

Kockora, (1) 12. VI. 04, auf Sorbusblüten.

Cryptocephalus fulvus Goeze

var. *fulvicollis Suffr.* Reitter det.

Kockora, (1) 16. VI. 03.

Chrysomela *rufa Duft.* Weingärtner det.

Tammist, (1) 3. IV. 03, Weissenstein (4) 22. III. 04.

Phytodecta viminalis L.

var. *calcarata Fbr.* Weingärtner det.

Kockora, (1) 15. VI. 03, (2) 12. VI. 04.

Phyllodecta *laticollis Suffr.* Reitter det.

Tammist, (1) 16. V. 04, (4) 5. VI. 04, Rathshof, (1) 21. VI. 04.

Phyllodecta *atrovirens Corn.* Reitter det.

Tammist, (2) 5. VI. 04, (4) ohne Fundort und Datum.

Lochmaea *suturalis Thoms.* Reitter det.

Sadjerw, (1) 21. V. 05.

Chalcoides helxines L.

var. *jucunda Weise* Reitter det.

Tammist, (1) 16. V. 04, (1) 17. V. 04, (1) 3. VII. 04.

Phyllobius glaucus Scop.

var. *densatus Schilsky.* Reitter det.

Tammist, (1) 5. VI. 04.

Phyllobius piri L.
> var. *irroratus Seidl.* Reitter det.
> Tammist, (1) 16. V. 04.

Bagons *argillacens Gyll.* Reitter det.
> Kockora, (1) 6. VI. 05 in Ufergemüll.

Ceutorrhynchus *cochleariae Germ.* Reitter det.
> Sadjerw, (1) 22. V. 05, Dr. Schmelzer (1) ohne Fundort und Datum.

Apion *ononicola Bach.* Reitter det.
> Weissenstein, (1) 28. III. 04, Dr. Schmelzer (1) ohne Fundort und Datum.

Apion *columbinum Germ.* Reitter det.
> Rathshof, (1) 21. VI. 04.

Ips *proximus Eichh.* Hagedorn det.
> Kockora, (2) 12. VI. 04, (1) ohne Fundort und Datum.

Ausser den angeführten befinden sich unter meinen im Auslande determinirten Tieren noch eine Anzahl neuer Arten, doch fehlen mir die Fundorte oder die Determinatoren haben die Tiere als undeutlich bezeichnet. Ich zeige dieselben daher vorläufig nicht an.

Zum Schluss will ich noch darauf hinweisen, dass es mir sehr wahrscheinlich vorkommt, dass sich die Principien der Determination im Laufe der Jahrzehnte sehr stark geändert haben, auch viele alte Arten mit fortschreitender Detailarbeit in mehrere zerlegt worden sind. Es können somit die alten Angaben nicht mehr Anspruch auf absolute Richtigkeit machen, zumal mehrere Fälle zu verzeichnen sind, wo die neuen Arten sich um eine alte Art gruppieren, die nach alten Angaben sehr häufig sein soll (conf. Stenus, Anthobium, Gyrophaena, Apion etc.) Es dürften daher wohl bei neuer gründlicher Untersuchung manche der in den alten Verzeichnissen aufgeführten Arten wieder zu streichen sein. Eine neuerliche Determination der alten Sammlungen würde wohl am schnellsten Klarheit schaffen, doch dürften die Tiere leider für den Versand zu morsch und auch nicht mehr sicher kenntlich sein. Doch ist es ja nicht so schwer neues Material herbei zu schaffen, besonders wenn man sich nicht mit der Determination zu plagen braucht und nur alles mitnimmt, was einem in den Weg läuft, denn das ist das beste Mittel um viel und gutes Material zu schaffen. Die Determinationen finden sich später immer schon. Ich hoffe daher nach Veröffentlichung dieses bald Hilfskräfte zu finden, die mir ihre Vorräte zu Verfügung stellen, um dás modern determinirte Belegmaterial für eine Neu-Ausgabe der Coleoptera baltica auf ganz neuer Grundlage zu beschaffen. Das würde nicht wenig dazu beitragen, die jetzt im Vergleich mit früher wenig rege zoologische Forscherthätigkeit neu zu beleben. Es giebt noch unendlich viel Neues, Interessantes und Wichtiges zu finden auch in der Welt der Coleopteren — daher vorwärts an's Werk!

Математическая теорія эволюціи видовъ по трудамъ проф. К. Pearson'а съ приложеніемъ къ изслѣдованіямъ проф. Н. И. Кузнецова.

Проф. Г. Колосова.

17-го апрѣля 1905 г. нашимъ обществомъ былъ заслушанъ интересный докладъ К. Ю. Купфера о распредѣленіи уклоненій, встрѣчающихся въ природѣ, отъ нѣкотораго установившагося типа, сорта, размѣра или расы по такъ называемой кривой Гальтона, представляющей Гауссовскую кривую ошибокъ:

$$y = \frac{C}{\sigma \sqrt{2\pi}} e^{-\frac{x^2}{2\sigma^2}} \quad 1)$$

и имѣющей колоколообразную форму съ вѣтвями, ассимтотически приближающимися къ оси x-овъ.

Докладчикомъ были демонстрированы случаи, въ которыхъ уклоненія распредѣлялись по нѣкоторой другой кривой, имѣющей 2 или нѣсколько вершинъ и это служило признакомъ, что матеріалъ, съ которымъ производились наблюденія, неоднороденъ, а представляетъ смѣсь 2-хъ или болѣе сортовъ.

Въ мемуарѣ, помѣщенномъ въ 185 томѣ Transactions of the Royal Society of London 2), англійскій математикъ K. Pearson

---

1) C— есть очевидно величина площади ограниченной этой кривою и осью x-овъ т. к.

$$\int_{-\infty}^{+\infty} y \, dx = \frac{2C}{\sigma \sqrt{2\pi}} \int^{\infty} e^{-\frac{x^2}{2\sigma^2}} dx = C.$$

2) Серія А 1894 г.

показалъ, какъ разбить кривую заданнаго вида на 2 или болѣе кривыхъ Гальтона, т. е. найти такихъ 2 (или вообще нѣсколько) кривыхъ Гальтона, чтобы сумма (или разность) ординатъ ихъ, соотвѣтствующихъ данной абсциссѣ, была по возможности точнѣе = ординатѣ разсматриваемой кривой. Однако и вполнѣ однородный матеріалъ можетъ дать распредѣленіе уклоненій отъ нѣкотораго опредѣленнаго сорта по кривой иного вида, чѣмъ кривая Гальтона. Это будетъ въ томъ случаѣ, если изслѣдуемый матеріалъ принадлежитъ къ типу, уклоненіямъ отъ котораго въ какую нибудь опредѣленную сторону окружающая обстановка благопріятствуетъ болѣе, чѣмъ уклоненіямъ въ какую нибудь другую. Тогда кривая уже не имѣетъ оси симметріи и пріобрѣтаетъ нѣкоторую косость (skweness). Кромѣ того кривыя, даваемыя наблюденіями, могутъ отличаться отъ кривыхъ Гальтона еще тѣмъ, что уклоненія, по самому существу изслѣдуемаго явленія, заключаются въ нѣкоторыхъ опредѣленныхъ предѣлахъ, тогда какъ измѣненія по кривой Гальтона допускаютъ теоретически какія угодно, даже и очень большія (хотя за то крайне рѣдкія), уклоненія, т. к. эта кривая, имѣя ось x-овъ ассимптотой, стремится къ совпаденію съ ней лишь съ безконечнымъ увеличеніемъ x-а. Такимъ образомъ, если кривая по существу вопроса не можетъ имѣть безконечныхъ вѣтвей, она не будетъ кривою Гальтона.

Въ мемуарахъ, помѣщенныхъ въ 186, 187, 191, 192, 195, 197, 198 томахъ серіи A Philosop. Transactions, а также въ мемуарахъ помѣщенныхъ въ Proceedings of Royal Society и журналѣ Biometrica [спеціально основанномъ для біометрическихъ измѣреній], К. Pearson далъ математическую теорію такихъ видоизмѣненныхъ кривыхъ Гальтона[1]), классификацію которыхъ онъ даетъ въ слѣдующей схемѣ:

A) Кривыя съ одною вершиною.

I) Простыя, т. е. происходящія отъ однороднаго матеріала:

1) расходящіяся въ обѣ стороны безконечно $\begin{cases} \text{a) симметричныя.} \\ \text{b) несимметричныя.} \end{cases}$

2) расходящіяся безконечно только въ одну сторону.

---

1) Имъ затронутъ кромѣ того рядъ другихъ интересныхъ вопросовъ біологіи: наслѣдственноость, законъ Менделя и проч. Вмѣстѣ съ талантливой ученицей г-жей Алисой Ли (Alice Lee) и своими другими учениками Pearson вычислялъ математически размѣры костей доисторическихъ и вымершихъ расъ на основаніи обработки статистическихъ данныхъ размѣровъ современныхъ.

3) не расходящіяся безконечно ни въ ⎧ a) симметричныя.

    одну сторону ⎩ b) несимметричныя.

II) Сложныя, т. е. происходящія отъ смѣси 2-хъ или нѣсколькихъ однородныхъ матеріаловъ.

B) Кривыя со многими вершинами.

Относительно кривыхъ съ многими вершинами замѣтимъ, что они или указываютъ на неоднородность разсматриваемаго матеріала, или служатъ признакомъ не установившагося вида кривой, т. е. недостаточности разсматриваемаго числа наблюденій для полученія плавной кривой съ одною вершиною. При обработкѣ статистическихъ данныхъ, вообще говоря, чѣмъ больше наблюденій, тѣмъ больше можно положиться на выведенные результаты, т. к. примѣняемые при этомъ принципы Теоріи Вѣроятностей справедливы лишь при большомъ числѣ наблюденій. Направленіе изслѣдованій Pearson'a совпало съ работами въ Рерманіи Ludwig'a въ области обработки статистическихъ данныхъ ботаники, который первое время работалъ, не зная совершенно работъ Pearson'a, и только въ послѣднее время и Ludwig сталъ пользоваться результатами Pearson'a, гораздо далѣе разработавшаго математическую сторону разсматриваемаго вопроса. Ludwig называетъ числа, выражающія уклоненія, соотвѣтствующія вершинамъ кривой съ нѣсколькими вершинами числами Fibonacci и устанавливаетъ законъ, что эти числа образуютъ рядъ:

$$0, \ 1, \ 1, \ 2, \ 3, \ 5, \ 8, \ 13, \ 21, \ 34, \ 55, \ \ldots \ldots$$

въ которомъ каждый послѣдующій членъ равенъ суммѣ предъидущихъ. Къ такому же ряду приводятъ числители и знаменатели подходящихъ дробей непрерывной дроби:

$$\cfrac{1}{1+\cfrac{1}{1+\cfrac{1}{1+\ddots}}} \qquad \text{а именно:} \ \frac{0}{1}, \ \frac{1}{1}, \ \frac{1}{2}, \ \frac{2}{3}, \ \frac{3}{5}, \ \frac{5}{8} \ \ldots \ldots$$

Мы будемъ обыкновенно предполагать, что имѣемъ дѣло съ кривой, у которой одна вершина; другія вершины мы будемъ считать второстепенными.

I. Если полученная изъ наблюденій кривая не можетъ быть подведена въ категорію кривыхъ Гальтона, является вопросъ, не раскладывается ли она на 2 или нѣсколько этихъ кривыхъ, т. е. слѣдовательно матеріалъ, взятый для нашихъ наблюденій не однороденъ. Эти разложенія всегда приводятъ къ довольно мѣшкотнымъ вычисленіямъ и кромѣ того далеко не всегда даютъ увѣренность, что полученный результатъ т. е. найденныя кривыя Гальтона (суммою или разностью которыхъ является данная) дѣйствительно соотвѣтствуютъ тѣмъ однороднымъ сортамъ, смѣсью которыхъ является матеріалъ, взятый для нашихъ наблюденій.

К. Pearson ограничивается рѣшеніемъ вопроса о разложеніи данной кривой на 2 кривыя Гальтона; теорія разложенія на 3 или болѣе кривыхъ можетъ быть развита совершенно такимъ же порядкомъ, но, какъ замѣчаетъ Pearson, приводитъ къ такимъ сложнымъ выкладкамъ, что врядъ ли можетъ оказать какія нибудь услуги на практикѣ. Задача о разложеніи данной кривой на 2 кривыя Гальтона приводитъ къ рѣшенію ур-ія 9-ой степени и въ основаніи теоріи Pearson'а лежитъ замѣчаніе, что, если ордината данной кривой (наблюденій) = суммѣ ординатъ двухъ кривыхъ Гальтона, то всякій $\int_{-\infty}^{+\infty} x^n y \, dx$ (моментъ инерціи n-аго порядка относительно оси y-овъ) будетъ для данной кривой = суммѣ такихъ интеграловъ для составляющихъ ее кривыхъ Гальтона; если вершины послѣднихъ соотвѣтствуютъ абсциссамъ $x = b_1$ и $x = b_2$, то ур-ія ихъ могутъ быть написаны въ видѣ:

$$y = \frac{C_1}{\sigma_1 \sqrt{2\pi}} \, e^{-\frac{(x - b_1)^2}{2\sigma_1^2}} \text{ и } y = \frac{C_2}{\sigma_2 \sqrt{2\pi}} \, e^{-\frac{(x - b_2)^2}{2\sigma_2^2}}$$

Имѣя въ виду, что

$$\int_{-\infty}^{+\infty} e^{-ax^2} x^{2n} \, dx = \sqrt{2\pi} \, \frac{1 . 3 . 5 \ldots 2n - 1}{2n} \, a^{-\left(n + \frac{1}{2}\right)}$$

а $\int_{-\infty}^{+\infty} e^{-ax^2} x^{2n+1} \, dx = 0$, мы найдемъ для моментовъ

$$\int_{-\infty}^{+\infty} x^n y \, dx \text{ кривой } y = \frac{C}{\sigma \sqrt{2\pi}} \, e^{-\frac{(x - b)^2}{2\sigma^2}} \text{ выраженія:}$$

$C \ (n = 0) \ bC \, (n = 1, \ (\sigma^2 + b^2) \, C \ (n = 2) \ (3b\sigma^2 + b^3) \, C \ (n = 3)$
$(3\sigma^4 + 6b^2\sigma^2 + b^4) \, C \ (n = 4)$ и $(15\sigma^4 b + 10b^3\sigma^2 + b^5) \, C \ (n = 5)$

Пусть a есть единица площади, которую мы обыкновенно будемъ считать = площади разсматриваемой кривой, а h — единица длины, принятая при откладываніи величинъ уклоненій по оси ox Обозначая: $c/a = z$, $\sigma/b = u$, $b/h = \gamma$ мы напишемъ предъидущія выраженія для моментовъ въ видѣ: z $(n = 0)$, $\gamma z a h$ $(n = 1)$, $\gamma^2 z (1 + u^2) a h^2$ $(n = 2)$, $\gamma^3 z (1 + 3 u^2) a h^3$ $(n = 3)$ $\gamma^4 z (1 + 6 u^2 + 3 u^4) a h^4$ $(n = 4)$, $\gamma^5 z (1 + 10 u^2 + 15 u^4) a h^5$ $(n = 5)$.

Обозначивъ черезъ: $\mu_1 h a$, $\mu_2 h^2 a$, $\mu_3 h^3 a$, ... $\mu_n h^n a$ моменты инерціи 1, 2, 3.... и вообще n-аго порядка данной кривой, (наблюденій) разсматриваемой какъ рядъ прямоугольниковъ и, предполагая, что ось y-овъ проведена черзъ центръ тяжести площади этой кривой $(\mu_1 = 0)$ мы найдемъ ур-ія:

$c_1 + c_2 = a$ т. е. $z_1 + z_2 = 1$

$(\gamma_1 z_1 + \gamma_2 z_2) a h = 0$

$\{\gamma_1^2 z_1 (1 + u_1^2) + \gamma_2^2 z_2 (1 + u_2^2) a h^2\} \mu_2 a h^2$

$\{\gamma_1^3 z_1 (1 + 3 u_1^2) + \gamma_2^3 z_2 (1 + 3 u_2^2)\} a h^3 = \mu_3 a h^3$

$\{\gamma_1^4 z_1 (1 + 6 u_1^2 + 3 u_1^4) + \gamma_2^4 z_2 (1 + 6 u_2^2 + 3 u_2^4)\} a h^4 = \mu_4 a h^4$

$\{\gamma_1^5 z_1 (1 + 10 u_1^2 + 15 u_1^4) + \gamma_2^5 z_2 (1 + 10 u_2^2 + 15 u_2^4)\} a h^5 = \mu_5 a h^5$

$z_1 + z_2 = 1$; Отсюда мы найдемъ 6 ур-ій: $\gamma_1 z_1 + \gamma_2 z_2 = 0$

$$\left.\begin{array}{l} \gamma_1^2 z_1 (1 + u_1^2) + \gamma_2^2 z_2 (1 + u_2^2) = \mu_2 \\[4pt] \gamma_1^3 z_1 (1 + 3 u_1^2) + \gamma_2^3 z_2 (1 + 3 u_2^2) = \mu_3 \\[4pt] \gamma_1^4 z_1 (1 + 6 u_1^2 + 3 u_1^4) + \gamma_2^4 z_2 (1 + 6 u_2^2 + 3 u_2^4) = \mu_4 \\[4pt] \gamma_1^5 z_1 (1 + 10 u_1^2 + 15 u_1^4) + \gamma_2^5 z_2 (1 + 10 u_2^2 + 15 u_2^4) = \mu_5 \end{array}\right\} \quad (1)$$

Изъ 1-хъ, 2-хъ ур-ій (1) найдемъ:

$$z_1 = -\frac{\gamma_2}{\gamma_1 - \gamma_2}, \quad z_2 = \frac{\gamma_1}{\gamma_1 - \gamma_2}$$

Изъ 3-го и 4-го ур-ія (1) найдемъ:

$$\left.\begin{array}{l} \gamma_1 u_1^2 = \dfrac{\mu_2}{\gamma_1} - \dfrac{1}{3} \dfrac{\mu_3}{\gamma_1 \gamma_2} - \dfrac{1}{3} (\gamma_1 + \gamma_2) + \gamma_2 \\[10pt] \gamma_2 u_2^2 = \dfrac{\mu_2}{\gamma_2} - \dfrac{1}{3} \dfrac{\mu_3}{\gamma_1 \gamma_2} - \dfrac{1}{3} (\gamma_1 + \gamma_2) + \gamma_1 \end{array}\right\} \quad (2)$$

Отсюда мы получимъ $u_1{}^2$ и $u_2{}^2$, зная γ_1 и γ_2.

Положивъ для краткости: -

$$v_1 = (\gamma_1 \, u_1)^2 \qquad \cdots \quad v_2 = (\gamma_2 \, u_2)^2$$

$$p_1 = \gamma_1 + \gamma_2 \qquad p_2 = \gamma_1 \gamma_2, \text{ мы найдемъ изъ (2):}$$

$$v_1 = \mu_2 - {}^1\!/_3 \, \mu_3 / \gamma_2 - {}^1\!/_3 \, p_1 \gamma_1 + p_2 \ldots \ldots (3)$$

$$v_2 = \mu_2 - {}^1\!/_3 \, \mu_3 / \gamma_1 - {}^1\!/_3 \, p_1 \gamma_2 + p_2 \ldots \ldots (4)$$

Обозночивъ:

$$\lambda_4 = 9 \, \mu_2{}^2 - 3 \, \mu_4, \quad \lambda_5 = 30 \, \mu_2 \mu_3 - 3 \, \mu_5$$

$$p_3 = p_1 p_2 \ldots \ldots (5),$$

мы найдемъ изъ послѣднихъ 2-хъ ур-ій (1):

$$\mu_3{}^2 - 4 \, \mu_3 p_3 - 2 \, p_3{}^2 - \lambda_4 p_2 + 6 \, p_2{}^3 = 0 \; . \; . \; (6)$$

и
$$p_3 = \frac{2 \, \mu_3{}^3 - 2 \, \mu_3 \lambda_4 p_2 - \lambda_5 p_2{}^2 - 8 \, \mu_3 p_2{}^3}{4 \, \mu_3{}^2 - \lambda_4 p_2 + 2 \, p_2{}^3} \; . \; . \; (7)$$

Подставляя это выраженіе въ (6), мы найдемъ для опредѣленія p_2 ур-іе 9-ой степени:

$$24 \, p_2{}^9 - 28 \, \lambda_4 p_2{}^7 + 36 \, \mu_3{}^2 p_2{}^6 - (24 \, \mu_3 \lambda_5 - 10 \, \lambda_4{}^2) \, p_2{}^5 - (148 \, \mu_3{}^2 \lambda_4 +$$
$$+ 2 \, \lambda_5{}^2) \, p_2{}^4 + (288 \, \mu_3{}^4 - 12 \, \lambda_4 \lambda_5 \mu_3 - \lambda_4{}^3) \, p_2{}^3 + (24 \, \mu_3{}^3 \lambda_5 - 7 \, \mu_3{}^2 \lambda_4{}^2)$$
$$p_2{}^2 + 32 \, \mu_3{}^4 \lambda_4 p_2 - 24 \, \mu_3{}^6 = 0 \; . \; . \; . \; . \; . \; . \; . \; (8).$$

Найдя отсюда p_2, найдемъ p_3 изъ (7) и p_1 изъ (5); γ_1 и γ_2 будутъ корнями ур-ія

$$\gamma^2 - p_1 \gamma + p_2 = 0, \text{ а } z_1 \text{ и } z_2 \text{ корнями ур-ія:}$$

$$z^2 - z - \frac{p_2}{p_1{}^2 - 4 \, p_2} = 0$$

Какъ примѣръ К. Pearson приводитъ статистическія данныя проф. Weldon'а относительно отношенія длины передней части головы крабовъ Неаполитанскаго залива къ длинѣ всего ихъ туловища.

Отношеніе (абсциссы кривой)	Число крабовъ (ординаты кривой)	Отношеніе (абсциссы кривой)	Число крабовъ (ординаты кривой)
1	1	16	74
2	3	17	84
3	5	18	86
4	2	19	96
5	7	20	85
6	10	21	75
7	13	22	47
8	19	23	43
9	20	24	24
10	25	25	19
11	40	26	9
12	31	27	5
13	60	28	0
14	62	29	1
15	54		

Здѣсь отношеніе 1 соотвѣтствуетъ дѣйствительному отношенію головы къ туловищу отъ 0,580 до 0,583, отношеніе 2 — дѣйствительному отношенію отъ 0,584 до 0,587 и т. д., такъ что каждой 1 оси абсциссъ отвѣчаетъ увеличеніе на 0,004 отношенія головы къ туловищу. Примемъ $h = 1$, $a = 1000$ и вычислимъ сначала моменты инерціи относительно нашей оси oy; мы обозначимъ ихъ черезъ ν_1, ν_2, ν_3 . . .; зная ихъ, мы перейдемъ къ моментамъ u_1, μ_2, μ_3 . . . . относительно оси, проведенной $\parallel oy$ черезъ центръ тяжести нашей площади по формуламъ:

$$\mu_1 = 0$$
$$\mu_2 = \nu_2 - \nu_1{}^2$$
$$\mu_3 = \nu_3 - 3\,\nu_1\,\nu_2 + 2\,\nu_1{}^3$$
$$\mu_4 = \nu_4 - 4\,\nu_1\,\nu_3 + 6\,\nu_1{}^2\,\nu_2 - 3\,\nu_1{}^4$$
$$\mu_5 = \nu_5 - 5\,\nu_1\,\nu_4 + 10\,\nu_1{}^2\,\nu_5 - 4\,\nu_1{}^5$$

$\nu_1 = 16,799$	$\mu_1 = 0$	$\lambda_4 = -85,205407$
$\nu_2 = 304,923$	$\mu_2 = 22,716599$	$\lambda_5 = -7920,604761$
$\nu_3 = 5831,759$	$\mu_3 = -53,874770$	
$\nu_4 = 116061,435$	$\mu_4 = 1576,533413$	
$\nu_5 = 2385609,719$	$\mu_5 = -9598,313922$	

Ур-іе 9-ой степени будетъ:

$$p_2^9 + a_2 p_2^7 + a_3 p_2^6 + a_4 p_2^5 + a_5 p_2^3 + a_7 p_2^2 + a_8 p_2 + a_9 = 0,$$

гдѣ $a_2 = 99{,}406$ $a_3 = 4353{,}742$ $a_4 = -423696$
     $a_5 = -3702933$ $a_6 = 119298911$ $a_7 = 1232409400$
     $a_8 = -957080900$ $a_9 = -24451990000$

Полая $p_2 = 10\,\chi$ и раздѣляя на 10^9, мы придемъ къ ур-ію для χ:

$$\chi^9 + 0{,}994\chi^7 + 4354\chi^6 - 42{,}370\chi^5 - 37{,}029\chi^4 + 119{,}299\chi^3 +$$
$$+ 123{,}241\chi^2 - 9{,}571\chi - 24{,}452 = 0$$

Отдѣляя корни этого ур-ія, Pearson находитъ, что 6 корней его мнимые, а 3 вещественны, а именно:

$$\chi_1 = -0{,}8757 \qquad \chi_2 = -0{,}6724 \qquad \chi_3 = 0{,}4170$$

Соотвѣтствующія p_2 будутъ:

$$-8{,}757 \qquad\qquad -6{,}724 \qquad\qquad 4{,}170$$

1-ое рѣшеніе:

$p_2 = -8{,}757$ $p_1 = -1{,}027$ $r^2 + 1{,}027\,r - 8{,}757 = 0$

$r_1 = -3{,}517$ $r_2 = 2{,}490$ $z_1 = 0{,}4145$ $z_2 = 0{,}5855$

$c_1 = 414{,}5$ $c_2 = 585{,}5$

$\sigma_1 = 4{,}4685$ $\sigma_2 = 3{,}1154$ $y_1 = \dfrac{c_1}{\sqrt{2\pi\,\sigma_1}} = 37{,}008$

$y_2 = \dfrac{c_2}{\sqrt{2\pi\,\sigma_2}} = 74{,}976$ $b_1 = -3{,}517$ $b_2 = 2{,}490$

Эти 2 кривыя начерчены на таб. I.

2-ое рѣшеніе:

$$r^2 - 0{,}3412\,r - 6{,}724 = 0$$

$c_1 = 467{,}2$ $c_2 = 532{,}8$ $y_1 = 64{,}764$
$b_1 = 2{,}769$ $b_2 = -2{,}428$ $y_2 = 44{,}559$
$\sigma_1 = 2{,}878$ $\sigma_2 = 4{,}7702$

Эти 2 кривыя начерчены на таб. II.

3-ье рѣшеніе $p_1 = -3{,}605$ приводитъ къ ур-ію:

$$\gamma^2 + 3{,}605\ \gamma + 4{,}170 = 0$$

съ мнимыми корнями.

2 полученныя нами рѣшенія очень близки другъ къ другу и соотвѣтствующія имъ теоретическія кривыя ближе согласуются другъ съ другомъ, чѣмъ каждая изъ нихъ съ кривою наблюденій.

Поэтому мы въ сущности имѣемъ только одно рѣшеніе, какъ и слѣдуетъ изъ теоретическихъ соображеній Pearson'a, доказавшаго, что рѣшеніе задачи можетъ быть здѣсь единственное.

Если кривая наблюденій симметрична, то можетъ быть поставленъ вопросъ о разложеніи ея на 2 кривыя Гальтона, вершины которыхъ имѣютъ одну и ту же абсциссу x равную абсциссѣ вершины кривой наблюденій и слѣдовательно здѣсь можно положить $b_1 = b_2 = 0$. Въ этомъ случаѣ предъидущихъ ур-ій оказывается мало; Pearson приравниваетъ еще моменты 6-ой степени и приводитъ задачу къ ур-ію 2-ой степени. За подробностями такого разложенія и примѣрами отсылаемъ къ мемуару Pearson'a[1].

Если ни одинъ изъ корней ур-ія 9-ой степени не даетъ вещественныхъ значеній для γ, задача о разложеніи невозможна и такіе примѣры указываетъ Pearson[2].

Въ послѣднее время (1906 г.) появилась статья профессора астрономіи Charlier[3], посвященная приложенію теоріи вѣроятностей къ отысканію ур-ій кривыхъ, по которымъ распредѣляются ошибки, въ которой разсмотрѣна также вышеприведенная теорія Pearson'a. Авторъ представляетъ ур-ія (6) и (7) въ видѣ:

$$2(-p_3 - \mu_3)^2 = 6p_2^3 - \lambda_4\, p_2 + 3\mu_3^2 \qquad (9)$$

$$-p_3 - \mu_3 = \frac{-6\mu_3^3 + 3\mu_3\,\lambda_4\, p_2 + \lambda_5\, p_2^2 + 6\mu_3\, p_2^3}{4\mu_3^2 - \lambda_4\, p_2 + 2\, p_2^3} \qquad (10)$$

---

1) Philosop. Transactions t. 185.

2) l. c.

3) Meddelanden fran Lunds astronomiska observatorium. Serie II Nr. 4 Researches into the theory of probability by C. V. L. Charlier. Lund 1906. На эту статью указалъ намъ ассистентъ здѣшней астрономической обсерваторіи А. Я. Орловъ, за что мы выражаемъ ему нашу искреннюю признательность.

Обозначимъ:

$$6\,p_2{}^3 - \lambda_4\,p_2 + 3\,\mu_3{}^2 = 2\,U_3$$
$$-\,6\mu_3{}^3 + 3\mu_3\,\lambda_4\,p_2 + \lambda_5\,p_2{}^2 + 6\mu_3\,p_2{}^3 = U_1$$
$$4\,\mu_3{}^2 - \lambda_4\,p_2 + 2\,p_2{}^3 = U_2$$

Рѣшая относительно p_2 ур-ія: $U_1 = 0$ $U_2 = 0$ $U_3 = 0$, мы можемъ изслѣдовать корни основного ур-ія 9-ой степени, не рѣшая этого ур-ія. Пусть

$$U_1 = 6\mu_3\,(p_2 - a_1)\,(p_2 - a_2)\,(p_2 - a_3)$$
$$U_2 = 2\,(p_2 - b_1)\,(p_2 - b_2)\,(p_2 - b_3)$$
$$U_3 = 3\,(p_2 - c_1)\,(p_2 - c_2)\,(p_2 - c_3)$$

Разсматривая 2 кривыя (9) и (10), мы видимъ, что (10) имѣетъ безконечныя вѣтки при $p_2 = b_1$, $p_2 = b_2$, $p_2 = b_3$; (9) же имѣетъ параболическій видъ.

Предположимъ, напр., что c_1, c_2 мнимые, а всѣ a и b вещественныя легко убѣдиться, что въ этомъ случаѣ основное ур-іе 9-ой степени имѣетъ 5 вещественныхъ корней.

Кромѣ того Charlier указаны частные случаи, въ которыхъ рѣшеніе задачи упрощается.

II. Мы переходимъ теперь къ случаю однороднаго матеріала наблюденія и къ тѣмъ типамъ, которые по Pearson'у могутъ при этомъ встрѣтиться. Если всѣ уклоненія отъ основного типа совершенно случайны и уклоненій въ какую нибудь сторону предпочтительно передъ уклоненіемъ во всякую другую мы не имѣемъ права ожидать — распредѣленіе уклоненій будетъ по кривой Гальтона $y = \dfrac{C}{\sigma\sqrt{2\,\pi}}\,e^{-\frac{x^2}{2\sigma^2}}$ Ординаты этой кривой очень точно могутъ быть представлены отрѣзками пропорціональными биноміальнымъ коэффиціентамъ $1,\ n, \dfrac{n\,(n-1)}{1\,.\,2},\ \dfrac{n\,(n-1)\,(n-2)}{1\,.\,2\,.\,3}, \ldots$ гдѣ n нѣкоторое цѣлое число. На этомъ основаніи R. Ю. Купферъ демонстрировалъ происхожденіе кривой Гальтона, насыпая дробь на наклонную доску разграфленную на квадратики, въ углахъ которыхъ были воткнуты булавки. Такимъ образомъ ординаты полученной кривой оказывались пропорціональными членамъ разложенія $\left(\dfrac{1}{2} + \dfrac{1}{2}\right)^n$, съ которыми мы встрѣчаемся въ теоріи вѣроятностей въ задачѣ о повтореніи испытаній, при которыхъ вѣроятность случиться нѣкоторому событію $= \frac{1}{2}$ (а слѣдов. вѣроятность случиться противоположному тоже $\frac{1}{2}$). Первое обобщеніе кривой Гальтона, сдѣланное Pearson'омъ, заключалось въ томъ, что онъ взялъ кривую, ординаты которой пропорціональны членамъ разложенія $(p+q)^n$ гдѣ $p+q=1$, съ которыми мы также встрѣчаемся въ повтореніи испытаніи, если вѣроятность случиться интересующему насъ событію $= p$, а противоположному событію $= q$. Происхожденіе подобнаго рода кривыхъ Pearson демонстрируетъ при помощи прибора, изображеннаго на Таб. 4, гдѣ черезъ верхнюю воронку насыпается какое нибудь сыпучее тѣло. Оно падаетъ на рядъ остроконечій расположенныхъ при ряды, какъ показано на таб. 4 и наконецъ распредѣляется въ нижнихъ ящикахъ со стеклянными боками по нѣкоторой кривой. Если остроконечія каждаго ряда дѣлятъ какъ разъ пополамъ отверстія ряда, прилегающаго сверху; ординаты полученной кривой будутъ пропорціональны членамъ разложенія $\left(\frac{1}{2}+\frac{1}{2}\right)^n$ т. е. мы будемъ имѣть кривую Гальтона. Если же остроконечія будутъ дѣлить отверстія въ нѣкоторомъ отношеніи $p:q$ $(p+q=1)$ мы получимъ кривую, ординаты которой пропорціональны членамъ разложенія $(p+q)^n$ и которая представитъ обобщеніе кривой Гальтона. Преобразуя нѣсколько такую кривую, оставляя при этомъ ея характерныя свойства, Pearson пришелъ къ слѣдующимъ видамъ кривыхъ, по которымъ могутъ распредѣляться уклоненія при однородности взятаго матеріала, если эти уклоненія подчинены какимъ нибудь условіямъ, напр. естественному подбору и т. п.:

$$\text{I} \quad y = y_0 \left(1+\frac{x}{l_1}\right)^{m_1} \left(1-\frac{x}{l_2}\right)^{m_2}$$

$$\text{II} \quad y = y_0 \left(1-\frac{x^2}{l^2}\right)^m$$

$$\text{III} \quad y = y_0 \left(1+\frac{x}{l}\right)^p e^{-\frac{x}{d}}$$

$$\text{IV} \quad y = y_0 \, Cos\,\theta^{2m} \, e^{-\tau\theta} \quad tg\,\theta = \frac{x}{l}$$

$$\text{V} \quad y = y_0 \, x^{-p} e^{-\frac{\gamma}{x}}$$

$$\text{VI} \quad y = y = y_0 \ (x - l)^{q_2} \ x^{-q_1}$$

Чтобы опредѣлить къ какому типу принадлежитъ кривая даваемая какими нибудь наблюденіями (число которыхъ, n). Обозначимъ черезъ V результаты этихъ наблюденій, а черезъ V_0 какое нибудь изъ среднихъ значеній V и пусть:

$$\nu_1 = \frac{\Sigma \, (V - V_0)}{n}$$

$$\nu_2 = \frac{\Sigma \, (V - V_0)^2}{n}$$

$$\nu_3 = \frac{\Sigma \, (V - V_0)^3}{n}$$

$$\nu_4 = \frac{\Sigma \, (V - V)^4}{n} \qquad \text{Вычисляемъ:} \quad A = V_0 + \nu_1$$

$\mu_1 = 0, \ \mu_2 = \nu_2 - \nu_1{}^2$

$\mu_3 = \nu_3 - 3 \, \nu_1 \, \nu_2 + 2 \, \nu_1{}^3$

$\mu_4 = \nu_4 - 4 \, \nu_1 \, \nu_3 + 6 \, \nu_1{}^2 \, \nu_2 - 3 \, \nu_1{}^4$

$\mu_5 = \nu_5 - 5 \, \nu_1 \, \nu_4 + 10 \, \nu_1{}^2 \, \nu_3 - 10 \, \nu_1{}^3 \, \nu_2 + 4 \nu_1{}^5$

$\mu_6 = \nu_6 - 6 \, \nu_1 \, \nu_5 + 15 \nu_1{}^2 \, \nu^4 + 20 \, \nu_1{}^3 \, \nu_3 + 15 \nu_1 \, 4 \nu_2 - 5 \nu_1{}^6.$

Пусть

$$\beta_1 = \frac{\mu_3{}^2}{\mu_2{}^3} \quad \beta_2 = \frac{\mu_4}{\mu_2{}^2};$$

Pearson вводитъ такъ называемую критическую функцію:

$$F = \frac{\beta_1 \, (\beta_2 + 3)^2}{4 \, (4 \beta_2 - 3 \beta_1) \, (2 \beta_2 - 3 \beta_1 - 6)}$$

Если

$F = \infty$	Типъ III переходный между I и VI
$F > 1$ и $< \infty$	Типъ VI
$F = 1$	Типъ V переходный между IV и II
$F > 0$ и < 1	Типъ IV
$F = 0 \quad \beta_1 = 0 \quad \beta_2 = 3$	Кривая Гаусса-Гальтона (нормальная)
$F = 0 \quad \beta_1 = 0 \quad \beta_2$ не $= 3$	Типъ II
$F > 0 \quad \beta_1 = 0 \quad \beta_2 < 3$	Типъ I

Чтобы судить о том, удовлетворительно ли найденная теоретическая кривая представляетъ разсматриваемое явленіе, вычислимъ $\varDelta = \sqrt{\dfrac{\Sigma \delta_i^2}{y_i}}$, гдѣ δ_i разность между ординатой y_i теоретической кривой и кривой наблюденій. Вѣроятность, что теоретическая кривая соотвѣтствуетъ дѣйствительному распредѣленію вычислится по формулѣ:

$$P = e^{-\frac{1}{2}\varDelta^2} \left(1 + \frac{\varDelta^2}{2} + \frac{\varDelta^4}{2.4} + \cdots + \frac{\varDelta^{\lambda-3}}{2.4..\lambda-3} \right)$$

гдѣ λ должно быть непремѣнно четное.

Коэф-нтъ ассиметріи a вычисляется по формуламъ:

Для типа I $\quad a = \dfrac{1}{2} \sqrt{\beta_1} \dfrac{s+2}{s-2} \left(= \dfrac{1}{2}\sqrt{\beta_1} \dfrac{5\beta^2 - 6\beta_1 - 9}{\beta_2 + 3} \right)$

$\qquad$ III $\quad a = \dfrac{1}{2} \sqrt{\beta_1} = \dfrac{\pm \mu_3}{2\sqrt{\mu_2{}^3}}$

гдѣ знакъ надо взять одинаковый со знакомъ μ_3

$\qquad$ IV $\quad a = \dfrac{1}{2}\sqrt{\beta_1} \dfrac{s-2}{s+2}$

$\qquad$ V $\quad a = 2\dfrac{\sqrt{p-3}}{p}$

гдѣ $p-4$ положительный корень ур-ія

$$(p-4)^2 - \frac{16}{\beta_1}(p-4) - \frac{16}{\beta_1} = 0 \ \ldots \ldots (1)$$

$\qquad$ VI $\quad a = \dfrac{(q_1+q_2)\sqrt{q_1 - q_2 - 3}}{(q_1 - q_2)\sqrt{(q_1 - 1)\ (q_2 + 1)}}$

гдѣ $1-q$ и $1+q_2$ два корня ур-ія:

$$z^2 - sz + \frac{s^2}{4 + \frac{1}{4}\beta_1 (s+2)^2/(s+1)} = 0 \ \ldots (2)$$

Если кривая принадлежитъ къ I типу, то коэф-нты ея l_1, l_2, m_1, m_2, y_0 опредѣляются по формуламъ:

8

$$l_1 = \frac{1}{2}(l - Ds) \text{ гдѣ } l = \frac{\sigma}{2}\sqrt{\beta_1(s+2)^2 + 16(s+1)},$$

$$D = \sigma\alpha, \text{ a } \sigma = \sqrt{\mu_2}$$

$$l_2 = l - l_1; \; m_1 = \frac{l_1}{l}(s-2), \; m_1 + m_2 = s - 2$$

$$y_0 = \frac{n}{l} \cdot \frac{m_1^{m_1} \cdot m_2^{m_2}}{(m_1 + m_2)^{m_1 + m_2}} \cdot \frac{\Gamma(m_1 + m_2 + 2)}{\Gamma(m_1 + 1)\,\Gamma(m_2 + 1)},$$

$$\text{гдѣ } \Gamma(p) = 1 . 2 . 3 \ldots p$$

Приближенно можно положить:

$$y_0 = \frac{n}{l} \frac{(m_1 + m_2 + 1)\sqrt{m_1 + m_2}}{\sqrt{2\pi\,m_1\,m_2}} e^{\frac{1}{12}\left(\frac{1}{m_1 + m_2} - \frac{1}{m_1} - \frac{1}{m_2}\right)}$$

Въ типѣ II: $\beta_1 = 0$ и $l = 2\sigma\sqrt{s+1}$, $D = 0$, $m = \frac{1}{2}(s-2)$;

$$y_0 = \frac{n}{\frac{1}{2}l}\frac{\Gamma(m+1,5)}{\sqrt{\pi}\,\Gamma(m+1)}$$

Приближенно по Dunker'y

$$y_0 = \frac{n}{\sigma\sqrt{2\pi}}\frac{s-1}{\sqrt{(s+1)(s-2)}} e^{-\frac{1}{4(s-2)}}$$

Для типа III:

$$l_1 = \sigma\frac{4 - \beta_1}{2\sqrt{\beta_1}} = \sigma\frac{1 - \alpha^2}{\alpha}$$

$$p = \frac{l_1}{D} = \frac{l_1}{\sigma\alpha}; \; y_0 = \frac{n}{l_1}\frac{p^{p+1}}{e^p\,\Gamma(p+1)}$$

Для типа IV:

$$x = l\,tg\theta \quad l = \frac{\sqrt{\mu_2}}{4}\sqrt{16(s-1) - \beta_1(s-2)^2}; \; m = \frac{1}{2}(s+2)$$

$$D = \frac{\sigma}{2} \sqrt{\overline{\beta_1}} \frac{s-2}{s+2} \qquad mD = \frac{\sigma}{4} \sqrt{\overline{\beta}} \,(s-2)$$

$$\tau = \frac{\sqrt{\overline{\mu_2}}\; s\,(s-2)\,\sqrt{\overline{\beta_1}}}{4\,l}$$

(со знакомъ противоположнымъ знаку μ_3)

$$y_0 = \frac{n}{l} \sqrt{\frac{s}{2\pi}} \; \frac{e^{\frac{(Cos\,\psi)^2}{35} - \frac{1}{125} - \tau\psi\,[1)}}{(Cos\,\psi)^{s+1}} \qquad \psi = \text{углу котораго } tg = \frac{\tau}{s}$$

Для типа V: p положительный корень ур-ія (1) $\gamma = \sigma\,(p-2)$
$\sqrt{p-3}$;

$$y_0 = \frac{n \cdot \gamma^{p-1}}{\Gamma(p-1)}; \quad D = \frac{2\,\gamma}{p\,(p-2)}$$

Для типа VI: $1-q_2$ и q_2+1 корни ур-ія (2),

$$l_1 = s \sqrt{\frac{\mu_2\,(s+1)s^2}{(1-q_1)\,(1+q_1)}}, \quad \text{гдѣ } 1-q_1 \text{ и } s \text{ отрицательны;}$$

$$y_0 = \frac{n l_1^{q_1-q_2-1}\,\Gamma(q_1)}{\Gamma(q_1-q_2-1)\,\Gamma(q_2+1)} \qquad D = \frac{l\,(q_1+q_2)}{(q_1-q_2)\,(q_1-q_2-2)}$$

На русскомъ языкѣ теоріи Pearson'а посвящена статья Л. К. Лахтина (Матем. Сб. т. XXIV).

Примѣръ.

Распредѣленіе Мюллеровскихъ железъ въ правой передней ногѣ 2000 свиней. (Davenport).

Число случаевъ :	0	1	2	3	4	5	6	7	8	9	10
Число железъ :	15,	209,	365,	482,	414,	277,	134,	72,	22,	8,	2

1) Это есть приближенное значеніе y_0; точное дано Pearson'омъ въ видѣ:

$$y_0 = \frac{n}{l} \cdot \frac{e^{\frac{1}{2}\tau\pi}}{\displaystyle\int_0^\pi (sin\,\theta)^s\, e^{\tau\theta}\, d\theta}$$

V	V—V₀	f	$f(V-V_0)$	$f(V-V_0)^2$	$f(V-V_0)^3$	$f(V-V_0)^4$
0	—4	15	—60	240	— 960	3840
1	— 3	209	—627	1881	—5643	16929
2	— 2	365	—730	1460	—2920	5840
3	—1	482	— 482	482	—482	482
4	0	414	0	0	0	0
5	1	277	277	277	277	277
6	2	134	268	536	1072	2144
7	3	72	216	648	1944	5832
8	4	22	88	352	1408	5632
9	5	8	40	200	1000	5000
10	6	2	12	72	432	2592
	Σ	2000	— 998	6148	—3872	48568

$$\nu_1 = -\ 998/2000 = -\ 0{,}499$$
$$\nu_2 = \ 6148/2000 = \ 3{,}074$$
$$\nu_3 = -\ 3872/2000 = -\ 1{,}936$$
$$\nu_4 = \ 48568/2000 = \ 24{,}284$$

$\mu_1 = 0$, $A = 4 - 0,499 = 3{,}501$

$\mu_2 = 3{,}074 - (-\ 0{,}499^2 = 2{,}824999$

$\mu_3 = -\ 1{,}936 - 3\ (-\ 0{,}499 \times 3{,}074) + 2\ (-\ 0{,}499)^3 = 2{,}417278$

$\mu_4 = 24{,}284 - 4\ (-\ 0{,}499 \times -\ 1{,}936) + 6\ (0{,}249001 \times 3{,}074) - 3\ (-\ 0{,}499)^4 =$
$= 24{,}826297$

$$\beta_1 = (2{,}417278)^2 / (2{,}824999)^3 = 0{,}259178$$
$$\beta_2 = 24{,}826297 / (2{,}824999)^2 = 3{,}110823$$

$F = -0{,}373$ (I типъ) $s = 19{,}9857$ $\alpha = 0{,}31115$ $D = 0{,}5230$ $Ds = 10{,}4519$

$l = 18{,}0448$ $l_1 = 3{,}7965$ $l_2 = 14{,}2483$ $m_1 = 3{,}78401$ $m_2 = 14{,}2006$

$y_0 = 475{,}24$

Вычисляя разности δ между ординатами теоретической кривой и кривой наблюденій, найдемъ, что $\Sigma \dfrac{\delta^2}{y} = 9{,}56$, слѣд. $\Delta = 3{,}09$ $P = 0{,}48$.

Полученная нами теоретическая кривая изображена на лѣвой сторонѣ Таб. 4, гдѣ сплошной чертой нанесена кривая наблюденій; изъ двухъ пунктирныхъ кривыхъ, примыкающая болѣе тѣсно къ кривой наблюденій (и начерченная прерывнымъ пунктиромъ) есть теоретическая кривая только что нами найденная типа I Pearson'а, другая пунктирная кривая (начерченная сплошнымъ пунктиромъ) есть нормальная кривая (Гальтона) для разсматриваемаго случая.

По формуламъ Pearson'а могутъ быть обработаны и интересные біометрическія измѣренія Н. И. Кузнецова, сообщенныя имъ нашему обществу.

Примѣръ.

Распредѣленіе листьевъ въ мутовкѣ Paris Quadrifolia [1]).

Число случаевъ :	3,	1013,	164,	14
Число листьевъ :	3,	4,	5,	6

V	V—V₀	f	$f(V-V_0)$	$f(V-V_0)^2$	$f(V-V_0)^3$	$f(V-V_0)^4$
3	—1	3	—3	3	—3	3
4	0	1013	0	0	0	0
5	1	164	164	164	164	164
6	2	14	28	56	112	224
		1194	189	223	273	391

$$\nu_1 = \frac{189}{1194} = 0{,}6 \quad \nu_2 = \frac{223}{1194} = 0{,}19 \quad \nu_3 = \frac{273}{1194} = 0{,}23 \quad \nu_4 = \frac{391}{1194} = 0{,}33$$

$$\mu_1 = 0 \quad A = 4 + 0{,}16 = 4{,}16 \quad \mu_2 = 0{,}16 \quad \mu_3 = 0{,}15 \quad \mu_4 = 0{,}21 \quad \beta_1 = 1406$$

$$\beta_2 = 8 \quad F > 0 \text{ и} < 1 \text{ и слѣд. мы имѣемъ здѣсь типъ IV.}$$

1) Эти данныя проф. Н. И. К у з н е ц о в а, нигдѣ имъ еще не напечатанныя, я привожу съ разрѣшенія автора. Нами произведены разсчета и для нѣкоторыхъ другихъ его измѣреній, которые мы надѣемся опубликовать впослѣдствіи.

III.

Матеріалы по изслѣдованію озеръ Лифляндской губерніи.

Materialien zur Erforschung der Seen Livlands.

Водяныя устьица новаго типа у Lobelioideae.

Студ. Юрьевск. универс. *Конст. Фляксбергъ.*

Когда я спеціально изучалъ въ Ботанической лабораторіи Д. І. И в а н о в с к а г о, при Варшавскомъ университетѣ, анатомію гидатодъ (упомянуто въ „Годичномъ Актѣ" Варшавскаго унив. отъ 30 августа 1905 г. стр. 48), то прив.-доц. М. С. Ц в ѣ т ъ указалъ мнѣ на нѣкоторую особенность въ строеніи водяныхъ устьицъ у *Lobelia Dortmanna*. Тогда же я и занялся изученіемъ этой особенности.

Нредварительно я передамъ собственными словами H a b e r-j a n d t'a краткое описаніе обыкновенныхъ водяныхъ устьицъ. „Die Schliesszellen (водяныхъ устьицъ) sind fast halbkreisförmig, zuweilen auf der Rückseite etwas eingedrückt, der Porus ist weit geöffnet, fast kreisförmig und erfährt nach des Plasmolyse der Schliesszellen keine Veränderung. Seine Weite beträgt 7—9 μ. Die Querschnitts-form der Schliesszellen ist die eines an den Ecken abgerundeten Dreieckes, zuweilen ist sie auch querelliptisch. Nur die Aussenwände sind verdickt, doch nicht so stark wie die der angrenzenden Epidermiszellen. Die Bauch- und Rückenwände sind zart. Die äusseren Cuticularleisten erscheinen auf dem Querschnitt in Form kleiner, spitzer Hörnchen. Innere Leisten ziemlich unregelmässiger Gestalt und Lagerung; oft binden sie nur ganz schmale kleine Sicheln"[1]).

Теперь я перейду къ разсмотрѣнію той анатомической особенности водяныхъ устьицъ, какую я наблюдалъ на видахъ *Lobelioideae*. Эта особенность состоитъ въ томъ, что устье перегоро-

---

[1] H a b e r l a n d t. Ueber wassersecernirende und absorbirende Organe. Sitzb. der k. Akad. der Wiss. Bd. CIV, Abth. I. 1895. стр. 88.

жено тяжемъ. Обработавъ устьице Eau de Javelle[1]) и затѣмъ окрасивъ конго-хризоидиномъ, я получилъ тяжъ интенсивно окрашенный въ желтый цвѣтъ, что показало его кутикуляризацію. На рис. 1[2]) видно, что тяжъ, перегораживая устье, разсѣкаетъ его на два отверстія. Самъ же вдается концами между замыкающими клѣтками въ мѣстахъ ихъ соединенія другъ съ другомъ. На нѣкоторыхъ объектахъ, напр., на *Lobelia (Tupa) Feuillii* Don. (Рис. 2) видны по краямъ тяжа, а также отверстій какъ бы лоскутки кутикулы. Мацерируя устьица въ смѣси 3-хъ частей алкоголя и 1 части HCl, я получилъ изолированный тяжъ, но съ обрывками кутикулы по краямъ; такіе же обрывки были и на замыкающихъ клѣткахъ со стороны отверстій (рис. 3). Это говоритъ за то, что устьичныя отверстія образуются путемъ разрыва кутикулы подъ напоромъ воды изнутри, тогда какъ болѣе утолщенная часть кутикулы, вдавшаяся между замыкающими клѣтками, остается и образуетъ именно тотъ тяжъ, который перегораживаетъ устье. Конечно съ достовѣрностью этого сказать нельзя, такъ какъ вполнѣ выяснить этотъ вопросъ можетъ только детальное изученіе исторіи развитія устьица.

Поперечный разрѣзъ устьица новаго типа показалъ, что тяжъ вдается между замыкающими клѣтками, а по бокамъ его идутъ проходы, сообщающіе внѣшнюю среду съ подъустьичной полостью.

Плазмолизъ, произведенный надъ устьицами новаго типа, замыкающія клѣтки которыхъ всегда содержатъ протоплазму, хлоропласты и крахмалъ, показалъ, что устья никогда не замыкаются, что характеризуетъ также и обыкновенныя водяныя устьица. Величина устьицъ съ перегородкой приблизительно такая же, какъ и у типичныхъ водяныхъ устьицъ.

Означенная особенность, насколько мнѣ извѣстно, нигдѣ не упоминается. Н у Solereder'а нигдѣ не говорится въ его „Systematische Anatomie"[3]) объ этой особенности; лобеліевыя же онъ разсматриваетъ вмѣстѣ съ *Campanulaceae* и говоритъ только, что большія водяныя устьица находятся на верхней сторонѣ железъ, находящихся на кончикахъ зубчиковъ листа и уже образованы на сѣменодоляхъ. О перегородкѣ же у *Lobelioideae* онъ не гово-

1) Въ качествѣ пособія пользовался Zimmermann'омъ Die botanische Microtechnik. Tübingen 1892 и Стразбургеромъ.
2) Всѣ рисунки въ работѣ исполнены при помощи камеры Leitz'а.
3) Solereder. Systematische Anatomie der Dicotyledonen. Stuttgart. 1899.

ритъ ни слова. На сѣменодоляхъ у *Lobelia erinus* я всегда наблюдалъ вполнѣ образованныя водяныя устьица, но всегда съ кутикуляризованнымъ тяжемъ.

Разсматравая устьица новаго типа. на имѣющихся у меня спиртовыхъ матерьялахъ *(Lobelia Dortmanna, L. splendens, Isotoma axillaris)* и на живыхъ объектахъ *(L. erinus* и *Isotoma longiflora)* и въ то же время изслѣдуя въ этомъ направленіи растенія смежныя съ *Lobelioideae*, я замѣтилъ, что устьица новаго типа присущи лишь лобеліевымъ. Нредварительно упомяну, что относительно систематическаго положенія *Lobelioideae* существуютъ разногласія. Нѣкоторые систематики считаютъ ихъ за самостоятельное семейство *Lobeliaceae*, а другіе за подсемейство колокольчиковыхъ. Вармингъ[1]) говоритъ, что „растенія, принадлежащія къ сем. *Lobeliaceae*, вкратцѣ могутъ быть обозначены какъ *Campanulaceae* съ зигоморфными цвѣтками, съ пыльниками, сросшимися въ одну, нѣсколько изогнутую трубочку б. ч. съ 2 плодолистиками и съ обратнымъ положеніемъ цвѣтка“. S. Schönland[2]) же въ „Die natürlichen Pflanzenfamilien“ Энглера дѣлитъ *Campalunaceae* на

I *Campanuloideae*. Bl. aktinomorph. selten schwach zygomorph. A. meist frei.

II *Cyphioideae*. Bl. zygomorph., Stf. zuweilen verwachsen. A. frei.

III *Lobeloideae*. Bl. zygomorph, sehr selten fast antinomorph. A. verwachsen.

Итакъ замѣтивъ, что водяныя устьица новаго типа находятся лишь на имѣющихся у меня объектахъ изъ *Lobelioideae*, я предположилъ, что замѣченная особенность присуща лишь лобеліевымъ и потому можетъ служить анатомическимъ признакомъ для систематики. Чтобы убѣдиться въ этомъ, мнѣ нужно было изслѣдовать во первыхъ какъ можно больше родовъ и видовъ изъ *Lobelioideae*, а затѣмъ родственныхъ имъ растеній *(Campanuloideae, Ciphioideae*, и сем. *Goodeniaceae* по Engler'y). По моей просьбѣ Д. І. Ивановскій былъ такъ любезенъ, что выписалъ изъ Ботаническаго Музея Нмператорской Академіи Наукъ гербарный матерьялъ 13-ти видовъ *Lobelioideae*, 1 видъ изъ *Cyphioideae (Cyphia bulbosa L.)* и 6 видовъ изъ *Goodeniaceae*. Эти растенія я и подвергъ изслѣдованію, пользуясь преимущественно Chloralhydrat'омъ, Eau de

---

1) Вармингъ. Систематика растеній. Перев. Ростовцева Москва. 1898 г. стр. 784.

2) A. Engler und K. Prantl. Die natürlichen Pflanzenfamilien. Leipzig 1894. IV. Teil. 5. Abt. Стр. 48.

Javelle, Kalium jodicum cum jodo, KOH, а изъ красокъ конгохри-
зоидиномъ. Для повѣрки на древесину я примѣнялъ перманганову́ю
реакцію [1]), но тогда какъ контрольный кусочекъ древесины сосны,
подверженный реакціи вмѣстѣ съ водянымъ устьицемъ съ перегородкой окрашивался въ интенсивно малиновый цвѣтъ, перегородка
устьица оставалась безцвѣтной.

Теперь перехожу къ описанію гидатодъ [2]) на отдѣльныхъ видахъ *Lobelioidea* въ систематическомъ порядкѣ (по Engler'у).

Delissea angustifolia Cham.

Каждый зубчикъ листа (рис. 4) представляется тупымъ, закру-
гленнымъ сосочкомъ, направленнымъ въ сторону верхушки листа. Подъ
эпидермой гидатоды, клѣтки которой мельче клѣтокъ остальной эпи-
дермы листа, лежитъ эпитема, къ которой подходятъ спиральные
сосуды. На нижней сторонѣ зубчика [3]) и на его самой верхушкѣ
устьицъ съ перегородкой и обыкновенныхъ водяныхъ устьицъ нѣтъ.
Устьица же съ перегородкой находятся на верхней сторонѣ зубчика и число ихъ доходитъ до 20. Расположеніе этихъ устьицъ,
если сравнивать по направленію тяжей, не параллельно, а всѣ лежатъ подъ различными углами. Продольная длина устьицъ 31—32 μ.
при такой же ширинѣ. Ширина каждаго отверстія варируетъ, но
мнѣ попадалось не болѣе 8 μ. Тяжъ въ среднемъ не шире 2 μ.
Іодная реакція обнаружила въ замыкающихъ клѣткахъ крахмалъ.
Тяжъ сильно кутикуляризованъ и длиной до 30 μ.

Cyanea Grimesiana Gaudich.

Къ каждому зубчику листа подходятъ ряды спиральныхъ сосудовъ немного развѣтвляясь въ слабо образованной эпитемѣ. Зубчикъ покрытъ эпидермисомъ, клѣтки котораго по величинѣ меньше
клѣтокъ остального эпидермиса. Водяныя устьица съ перегородкой

---

1) Кусочекъ объекта погружается на 15 минутъ въ Kali hyperman-
ganicum, затѣмъ тщательно промывается въ водѣ и обезцвѣчивается въ
HCl. Промытый снова въ водѣ, объектъ погружается въ аміакъ, при
чемъ древесина окрашивается въ малиновый цвѣтъ, а всѣ остальныя
части остаются безцвѣтными.

2) Объясненіе термина см. Haberlandt. Ueber wassersecernirende und absorbirende Organe. Sitzb. d. k. Akad. der Wiss. CIII. Band,
Abth. I. 1894.

3) Во всей работѣ „верхняя“ и „нижняя“ стороны разсматриваются
какъ и на пластинкѣ листа.

находятся на верхней сторонѣ зубчика и число ихъ отъ 15—20. Онѣ круглыя съ діаметромъ въ 31 μ., но попадаются и продолговатыя, доходя при той же ширинѣ, въ продольномъ направленіи до 36 μ. Отверстіе бывало шириною до 7—8 μ. Тяжъ сильно кутикуляризованъ и толстъ. Въ замыкающихъ клѣткахъ всегда находились хлоропласты и крахмалъ. Отъ воздушныхъ устьицъ отличались своей круглой формой и большей величиной.

Centropogon Surinamensis Presl.

На каждомъ зубчикѣ простого листа съ верхней стороны находится отъ 15—20 устьицъ новаго типа. Подъ эпидермой, клѣтки которой немного мельче, чѣмъ клѣтки остального эпидермиса листа, лежитъ богато образованная эпитемная ткань, къ которой подходятъ развѣтвляясь спиральные сосуды. Устьица новаго типа круглы, имѣя въ діаметрѣ 31 μ. Замыкающія клѣтки содержатъ хлоропласты и крахмалъ. Тяжъ сильно кутикуляризованъ. При мацерированіи обѣ замыкающія клѣтки отдѣлились. Перегородка же получилась изолированной съ обрывками кутикулы.

Siphocampylus Berterianus G. Don.

На верхней сторонѣ зубчиковъ листа находится до 30 устьицъ новаго типа. Основаніе зубчика лежитъ на верхней сторонѣ пластинки листа на самомъ краю. Зубчикъ почти безцвѣтенъ и наполненъ эпитемой, къ которой подходятъ сосуды загибаясь дугой къ одной сторонѣ зубчика, а не вдаваясь въ ея средину, какъ на предыдущихъ видахъ. Эпидермисъ зубчика имѣетъ сравнительно съ эпидермисомъ остальной части листа болѣе мелкія клѣтки. Діаметръ устьицъ съ перегородкой въ общемъ 31 μ, но попадаются устьица, раздавшіяся въ ширь, и тогда въ поперечникѣ доходятъ до 37 μ. Самыя отверстія сравнительно малы: 4 μ и меньше въ поперечникѣ. Сильно кутикуляризованный тяжъ въ срединѣ шириною въ 3 μ.

Lobelia (Tupa) Feuillii Don.

Весь листъ съ обѣихъ сторонъ покрытъ маленькими одноклѣтными волосками. Зубчики же покрыты такими же волосками лишь по краямъ и на нижней сторонѣ. Внутри зубчика находится эпитема, къ которой подходитъ пучекъ спиральныхъ сосудовъ, раз-

вѣтвляясь на подобіе метелки. Эпидермисъ зубчика сильно отличается отъ эпидермиса остальной части листа тѣмъ, что боковыя
стѣнки эпидермальныхъ клѣтокъ гидатодъ сильно извилисты. Отъ
10—20 устьицъ съ перегородкой находятся на верхней сторонѣ
зубчика. Здѣсь особенно хорошо было замѣтно, что кутикула надъ
устьичными отверстіями какъ бы прорвана, что было видно на
экземплярахъ просто отмоченныхъ въ водѣ, а также послѣ дѣйствія
Chloralhydrat’a, Eau de Javelle и окрашиванія конго-хризоидиномъ.
Діаметръ устьицъ новаго типа равнялся приблизительно 31 μ, но
мнѣ попадались, какъ и у *Siphocampylus*, имѣющія въ ширину
36 μ. Отверстія устьицъ большей частью широко открыты и
имѣютъ въ ширину до 8 μ. Тяжъ такой же ширины, какъ и у
предыдущаго вида.

Lobelia splendens Willd.

По краямъ листа этого вида находятся простыя возвышенія
въ видѣ полушара (рис. 5). Эти возвышенія и представляютъ изъ
себя гидатоду, снабженную эпитемой, которая вдается во внутрь
пластинки листа. Къ этой эпитемѣ подходятъ 3—4 спиральныхъ
сосуда. Эпидермисъ гидатоды имѣетъ клѣтки съ сильно извилистыми боковыми стѣнками, чего нѣтъ на остальномъ эпидермисѣ
листа. Устьица съ перегородкой находятся на всемъ возвышеніи
и число ихъ достигаетъ до 20. Самыя устьица сравнительно
мелкія. Такъ я не находилъ съ діаметромъ большимъ 23 μ. Отверстія по бокамъ тяжа не шире 4 μ, и ширина тяжа не больше 2 μ.

Lobelia Dortmanna L.

Этотъ видъ растетъ въ средней Россіи въ озерахъ и рѣкахъ,
тогда какъ остальныя лобеліевыя (около 510 видовъ) туземны
преимущественно подъ тропиками. Листья его прикорневые, расположенные розеткой, линейные, почти цилиндрическіе, внутри
полые и раздѣленные продольной перегородкой. Вершина листа
имѣетъ по краю въ одинъ рядъ отъ 7—15 подушечекъ. Каждая
подушечка представляетъ изъ себя гидатоду съ сильно образованноі
эпитемой, къ которой подходитъ развѣтвляясь на подобіе метелки
пучекъ спиральныхъ сосудовъ. На подушечкѣ находится до 30 и
больше устьицъ съ перегородкой (рис. 6), имѣющихъ въ діаметрѣ
23 μ. Построены устьица какъ и у предыдущихъ видовъ. Ши-

рина отверстій не болѣе 4 μ. На старыхъ листьяхъ я находилъ подушечки, на которыхъ какъ устьица съ перегородкой, такъ и весь эпидермисъ разрушенными, при чемъ эпитема, а иногда и окончанія спиральныхъ сосудовъ, соприкасались непосредственно съ окружающей средой. Съ этой стороны *L. Dortmanna* можно отнести къ первой группѣ верхушечныхъ отверстій изслѣдованныхъ Weinrowsk'имъ[1]) на водяныхъ растеніяхъ различныхъ семействъ. Эпидермисъ подушечекъ состоитъ изъ клѣтокъ болѣе мелкихъ, чѣмъ остальныя эпидермальныя клѣтки.

Lobelia urens L.

На длинномъ тонкомъ листочкѣ зубчики расположены рѣдко, такъ что, напр., на экземплярѣ, который я изслѣдовалъ, ихъ было 14. Каждый зубчикъ пмѣетъ эпитему съ подходящими къ ней спиральными сосудами немного развѣтвляющимися (рис. 7). Эпидермальныя клѣтки на зубчикахъ извилисты, но слабо. Устьица съ перегородкой находятся на верхушкѣ и на верхней сторонѣ зубчика. Число ихъ ограничено до 8, но зато сами они крупнѣе вышеописанныхъ. Мнѣ попадались съ діаметромъ въ 37—38 μ. Устьичныя отверстія въ поперечникѣ до 5 μ. Почти всегда верхушки зубчиковъ попадались мнѣ разрушенными такъ, что образовывалось верхушечное отверстіе съ тѣми же отношеніями какъ у *Lobelia Dortmanna.*

Lobelia erinus L.

Зубчики листьевъ этого растенія выполнены эпитемой, къ которой подходятъ спиральные сосуды расходящіеся на подобіе метелки. Боковыя стѣнки эпидермиса гидатодъ отличаются отъ таковыхъ же остальной части листа большей извилистостью. Устьицъ съ перегородкой, находящихся на самой верхушкѣ н на верхней сторонѣ зубчика, сравнительно мало. Около 8. Но зато каждое устьице сравнительно велико и достигаетъ въ діаметрѣ до 39 μ. Каждое устье по бокамъ тяжа доходитъ до 7 μ въ ширину, а тяжъ шириной до 3 μ. Послѣ обработки объекта Жаве-

---

1) Къ первой группѣ относятся тѣ верхушечныя отверстія, которыя происходятъ путемъ выпаденія или дезорганизаціи клѣтокъ лежащихъ на кончикѣ листа, ко второй же — тѣ, которыя образуются путемъ выпаденія только замыкающихъ клѣтокъ водяныхъ устьицъ. Weinrowsky. Untersuchungen über die Scheitelöffnung bei Wasserpflanzen. Beitr. zur Wissensch. Bot. 1899. Band III, Abth. 2.

левой водой и окрашиванія конго-хризоидиномъ, я очень часто получалъ устьица, отверстія которыхъ были затянуты кутикулой, при чемъ часто образовывались складки ея поперекъ устьица (рис. 8). Эти складки, какъ и тяжъ окрашивались въ интенсивно-желтый цвѣтъ. Имѣя живой объектъ, я могъ производить плазмолизъ. Плазмолизировалъ замыкающія клѣтки вод. устьицъ съ перегородкой или NaCl, или KNO₃, а иногда и глицериномъ, при чемъ водяныя устьица никогда не замыкались, а протопласты замыкающихъ клѣтокъ съеживались и отставали отъ клѣточныхъ оболочекъ. При деплазмолизѣ первоначальныя отношенія возстановлялись. Какъ это, такъ и то, что я никогда не находилъ ни на живыхъ, ни на убитыхъ объектахъ замкнутыхъ устьицъ, говоритъ, что въ водяныхъ устьицахъ съ перегородкой, такъ же какъ на типичныхъ водяныхъ устьицахъ, замыканія никогда не происходитъ. Зерна крахмала были на столько малы, что обнаружить ихъ мнѣ удавалось лишь послѣ обработки ѣдкимъ каліемъ. На десятидневныхъ проросткахъ, которые я выращивалъ изъ сѣмянъ, кончикъ зеленыхъ сѣмядолей былъ всегда безцвѣтенъ и на немъ находилось 1—2 вполнѣ образованныхъ устьицъ новаго типа съ кутикуляризованной перегородкой. На 25 дневныхъ проросткахъ тѣ-же отношенія. Самыя устьица были расположены или на верхушкѣ или на верхней сторонѣ сѣмядолей. Къ устьицамъ подходило 2—3 спиральныхъ сосуда, проходящихъ по прямой линіи черезъ всю сѣмядолю. Самыя устьица сравнительно маленькія и въ діаметрѣ доходили до 22 μ.

Heterotoma lobelioides Zucc.

Каждый зубчикъ листа покрытъ одноклѣтными волосками, которыхъ больше на нижней сторонѣ. Эпитема есть; къ ней подходятъ цѣлымъ пучкомъ спиральные сосуды. Хотя боковыя стѣнки эпидермальныхъ клѣтокъ всего листа и извилисты, но таковые же на гидатодахъ извилисты въ большей степени. Отъ 10—15 устьицъ съ перегородкой находятся на верхней сторонѣ зубчика и построены какъ у предыдущихъ видовъ; діаметръ 31 μ., но мнѣ попадались и въ 23 μ.

Piddingtonia nummularia DC. (= Pratia Gaud.).

Каждый зубчикъ листа представляется въ видѣ конуса, на верхушкѣ котораго находится одинъ одноклѣтный волосокъ (рис. 10), часто отломанный. Эпидермальныя клѣтки листа и зубчика не извилисты, клѣтки же послѣдняго немного мельче перваго. Эпитема есть и зубчикъ почти безцвѣтенъ. До 8 устьицъ новаго типа находятся только на верхней сторонѣ зубчика. Устройство ихъ какъ и у предыдущихъ видовъ. Діаметръ — 25 μ.

Laurentia Michelii DC.

На листочкахъ этого растенія зубчиковъ нѣтъ, а по краямъ попадаются небольшія, безцвѣтныя возвышенія (рис. 9). Эти возвышенія представляютъ изъ себя гидатоды съ сильно образованной эпитемой и подходящими къ ней 3—4 спиральными сосудами. Эпидермальныя клѣтки бугорковъ немного мельче и съ болѣе извилистыми боковыми стѣнками, чѣмъ на остальной части листа. На верхней сторонѣ и на самой верхушкѣ возвышенія находится до 3—4 устьицъ съ перегородкой. Построены они какъ на вышеописанныхъ видахъ. Они круглы и въ діаметрѣ 28 μ. На кончикахъ чашелистиковъ я также находилъ гидатоды съ устьицами новаго типа, но число ихъ было 1—2.

Lysipoma glanduliferum Schl.

По краямъ листочковъ, какъ и у *Laurentia*, зубчиковъ нѣтъ, а есть только бугорки, выполненные эпитемой, къ которой подходятъ спиральные сосуды. Эпидермальныя клѣтки бугорковъ не удлинены, тогда какъ таковыя же на остальной части листа удлинены. Устьица новаго типа лежатъ на самомъ бугоркѣ и по обѣимъ его сторонамъ. Построены какъ у предыдущихъ видовъ. Діаметръ каждаго устьица не болѣе 28 μ. Кончики чашелистиковъ также снабжены водяными устьицами новаго типа. Таковыхъ нѣтъ на лепесткахъ.

Rhizocephalum pumelium Wedd.

На взросломъ линейномъ листочкѣ, только на самой вершинѣ находится водовыдѣлительный аппаратъ съ эпитемой и подходящими къ ней тремя пучками спиральныхъ сосудовъ, при чемъ оба крайнихъ пучка состоятъ изъ 3—4 сосудовъ, а средній пучекъ толще и на концѣ развѣтвляется на подобіе метелки. Отъ 15—20 устьицъ новаго типа находятся на самой вершинѣ листа, представляющей гидатоду. Величина этихъ устьицъ доходитъ до 31 μ, хотя попадались и маленькія — въ 23 μ.

Isotoma axillaris Lindl.

Концы разсѣченнаго листа снабжены гидатодами съ эпитемой и подходящими къ ней сосудами. Боковыя стѣнки эпидермальныхъ клѣтокъ гидатодъ болѣе извилисты, чѣмъ такія же стѣнки клѣтокъ остальной части листа. На имѣвшемся у меня экземплярѣ, долго пролежавшемъ въ алкоголѣ, оказалось громадное количество сферокристалловъ инулина, въ чемъ убѣдили меня повѣрочныя реакціи. Сферокристаллы инулина находились даже въ замыкающихъ клѣткахъ водяныхъ устьицъ новаго типа. Послѣднія лежатъ на верхней сторонѣ окончаній листа и число ихъ доходитъ до 40. Устройство ихъ какъ у предыдущихъ видовъ. Величина доходитъ до 35 μ въ діаметрѣ. Чашелистики также снабжены гидатодами съ устьицами новаго типа, но число послѣднихъ небольшое.

Isotoma longiflora Presl.

Кончики и зубчики разсѣченнаго листа выполнены эпитемой, къ которой подходятъ ряды спиральныхъ сосудовъ. Эпидермальныя клѣтки гидатодъ извилисты, чего нѣтъ на остальной части листа. 15—20 устьицъ съ перегородкой находятся на верхней поверхности зубчиковъ листа. Устройство какъ на остальныхъ лобеліевыхъ. Они круглы и въ діаметрѣ 28—29 μ. Имѣя живой экземпляръ, я производилъ опыты съ плазмолизмомъ, при чемъ получилъ тѣ-же результаты, что и на *Lobelia erinus*, т. е. устьичныя отверстія не замыкались.

Downingia elegans Torr.

Данный видъ не оправдалъ моихъ надеждъ. Сколько я не искалъ, но не могъ найти устьицъ новаго типа. Не находилъ я также и обыкновенныхъ водяныхъ устьицъ. Имѣющійся у меня гербарный матерьялъ имѣлъ лишь верхніе редуцированные листья и 3 цвѣтка. По краю листьевъ въ очень ограниченномъ числѣ находились бугорки съ эпитемой и подходящими къ ней спиральными сосудами, обхватывавшими эпитему со всѣхъ сторонъ (какъ бы образуя воронку). Но, какъ я уже сказалъ, ни водяныхъ устьицъ новаго типа, ни обыкновенныхъ водяныхъ устьицъ я не могъ найти. На концахъ чашелистиковъ и лепестковъ я также не находилъ ни об. вод. устьицъ, ни съ перегородкой.

Теперь постараюсь дать общую характеристику водовыдѣлительныхъ органовъ у изслѣдованныхъ мною *Lobelioideae*.

У всѣхъ изслѣдованныхъ мною видовъ водовыдѣлительные

органы устроены такъ, что ихъ можно отнести къ „Hydathoden mit directem Anschluss an das Wasserleitungssystem, mit Epithemen und Wasserspalten [1]). Эпидермисъ гидатодъ всегда отличается отъ эпидермиса листа или извилистостью клѣтокъ или своей величиной. На всѣхъ видахъ, исключая *Downingia elegans*, были найдены устьица новаго типа съ перегородкой, которая сильно кутикуляризована. Замыкающія клѣтки всегда живыя, содержатъ протоплазму, хлоропласты и крахмалъ. Расположены устьица новаго типа безъ всякаго порядка. Если сравнивать направленіе перегородокъ, то они никогда не бываютъ расположены параллельно на различныхъ устьицахъ. Устроены устьица какъ было описано въ началѣ работы. Количество ихъ на одной гидатодѣ у различныхъ видовъ отъ 2—40. Величина варьируетъ между 23 μ и 40 μ. Если сравнить устьица новаго типа съ воздушными, то окажется, что первыя всегда круглы и больше послѣднихъ. Вопросъ, есть ли обыкновенныя или новаго типа водяныя устьица у *Downingia elegans*, оставляю открытымъ.

Разсмотрѣвъ водовыдѣлительные органы улобеліевыхъ, перейду къ бѣглому обзору смежныхъ семействъ. По системѣ Engler'а за *Lobelioideae* стоятъ семейства *Goodeniaceae*, *Stylidiaceae* и *Compositae*. Изъ *Goodeniaceae* я изслѣдовалъ: *Velleia paradoxa* B. Br., *Goodenia grandiflora* Sims., *Leschenaultia biloba* Lindl., *Scaevola Plumieri* Vahl., *Dampiera stricta* B. Br. и *Brunonia australis* Sm. Подробно ихъ описывать не буду въ виду того, что для этой работы такое описаніе имѣетъ мало интереса. Важно отмѣтить только то, что на нихъ устьицъ новаго типа съ перегородкой нѣтъ. Сем. *Stylidiaceae* я за неимѣніемъ матеріала не изслѣдовалъ. Изъ *Compositae* я изслѣдовалъ *Bidens cernuus* L., *Erigeron acer* L., *Artemisia scoparia* W. K., *Cichorium Intibus* L., *Chrisantemum* и мн. др., но на нихъ устьицъ новаго типа съ перегородкой также не оказалось, хотя обыкновенныя водяныя устьица на нѣкоторыхъ видахъ были.

Какъ уже выше было сказано, между *Campanuloideae* и *Lobelioideae* лежитъ группа *Cyphioideae*. Изъ этого подсемейства, насчитывающаго всего около 24 видовъ, я имѣлъ только одинъ видъ *Cyphia bulbosa* L. Гидатоды на концахъ листочковъ есть, но устьица построены по типу обыкновенныхъ водяныхъ безъ пере-

---

1) Haberland. Physiologische Pflanzenanatomie. 2 Auflage 1896.
„ „ Ueber wassersecernirende und absorbirende Organe. Sitzb. der k. Akad. der Wiss. Bd. CIV. Abth. I. 1895.

городки (рис. 10). Такъ же нѣтъ устьицъ новаго типа у изслѣдованныхъ мною видовъ изъ *Campanuloideae: Campanula glomerata* L., *C. persicifolia* L., *C. sibirica* L., *Symphyandra pendula* MB., *Phyteuma spicatum* L., *Edrajanthus temifolius* (WK.) A. DC. и мн. др.; вод. устьица обыкновеннаго типа на нѣкоторыхъ я находилъ. Нѣкоторые виды изъ *Cucurbitaceae* показали тоже самое.

Физіологическихъ опытовъ надъ бывшими у меня живыми экземплярами *Isotoma longiflora* и *Lobelia erinus* я не производилъ.

Что касается географическаго распространенія, то *Lobelioideae* преимущественно туземны въ жаркомъ климатѣ. Такъ, *Delissea augustifolia* и *Cyanea Grymeriana* — на Сандвичевыхъ о-вахъ; *Siphocampylus Berterianus, Lobelia Feuillii* въ троп. Ю. Америкѣ; *Piddingtonia nummularia* — въ Ю. Америкѣ, до Магелланова пролива, въ Австраліи и троп. Азіи; *Centropogon Surinamensis* — въ Ю. Америкѣ; *Lobelia erinus* — въ Ю. Африкѣ и т. д. Распространеніе въ Европѣ ограничивается нѣсколькими видами. *Laurentia Michelii* — въ Ю. Европѣ; *Lobelia urens* — въ западной и на о-вѣ Мадерѣ и наконецъ *Lobelia Dortmanna* растетъ въ озерахъ и рѣкахъ умѣреннаго климата Европы и даже въ сѣв. Двинѣ[1]). Многія изъ тропическихъ лобеліевыхъ культивируются у насъ часто и, напр., *Lobelia erinus* я встрѣчалъ даже въ частныхъ домахъ на подоконникахъ, а не только у садоводовъ.

Нерейду теперь къ общему выводу.

1) Устьица съ перегородкой представляютъ новый типъ, который, на сколько мнѣ извѣстно, еще не наблюдался.

2) Характеризуется онъ тѣмъ, что сильно кутикуляризованный тяжъ пересѣкаетъ въ продольномъ направленіи устьице, разсѣкая одно устьичное отверстіе на два. Замыкающія клѣтки всегда живыя, но никогда не замыкаютъ отверстій. Форма устьицъ круглая. Расположены или на верхней, или на нижней сторонѣ зубчика, или же на самой его вершинѣ (если зубчиковъ нѣтъ, то на бугоркахъ).

3) Какъ зубчики, такъ и бугорки представляютъ пзъ себя типичныя гидатоды съ эпитемой и подходящими къ ней окончаніями сосудовъ.

4) Распространены устьица новаго типа лишь на видахъ *Lobelioideae*. На другихъ растеніяхъ какъ наблюденія De-Baru[2]),

---

1) Шмальгаузенъ. Флора среди. и южн. Россіи. Т. II. Кіевъ 1897.
2) De-Baru. Сравнительная анатомія вегетативныхъ органовъ явнобрачныхъ и папоротникообразныхъ растеній. Перев. Бекетова 1877.

Haberlandt'а и др., такъ и мои не обнаружили таковыхъ,
что даетъ мнѣ смѣлость предположить, что устьица новаго
типа съ перегородкой могутъ служить анатомическимъ признакомъ для систематики, чего однако не утверждаю, а вы-
сказываю лишь предположеніе.

Въ заключеніе приношу свою глубокую благодарность Д. І.
Ивановскому, Н. Н. Кузнецову, М. С. Цвѣту и Б. Б.
Гриневецкому за указанія и содѣйствіе при исполненіи моей
работы.

Resumé.

1) Die mit einer Scheidewand versehenen Wasserspalten repräsen-
tieren einen neuen Typus, der, soviel mir bekannt, noch nicht
beobachtet wurde.

2) Er ist dadurch charakterisiert, dass ein stark cuticularisierter
Balken die Wasserspalte der Länge nach durchschneidet und so
den einen Porus in zwei teilt (Fig. 1). Die Schliesszellen sind
stets lebendig, enthalten Protoplasma, Chloroplasten und Stärke
(Fig. 2), aber schliessen niemals den Porus. Die Wasserspalten
sind rund, sie sind verschieden gelegen, entweder auf der Ober-
oder Unterseite der Zähnchen, oder aber an der Spitze (Fig. 4, 5, 7, 9),

3) Sowohl die Zähnchen als auch die Vorsprünge am Blattrande sind
typische Hydathoden mit Epithemen nnd Gefässendigungen.

4) Das Vorkommen der Wasserspalten der beschriebenen Form ist
auf die *Lobelioideae* beschränkt, wie meine Untersuchungen dar-
getan haben. Weder De-Bary, Haberlandt noch andere
Forscher und ich haben an andern Pflanzen diese Wasserspalten
gefunden; was mich vermuten lässt, dass sie als anatomisches
Merkmal in der Systematik zu verwenden sind, was ich mit
Bestimmtheit aber nicht behaupten kann.

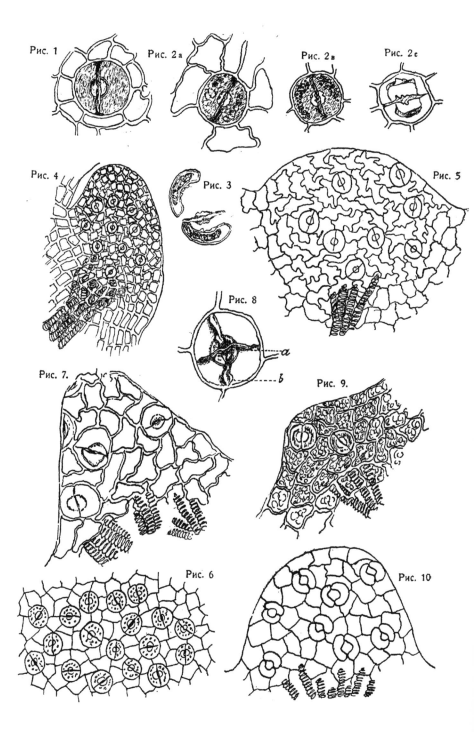

Рис. 1 Рис. 2а Рис. 2в Рис. 2с

Рис. 4 Рис. 3 Рис. 5

Рис. 8

Рис. 7. Рис. 9.

Рис. 6 Рис. 10

Тромбозъ воротной вены[1].

И. Широкогоровъ.

2 октября с. г. въ Патологическій Институтъ доставленъ былъ для вскрытія трупъ крестьянина Лифляндской губ., эстонца К. Л., 31 года, умершаго наканунѣ въ медицинской клиникѣ.

Вскрытіе обнаружило настолько рѣдкое заболѣваніе, что я счелъ нужнымъ предложить его вниманію Общества. Это тромбозъ воротной вены. Въ нашемъ Институтѣ это первый случай и вообще въ Россіи кромѣ опубликованныхъ можно сказать на дняхъ 2-хъ случаевъ Д-ра Маганьяка[1] изъ Нетербургской Обуховской Больницы въ литературѣ я встрѣтилъ одинъ случай, описанный С. П. Боткинымъ[2] въ 1862 г., надѣлавшій тогда много шума. Болѣзнь встрѣчается настолько рѣдко, діагностика ея настолько трудна, что прижизненный діагнозъ одного такого заболѣванія могъ бы доставить автору его имя великаго діагноста, какимъ по всей справедливости пользовался С. П. Боткинъ. Происходитъ тромбозъ воротной вены или отъ механическихъ причинъ, приводящихъ къ съуженію просвѣтъ сосуда, напр. давленіе опухолями окружающихъ органовъ — ракъ желудка, поджелудочной железы, новообразованія сальника, саркоматозныя или туберкулезныя опухоли забрюшинныхъ лимфатическихъ железъ и т. п., камни желчнаго пузыря, или ductus choledoch. и duct. hepatic. Такимъ же образомъ дѣйствуютъ сморщивающіе воспалительные процессы, происходящіе по близости воротной вены и ея стволовъ. Или когда гнойные и язвенные процессы гдѣ ниб. въ органахъ желудочно-кишечнаго тракта, печени, поджелудочной железѣ, брюшинѣ переходятъ на внутреннюю стѣнку воротной вены,

1) Докладъ, читанный въ Общ. Естествоиспытателей 30 ноября 1906 г. Работа произведена въ Патологическомъ Институтѣ Юрьевскаго Университета.

10*

вслѣдствіе чего образуется въ ней тромбъ. Далѣе, заболѣванія печени въ видѣ атрофическаго или сифилитическаго цирроза ведутъ иногда также къ образованію тромба въ воротной венѣ. Здѣсь вѣроятно процессъ образованія тромба складывается изъ двухъ моментовъ, которые, какъ мы увидимъ ниже, нужны для этого: это измѣненный составъ крови и замедленіе кровяного тока.

Травматическія поврежденія воротной вены и наконецъ паразиты: distoma haematobium и echinococcus.

Кромѣ этихъ причинъ, при которыхъ происхожденіе тромбоза воротной вены нужно разсматривать какъ вторичное явленіе, въ литературѣ можно встрѣтить случаи, гдѣ онъ являлся первично и именно вслѣдствіе склероза воротной вены — процесса аналогичнаго тому, который часто поражаетъ артеріи, atheromatosis v. p., какъ называетъ Bormann[3]), или Pylephlebitis chronica deformans — Buday[4]).

Этимъ однако не исчерпываются всѣ, хотя и очень немногочисленные случаи тромбоза воротной вены. Остается нѣсколько случаевъ, происхожденіе которыхъ нельзя подвести ни подъ одну изъ названныхъ категорій, въ такихъ случаяхъ авторы объясняютъ происхожденіе тромбоза воротной вены особымъ химическимъ состояніемъ крови, благодаря веществамъ всасываемымъ въ кишечникѣ, въ результатѣ котораго является повышенная свертываемость крови.

Обратимся къ нашему случаю.

История болѣзни.

Anamnesis. Въ клинику поступилъ 24 сент. 1906 г. Больной все время жилъ въ деревнѣ, занимался земледѣліемъ и домашнимъ хозяйствомъ. Холостъ. Въ дѣтствѣ кромѣ скарлатины никакихъ болѣзней не имѣлъ. Впослѣдствіи, до настоящаго заболѣванія довольно часто страдалъ головными болями, но особеннаго значенія этому не придавалъ и нигдѣ не лечился. Венерическія болѣзни и злоупотребленіе алкоголемъ и куреніемъ табаку всячески отрицалъ. Особенно подчеркивалъ, что образъ жизни всегда велъ очень умѣренный. Начало своей болѣзни онъ приписываетъ слѣдующему обстоятельству.

Четыре недѣли тому назадъ (въ послѣднихъ числахъ августа, точно указать числа не можетъ) паціентъ занимался перевозкой камней. Поднимая одинъ изъ нихъ онъ почувствовалъ какую то неловкость въ животѣ, но скоро отъ этого оправился, всетаки по ночамъ испытывалъ небольшія разлитыя боли въ животѣ, сильнѣе внизу его. Аппетитъ совсѣмъ пропалъ и больного нѣсколько разъ рвало. Въ рвотѣ крови или другого чего ниб. особеннаго не замѣчалъ. Спустя недѣлю послѣ описаннаго обстоятельства боли внизу въ лѣвой половинѣ живота усилились настолько, что уже трудно было ихъ выносить и вмѣстѣ съ этимъ появились поносы до 6 разъ въ день, испражненія состояли изъ желтой жидкости и слизи. Кроваваго поноса не было. Боли теперь были уже постоянно, безъ бурленія. 10 дней тому назадъ поносъ прекратился и смѣнился запоромъ, боли же по прежнему остались. Дня черезъ 3 послѣ прекращенія поноса пацiентъ по совѣту одного изъ своихъ знакомыхъ купилъ въ аптекѣ „глистогонныхъ пилюль" и предпринялъ изгнаніе глистъ, въ результатѣ вышла ленточная глиста большихъ размѣровъ, послѣ этого все же облегченія не послѣдовало и больной, изнуренный болями, обратился, наконецъ, въ клинику.

Status praesens. Больной средняго роста, хорошаго сложенія и питанія. Т° утромъ 36,8, вечеромъ 37,3. Пульсъ 72; состояніе силъ хорошее, сидитъ въ постели и ходитъ безъ посторонней помощи. Оставаясь въ постели лежитъ неподвижно, согнувшись отъ сильныхъ болей въ животѣ. Сознаніе ясное. Отвѣчаетъ на вопросы неохотно, тихимъ голосомъ. Кожа и видимыя слизистыя оболочки чисты, на лицѣ и верхнихъ конечностяхъ слегка цiанотичны. Лимфатическія железы не увеличены. Со стороны органовъ дыханія и кровеобращенія субъективно никакихъ жалобъ нѣтъ, при объективномъ изслѣдованіи найдено слѣдующее: нижняя граница легкаго лежитъ по правой сосковой линіи у нижняго края 4-го ребра, по передней подкрыльцовой линіи у 6 ребра и по лопаточной — на 8 ребрѣ. Перкуторно надъ областью легкихъ ничего особеннаго. При аускультаціи вездѣ слышно ясное везикулярное дыханіе. Кашля и мокроты нѣтъ. Верхняя граница сердечной тупости (абсолютной) начинается уже у 3-го ребра, правая граница нормальна; сердечный толчекъ прощупывается въ 4-мъ межреберномъ промежуткѣ по лѣвой сосковой линіи. Тоны сердца чисты. Пульсъ средняго наполненія, ровный, одинаковый на обѣихъ радіальныхъ артеріяхъ. Доступные ощупыванію сосуды повидимому никакихъ измѣненій не представляютъ. Животъ порядочно вздутъ; при ощупываніи значительная болѣзненность въ hypogastrium'ѣ и въ поясничной области, но все же не соотвѣтствуетъ по своей силѣ той ужасной боли, какую испытываетъ въ этомъ мѣстѣ больной субъективно. При перкуссіи живота замѣтенъ значительный тимпанитъ. Присутствія асцита незамѣтно. Языкъ сухой, обложенъ. Аппетита нѣтъ, жажда не усилена. Стулъ съ клизмой (послѣдніе 4 дня не испражнялся). Калъ очень твердый, въ видѣ тонкихъ колбасокъ. Послѣ клизмы больной чувствуетъ значительное облегченіе. Печеночная тупость начинается съ IV межребрья и въ стоячемъ положеніи по соск. линіи не доходитъ до реберной дуги приблизительно пальца на 3, точно установить нижнюю границу тупости мѣшаетъ тимпанитъ. Границы тупости селезенки по той же причинѣ точно неопредѣлимы, удается только констатировать соотвѣтственное смѣщеніе селезенки кверху. При ощупываніи ея области болѣзненности нѣтъ. Мочеиспусканіе свободно и безболѣзненно. Моча насыщеннаго красноватаго цвѣта, кислой реакціи, уд. в. 1019. Суточное количество 1100 куб. с., содержитъ слѣды бѣлка. Доказать присутствіе индикана и желчныхъ пигментовъ не удается. Микроскопически — отдѣльныя кровяныя тѣльца и большое количество уратовъ, выпадающихъ при охлажденіи мочи въ видѣ значительнаго характернаго осадка.

Видимыхъ измѣненій со стороны центральной и периферической нервной системы не замѣтно. Спать отъ болей безъ морфія не можетъ.

Теченіе болѣзни и терапія. Ввиду сильныхъ болей и задержки стула дѣлались припарки на животъ и внутрь Emulsio oleosa съ опіемъ.

26 IX. Пріемъ Ol. ricini, послѣ чего три раза кашицеобразный стулъ, макроскопически ничего особеннаго не представлялъ. Яицъ глистъ и слизи микроскопически не обнаружено.

27 IX. Боли то ослабѣваютъ, то снова усиливаются. Стулъ не смотря на Emuls. oleosa только съ клизмой, такого-же вида какъ и прежде. Животъ вздутъ, но не особенно болѣзненный при давленіи. Жалуется на сильную боль въ крестцѣ. Т° выше 37,2 не поднималась. Пульсъ 72—88 хорошаго наполненія, ровный. 1—2 раза въ день Morphium подъ кожу.

28 IX. Сегодня ночью сильныя боли внизу живота и съ боковъ его. Бурленія не было, лежитъ неподвижно, съ выпрямленнымъ туловищемъ. Животъ вздутъ, брюшныя стѣнки напряжены. Толчекъ сердца въ 3 межреб. промежуткѣ, кнаружи отъ соск. линіи. Тупость печени сдвинута кверху на 3 поперечныхъ пальца, точно также сдвинута и тупость

селезенки. Въ лѣв. паховой области чувствительность при давленіи, прощупывается круловатое, резистентное, продолговатое тѣло, лежащее параллельно Пупартовой связкѣ. Въ этомъ мѣстѣ притупленіе. Наружныя отверстія обоихъ паховыхъ каналовъ увеличены, но грыжи не прощупывается. Т° и пульсъ нормальны. Стула сегодня совсѣмъ не было. Мочи 500 к. с. При изслѣдованіи ея кромѣ описаннаго въ stat. praes. констатированы сегодня сперматозоиды въ знач. количествѣ. Отмѣнена Emuls. oleosa и данъ Extr. Bellad. въ пилюляхъ (Extr. bellad 0,3, Extr. Liquir q. s. ut f. pil. № 20. Consp. Lycop. DS. 3 пил. въ день).

29 IX. Боли по прежнему сильныя и безъ морфія спать не можетъ. Животъ вздутъ, при ощупываніи боли не усиливаются Изрѣдка икота. При изслѣдованіи per rectum прощупывается въ области excavat. recto vesical. затвердѣніе, которое очень болѣзненно, баллотируетъ. Въ rectum незначительное колич. кала нормальной консистенціи. Вечеромъ высокая клизма, при этомъ оказывается, что болѣе поллитра жидкости ввести не удается; при введеніи трубки на 20 сm. чувствуетъ боль, проходимость задержана. Черезъ трубку выдѣляется небольшое количество газовъ. Позлѣ клизмы чувствуетъ себя лучше, какъ это вообще отмѣчаетъ больной послѣ клизмъ.

30 IX. Ночью 2 раза рвота зеленоватой массой. При попыткѣ еще разъ произвести изслѣдованіе per rectum наблюдались сильныя боли въ заднемъ проходѣ; при наружномъ осмотрѣ тамъ ничего не обнаружено. Утромъ довольно обильный стулъ, къ вечеру еще одинъ кашицеобразн. стулъ, слегка окрашенный съ поверхности свѣжей кровью. Больной сильно ослабѣлъ, но пульсъ остается хорошимъ, 72—76 въ минуту. Дыханіе нѣсколько учащено, но въ легкихъ ничего особеннаго не обнаруживается. Кашля нѣтъ. Икота со вчерашняго вечера не прекращалась.

1 X. Утромъ около 10 ч. больной вдругъ поблѣднѣлъ, пульсъ почти исчезъ, 120 въ минуту, зрачки слегка расширились, и больной потерялъ сознаніе. Т° 36,4 холодный потъ на лицѣ, конечности похолодѣли, животъ сталъ твердымъ, еще болѣе вздулся, въ отлогихъ частяхъ притуп-

леніе перкуторнаго звука. Икота усилилась. Подъ вліяніемъ принятыхъ мѣръ больной снова пришелъ въ себя и пульсъ на короткое время сдѣлался лучше. Боли сталъ чувствовать меньше, сталъ спокойнѣе, хотѣлось уснуть. Скоро пульсъ началъ опять слабѣть, и никакія мѣры къ улучшенію сердечной дѣятельности не удавались. Нѣсколько разъ была рвота. Въ 7 ч. вечера обильный стулъ, состоящій изъ свѣжей крови, послѣ этого тихій бредъ. Въ $8^3/_4$ ч. вечера снова обильный стулъ кровью. Въ 8 ч. рвота бурыми массами, наподобіе кофейной гущи. Въ 9 ч. в. смерть.

Клиническій діагнозъ: кишечное кровотеченіе.

Вскрытіе 2 октября 1906 г. въ Патологическомъ Институтѣ.

Трупъ мущины выше средняго роста, правильнаго крѣпкаго тѣлосложенія, умѣреннаго питанія. Кожа нижней части живота зеленоватогрязнаго цвѣта. Животъ вздутъ, напряженъ. Губы запачканы бурой сукоровичной жидкостью. По вскрытіи брюшной полости оказывается: сальникъ покрываетъ только правую половину кишечника, часть его свободнаго края плотно сращена съ передней брюшной стѣнкой въ области праваго внутренняго паховаго кольца. Сильно расширенные сосуды паріэтальнаго листка брюшины вокругъ приращенія сальника образуютъ корону 5—10 cm. въ ширину. Вены сальника сильно растянуты свернувшейся кровью, извиты наподобіе пробочника.

Петли кишекъ свободны, сильно раздуты.

Въ полости брюшины около $^1/_2$ литра кровянистой жидкости. Серозная оболочка верхняго отдѣла тонкихъ кишекъ, а также толстыхъ до S-romani розоватокраснаго цвѣта, остальная темнокраснаго. Въ сильно изогнутомъ S-romanum прощупывается плотное тѣло. Всѣ сосуды, составляющіе корни воротной вены утолщены, прощупываются въ видѣ плотныхъ тяжей, туго набиты кровяными свертками частью темнокраснаго, частью краснаго цвѣта съ желтоватыми прослойками. Въ воротной венѣ на разстояніи 5 cm. отъ впаденія ея въ печень находится пристѣночный тромбъ, плотно приросшій къ стѣнкѣ сосуда съ лѣсной орѣхъ величиной. На разстояніи 1 cm. ниже его находится второй тромбъ, запирающій совершенно просвѣтъ сосуда. На разрѣзѣ тромбы темносѣраго цвѣта съ желтоватыми прослойками и темнокрасными пятнами. Ниже этого тромба вена и ея корни набиты какъ будто иньэкціонной массой свернувшейся кровью, свободно отдѣляющейся отъ стѣнокъ сосуда. Въ одномъ мѣстѣ 5 cm. ниже обтурирующаго тромба видна на intim'ѣ круглая бляшка, отличающаяся отъ окружающей поверхности болѣе свѣтлымъ окрашиваніемъ. Эта бляшка на разрѣзѣ имѣетъ перламутровый блескъ, толщиной не болѣе одного миллиметра и 1 cm. въ діаметрѣ.

Содержимое тонкихъ и толстыхъ кишекъ состоитъ изъ полужидкой кровянистой массы, вишневокраснаго цвѣта. Слизистая тонкихъ и толстыхъ кишекъ отечна, темнокраснаго цвѣта. Складки ея въ S-roman. и верхней части нисходящей кишки превращены въ толстые тяжи и объемистые бугры въ 2—3 cm. въ діаметрѣ, вслѣдствіе чего просвѣтъ кишки въ этихъ мѣстахъ съ трудомъ пропускаетъ 2 пальца. На разрѣзѣ бугры эти состоятъ изъ сухихъ кровяныхъ свертковъ твердой консистенціи, темнокраснаго цвѣта. Эти бугры и составляютъ то плотное тѣло въ S-romanum, о которомъ упомянуто выше.

Слизистая оболочка желудка гиперемирована, съ точечными кровоизліяніями на верхушкѣ складокъ.

Поджелудочная железа плотна, блѣднокраснаго цвѣта.

Сердце нормальной величины, лѣвый желудочекъ слегка сокращенъ, правый растянутъ. Со стороны peri- и endocardium'а, а такъ же мышцы измѣненій не обнаружено.

Intima сосудовъ всюду гладка, блеститъ.

Оба легкія свободны. На разрѣзѣ ткань сѣрокраснаго цвѣта, въ нѣкоторыхъ мѣстахъ встрѣчаются въ нижней долѣ праваго легкаго отдѣльные узелки темнокраснаго цвѣта, выдающіеся надъ поверхностью разрѣза, болѣе плотной консистенціи чѣмъ окружающая ткань, величиной отъ горошины до лѣсного орѣха.

Селезенка срощена съ окружающими органами старыми плотными ложными перемычками, увеличена, ткань блѣднокраснаго цвѣта, pulpa выскабливается въ значительномъ количествѣ.

Печень нѣсколько уменьшена, сѣроватокраснаго цвѣта, границы между дольками не ясно выражены.

Обѣ почки одинаковой, нормальной величины. Фиброзная капсула снимается свободно, безъ ткани почки; поверхность органа гладка, venae stellatae расширены; на разрѣзѣ корковый слой темнокраснаго цвѣта, толщиной 5—6 mm., не ясно отграниченъ отъ мозгового.

Мочевой пузырь сокращенъ, слизистая его блѣднокраснаго цвѣта.

Изъ наружнаго отверстія мочеиспускательнаго канала выдавливается гноевидная жидкость. Слизистая уретры темнокраснаго цвѣта, набухшая.

Анатомическій діагнозъ:

Thrombosis venae portae inde coagul. sanguin. in radic. ejusdem. Pylephlebosclerosis.

Infarctio haemorrhagica partis descendentis et sigmoideae colonis et hyperaemia venosa ventriculi, et intestini tenuis. Ascites haemorrhagica gradus levis. Omentitis productiva.

Pneumonia catarrhalis lobi infer. pulmon. sinistri.

Hyperaemia venosa pulmonum.

Perisplenitis productiva. Hyperaemia venosa lienis.

Atrophia hepatis simplex grad. levis.

Hyperaemia venosa renum.

Urethritis gonorroica (?).

Гистологическое изслѣдованіе: Выдѣляемое уретры состоитъ изъ гнойныхъ клѣтокъ, диплококковъ лежащихъ внѣ клѣтокъ.

Urethra (pars membranacea): эпителій мѣстами рѣзко гипертрофированъ, лежитъ въ 15—20 слоевъ, мѣстами совершенно отсутствуетъ. Клѣтки частью кубическія, частью цилиндрическія, частью полигональныя, нѣкоторыя сильно раздуты. Сильно растянутыя немногочисленныя лакуны, выстланныя цилиндрическимъ эпителіемъ; въ подэпителіальномъ слоѣ многочисленныя железы, выстланныя эпителіемъ въ 1—10 слоевъ, внутри и снаружи железъ мелкоклѣточная инфильтрація, многочисленные растянутые кровеносные сосуды. Граница между эпителіальнымъ и подэпителіальннымъ слоемъ мѣстами вслѣдствіе клѣточной инфильтраціи не ясна. Діагнозъ: хроническій уретритъ.

Пристѣночный тромбъ при гистологич. изслѣд. оказывается на периферіи состоитъ изъ фиброзной ткани, плотно сросшейся съ сосудистой стѣнкой, такъ что трудно опредѣлить гдѣ кончается стѣнка сосуда и начинается тромбъ; чѣмъ ближе къ центру, тѣмъ фиброзной ткани меньше; здѣсь преобладаетъ фибринъ и гнѣздныя скопленія лейкоцитовъ, мѣстами гомогенныя массы гіалиноваго вещества.

Бляшка на поперечномъ разрѣзѣ сосуда состоитъ изъ зернистаго, частью гомогеннаго вещества съ рѣдкими клѣтками съ веретенообразными вытянутыми ядрами.

Въ печени атрофія печеночныхъ клѣтокъ, другихъ измѣненій нѣтъ.

Изъ данныхъ вскрытія и послѣдующаго затѣмъ гистологическаго изслѣдованія нашего случая видно, что онъ относится къ первичнымъ пораженіямъ воротной вены въ формѣ флебосклероза ея, въ которомъ гистологическое изслѣдованіе сосуда не оставляетъ никакихъ сомнѣній. На почвѣ измѣненныхъ стѣнокъ сосуда произошло образованіе тромба. Нужно, однако, замѣтить, современная патологія признаетъ, что одного этого момента недостаточно для образованія тромба. Повседневный опытъ убѣждаетъ въ томъ, что часто очень рѣзкія измѣненія интимы сосудовъ не ведутъ къ образованію тромба и часто при распространенномъ пораженіи стѣнокъ сосуда тромбъ отлагается на мѣстахъ наименѣе измѣненныхъ. До тѣхъ поръ, пока кровяной токъ энергиченъ, или вредные для кровяныхъ клѣтокъ факторы не сильно дѣйствуютъ, даже очень сильныя атероматозныя измѣненія стѣнокъ сосудовъ не въ состояніи образовать тромба.

Съ этой точки зрѣнія одно присутствіе флебосклероза въ нашемъ случаѣ не объясняетъ происхожденія тромба. Поищемъ другія причины для объясненія его происхожденія. Но для этого остановимся на условіяхъ и причинахъ образованія тромба въ сосудахъ вообще.

Virchow видѣлъ необходимое условіе для образованія тромба въ замедленіи кровяного тока. Такіе факты, какъ болѣе частое образованіе тромба въ венозной, чѣмъ артеріальной системѣ, не смотря на то, что заболѣванія и поврежденія послѣдней встрѣчаются чаще и занимаютъ болѣе обширную область пораженія, болѣе часто встрѣчающійся тромбозъ у стариковъ или у молодыхъ съ ослабленной дѣятельностью сердца, все это, повидимому, говоритъ за справедливость взгляда Virchow'а.

Brücke, исходя изъ того положенія, что жидкое состояніе крови обусловливается дѣятельностью эндотелія сосудовъ, видѣлъ въ потерѣ этой способности эндотелія вслѣдствіе пораженія его какимъ ниб. патологическимъ процессомъ весь центръ тяжести образованія тромба. Къ только что сказанному насчетъ роли одного склероза сосудовъ въ происхожденіи тромба надо прибавить еще, что доказать въ эндотеліи присутствіе веществъ, обусловливающихъ жидкое состояніе крови, до сихъ поръ никому не удалось.

Lübarsch[5]) присоединяетъ къ этимъ условіямъ измѣненіе состава крови, какъ одно изъ наиболѣе важныхъ и существенныхъ условій для образованія тромба. Въ пользу этого говорятъ такіе давно извѣстные факты, какъ переливаніе крови, обмораживаніе и ожогъ, которые ведутъ къ распаду красныхъ кров. шариковъ и образованію тромба въ мелкихъ сосудахъ и капиллярахъ. Къ этому воззрѣнію примыкаетъ ученіе объ инфекціонно-токсическихъ тромбозахъ, которые въ новѣйшей патологіи все больше и больше привлекаютъ вниманіе изслѣдователей, изъ коихъ нѣкоторые этимъ факторамъ приписываютъ первенствующую роль въ происхожденіи тромбоза. Сущность этого ученія состоитъ въ томъ, что помимо вреднаго дѣйствія микробовъ и вырабатываемыхъ ими токсиновъ на дѣятельность сердца, сосудодвигательный центръ, а также измѣненія сосудистыхъ стѣнокъ, здѣсь главную роль играетъ гемолитическое дѣйствіе ихъ. Послѣднее для стафилококковъ, и стрептококковъ нагноенія, тифозной палочки, пневмококка Fränkel'я, дифтерійной палочки, и диплококковъ гонорреи (Mosca[10]) доказано экспериментально на животныхъ.

Посмотримъ съ этой стороны на нашъ случай. Микроскопическое изслѣдованіе мочеиспускательнаго канала обнаружило хроническое воспаленіе его, а по нѣкоторымъ особенностямъ гистологической картины — значительная гипертрофія эпителіальнаго слоя, полиморфизмъ и дегенеративныя измѣненія клѣтокъ его, инфильтрація лейкоцитами, сравнительно незначительное пораженіе подэпителіальнаго слоя, ясно выраженное участіе въ процессѣ и своеобразное измѣненіе лакунъ, послѣдовательное измѣненіе главн. образ. эпителія железъ въ подэпителіальномъ слоѣ, — можно положительно сказать, что процессъ этотъ есть хроническій трипперъ (Lohnstein[11]).

Область пораженій, вызываемыхъ возбудителемъ этой болѣзни метастатически и продуктами ихъ жизнедѣятельности гонотоксинами все болѣе и болѣе расширяется въ патологіи. Гонококковую инфекцію, гонококковый сепсисъ едва ли теперь кто будетъ оспаривать. Къ счастью эти тяжелыя пораженія представляютъ сравнительно съ распространенностью болѣзни довольно рѣдкіе случаи, но гонококковое пораженіе суставовъ, воспаленіе сердечныхъ клапановъ, мышцъ скелета, брюшины, гонорройныя невралгіи и т. п. факты прочно установлены въ патологіи. Въ послѣднее время присоединяется рядъ сообщеній о воспаленіи венъ вслѣдствіе гонорреи. (Batut[6,7]), Stordeur[8]). Caraës[9] между прочимъ опубликовалъ 21 случай гонорройнаго phlebit'a, изъ коихъ нѣкоторые произошли метастатически, непосредственно отъ гонококковъ, другіе оттого, что гонококковая интоксикація дала почву для вторичной инфекціи.

Становясь на точку зрѣнія современной патологіи, по которой для образованія тромба нужна совокупность этіологическихъ моментовъ, я прихожу къ такому заключенію относительно нашего случая: токсическое дѣйствіе гоноррройной инфекціи произвело пораженіе интимы воротной вены, процессъ выразился въ образованіи склероза ея, что въ связи съ гемолитическимъ дѣйствіемъ тѣхъ же токсиновъ на кровь послужило причиной образованія тромбоза ея.

Литература.

1) Маганьякъ. Русскій врачъ. 1906. № 40.
2) Боткинъ С. П. Virchow's Archiv. 1864. B. 30.
3) Bormann. Beiträge zur Thrombose des Pfortaderstammes. Arch. f. klin. Med. 59. 1897.
4) Buday. Sclerose des Pfortaderstammes. Centralblatt f. pathol. Anatomie. XIV. 5. 1903.
5) Lubarsch. Die allg. Pathologie. Wiesbaden. 1905.
6) Batut. Des ostéomes blennorrhagiques du brachial antérieur. Journ. des mal. cut. et Syph. B. XII. 1900.
7) Batut. De la phlébite et la nevralgie sciatique blennorrhagique. Ebenda.
8) Stordeur. Un cas de phlébite blennorrhagique. Progrès med. belge. 1900. Juni. (Цитир. по Ergebn. d. allg. Path. Lubarsch u. Ostertag. 7. Jahrg. c. pag. 647).
9) Caraës, M. La phlébite des membres, complication de l'infection blennorrhagique. Paris 1901. (Цит. по Jahresber. Baumgarten. 18. Jahrgang 1902).
10) Mosca. Ueber das hämolitische Vermögen des Gonococcus. (Цитир. по Jahresber. Baumgarten 19. Jahrgang).
11) Lohnstein. Beiträge zur patholog. Anatomie der chron Gonorrhoe. Berlin. 1906.

Thrombosis venae portae[1].

Von

Dr. Schirokogoroff.

(Autoreferat).

Am 2. October dieses Jahres kam zur Section die Leiche eines 31 J. alten Mannes, der an den Erscheinungen von Darmblutungen gestorben war. Die Sektion ergab folgendes: Die gesamten Gekröse-venen waren mit Blutkoagulen angefüllt. Im Dickdarm (besonders in pars sigmoidea) war die Infarcierung in so hohem Grade vor-handen, dass das Lumen kaum 2 Finger passieren liess. Der Inhalt des Dünn- und Dickdarmes war blütig. In der Pfortader 3 cm. unter der Leber wurde ein wandständiger Thrombus, noch 1 cm. weiter ein obturierender grauweisser Thrombus gefunden. Noch weiter unten eine sclerotische Placke 1 cm. breit, 2 mm. hoch, die Oberfläche glatt auf der Schnittoberfläche perlmutterschillernd. An anderen Stellen der Pfortader ist nichts besonderes zu bemerken. Die Leber etwas atrophisch. Die Urethra im Zustande der chroui-schen Entzündung.

Die histologische Untersuchung ergab: Pfortaderphlebosclerose. Der Thrombus bestand aus dem Bindegewebe auf der Periferie, celligen und hyalinen Massen im Centrum. Chronische Urethritis gonorroischer Natur. Also weder makroskopische noch mikrosko-pische Befunde erklären die Thrombose ausser primärer Pfortader-sclerose, (die von einigen Autoren als Ursache der Thrombose aner-kaunt ist).

Wenn wir auch annehmen können, dass die Sclerose schon vor der Thrombose in der Pfortader stattgefunden hat, so kann dieser Prozess an und für sich die Trombose nicht zur Folge gehabt haben.

Indem ich die Aufmerksamkeit darauf lenke, dass Urethritis gonorroica von verschiedenen Autoren als Ursache der Phlebitis an-erkannt worden ist, anderseits die Gonococcen hämolitische Wirkung aufs Blut haben, stelle ich mir vor, dass durch die Gonnoroe die Erkrankung der inneren Haut der Pfortader hervorgerufen worden ist, und dass im Zusammenhang mit der hämolitischen Wirkung der Gonococcen aufs Blut die Thrombose entstanden ist.

---

[1] Vortrag, gehalten in der Naturforscher-Gesellschaft am 30 Nov. 1906. Aus dem pathologischen Institut der Universität Jurjew (Dorpat).

Ueber die Untersuchung der Schwankungen der Erdrinde

von

A. Orloff.

I. Die Herleitung der Grundgleichung.

§ 1. Die Apparate, welche zur Untersuchung der Schwankungen des Erdbodens dienen, nennt man Seismographen. Wir nehmen an, dass der Seismograph aus einem starren Körper besteht, welcher sich um eine Axe dreht, die ihre Lage in Bezug auf das Stativ des Instruments nicht ändert. Zur Zeit eines Erdbebens gerät das Stativ des Seismographen in Bewegung; diese Bewegung ruft Schwingungen des Pendels hervor, welche auf der Walze eines Uhrmechanismus registriert werden.

Die Aufgabe der Seismologie besteht darin, dass man nach der registrierten relativen Bewegung des Pendels die Bewegung des Erdbodens, oder, was dasselbe ist, die Bewegung des Stativs des Instruments in Bezug auf irgend ein unbewegliches Koordinatensystem finden muss.

§ 2. Untersuchungen über die Bewegung des Pendels mit beweglichem Aufhängungspunkte finden wir zuerst in den Werken Rayleighs. Poincaré und Lippmann haben die Rayleigh'sche Gleichung zur Lösung der oben formulierten Aufgabe angewandt. Die genannten Gelehrten sind also die Begründer der theoretischen Seismologie. Fast alle Arbeiten der anderen Seismologen, bis auf die letzte Zeit, sind nur eine weitere Entwickelung der Differenzialgleichungen der betreffenden Aufgabe, wobei diese Gleichungen mit besonderer Vollständigkeit von Prof. E. Wichert untersucht worden sind.

§ 3. Nehmen wir ein System von rechtwinkeligen, geradlinigen Koordinatenaxen, die unveränderlich mit dem Stativ des Instruments verbunden sind. Diese Axen werden dieselbe Bewegung haben wie das Stativ des Seismographen. Führen wir nun folgende Bezeichnungen ein:

es sei q — der Parameter, durch welchen die Lage des von uns besprochenen Seismographen in Bezug auf die beweglichen Axen bestimmt wird.

l — der Abstand des Koordinatenanfangs O vom Schwerpunkt des Pendelgewichts.

M — die Masse des Pendels.

C — das Trägheitsmoment des Pendels in Bezug auf seine Rotationsaxe.

$Q\,\delta q$ — die Summe der virtuellen Arbeiten der Kräfte, welche unmittelbar den Körper des Pendels angreifen.

x_0, y_0, z_0 — die Koordinaten des Anfangs der beweglichen Axen $Oxyz$ in Bezug auf die unbeweglichen.

J — die Beschleunigung des Koordinatenanfangs der bewegliche Axen; J_x, J_y, J_z — die Projectionen dieser Beschleunigung auf die Axen $Oxyz$.

ω — die momentane Rotationsgeschwindigkeit der Tetraeders $Oxyz$, gebildet durch die beweglichen Axen.

σ — das Hauptmoment der Quantität der relativen Bewegung in Bezug auf den Koordinatenanfang.

H — das Trägheitsmoment des Pendels in Bezug auf die momentane Rotationsaxe der Koordinaten; x, y, z — die Koordinaten irgend eines Punktes des Pendelkörpers.

m — die Masse dieses Punktes.

ξ_0, η_0, ζ_0 — die Koordinaten des Schwerpunktes in Bezug auf die beweglichen Axen $Oxyz$.

Bei diesen Bezeichnungen ist die Gilbert'sche Gleichung der Bewegung des Pendels folgende:

$$\frac{d}{dt}\left(\frac{dT}{dq'}\right) - \frac{dT}{dq} = Q + \frac{dK}{dq}$$

wobei

$$T = T_2 + V_1 + V_2$$
$$T_2 = \tfrac{1}{2}\,\Sigma\,m\,(x'^2 + y'^2 + z'^2)$$
$$V_1 = \tfrac{1}{2}\,H\,\omega^2$$
$$V_2 = \omega\sigma\,cos\,\widehat{\omega\sigma}$$
$$K = -MlJ\,cos\,\widehat{Jl} = -M(\xi_0 J_x + \eta_0 J_y + \zeta_0 J_z)$$

§ 4. S c h l ü t e r — Assistent des Geophysischen Instituts in Göttingen, hat bewiesen, dass bei entfernten Erdbeben Rotationsbewegungen der Erdrinde um die horizontalen Axen vom Seismographen nicht registriert werden. Zum Beweise bediente er sich seines Klinographen, d. h. eines Pendels, bei welchem die Rotationsaxe sehr nah am Schwerpunkt vorübergeht; ausserdem konnte man die Entfernung des Schwerpunktes von der Rotationsaxe ändern und gleich null machen, d. h. bei der entsprechenden Auswahl des Koordinatenanfangs der beweglichen Koordinaten $l = o$ setzen. Es ist ersichtlich, dass im letzteren Falle $K = o$ ist, und auf das Pendel nur eine Rotationsbewegung des Erdbodens, wenn solche überhaupt existiert, einwirken kann. Andauernde Versuche S c h l ü t e r s zeigten, dass, wenn nur $l = o$ ist, sogar bei starken, entfernten Erdbeben der Klinograph in Ruhe bleibt. Aber wenn die Lage des Schwerpunktes des Klinographen verändert wurde, und l aufhörte gleich Null zu sein, so registrierte der Klinograph das Erdbeben, gleich dem neben ihm aufgestellten horizontalen Pendel. Nimmt man noch an, dass eine Rotation um die verticale Axe nicht stattfindet, so kann

$$V_1 = V_2 = o$$

gesetzt werden und dann wird

$$T = T_r$$

$$J_x = \frac{d^2 x_0}{dt^2}, \quad J_y = \frac{d^2 y_0}{dt^2}, \quad J_z = \frac{d^2 z_0}{dt^2}$$

§ 5. Nehmen wir den Anfang der beweglichen rechtwinkligen Koordinatenaxen im Schnittpunkte der Umdrehungsaxe des Pendels und der Normalen, die aus dem Schwerpunkt auf diese Achse geht.

Die Axe Oz falle zusammen mit der Umdrehungsachse des Pendels, die Achse Ox beim Gleichgewicht des Pendels mit der erwähnten Normalen, und ihre positive Richtung gehe durch den Schwerpunkt. Ist der Parameter q der Winkel zwischen zwei Flächen, von welchen die eine durch den Schwerpunkt im gegebenen Moment, die andere im Moment des Gleichgewichts gelegt sind, so haben wir

$$\xi_0 = l \cos q$$

$$\eta_0 = l \sin q$$

$$\zeta_0 = o$$

$$T = C q'^2, \quad \frac{dT}{dq} = o$$

Die Bewegungsgleichung des Pendels wird dann so geschrieben:

$$\frac{d^2q}{dt^2} - = \frac{Q}{C} - \frac{Ml}{C}\left(\frac{d^2y_0}{dt^2}\,cos\,q - \frac{d^2x_0}{dt^2}\,sin\,q\right)$$

Wenn keine seismische Erscheinung vorhanden ist, folgt:

$$\frac{d^2q}{dt^2} - \frac{Q}{C} = o$$

§ 6. Die Beobachtungen zeigen, dass bei optischer Registrierung der Pendelbewegung und, wenn nur die Masse des Pendels gross genug und die Vergrösserung genügend klein ist, auch bei mechanischer Registrierung

$$- \frac{Q}{C} = 2\,k\,q' + n^2q$$

wird, wo k und n Konstante sind. k hängt von verschiedenen Arten des Widerstandes ab, n — von der Wirkung der Schwerkraft und verschiedener Elasticitäts-Kräfte. Diese Konstanten Grössen verändern sich einigermassen im Laufe der Zeit, so dass auf jedem Seismogramm die Eigenbewegung des Pendels registriert sein muss, nach welcher es möglich wäre k und n zu bestimmen. Dazu muss man beim Auflegen und Abnehmen des lichtempfindlichen oder beräucherten Papieres vom Registrierapparat, dem Pendel einen leichten Stoss versetzen.

§ 7. Zur Zeit entfernter Erdbeben vollführt das Pendel gewöhnlich solche Schwingungen, dass man die 2-ten Potenzen und das Produkt der Grössen q und q' vernachlässigen kann.

Das zeigt, dass die Kraft, welche die Bewegung des Pendels hervorruft, sehr gering ist, darum kann man auch das Produkt

$$\frac{d^2x_0}{dx^2}\,q$$

vernachlässigen und wir haben dann

$$q'' + 2\,k\,q' + n^2q = \frac{d^2\theta}{dt^2}; \qquad (*)$$

hier ist

$$\theta = -\frac{Ml}{C} Y_0$$

Die Gleichung (*) ist in der Seismologie eine Grundgleichung und dient zur Auffindung von θ, wenn q gegeben ist.

II. Bestimmung des Parameters q als Funktion der Zeit.

§ 8. Bei der Untersuchung der Seismogramme bezieht man die, durch den Pendel gezeichnete Kurve gewöhnlich auf recht-winklige Koordinatenaxen OXY; daher hat man folgende Auf-gabe zu lösen: nach den gegebenen Koordinaten X und Y irgend eines Punktes der Kurve, gezeichnet durch das Pendel, die Werte von q und t für diesen Punkt zu finden.

Nehmen wir als Axe OX die Gerade, welche die schreibende Feder auf dem Seismogramm beim Gleichgewicht des Pendels zeich-net; ihre positive Richtung sei der Bewegung des beräucherten oder lichtempfindlichen Papieres entgegengesetzt. Nehmen wir an, dass der Umdrehungspunkt C des schreibenden Hebels mit der Feder zusammen sich parallel der Axe OX bewege, nach der Seite der positiven Abscissen, das beräucherte Papier aber, unbeweglich sei. Hierbei ist zu bemerken, dass es bei unseren Untersuchungen es ganz gleichgültig ist, ob das Pepier unbewcglich und der Punkt C sich bewegt, oder ob das Umgekehrte der Fall ist.

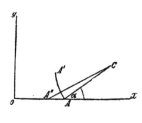

Sind a und b die Koordinaten des Punktes C und befindet sich im gegebenen Moment t die schreibende Feder im Punkte A', dessen Koordinaten (XY) sind, und ist R der Abstand der schreibenden Feder vom Punkt C so werden die Koordinaten X, Y folgender Gleichung genügen:

$$(X-a)^2 + (Y-b)^2 = R^2$$

Nehmen wir an, dass A derjenige Punkt der Axe OX sei, in welchem sich die schreibende Feder befände, wenn im Moment t der Pendel in Ruhe wäre; bezeichnen wir durch α den Winkel ACX, so ist

$$b = R \sin \alpha$$

und folglich

$$a = X + \sqrt{R^2 - (Y - R \sin \alpha)^2}$$

woraus mit genügender Genauigkeit folgt:

$$a = X - \frac{Y^2}{2R} + Y \sin \alpha + R$$

Wenn die Registration eine optische ist, so ist $R = \infty$.

§ 9. Die Abscisse des Punktes C, d. h. die Grösse a ist eine gewisse Funktion der Zeit; um diese Funktion zu finden, verfährt man auf zweierlei Art.

1. Es wird die Abscisse x für bestimmte Zeiten gegeben, zum Beispiel für den Anfang einer jeden Minute. Nehmen wir an, dass bei $t = t_0$, $a = a_0$, $X = X_0$ und $Y = Y_0$ sei, dann ist

$$a - a_0 = X - X_0 - \frac{Y^2 - Y_0^2}{2R} + (Y - Y_0) \sin \alpha \qquad (1)$$

Nachdem man zuerst die Koordinaten X und Y der Kurve für diejenigen Momente, in welchem die Kontakte stattfinden, zum Beispiel für den Anfang einer jeden Minute bestimmt hat, können für diese Momente die Differenzen $a - a_0$ berechnet und Tabellen zusammengestellt werden, welchen man nach den Argumenten $a - a_0$ t entnehmen kann; dann finden wir nach beliebigen Werten von X und Y das entsprechende t.

2. Im Punkte C ist eine andere Feder (Schlagfeder) A'' (Fig. 1), welche eine, mit der Axe OX zusammenfallende, oder parallel dieser Axe laufende Gerade zeichnet unveränderlich befestigt. In bestimmten Zeitmomenten wird diese Feder zur Seite weggezogen und dann wieder auf die von ihr gezeichnete Linie gebracht. Nehmen wir an, dass die Abscisse der Schlagfeder X_1 ist, dann ist bei kleinen Werten von α

$$X_1 = a - R - \omega$$

wo ω die sogenannte Parallaxe der Federn, d. h. die Entfernung zwischen der Feder des Pendels und der Schlagfeder in Einheiten der Länge ist. Wenn wir in die Gleichung des vorhergehenden Paragraphen (§ 8) statt a, die Grösse X_1 setzen, so er-erhalten wir

$$X_1 = X - \omega + Y \sin a - \frac{Y^2}{2R} \qquad (2)$$

Die Abscisse X_1 wird für die Momente gegeben, in welchen ein Uhrkontakt stattfindet; wenn wir X_1 für diese Momente kennen, so können wir eine Tabelle zusammenstellen, welcher nach dem Argumente X_1, t entnommen werden kann. Wenn X und Y gegeben sind, dann finden wir, zuerst X_1 darauf t.

Die Differenz $a - a_0$ und X_1 ändern sich ungefähr proporzional der Zeit; darum verkürzen sich die Berechnungen bedeutend, wenn wir

$$t = m X_1 + E$$

oder

$$t = m (a - a_0) + E$$

setzen, wo m eine konstante Grösse ist, und E — die Korrektion des ungleichmässigen Ganges des Registrierapparates. Statt Tabellen für X_1 und $a - a_0$ zusammenzustellen, wie eben erklärt wurde, ist es bequemer die Korrektion E zu berechnen. Wenn wir die Werte dieser Korrektion für die Momente der Uhrkontakte kennen, vermögen wir sie in Tabellen nach dem Argument X_1 oder $a - a_0$ anzuordnen. Kennen wir die Koordinaten X und Y, so finden wir X_1 und $a - a_0$; den Tabellen entnehmen wir E und, indem wir diese Grösse zu dem Produkt von $m X_1$ oder $m (a - a_0)$ addieren, finden wir t.

§ 10. Was den Parameter q anbetrifft, so finden wir bei mechanischer Registration und kleinen Schwingungen des Pendels q direkt aus der Gleichung

$$q = \frac{Y}{\rho}$$

wo ρ eine Konstante ist. Mit anderen Worten, den Parameter q kann als proportional der gemessenen Ordinate angenommen werden; der Factor $\frac{1}{\rho}$ kann durch gleichzeitige Messung der Grössen q

und Y, oder aber durch die Bestimmung der Längen der ver-
grössernden Hebel gefunden werden.

Bei optischer Registration findet sich q aus der Gleichung:

$$q = \frac{Y}{2d},$$

wo d der Abstand des Pendelspiegels von der Walze des Registrierapparates ist.

Die Schwierigkeit der Bestimmung von q aus den Beobachtungen besteht nur darin, dass es fast unmöglich ist, die Axe OX
so zu stellen, dass sie mit der Geraden, welche der Pendel beim
Gleichgewicht zeichnet und welche die Null-Linie genannt wird,
zusammenfällt. Darum bekommen wir statt Y eine gewisse Grösse
η, welche sich von Y gewöhnlich um eine Konstante c unterscheidet, so dass

$$Y = \eta + c.$$

III. Die Bestimmung der Konstanten des Pendels.

§ 11. Die Formeln der vorigen Paragraphen zeigen, dass man,
um die Bewegung des Pendels während eines Erdbebens zu untersuchen eine ganze Reihe von Konstanten kennen muss:

$$\omega, \frac{Ml}{C}, k, n \text{ und } \alpha.$$

Wird die erste Art der Zeitkontakte angewandt so ist
$\omega = o$. Bei der zweiten Art muss die Parallaxe der Federn ω
unmittelbar bestimmt werden. Dazu kann man, zum Beispiel, dem
Pendel im Moment des Kontaktes einen Stoss versetzen; dann wird
auf dem Seismogramm in ein und demselben Moment die Lage der
Pendelfeder, wie auch die Lage der Schlagfeder angemerkt sein.

§ 12. Auf jedem Seismogramm muss die Kurve der Eigenbewegung des Pendels erhalten werden welche aus folgender
Gleichung bestimmt wird:

$$Y'' + 2k\ Y' + n^2\ Y = o,$$

woraus wir bei genügend kleinem k

$$Y = e^{-kt}(A\cos\mu t + B\sin\mu t)$$

erhalten, wo

$$\mu = \sqrt{n^2 - k^2},$$

A und B zwei Integrationskonstante sind.

Die Bestimmung der Koeffizienten k und n in dem Fall, wo k bedeutend kleiner ist als n, macht keine Schwierigkeiten. Nehmen wir an, dass bei $t = o$, $Y = Y_0$ und $Y_0' = o$ ist; bei $t = \dfrac{\pi}{\mu}$ haben wir dann $Y_1 = -Y_0 e^{-k\frac{\pi}{\mu}}$, bei $t = \dfrac{2\pi}{\mu}$, $Y_2 = -Y_1 e^{-k\frac{\pi}{\mu}}$ u. s. w. Ergeben die Messungen η_i statt Y_i und ist:

$$Y_i = \eta_i + c$$

$$x = e^{-k\frac{\pi}{\mu}},$$

$$y = -cx - c,$$

so erhalten wir:

$$\eta_1 = -\eta_0 x + y,$$
$$\eta_2 = -\eta_1 x + y.$$

Daraus folgt

$$x = \frac{\eta_1 - \eta_2}{\eta_1 - \eta_0}$$

Ist $\dfrac{\pi}{\mu}$ und x bekannt so finden wir leicht k.

Um $\dfrac{\pi}{\mu}$ zu finden, messen wir die Koordinaten derjenigen Punkte der Kurve, in welchen $Y' = o$ ist und es seien x_1 y_1 und x_2 y_2 die Koordinaten zweier solcher auf einander folgender Punkte. Die diesen Punkten entsprechenden Zeitmomente wollen wir durch t_1 und t_2 bezeichnen. Es ist klar, dass

$$t_2 - t_1 = \frac{\pi}{\mu} \text{ ist.}$$

In der ersten Annäherung berechnen wir X_1 und X_2 oder $a_1 - a_0$ und $a_2 - a_0$ nach den Formeln (2) oder (1), indem wir in denselben $a = o$ setzen. Nachdem wir, mit Hilfe dieser

Grössen, die Korrektionen E_1 und E_2 gefunden, haben wir die Gleichung

$$\frac{\pi'}{\mu} = m\,(x_2 - x_1) + m\,(y_2 - y_1)\,\sin\,a - \frac{m\,(y_2{}^2 - y_1{}^2)}{2\,R} + E_2 - E_1$$

Haben wir mehrere solche Gleichungen und lösen sie nach der Methode der kleinsten Quadraten, so finden wir

$\dfrac{\pi}{\mu}$ und *sin a*.

§ 13. Viel schwerer ist es k in dem Falle zu finden, wenn diese Grösse beinahe gleich n ist. Das geschieht gewöhnlich dann, wenn der Pendel mit einem Dämpfer versehen ist. Der letztere, jedoch, wird so eingerichtet, dass man k in recht weiten Grenzen ändern kann. Wenn wir, zum Beispiel, den Deckel des Luftdämpfers öffnen, können wir es erreichen, dass k bedeutend kleiner als n wird. Bei elektromagnetischer Dämpfung kann dieses erreicht werden, wenn man die Kraft des Stromes im Dämpfer verändert. Der Versuch zeigt, dass bei solchen Änderungen von n, k sich nicht ändert; wird darum k sehr klein genommen, so kann n nach den Formeln des vorigen Paragraphen gefunden werden. Zur Bestimmung von k bedienen wir uns der Gleichung

$$Y'' + 2\,k\,Y' + n^2\,Y = o.$$

Wenn wir die Ordinaten Y für gleiche Zeitintervalle messen, so können wir nach den Interpolationsformeln die Abteilungen Y' und Y'' ausrechnen. Kennen wir diese Grössen, so finden wir k aus der Gleichung:

$$2\,k = -\,\frac{Y'' + n^2\,Y}{Y'}$$

Wenn n unbekannt ist, so bestimmt man k und n aus Gleichungen von der Form:

$$Y'' + 2\,k\,Y' + n^2\,Y = o.$$

§ 14. Der Nachteil der eben erklärten Methode zur Berechnung von k besteht darin, dass der kleinste Fehler in Y sich in der Differenz bedeutend vergrössert. Um diesem Nachteil abzuhelfen, schlagen wir folgende Methode zur Berechung der 1-ten und 2-ten Ableitungen vor. Nachdem wir nach den gemessenen Ordinaten der gegebenen Kurve ihre ersten Differenzen begerechnet haben, übertragen wir die letzteren auf ein liniertes Papier. Da die Differenz einer kontinuierlichen Funktion auch eine kontinuierliche Funktion ist, so können wir durch die erhaltenen Punkte eine kontinuierliche Kurve zeichnen und als erste Differenzen die Ordinaten der gezeichneten Kurve nehmen. Haben wir, nach den auf diese Weise erhaltenen Differenzen, die erste Ableitung gefunden, so nehmen wir die ersten Differenzen dieser Ableitung und bringen sie auf das linierte Papier; durch die erhaltenen Punkte ziehen wir eine kontinuierliche Kurve; die, den aufgezeichneten Punkten entsprechenden, Ordinaten dieser Kurve nehmen wir als erste Differenzen der Ableitnng und berechnen mit ihnen nach den Interpolierungsformeln die 2-te Ableitung.

Es erweist sich, dass eine solche Berechnungsmethode für die Ableitungen Werte ergibt, die den wirklichen sehr nahe kommen.

§ 15. Wir hatten oben folgende Gleichung:

$$(3) \qquad q'' + 2\,k\,q' + n^2\,q = \theta''$$

hier ist

$$\theta = -\frac{M\,l}{C}\,y_0$$

Statt q ist es bequemer die gemessene Ordinate Y der Kurve in die Rechnung einzuführen, welche der Gleichung (3) ebenfalls genügen wird; hier ist jedoch,

$$\theta = -\frac{M\,l\,\rho}{C}\,y_0$$

Die Konstante $\frac{M\,l\,\rho}{C}$ kann man mit Hilfe einer Plattform ähnlich der, welche Fürst Golizin construirt hat, bestimmen; nachdem wir sie in eine gegebene fortschreitende Bewegung gesetzt, finden wir Y aus den Aufzeichnungen des Pendels; aus der Gleichung (3) bestimmen wir θ, und da die Bewegung der Plattform gegeben ist, so wird y_0 bekannt sein, und wir erhalten zur Bestimmung der Konstanten m die Gleichung

$$\frac{M l \rho}{C} = -\frac{\theta}{y_0}.$$

IV. Ueber die Konstruktion des Seismographen.

§ 16. Der Seismograph muss so konstruiert sein, dass seine Eigenbewegung wirklich durch eine lineare Differenzialgleichung dargestellt wird.

Bei mechanischer Registration können wir nur von B o s c h's Pendel ohne vergrössernde Hebel, d. h. einem Pendel, bei welchem die schreibende Feder direkt am Gewicht desselben befestigt ist, behaupten, dass seine Bewegung wirklich durch die Gleichung (*) dargestellt wird. Sonst ist die Differenzialgleichung der Bewegung eines Pendels mit mechanischer Registration so kompliziert, dass sie bis jetzt nicht integriert worden ist. Die Schwierigkeit ist hier durch die starke Reibung der schreibenden Feder auf dem Papier bedingt.

Die Gleichung (*) gilt wahrscheinlich für alle Pendel mit optischer Registration. Es gibt allerdings Beobachtungen, welche darauf hinweisen, dass beim Pendel v. R e b e u r - P a s c h w i t z die Schwingungsperiode mit der Amplitude sich ändert, aber es ist uns nicht bekannt, ob man mit dem Pendel v. R e b e u r - P a s c h - w i t z's Diagramme erhalten hat, nach welchen die Bewegung dieses interessanten Apparates genau untersucht werden kann.

§ 17. Je nach der Grösse des Koeffizienten k, welcher in der Gleichung (*) enthalten ist, werden die Seismographen in zwei Kategorien eingeteilt: Pendel mit künstlicher Dämpfung bei welchen k gross ist, und Pendel ohne künstliche Dämpfung bei welchen k sehr klein ist. Gewöhnlich nimmt man an, dass es zur Beobachtung vorteilhafter ist, die Pendel der ersten Kategorie zu benutzen; eine derartige Voraussetzung ist jedoch nicht einwandfrei. Die Schwankungen des Erdbodens haben unzweifelhaft den Charakter einer periodischen Bewegung, welche nicht aus einer Welle besteht, sondern aus einer Summe von periodischen, langsam erlöschenden Gliedern. Wenn das Pendel eine starke Dämpfung hat, so erlöscht die Eigenbewegung dieses Pendels rasch und wir erhalten auf dem Seismogramm eine Kurve, vollständig ähnlich der, welche die Bewegung des Erdbodens darstellt; aber diese Kurve ist gewöhnlich so kompliziert, dass es schwer fällt, sie zu analysieren. Wenn aber, umgekehrt, k sehr klein ist und die Bewegung des Pendels fast rein periodisch ist, so wird solch ein Pendel diejenige Welle hervorheben deren Periode sich von derjenigen des Pendels am wenigsten unterscheidet. Auf dem Seismogramm erhält man dann eine Kurve, ähnlich denen, welche in der Akustik bei einer Superposition von Schwingungen zweier Kammertone mit Erlöschung erhalten werden. Die Analyse solcher Kurven bietet keine Schwierigkeiten. Darum glauben wir, dass bei der Untersuchung der Erdschwankungen, Pendel ohne Dämpfung ebenso bequem sind, wie Pendel mit Dämpfung. Letztere kann man mit Phonographen vergleichen, welche den allerkompliziertesten Ton wiedergeben; zur Analyse des Tones aber muss man sich eines Resonators bedienen; in der Seismologie spielen die Rolle eines Resonators die Pendel ohne Dämpfung.

V. Auswertung der Erdbebendiagramme.

§ 18. Um aus der Gleichung

$$Y'' + 2\,k\,Y' + n^2\,Y = \theta'', \tag{*}$$

θ zu finden, wenn Y graphisch gegeben ist, sind zwei Methoden vorgeschlagen worden.

1. Indem wir beide Teile der aufgeschriebenen Gleichung integrieren, erhalten wir:

$$Y + 2\,k\int_0^t Y\,dt + n^2\int_0^t dt \int_0^t Y\,dt = \theta + C_0 + C_1\,t$$

wo C_0 und C_1 willkürliche Konstante sind. Diese Formel zeigt, dass man zur Bestimmung von θ nach den, aus den Messungen gefundenen Werten von Y, die Integrale $\int_0^t Y \, dt$ und $\int_0^t \int_0^t Y \, dt^2$ und den rechten Teil der Formel berechnen muss.

2. Nachdem die Ableitungen Y' und Y'' (§ 14) berechnet sind, substituiren wir ihre Werte in die Gleichung (*) und erhalten nach einer einfachen Rechnung θ''. Aus θ'' finden wir θ nach analytischer oder mechanischer Integration.

§ 19. Beide eben erklärten Methoden verlangen sehr langwierige Messungen und Berechnungen.

Wenn k sehr klein ist, so ist es in einigen Fällen bequem, sich der folgenden Methode zu bedienen.

Versuchen wir es für Y einen analytischen Ausdruck zu finden. Zu diesem Zweck integrieren wir die Gleichung (*) nach der Methode der Variation der willkürlichen Konstanten. Wir erhalten dann

$$Y = e^{-kt}(A \cos \mu t + B \sin \mu t) \qquad (1)$$

wo A und B solche Funktionen der Zeit sind, dass Y, durch die Formel (1) bestimmt, der Gleichung (*) genügt. Wir unterwerfen diese Funktionen noch folgender Bedingung:

$$\frac{dA}{dt} \cos \mu t + \frac{dB}{dt} \sin \mu t = 0$$

so dass, wenn k sehr klein ist, man annehmen kann:

$$\frac{dY}{dt} = e^{-kt} \mu (-A \sin \mu t + B \cos \mu t) \qquad (2)$$

Die Gleichungen (1) und (2) dienen zur Bestimmung der Funktionen A und B. Wenn man die Werte dieser Funktionen für eine ganze

Reihe von Zeitmomenten berechnet, sie dann auf ein liniertes Papier bringt und durch die erhaltenen Punkte eine Kurve führt, so haben diese Kurven oft eine so einfache Form, dass man sofort einen analytischen Ausdruck für Y hinschreiben kann; ist Y berechnet, so findet man ohne weiteres θ.

Diese Methode ist besonders bequem in dem Falle, wo A und B sich sehr langsam ändern, was man gleich am Seismogramm sehen kann. In diesem Falle genügt es, zur Konstruktoin der genannten Kurven, A und B nur für diejenigen Punkte zu berechnen, in welchen $Y' = o$ ist; für diese Punkte werden A und B nach sehr einfachen Formeln bestimmt, und zwar:

$$A = Y e^{k t} \cos \mu t$$

$$B = Y e^{k t} \sin \mu t$$

Wenn zur Untersuchung der Kurven, welche die Funktionen A und B darstellen, diejenigen Punkte allein, in denen $Y' = o$ ist, nicht genügen, so ist es am bequemsten, noch die Punkte des Seismogramms hinzu zu nehmen, in welchen $Y = o$ ist. Für diese Punkte ist:

$$A = - \frac{Y' e^{k t} \sin \mu t}{\mu}$$

$$B = + \frac{Y' e^{k t} \cos \mu t}{\mu}$$

§ 20. In der Seismologie sind noch zu wenig Untersuchungen angestellt worden, um über die Vorteile und Nachteile jeder der drei Untersuchungsmethoden von Seismogrammen urteilen zu können.

Die 1-te der Methoden (§ 18) wurde in der Praktik von General Pomeranzew ohne Erfolg angewandt. Der 2-ten Methode hat sich, soviel mir bekannt ist, noch niemand bedient. Die Anwendung der 3-ten Methode (§ 19) zeigte uns, dass in vielen Fällen Y und, folglich, auch θ durch folgende Formel dargestellt werden kann:

$$Y = e^{-k_i t}(A_i \cos \mu_i t + B_i \sin \mu_i t)$$

wo k_i, μ_i, A_i und B_i konstante Grössen sind.

Die Resultate unserer Untersuchungen sind teils in den „Nachrichten der Russ. Astron. Gesellschaft" gedruckt, teils werden sie von uns in einer besonderen Abhandlung publiziert werden.

Zum Schlusse halte ich es für meine Pflicht dem Assistenten der Sternwarte in Dorpat Herrn W. Abold für die Unterstützungen bei den Korrekturen bestens zu danken.

Ueber die Seismogramme des Zöllnerschen Horizontalpendels.

Von

A. Orloff.

„Das Horizontalpendel stellt ein ausserordentlich empfindliches Seismometer dar".

Zöllner.

§ 1. Das Zöllnersche Horizontalpendel, welches sich durch grosse Empfindlichkeit und Beständigkeit der Nulllinie auszeichnet, ist eines der besten Instrumente zur Beobachtung von Fern- und Nahbeben. Infolge des vollkommenen Fehlens der Reibung und des geringen Luftwiderstandes hören die Schwingungen dieses Pendels sehr langsam und allmählich auf, und er erscheint deshalb als ein guter Resonator derjenigen Bodenschwankungswellen, welche fast die gleiche Periode haben wie er.

Dieser Umstand macht einige der Seismogramme des Zöllnerschen Pendels sehr geeignet zu ihrer theoretischen Untersuchung. Wenn aber als Zweck der seismischen Beobachtungen nur die Sammlung statistischen Materials über die Erdbeben erscheint, so gebührt dem Zöllnerschen Pendel wegen seiner Einfachheit und Empfindlichkeit unzweifelhaft die erste Stelle.

§ 2. Während starker Erdbeben sind die Schwingungen des Zöllnerschen Pendels so schnell, dass die Lichtpunkte desselben auf dem lichtempfindlichen Papier kein Bild geben Diesem Mangel wird wohl durch Verbesserung der optischen Teile des Apparates abgeholfen werden können.

Als zweiter Mangel der Zöllnerschen Apparate erscheint der Umstand, dass sie infolge ihrer Empfindlichkeit sich in einer fast ununterbrochenen Bewegung befinden, welche augenscheinlich durch nicht seismische Ursachen hervorgerufen wird und oft solche Schwingungen maskiert, welche unzweifelhaft durch entfernte Erdbeben bedingt sind. In einigen Fällen jedoch kann man die schwachen Schwankungen seismischen Charakters sofort von den nichtseismischen unterscheiden. Die letzteren haben gewöhnlich einen regelmässigen sinusoidalen Charakter; bei schwachen entfernten Erdbeben dagegen fängt das Pendel an zu zittern und zeichnet auf dem Seismogramm wenig von der Nulllinie abweichende, aber scharf gebrochene Linien, wie man das deutlich an den hier beigelegten Seismogrammen sehen kann, wo der Anfang solcher zitternder Bewegungen (tremor) durch kurze vertikale Pfeile bezeichnet ist. Die horizontalen Pfeile bezeichnen die der Bewegung der Walze des Registrierapparates entgegengesetzte Richtung.

Was den Ursprung dieser Zitterbewegungen anlangt, so unterliegt es keinem Zweifel, dass sie durch Fernbeben hervorgerufen werden. Davon habe ich mich bei der Untersuchung der im Jahre 1905 und 1906 durch das Zöllnersche Pendel erhaltenen Seismogramme überzeugt. Wenn auf den Dorpater Seismogrammen den hier abgebildeten ähnliche Figuren sich zeigen, so haben wir immer Nachrichten von einem um diese Zeit stattgefundenen Erdbeben, das auf mehreren seismischen Stationen aufgezeichnet ist. So entspricht zum Beispiel das Seismogramm Nr. 1 einem Erdbeben, das durch die Seismographen in Nikolajew, Tiflis und Taschkent aufgezeichnet wurde.

Das Seismogramm Nr. 2 entspricht einem in Irkutsk, Nikolajew, Taschkent und Tiflis registrierten Erdbeben.

Das Erdbeben Nr. 3 ist in Nikolajew und Tomsk verzeichnet.

Der Anfang der Beben ist auf der Zeichnung nach mitteleuropäischer Zeit angegeben.

Mit dem Buchstaben R_3 ist ein Pendel bezeichnet, das im ersten Vertikal, mit R_4 eines, das im Meridian aufgestellt ist.

§ 3. Bis zum Jahr 1905 wurden die Zitterbewegungen des Pendels in Dorpat nicht berücksichtigt; ich habe es deshalb für notwendig gehalten die Dorpater Seismogramme pro 1904 einer Durchsicht zu unterziehen und den Anfangsmoment sämtlicher früher übersehener Erdbeben zu bestimmen.

Die Resultate meiner Messungen und Berechnungen finden sich in der folgenden Tabelle. Für jedes Seismogramm gebe ich nur den Anfangsmoment des Bebens nach mitteleuropäischer Zeit.

Genauere Messungen der Seismogramme des Jahres 1904 habe ich Herrn Prof. Lewitzki für die Redaktion des Bulletins der seismischen Kommission übergeben.

Aus der Tabelle folgt, dass das Bulletin der seismischen Kommission für 1904 nur Zweidrittel aller in Dorpat aufgezeichneten Erdbeben enthält.

1904.

	R_3		R_4			R_3		R_4	
	h	m	h	m		h	m	h	m
28. Febr.	2	48.8	2	48.4	28. April	16	40.8	16	40.1
28. „	7	39.7	7	40	30. „	3	38.5	3	40.9
1. März	1	48.9	1	51.5	7. Mai	21	1.1	21	1.2
2. „	23	8.8	23	30.6	14. „	15	6.1		
4. „			1	30	15. „	19	55	19	55.5
5. „	21	42	21	42.4	19. „	17	47.1	17	47.1
7. „	20	14.7	20	19.1	22. „	22	34.7		
8. „	18	48.5						h m	,h m
16. „	9	20.4	9	17.0	14. Juni	zwischen 3 15 und 3 30			
24. „	7	21.7	7	24.2	17. „	20	56.9	21	4.7
26. „	17	27.4			18. „	8	10.1		
1. April	13	22.4	13	24.6	22. „			12	47.1
2. „	19	18.8			26. „	6	42.2	6	41.6
4. „	14	19			27. „	23	0.3	22	59.5
7. „	23	8.2			28. „	14	46	14	47
9. „	6	45.6	6	52	29. „	3	13.0	3	12.2
12. „	6	2.9	6	1.5	30. „	8	45.2		
13. „	0	56.3			30. „	18	55.2	18	53.5
14. „	2	30.6			19. Juli	15	41.1		
15. „	12	50.3			21. „	17	54.5	17	43.3
22. „	21	32	21	32.0	21. „	23	46.7	23	46.7
26. „	2	24.5			27. „	14	0.2	13	34.8
26. „			20	35.7	27. „	14	5.0	14	5.9

	R_3		R_4			R_3		R_4
	h	m	h	m		h	m	
27. Juli	17	12.8	17	12.8	20. Sept.	15	7	
14. Aug.	5	7	5	7	28. „	10	54	
15. „	16	16.5	16	24.2	5. Okt.	21	13.5	
18. „	21	9.5			9. „	21	16.9	
27. „	17	16.1	17	16.1	10. „	21	9.1	
13. Sept.	18	29.0			5. Nov.	16	51	
14. „	16	38.5			10. „	4	0.9	
	16	42.4						

^{h} ^{m}
21 1.1

Nr. 1. R₄. 7. Mai 1904.

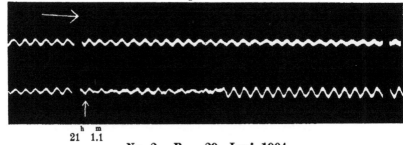

^{h} ^{m}
21 1.1

Nr. 2. R₃. 29. Juni 1904.

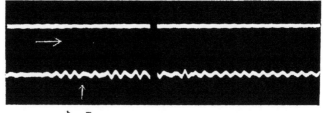

^{h} ^{m}
3 13.0

Nr. 2. R₄. 29. Juni 1904.

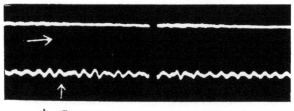

^{h} ^{m}
3 12.2

Nr. 3. R₃. 14. Sept. 1904.

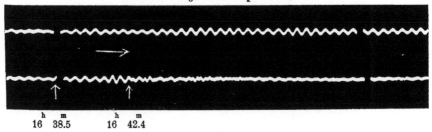

^{h} ^{m} ^{h} ^{m}
16 38.5   16 42.4

Ueber die von Fürst Galitzin angestellten Versuche mit einem nahezu aperiodischen Seismographen.

Von

A. Orloff.

§ 1. Ueber die Vorteile einer starken Dämpfung bei den Seismographen ist schon so viel geschrieben worden, dass wir diese Frage hier nicht weiter erörtern wollen, sondern zur Untersuchung der Eigenbewegung eines aperiodischen resp. nahezu aperiodischen Seismographen übergehen.

Versuche zeigen, dass die Eigenbewegung der mit Dämpfung versehenen Pendel bei kleinen Schwingungen durch die Gleichung

$$y'' + 2\,k\,y' + n^2 y = o$$

bestimmt wird, wo k und n Konstante sind, y dem Ausschlagswinkel des Pendels proportional ist. Hierbei ist zu beachten, dass n von der Einwirkung nicht nur der Schwerkraft, sondern auch verschiedener anderer dem Ausschlagswinkel des Pendels proportionaler Elastizitätskräfte abhängt. Wir werden ein Pendel periodisch nennen, wenn

$$k < n$$

und aperiodisch, wenn

$$k \geqq n \qquad \text{ist.}$$

§ 2. Die von Fürst Galitzin angestellten Versuche, die wir erörtern wollen, sind in seiner Abhandlung: „Zur Methodik der

12*

seismometrischen Beobachtungen" beschrieben. Das von ihm benutzte Pendel hält Fürst G a l i t z i n für periodisch und nimmt an, dass [1])

$$k = n = 0.587$$

sei, wobei er jedoch bemerkt, es sei möglich, dass Berechnung und Beobachtung mit einander nicht übereinstimmen, weil in seinen Formeln „eine Unbestimmtheit über den genauen Wert von k herrscht" [2]).

Später erst gelangte Fürst G a l i t z i n zur Ueberzeugung, dass in den erwähnten Versuchen k nicht gleich n war.

Zu demselben Resultate sind wir unabhängig von Fürst G a l i t z i n und auf eine ganz andere Weise gelangt.

§ 3. Die Eigenbewegung des von F. G a l i t z i n angewandten Pendels ist auf den Fig. 21, 22, 23 der erwähnten Abhandlung registriert. Um uns zu überzeugen, dass die dort gegebenen Kurven durch die Gleichung (141) [3]) nicht dargestellt werden, messen wir die dem Anfang einer jeden Sekunde entsprechenden Ordinaten dieser Kurven und berechnen für diese Zeiten den Ausdruck:

$$\eta = y\, e^{k\,t},$$

wo $k = 0.587$ ist.

Die Resultate dieser Messung und Rechnung sind in der Tabelle I gegeben. Wäre die Formel (141) richtig, so müssten die Zahlen der dritten und fünften Kolumne sich durch Gerade darstellen lassen; letzteres aber ist in der Tat nicht möglich. Folglich ist k nicht gleich n.

T a b e l l e I.

t	Fig. 21.		Fig. 23.	
s	y	η	y	η
0	7.42	7.42	5.52	5.52
1	5.78	10.40	3.84	6.91
2	4.05	13.10	2.29	7.41
3	2.39	13.91	1.29	7.51
4	1.39	14.55	0.60	6.28
5	0.70	13.18	0.20	3.77
6	0.28	9.49		

1) Zur Methodik etc. p. 76.
2) Zur Methodik etc. p. 79.
3) Zur Methodik etc. p. 64.

§ 4. Um k zu bestimmen, bedienen wir uns der Gleichung

$$2\,k = \frac{-\,n^2\,y - y''}{y'}$$

Zur Berechnung der Ableitungen y' und y'' müssen die Werte von y für eine Reihe von Zeiten, die durch genügend kleine Intervalle von einander getrennt sind, bekannt sein. Nehmen wir an, dass die Ordinaten der Kurve für jeden m-ten Teil einer Sekunde gemessen wurden; zur Erleichterung der Rechnung ist es darum angebracht eine neue Veränderliche

$$T = m\,t$$

einzuführen.

Nach deren Substitution erhalten wir

$$\frac{2\,k}{m}\,\frac{d\,y}{d\,T} = -\,\frac{n^2}{m^2}\,y - \frac{d^2\,y}{d\,T^2}$$

Die Ableitungen $\frac{d\,y}{d\,T}$ und $\frac{d^2\,y}{d\,T^2}$ sind leichter zu berechnen, als y' resp. y'', weil die Messungen für ganze Werte von T, und zwar für $T = 0, 1, 2, 3 \ldots$ vorgenommen werden.

§ 5. Zur Bestimmung von k aus den auf den Fig. 21 und 23 abgebildeten Kurven haben wir die nach je 0,4 auf einander folgenden Ordinaten gemessen, so dass $m = \frac{5}{2}$ ist, und darauf die Ableitungen $\frac{d\,y}{d\,T}$ und $\frac{d^2\,y}{d\,T^2}$ nach der in unserer Abhandlung „Ueber die Untersuchungen der Schwankungen der Erdrinde" beschriebenen Methode (§ 14) berechnet.

Die Resultate der Messungen und Berechnungen der Ableitungen sind in der Tabelle II gegeben. Für n haben wir den Wert $n = 0,587$ angenommen.

Tabelle II.

	Fig. 21.			Fig. 23.		
T	y	$\dfrac{dy}{dT}$	$\dfrac{d^2y}{dT^2}$	y	$\dfrac{dy}{dT}$	$\dfrac{d^2y}{dT^2}$
0	6.54	-0.54	-0.20	7.43	-0.37	-0.32
1	5.93	.70	-0.10	6.97	.61	-0.17
2	5.20	.74	$+0.01$	6.27	.72	-0.06
3	4.48	.70	$+0.05$	5.56	.74	0.00
4	3.81	.64	$+0.06$	4.80	.75	$+0.02$
5	3.20	.58	$+0.06$	4.05	.71	$+0.04$
6				3.40	.65	$+0.06$
7				2.79	.58	$+0.07$

Die Zahlen dieser Tabelle geben zur Bestimmung von k das folgende System von Gleichungen:

Fig. 21	Fig. 23
$54\,x = 16$	$37\,x = 9$
$70\,x = 23$	$61\,x = 22$
$74\,x = 30$	$72\,x = 29$
$70\,x = 30$	$74\,x = 31$
$64\,x = 27$	$75\,x = 28$
$58\,x = 23$	$71\,x = 26$
$x = \dfrac{2k}{m}$	$65\,x = 25$
	$58\,x = 22$

Werden diese Gleichungen nach der Methode der kleinsten Quadrate aufgelöst, so erhält man:

$$\frac{2k}{m} = 0.377$$

Daraus folgt $\qquad k = 0.472$

Da $n = 0.587$ ist, so ist $n > k$ und daher war das Pendel ein periodisches.

§ 6. Die in der F. Galitzin's Abhandlung auf Fig. 30, 31, 32 (p. 78) abgebildeten Kurven lassen eine Kontrolle unserer Rechnung zu. Sei y die Ordinate der vom Pendel gezeichneten Kurve. Nachdem ein genügend grosses Zeitintervall, vom Anfang der Bewegung gerechnet, verstrichen ist, wird y durch eine Sinusoide dargestellt; die Amplitude dieser Sinusoide sei a und ihre Halbperiode — T. Es sei, ferner, η die Grösse der Abweichung der Plattform von der Ruhelage; dann wird y der Gleichung

$$y'' + 2\,k\,y' + n^2 y = -\frac{M\,l\,R}{C}\,\eta''$$

begnügen, wo

M die Masse des Pendels darstellt,

l — den Abstand des Schwerpunkts des Pendels von der Rotationsaxe,

C — das Trägheitsmoment des Pendels in Bezug auf seine Rotationsaxe,

R — den Abstand der schreibenden Feder des Pendels von seiner Rotationsaxe.

Der Kürze wegen setzen wir

$$-\frac{M\,l\,R}{C}\,\eta = x$$

$$\frac{\pi}{T} = \mu$$

$$\frac{n^2 - \mu^2}{\mu^2}\,a = a$$

$$\frac{a}{\mu} = \beta$$

Auf Grund der hier angeführten Differenzialgleichung wird x durch eine Sinusoide mit Halbperiode T dargestellt; bezeichnen wir mit A die Amplitude dieser Sinusoide, so ist

$$A^2 = a^2 + 4\,k^2\,\beta^2.$$

Für alle drei Kurven A hat dieselbe Wert; sind nun a_1 und β_1, a_2 und β_2, a_3 und β_3 die Werte der Grössen a und β für die Kurven N 30, N 31, N 32, so erhalten wir zur Bestimmung von k folgende Gleichungen:

$$4\,k^2 = \frac{a_1{}^2 - a_2{}^2}{\beta_2{}^2 - \beta_1{}^2}$$

$$4\,k^2 = \frac{a_1{}^2 - a_3{}^2}{\beta_3{}^2 - \beta_1{}^2}$$

Für die Kurve[1]) N 30 wird $2\,a = 8.35 \qquad 2\,T = 3.60$
„ „ „ N 31 „ $2\,a = 7.15 \qquad 2\,T = 7.51$
„ „ „ N 32 „ $2\,a = 7.31 \qquad 2\,T = 7.00$

Die Rechnung ergibt dann

$$
\begin{aligned}
a_1{}^2 &= 13.71 & \beta_1{}^2 &= 5.72 \\
a_2{}^2 &= 3.29 & \beta_2{}^2 &= 18.28 \\
a_3{}^2 &= 4.38 & \beta_3{}^2 &= 16.59
\end{aligned}
$$

Daraus folgt

$$k = 0.456 \text{ (die Kurven N 30 und N 31)}$$
$$k = 0.464 \;(\text{„ „ N 30 „ N 32)}$$

oben hatten wir $\qquad k = 0.472.$

Das Mittel aus diesen drei Bestimmungen ist:

$$k = 0.464.$$

§ 7. Die vom Pendel während der Bewegung der Plattform gezeichneten Kurven geben ein Mittel zur Bestimmung der Konstante:

$$\frac{M\,l}{C}$$

Es sei η_0 die Amplitude der Schwankungen der Plattform, dann ist

$$\frac{M\,l\,R}{C}\,\eta_0 = A$$

und daher

$$\frac{C}{M\,l} = \frac{\eta_0\,R}{A}$$

In F. Galitzin's Versuchen ist

$$\eta_0 = 3.20$$
$$R = 715$$

---

1) Zur Methodik etc. p. 78

A wird nach der Formel

$$A = V \overline{a^2 + 4\, k^2\, \beta^2}$$

berechnet.

Für die drei in Frage stehenden Kurven ergibt diese Rechnung folgende Werte von A:

Kurve N 30 $A = 4.32$
„   N 31 $A = 4.36$
„   N 32 $A = 4.32$
Mittel $A = 4.33$

Mit diesem Wert von A finden wir

$$\frac{C}{M\,l} = 528.$$

Zur Kontrolle berechneten wir den Wert $\dfrac{C}{M\,l}$ auch nach anderen, in der Abhandlung F. Galitzins gegebenen Kurven, und erhielten im Mittel 530.

Beobachtungsresultate der Nobel'schen seismologischen Station in Bahu für die Monate Juni, Juli und August des Jahres 1906.

Von

A. Orloff.

Auf der Station, die in Baku aus den Mitteln E. L. Nobels gegründet ist, sind Seismographen schon im Juni 1903 aufgestellt worden. Wegen einiger Versehen bei der Einrichtung der Station und unzulänglicher Organisation der Beobachtungen, führten letztere in Baku im Verlaufe von drei Jahren zu keinem Resultat. Erst im Mai des Jahres 1906, als ich von der Seismischen Kommission in den Kaukasus abkommandiert wurde, gelang es mir die Haupt- ursachen, welche die regelrechten Beobachtungen hinderten, zu be- seitigen und eine möglichst zweckmässige Behandlung der Instru- mente anzuordnen. Von Ende Mai d. J. 1906 werden in Baku Seismogramme erhalten, die schon vollkommen eine wissenschaftliche Bearbeitung zulassen. Diese Seismogramme zeigen, dass der Boden in Baku im höchsten Grade instationär ist; ausser den entfernten Erdbeben haben die Seismographen in Baku eine ganze Reihe von örtlichen Erdbeben registriert; besonders bemerkenswert sind die eigenartigen Figuren, welche auf den Seismogrammen in Baku häufig erhalten werden, und welche zweifellos örtlichen Ur- sprunges sind, da sie auf den Seismogrammen anderer Stationen nie vorkommen. Die Untersuchung dieser eigenartigen Bewegung der Seismographen ist sehr wichtig in wissenschaftlicher und, möglicher- weise, auch praktischer Hinsicht. Zur eingehenderen Untersuchung der Seismogramme in Baku wäre es jedoch notwendig gleichzeitig andere geologische Forschungen anzustellen, wobei es besonders wichtig wäre die Wirkung der Naphtaquellen zu beobachten. Da solche Beobachtungen noch nicht unternommen worden sind, beschränken wir uns hier mit der Aufzählung der Erdbodenschwankungen, die in Baku in den Monaten Juni, Juli, August registriert worden sind; hierbei ist zu bemerken, dass, trotz der grossen Zahl der hier angeführten Erdbeben, diese doch lange nicht vollständig ist, weil einige Seismogramme verdorben wurden, auf anderen wieder keine Messungen vorgenommen werden konnten, weil die Linien auf ihnen zu schwach waren.

In Baku sind Zöllnersche, von Repsold angefertigte, leichte Horizontalpendel aufgestellt. Der Abstand des Spiegels am Pendel vom Registrierapparat ist annähernd gleich 4 m. Die Schwingungsperiode der Pendel betrug während der genannten 3 Monate 23^s bis 24^s. Die Periode der Schwingungen um die horizontale Axe war ungefähr gleich 0.4^s. Die Pendel sind nicht mit Dämpfung versehen.

Die Zeiten der Phasen sind nach Greenwicher mittl. Zeit gegeben, wobei die Zeit von Mitternacht gezählt werden.

In der folgenden Tabelle bezeichnet:

R_7 — das im Meridian aufgestellte Pendel,

R_8 — das im ersten Vertikal aufgestellte Pendel,

A — den Beginn der Pendelschwingungen,

R — den Beginn der grösseren Schwingungen,

M — die Zeit des grössten Ausschlages des Pendels,

Af — die Zeit einer auffallenden Schwächung der Schwingungen,

Amp — die doppelte Amplitude in mm.

Es ist noch zu bemerken, dass wegen Nichtvorhandenseins einer Dämpfung das Grösserwerden der Pendelschwingungen (d. h. die Phase R) nicht dem Anwachsen der Bewegung des Erdbodens zu entsprechen braucht, sondern auch als Folgeerscheinung von Interferenz der Bewegungen von Erdboden und Pendel auftreten kann; eine Dämpfung würde aber die Empfindlichkeit der Repsold'schen Pendel bedeutend verringern.

	R$_7$	Amp.	1906.		R$_8$	Amp.
	h *m*		2. Juni			
A.	14 50.9					
R.	14 57.1	7				
R.	15 15.4	10				
R.	15 31.6	12				
			3. Juni		*h* *m*	
A.	5 11.4			A.	5 7.6	
R.	5 28.9			R.	5 28.6	
M.	5 33.3	10		M.	5 33.0	10
			4. Juni			
A.	3 45.8			A.	3 46.8	
R.	3 52.9	2		R.	3 54.2	2
R.	3 54.5	2		R.	3 56.9	4
			5. Juni			
A.	1 29.7	2		A.	1 33.2	
			5. Juni			
A.	8 55.2	4				
			5. Juni			
A.	12 58.2	2				
			5. Juni			
A.	18 8.4	2		A.	18 8.8	
R.	18 12.2	2		R.	18 10.7	3
			6. Juni			
A.	11 14.7			A.	11 15.6	2
			7. Juni			
A.	2 47.0	2		A.	2 46.6	
Af.	3 14.7			R.	2 56.5	3
R.	3 16.1	7		R.	3 3.4	6
R.	3 19.8			R.	3 27.2	
M.	3 33.4	59				
			10. Juni			
R.	21 5.2			A.	21 5.0	
M.	21 16.2	19		R.	21 7.3	18
R.	21 18.7			R.	21 19.5	
M.	21 21.3	43		M.	21 26.1	37
Af.	21 23.8					
			11. Juni			
A.	12 8.2			A.	12 10.0	
R.	12 23.8			R.	12 25.2	
M.	12 27.4	6		R.	12 28.3	
					M.	12 30.3	8
			12. Juni			
R.	16 48.0	2		R.	16 43.2	3
			13. Juni			
A.	6 35.6	2		A.	6 35.3	2

	R_7	Amp.	1906.			R_8	Amp.
			13. Juni				
A.	10 37.4 ^{h} ^{m}						
			13. Juni				
A.	17 59.2	2			A.	17 59.2	4
R.	18 4.5	3			R.	18 7.7	3
			14. Juni				
A.	4 2.3						
			20. Juni				
A.	22 15.9	3			A.	22 16.3	2
			22. Juni				
A.	20 0.4	8			A.	20 0.8	4
			26. Juni				
R.	13 17.9				R.	13 17.2	
			2. Juli				
R.	10 31.4						
			2. Juli				
A.	22 50.7				A.	23 1.5	
R.	23 0.1	7			R.	23 4.6	7
			4. Juli				
A.	18 18.8	3			A.	18 18.8	4
			5. Juli				
A.	7 48.1				A.	7 37.2	
R.	7 54.5	21			R.	7 48.4	
					R.	7 54.2	
					R.	7 59.8	6
					R.	8 11.2	7
			6. Juli				
A.	0 48.9				A.	0 48.9	
M.	0 52.2	9			R.	0 54.2	
R.	0 54.1				M.	0 56.1	44
M.	0 55.3	32			R.	0 56.5	
R.	0 56.0	>100			M.	0 58.0	98
			8. Juli				
A.	22 17.8	12			A.	22 21.9	16
Af.	22 23.9				R.	22 25.5	20
R.	22 26.1	10			R.	23 18.1	
R.	23 13.9	10			R.	23 20.5	
R.	23 16.3				M.	23 24.9	280
M.	23 19.5	57					
R.	23 21.4						
M.	23 23.1	40					
R.	23 23.9						
M.	23 27.3	59					

	R_7	Amp.	1906.		R_8	Amp.
	h *m*		10. Juli		*h* *m*	
A.	20 6.9			A.	20 7.1	
R.	20 8.3	6		R.	20 8.4	7
R.	20 16.4	9		R.	20 19.3	8
R.	20 28.7	14		R.	20 31.2	11
R.	20 31.8	16		R.	20 34.2	12
R.	20 34.9	16		R.	20 38.3	22
				R.	0 49.6	14
			11. Juli			
A.	19 54.5	5		A.	19 54.0	3
			12. Juli			
A.	6 38.9	4		A.	6 38.9	3
			12. Juli			
A.	10 32.0			A.	10 33.7	
R.	10 48.7	4				
R.	10 56.9	7				
R.	11 9.5					
M.	11 14.6	10				
			14. Juli			
A.	0 6.6			A.	0 6.6	
R.	0 11.9			R.	0 11.9	
M.	0 36.7	55		R.	0 1.9	
R.	1 13.6	12		M.	0 5.3	64
				Aff.	1 3.5	
				R.	1 6.9	10
			15. Juli			
A.	11 48.4			A.	11 50.4	
R.	12 34.3	8		R.	12 31.7	8
				R.	12 44.1	11
			15. Juli			
A.	16 31.0			A.	16 35.0	
R.	17 9.9			R.	17 9.8	8
M.	17 18.1	13		R.	17 18.8	7
			16. Juli			
A.	21 41.4	12		A.	21 41.7	
				R.	22 9.0	
				R.	22 18.8	
				M.	22 21.2	16
			17. Juli			
A.	15 36			A.	15 37	
			20. Juli			
				A.	11 42.6	
				R.	12 3.1	
				R.	12 8.3	
				M.	12 13.6	45

	R_7	Amp.	1906.			R_8	Amp.
			20. Juli		A.	20 37.0 ^{h} ^{m}	
			22. Juli				
A.	18 52.3 ^{h} ^{m}				A.	18 52.5	
R.	19 2.7	17			R.	19 3.2	19
R.	19 4.8	48			R.	19 7.9	28
			23. Juli				
A.	4 53.9	7			A.	4 59.0	8
			23. Juli				
A.	6 33.3				A.	6 34.0	
R.	6 58.7	6			R.	7 1.5	5
			25. Juli				
A.	7 26.2				A.	7 26.2	
M.	7 28.1	14			M.	7 27.6	14
			25. Juli				
A.	22 41.2				A.	22 38.5	
R.	22 49.0				R.	22 47.3	8
					R.	22 49.7	
					M.	22 51.9	18
					R.	22 54.1	
					M.	22 56.1	15
			30. Juli				
A.	11 52.5	2			A.	11 56.9	
R.	12 5.5	4			R.	12 5.8	2
R.	12 10.9	8			R.	12 10.4	4
R.	12 18.6	15			R.	12 18.1	4
			1. August				
A.	23 38.7				A.	23 38.4	
R.	23 54.4				R.	23 58.7	>50
			2. August				
A.	23 8.1	6			A.	23 8.1	
R.	23 10.6	8			R.	23 10.5	5
			6. August				
A.	3 44.1				A.	3 44.1	
			8. August				
A.	2 32.5				A.	2 34.2	
R.	2 59.2	11			R.	3 2.1	7
					R.	3 9.3	9
			8. August				
A.	23 47.6				A.	23 29.5	
M.	23 57.2	17			R.	23 50.1	
					M.	23 56.3	13
			13. August				
A.	18 56.2	4			A.	19 56.1	3
R.	19 0.4	10			R.	20 25.4	
R.	20 49.2	8			R.	20 53.6	3

	R₇	Amp.	1906.		R₈	Amp.
	h *m*		15. August		*h* *m*	
A.	20 8.7			A.	20 8.2	
R.	20 37.0	6		R.	20 52.1	
				M.	20 55.8	14
			15. August			
A.	22 17			A.	22 17	
R.	22 20.8			R.	22 18.6	
R.	22 22.3			R.	22 20.9	
M.	22 24.0	50		R.	22 22.8	
				M.	22 23.8	17
				R.	22 26.4	12
			17. August			
A.	0 22.7			A.	0 22.8	
M.	0 28.9	12		M.	0 30.0	20
R.	0 32.4	145		R.	0 32.8	78
R.	0 38.1	>280		R.	0 38.0	>300
				Af.undR.	0 47.0	190
				R.	0 51.1	
				R.	0 53.4	
				R.	1 7.5	
				Af.	1 40.8	
				R.	1 43.1	>350
			17. August			
				R.	7 14.7	
				M.	7 20.0	14
			17. August			
R.	10 1.0			R.	10 0.7	
R.	10 12.7			R.	10 12.4	
M.	10 20	28		M.	10 22	34
			17. August			
R.	12 57.6			A.	12 59.4	
R.	13 3.0	9		R.	13 3.7	9
R.	13 28.8			R.	13 30.8	
R.	13 59.8			R.	13 45.9	
R.	14 11.2			R.	14 5.3	
				M.	14 11.0	22
				R.	14 12.9	
				M.	14 16.6	28
			17. August			
A.	20 40.3			A.	20 40.1	
R.	20 56.0			R.	21 29.5	
R.	21 28.5			R.	21 42.6	11
R.	21 44.6	9				

	R_7	Amp.	1906.		R_8	Amp.
	h m		17. August		h m	
A.	22 59.5	2		A.	22 59.5	
R.	23 9,2	6		R.	23 6.2	6
			18. August			
A.	2 1.5	7		A.	1 7.5	
R.	2 6.9			R.	1 58.5	6
				R.	2 1.2	11
				R.	2 7.3	22
			18. August			
A.	7 12.5			A.	7 10.3	
R.	7 23.4	8		R.	7 22.7	7
R.	7 42.5	11		R.	7 43.0	7
R.	8 1.1	12		R.	8 8.5	
R.	8 8.8	11		M.	8 12.5	21
R.	8 12.3	10		R.	8 13.7	55
R.	8 14.7	19				
			18. August			
A.	13 14.4					
			18. August			
A.	16 19.8			A.	16 20.1	
R.	16 28.9			R.	16 30.9	
R.	16 32.9			R.	16 37.3	
M.	16 37.9	11		M.	16 39.4	8
			18. August			
A.	23 36.0			A.	23 37.4	
R.	23 38.1	8		M.	23 44.5	
			19. August			
A.	9 52.9			A.	9 51.8	
R.	10 3.5			R.	10 4.2	
R.	10 38.7			Af.	10 25.2	
R.	10 49.1			R.	10 28.3	
M.	10 51.0	62		R.	10 38.7	
Af.	10 59.4			M.	10 47.9	47
				R.	10 52.0	32
				R.	10 59.9	47
			19. August			
A.	16 1.4				16 1.4	
R.	16 54.0	8		A.	16 52.6	17
R.	16 58.5	14		R.	16 59.9	26
			21. August			
A.	12 35.6			A.	12 35.7	
M.	12 42.7	14		R.	12 42.5	16

13

	R$_7$	Amp.	1906.			R$_8$	Amp.
	h *m*		21. August				
A.	20 44.3				A.	20 44.0	
R.	20 57.6				R.	21 57.3	
R.	21 12.1				R.	21 12.6	
M.	21 14.8	20			M.	21 15.2	22
R.	21 42.0						
			22. August				
A.	7 45.7	6			A.	7 45.5	
					R.	7 48.2	4
			25. August				
A.	12 5.2				A.	12 1.3	
M.	12 15.9	19			R.	12 6.8	
Af.	12 17.3				M.	12 10.4	18
R.	12 17.7				R.	12 14.7	
R.	12 19.5				M.	12 17.0	18
M.	12 22.7				R.	12 18.1	
					R.	12 19.1	
					M.	12 23.0	54
			25. August				
A.	13 54.6				A.	13 54.8	
R.	14 0.6				R.	14 0.0	
R.	14 3.1				M.	14 3.9	66
R.	14 6				R.	14 8.2	
M.	14 17.1	>190			M.	14 10.5	68
					R.	14 11.3	
					M.	14 17.3	>200
			25. August				
R.	15 14.3				R.	15 14.1	
M.	15 17	34			M.	15 18	53
R.	15 20.1	25			R.	15 20.7	39
			25. August				
R.	17 15.8	11			R.	17 15.1	8
R.	17 23.0	14			R.	17 19.3	8
					R.	17 21.7	13
			26. August				
A.	6 12.9				A.	6 15.1	
R.	6 24.5	28			R.	6 21.8	6
R.	6 42.8	43			R.	6 25.4	15
R.	6 49.0				R.	6 40.3	36
R.	6 51.2				R.	6 51.8	
R.	6 55.3				M.	6 53.8	31
M.	6 58.4	114			R.	6 55.2	19
R.	7 5.9	42			R.	6 58.2	
R.	7 8.9	76			M.	7 0.7	59
					R.	7 5.1	31
					R.	7 6.4	52

	R_7	Amp.	1906.		R_8	Amp.
	h m		26. August		h m	
A.	9 35.1	12		A.	9 37.1	6
				R.	9 43.9	10
			26. August			
A.	20 48.0			A.	20 48.3	
R.	21 1.9	8		R.	20 55.4	5
				R.	21 29.8	
			28. August			
R.	6 16.6			R.	6 16.5	
M.	6 20.8	35		M.	6 31.7	
R.	6 27.6	25				
			28. August			
A.	16 37.9	5		A.	16 42.7	3
R.	16 49.8	5		R.	16 49.5	
			30. August			
A.	2 59.8			A.	2 59.5	
R.	3 17.5	41		R.	3 16.7	38
R.	3 53.7			R.	3 41.1	
M.	4 1.6	>120		M.	3 45.1	38
				R.	3 49.2	39
				R.	3 54.2	
				R.	3 56.5	80
				R.	4 0.7	41
				R.	4 4.3	84
			31. August			
A.	15 6.5			A.	15 6.2	
R.	15 10.9	21		R.	15 15.8	37

Изъ Гигіеническаго Института Императорскаго Юрьевскаго Университета.

Нѣкоторыя детали въ процессѣ образованія споръ у бактерій.

Проф. Е. Шепилевскаго.

(Табл. I.)

По вопросу объ образованіи споръ у бактерій въ 1904 году вышла капитальная работа Preisz'a[1]), въ которой, на мой взглядъ, впервые съ полною отчетливостью выяснены детали этого процесса, а также связанныя съ нимъ нѣкоторыя морфологическія явленія въ бактеріи иного характера, какъ образованіе и значеніе кислотоупорныхъ тѣлецъ и др. До появленія этой работы въ литературѣ, касающейся образованія споръ, господствовали довольно неопредѣленные и даже совершенно ошибочные взгляды на этотъ процессъ. Интересующійся ими найдетъ въ цитированной работѣ Preisz'a обстоятельный критическій обзоръ.

Несомнѣнно однако, что весьма многіе авторы отмѣчали правильно нѣкоторыя фазы спорообразованія и раньше, но толкованіе ихъ было часто совершенно неправильно; кромѣ того никто не представилъ видимыя картины въ ихъ взаимной связи и зависимости. Весьма большой соблазнъ былъ для многихъ изслѣдователей причислить къ начальнымъ спорамъ т. и. кислотоупорныя зерна Bunge. (De-Bary, Zopf, Klein, Miqula, Burchard и самъ Bunge), не имѣющія никакого морфологическаго отношенія къ настоящимъ спорамъ. Другіе изслѣдователи отмѣчали первую фазу развитія споръ въ видѣ темной неблестящей массы, собирающейся на одномъ мѣстѣ клѣтки (Brefeld, Mühlschlegel, Ascoli), или въ видѣ овальнаго тѣла, имѣющаго зеленоватый оттѣнокъ (Frenzel) и пріобрѣтающаго постепенно способность сильнѣе преломлять свѣтъ (L. Klein, A. Meyer). Bunge и L.

---

1) Preisz. Studien über Morphologie und Biologie des Milzbrandbacil- lus. Centralbl. f. Bakt. etc, I. Abth. Orig. B. XXXV.

Klein отмѣчаютъ и овальныя, темноголубыя тѣла въ бактеріяхъ, во множествѣ видимыя при окраскѣ метиленовой синькой фиксированныхъ препаратовъ. Первый считаетъ ихъ за молодыя споры, происшедшія изъ кислотоупорныхъ тѣлъ его, а второй за абортивныя, остановившіяся въ своемъ развитіи споры. Отношеніе ихъ къ настоящимъ спорамъ однако не выяснено ни тѣмъ, ни другимъ. Nakanishi, принимающій существованіе въ ·бактеріальныхъ клѣткахъ ядра, выдвигаетъ три фазы развитія споръ, а именно: дѣленіе ядра, образованіе легко окрашивающагося метил. синькой въ синій цвѣтъ бобовиднаго или овальнаго тѣла (молодыя споры) и зрѣлой споры.

Наблюдая послѣдовательныя морфологическія измѣненія въ бактеріальной клѣткѣ, образующей спору, можно дѣйствительно видѣть указанныя приведенными авторами картины. Preisz первый далъ имъ весьма детальное описаніе и поставилъ ихъ въ зависимое отношеніе другъ къ другу, представивъ т. обр. весь ходъ процесса спорообразованія въ совершенномъ цѣльномъ видѣ.

Но изслѣдованіямъ этого автора спорообразованіе у бактерій происходитъ слѣдующимъ образомъ. Въ самой ранней фазѣ развитія споръ замѣчается на концѣ палочки появленіе хроматическаго вещества, окрашивающагося интензивно фуксиномъ (а также генціанвіолетомъ и метиленовой синькой). Это вещество тѣсно прилегаетъ къ оболочкѣ бактерій и очевидно составляетъ модификацію слоя протоплазмы. Оно въ началѣ имѣетъ обыкновенно видъ серповиднаго сегмента или, если его представить стереоскопически, сидитъ на полюсѣ палочки въ видѣ колпачка (рис. 1 и 2). Въ ближайшемъ сосѣдствѣ съ нимъ или прилегая къ нему находится ядро, болѣе интензивно окрашенное краской и иногда окруженное свѣтлымъ поясомъ (рис. 3). Въ дальнѣйшемъ развитіи будущей споры наблюдается образованіе перегородки между хроматическимъ веществомъ и стерильной частью палочки; при этомъ отдѣленная перегородкой часть пріобрѣтаетъ видъ двояковыпуклый, или плосковыпуклый или вогнутовыпуклый. (рис. 4 и 5). Иногда, впрочемъ, перегородка образуется ранѣе появленія хроматическаго вещества (рпс. 6). Этимъ оканчивается первая фаза развитія начальной споры (Sporenanlage).

Вторая фаза развитія ея заключается въ томъ, что отдѣленное отъ остальной части бактеріи хроматическое вещество увеличивается по направленію длинника клѣтки, пріобрѣтаетъ круглый или овальный видъ и имѣетъ размѣры немного больше зрѣлой споры. Вмѣстѣ съ этимъ оно отдѣляется отъ стѣнокъ материнской клѣтки и подвигается къ срединѣ ея. Содержимое его воспринимаетъ краски немного сильнѣе, чѣмъ остальная протоплазма палочки и становится гомогеннымъ; ядро изчезаетъ (рис. 7 и 8). Нерѣдко одинъ конецъ этого образованія, называемаго Preisz’омъ „предспорой“ (Vorspore) окруженъ неокрашеннымъ менискомъ (рис. 9), что надо, по его мнѣнію, отнести на счетъ сморщиванія плазмы будущей споры. Затѣмъ предспора обращается въ зрѣлую спору. Въ центрѣ ея дифференцируется продолговатое, овальное, равное $1/8—2/8$ предспоры образованіе, окруженное довольно широкимъ поясомъ — молодая спора. Вначалѣ она окрашивается сильнѣе, чѣмъ самый поясъ (рис. 10), а потомъ теряетъ способность окрашиваться и понемногу становится болѣе блестящей и болѣе преломляетъ свѣтъ. По совершенномъ созрѣваніи она становится желтоватой или буроватой (рис. 11). Поясъ же переходитъ въ оболочку или, лучше сказать, въ скорлупу споры, при чемъ онъ болѣе или менѣе сморщивается.

Вотъ въ сжатой формѣ описаніе процесса спорообразованія, какъ наблюдалъ его Preisz у b. anthracis, tetani и одного бацилла, развившагося въ недостаточно хорошо стерилизованномъ бульонѣ.

Повторяя изслѣдованія Preisz’а надъ нѣкоторыми бактеріями, образующими споры, я имѣлъ возможность убѣдиться въ томъ, что указанный этимъ авторомъ ходъ развитія споръ имѣетъ мѣсто и у тѣхъ бактерій, которыхъ я избралъ объектомъ своихъ наблюденій. Вмѣстѣ съ тѣмъ, при моихъ изслѣдованіяхъ, обнаружились нѣкоторыя существенныя детали, частью дополняющія наблюденія Preisz’а, частью же противорѣчащія его описанію.

Изслѣдованія свои я произвелъ надъ b. megatherium, b. subtilis и mesentericus vulgatus и еще на особомъ сапрофитѣ съ концевыми спорами въ видѣ барабанной палочки.

Для обнаруженія деталей въ строеніи споръ предпочтительнѣе всего живыя культуры и очень разведенные водные растворы анилиновыхъ красокъ, фуксина, генціан-віолета и метиленовой синьки; въ особенности послѣдней. Я употреблялъ водный растворъ метиленовой синьки на столько слабый, что въ слоѣ толщиною въ 3—4 сант. онъ еще просвѣчиваетъ.

Препаратъ изучаемой бактеріи готовился мною такимъ образомъ: на чисто вымытое покровное стекло наносилось 3—4 ушка обыкновенной водопроводной воды и одно ушко воднаго раствора метиленовой синьки. Въ результатѣ получалась слегка окрашенная въ синій цвѣтъ капля, въ которую и опускалось съ кончика платиновой иглы столь небольшое количество агаровой культуры, чтобы она видна была въ каплѣ въ видѣ слегка замѣтнаго облачка. Оставшаяся на платиновой иглѣ часть культуры сжигалась, сама игла охлаждалась погруженіемъ въ воду и ею сейчасъ же размѣшивались бактеріи, внесенныя въ окрашенную каплю. Послѣ этого покровное стекло опускалось на предметное каплей внизъ и препаратъ сейчасъ же изслѣдовался масляной системой.

Микроскопическое изслѣдованіе должно начаться тотчасъ же, такъ какъ лишь при этомъ условіи можно видѣть многія детали въ строеніи бактеріи и вѣрно понять значеніе и происхожденіе въ ней измѣненій, сопутствующихъ образованію споры.

При изслѣдованіи живыхъ культуръ бактерій въ періодѣ спорообразованія весьма полезно окрашивать очень слабымъ растворомъ нейтральной красной (Neutralroth), примѣняя его точно также какъ и растворъ метиленовой синьки. Для приготовленія красящаго раствора необходимо предварительно приготовить водный растворъ сухой краски въ пропорціи 1 на 100. Этотъ крѣпкій растворъ краски разводится въ 10 разъ водою и на каждые 10 куб. с. полученной краски прибавляется капель 5 5% укс. кислоты. Для приготовленія препарата берется на покровное стекло 3 ушка воды и 1 ушко краски. Необходимо, чтобы капля имѣла розовый цвѣтъ, чему способствуетъ уксусная кислота. Такая краска обнаруживаетъ хорошо оболочки бактерій и ихъ перегородки, окрашивая ихъ въ буроватый цвѣтъ. Протоплазма бактерій окрашивается слабо въ свѣтлобурый цвѣтъ. Споры ею не окрашиваются, сохраняя свой естественный зеленоватый цвѣтъ, и отлично выдѣляются на свѣтломъ желтовато-буромъ фонѣ уже въ раннихъ стадіяхъ своего развитія, какъ объ этомъ будетъ сказано ниже.

Фиксированные на пламени препараты окрашивались или воднымъ растворомъ метиленовой синьки съ обезцвѣчиваніемъ 1% уксусной кислотой, или карболовымъ фуксиномъ съ обезцвѣчиваніемъ 5% сѣрной кислотой и дополнительной окраской метиленовой синькой.

Для наблюденія за ходомъ спорообразованія фиксированные препараты имѣютъ второстепенное значеніе. Необходимо имѣть въ виду, что при фиксаціи и даже простомъ высыханіи на воздухѣ препарата видъ бактерій сильно измѣняется и по этому такіе препараты главнымъ образомъ служили мнѣ для опредѣленія отношенія споръ и бактерій къ карболовому фуксину и обезцвѣчивающему дѣйствію сѣрной кислоты.

Для наблюденія надъ ходомъ спорообразованія необходимо имѣть хорошо спорующіяся культуры. Слѣдовательно должны быть приняты во вниманіе всѣ необходимыя для этого условія. Культуры изслѣдованныхъ мною бактерій выращивались на простомъ агарѣ въ чашкахъ Petri или въ пробиркахъ. Въ послѣднемъ случаѣ агаръ остуживается въ косомъ положеніи пробирки. Посѣвъ производился изъ матеріала, содержащаго ночти исключительно однѣ споры. Ростъ изслѣдованныхъ мною бактерій происходилъ при температурѣ 21—23° Ц.

Появленіе первыхъ признаковъ спорообразованія наблюдалось не ранѣе 24 часовъ и далеко не у всѣхъ бактерій одновременно. Часто на культурахъ 4—5 дневнаго возраста, когда было уже много сполнѣ созрѣвшихъ споръ, можно видѣть много бактерій начинающихъ образовывать ихъ. Регулярно пересѣваемыя культуры отличаются болѣе правильнымъ теченіемъ процесса во всѣхъ отношеніяхъ. Начало спорообразованія у нихъ падаетъ на одни и тѣже сроки, меньше встрѣчается уклоняющихся формъ и т. д. Культуры старыя, выращиваемыя долго на неподходящей средѣ (напр. на глицериновомъ агарѣ) отказываются давать споры въ обычное время, или даютъ ихъ неохотно, многія отдѣльныя бактеріи остаются стерильными. Такія культуры въ общемъ склонны образовывать длинныя нити и накапливать въ себѣ кислотоупорныя зерна Bunge.

Первые признаки спорообразованія, какъ справедливо указываетъ Preisz, сказываются образованіемъ имъ описаннаго колпачка или пластинки, хорошо отмѣчаемого густой окраской при употребленіи всѣхъ красокъ, не исключая и нейтральной краской (рис. 12 и 13). Не смотря на массу препаратовъ, которые мнѣ пришлось осмотрѣть, я затрудняюсь положительно сказать, почему конецъ палочки, начинающей образовывать спору, окрашивается гуще. У меня остается впечатлѣніе, что здѣсь какъ будто происходитъ утолщеніе самой оболочки бактеріи. При окраскѣ Neutral-roth по крайней мѣрѣ эта часть палочки не отличается по тону отъ оболочки. Возможно поэтому, что отъ находящейся здѣсь оболочки отщепляется будущая перегородка бактерій. Можетъ быть этимъ можно объяснить то, что въ первое время эта перегородка вогнута къ полюсу палочки и лишь потомъ постепенно выпрямляется и становится выпуклою (рис. 14 и 15). Вмѣстѣ съ этимъ отдѣленная т. обр. часть бактеріи наполняется веществомъ, хорошо притягивающимъ краску, почему и названо Preisz'омъ хроматическимъ веществомъ. Однако нейтральная простая краска не обнаруживаетъ особаго сродства къ этому веществу и часто его вовсе не окрашиваетъ. Слабые растворы метиленовой синьки даютъ въ это время очень интересныя картины. При этой окраскѣ красящее вещество прежде всего проникаетъ въ оболочку бактеріи и перегородку и затѣмъ уже окрашиваетъ и отдѣленный перегородкой полюсъ бактеріи болѣе интензивно, чѣмъ остальную часть ея. Въ этомъ можно убѣдиться, если начать наблюденіе подъ микроскопомъ немедленно послѣ того какъ культура внесена въ окрашенную метиленовой синькой каплю (рис. 16 и 17). Когда хроматиновое вещество окрасилось достаточно интензивно, перегородка становится невидимой, вслѣдствіе густой окраски (рис. 19). Это обстоятельство можетъ быть и дало Preisz'у основаніе заключить, что перегородка образуется обыкновенно послѣ того какъ накопилось на концѣ палочки хроматическое вещество.

Радомъ съ этимъ явленіемъ наблюдается и другое, а именно: подъ вліяніемъ краски хроматическое вещество сокращается и всегда по направленію къ полюсу бактеріи. При этомъ сокращеніи увлекается и тонкая перегородка, вслѣдствіе чего по другую сторону ея остается слабо окрашенное мѣсто. Прямо поперекъ палочки стоящая перегородка втягивается и превращается въ серповидное образованіе (рис. 19); выпуклая — можетъ принять видъ прямой (рис. 20 и 25). Но еще чаще въ послѣднемъ случаѣ перегородка уже не слѣдуетъ за сокращающейся плазмой, вслѣдствіе чего внутри отгороженнаго полюса образуется просвѣтъ въ видѣ серпа или другой фигуры (рис. 21 и 22). Объ этомъ неокрашенномъ менискѣ упоминаетъ Preisz, высказывая предположительно, что онъ образуется вслѣдствіе сокращенія плазмы. Когда ростъ начальной споры (по терминологіи Preisz'а) достигъ того, что она представляется въ видѣ круглаго или овальнаго тѣла, находящагося на концѣ палочки, то сморщиваніе плазмы происходитъ часто такимъ образомъ, что она собирается уже не къ полюсу, а въ срединѣ отдѣленной части бактеріи, при чемъ оболочка не слѣдуетъ за нею. При этомъ получается впечатлѣніе, какъ будто плазма начальной споры концентрируется вокругъ какого то тѣла, къ которому притягивается (рис. 23). При окраскѣ живыхъ культуръ метиленовой синькой такая концентрація вещества въ срединѣ начальной споры наблюдается не особенно еще часто и во всякомъ случаѣ послѣ дѣйствія краски втеченіи нѣсколькихъ минутъ. Но если изъ того же мѣста культуры сдѣлать фиксированный препаратъ и окрасить его метиленовой синькой или карбол. фуксиномъ и метилен. синькой, то такихъ формъ, гдѣ хроматическое вещество сконцентрировалось по срединѣ начальной споры, можно увидѣть множество (рис. 24). Изъ этого я заключаю, что эти образованія отчасти искусственны. Они могутъ симулировать то образованіе, которое Preisz называетъ молодой спорой, образующейся, по его мнѣнію, въ предспорѣ путемъ дифференцировки содержимаго послѣдней въ слѣдующей и послѣдней стадіи ея развитія, при чемъ въ центрѣ предспоры появляется тѣло, превращающееся потомъ въ настоящую спору. Какъ видно будетъ изъ дальнѣйшаго, уже въ это время т. е. когда начальная спора достигла уже своего полнаго развитія, дѣйствительно можно предполагать въ срединѣ ея существованіе центральнаго тѣла, но здѣсь при этомъ способѣ наблюденія оно обыкновенно скрыто сократившейся плазмой предспоры. Обнаружить его можно инымъ путемъ.

Въ ходѣ этихъ постепенныхъ превращеній будущей споры встрѣчается маленькая подробность, значеніе которой не совсѣмъ ясно. Очень часто уже въ раннихъ стадіяхъ развитія начальной споры въ глубинѣ ея тѣла замѣчается ядрышко съ неясными контурами, окрашивающееся метиленовой синькой въ болѣе интензивный цвѣтъ. Оно по большей части расположено центрально. Если слѣдить за проникновеніемъ окраски, то видно, что это ядрышко обнаруживается поздно, хотя и имѣетъ большое средство къ окраскѣ. Изъ этого можно заключить, что оно помѣщается, въ срединѣ плазмы (рис. 18 и 25). Когда плазма перекрасится то ядрышко становится невидимымъ. О предполагаемомъ значеніи его я скажу ниже.

Но описанію Preisz'а стадія развитія начальной споры заканчивается отдѣленіемъ ея отъ материнской клѣтки, при чемъ она получаетъ свои оболочки и передвигается къ центру бактеріи. Какъ происходитъ это отдѣленіе — мнѣ прослѣдить ни разу не удавалось и я не вполнѣ убѣжденъ въ обязательности этого процесса для всѣхъ бактерій даже одного и того же вида. B. subtilis, b. vulgatus, и бациллъ подъ названіемъ барабанной палочки чаще даютъ поводъ думать о томъ, что предспора получаетъ свои оболочки.

Во всякомъ случаѣ въ этомъ положеніи спорообразованіе обычно уже въ ходу другія измѣненія, а именно: содержимое предспоры подвергается дифференцировкѣ, при чемъ, во 1-хъ, въ центрѣ ея появляется споровое тѣльце, собирающее около себя плазму предспоры; во 2-хъ, у нѣкоторыхъ бактерій, какъ у b. subtilis, vulgatus и б. барабанной палочки (у которыхъ зрѣлыя споры вообще очень трудно окрашиваются) плазма предспоры подвергается какому то метаморфозу, причемъ она теряетъ способность окрашиваться метиленовой синькой и нейтральной красной, у другихъ (по моимъ наблюденіямъ у b. megatherium) она не окрашивается только этой послѣдней краской, но еще окрашивается металеновой синькой; въ 3-хъ, оболочки предспоры исчезаютъ болѣе или м. совершенно. Главное вниманіе мое было сосредоточено на первомъ явленіи. Относительно развитія молодой споры въ предспорѣ Preisz не даетъ никакихъ подробностей. Въ его изложеніи по своей величинѣ она равна $\frac{1}{3}$—$\frac{2}{3}$ діаметра предспоры и цѣликомъ превращается въ зрѣлую спору; остальная часть предспоры сморщивается и превращается въ капсулу зрѣлой споры. Такимъ образомъ діаметръ зрѣлой споры долженъ быть меньше діаметра бактеріи resp. предспоры. Этому изложенію отвѣчаютъ и рисунки (рис. 40 и 41 Preisz'а). Съ этимъ согласиться невозможно. На любомъ препаратѣ нетрудно видѣть, что діаметръ готовой споры ничуть не меньше діамера палочки, а у многихъ бактерій даже и больше, вслѣдствіе чего и получается форма clostridium. Величина молодой споры также неодинакова и подвержена измѣненіямъ въ теченіи спорообразованія.

Если примѣнять вышеописанную окраску нейтральной красной краской и пользоваться искусственнымъ освѣщеніемъ микроскопа ауэровскимъ свѣтомъ, то въ предспорѣ можио обнаружить довольно рано рѣзко ограниченное тѣльце, не воспринимающее краски и потому имѣющее зеленоватый цвѣтъ, свойственный при этомъ освѣщеніи и зрѣлой спорѣ (рис. 26, 27, 28 и др.). Остальная часть бактеріи окрашивается въ слабый желтовато-бурый цвѣтъ, оболочки и иногда протоплазма палочки окрашиваются темнѣе. Содержимое предспоры въ это время окрашивается нейтральной красной очень слабо; оболочки ея иногда въ это время видны еще (у b. subtilis, барабанной палочки часто окрашивается и прилегающая къ нимъ плазма [рис. 36 и 38]), но чаще ихъ вовсе не видно и только иногда слабо окрашенный поясъ свидѣтельствуетъ объ измѣненной плазмѣ предспоры, окружающей споровое тѣльце (рис. 33 и 34). Весьма часто и этого не замѣчается, а плазма палочки представляется совершенно однообразно окрашенной въ слабо желтовато-бурый цвѣтъ (рис. 28 и 37).

Форма этого тѣльца — будемъ называть его споровымъ — у b: megatherium, subtilis и vulgatus въ ранней стадіи развитія продолговатая, всретенообразная или въ видѣ ровной палочки. Изрѣдка у этихъ бактерій можно видѣть и круглыя тѣльца, но это, повидимому, не бываетъ при хорошемъ спорообразованіи. У четвертаго изслѣдованнаго мною бацилла — барабанной палочки — споровое тѣльце круглой формы (рис. 36).

Что касается величины спорового тѣльца, то она можетъ быть самой различной, начиная отъ едва замѣтной полоски, или точки съ рѣзкими контурами и доходя до величины готовой споры.

Отношеніе спорового тѣльца къ другимъ способамъ окраски должно быть также отмѣчено, такъ какъ этимъ опредѣляются микроскопическія картины полученныхъ при ихъ помощи препаратовъ.

При окраскѣ метиленовой синькой живыхъ культуръ само споровое тѣльце окрашивается лишь въ очень ранней стадіи развитія и такъ какъ въ это время плазма предспоры тоже окрашивается еще хорошо этой краской, то оно, повидимому, скрывается въ ней. Но у b. subtilis и vulgatus, у которыхъ плазма предспоры скоро теряетъ способность окрашиваться, оно становится видимымъ въ видѣ синей палочки (рис. 48) на неокрашенномъ фонѣ. Когда будущая спора долго задерживается на концѣ палочки, какъ это бываетъ у b. megatherium, а также часто у b. subtilis и vulgatus, и споровое тѣльце получаетъ здѣсь дов. большіе размѣры, то метиленовая синька обнаруживаетъ его, но окрашиваетъ при этомъ и окутывающую его плазму предспоры; вслѣдствіе этого получается овальное синее тѣльце, въ центрѣ котораго сквозитъ зеленоватый цвѣтъ, свойственный тѣльцу (рис. 46 и 47). Часто оно при этомъ своимъ длинникомъ располагается въ косомъ положеніи. Въ этомъ періодѣ оно отвѣчаетъ описанному Frenzel'емъ образованію. На фиксированныхъ и окрашенныхъ метиленовой синькой препаратахъ оно выступаетъ б. или м. рѣзко въ видѣ т. н. молодой споры авторовъ и окрашивается въ синій цвѣтъ вѣроятно вмѣстѣ съ концентрированнымъ около него поясомъ плазмы.

Въ очень раннемъ періодѣ своего развитія оно иногда окрашивается и карболовымъ фуксиномъ и удерживаетъ эту окраску при дѣйствіи 5%-ный сѣрной кислоты. Однако это я наблюдалъ лишь у тѣхъ бактерій, споры которыхъ карболовымъ фуксиномъ не красятся и вообще окрашиваются очень трудно, т. е. у b. subtilis и бац. въ видѣ барабанной палочки (рис. 49 и 50). У megatherium, дающаго легко окрашиваемыя карб. фуксиномъ споры, споровое тѣльце при этомъ способѣ окраски красится въ синій цвѣтъ и лишь не задолго до созрѣванія удерживаетъ красный цвѣтъ.

Иногда молодое споровое тѣльце окрашивается и нейтральной красной въ темнобурый цвѣтъ (рис. 45). Повидимому это, равно какъ и нѣкоторыя другія отклоненія растущей споры въ отношеніи окраски, на которыхъ я теперь не останавливаюсь, надо отнести къ явленіямъ аномальнаго развитія споры.

Итакъ, по моимъ наблюденіямъ, спора образуется изъ спороваго тѣльца, поялляющагося въ предспорѣ, и открываемаго при помощи слабой нейтральной красной въ живыхъ культурахъ. Въ этомъ убѣждаетъ меня совершенно опредѣленная форма спороваго тѣльца уже въ самомъ раннемъ періодѣ его развитія, его цвѣтъ, свойственный и готовой уже спорѣ и различная величина, въ особенности свидѣтельствующая о его постепенномъ ростѣ до объема совершенно зрѣлой споры. Вѣроятно и оболочки будущей споры предсуществуютъ въ споровомъ тѣльцѣ, какъ объ этомъ можно думать по совершенно рѣзкой очерченности его. Отношеніе къ нему предспоры опредѣляется по моему мнѣнію тѣмъ, что послѣдняя приготовляетъ въ себѣ матеріалъ для постройки споры, который при этомъ подвергается какой то метаморфозѣ. Весьма возможно, что описанное мною ранѣе ядро, появляющееся въ періодѣ развитія начальной споры имѣетъ близкое отношеніе къ образованію спороваго тѣльца и служитъ для послѣдняго исходнымъ пунктомъ развитія.

Споровое тѣльце, не должно быть смѣшиваемо съ молодой спорой авторовъ, которая часто представляетъ собою искуственный продуктъ фиксаціи и окраски. Въ другихъ случаяхъ молодая спора есть образованіе сложное, состоящее изъ спороваго тѣльца и собравшейся около него плазмы предспоры.

1906 г. Декабрь.

Таблица I.

Объясненіе рисунковъ.

Рис. 1—11. B. anthracis по Preisz'y. Генціанъ-віолетъ.

Рис. 1. 8-час. культура на агарѣ } хроматическое вещ. начальной

„ 2. 15 „ „ „ } споры.

„ 3. Ядро въ хроматическомъ веществѣ.

„ 4—6. Начальная спора, не отдѣлившаяся еще отъ материнской клѣтки.

„ 7—8. „Предспора" въ различныхъ стадіяхъ развитія.

„ 9. 24-часовая культура. Свѣтлый менискъ около „предспоры".

„ 10. „Предспора" дифференцируется въ спору и наружный поясъ — будущую споровую капсулу.

„ 11. 14-часовая культура на агарѣ. Зрѣлая спора съ широкимъ поясомъ.

„ 12—13. B. megatherium. 24-час. культура. Образованіе хроматическаго вещ. на концахъ бактерій. Нейтральная красная.

„ 14—15. B. megather. 48-час. культура. Образованіе перегородокъ начальной споры.

„ 16. B. megather. 3-сут. культ. Метиленовая синька. Постепенное окрашиваніе хроматическаго вещ.

„ 17. B. subtilis. 2-сут. культ. Тоже.

„ 18. B. megather. 3-сут. культ. Тоже; обнаруженіе ядра.

„ 19. B. subtilis. 2-сут. культ. Сморщиваніе плазмы начальной споры подъ вліяніемъ метиленовой синьки. Перегородка становится невидимой.

„ 20. B. megather. 2-сут. культ. Тоже при полномъ развитіи начальной споры.

„ 21—23. B. megather. Плазма концентрируется въ одномъ мѣстѣ.

„ 24. B. megather. Тоже при окраскѣ карбол. фуксиномъ съ обезцвѣчив. 5% сѣрной кислотой и дополнительной окраской метиленовой синькой. Кислотоупорное тѣло Bunge.

„ 25. B. megather. 3-сут. культ. Сморщиваніе плазмы начальной споры. Перегородка слѣдуетъ за сморщивающейся плазмой. Окрашенное въ темный цвѣтъ ядро.

„ 26—27. B. mesentericus vulgatus; 2-дн. культ. Спорове тѣльце въ началѣ развитія. Нейтральная красная.

„ 28—29. B. megatherium; 2-сут. культ. Тоже.

„ 30—35. B. subtilis; 2-сут. культ. Споровыя тѣльца различной величины.

„ 36—37. Барабанная палочка; 3-сут. культ. Споровыя тѣльца.

„ 38—40. B. subtilis; 3-сут. культ. Споровое тѣльце увеличивается до величины зрѣлой споры.

„ 41—43. B. megatherium; тоже.

„ 44. Свободная спора b. megather. Естественная окраска.

„ 45. B. subtilis. Споровое тѣльце окрашено въ бурый цвѣтъ.

„ 46—47. B. megatherium. Метиленовая синька. Споровое тѣльце, окруженное плазмой.

„ 48. B. subtilis. Окраска карбол. фуксиномъ, обезцвѣчиваніе 5°/₀ сѣрн. кисл. Дополнит. окраска метил. синькой. Плазма предспоры потеряла способность окрашиваться, въ центрѣ ея окрашено споровое тѣльце.

„ 49—50. Барабанная палочка и b. subtilis. Споровое тѣльце удерживаетъ краску (фуксинъ) при обезцвѣчиваніи сѣрной кислотой.

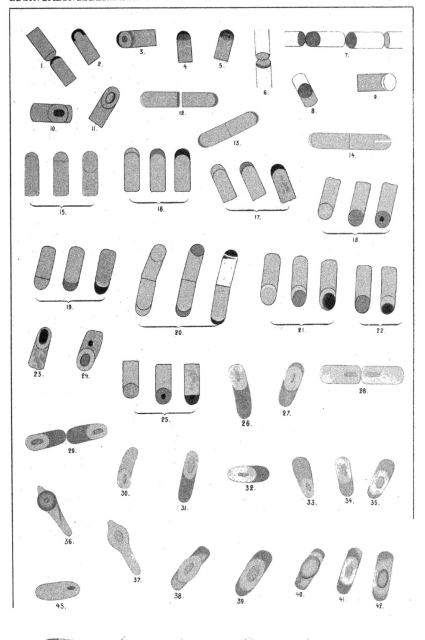

Скорость кристаллизаціи изоморфныхъ смѣсей.

А. Богоявленскій и Н. Сахаровъ.

Общая часть. Настоящая работа имѣетъ цѣлью выяснить
нѣсколько ближе вопросъ о скорости кристаллизаціи (K. G.) бинарныхъ смѣсей изоморфныхъ веществъ. Вопросъ этотъ представляетъ особый интересъ въ виду того, что въ послѣднее время
появилось много работъ, касающихся изученія кривыхъ плавленія
бинарныхъ смѣсей между прочимъ и для веществъ изоморфныхъ.
Измѣненія линейной скорости кристаллизаціи въ зависимости отъ
переохлажденія для цѣлаго ряда чистыхъ веществъ были изучены
Г. Тамманномъ и его учениками [1]). Для веществъ, имѣющихъ
значительную скорость кристаллизаціи, послѣдняя мѣняется такимъ
образомъ, что вблизи точки плавленія, т. е., при небольшихъ отъ
1^0—5^0 переохлажденіяхъ она очень мала (A). Затѣмъ скорость
кристаллизаціи быстро возрастаетъ (B) и при переохлажденіи сплава
на 20^0—30^0 ниже точки плавленія достигаетъ maximum'a; затѣмъ,
оставаясь постоянной (C) иногда въ очень большихъ предѣлахъ
переохлажденія, начинаетъ снова постепенно убывать (D и E).
Кривая, представляющая эти измѣненія скорости кристаллизаціи
въ зависимости отъ переохлажденія, можетъ быть раздѣлена на
пять частей, которыя Г. Тамманнъ обозначаетъ соотвѣтственно
буквами A, B, C, D и E. Такимъ образомъ каждому отрѣзку кривой
отвѣчаетъ опредѣленный промежутокъ температуръ, въ которомъ
скорость кристаллизаціи или возрастаетъ, или остается постоянной,
или, наконецъ, убываетъ. Для веществъ, способныхъ переохлаждаться, величина скорости кристаллизаціи въ области C, т. е., ея
максимальное значеніе является характерной константой, не ме-

---

1) G. Tammann. Kristallisieren und Schmelzen. 131; Leipzig. 1903.

нѣе важной, чѣмъ точка плавленія. Дальнѣйшими работами [1]) было установлено, что примѣси вызываютъ уменьшеніе скорости кристаллизаціи чистаго вещества, причемъ общій видъ кривой, выражающей зависимость скорости кристаллизаціи отъ переохлажденія, остается прежнимъ. Слѣдовательно вліяніе примѣсей сказывается на всемъ протяженіи кривой. [2]) Пониженіе точки плавленія и уменьшеніе скорости кристаллизаціи чистаго вещества подъ вліяніемъ примѣсей невольно вызываютъ представленіе о связи этихъ явленій между собою.

E. v. Pickardt [3]) сдѣлалъ даже попытку установить эту связь и предложилъ новый методъ для опредѣленія молекулярныхъ вѣсовъ, основанный на уменьшеніи скорости кристиллизаціи отъ примѣсей. На основаніи своихъ экспериментальныхъ данныхъ E. v. Pickardt высказалъ слѣдующія положенія: 1) Уменьшеніе скорости кристаллизаціи отъ примѣсей есть коллигативное свойство, т. е., эквимолекулярныя количества различныхъ примѣсей вызываютъ одинаковыя пониженія скоростей кристаллизаціи. 2) Уменьшеніе скорости кристаллизаціи пропорціонально корню квадратному изъ концентраціи примѣси. 3) По величинѣ пониженія скорости кристаллизаціи можно опредѣлить молекулярный вѣсъ вещества.

Вскорѣ послѣ появленія этой работы M. Padoa и D. Galeati [4]) на цѣломъ рядѣ примѣровъ доказали неприложимость правилъ Pickardt'а и высказали предположеніе, что зависимость между пониженіемъ скорости кристаллизаціи и концентраціей примѣси должна выражаться болѣе сложной формулой, чѣмъ та, которая дается Pickardt'омъ. Такъ жидкости, напр., понижаютъ скорость кристаллизаціи меньше, чѣмъ эквимолекулярныя количества другихъ кристаллическихъ веществъ, а въ нѣкоторыхъ случаяхъ, какъ показалъ F. Dreyer, скорость кристаллизаціи въ области E иногда даже не уменьшается, а возрастаетъ. [5])

Изъ этого краткаго очерка видно, что вопросъ о скорости кристаллизаціи является очень сложнымъ и что простыхъ соотношеній между скоростью кристаллизаціи и другими физическими постоянными пока не найдено.

1) Zeitschr. f. phys. Chem. **27**, 585, 1898. A. Bogojawlensky.
2) Ibid. **48**, 467, 1904.
3) Ibid. **42**, 17, 1902.
4) Atti Ac. del Lincei, [5] **13**, 107, 1904, 2 Sem.
5) Zeitschr. f. phys. Chem. **48**, 467, 1904.

Вопросомъ о скорости кристаллизаціи твердыхъ растворовъ впервые занялся М. Padoa [1]), который произвелъ измѣренія линейной скорости кристаллизаціи для очень большого числа веществъ и на основаніи своихъ наблюденій высказалъ слѣдующія положенія:

1) Отъ прибавленія къ одному веществу другого, изоморфнаго съ нимъ скорость кристаллизаціи или совсѣмъ не мѣняется или очень немного понижается. Во всякомъ случаѣ это пониженіе находится въ связи съ кріоскопическими отклоненіями.

2) Была установлена только качественная сторона этихъ фактовъ; на основаніи полученныхъ результатовъ нѣтъ возможности вычислять коэффиціэнты распредѣленія или молекулярные вѣса, такъ какъ правило Pickardt'а о молекулярномъ пониженіи скорости кристаллизаціи не имѣетъ общаго значенія.

3) Измѣренія скорости кристаллизаціи даютъ тотъ положительный результатъ, что на основаніи ихъ можно судить объ образованіи твердыхъ растворовъ въ тѣхъ случаяхъ, гдѣ они еще не установлены; при этомъ имѣется еще то преимущество, что для опытовъ требуются незначительныя количества веществъ. Если тѣло полиморфно, то легко на основаніи измѣреній скорости кристаллизаціи получить полезныя указанія на образованіе изоморфныхъ смѣсей для различныхъ кристаллическихъ модификацій.

4) Опыты Г. Тамманна [2]) показали, что прибавленіе постороннихъ веществъ въ однихъ случаяхъ благопріятствуетъ образованію кристаллическихъ ядеръ, въ другихъ, наоборотъ мѣшаетъ, что подтверждается и опытами автора. Кромѣ того можно еще добавить, что примѣсь изоморфныхъ веществъ не оказываетъ особаго характернаго вліянія на образованіе кристаллическихъ ядеръ.

Изъ этихъ положеній особенно интереснымъ является первое, именно, что скорость кристаллизаціи или не мѣняется или очень мало понижается отъ прибавленія изоморфной примѣси къ чистому веществу. Мы ограничимся здѣсь разсмотрѣніемъ одного примѣра, взятаго изъ опытовъ М. Padoa.

m-Бромнитробензолъ, чистый, т. пл. $53^0,0$ имѣетъ слѣдующія скорости кристаллизаціи:

1) Atti Ac. del Lincei. [5], **13**, 329, 1904, 1 Sem.
2) Zeitschr. f. phys. Chem. **25**, 441, 1898.

$$t^0 \qquad 30^0,0 \quad 27^0,0 \quad 24^0,0$$

$$\text{K. G. }^{mm}/_{min} \quad 632 \quad 668 \quad 618,$$

а смѣсь его съ четырьмя молекулами изоморфнаго m-хлорнитробензола:

$$t^0 \qquad 27^0,0 \quad 24^0,0 \quad 27^0,0 \quad 24^0,0$$

$$\text{K. G. }^{mm}/_{min} \quad 600 \quad 570 \quad 660 \quad 636.$$

Мы видимъ, что здѣсь дѣйствительно скорость кристаллизаціи m-бромнитробензола почти не мѣняется или немного уменьшается отъ прибавленія изоморфнаго m-хлорнитробензола. Для выясненія этого факта можно сдѣлать два предположенія. Во первыхъ, то, что скорость кристаллизаціи вещества совсѣмъ не поддается вліянію изоморфныхъ примѣсей или, во вторыхъ, то, что здѣсь мы имѣемъ дѣло съ одинаковыми или близкими по величинѣ скоростями какъ для основного вещества, такъ и для его изоморфной примѣси. Несостоятельность перваго предположенія почти очевидна, такъ какъ для изоморфныхъ смѣсей мы имѣемъ основанія ожидать послѣдовательнаго измѣненія всѣхъ свойствъ и всѣхъ физическихъ постоянныхъ, слѣдовательно и скорости кристаллизаціи, разъ она различна для обѣихъ составныхъ частей смѣси. Опытныя данныя М. Padoa недостаточны для рѣшенія поставленнаго вопроса, такъ какъ являются односторонними: въ нихъ извѣстна всегда скорость кристаллизаціи чистаго вещества и измѣненія ея подъ вліяніемъ изоморфной примѣси, между тѣмъ какъ величина скорости кристаллизаціи самой примѣси не принимается во вниманіе. Кромѣ того во всѣхъ появившихся до сихъ поръ изслѣдованіяхъ надъ скоростью кристаллизаціи бинарныхъ смѣсей совершенно оставлялся въ сторонѣ тотъ фактъ, что единственно сравнимыми между собою и характерными для данной смѣси постоянными являются максимальныя скорости кристаллизаціи. Необходимымъ же условіемъ для полученія максимальныхъ значеній скоростей кристаллизаціи является способность какъ чистыхъ веществъ, такъ и ихъ смѣсей хорошо переохлаждаться. Поэтому выборъ веществъ, удобныхъ для изслѣдованія, весьма ограниченъ. Кромѣ того, для полученія полной картины измѣненія скорости кристаллизаціи отъ одного чистаго вещества къ другому необходимо прослѣдить эти измѣненія на цѣломъ рядѣ промежуточныхъ между чистыми веществами смѣсей, чего до сихъ поръ не сдѣлано ни въ одномъ случаѣ.

Часть опытная. Для опытной провѣрки первago положенія Padoa были измѣрены скорости кристаллизаціи чистыхъ m-бромнитробензола и m-хлорнитробензола. Полученныя данныя приведены въ слѣдующихъ двухъ таблицахъ:

m-Бромнитробензолъ. m-$C_6H_4BrNO_2$, т. пл. $53^0,9$.

t^0	30	25	20	15	10	5	0
К. G. $^{mm}/_{min}$	621	654	642	616	612	567	560
„		673	643	643	600	602	580	560
„		715	660	648	600	590	593	563
средн.		670	652	644	605	601	580	561

m-Хлорнитробензолъ. m-$C_6H_4ClNO_2$, т. пл. $44^0,4$.

t^0	30	25	20	15	10	5	0
К. G. $^{mm}/_{min}$	820	893	850	839	790	кр. ядра	
„	815	902	853	850	820	„	„
„	804	922	862	841	835	„	„
средн.	813	905	855	845	816	„	„

Изъ приведенныхъ данныхъ видно, что m-хлорнитробензолъ и m-бромнитробензолъ не имѣютъ ясно выраженной постоянной скорости кристаллизаціи и что съ увеличеніемъ переохлажденія она постепенно убываетъ. Нужно при этомъ замѣтить, что, благодаря большой скорости кристаллизаціи обоихъ веществъ, измѣренія ея затруднительны, что мѣшаетъ достиженію большей точности наблюденій. Наряду съ чистыми веществами были измѣрены скорости кристаллизаціи трехъ промежуточныхъ смѣсей. Результаты даны въ слѣдующей таблицѣ, въ которой, какъ и во всѣхъ остальныхъ, даны вѣсовые проценты.

t^0	$C_6H_4ClNO_2$ —	75% 25%	50% 50%	25% 75%	— $C_6H_4BrNO_2$
10	816	744	692	636	601
15	845	755	746	659	605
20	855	753	740	663	645
25	905	830	743	690	650
30	813	732	690	660	670

Изъ приведенныхъ данныхъ видно, что скорость кристаллизаціи для m - хлорнитробензола больше, чѣмъ для m - бромнитробензола; что скорости кристаллизаціи смѣсей выражаются числами промежуточными между скоростями кристаллизаціи чистыхъ веществъ. Смѣси же послѣднихъ, какъ извѣстно [1]), образуютъ твердые растворы, точки плавленія которыхъ распологаются на непрерывной кривой, соединяющей точки плавленія чистыхъ веществъ.

Т. пл. m - $C_6 H_4 Bl NO_2$ 44⁰,4; Т. пл. m - $C_6 H_4 Br NO_2$ 53⁰,9;
Max. K. G. „ 850; Max. K. G. „ 650.

Слѣдовательно, ординаты кривой плавленія возрастаютъ, максимальныя же скорости кристаллизаціи убываютъ отъ Cl къ Br. Благодаря значительнымъ постояннымъ скоростямъ кристаллизаціи обоихъ чистыхъ веществъ и благодаря тому, что обѣ скорости сравнительно мало отличаются другъ отъ друга, установить вліяніе изоморфной примѣси на скорость кристаллизаціи въ данномъ случаѣ затруднительно; поэтому утвержденіе G. Bruni и M. Padoa, что скорость кристаллизаціи отъ изоморфныхъ примѣсей или совсѣмъ не измѣняется или очень немного умеѣшается, требуетъ дальнѣйшихъ доказательствъ. Въ данномъ случаѣ можно сказать одно, что скорости кристаллизаціи выражаются числами промежуточными между скоростями кристаллизаціи чистыхъ веществъ. Кромѣ того весьма возможно, что въ данномъ случаѣ при измѣреніи скоростей кристаллизаціи m - хлорнитробензола и его смѣсей все время имѣлась на лицо одна изъ модификацій съ значительной скоростью кристаллизаціи. Возможно, что расположеніе кривыхъ для скоростей кристаллизаціи и плавленія будетъ иное, чѣмъ только что указанное, если принять во вниманіе, что въ литературѣ имѣются данныя относительно скоростей кристаллизаціи m - хлорнитробензола, которыя значительно отличаются отъ приведенныхъ выше и повидимому относятся къ другой модификаціи m - хлорнитробензола съ малой скоростью кристаллизаціи. Такъ G. Bruni и M. Padoa [2]) даютъ для m - хлорнитробензола около 220 mm/min. при 30⁰. Въ данномъ примѣрѣ наличность двухъ модификацій также осложняетъ выясненіе вопроса о скорости кристаллизаціи изоморфныхъ смѣсей.

1) Fr. W. Küster. Zeitschr. f. phys. Chem. **8**, 577, 1891.
2) Atti Ac. del Lincei. [5] **12**, 127, 1903, 2 Sem.

Для рѣшенія поставленнаго вопроса объ измѣненіи скорости кристаллизаціи изоморфныхъ веществъ и ихъ смѣсей необходимо было подыскать другія вещества, болѣе удобныя для измѣренія скоростей кристаллизаціи, обладающія способностью сильно переохлаждаться, съ рѣзко выраженною областью постоянной скорости, при условіи, ‑ чтобы скорости кристаллизаціи чистыхъ веществъ значительно разнились другъ отъ друга. Всѣмъ этимъ требованіямъ въ‑достаточной степени удовлетворяютъ, какъ оказалось послѣ многихъ предварительныхъ изысканій, α‑монохлоръ и α‑монобромкоричные альдегиды.

Скорости кристаллизаціи этихъ веществъ имѣютъ слѣдующія величины.

$C_6 H_5 CH : CCl . CHO$ т. пл. $32^0,1$.

t^0	25	20	15	10	5	0	—5
K. G.	6	20	36	51	60	60	60

$C_6 H_5 CH : CBr . CHO$. т. пл. $70^0,5$.

t^0	65	60	55	50	45	40	35	30	25	20	15	10	5	0
K. G.	2	30	100	140	190	236	278	300	300	300	300	300	300	300

Въ слѣдующей таблицѣ сведены среднія данныя изъ 2—6 отдѣльныхъ наблюденій для скоростей кристаллизаціи чистыхъ веществъ и ихъ смѣсей черезъ $10^0/_0$.

t^0	$C_9 H_7 ClO$ —	$90^0/_0$ $10^0/_0$	$80^0/_0$ $20^0/_0$	$70^0/_0$ $30^0/_0$	$60^0/_0$ $40^0/_0$	$50^0/_0$ $50^0/_0$	$40^0/_0$ $60^0/_0$	$30^0/_0$ $70^0/_0$	$20^0/_0$ $80^0/_0$	$10^0/_0$ $90^0/_0$	— $C_9 H_7 BrO$
0	60	69	83	100	120	139	162	191	217	250	300
5	60	69	83	100	120	139	160	191	217	250	300
10	51	67	83	102	120	139	158	191	217	250	300
15	36	54	75	97	118	139	158	191	217	250	300
20	20	40	60	83	110	134	156	191	217	250	300
25	6	21	38	60	83	115	142	180	217	250	300
30	—	4	20	37	61	85	118	160	200	240	300
35	—	—	2	15	35	57	85	118	156	210	278
40	—	—	—	—	—	38	59	90	120	168	237

Данныя этой таблицы представлены также графически на діаграммахъ II и III.

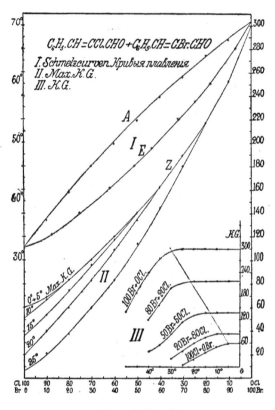

Діагр. I, II и III.

На діаграммѣ I нанесены кривыя плавленія (верхняя кривая плавленія — начало кристаллизаціи и нижняя кривая плавленія — конецъ кристаллизаціи) [1].

На діаграммѣ III представлены измѣненія скоростей кристаллизаціи въ зависимости отъ переохлажденія для чистыхъ веществъ и ихъ смѣсей. Здѣсь мы видимъ обычное измѣненіе скорости съ рѣзко выраженною областью постоянной скорости. Эта область

---

[1] Данныя для кривыхъ получены по особому способу, о которомъ будетъ сообщено въ отдѣльной статьѣ.

постоянныхъ и максимальныхъ скоростей отграничена на діаграммѣ пунктиромъ. Кривыя измѣненія скорости для изоморфныхъ смѣсей и чистыхъ веществъ анологичны другъ другу. При измѣреніи скоростей кристаллизаціи изоморфныхъ смѣсей всегда наблюдается только одинъ менискъ кристалловъ въ жидкомъ сплавѣ, что характерно для изоморфныхъ смѣсей и чистыхъ веществъ, въ противоположность смѣсямъ, дающимъ эвтектику.

На діаграммѣ II представлены: кривая максимальныхъ скоростей для различныхъ смѣсей и впадающія въ нее въ различныхъ точкахъ кривыя немаксимальныхъ скоростей для температуръ 10, 15, 20 и 25 ^{0}.

Изъ сопоставленія данныхъ предыдущей таблицы и діаграммы II можно видѣть, что максимальныя скорости кристаллизаціи различныхъ смѣсей выражаются числами, промежуточными между Max. К. G. чистыхъ веществъ, т. е., между 60 и 300; причемъ непрерывная кривая, по которой измѣняются максимальныя скорости кристаллизаціи, обращена своей выпуклостью къ оси абсциссъ. Такъ какъ постоянство скоростей кристаллизаціи для всѣхъ смѣсей и обоихъ чистыхъ веществъ достигнуто при $t = +5^0$, то кривая для 5^0 является предѣльной въ томъ смыслѣ, что она будетъ представлять собою кривую максимальныхъ скоростей для всѣхъ переохлажденій, при которыхъ будетъ сохраняться постоянство численныхъ значеній скорости кристаллизаціи, т. е. пока мы будемъ находиться въ области С кривой ио обозначенію Р. Тамманна. Каждая точка сліянія остальныхъ кривыхъ съ предѣльной опредѣляетъ собою ту смѣсь, для которой наступаетъ постоянство скорости кристаллизаціи при той температурѣ, для которой построены сливающіяся съ предѣльной кривыя. Это является слѣдствіемъ уже установленнаго для чистыхъ веществъ того факта, что скорость кристаллизаціи достигаетъ постоянной величины при переохлажденіи вещества на 20—30 приблизительно градусовъ ниже точки плавленія, что имѣетъ мѣсто и для смѣсей двухъ чистыхъ веществъ.

Сравнивая пробѣгъ кривыхъ плавленія и предѣльной кривой L максимальныхъ скоростей, мы видимъ, что кривыя непрерывны, что предѣльная кривая L обращена выпуклостью къ оси абсциссъ, аналогично кривой плавленія Е и обратно кривой А. Въ виду большого расхожденія кривыхъ плавленія у смѣсей монохлоръ и монобромкоричныхъ альдегидовъ (maximum расхожденія 7^0) важно установить, отъ какой изъ двухъ кривыхъ А и Е считать области постоянной скорости. Въ данномъ случаѣ приходится отсчитывать переохлажденія для различныхъ смѣсей не отъ верхней кривой, а отъ соотвѣтствующихъ точекъ нижней кривой E. Это легко провѣрить при помощи діаграммъ I и II.

Вопреки утвержденію G. Bruni и M. Padoa этотъ примѣръ ясно показываетъ, что скорости кристаллизаціи изоморфныхъ смѣсей измѣняются правильно, непрерывно и выражаются числами, промежуточными между скоростями кристаллизаціи чистыхъ веществъ, т. е., измѣняются, какъ и можно было ожидать, аналогично другимъ физическимъ постояннымъ (точки плавленія, уд. вѣсъ и т. д.).

Изъ данныхъ разсматриваемаго случая видно, что хлоркоричный альдегидъ имѣетъ сравнительно низкую точку плавленія $32^0,1$ и соотвѣтственно небольшую скорость кристаллизаціи $60^{mm}/_{min}$; другое изоморфное съ нимъ вещество, бромкоричный альдегидъ, плавится при $70^0,5$ и обладаетъ скоростью кристаллизаціи, равной $300^{mm}/_{min}$. Вопросъ о томъ, имѣется ли подобное соотношеніе между точками плавленія и максимальной скоростью кристаллизаціи въ другихъ случаяхъ пока за неимѣніемъ опытныхъ данныхъ остается открытымъ. Первый примѣръ съ m-хлорнитробензоломъ и m-бромнитробензоломъ не можетъ говорить ни за ни противъ, въ виду того, что тамъ вопросъ осложняется наличностью двухъ модификацій для каждаго вещества въ отдѣльности [1]). Поэтому было бы особенно интересно выяснить вопросъ о кривыхъ максимальныхъ скоростей кристаллизаціи для изоморфныхъ веществъ съ двумя модификаціями и соотношеніи этихъ кривыхъ съ кривыми плавленія.

Что касается скорости кристаллизаціи въ гетерогенной области между кривыми A и E, то нужно замѣтить, что эта величина чрезвычайно мала въ этой области. Такъ, напр., смѣсь состава $50^0/_0$ Cl $+ 50^0/_0$ Br - коричнаго альдегида съ точкой плавленія $53^0,7$ имѣетъ слѣдующія скорости кристаллизаціи:

t^0	50	49	48	47	46	45	44	43.
K. G.	0,1	0,5	0,9	2,0	4,0	6,0	7,5	12,0.

Если нанести эти данныя на діаграмму, то между 47^0 и 46^0 можно ясно видѣть измѣненіе направленія кривой. Этотъ изломъ указываетъ на то, что мы находимся на нижней границѣ гетерогенной области.

1) Atti Ac. del Lincei. [5], **13**, 335, 1904, 1 Sem.

Въ изученномъ примѣрѣ мы имѣли случай изоморфныхъ смѣсей, точки плавленія которыхъ мѣняются по непрерывной кривой I типа кривыхъ B. Roozeboom'a [1]). Было бы поэтому интересно прослѣдить измѣненія максимальной скорости кристаллизаціи для двухъ изоморфныхъ веществъ, точки плавленія смѣсей которыхъ измѣняются по кривой съ minimum'омъ (типъ III по B. Roozeboom'у), тѣмъ болѣе, что существованіе кривыхъ подобнаго рода подвергается сомнѣнію до настоящаго времени. Такъ, напр., F. M. Jäger въ статьѣ о смѣшиваемости кристаллическихъ фазъ говоритъ: Schmelzcurven mit Minimum scheinen äusserst selten zu sein; zu bemerken ist obendrein noch, dass sich experimentell diese Form der Curve fast niemals feststellen lässt, da man immer noch zweifeln kann, ob in solchen Fällen nicht eine zweiästige Curve mit sehr flach verlaufendem Eutektikum vorliegt. [2]) Указанія на кривую плавленія съ minimum'омъ имѣются въ литературѣ для смѣсей азобензола и дибензила [3]). Вещества эти довольно хорошо переохлаждаются, хотя область постоянной скорости кристаллизаціи не можетъ быть прослѣжена далеко изъ-за появляющихся кристаллическихъ ядеръ. Численныя величины скоростей кристаллизаціи какъ чистыхъ веществъ такъ и ихъ смѣсей черезъ $10^0/_0$ даны въ слѣдующей таблицѣ.

---

1) Zeischr. f. phys. Chem. **30**, 385, 1899.
2) Zeitschr. f. Krystallogr. **42**, 271, 1906.
3) G. Bruni и F. Gorni. Atti Ac. del Lincei, [5], **8**, 187, 1899, 2 Sem.

Azobenzol —		90% / 10%		80 / 20		70 / 30		60 / 40		50 / 50		40 / 60		30 / 70		20 / 80		10 / 90		Dibenzyl —	
t°	K.G.	t°	K.G.	t°	K.G.	t°	K.G.	t°	K.G.	t°	K.G.	t°	K.G.	t°	K.G.	t°	K.G.	t°	K.G.	t°	K.G.
67,0	2	62,0	3	57,0	0,2	52,0	0,2	47,0	0,4	43,0*	5	42,0*	5	42,0*	3	44,0	0,3	46,5	5	50,0	10
66,0	4	61,0	12	56,0	0,2	51,0	0,2	46,0	8	42,0	16	41,0	9	41,0	11	43,0*	7	46,0*	17	45,0	232
65,0	24	60,0*	20	55,0	0,3	50,0	12	45,0*	15	40,0	39	40,0	23	40,0	25	42,0	15	45,5	28	40,0	488
60,0	268	55,0	142	54,5	0,5	49,0	18	40,0	96	35,0	83	35,0	150	35,0	138	41,0	40	45,5	35	35,0	595
55,0	439	50,0	243	54,0	7	48,0	25	35,0	208	30,0	136	30,0	250	30,0	275	40,0	65	45,0	44	30,0	638
50,0	545	45,0	388	53,5	12	47,0*	33	30,0	251	25,0	187	25,0	300	25,0	333	35,0	168	44,5	54	25,0	675
45,0	580	40,0	410	53,0	18	46,0	58	25,0	280	20,0	214	20,0	330	20,0	367	30,0	325	44,0	65		
40,0	593	35,0	418	52,0*	32	45,0	85	20,0	287	15,0	236	15,0	330	15,0	378	25,0	410	43,5	125		
35,0	600	30,0	428	51,0	65	40,0	193	15,0	293	10,0	257	10,0	333	10,0	386	20,0	440	40,0	282		
				50,0	95	35,0	265	10,0	294							15,0	440	35,0	455		
				45,0	190	30,0	290									10,0	444	30,0	528		
				40,0	311	25,0	308											25,0	570		
				35,0	330													20,0	580		
				30,0	333													10,0	589		

Числа, обозначенныя звѣздочкой, соотвѣтствуютъ температурамъ, вблизи которыхъ кривыя скоростей различныхъ смѣсей мѣняютъ свое направленіе. Если по этимъ даннымъ построить кривую, то она приблизительно будетъ совпадать съ нижней кривой плавленія. Пунктирная линія на діаграммѣ V представляетъ собою кривую, построенную по этимъ даннымъ [1]).

Слѣдующая таблица содержитъ точки плавленія отдѣльныхъ смѣсей и ихъ максимальныя скорости кристаллизаціи.

$^{0}/_{0}$

Azobenzol	90	80	70	60	50	40	35	30	25	20	10	5	—
—		10	20	30	40	50	60	65	70	75	80	90	95	Dibenzyl
t^0	68,1	64,5	60,2	55,8	50,6	46,6	44,0	43,6	43,5	43,8	45,0	48,3	50,0	51,8.
K.G.	600	428	333	308	294	304	333	347	386	410	444	589	643	675.

Результаты измѣреній представлены графически на діаграммѣ IV.

---

1) См. примѣч. на стр. 204.

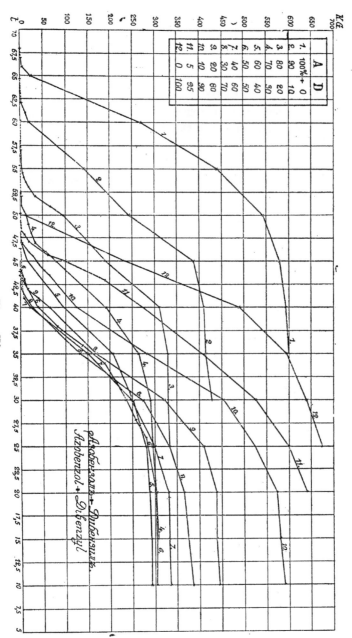

Діагр. IV.

Взаимное расположеніе кривыхъ скоростей кристаллизаціи діагр. IV отличается отъ такового же расположенія діаграммы III и ясно показываетъ присутствіе minimum'а скорости кристаллизаціи: на діагр. III кривыя расположены почти параллельно другъ другу, на діагр. IV кривыя пересѣкаютъ другъ друга, причемъ кривыя 6, 7, 8 и 9 сильно скучены. Максимальныя скорости кристаллизаціи чистыхъ веществъ почти равны, именно, для дибензила 675 и для азобензола 600. Максимальныя скорости кристаллизаціи смѣсей измѣняются по кривой, имѣющей minimum, приходящійся на смѣсь состава 40% D+60% A. Если сравнить кривую максимальныхъ скоростей съ кривой плавленія (верхней), то у послѣдней minimum приходится на смѣсь состава 70%D+30% A. Слѣдовательно minimum'ы обѣихъ кривыхъ не совпадаютъ. На діаграммѣ V кромѣ кривой максимальныхъ скоростей кристаллизаціи и верхней кривой плавленія дана также нижняя кривая плавленія. Всѣ три кривыя обращены вогнутостью къ оси абсциссъ.

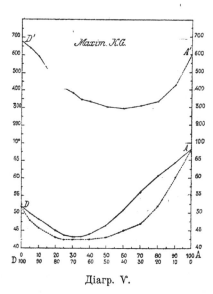

Діагр. V.

Скорость кристаллизаціи для всѣхъ смѣсей въ гетерогенной области, какъ видно изъ численныхъ таблицъ, чрезвычайно мала. Она начинаетъ замѣтно возрастать только тогда, когда сплавъ находится ниже границы, отдѣляющей кристаллическія смѣси отъ гетерогенной области. По измѣненію скорости кристаллизаціи

15

можно приблизительно намѣтить нижнюю границу гетерогенной области. Въ виду этого было сдѣлано достаточное число наблюденій скоростей кристаллизаціи черезъ 1⁰ при небольшихъ. переохлажденіяхъ. Эти опредѣленія скорости кристаллизаціи имѣли первоначально своею цѣлью выяснить скорость роста смѣшанныхъ кристалловъ въ гетерогенной области.

Въ случаѣ азобензола и дибензила мы несомнѣнно имѣемъ дѣло съ изоморфными смѣсями, точки плавленія которыхъ измѣняются но кривой съ minimum'омъ въ противоположность высказанному F. Jäger'омъ сомнѣнію въ возможности существованія такихъ кривыхъ. Кромѣ того, кривая максимальныхъ скоростей кристаллизаціи и въ данномъ случаѣ измѣняется аналогично кривой плавленія, что указываетъ на взаимную связь этихъ кривыхъ. Затѣмъ поведеніе смѣсей при опредѣленіяхъ скорости кристаллизаціи ничѣмъ не отличается отъ чистыхъ веществъ, т. е., для всѣхъ смѣсей при достаточномъ переохлажденіи наблюдался ᵣѣзкій менискъ кристалловъ въ жидкомъ сплавѣ; концентрація сплавовъ не нарушалась и не было рѣзкихъ отклоненій въ отдѣльныхъ наблюденіяхъ. Картина явленій кристаллизаціи смѣсей, дающихъ эвтектику, совершенно иная, что было выяснено на сплавахъ бензила и азобензола. До опредѣленія кривой плавленія смѣсей этихъ веществъ были измѣрены скорости кристаллизаціи, которыя сведены въ слѣдующей таблицѣ.

t^0	Azobenzol —	90%/10%	80%/20%	70%/30%	60%/40%	50%/50%	40%/60%	30%/70%	20%/80%	10%/90%	— Dibenzyl
50	545	144	50	8	—	3	9	25	52	145	437.
40	593	240	110	50	18	6	8	18	56	ядр.	437.
30	600	240	107	50	20	10	7	20	45	ядр.	437.

Изъ таблицы видно, что численныя величины скорости кристаллизаціи по мѣрѣ измѣненія концентраціи смѣси быстро убываютъ отъ обоихъ чистыхъ веществъ и при концентраціи 60%/₀ А + 40%/₀ В падаютъ почти до 0. Сплавы переохлаждаются неодинаково; такъ для сплавовъ, содержащихъ болѣе 50%/₀ В переохлажденіе рѣдко удается; для сплавовъ съ меньшимъ содержаніемъ бензола переохлажденіе легко достижимо. Изъ первыхъ сплавовъ при переохлажденіи ихъ до 50⁰ выдѣляется только чистое вещество. Ниже 50⁰ это выдѣленіе чистаго вещества наступаетъ или

сразу по всей трубкѣ или сначала появляется менискъ полупро-
зрачныхъ кристалловъ чистаго вещества и затѣмъ въ послѣднемъ
темныя ядра или менискъ эвтектики. При этомъ наблюдаются
интересныя соотношенія скоростей, такъ, напр., для смѣси $70^0/_0$ В+
$30^0/_0$ А сплавъ иногда удается переохладить до 30^0. Въ сплавѣ
появляется менискъ кристалловъ чистаго вещества, затѣмъ его до-
гоняетъ съ большею скоростью менискъ эвтектики; по сліяніи ме-
нисковъ кристаллизація идетъ замедленно. При зараженіи сплава
смѣсью двухъ веществъ кристаллизуется сразу эвтектика (темный
менискъ) и на границѣ перехода можно подмѣтить прозрачный
менискъ чистаго вещества. Въ сплавѣ содержащемъ $60^0/_0$В+$40^0/_0$А
при 30^0 по всей трубкѣ выдѣляется чистое вещество въ видѣ тонкихъ кристалловъ, затѣмъ появляются темныя ядра эвтектики,
имѣющія значительную скорость кристаллизаціи. Замѣчено, что
въ сплавѣ, не содержащемъ кристалловъ чистаго вещества, скорость
эвтектики сильно замедляется, движеніе мениска почти прекращается, но какъ только менискъ дойдетъ до выдѣлившихся уже
раньше кристалловъ чистаго вещества, скорость внезапно возрастаетъ, и если эти кристаллы чистаго вещества распредѣлены въ
жидкомъ сплавѣ неравномѣрно, то поступательное движеніе мениска эвтектики происходитъ какъ бы взрывами или толчками,
замедляясь въ жидкомъ сплавѣ и ускоряясь при встрѣчѣ съ кри-
сталлами чистаго вещества.

Для сплавовъ, содержащихъ менѣе $50^0/_0$ бензила наблюдается хорошее переохлажденіе безъ выдѣленія кристалловъ чистаго
вещества. При зараженіи сплавовъ, находящихся при 50^0, выдѣляется чистое вещество—азобензолъ, или кристаллизаціи совсѣмъ
нѣтъ. При 40^0 для смѣси $60^0/_0$ А+$40^0/_0$ В идетъ впереди съ значительной скоростью, $20^{mm}/_{min}$, менискъ чистаго вещества; за нимъ
слѣдуетъ по кристалламъ чистаго вещества менискъ эвтектики со
скоростью $10^{mm}/_{min}$.[1])

Всѣ описанныя явленія конечно обусловлены соотношеніемъ
обѣихъ вѣтвей эвтектической кривой. Прежде чѣмъ сплавъ до-
стигнетъ концентраціи, соотвѣтствующей эвтектической смѣси, по
одной вѣтви кривой изъ сплава должно выдѣлиться большое ко-

---

1) Описанныя явленія легко могутъ быть демонстрированы на
экранѣ и представляютъ хорошій примѣръ кристаллизаціи смѣсей, дающихъ
эвтектику, уясняя распредѣленіе кристаллическихъ фазъ въ твердомъ
сплавѣ.

личество чистаго вещества B, по другой же вѣтви, болѣе корот-
кой, относительно меньшее количество чистаго вещества A. Несомнѣнно, что при этомъ не остается безъ вліянія на скорость
кристаллизаціи и соотношеніе между теплотами плавленія какъ
чистыхъ веществъ, такъ и ихъ смѣсей [1]).

По даннымъ таблицы скоростей кристаллизаціи и по описаннымъ выше явленіямъ можно заключать, что эвтектическая смѣсь
будетъ соотвѣтствовать составу $60\%\,A + 40\%\,B$ и что точка плавленія ея будетъ лежать около 50°. Опредѣливъ точки плавленія
различныхъ смѣсей мы видимъ, что эвтектика дѣйствительно соотвѣтствуетъ указаннымъ составу и точкѣ плавленія, что видно изъ
слѣдующей таблицы.

$\%$	Azobenzol	100	90	80	70	60	50	40	30	20	10	0	—
	—	0	10	20	30	40	50	60	70	80	90	100	Benzyl
t^0		68,1	65,0	60,2	56,2	53,0	62,5	70,5	77,5	84,0	90,0	94,5	

Иъ данныхъ, полученныхъ для скорости кристаллизаціи смѣсей, дающихъ эвтектику, можно сдѣлать заключеніе, что скорости
кристаллизаціи быстро убываютъ отъ чистыхъ веществъ къ эвтек-
тикѣ и въ общемъ измѣняются по кривой аналогичной кривой
плавленія. Въ виду указанной сложности явленій кристаллизаціи,
вызываемой нарушеніемъ концентраціи сплава, численныя значенія
скоростей кристаллизаціи не могутъ считаться надежными данными
для установленія зависимости между кривой максимальныхъ скоростей и кривою плавленія смѣсей веществъ, дающихъ эвтектику.

Выводы.

1) Скорости кристаллизаціи изоморфныхъ смѣсей измѣняются
   съ составомъ смѣси правильно, непрерывно и выражаются
   числами промежуточными между скоростями кристаллизаціи
   чистыхъ веществъ.

[1) H. A. Wilson дѣлаетъ попытку связать величину K. G. съ те-
плотой плавленія и другими физич. постоянными. Philos. Mag. [5], **50**,
238 — 50. August.

2) Постоянство скорости кристаллизаціи для изоморфныхъ смѣсей наступаетъ при тѣхъ же условіяхъ, какъ и для чистыхъ веществъ, т. е., при переохлажденіи сплавовъ на 20° — 30° ниже точекъ плавленія.

3) Кривыя максимальныхъ скоростей кристаллизаціи изоморфныхъ смѣсей одного типа съ кривыми плавленія.

4) Скорость кристаллизаціи въ гетерогенной области очень мала; она начинаетъ замѣтно возрастать ниже границы, отдѣляющей кристаллическія смѣси отъ гетерогенной области.

5) Фактъ существованія для изоморфныхъ смѣсей кривыхъ плавленія съ minimum'омъ подтверждается измѣреніями скоростей кристаллизаціи.

Ueber die Kristallisationsgeschwindigkeit der isomorphen Mischungen

von

A. Bogojawlensky und N. Ssacharow.

Zusammenfassung.

1. Die Kristallisationsgeschwindigkeiten der isomorphen Mischungen verändern sich mit der Zusammensetzung der Mischungen regelmässig, stetig und werden durch Zahlen, welche zwischen den der K. G. der reinen Komponenten liegen, ausgedrückt.

2. Der konstante Wert der K. G. bei isomorphen Mischungen tritt bei denselben Bedingungen, wie auch bei reinen Komponenten, d. h. bei der Unterkühlung der Schmelzen auf 20—30° unter dem Schmelzpunkte auf.

3. Die Kurven der maxim. K. G. isomorpher Mischungen sind von demselben Typus, wie auch die Schmelzkurven.

4. Die K. G. in heterogenem Gebiete ist eine sehr kleine; sie beginnt unter der Grenze zwischen kristallisiertem und heterogenem Gebiet merklich anzuwachsen.

5. Die Tatsache des Vorhandenseins der Schmelzkurven mit einem Minimum bei den isomorphen Mischungen wird durch Messungen der K. G. bestätigt.

XII. 1906.

Матеріалы къ вопросу о растворимости изомерныхъ органическихъ соединеній.

А. Богоявленскій, П. Боголюбовъ и Н. Виноградовъ.

Часть общая. Въ 1888 году Carnelley и Thomson опубликовали работу „О растворимости изомерныхъ органическихъ соединеній и смѣсей $NaNO_3$ и KNO_3 и отношеніе растворимости къ плавкости" [1]. Въ ней авторы частью на основаніи своихъ наблюденій, частью на основаніи данныхъ, заимствованныхъ изъ другихъ работъ, приходятъ къ такимъ заключеніямъ: 1) Для какой нибудь группы изомерныхъ органическихъ соединеній порядокъ растворимости тотъ же самый, что и плавкости, т. е. наиболѣе плавкое соединеніе вмѣстѣ съ тѣмъ и наиболѣе растворимое. 2) Въ ряду изомерныхъ органическихъ кислотъ не только порядокъ растворимости ихъ тотъ же, что и плавкости, но это же правило распространяется и на всѣ соли этихъ кислотъ, такъ что соли наиболѣе растворимыхъ и легкоплавкихъ кислотъ легче растворимы, чѣмъ соотвѣтствующія соли менѣе плавкихъ и менѣе растворимыхъ кислотъ. 3) Порядокъ растворимости двухъ или нѣсколькихъ изомерныхъ соединеній не зависитъ отъ природы растворителя. 4) Отношеніе растворимости двухъ изомеровъ въ какомъ либо растворителѣ приблизительно одинаково для всѣхъ растворителей и слѣдовательно не зависитъ отъ ихъ природы. 5) Наиболѣе растворимы тѣ изъ изомеровъ, у которыхъ группы расположены менѣе симметрично. Изъ 1920 случаевъ авторы указываютъ для этихъ правилъ только 9—12 исключеній. Наиболѣе обстоятельно ими были изслѣдованы m- и p-$C_6H_4NO_2NH_2$. Для этихъ изомеровъ они опредѣлили растворимость въ 13 различныхъ растворителяхъ и нашли, что при температурѣ въ 20^0 отношеніе между раствори-

---

1) Chem. Soc. 53, 1888. I, 782—802.

мостью m - и p - $C_6H_4NO_2NH_2$ остается для всѣхъ растворителей приблизительно постояннымъ, колеблясь въ узкихъ предѣлахъ отъ 1,24 до 1,34. Исключеніе составляютъ только вода (1,15) и метиловый спиртъ (1,48).

И. Шредеръ[1) въ замѣткѣ по поводу этой работы Carnelley высказалъ такое предположеніе: „Растворимость изомеровъ въ зависимости отъ температуры выражается кривыми, различающимися только началомъ, т. е. что кривыя двухъ изомеровъ параллельны и отстоятъ одна отъ другой на разстояніи температуръ плавленія". „Вѣроятность такого предположенія, прибавляетъ авторъ замѣтки, весьма велика, такъ какъ имѣются тѣла различныя, растворяющіяся по одинаковому закону въ различныхъ растворителяхъ."

Lobry de Bruyn[2)] изслѣдовалъ растворимость динитробензола въ 10 различныхъ растворителяхъ и нашелъ, что порядокъ растворимости какъ разъ соотвѣтствуетъ порядку плавкости этихъ соединеній o > m > p, но отношеніе растворимости m/o для различныхъ растворителей не постоянно и колеблется между 1,2 для хлороформа и 8,5 для толуола, въ среднемъ 4,24.

Наконецъ въ 1898 году J. Walker и J. K. Wood[3)] изслѣдовали растворимость изомеровъ оксибензойной кислоты и нѣкоторыхъ карбамидовъ. Для этихъ соединеній оказались приложимыми изъ правилъ Carnelley только 1 и 2. Для воды порядокъ растворимости другой, чѣмъ порядокъ плавкости. Такъ для оксибензойной кислоты:

порядокъ плавкости	раств. въ водѣ	раств. въ ацетонѣ, бензолѣ и эфирѣ
o > m > p	m > p > o	o > m > p

Для различныхъ растворителей порядокъ этотъ мѣняется, какъ видно изъ предыдущей таблицы. Постоянства отношеній растворимости двухъ изомеровъ, какое наблюдалось у o - и m - $C_6H_4NO_2NH_2$ для оксибензойной кислоты не найдено.

Растворитель:	o	m	p	o/m	o/p	m/p
Вода	0,264	1,337	0,765	0,197	0,345	1,75
Ацетонъ	31,2	26,0	22,7	1,20	1,38	1,15
Эфиръ	23,4	9,73	9,43	2,40	2,48	1,03
Бензолъ	0,97	0,0121	0,0052	80,2	187,0	2,33

1) Ж. Р. Ф. Х. О. 1890. XXII, 66.
2) Rec. trav. chim. Pays-Bas. **13,** 116 (1894).
3) Jour. of the chem. Soc. 1898. **78,** 618—627.

Растворимость дана при 17^0. Для одного и того же растворителя это отношеніе также не остается постояннымъ и мѣняется вмѣстѣ съ температурой.

Въ томъ же 1898 году появилась работа Holleman'a о растворимости трехъ изомеровъ нитробензойной кислоты [1]). Онъ нашелъ, что растворимость для этихъ кислотъ слѣдуетъ въ такомъ порядкѣ: $m > o > p$, соотвѣтственно ихъ точкамъ плавленія: $m — 141^0, o — 148^0$ и $p — 241^0$. Только для воды порядокъ растворимости оказывается другимъ, а именно $o > m > p$.

Всѣ свои наблюденія надъ растворимостью изомеровъ Carnelley и Thomson производили при температурѣ въ 20^0. Вопроса же объ измѣненіи растворимости съ измѣненіемъ температуры они въ приведенной выше работѣ не касались. Повидимому они намѣревались это сдѣлать въ предпринятой ими работѣ „О растворимости изомеровъ при различныхъ температурахъ, равно отстоящихъ отъ точекъ плавленія“. Смерть Carnelley помѣшала осуществленію этого плана. Впослѣдствіи Walker и Wood съ разрѣшенія Thomson'a изслѣдовали растворимость изомеровъ оксибензойной кислоты въ предѣлахъ отъ $11^0—80^0$. Въ качествѣ растворителей они избрали бензолъ и воду. Но ихъ методъ изслѣдованія не позволялъ вести кривую растворимости выше температуры кипѣнія растворителя, а такъ какъ растворимость этихъ кислотъ въ бензолѣ и водѣ въ указанныхъ выше температурныхъ предѣлахъ мѣняется очень незначительно, то они получили только небольшіе отрѣзки кривыхъ. Наибольшая концентрація, какой они могли достичь для бензола была въ $4,2\,^0/_0$ кислоты по отношенію къ общему вѣсу раствора. Между тѣмъ было бы чрезвычайно интересно прослѣдить всю кривую растворимости, начиная отъ точки плавленія вещества и до точки плавленія растворителя, сопоставить эти кривыя для всѣхъ трехъ изомеровъ, прослѣдить какъ будетъ измѣняться видъ кривой съ измѣненіемъ замѣщающей группы въ изомерахъ и при замѣнѣ одного растворителя другимъ. Въ указанномъ направленіи и былъ предпринятъ рядъ изслѣдованій въ здѣшней лабораторіи. Часть полученнаго матеріала входитъ въ настоящую работу.

Для опредѣленія растворимости былъ избранъ методъ предложенный впервые В. Алексѣевымъ, видоизмѣненный и опи-

---

1) Rec. trav. chim. Pays-Bas. **17,** 247 (1898).

санный затѣмъ Шредеромъ въ диссертаціи „О зависимости между температурою плавленія твердыхъ тѣлъ и ихъ растворимостью въ жидкостяхъ" [1]). Опредѣленія производились такимъ образомъ, что запаянная съ одного конца стеклянная трубочка съ другого вытягивалась въ толстостѣнный капилляръ. Черезъ этотъ капилляръ вносились опредѣленныя количества изслѣдуемыхъ веществъ, послѣ чего капилляръ запаивался и трубочка помѣща

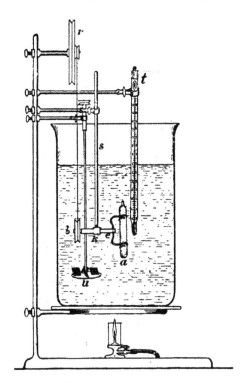

лась въ водяную или глицериновую ванну. Для непрерывнаго перемѣшиванія жидкости въ трубочкѣ было введено небольшое приспособленіе, замѣняющее стеклянный дискъ Шредера, а для перемѣшиванія ванны служила обыкновенная мѣшалка. Общій видъ прибора представленъ на рисункѣ, гдѣ черезъ *r* обозначено передаточное колесо; *b* — колесо приводящее во вращеніе трубочку; *k* — ось; *s* — штанга удерживающая аппаратъ для перемѣшиванія

1) Горн. Ж. 1890 Ноябрь; Zeitschr. f. phys. Ch. **11**, 449.

жидкости въ трубочкѣ въ вертикальномъ положеніи; c — латунная вилка, держащая трубочку a съ веществомъ; u — мѣшалка, для перемѣшиванія ванны; t — термометръ. Чтобы уменьшить окисленіе всѣ части прибора были сдѣланы изъ одного и того же матеріала — латуни. При постепенномъ повышеніи температуры ванны можно уловить моментъ, когда въ трубочкѣ почти всѣ кристаллы исчезаютъ. Температура, при которой это наблюдалось, записывалась. Затѣмъ ваннѣ давали медленно охлаждаться. При этомъ начинался ростъ оставшихся въ трубочкѣ небольшихъ кристалликовъ. Эта температура также отмѣчалась; средняя изъ этихъ двухъ температуръ, послѣ соотвѣтствующихъ исправленій на выдающійся столбикъ и сравненія съ нормальнымъ термометромъ, вносилась въ таблицу. Методъ этотъ, хотя и уступаетъ въ своей точности такъ наз. аналитическому методу, но по своему удобству является почти единственно примѣнимымъ для изслѣдованія органическихъ соединеній. Недостатокъ его — въ трудности уловить температуру исчезновенія и появленія кристалловъ. Эти температуры отстоятъ иногда значительно другъ отъ друга и только въ рѣдкихъ случаяхъ удавалось ихъ сблизить до $0,2^0$, обыкновенно же разница доходитъ до $0,5^0$. Работать методомъ Алексѣева при низкихъ температурахъ было уже не такъ удобно. Поэтому почти всѣ опредѣленія ниже $+5^0$ производились обыкновеннымъ способомъ опредѣленія пониженія точки плавленія. Строго говоря кривыя, полученныя тѣмъ и другимъ способомъ не должны совпадать другъ съ другомъ, такъ какъ первая кривая, полученная методомъ Алексѣева — это кривая при максимальной упругости пара, а вторая — при обыкновенномъ атмосферномъ давленіи; но практически опредѣленія тѣмъ и другимъ способомъ почти вполнѣ совпадали, поэтому рѣшено было обѣ кривыя соединить, такъ что одна изъ нихъ служитъ продолженіемъ другой.

Для изслѣдованія были взяты изомеры хлоръ- и бромъ-нитробензола, нитрофенола и нитроанилина. Вещества были очищены соотвѣтствующимъ образомъ перекристаллизаціей изъ спирта. Въ качествѣ растворителей были выбраны бензолъ (т. пл. $5,4^0$), нитробензолъ (т. пл. $5,5^0$), дибромацетиленъ (т. пл. — $37,5^0$) и вода; первые три подобраны такимъ образомъ, что теплоты плавленія ихъ отличались другъ отъ друга приблизительно на 10 калорій. Для бензола теплота плавленія 30,18, нитробензола 20,30 и для дибромацетилена 13,20 кал. Полученныя данныя помѣщены въ слѣдующихъ таблицахъ.

Часть опытная.

$C_6H_4NO_2Cl+C_6H_6$

ortho			meta			para		
Вѣсовые % чистаго вещ.	Молекул. % чистаго вещ.	Средняя t° насыщения раств.	Вѣсовые % чистаго вещ.	Молекул. % чистаго вещ.	Средняя t насыщения раств.	Вѣсовые % чистаго вещ.	Молекул. % чистаго вещ.	Средняя t насыщения раств.
100 %	100 %	31,5°	100 %	100 %	43,7°	100 %	100 %	82,3°
92,6	87,4	26,3°	91,4	80,0	37,6	87,1	77,0	67,1
82,7	70,3	18,9	80,5	67,2	30,1	76,4	61,6	54,1
69,9	53,5	10,0	70,9	54,7	23,7	60,1	42,7	38,5
62,6	45,3	4,8	59,4	42,0	16,2	48,7	31,9	24,5
51,9	34,8	—2,1	51,2	34,2	10,8	44,4	28,4	19,4
42,9	27,1	—9,4	45,5	29,3	6,8	38,3	23,5	11,8
			40,2	25,0	2,7	33,9	20,3	5,9
			30,8	18,1	— 5,7	28,6	16,6	—3,4
Эвтект. точка при —9,4°.			25,5	14,5	—3,6	20,1	11,1	—1,7
			14,6	7,8	0,3	15,4	8,3	0,2
						11,2	5,9	2,1
						5,2	2,7	3,8
			Эвтект. т. при —5,9°.					
						Эвтект. т. при —4,5°.		

$C_6H_4NO_2Br+C_6H_6$

ortho			meta			para		
100 %	100 %	38,5°	100 %	100 %	52,6°	100 %	100 %	124,3°
89,4	76,5	28.2	91,0	79,6	44,4	91,0	79,6	113,5
79,2	59,5	19.7	77,0	56,4	35,5	79,7	60,4	101,8
71,7	50,6	13,7	68,6	45,8	27,4	69,1	46,3	93,6
65,6	42,4	9,3	59,5	36,2	21,2	59,4	36,1	81,1
58,3	35,1	3,8	49,6	27,5	14,0	50,7	28,4	73,2
55,1	32,2	0,9	43,0	22,6	9,4	40,1	20,5	61,8
50,0	27,9	— 3,3	38,2	19,6	5,1	35,4	17,5	55,7
46,2	24,9	—6,9	35,0	17,2	—0,5	30,2	14,3	49,6
40,0	20,0	—6,2	31,0	14,8	—2,2	23,8	10,8	40,1
30,1	14,3	—2,7	24,9	11,4	—1,7	20,3	8,9	33,8
20,1	9,1	+0,2	20,1	9,1	—0,03	13,8	5,8	20,7
14,0	5,9	1,9	10,2	4,2	+3,1	10,9	4,5	14,0
9,9	4,0	3,1				4,9	2,0	4,2
4,6	2,0	4,4				2,8	1,1	4,8
			Эвтект. т. при —2,9.					
Эвтект. т. при —7,2°.						Эвтект. т. при +3,3°.		

$C_6H_4NO_2OH + C_6H_6$

ortho			meta			para		
Вѣсовые % чистаго вещ.	Молекул. % чистаго вещ.	Средняя t° насыщенія раств.	Вѣсовые % чистаго вещ.	Молекул. % чистаго вещ.	Средняя t насыщенія раств.	Вѣсовые % чистаго вещ.	Молекул. % чистаго вещ.	Средняя t насыщенія раств.
100 %	100 %	44,5°	100 %	100 %	95,2°	100 %	100 %	111,4°
90,4	84,1	37,2	90,4	84,1	89,6	89,0	81,2	102,9
77,2	65,5	28,7	81,3	70,9	84,8	81,2	70,8	98,2
65,4	51,5	21,9	71,4	58,4	80,8	70,4	57,2	92,0
59,2	44,9	18,0	50,9	36,8	74,3	58,7	44,4	88,5
53,1	38,9	14,3	39,6	26,6	70,8	50,4	36,3	86,3
47,0	33,2	10,4	29,8	19,2	68,1	41,5	27,9	83,8
40,9	28,0	6,5	20,2	12,4	63,3	28,9	18,5	80,6
36,7	24,6	3,2	10,9	6,4	53,1	20,2	12,4	76,4
31,2	20,3	—2,4	8,6	5,1	48,8	14,2	8,4	71,5
25,7	16,1	—3,8	4,8	2,8	38,3	10,6	6,3	66,4
19,4	11,9	—2,1	1,0	0,5	5,2	6,6	3,8	58,5
15,9	9,4	—0,5						
12,0	7,10	+1,1						
6,6	3,8	3,1	Эвтект. т. +5,2.					

втект. т. —4,4.

$C_6H_4NO.OH + H_2O$

o—C₆H₄NO₂OH совершенно не растворяется въ водѣ.	100 %	100 %	95,2°	100 %	100 %	111,4*
	90,2	54,4	64,4	88,5	49,9	67,4
	81,4	36,2	48,8	81,8	36,8	51,3
1) Числа помѣченныя	76,3	30,1	44,5	78,2	31,7	44,3
звѣзд. (*) относятся къ	74,1	27,0	43,8	72,6	25,5	40,2
растворимости двухъ	72,3	25,3	49,2*1)	70,1	22,7	45,0*2)
жидкихъ слоевъ. Для	70,4	23,6	56,5*	61,1	16,9	78,6*
m—C₆H₄NO₂OH выдѣ-	63,9	18,7	81,7*	56,1	14,2	85,7*3)
леніе кристал. среди	51,2	12,0	95,5*	49,9	11,4	90,0*
эмульсіи происходитъ	40,6	8,1	97,3*	40,6	8,1	92,3*
при 43,5°—44,5°.	30,2	5,3	97,2*	32,5	6,0	91,8*4)
2) Температура выдѣ-	20,2	3,2	95,7*	20,2	3,3	89,6*
ленія кристал. среди	10,8	1,5	85,6*	10,7	1,5	79,1*5)
эмульсіи 40,1°.	7,2	1,0	73,5*	6,4	1,0	64,8*
3) Тоже при 39,8°.	4,5	0,6	55,9*	3,8	0,5	49,4*
4) Тоже при 39,9°.	1,9	0,25	32,9	1,9	0,25	31,5
5) Тоже при 39,8°.						

$C_6H_4NO_2NH_2 + C_6H_6$ [1])

ortho			meta			para		
Вѣсовые % чистаго вещ.	Молекул. % чистаго вещ.	Средняя t^0 насыщенія раств.	Вѣсовые % чистаго вещ.	Молекул. % чистаго вещ.	Средняя t насыщенія раств.	Вѣсовые % чистаго вещ.	Молекул. % чистаго вещ.	Средняя t насыщенія раств.
100 %	100 %	71,1[0]	100 %	100 %	112,0[0]	100 %	100 %	146,8[0]
90,0	83,6	63,3	89,9	81,9	102,0	88,1	80,7	136,2
82,4	72,6	57,7	80,0	69,3	96,7	80,2	69,6	130,2
75,0	63,2	53,3	70,0	56,9	92,2	69,5	56,3	124,3
70,1	57,0	50,5	58,8	44,7	87,5	60,3	46,3	120,7
60,0	45,9	46,5	51,0	37,0	84,5	49,9	36,0	119,0
51,0	37,0	44,5	40,7	28,0	82,5	40,5	27,8	116,7
40,5	27,8	39,5	30,8	20,1	77,8	36,7	20,0	112,5
30,3	19,7	30,8	21,4	13,3	70,6	20,5	12,7	105,5
21,0	13,1	21,0	15,7	9,5	62,9	16,7	10,2	102,3
15,0	9,1	12,8	10,0	5,9	52,5	9,4	5,5	94,0
10,0	5,9	5,1	4,1	2,3	36,5	4,2	2,4	78,5
7,2	4,2	3,0	0,8	0,4	13,5	0,7	0,4	28,0
5,1	3,0	3,7						
4,0	2,3	4,1						
1,8	1,0	4,8						

$C_6H_4NO_2NH_2 + C_6H_5NO_2$

100 %	100 %	71,1[0]	100 %	100 %	112,0[0]	100 %	100 %	146,8[0]
90,1	89,1	67,9	87,7	86,4	106.5	90,5	89,7	142,9
83,5	82,1	65,0	79,5	77,8	102,0	80,8	79,2	136,8
74,9	72,9	59,9	71,6	69,4	96,5	67,3	64,9	125,8
64,1	61,6	52,5	67,7	65,3	93,3	55,6	52,9	115,0
49,1	46,2	42,0	61,9	59,3	89,5	48,6	45,8	107,6
37,9	35,3	39,5	47,4	44,7	79,0	35,5	33,8	92,5
23,5	21,6	18,8	35,7	33,1	66,5	27,6	25,4	81,6
17,1	15,6	11,5	25,0	22,9	53,0	15,1	13,7	55,6
11,3	10,2	4,3	14,2	12,9	30,5	7,2	6,5	14,0
9,9	8,9	2,3	8,1	7,3	8,5	6,0	5,4	2,6
8,8	8,0	1,0	6,7	6,0	2,2	5,0	4,4	3,2
6,9	6,2	2,1	6,0	5,4	2,5	2,1	1,9	4,7
5,0	4,5	3,2	4,1	3,7	3,7			
2,1	1,9	4,7	2,0	1,8	4,5			

---

1) Растворимость нитроанилиновъ изслѣдована Б. Шмерлингомъ въ 1904 году.

C$_6$H$_4$NO$_2$NH$_2$+CHBr : CHBr.

ortho			meta			para		
Вѣсовые % чистаго вещ.	Молекур. % чистаго вещ.	Средняя t° насыщенія раств.	Вѣсовые % чистаго вещ.	Молекул. % чистаго вещ.	Средняя t насыщенія раств.	Вѣсовые % чистаго вещ.	Молекул. % чистаго вещ.	Средняя t насыщенія раств.
100 %	100 %	71,1°	100 %	100 %	112,0°	100 %	100 %	146,8°
92,1	94,0	70,2	88,9	91,6	109,8	92,0	94,0	145,8
81,0	85,2	66,9	80,1	84,4	106,8	80,0	84,2	142,0
70,5	76,3	62,4	73,8	79,2	104,4	71,0	76,7	138,4
59,5	66,5	56,5	60,1	67,0	98,5	59,5	66,5	132,5
45,3	52,8	48,0	49,7	57,1	93,1	47,8	55,2	126,0
35,0	42,1	41,3	38,2	45,5	86,9	36,3	43,4	117,8
25,7	31,7	33,8	30,9	37,7	83,8	25,1	31,1	109,5
13,2	17,0	21,6	24,0	29,9	78,2	18,8	23,8	104,0
4,1	5,4	2,0	17,1	21,7	72,0	8,5	11,2	91,5
			11,8	15,2	65,0	4,8	6,3	81,0
			4,5	6,0	46,0			

Переходя къ сопоставленію экспериментальныхъ данныхъ, необходимо оговориться, что полученныхъ результатовъ еще далеко недостаточно, чтобы можно было сдѣлать какіе-нибудь опредѣленные выводы. Однако уже и имѣющимся матеріаломъ можно воспользоваться для установленія нѣкоторыхъ болѣе или менѣе общихъ положеній. Такъ опредѣленія растворимости изомеровъ хлоръ- и бромнитробензола, нитрофенола и нитроанилина еще разъ подтвердили, что 1 и 3 правила Carnelley справедливы повидимому только для органическихъ растворителей и при томъ въ какомъ бы температурномъ интервалѣ мы не производили наши сравненія. Направленіе кривыхъ растворимости изомеровъ для органическихъ растворителей таково, что они идутъ нигдѣ между собой не пересѣкаясь, поэтому при любой температурѣ порядокъ растворимости остается такимъ же, что и порядокъ плавкости. Вода, какъ показали опыты съ нитрофеноломъ, и здѣсь составляетъ исключеніе. Растворимость въ водѣ даетъ совсѣмъ другой типъ кривыхъ, описанный ранѣе Алексѣевымъ[1]). Здѣсь простая растворимость кристаллическаго вещества осложняется явленіемъ взаимной растворимости двухъ жидкихъ слоевъ. Вещество растворяется въ водѣ

---

1) Annal. d. Phys. u. ch. **28**, 305, 1886.

сначала довольно правильно, а затѣмъ наступаетъ раздѣленіе на два слоя и далѣе идетъ уже кривая растворенія этихъ двухъ слоевъ (Таб. **5**, рис. 5 и 6). При этомъ если взять только отрѣзки кривыхъ для растворимости кристалловъ, то выше 46^0 порядокъ растворимости подчиняется 1 правилу Карнелли, для растворимости же ниже этой температуры порядокъ мѣняется на обратный, иначе говоря кривыя для m - и p - соединеній въ этой точкѣ пересѣкаются.

У всѣхъ изслѣдованныхъ веществъ порядокъ плавкости: o > m > p и соотвѣтственно этому порядокъ растворимости (и при томъ при любой температурѣ) оказывается также — o > m > p (Табл. **1—5**). Если взять количественныя отношенія, то постоянства этихъ отношеній для различныхъ растворителей, какъ того требуетъ 4 правило Карнелли, нельзя было установить. Такъ для нитроанилина при 30^0 растворимость въ мол. $\%$:

	m	p	m/p
Бензолъ	1,7	0,6	2,8
Нитробензолъ	12,8	8,5	1,5
Дибромацетиленъ	3,2	0,6	5,3

Слѣдовательно отношеніе растворимости двухъ изомеровъ, какъ показываетъ таблица, зависитъ отъ природы растворителя. Положеніе это выступитъ еще рѣзче, если сдѣлать сравненіе при различныхъ температурахъ. Растворимость нитроанилина при:

	50^0			70^0			85^0			100^0		
	m	p	m/p	m	p	m/p	m	p	m/p	m	p	m/p
Бензолъ	5,2	0,7	7,4	13,0	1,5	8,7	39,0	3,5	11,1	77,0	9,0	8,6
Нитробензолъ	21,0	12,2	1,7	35,8	19,2	1,8	52,2	27,5	1,9	75,0	38,8	1,9
Дибромацетиленъ	7,0	1,5	4,7	20,0	4,0	5,0	40,5	8,0	5,0	70,5	19,0	3,7

Какъ показываютъ, приведенныя выше, числа, отношеніе растворимостей не остается постояннымъ при различныхъ температурахъ, оно мѣняется вмѣстѣ съ измѣненіемъ послѣдней.

Что касается далѣе предположенія Шредера о параллельности кривыхъ растворимости для изомеровъ, то уже бѣглый взглядъ, хотя бы на табл. 1 и 2 показываетъ, что едва ли можно говорить о параллельности, даже и частичной, для всѣхъ трехъ изомеровъ.

Если сравнить кривыя растворимости въ бензолѣ, то можно указать какъ болѣе или менѣе общее правило, что параллельность кривыхъ можетъ быть обнаружена только для изомеровъ съ близкими между собой точками плавленія. Такъ о - и m - хлорнитробензолъ, о - и m - бромнитробензолъ, m - и p - нитрофенолъ и m - p - нитроанилины даютъ кривыя почти параллельныя другъ другу, да и то впрочемъ не на всемъ протяженіи кривой, а только начиная отъ 100 % чистаго вещества и до 20—25 % (Табл. 6). Изомеры, отличающіеся довольно сильно точкой плавленія, какъ напр. p - хлорнитробензолъ, p - бромнитробензолъ, о - нитрофенолъ, даютъ кривыя не параллельныя двумъ другимъ изомерамъ. Повидимому такое же соотношеніе существуетъ и для растворимости нитроанилина въ нитробензолѣ, но ни въ какомъ случаѣ нельзя этого сказать про растворимость въ дибромацетиленѣ : тамъ направленіе всѣхъ кривыхъ ясно сходящееся (Табл. 3 и 4). Вода стоитъ совершенно особнякомъ. Для этого растворителя кривыя растворимости кристалловъ падаютъ довольно круто внизъ и послѣ пересѣченія снова поднимаются вверхъ, но уже въ видѣ кривыхъ растворимости двухъ жидкихъ слоевъ, не оставаясь однако же параллельными (Табл. 5 рис. 5 и 6). Слѣдуетъ упомянуть еще объ одномъ интересномъ соотношеніи : кривыя растворимости изомеровъ бромнитробензола идутъ совершенно параллельно соотвѣтствующимъ изомерамъ хлорнитробензола, при чемъ параллельность наблюдается по всему иути кривой. По всей вѣроятности указанный фактъ параллельности кривыхъ для изомеровъ хлоръ- и бромнитробензола находится въ связи съ аналогичными химическими свойствами замѣщающихъ элементовъ хлора и брома, принадлежащихъ къ одной и той же естественной группѣ. Кромѣ того m - хлорнитробензолъ и m - бромнитробензолъ изоморфны (ромбич. сист.) и даютъ твердые растворы [1]).

Чтобы лучше выяснить видъ кривыхъ въ различныхъ растворителяхъ, сравнимъ наши кривыя съ идеальнымъ типомъ кривыхъ плавленія. Для такихъ идеальныхъ случаевъ когда: 1) теплота растворенія на протяженіи всей кривой плавленія остается равной теплотѣ плавленія даннаго вещества ; 2) молекулярное состояніе обоихъ компонентовъ во всѣхъ ихъ жидкихъ смѣсяхъ не мѣняется ; 3) вещество, кривую плавленія котораго мы разсматриваемъ, выдѣляется изъ раствора въ чистомъ видѣ, для такихъ случаевъ

---

1) Z. f. Ph. ch. **8**. 584.

форма кривой опредѣляется уравненіемъ, выведеннымъ Шредеромъ

$$lx = \frac{Q}{2}\left(\frac{1}{T_0} - \frac{1}{T}\right).$$ Van Laar даетъ этой формулѣ болѣе удобный

для изслѣдованія видъ — $lx = \frac{Q}{2T_0}\left(\frac{T_0}{T} - 1\right).$ Какъ видно изъ

уравненія, форма кривой не зависитъ отъ второй компоненты, слѣдовательно для различныхъ растворителей кривыя плавленія, или что тоже кривыя растворенія, должны вполнѣ совпадать. Изъ этой же формулы видно, что концентрація x зависитъ прежде всего

отъ $\frac{Q}{T_0}.$ Обозначая это соотношеніе черезъ φ, можно установить

изъ постоянства этого φ на протяженіи всей кривой насколько данная кривая подчиняется идеальному типу. Сравнивая наши кривыя для $C_6H_4NO_2NH_2$ съ этой идеальной формой, видимъ уже съ перваго взгляда, что о полномъ согласіи здѣсь не можетъ быть и рѣчи: кривыя растворимости нитроанилина для всѣхъ трехъ растворителей не совпадаютъ другъ съ другомъ (Табл. 4). Въ нижеслѣдующей таблицѣ даны нѣкоторыя значенія φ для кривыхъ расдворимости изомеровъ въ бензолѣ.

X (въ Мол. %)	— lx	$o-C_6H_4NO_2Cl$		$o-C_6H_4NO_2Br$		$m-C_6H_4NO_2Br$		$p-C_6H_4NO_2Br$		$o-C_6H_4NO_2OH$		$m-C_6H_4NO_2OH$	
%		$\frac{T_0}{T}-1$	φ	$\frac{T_0}{T}-1$	φ	$\frac{T_0}{T}-1$	φ	$\frac{T_0}{T}-1$	φ	$\frac{T_0}{T}-1$	φ	$\frac{T_0}{T}-1$	φ
90	0,115	0,013	17,8	0,013	17,8	0,0124	18,4	—	—	0,014	16,4	0,010	23,0
80	0,223	0,027	16,6	0,028	16,0	0,025	17,8	0,027	16,6	0,029	15,8	0,019	23,4
70	0,356	0,048	15,0	0,044	16,2	0,040	17,8	0,042	17,0	0,044	16,2	0,03	23,8
50	0,694	0,088	15,8	0,082	17,0	0,076	18,2	0,082	17,0	0,080	18,4	0,048	29,0
25	1,384	0,151	18,4	0,160	14,6	0,151	18,2	0,162	17,0	0,141	19,6	0,073	32,4

Изъ таблицы видно, что нельзя установить постоянства φ на всемъ протяженіи кривой, для большинства такое постоянство наблюдается только для небольшихъ отрѣзковъ.

Въ случаѣ, если два вещества даютъ идеальныя кривыя растворимости, и если при этомъ они имѣютъ одинаковыя значенія для φ, то имѣется слѣдующее простое соотношеніе для температуръ насыщенія двухъ веществъ при одинаковой концентраціи[1)] $\dfrac{T'}{T''} = \dfrac{T_1}{T_2} = k$. Отношеніе абсолютныхъ температуръ, при которыхъ два вещества имѣютъ одинаковую растворимость, постоянно для всѣхъ концентрацій и равно отношенію абсолютныхъ температуръ плавленія. На основаніи такого соотношенія можно опредѣлить кривую растворимости одного вещества изъ кривой другого, если относительно перваго опредѣлена хотя бы одна точка для вычисленія величины $\dfrac{T'}{T''} = k$, или извѣстны температуры плавленія обоихъ тѣлъ. До настоящаго времени данныя для вычисленій въ этомъ отношеніи представлены только Findlay'емъ[2)] и Walker'омъ и Wood'омъ, у послѣднихъ надъ m — и p — оксибензойными кислотами. Для примѣра нами взяты кривыя растворимости m — и p — нитроанилина въ нитробензолѣ и найдено весьма хорошее согласованіе съ вышеприведенной формулой; быть можетъ здѣсь играетъ роль отчасти то обстоятельство, что эти вещества изомеры и даютъ сходныя кривыя растворимости. Вотъ эти данныя:

x_m (наблюд.)	T_m (наблюд.)	T_p (вычислен.)	T_p (наблюд.)	$\dfrac{T_m}{T_p} = 0,92$
0,86	379,5	412,5	414	0,91
0,78	375,0	407,6	409	0,92
0,68	369,5	401,6	402	0.92
0,63	366,3	398,1	398	0,92
0.57	362,5	394,0	392	0,93
0,45	352,0	382,6	380	0,93
0,33	339,5	369,0	366	0,93
0,23	326,0	354,4	350	0,93
0,13	303,5	329,9	325	0,93
0,07	276,5	300,5	293	0,94
0,06	275,2	299.1	282	0,97

Согласованіе T_p вычисленной съ T_p наблюденной удовлетворительно, особенно для верхней части кривыхъ (приблизительно до 60 %); точно также въ этомъ интервалѣ отношеніе температуръ насыщенія, при равной концентраціи m — и p — нитроанилина, равно 0,92, что соотвѣтствуетъ отношенію абсолютныхъ температуръ плавленія этихъ веществъ.

1) Z. f. Ph. Ch. 41, 28 и 42, 110.
2) B. Roozeboom. Die Heter. Gleichgewicht. Heft II, p. 325.

Резюмируя вкратцѣ все вышесказанное можио сдѣлать на основаніи изслѣдованія растворимости изомеровъ $C_6H_4NO_2Cl$, $C_6H_4NO_2Br$, $C_6H_4NO_2OH$ и $C_6H_4NO_2NH_2$ слѣдующія заключенія:

1) Изслѣдованныя вещества подчиняются 1 и 3 правилу Carnelley только при растворѣніи въ органическихъ растворителяхъ. Эти правила оказываются справедливыми при всѣхъ температурахъ, въ предѣлахъ которыхъ могли быть изслѣдованы указанныя вещества.

2) 4-ое правило Carnelley не подтверждается.

3) Въ предѣлахъ отъ $100^0/_0$ и до $20^0/_0$ можно считать кривыя растворимости въ бензолѣ изомеровъ съ близкими точками плавленія параллельными между собой.

4) Кривыя растворимости въ бензолѣ не соотвѣтствуютъ типу идеальныхъ кривыхъ. Только для $C_6H_4NO_2Br$ кривая растворимости близко подходитъ къ идеальной.

5) Кривыя растворимости $C_6H_4NO_2Br$ въ бензолѣ идутъ параллельно съ кривыми растворимости $C_6H_4NO_2Cl$.

Beiträge zur Frage über die Löslichkeit der isomeren organischen Verbindungen

von

A. Bogojawlensky, P. Bogoljubow und N. Winogradow.

Zusammenfassung:

Aus der Untersuchung der Löslichkeiten der Isomeren: Chlornitrobenzol, Bromnitrobenzol, Nitrophenol und Nitroanilin in Benzol, Nitrobenzol, Dibromacetylen und Wasser (für Nitrophenol) geht hervor:

1. Die untersuchten Substanzen folgen nur bei dem Lösen in organischen Lösungsmitteln der 1 und 3 Regel von Carnelley. Dieselben Regeln sind für alle Temperaturen gültig.

2. Die vierte Regel von Carnelley wird nicht bestätigt.

3. Die Löslichkeitskurven der Isomeren mit nahen Schmelzpunkten in Benzol laufen im Gebiete von $100^0/_0$ bis $20^0/_0$ fast parallel untereinander.

4. Die Löslichkeitskurven in Benzol stimmen nicht mit den idealen Kurven überein. Nur die $C_6H_4NO_2Br$-Löslichkeitskurve kommt nahe der idealen Kurve.

5. Die Löslichkeitskurven des $C_6H_4NO_2Br$ in Benzol laufen parallel den Löslichkeitskurven des $C_5H_4NO_2Cl$.

IX. 1906.

Кривыя плавленія смѣсей пара-азоксианисола съ бензоломъ, нитробензоломъ и дибромацетиленомъ.

А. Богоявленскій и Н. Виноградовъ.

Въ обширной литературѣ о такъ называемыхъ жидкихъ кристаллахъ вмѣстѣ съ другими данными приводятся и кривыя плавленія смѣсей различныхъ жидкихъ кристалловъ, какъ между собою, такъ и съ другими кристаллическими веществами. Цѣлью настоящей работы было опредѣлить кривыя растворимости, или что тоже — кривыя плавленія жидкихъ кристалловъ съ такими веществами, которыя при обыкновенной температурѣ являются жидкими. Изъ веществъ, дающихъ явленія жидкихъ кристалловъ, былъ выбранъ пара-азоксианисолъ, изъ растворителей — бензолъ, нитробензолъ и дибромацетиленъ.

Такъ какъ во всѣхъ изслѣдованіяхъ жидкихъ кристалловъ чистота продукта имѣла особенно важное значеніе, то на полученіе пара-азоксианисола въ возможно чистомъ видѣ было обращено тщательное вниманіе. Исходнымъ матеріаломъ для полученія пара-азоксианисола служилъ пара-нитрофенолъ, который обработывался ѣдкимъ натромъ и метилировался въ водномъ растворѣ при помощи диметилсульфата. Выходъ пара-нитроанисола былъ почти теоретическій. Возстановленіе нитроанисола въ азоксианисолъ происходило въ спиртовомъ растворѣ при дѣйствіи метилата натрія. Но Гаттерманну реакція возстановленія проходитъ въ теченіе пяти часовъ, если нагрѣвать смѣсь изъ 30 гр. метал. натра, 300 к. с. метил. спирта и 50 гр. нитроанисола до 110⁰ въ автоклавѣ. Хорошихъ результатовъ, какъ показалъ рядъ опытовъ, можно достичь, если въ нагрѣтый спиртовый растворъ алкоголята вносить постепенно сухой порошокъ нитроанисола и затѣмъ смѣсь нагрѣвать въ колбѣ съ обратнымъ холодильникомъ въ теченіе трехъ часовъ.

По окончаніи реакціи изъ раствора выдѣляются кристаллы азоксианисола, которые отфильтровываются отъ щелочной жидкости, промываются затѣмъ водой и спиртомъ. Послѣ однократной перекристаллизаціи изъ метиловаго спирта пара-азоксіанисолъ въ видѣ свѣтло-желтыхъ кристалловъ, имѣлъ хорошую точку плавленія (115⁰) и просвѣтленія мутной жидкости (134⁰). Выходъ такого продукта доходилъ до 50⁰/₀. Дальнѣйшая очистка пара-азокси-анисола производилась перекристаллизаціей его три или четыре раза изъ смѣси соляной и уксусной кислотъ, какъ указано Шенкомъ[1]. Послѣ промыванія на фильтрѣ соляной кислотой и водой азокси-анисолъ получался окончательно въ видѣ блѣдно-желтыхъ кристал-ловъ, не дающихъ совершенно окрашиванія при раствореніи въ соляной кислотѣ. Полученный пара-азоксіанисолъ при 116⁰ пла-вился въ мутную, непрозрачную жидкость, которая имѣла точку просвѣтленія (Klärungspunkt) при 134,8⁰.

Точки плавленія растворителей были таковы: бензола 5,5⁰, нитробензола 5,4⁰, дибромацетилена — 37,5⁰.

Растворимость смѣсей богатыхъ азоксіанисоломъ, въ проме-жуткѣ температуръ отъ 135⁰ до 10⁰ изслѣдовалась по способу Алексѣева[2]. Въ небольшую, тонкостѣнную трубочку вносилось опредѣленное количество изслѣдуемыхъ веществъ, затѣмъ трубочка запаивалась и помѣщалась въ приборѣ, описанномъ въ предыдущей работѣ.

Посредствомъ опущеннаго въ термостатъ термометра опредѣ-лялись двѣ температуры: 1) температура, при которой начиналось постепенное уменьшеніе въ объемѣ двухъ, трехъ кристалликовъ, остававшихся до послѣдняго момента не растворенными въ жид-кости и 2) температура, при которой начинался замѣтный ростъ этихъ кристалловъ. Обыкновенно вторая температура лежала на 0,5⁰ max. на 1⁰ ниже первой. Средняя изъ этихъ двухъ темпе-ратуръ считалась за температуру растворенія, или насыщенія данной смѣси. Въ приведенныхъ ниже таблицахъ даны какъ двѣ первыя температуры, такъ и средняя изъ нихъ, причемъ, послѣдняя въ исправленномъ видѣ.

И. Шредеръ[3], занимавшійся вопросомъ о растворимости и пользовавшійся методомъ Алексѣева, даетъ и степень точ-ности этого способа въ случаяхъ опредѣленія растворимости кри-сталлическихъ веществъ. При ошибкѣ въ опредѣленіи температуры, доходящей до 0,5⁰—1⁰, ошибка въ растворимости достигаетъ соот-

1) Schenk. Kristallinische Flüssigkeiten und flüssige Kristalle. Leipzig. 1905.
2) Ann. d. Phys. und Chem. **28,** 306.
3) Горный журналъ, т. IV, 1890, стр. 302.

вѣтственно 1—2 % взятой навѣски. Въ настоящей работѣ температурный интерваллъ, т. е. разность температуры уменьшенія и температуры роста кристалловъ, не превышалъ 1°, что видно изъ приводимыхъ ниже данныхъ. При опредѣленіяхъ растворимости жидкостей въ жидкостяхъ методъ Алексѣева является особенно точнымъ. Явленіе помутнѣнія и просвѣтлѣнія, которымъ сопровождается моментъ растворенія одной жидкости въ другой, наблюдается въ трубкахъ очень отчетливо при колебаніяхъ температуры max. въ 0,1°. Такимъ путемъ были опредѣлены прямыя пониженія точки просвѣтлѣнія пара-азоксіанисола.

Растворимость смѣсей, въ которыхъ содержаніе растворителя не превышало 7 % (вѣсовыхъ), опредѣлялась частью по способу Алексѣева, частью по кривымъ охлажденія смѣсей, въ приборѣ Бекмана.

Полученныя, такимъ образомъ, данныя сведены въ слѣдующихъ таблицахъ, въ которыхъ концентрація дана какъ въ вѣсовыхъ, такъ и въ молекулярныхъ процентахъ. Эти данныя представлены, затѣмъ на діаграммахъ въ видѣ кривыхъ, гдѣ на оси абсциссъ нанесена концентрація, а ординаты представляютъ температуру. Концентраціи опять выражены какъ въ вѣсовыхъ такъ и въ молекулярныхъ процентахъ.

Пара-азоксіанисолъ + Бензолъ.

Навѣска въ граммахъ.	Вѣсовые %		Молекулярные %		Температура		
	азокси-анисола.	бензола.	азокси-анисола.	бензола.	уменьшенія кристалловъ.	роста кристалловъ.	средняя corr.
	100,0	0,0	100	0,0			116,0
0,7258	90,8	9,2	75,0	25,0	105,8	106,4	106,5
1,0983	78,0	22,0	51,7	48,3	95,3	94,6	95,2
1,1010	68,4	31,6	39,6	60,4	87,9	87,5	87,9
0,9609	58,9	41,1	30,2	69,8	81,1	80,6	81,0
1,5183	50,7	49,3	23,7	86,3	75,4	75,1	75,4
1,4355	41,1	59,9	15,6	84,4	68,6	67,8	68,2
1,5270	29,6	70,4	11,3	88,7	59,1	58,2	58,7
1,5220	19,8	80,2	7,0	93,0	47,8	46,5	47,2
1,6284	9,1	90,9	3,0	97,0	28,8	28,0	28,4
2,2919	4,1	95,9	1,6	98,4	9,5	8,2	8,8
24,2060	3,0	97,0	1,0	99,0			4,7
24,0858	2,5	97,5	0,8	99,2			4,8
23,9537	1,5	98,5	0,5	99,5			5,0
23,7137	1,0	99,0	0,3	99,7			5,2
23,6036	0,6	99,4	0,2	99,8			5,3
	0,0	100,0	0,0	100,0			5,5

Температура эвтект. точки 4,7.

При 98,6 % вѣс. (95,5 % молек.) пара-азоксианисола температура просвѣтлѣнія анизотропной жидкости наблюдалась при 122,2⁰.

Пара-азоксианисолъ + Нитробензолъ.

Навѣска въ граммахъ.	Вѣсовые %		Молекулярные %		Температуры		
	азокси-анисола.	нитро-бензола.	азокси-анисола.	нитро-бензола.	уменьшенія кристалловъ.	роста кристалловъ.	средняя corr.
	100,0	0,0	100	0,0			116,0
1,0388	90,4	9,6	81,8	18,2	109,1	108,1	108,6
1,1210	78,6	21,4	63,1	36,9	101,1	100,4	100,8
1,0234	73,2	26,8	56,6	43,4	95,8	95,0	95,7
1,3300	59,5	40,5	41,2	58,8	84,8	83,8	84,4
1,3852	46,1	53,9	29,0	71,0	74,2	73,7	74,1
0,6345	36,5	63,5	21,5	78,5	63,3	62,7	63,1
1,0065	25,4	74,6	14,0	86,0	49,0	48,2	48,8
1,0590	18,7	81,3	9,9	90,1	39,2	38,2	38,9
1,0533	15,4	84,6	8,0	92,0	32,7	31,4	32,0
1,1321	10,0	90,0	5,0	95,0	19,7	18,6	19,2
30,1370	6,5	93,5	3,2	96,8			3,5
30,7446	5,2	94,8	2,6	97,4			3,9
30,3816	3,1	96,9	1,5	98,5			4,2
29,7500	2,0	98,0	0,9	99,1			4,8
	0,0	100,0	0,0	100,0			5,4

Температура эвтект. точки 3,2⁰.

При 98,9 % вѣс. (97,8 % молек.) пара-азоксианисола температура просвѣтлѣнія анизотропной жидкости 128,4⁰. При 97,6 % вѣс. (95,0 % мол.) пара-азоксианисола температура просвѣтлѣнія 121,5⁰.

Пара-азоксианисолъ + Дибромацетиленъ.

Навѣска въ граммахъ.	Вѣсовые %		Молекулярные %		Температура		
	азокси-анисола.	дибром-ацетил.	азокси-анисола.	дибром-ацетил.	просв. анизотр. жидкости.	появленія мути.	средняя corr.
	100,0	0,0	100,0	0,0			134,8
5,0978	98,7	1,3	98,2	1,8	127,0	127,0	127,6
5,1650	97,4	2,6	96,4	3,6	122,7	122,7	123,2
5,1964	96,8	3,2	95,6	4,4	120,7	120,7	121,2
5,2654	95,7	4,3	94,0	6,0	116,8	116,8	117,1

Навѣска въ граммахъ.	Вѣсовые %		Молекулярные %		Температура		
	азокси-анисола.	дибром-ацетил.	азокси-анисола.	дибром-ацетил.	умень-шенія кристал-ловъ.	роста кристал-ловъ.	средняя согг.
5,3262	94,4	5,6	92,3	7,7	114,6	113,9	114,5
1,7654	92,5	7,5	89,8	10,2	113,6	113,0	113,5
0,6623	83,3	16,7	78,0	22,0	109,2	108,2	108,7
0,4691	75,9	24,1	69,0	31,0	104,9	104,5	104,7
0,7698	64,6	35,4	56,4	43,6	96,8	96,4	96,9
1,1034	49,2	50,8	40,7	59,3	86,1	85,4	85,9
1,4486	29,8	70.2	23,2	76,8	68,0	66,5	67,4
1,4909	20,0	80.0	15,1	85,9	54,0	53,1	53,6
1,6548	9,9	90,1	7,2	92,8	31,6	30,0	31,0
1,9125	5,1	94,9	3,7	96,3	13,0	11,4	12,3
3,0230	3,8	96,2	2,7	97,3	4,7	2,8	3,2

Кривыя растворимости пара-азоксіанисола въ бензолѣ, нитро-бензолѣ и дибромацетиленѣ въ общемъ представляютъ обыкновенный типъ кривыхъ плавленія смѣсей двухъ не изоморфныхъ веществъ, когда точка плавленія каждаго изъ двухъ смѣшиваемыхъ веществъ понижается отъ прибавленія другого и обѣ понижающіяся вѣтви кривыхъ плавленія встрѣчаются въ эвтектической точкѣ. Но есть и одна особенность у этихъ кривыхъ, тѣсно связанная съ тѣмъ обстоятельствомъ, что вещества дающія явленія жидкихъ кристал-ловъ, кромѣ обыкновенной точки плавленія (Schmelzpunkt), имѣютъ еще точку просвѣтлѣнія (Klärungspunkt) той мутной, анизотропной жидкости, въ которую непосредственно плавятся кристаллы. Отъ прибавленія къ пара-азоксіанисолу одного изъ трехъ растворителей вмѣстѣ съ пониженіемъ точки плавленія кристалловъ пара-азокси-анисола понижается и точка перехода мутной анизотропной жид-кости въ прозрачную жидкость. Рядъ точекъ, дающій на діаграмммѣ температуру просвѣтлѣнія при все возрастающемъ процентномъ содержаніи въ смѣси растворителя, образуетъ для каждаго раство-рителя прямую линію, которая, выходя изъ точки просвѣтлѣнія чистаго азоксіанисола, круто падаетъ внизъ и пересѣкаетъ кривую растворимости кристаллич. азоксіанисола. Это явленіе было по-дробно изслѣдовано раньше другими [1]) на кривыхъ плавленія смѣсей

1) S c h e n c k, Ztschr. f. phys. Chem. 25, 348 (1898); 29, 553 (1899).
   A u w e r s,   „   „   „   „   32, 60 (1900).
   H u l l e t,   „   „   „   „   28, 640 (1898).
   D e K o c k,   „   „   „   „   48, 137 (1904).
   E i c h w a l d, Dissertation. Marburg (1904).

различныхъ жидкихъ кристалловъ съ веществами, кристаллическими при обыкновенной температурѣ.

Выше кривыхъ растворимости существуютъ гомогенныя смѣси всевозможныхъ концентрацій азоксианисола и растворителя. Область, ограниченная сверху прямой выдѣленія непрозрачной анизотропной жидкости, а снизу кривой выдѣленія кристалловъ пара-азоксианисола, является областью устойчиваго существованія непрозрачной анизотропной жидкости, въ которой растворено прибавленное вещество. Если непрозрачныя смѣси, находящіяся въ этой области, медленно охлаждать, то изъ нихъ по кривымъ плавленія выдѣляются кристаллы азоксианисола. Непрозрачные анизотропные растворы могутъ существовать и ниже кривой плавленія крист. азоксианисола въ переохлажденномъ неустойчивомъ состояніи; переходя въ устойчивое состояніе они распадаются на кристаллы пара-азоксианисола и п р о з р а ч н у ю изотропную жидкость.

При концентраціяхъ большихъ 6—7 % молекулярныхъ растворителя изъ прозрачныхъ гомогенныхъ растворовъ при охлажденіи выдѣляются непосредственно кристаллы пара-азоксианисола. При дальнѣйшемъ охлажденіи смѣсей онѣ всѣ застываютъ въ эвтектическій сплавъ.

Что касается вида кривыхъ и ихъ взаимнаго положенія, то на діаграммѣ I (на которой концентраціи выражены въ вѣсовыхъ %) видно, что кривыя растворимости въ дибромъ-ацетиленѣ является наиболѣе вогнутой по отношенію къ оси абсциссъ, кривая для нитробензола — наименѣе, а кривая растворимости въ бензолѣ имѣетъ перегибъ и пересѣкается съ двумя другими. Выраженныя въ молекулярныхъ процентахъ кривыя представляются всѣ вогнутыми къ оси абсциссъ въ той-же послѣдовательности, какъ и въ вѣсовыхъ процентахъ, и кривая растворимости въ бензолѣ имѣетъ ясную точку пересѣченія съ кривой растворимости въ дибромъ-ацетиленѣ. Аналогичный видъ кривыхъ полученъ для растворимости и нѣкоторыхъ другихъ веществъ въ тѣхъ-же растворителяхъ[1]).

На діаграммѣ I относительное положеніе прямыхъ пониженія точки просвѣтлѣнія для взятыхъ трехъ растворителей то-же, что и положеніе въ этой области кривыхъ растворимости кристаллическаго пара-азоксианисола. Наиболѣе круто падаетъ прямая просвѣтлѣнія жидкости въ смѣсяхъ азоксианисола и бензола, менѣе круто прямая азоксианисола и нитробензола, еще положе спускается прямая для

1) См. предыдущую работу.

смѣсей азоксіанисола и дибромъ-ацетилена. На діаграммѣ II (гдѣ концентраціи выражены въ молекулярныхъ процентахъ) эти прямыя почти всѣ совпадаютъ.

На основаніи полученныхъ числовыхъ данныхъ была вычислена константа депрессіи для точки просвѣтлѣнія (Klärungspunkt) по формулѣ:

$$K = \frac{\Delta L M}{p\,100}$$

гдѣ А обозначаетъ наблюдаемую депрессію, L — количество въ граммахъ пара-азоксіанисола, p — количество растворителя, М — молекулярный вѣсъ растворителя. Для константы К получены слѣдующія значенія.

Для азоксіанисола+бензола.

L	p	Δ	K	M
3,5072	0,0511	12,6	674,5	78

Для азоксіанисола + нитробензола.

3,7426	0,0402	6,4	733,0	123
3,7426	0,0922	13,4	669,1	

Для азоксіанисола+дибромацетилена.

5,0292	0,0686	7,2	981,7	186
5,0292	0,1358	11,6	799,0	
5,0292	0,1672	13,6	760,0	

Какъ видно величины константы К для каждаго растворителя сильно разнятся и для одного и того-же растворителя убываютъ съ увеличеніемъ концентраціи.

Была вычислена затѣмъ константа депрессіи точки плавленія нитробензола отъ прибавленія къ нему азоксіанисола. Для константы получены слѣдующія значенія.

L	p	Δ	K	M
29,1596	0,5910	0,60	76,39	258
29,1596	1,2220	1,20	73,87	
29,1596	1,5850	1,55	73,57	

Величина константы K получалась такимъ образомъ довольно близкой съ общепринятой 70.

Для константы депрессіи точки плавленія бензола постоянной величины не получено.

Результатомъ работы можно считать слѣдующія положенія.

1. Для каждаго изъ трехъ взятыхъ растворителей существуетъ своя кривая растворимости въ немъ пара-азоксіанисола.

2. Типъ этихъ кривыхъ, ихъ относительное положеніе между собой сходны съ таковыми же для кривыхъ растворимости нѣкоторыхъ другихъ веществъ въ тѣхъ-же растворителяхъ[1]).

3. Пониженіе точки просвѣтлѣнія (Klärungspunkt), наблюдаемое въ смѣсяхъ различныхъ жидкихъ кристалловъ съ другими кристаллическими веществами, — наблюдается такъ-же и на кривыхъ растворимости пара-азоксіанисола въ бензолѣ, нитробензолѣ и дибромацетиленѣ.

---

1) См. предыдущую работу.

Ueber die Schmelzkurven der Mischungen von p—Azoxyanisol mit Benzol, Nitrobenzol uud Dibromacetylen

A. Bogojawlensky und N. Winogradow.

Zusammenfassung.

1. p—Azoxyanisol gibt mit jedem der genannten Lösungsmittel eine besondere Lösungskurve.

2. Nach Gestalt und gegenseitiger Lage sind diese Kurven den Lösungskurven einiger anderer Substanzen in denselben Lösungsmitteln ähnlich.

3. Die Erniedrigung des Klärungspunkts, welche für Mischungen verschiedener flüssigen Kristalle mit kristallinischen Substanzen bewiesen ist, findet auch bei den Lösungskurven des p—Azoxyanisol in Benzol, Nitrobenzol und Dibromacetylen statt.

X. 1906.

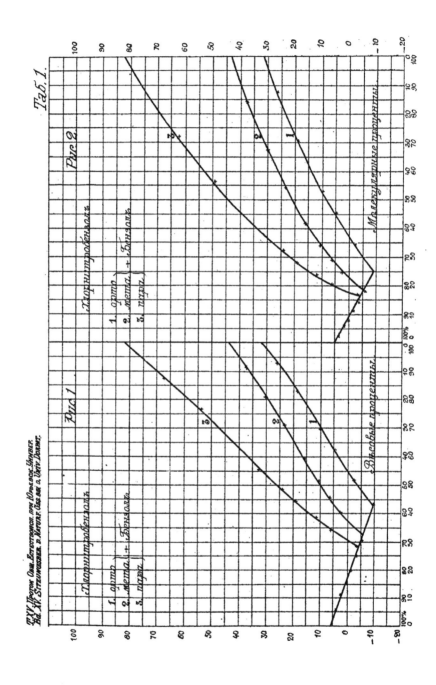

Таб. 1.

Изъ Хим. Лабор. при Юрьевск. Универ.
Ад. XIV. Streuenerier в. Natur. Ges вка а. Univ. Dorpat.

Рис 1.

Рис 2.

Хлорнитробензоль

1. орто
2. мета } + Бензоль
3. пара

Хлорнитробензоль

1. орто
2. мета } + Бензоль
3. пара

Вѣсовые проценты.

Молекулярные проценты.

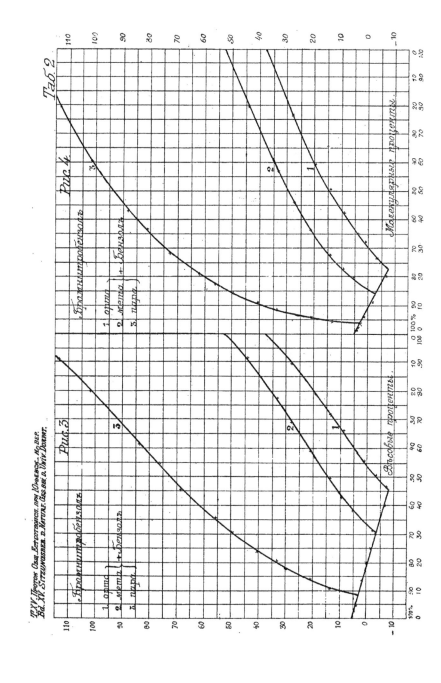

Таб. 2

Рис. 4

Рис. 3

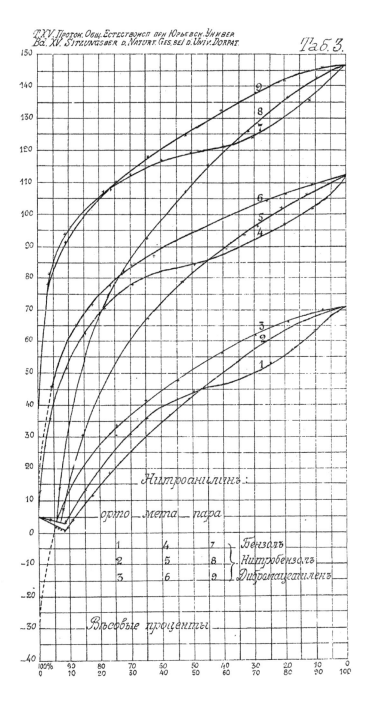

T. XV. Проток. Общ. Естествоисп. при Юрьевск. Универ.
Bd. XV. Sitzungsber. d. Naturf. Ges. bei d. Univ. Dorpat.

Таб. 3.

Нитроанилинъ:

орто   мета   пара

1	4	7	} Бензолъ
2	5	8	} Нитробензолъ
3	6	9	} Дибромацетиленъ

Въсовые проценты

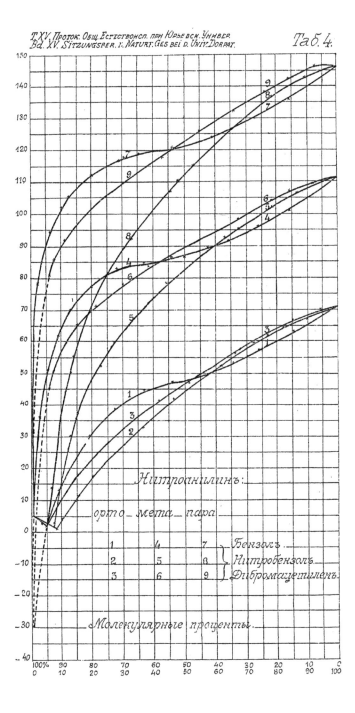

T.XV. Проток. Общ. Естествоисп. при Юрьевск. Универ.
Bd. XV. Sitzungsber. r. Naturf. Ges bei d. Univ. Dorpat.

Таб. 4.

Нитроанилинъ:

орто_ мета_ пара

1	4	7	Бензолъ
2	5	8	Нитробензолъ
3	6	9	Дибромацетиленъ

Молекулярные проценты.

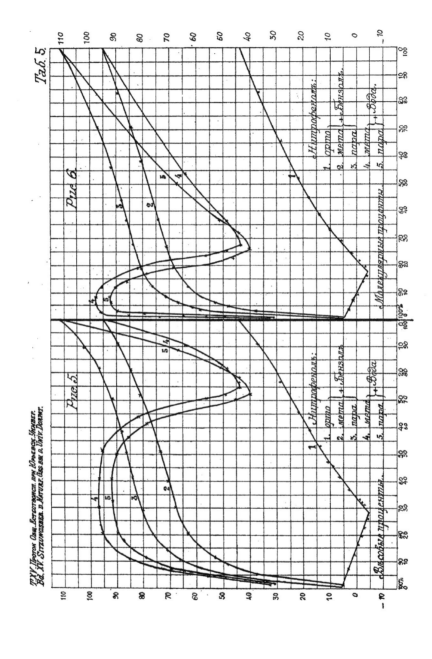

Таб. 5.

T.Y.V. Пеϑтоκ Οлм. Бκгосϑвϑсϑ. ρϑι Ѡ᾽ѻллϑϑс. Ѳϑϑϑϑϑ.
Bd. IV. STELWACHER v. METGER Aus. em a. Univ. Dorpat.

Рис 6.

Рис. 5.

Нитрофенолъ:

1. орто⎫
2. мета⎬ + Бензолъ.
3. пара⎭
4. мета⎫ + Вода.
5. пара⎭

Молекулярные проценты.

Весовые проценты.

Нитрофенолъ:

1. орто⎫
2. мета⎬ + Бензолъ
3. пара⎭
4. мета⎫ + Вода.
5. пара⎭

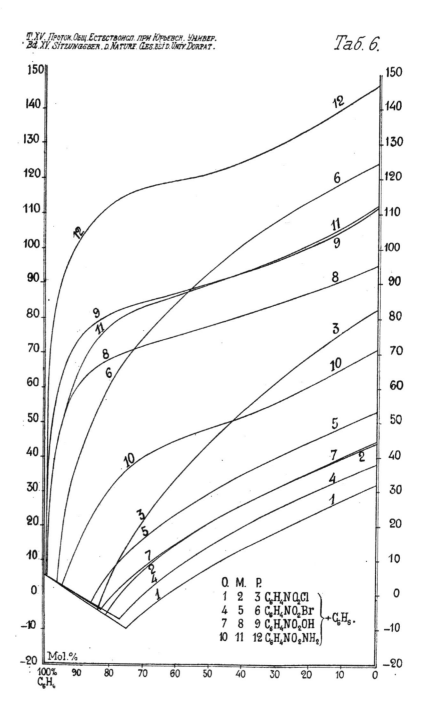

O. M. P.
1 2 3 $C_6H_4NO_2Cl$
4 5 6 $C_6H_4NO_2Br$
7 8 9 $C_6H_4NO_2OH$
10 11 12 $C_6H_4NO_2NH_2$
} $+ C_6H_6$.

Mol.%

100% 90 80 70 60 50 40 30 20 10 0
C_6H_6

Таб. I.

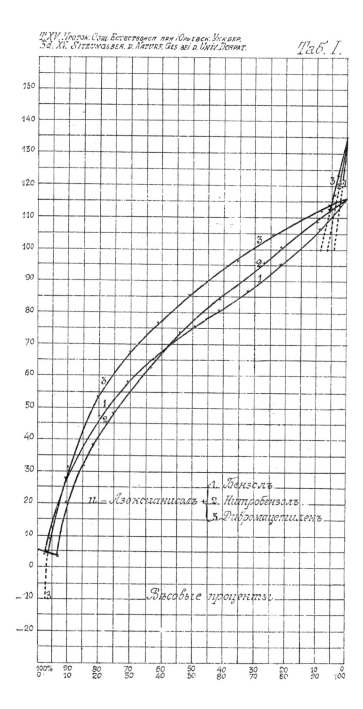

T.У.У. Протон Общ. Естествоисп. при Юрьевск Универ.
Bd. XV. Sitzungsber. d. Naturf. Ges. bei d. Univ. Doarpt.

Таб II.

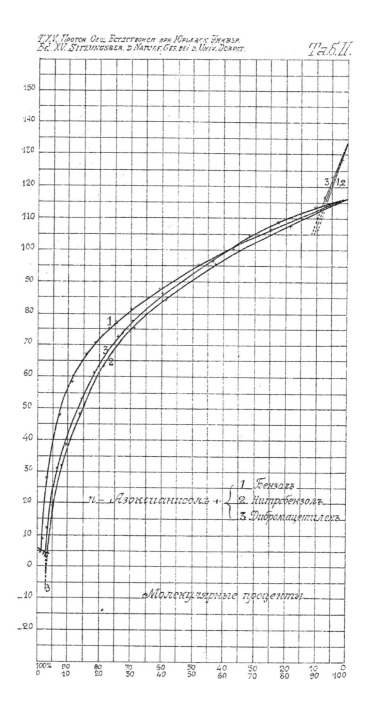

n.-Азоксианисолъ +
{
1. Бензолъ
2. Нитробензолъ
3. Дибромацетиленъ
}

Молекулярные проценты.

Ueber Arabinose in Weidengallen.

J. Schindelmeiser.

In einigen pharmakognotischen Werken finden wir angegeben, dass in Eichengallen Kohlenhydrate vorkommen, welcher Art diese Verbindungen sind, darüber finden wir keinen Hinweis, — von Gallen anderer Herkunft wissen wir in dieser Beziehung überhaupt nichts. Die Weidengallen waren im Sommer 1904 gesammelt und im Laufe des darauffolgenden Jahres untersucht worden. Zur Untersuchung waren fast 600 gr. Weidengallen gelangt, sie waren dunkelrot, im getrocknetem Zustande runzlig und hatten ein Flugloch, innen einen Hohlraum, sie waren auf der unteren Blattseite in der Nähe der Mittelrippe an einem Stielchen befestigt. Das grobgepulverte Material wurde zuerst mit einem Gemisch von drei Raumteilen Aether und einem Raumteil absolutem Alkohol so lange in der Schüttelmaschine bearbeitet, als noch eine bemerkbare Menge Lösbaren vom Aether-Alkohol aufgenommen wurde. Das bearbeitete Weidengallenpulver wurde an der Luft getrocknet und weiter mit 80 % Alkohol in der Schüttelmaschine ausgezogen, auch jetzt gingen neben anderen Stoffen noch eine bedeutende Menge von Gerbstoffen in Lösung.

Die Gesamtmenge der alkoholischen Auszüge wurden auf dem Wasserbade eingedampft mit Zinkkarbonat gemischt und eingetrocknet, der trockene Rückstand zuerst mit 90 % dann mit 80 % Alkohol behandelt. Es hinterblieb nach dem Eindampfen ein bräunlich gefärbter Sirup, der auch beim langen Stehen im Exsiccator über Kalziumoxyd nicht kristallisirt, optisch aktiv war, Fehlingsche Lösung reduzirte uud schwach süss schmeckte.

Der gelbbraune Sirup, in dem eine kleine Menge grüner oeliger Tröpfchen, wahrscheinlich Chlorophyll, eingebettet waren, wurde in Wasser gelöst filtrirt und auf Kohlenhydrate untersucht. Eine geringe

Menge von der Lösung mit starker Salzsäure gemischt und nach Zusatz von Phloroglucin erwärmt färbt sich rot[1]).

Zur Charakterisirung dieser Körper wurden Hydrazone dargestellt[2]). Mit Phenylhydrazin, Methylphenylhydrazin, wurden bei Zimmertemperatur keine merklichen Niederschläge erhalten, erst durch Diphenylhydrazin beim Erwärmen wurden Kristalle vom Schmelzpunkt 204⁰—205⁰ [3]) gewonnen. Zur Gewinnung dieser Kristalle wurde ein Teil des Sirups mit 5 ccm. 50 % Alkohol 0,5 gr. Diphenylhydrazinchlorhydrat, 0,5 gr. Natriumacetat gemischt und auf dem Wasserbade am Rückflusskühler annähernd eine Stunde erwärmt, nach dem Abkühlen fielen braungelbe Kristalle aus, die nach dem Umkristallisiren aus 95 % Alkohol und Pyridin fast farblos wurden und wie oben angeführt schmolzen. Die Kristalle wurden nach Ruff-Ollendorff[4]) durch Formaldehyd zerlegt. das Formaldehyd-diphenylhydrazon in der Schüttelmaschine durch Aether entfernt, die Wasserlösung eingedampft und der gelbliche Sirup im Exsiccator stehen gelassen, dann aus 70 % Alkohol umkristallisirt. Es wurde in wässeriger Lösung und 200 mm. Rohr $(\alpha)_D = + 103,4^0$ gefunden, wobei $(\alpha)_D$ erst nach eintägigem Stehen konstant blieb.

Die reinen Kristalle schmolzen bei 158⁰.

Durch Hydrolyse vermittelst 4 % Schwefelsäure wurde noch eine weitere kleine Menge Arabinose gewonnen. Auf die Einzelheit — ebenso auch darauf wie die Glukose — zwar in geringer Menge — gefunden wurde — will ich hier nicht eingehen, da sie bei event. späteren Untersuchung von anderen Gallen angeführt werden soll.

Durch angegebene Tatsachen ist aber erwiesen, dass in den Weidengallen neben Glukose (Glukosazon 206⁰) noch Arabinose — es wurden 1,2 gr. aus der Gesamtmenge der Gallen erhalten —, in den Weidengallen enthalten ist. Die Gallen, welche angeblich Glukosidgerbstoffe enthalten, werden naturgemäss einer eingehenden Prüfung unterzogen werden müssen.

---

1) Tollens-Oschima. Ber. d. deut. chem. Gesells. 29, 1202. 1896. u. 36, 1405. 1903.
2) Neuberg. Ber. d. deut. chem. Gesells. 33, 2243. 1900.
3) Aloys Müther. Untersuchung über Fucusarten etc. Diss. 55. 1903.
4) Ruff-Ollendorff. Ber. d. deut. chem. Gesells. 32, 3236. — 1899.

Nov. 1906.

Ахроматическая интерференція отъ двухъ симметричныхъ спектровъ дифракціонной рѣшетки.

М. Бараба́новъ.

Какъ извѣстно, при интерференціи двухъ однородныхъ свѣтящихся точекъ, на экранѣ, находящемся въ разстояніи p отъ средины линіи, соединяющей эти точки, и перпендикулярномъ къ этой линіи p, точки maximum'овъ и minimum'овъ освѣщенія расположатся по гиперболамъ. Если на экранѣ примемъ за начало координатъ точку пересѣченія линіи p съ экраномъ, за ось ξ — линію параллельную линіи, соединяющей свѣтящіяся точки, и за ось η — линію, перпендикулярную къ оси ξ, то линіи maximum'овъ и minimum'овъ выразятся уравненіемъ:

$$b\xi = N\frac{\lambda}{2}\sqrt{\xi^2 + \eta^2 + p^2}, \qquad (1)$$

гдѣ b — разстояніе между свѣтящимися точками, p — разстояніе между экраномъ и срединой линіи b, N — число свѣтовыхъ полуволнъ $\left(\frac{\lambda}{2}\right)$ — при N четномъ maximum'ы, при нечетномъ minimum'ы, — а ξ и η координаты наблюдаемой точки.

Въ центральной части экрана, вблизи отъ начала координатъ ξ^2 и η^2 будутъ очень малы сравнительно съ p^2, и ими потому можно пренебречь. Тогда уравненіе (1) превратится въ уравненіе прямой линіи, параллельной оси ξ:

$$\xi = N\frac{\lambda}{2}\frac{p}{b} \qquad (2)$$

Такъ какъ линіи одинаковаго состоянія получаются при разности хода лучей равномъ длинѣ волны λ, то сосѣдняя линія подобнаго же состоянія (maximum'овъ, если первая — линія maximum'овъ, и minimum'овъ, если первая — линія minimum'овъ) выразится уравненіемъ :

$$\xi_1 = (N + 2) \frac{\lambda}{2} \frac{\lambda}{b} \qquad (3)$$

и разстояніе между полосами maximum'овъ или minimum'овъ будетъ равно

$$\Delta = \xi_1 - \xi = p \frac{\lambda}{b}, \qquad (4)$$

будетъ слѣдовательно при однородномъ свѣтѣ постоянно.

Если мы къ имѣющимся двумъ точкамъ присоединимъ новыя двѣ другого цвѣта, то получимъ на экранѣ новый рядъ интерференціонныхъ полосъ, разстояніе между которыми аналогично будетъ равно :

$$\Delta_1 = p \frac{\lambda_1}{b};$$

откуда видно, что всѣ новыя полосы не могутъ совпадать съ прежними. Чтобы было возможно совпаденіе всѣхъ полосъ, нужно устроить такъ, чтобы при совпаденіи центральной полосы было $\Delta = \Delta_1$, т. е. при постоянномъ p вмѣстѣ съ измѣненіемъ λ измѣнить и b такимъ образомъ, чтобы $\dfrac{\lambda}{b} = \dfrac{\lambda_1}{b_,}$.

Отсюда вытекаетъ необходимое условіе для полученія ахроматической интерференціи отъ нѣсколькихъ паръ точекъ разныхъ цвѣтовъ : $\dfrac{\lambda}{b}$ должно быть постоянно при всѣхъ значеніяхъ λ.

Удобнымъ источникомъ для полученія ахроматической интерференціи являются два спектра, расположенные красными частями наружу и такимъ образомъ, чтобы удовлетворялось главное условіе :

$$\frac{\lambda}{b} = \text{const.}$$

Опытъ со спектромъ отъ дифракціонной рѣшетки для полученія ахроматической интерференціи былъ поставленъ лордомъ Rayleigh [1]. Получивъ посредствомъ линзы дѣйствительное изображеніе спектровъ отъ дифракціонной рѣшетки, онъ бралъ спектръ второго ·порядка

1) Phil. Mag. [5] t. XXVIII p. 86.

и отражалъ его въ зеркалѣ. Сближая спектръ съ его изображеніемъ въ зеркалѣ, онъ получалъ ахроматическую интерференцію. Тамъ же онъ указывалъ на возможность полученія ахроматической интерференціи, если вмѣсто отраженнаго спектра взять дѣйствительный симметричный съ другой стороны.

Дѣйствительно, теоретическія разсужденія показываютъ, что два спектра перваго порядка удовлетворяютъ условію $\frac{\lambda}{b} = \text{const.}$

Въ самомъ дѣлѣ, какъ извѣстно, при прохожденіи свѣта черезъ дифракціонную рѣшетку длина волны $\lambda = d\,\mathrm{sn}\varphi$, гдѣ d — элементъ рѣшетки и φ уголъ отклоненія луча, а разстояніе между полосами одного цвѣта въ изображеніяхъ спектровъ перваго порядка, полученныхъ отъ линзы, поставленной за рѣшеткой, $b = 2f\,\mathrm{tg}\varphi$, гдѣ f — главное фокусное разстояніе линзы, а φ тотъ же уголъ отклоненія. Отсюда

$$\frac{\lambda}{b} = \frac{d\,\mathrm{sn}\varphi}{2f\,\mathrm{tg}\varphi} = \frac{d}{2f}\sqrt{1 - \mathrm{sn}^2\varphi}.$$

Но, замѣчая, что $\mathrm{sn}\,\varphi = \frac{\lambda}{d}$, находимъ $\frac{\lambda}{b} = \frac{d}{2f}\sqrt{1 - \left(\frac{\lambda}{d}\right)^2}$

или $\quad \frac{\lambda}{b} = \frac{d}{2f}\left[1 - \frac{1}{2}\left(\frac{\lambda}{d}\right)^2 - \frac{1}{8}\left(\frac{\lambda}{d}\right)^4 \cdots\right].$

Подставляя полученную величину въ (4), находимъ

$$\Delta = \frac{p\,d}{2f}\left[1 - \frac{1}{2}\left(\frac{\lambda}{d}\right)^2 - \frac{1}{8}\left(\frac{\lambda}{d}\right)^4 \cdots\right]$$

Ясно, что для удачной постановки опыта нужно взять рѣшетку съ достаточно большимъ d для того, чтобы $\left(\frac{\lambda}{d}\right)^2$ сдѣлать какъ можно меньше. Въ поставленномъ мною опытѣ $d = 0{,}663$ mm. и при самой большой $\lambda = 0{,}0008$ mm. $\frac{\lambda}{d} = 0{,}0012$, а $\left(\frac{\lambda}{d}\right)^2$ меньше $0{,}000002\,\Delta$, а потому ей и высшими степенями ея можно пренебречь, потому что, отбрасывая ее, мы при достаточно большомъ $\Delta = 10$ mm. дѣлаемъ ошибку, меньшую, чѣмъ $0{,}00002$ mm., которую нельзя замѣтить при точности нашихъ инструментовъ.

Такимъ образомъ, формула принимаетъ видъ: $A = \dfrac{pd}{2f}$ и Δ становится не зависящимъ отъ λ, а слѣдовательно въ этомъ случаѣ должна получиться ахроматическая интерференція.

Самая постановка опыта, какъ видно изъ прилагаемаго чертежа такова: свѣтъ отъ газовой лампы, поставленной въ фонарѣ, падаетъ на щель трубы коллиматора и оттуда параллельнымъ пучкомъ на дифракціонную рѣшетку, разлагающую бѣлый цвѣтъ на рядъ спектровъ. Непосредственно стоящая за рѣшеткой линза съ фокуснымъ разстояніемъ въ 826 mm. даетъ въ фокальной плоскости дѣйствительное изображеніе центральной бѣлой полосы и ряда спектровъ по обѣимъ сторонамъ ея. Здѣсь помѣщается щель съ раздвижными краями и узкой полосой по срединѣ, равной по ширинѣ центральной полосѣ; посредствомъ этой щели загораживаемъ цен-

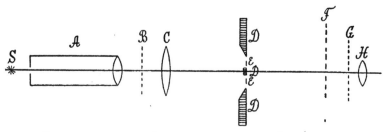

Схема расположенія опыта, если смотрѣть сверху.

S — Источникъ свѣта.
A — Коллиматоръ.
B — Дифракціонная рѣшетка.
C — Длиннофокусная линза.
D — Экранъ, загораживающій центральную полосу и спектры 2-го, 3-го и т. д. порядковъ.
E — Два спектра 1-го порядка, дающіе интерференцію.
F — Мнимое изображеніе интерференціонныхъ полосъ, видимое въ лупу.
G — Интерференціонныя полосы.
H — Лупа.

тральную полосу и боковые спектры, кромѣ двухъ перваго порядка, которые, служа въ данномъ случаѣ самостоятельными источниками свѣта, даютъ на дальнѣйшемъ протяженіи за щелью ахроматическую интерференцію. Интерференціонныя полосы наблюдаются посредствомъ лупы. Онѣ появляются уже на близкомъ разстояніи за щелью, въ томъ мѣстѣ, гдѣ сходятся лучи отъ обоихъ спектровъ, въ видѣ очень тонкихъ, рѣзко очерченныхъ бѣлыхъ и темныхъ полосокъ. Далѣе, поле, покрытое ими, все увеличивается и вмѣстѣ съ тѣмъ увеличивается и ширина полосъ, причемъ рѣзкость очертаній постепенно исчезаетъ, и сами полосы становятся блѣднѣе и расплывчатѣе, но окрашиванія нигдѣ не наблюдалось. Полосы наблюдались на всемъ протяженіи, доступномъ наблюденію, около 4 метровъ.

Чтобы провѣрить, что это дѣйствительно интерференціонныя полосы, я измѣрялъ разстояніе между ними (A) съ различныхъ разстояній отъ спектровъ и сравнивалъ полученныя числа съ числами, вычисленными по формулѣ $\Delta = \dfrac{pd}{2f}$. Измѣреніе я производилъ съ помощью двухъ перекрестныхъ нитей, передвигающихся посредствомъ микрометрическаго винта, ходъ котораго равенъ 0,272 mm. Получилось полное совпаденіе наблюденныхъ чиселъ съ вычисленными до третьяго десятичнаго знака, точности микрометрическаго винта, кромѣ послѣдняго измѣренія съ разстоянія 1250 mm. отъ спектровъ, гдѣ вычисленная по формулѣ и наблюденная величина расходятся болѣе, чѣмъ на 0,001 mm., но это расхожденіе зависитъ отъ расплывчатости полосъ, при которой точность наблюденія становится меньше. Съ разстояній, большихъ 1250 mm., измѣрять Δ точно уже невозможно.

Вотъ данныя наблюденій.

При $p = 500$ mm.

Число обор. винта на 10 Δ.

7,386	Среднее
7,379	
7,382	
7,376	$7,380 \pm 0,005$
7,379	
7,377	$\Delta = 0,7380 \pm 0,0005$ об. в.
7,382	
7,379	или
7,375	
7,380	$\Delta = 0,2007 \pm 0,0001$ mm·

По формулѣ $A = \dfrac{pd}{2f} = \dfrac{500 \cdot 0,663}{2 \cdot 826} = 0,2007$ mm.

При $p = 750$ mm.

11,055	Среднее на 10 Δ
11,041	
11,062	$11,057 \pm 0,015$
11,066	
11,060	$A = 1,1057 \pm 0,0015$ об. в.
11,061	
11,053	или
11,060	$\Delta = 0,3008 \pm 0,0002$ mm.

По формулѣ $\Delta = \dfrac{750 \cdot 0,663}{2 \cdot 826} = 0,3010$ mm.

При p = 1000 mm.

Число обор. винта на 10 Δ.

$$
\left.\begin{array}{l}
14,754 \\
14,725 \\
14,780 \\
14,749 \\
14,798 \\
14,773 \\
14,783 \\
14,746
\end{array}\right\}
\begin{array}{l}
\text{Среднее } 14,76 \pm 0,04 \\
\Delta = 1,476 \pm 0,004 \text{ об. в.} \\
\text{или} \\
A = 0,401 \pm 0,001 \text{ mm.}
\end{array}
$$

По формулѣ A = 0,4013 mm.

При p = 1250 mm.

Число обор. винта на 8 Δ.

$$
\left.\begin{array}{l}
14,828 \\
14,828 \\
14,760 \\
14,839 \\
14,760 \\
14,828 \\
14,799
\end{array}\right\}
\begin{array}{l}
\text{Среднее } 14,80 \pm 0,03 \\
\Delta = 1,850 \pm 0,005 \text{ об. в.} \\
\text{или} \\
A = 0,5032 \pm 0,0015 \text{ mm.}
\end{array}
$$

По формулѣ Δ = 0,5017 mm.

Если вмѣсто спектровъ перваго порядка взять спектры второго порядка, то получается тоже ахроматическая интерференція. Разстояніе между двумя сосѣдними интерференціонными полосами выражается въ этомъ случаѣ формулой: $\Delta = \dfrac{p\,d}{4\,f}$, т. е. интерференціонныя полосы вдвое уже полосъ отъ первыхъ спектровъ. И здѣсь снова получается совпаденіе Δ измѣреннаго съ вычисленнымъ. Такъ при p = 1000 mm. измѣреніе дало:

Число обор. винта на 10 Δ.

$$
\left.\begin{array}{l}
7,40 \\
7,40 \\
7,38 \\
7,41 \\
7,40 \\
7,39
\end{array}\right\}
\begin{array}{l}
\text{Среднее } 7,40 \pm 0,015 \\
\Delta = 0,740 \pm 0,0015 \text{ об. в.} \\
\text{или} \\
A = 0,2012 \pm 0,0005 \text{ mm.}
\end{array}
$$

По формулѣ Δ = 0,2007 mm.

Спектры дальнѣйшихъ порядковъ накладываются другъ на друга, потому далѣе интерференція не наблюдалась.

Achromatische Interferenz zweier symmetrischer Spectra eines Diffractionsgitters

von

M. Barabanow.

Zusammenfassung:

Um die achromatische Interferenz von mehreren Lichtpunkt-paaren verschiedener Farbe zu erhalten, ist ausser den allgemeinen Bedingungen jeder Interferenz, noch eine ergänzende Bedingung nötig: das Verhalten der Lichtwellenlänge zum Abstande der Licht-punkte muss eine konstante Grösse sein: $\frac{\lambda}{b} = $ const., bei allen Werten von λ.

Theoretisch genügen dieser Bedingung reelle Abbildungen zweier symmetrischer Spectra eines Diffractionsgitters, welche man in der Focalebene einer hinter dem Diffractionsgitter gestellten Linse erhält. In dem vom Verfasser angestellten Versuche ist diese achromatische Interferenz tatsächlich beobachtet werden. Durch die Messung des Abstandes zwischen den Interferenzstreifen sind Grössen erhalten worden, welche mit denjenigen nach der Formel $A = \frac{pd}{2f}$ berechneten übereinstimmen; folglich waren die beob-achteten Streifen tatsächlich Interferenzstreifen.

III.

Матеріалы по изслѣдованію озеръ

Нижегородской губерніи

Опечатка:

Стр. 242 4 стр. сверху:

<table>
<tr><td>Вмѣсто:</td><td>слѣдуетъ:</td></tr>
</table>

$$\xi_1 = (N+2)\frac{\lambda}{2}\frac{\lambda}{b} \qquad\qquad \xi_1 = (N+2)\frac{\lambda}{2}\frac{p}{b}$$

III.

Матеріалы по изслѣдованію озеръ Лифляндской губерніи.

Materialien zur Erforschung der Seen Livlands.

Zur Entwickelungsgeschichte des Spankauschen Sees, wie auch einiger anderen Seen in der Umgebung Dorpats,[1])

von

Max von Zur-Mühlen.

Unsere Seen in der Umgebung Dorpats verdanken ihren Ursprung wohl ausnahmslos der Eiszeit, trotzdem können wir zwei, durch ganz getrennte Charaktere erkennbare Gruppen unterscheiden. Die eine im Norden der Stadt belegene sogenannte Sadjerwsche Gruppe besteht aus auffällig langgestreckten, vielfach parallel angeordneten Gewässern, die von schmalen, elliptisch geformten Hügeln seitlich begleitet werden. Diese Hügel sind sicher fluvioglacialen Ursprungs, sogenannte Drumlins, die der Gegend einen ganz eigenen streifigen Charakter verleihen.

Die zweite Gruppe liegt südlich von der Stadt, in einer unregelmässig gestalteten Grundmoränenlandschaft, in deren Vertiefungen das Wasser, so weit es keinen oder keinen genügenden Abfluss fand, und des undurchlässigen Grundes wegen nicht versickern konnte, sich ansammelte und den See bildete.

Zu dieser zweiten Gruppe gehört nun der etwa 24 Werst in südlicher Richtung von Dorpat entfernte Spankausche See, dessen Form, wie beigegebene Karte (Taf. I) zeigt, eine vielgestaltete ist, und deren Untergrund, wie die Tiefenkurven und die beiden Inselchen beweisen, ähnlich unregelmässig bewegt erscheint wie die Umgebung.

Er ist ein langgestrecktes Gewässer, das in der Richtung von Nordnordost nach Südsüdwest verläuft. Durch die von West nach Ost vorspringende schön bewaldete Lugdensche Halbinsel wird er in zwei Abschnitte geteilt, in den sogenannten kleinen und den grossen

---

1) Vortrag, gehalten in der Sitzung vom 2. Nov. 1906.

See. Der kleine See liegt im Norden und grenzt an den Gutshof
Spankau. Vom grossen See trennen sich noch zwei, nur durch
schmale Wasserstrassen mit demselben verbundene Buchten ab: die
Urdabucht im Südosten und die Muddabucht im Süden.

Fast der ganze See ist von Bergen umgeben, von denen die
zwischen der Urda- und Muddabucht liegende Berggruppe die be-
deutendste Höhe erreicht, und steil gegen 70—80′ über den See-
spiegel aufsteigt. Nur die Südspitze und die Muddabucht werden
von einer, annähernd eine viertel Werst breiten, sehr sumpfigen
Wiese begrenzt, die sich zwischen den Urdabergen und den Gothenseeschen Höhen bis zu dem eine Werst entfernten Kiwwijerw —
Name eines Sees — hinzieht. Das Betreten dieser Wiese ist nicht
ohne Gefahr, da die Partien besonders in der Nähe der Ufer noch
stark schwankend sind, eigentlich eine Ueberwachsungsschicht
bilden.

Der Kiwwijerw ist nun seinerseits wiederum durch eine mo-
rastige Niederung mit dem Gothenseeschen kleinen Hofsee verbunden,
und hat offenbar ursprünglich sowohl mit diesem wie auch mit dem
Spankauschen See ein zusammenhängendes Gewässer gebildet, das
durch den Verwachsungsprozess in drei getrennte Seen geschieden
worden ist. Dieser Verwachsungsprozess setzte selbstredend erst in
den flachen, gleichzeitig vor stärkerem Wogengang geschützten
Stellen ein, breitete sich immer weiter und weiter aus, bis er
schliesslich den jetzigen grossen Morast bildete. Nur die tieferen
Partien haben sich bis zur Stunde als freie Wasserflächen erhalten,
werden aber, aller Voraussicht nach, mit der Zeit gleichfalls grossen
Mooren Platz machen müssen.

Die Ufer des Spankauschen Sees sind, bis auf die eben besprochene Südspitze und die Muddabucht, fast durchweg sandig oder
kiesig. Diese Sand- und Kiesschicht, die selten weit in den See
hineinragt, scheint aber erst später aufgespült, teils vielleicht auch
aufgeweht zu sein, da sie, wie meine Bohrungen beweisen, auf einer
dünnen zwischen 1—5′ mächtigen Tonschicht lagert.

Diese Tonschicht dürfte wohl selbst nur ein Sediment des Sees
sein, das sich während oder gleich nach der Eiszeit, als noch kein
organisches Leben im Wasser existierte, aus dem viel unorganische
Partikel suspendirt enthaltenden Wasser allmählich niedergeschlagen
hat. Für diese meine Vermutung spricht der Umstand, dass die
besprochene Tonschicht nur im Bereich des jetzigen oder früheren
Wasserspiegels anzutreffen ist, und sich nirgends weiter fortzu-

pflanzen scheint. Unter der Tonschicht lag überall, wo ich der Wassertiefe wegen den Untergrund erreichen konnte, eine Kies- oder Sandschicht, die in ihrer Beschaffenheit dem Moränenschutt der Umgebung. entspricht. Bei einer Bohrung stiess ich, nachdem ich eine 11′ tiefe Schlammschicht durchstochen hatte, sogar auf einen grossen Granitblock.

Die am Nordabhang der Urdaberge belegene Terrasse hat eine Breite von annähernd 200 Schritt. Hart am Fuss der steil auf- steigenden Berge umschliesst sie ein kleines Torfmoor, das noch eben einige ziemlich tiefe Wasserlachen enthält. Durch einen kurzen Graben ist es mit dem See verbunden, durch den es jedoch nicht geglückt ist den Morast ganz trocken zu legen. Die Terrasse be- steht aus feinem aufgeschütteten nicht geschichteten Sand, und ist voraussichtlich ursprünglich ein Teil des Sees gewesen, der zu einer Zeit, wo die Urdaberge noch nicht bewachsen waren, verweht worden ist. Das Material, aus dem die Urdaberge bestehen, ist neben Geröll, einigen mit Gletscherschliffen versehenen flachen Kalk- steinen und vereinzelten Granitblöcken, vorzugsweise feiner Sand, der noch eben an Stellen, die nicht bewachsen sind, bei starken Winden in Bewegung gesetzt wird.

Der am Südostufer in der Nähe der Muddabucht belegene langgestreckte Hügel wird von der Westseite vom See, im übrigen von einem schmalen Morast umgeben. Ursprünglich dürfte er eine Insel des Sees gebildet haben, die durch den Verwachsungsprozess allmählich mit dem Festlande vereinigt wurde.

Ausser dem Verbindungsgraben mit dem Kiwwijerw, hat der See keinen Zufluss, wird demnach nur von Quellen und dem zu- strömenden Niederschlagswasser gespeist. Ein kleiner Abfluss an der Ostseite der Urdabucht entzieht dem See ständig Wasser, wo- durch die Schwankungen in der Höhe des Wasserspiegels nie sehr bedeutend sind; sie betragen höchstens 1—2′ über den normalen Wasserstand. Dieser Bach ergiesst sich anfangs in den zum Gute Dukershof gehörigen Kawandosee, durchströmt ihn und fliesst nun als sogenannter Gross-Kambyscher Bach in den in der Nähe Hase- laus belegenen Adlersee, um weiter unter dem Namen Walgma- Fluss in den Embach zu münden. Demnach steht der Spankausche See direkt mit dem Embach in Verbindung. Trotzdem scheint, wie wir später sehen werden, keine resp. keine erfolgreiche Ein- wanderung neuer, im Spankauschen See nicht heimischer Fische stattzufinden.

Inseln besitzt der See zwei, von denen die grössere, mit einigen Linden und anderen Bäumen bestanden, so ziemlich in der Mitte des kleinen Sees, die kleinere, nur wenig Quadratfaden grosse, auf der Westseite des grossen Sees mehr zum Südende desselben belegen ist.

Die auf beiliegender Karte (Taf. I) angegebenen Tiefenkurven sind aufgrund von 350 Lotungen, die von mir im Winter 1900 und 1901 vom Eise aus gemacht wurden, und demnach recht genau sind, ausgeführt worden, sie geben daher ein sehr anschauliches Bild über die Bodengestaltung des Seegrundes. Die grösste von mir gemessene Tiefe beträgt $36\frac{1}{2}'$, sie befindet sich auf der Westseite des grossen Sees. Meist schwankt sie aber zwischen 16—21' und gibt es nur wenig Punkte, wo eine solche von 25 und 28' constatiert werden konnte.

Ursprünglich muss der Spankausche See, wie meine gleich zu besprechenden Bohrungen beweisen, bedeutend tiefer gewesen sein, an manchen Stellen um 30 und vielleicht noch mehr Fuss, dürfte demnach zur Zeit seiner Entstehung Tiefen zwischen 60—65' aufzuweisen gehabt haben.

Tiefere Bohrungen konnte ich leider nur 25 ausführen und zwar gleichfalls vom Eise aus. Die Arbeit mit dem gegen 200 Pf. wiegenden Bohrer erfordert mindestens 4 Hülfskräfte und einen festen nicht schwankenden Standpunkt. Von einem Boote aus lässt sich eine solche daher nicht bewerkstelligen. Die grössten Schwierigkeiten verursacht immer das Heben des Bohrers, besonders, wenn er in einer sehr mächtigen Schlammschicht eingepresst war. Häufig mussten wir zu fünf Mann alle unsere Kraft anspannen, um das schwere aus zehn Gliedern bestehende Rohr in Bewegung zu setzen. War das erst gelungen, so kostete das weitere Heben keine sehr grosse Anstrengung.

Da der Schlamm so wie auch der Ton stets als Säule in dem Rohre haften blieb, habe ich den eigentlichen Bohrer nur dort benutzt, wo der Boden aus Sand oder Kies bestand. In den meisten Fällen genügte das Rohr allein. Erst wurde die Wassertiefe gemessen und darauf das Rohr eingebohrt. Hatte ich den festen Grund erreicht, so ergab die Differenz zwischen Wassertiefe und der Länge des versenkten Rohres die Mächtigkeit der Schlammablagerung. Der Schlamm liess sich leicht aus den Rohren mit einem Stock, an dem ein genau in das Rohr passender Stempel befestigt war, als lange Wurst herauspressen, weshalb es sehr leicht war

Schlammproben aus den verschiedenen Tiefen zu entnehmen. Nur die oberste, leicht bewegliche und sehr dünnflüssige Schlammschicht vermengte sich mit dem Wasser, falls von dieser Proben erforderlich waren, mussten sie mit einer Dretsche gehoben werden.

Die Ausdehnung des festen Grundes an den Ufern habe ich mit einer langen spitzen Stange leicht feststellen können.

Trotz der im Vergleich zu den Lotungen geringen Zahl von Bohrungen klären sie einen doch genügend über die Schlammtiefen auf.

Auf der zweiten beigegebenen Karte (Taf. II) habe ich den Versuch gemacht, die Mächtigkeit der Schlammablagerung gleichfalls durch Kurven zu veranschaulichen. Wir sehen, dass die bedeutendsten Ablagerungen in den Tiefen und den vor Stürmen und Wellenschlag geschützten Buchten stattfinden. An den Ufern und den flacheren Partien des Sees, wo die Wasserbewegung eine grössere ist, werden die leicht beweglichen Partikel immer wieder weg und in die ruhige Tiefe gespült, es können sich daher keine grösseren Schlammablagerungen bilden.

Die grösste Mächtigkeit des Schlammes befindet sich, in Folge dessen, in der Tiefe des grossen Sees, in der Mudda- und Urdabucht und in dem zwischen der Lugdenschen Halbinsel und der Insel belegenen Teile des kleinen Sees, der gleichfalls vor starkem Wogenschlag geschützt ist. Im östlichen Teil des kleinen Sees, der allen aus dem grossen See andrängenden Wellen ausgesetzt ist, ist die Schlammablagerung, wie die Karte zeigt, eine weit geringere.

Dort, wo auf der Karte die Zahlen mit einem $+$ versehen sind, habe ich der grossen Wassertiefe wegen den festen Untergrund nicht erreichen können. Es liess sich jedoch nach der Beschaffenheit des Bohrgutes, das noch keineswegs die dunkele Farbe und die Festigkeit der älteren Schlammschichten zeigte, mit ziemlicher Sicherheit eine sehr bedeutende Mächtigkeit der Schlammablagerung annehmen.

Der Schlamm besteht übrigens nie aus reiner organischen Substanz. Mit jedem Niederschlage, vor allen Dingen aber im Frühjahre mit dem Schmelzwasser, werden dem See grosse Mengen, im Wasser suspendirter, anorganischer Stoffe zugeführt, von denen die gröberen und schwereren Körperchen sich bereits am Ufer absetzen, wogegen die feineren längere Zeit suspendirt bleiben, von der Strömung erfasst und weit weggetragen werden. Erst wenn sie in ganz stilles Wasser geraten, senken sie sich ganz allmählich, und vermengen sich mit den organischen Partikeln. Je weiter von den Ufern entfernt, und je weiter von den Zuflüssen des Frühjahrswassers, desto weniger an gröberen Beimengungen treffen wir im Schlamm an.

Auf meine Bitte hatte Herr J. S c h i n d e l m e i s e r die Liebenswürdigkeit einige Schlammproben, die ich aus verschiedenen Tiefen der Muddabucht uud des kleinen Spankauschen Sees entnommen hatte, einer Analyse zu unterziehen.

Analysen.

Muddabucht.

Die Schlammproben wurden entnommen aus einer Tiefe von	3′—10′	18′—22′	29′
Glühverlust insgesamt	42 %	30 %	24 %
Kieselsäure SiO_2	63,98 %	51,83 %	52 %
Kalziumoxyd CaO	16,52 %	18,74 %	7,84 %
Aluminiumoxyd Al_2O_3	15,08 %	21,61 %	34,72 %
Eisenoxyd Fe_2O_3	1,69 %	2,09 %	1,02 %
Kaliumoxyd K_2O	1,18 %	3,78 %	2,57 %
Schwefelsäure SO_3	0,47 %	0,64 %	0,76 %
Kohlensäure CO_2	0,38 %	0,98 %	1,04 %

Spuren von Mangan und Magnesium in allen drei Proben.

Kleiner Spankauscher See.

Die Schlammproben wurden entnommen aus einer Tiefe von	0′—1′	14′
Glühverlust insgesamt	52 %	33 %
Kieselsäure SiO_2	54,50 %	56,63 %
Kalziumoxyd CaO	11,43 %	8,84 %
Aluminiumoxyd Al_2O_3	27,32 %	29,37 %
Eisenoxyd Fe_2O_3	1,03 %	1,78 %
Kaliumoxyd K_2O	3,15 %	2,21 %
Schwefelsäure SO_3	0,79 %	0,39 %
Kohlensäure CO_2	0,93 %	0,71 %

Nach diesen Analysen schwankt der Gehalt an Kieselsäure zwischen 52—63 % und der an Aluminiumoxyd zwischen 15 und 34 %. Diese Massen können unmöglich Aschenbestandteile der

Pflanzen und Tiere sein, sondern sind zum bei weitem grössten Teil dem Wasser zugeführt worden. Es spielt dabei übrigens nicht nur das zuströmende Wasser eine Rolle, sondern ebenso der Wind, der bei trockener Witterung grosse Mengen Staub von den benachbarten Feldern, den Landstrassen und auch Bergen aufwirbelt, und weit in den See fortträgt, wo er im ruhigen Wasser zur Ablagerung kommt. Der relativ grosse Kalkgehalt des Schlammes bis 18 % dürfte wohl in erster Linie auf die Fähigkeit vieler Wasserpflanzen zurückzuführen sein, einen Teil der Kohlensäure dem im Wasser gelöst enthaltenden doppelkohlensauren Kalk entziehen zu können, und dadurch den im Wasser unlöslichen kohlensauren Kalk zu fällen. Diesen Vorgang kann man ja bei allen Potamogetonarten, Charen, Wassermoosen u. s. w. leicht beobachten, die, sobald sie ein gewisses Alter erreicht haben, meist mit einer dicken Kalkschicht bezogen sind.

Aus den Glühverlusten bei der Analyse ersehen wir, dass der Gehalt an organischer Substanz mit zunehmender Tiefe ständig sinkt. Es scheint sich demnach ein langsamer Mineralisationsprozess abzuspielen. Die unter dem Schlamm abgelagerte Tonschicht lässt sich aber schwerlich als eine aus dem Schlamm durch Mineralisationsprozess entstandene Ablagerung auffassen, da denn doch wenigstens vereinzelte Ueberreste von den so widerstandsfähigen Diatomeen sich nachweisen liessen, die selbst in den tiefsten Schlammschichten in ziemlich reicher Menge vorkommen. Mir ist es trotz eifrigen Suchens bis jetzt wenigstens nicht geglückt, irgend einen organischen Ueberrest nachzuweisen. Nur an flachen Stellen, an denen bereits die Vegetation beginnt, findet man im Ton frische Pflanzenwurzeln so wie auch solche, die bereits abgestorben sind. Das sind aber Gebilde, die von oben nachträglich eingedrungen sind und vielfach noch eben weiter eindringen, jedenfalls nicht als ein nachgebliebener Rest der ältesten Schlammschicht aufgefasst werden können.

Hat die Schlammschicht, durch ständiges Anwachsen, sich so weit der Wasseroberfläche genähert, dass die das Wasser durchdringenden Lichtstrahlen ein Pflanzenleben ermöglichen, so bedeckt sich der Seeboden bald mit einem dichten Rasen von Bodenpflanzen, unter denen die am wenigsten lichtbedürftigen und daher in der grössten Tiefe vorkommenden die Charen, einzelne Wassermoose so wie Ceratophyllum sind — alles Pflanzen, die stark wuchern, und deren absterbende und zerfallende Teile nun ihrerseits das Anwachsen des Schlammes bedeutend beschleunigen. Solche Stellen bilden im

Spankauschen See die Mudda-Urdabucht und einen Teil des kleinen
Sees hinter der Lugdenschen Halbinsel. Die grösste Tiefe, bei der
Herr H. v. Oettingen, so wie auch ich Bodenpflanzen im besprechenen See nachgewiesen haben, beträgt 16′. In Seen mit klarem
Wasser, wie der Parksee bei Jendel und der Allax-See bei Pebalg,
habe ich Charen sogar in einer Tiefe von 19—21′ angetroffen.

Eine Erscheinung, die ich im Spankauschen See im Laufe der
Jahre zu beobachten Gelegenheit gehabt, möchte ich nicht unerwähnt
lassen, da sie mir der Beachtung wert erscheint. Sie betrifft den
in ihrem Bestande unterworfenen Wechsel der Flora.

So gehörte Potamogeton mucronatus Schrad. 1902 noch zu
den verbreitetsten Potamogetonarten, und trat besonders in der Einfahrt der Urdabucht in solchen ungeheueren Mengen auf, dass sie
die Fortbewegung des Bootes bedeutend erschwerten. Von dieser
Zeit an hat genannte Art immer mehr und mehr an Häufigkeit
verloren und gehört seit 1905 entschieden zu den seltensten Arten
dieser Gattung. Ebenso wird Pot. praelongus Wulf. ständig seltener,
wogegen Pot. luceus L., die anfangs ganz fehlte, sich immer mehr
und mehr verbreitete und nun bereits zu den allergemeinsten Pflanzen gehört. Das gesagte gilt von Pot. Zizii Mert u. Koch, die zur
Zeit an den sandigen Ufern der Urdaberge ganz gemein ist, anfangs
dagegen von mir nirgends angetroffen wurde, obgleich ich den See
häufig einer recht genauen botanischen Besichtigung unterworfen habe.

Auch in der Form scheinen gewisse leicht variabile Arten einem
Wechsel zu unterliegen, was mir speciell bei Pot. gramineus L.
nachzuweisen gelungen ist. Während sie vor 3—4 Jahren nur als
forma stagnalis Fr. Vertreter aufwies, sind diese mit 1905 ganz
geschwunden, und haben der forma heterophyllus Schr. Platz gemacht.

Auf welchen Ursachen dieser Wechsel der Formen und Arten
beruht, bin ich zur Zeit leider nicht zu entscheiden in der Lage,
ebensowenig, ob diese zurückgetretenen, resp. ganz geschwundenen,
Arten später wieder auftreten werden. Es ist daher sehr dankenswert, dass Herr von Oettingen eben mit der Arbeit beschäftigt ist,
die Verbreitung der einzelnen Pflanzenarten des Spankauschen Sees
für dieses Jahr genau kartographisch festzustellen. In der Zukunft
dürfte diese Arbeit von nicht geringem Interesse sein, da sie späteren Forschern die Möglichkeit bietet, Vergleiche anzustellen.

Was die im Spankauschen See vorkommende Fauna betrifft,
so ist Herr Samsonow zur Zeit mit der Bearbeitung derselben beschäftigt. Er wird, sobald er seine langwierige Arbeit beendet hat,

diese in den Berichten der Seenkommission veröffentlichen. Ich möchte nur mit einigen Worten auf die Fische eingehen. Anfangs beherbergte der See nur den Hecht, Barsch, Kaulbarsch, Bleier (Plötze) und die Quappe. Vor circa 30 Jahren wurden ihm Brachse zugeführt, die daselbst bald festen Fuss fassten und sich so stark vermehrten, dass sie jetzt den Hauptbestand der Fänge bilden. Ebenso ist es mir vorzüglich gelungen, den Sandart und die grosse Muräne (Siig) einzubürgern, ausserdem werden noch Versuche mit der Akklimatisation weiterer Nutzfische gemacht.

Ich erwähne das nur, um zu zeigen, dass der See noch verschiedenen anderen, hier einheimischen Fischen die erforderlichen Lebensbedingungen bieten kann, die vorher in ihm nicht heimisch waren. Wodurch die ursprüngliche Fischarmut bedingt wurde, ist mir nicht ganz erklärlich, da durch den Abfluss dem Gewässer immerhin eine ganze Anzahl anderer Arten hätten zuwandern können. Das gute Gedeihen der ausgesetzten neuen Fischarten lässt sich nicht in Abrede stellen. Allerdings konnten Jahre mit sehr kalten und andauernden Wintern alle, bis jetzt so gut gelungenen Einbürgerungsresultate zunichte machen, wahrscheinlich ist es mir vorläufig jedoch nicht, da nach meinen, bereits veröffentlichten, Sauerstoffuntersuchungen der Spankausche See, selbst in der ungünstigsten Jahreszeit, Februar-März, genügend Sauerstoff enthält, um selbst recht luftbedürftigen Fischen eine Existenzmöglichkeit zu bieten. Was eventuell auftretende Epidemien betrifft, so kann diese Möglichkeit selbstredend nicht bestritten werden. Ich brauche nur an die Krebspest zu erinnern, die die schönen Krebsbestände dieses Sees, so wie die der Mehrzahl aller Gewässer fast ganz vernichtet hat. Warum sollten nicht auch gewisse Fischarten zu Zeiten ähnlichen verheerenden Epidemien unterworfen sein? Massensterben einzelner Arten werden hier immer ab und zu selbst in unseren grössten Seen beobachtet. Von Hause aus ist es wohl anzunehmen, dass mit dem Flacherwerden und Verschlammen des Sees die anfangs gebotenen Lebensbedingungen sich mit der Zeit so weit ändern, dass gewissen anspruchsvolleren Arten schliesslich die Existenzmöglichkeit genommen wird. Im Spankauschen See scheint es, was die erwähnten Fische betrifft, wie meine Erfahrungen lehren, vorläufig noch nicht so weit gekommen zu sein.

Zu einer systematischen Untersuchung der Schlammschichten habe ich leider keine Zeit gefunden. Sie dürften vielleicht noch bestimmbare Ueberreste jetzt ausgestorbener Tiere und Pflanzen enthalten, die Einen über das Wasserleben in der Jugendzeit des Sees Aufschluss zu geben vermögen.

Nun möchte ich noch mit einigen Worten auf drei andere Seen eingehen, die ich, durch das liebenswürdige Entgegenkommen des Herrn E. von Cossart, gleichfalls zu untersuchen Gelegenheit hatte. Zwanzig Werst in östlicher Richtung von der Sadjerwschen Seengruppe und fünfundvierzig Werst von der Stadt Dorpat in nordöstlicher Richtung entfernt, gehören sie zu dem grossen Graf Manteuffelschen Güterkomplex. Sie liegen, soweit ich die Sache beurteilen kann, in einer Grundmoränenlandschaft und sind, wie der Spankausche See, Wasseransammlungen, an dessen mit nicht genügendem Abfluss versehenen Vertiefungen derselben. Alle drei haben zur Zeit ihrer Entstehung weit grössere Flächen eingenommen, durch den ständig vorschreitenden Verwachsungsprozess jedoch viel von ihrer ursprünglichen Grösse eingebüsst.

1. Der Saarenhofsche Hofsee.

In botanischer Beziehung hat Herr von Oettingen den See bereits sorgfältig bearbeitet, und auch eine Karte desselben im vorigen Jahre in diesen Berichten veröffentlicht. Nimmt man die Karte zur Hand, so sehen wir, dass nur eine Seite des Sees von hohen Ufern begrenzt ist, wogegen drei Seiten, vordem die Höhen beginnen, von moorigen Wiesen umgeben werden. Letztere sind diejenigen Teile des Sees, die ihm durch den Verwachsungsprozess abgerungen wurden. Dieser Prozess schreitet noch jetzt unaufhaltsam fort. Am auffälligsten ist das in der hinter der Insel belegenen Bucht, die derart von Stratiotes und Ceratophyllum durchwachsen ist, dass uns die Fortbewegung des Bootes nur mit Hülfe von 4 kräftigen Arbeitern ermöglicht wurde.

Zwei Bohrungen in dieser Bucht ergaben beide eine Schlammschicht von 21′ Mächtigkeit. Unter dem Schlamm stiess ich auf Sand. Im offenen See machte ich bei einer Wassertiefe von 13′ nur eine Bohrung. Hier betrug die Mächtigkeit des Schlammes 14′, unter derselben lagerte reiner Ton. Leider habe ich es versäumt, sowohl die Sandschicht in der Bucht, wie auch die Tonschicht im offenen See zu durchbohren.

2. Der Jägelsee.

Drei Werst vom Gute Saarenhof entfernt, umfasst er annähernd einen Flächenraum von 300 Hektar. Die ihn umgebenden recht ausgedehnten Moore und moorigen Wiesen zeugen dafür, dass der See ursprünglich einen bedeutend grösseren Umfang gehabt hat, und voraussichtlich noch mit anderen, jetzt getrennten Gewässern, wie den Särgjerw in Verbindung stand. Ein Teil dieser, an das Wasser grenzenden Moore ist noch eben schwankend. Hin und wieder lösen sich von den Rändern grössere Partien ab, und werden dann als schwimmende Inseln von den Winden umhergetrieben. Diese mit Krüppelbirken und Weidenbüschen bestandenen Inseln werden jetzt durch grosse Balken an den Ufern verankert, damit nicht, was bereits vorgekommen, bei ungünstigen Stürmen der aus dem See austretende Jägelbach durch eine Insel versperrt wird. Durch eine solche Verstopfung des Abflusses können, da ein Bach dem See ständig ziemlich bedeutende Wassermengen zuführt, recht unliebsame Wasseranstauungen bedingt werden.

Die Wassertiefe des Sees schwankt zwischen 10—12′. Der ganze Untergrund ist moddig. Meine Bohrung ergab eine Schlammschicht von 30′ Mächtigkeit, die ihrerseits auf einer Tonschicht lagert. Letztere zu durchbohren gelang mir leider nicht. Die Länge meines Bohrers reichte zu dem Zweck nicht aus.

3. Der Särgjerw.

Unzweifelhaft gehört dieser, fünf Hektar grosse, See zu den interessantesten Gewässern, die mir in Livland begegnet sind. Vom Gute Saarenhof noch drei Werst weiter als der Jägelsee entfernt, steht er mit letzterem durch einen kleinen, träge fliessenden, wohl nur den Wasserstand beider Gewässer ausgleichenden Bach in Verbindung. Die Ufer sind alle schwankend, und lässt sich selten so schön wie hier, weil jede Wasserflora fehlt, das Ueberwachsen vom Ufer aus verfolgen. Die Wassertiefe beträgt drei Fuss. Das Wasser war sowohl im Winter, wie auch Ende Mai schön klar, und unterscheidet sich nach einer von Herrn S c h i n d e l m e i s e r gemachten Analyse kaum von gutem reinen Flusswasser. Der den ganzen Boden des Sees bedeckende Schlamm ist in den oberen Schichten von gelblicher Farbe, und ungemein beweglich. Er besteht aus einer grossen Zahl kleiner Algen und niederer Tiere. Auch den Süsswasserschwamm habe ich in schönen Exemplaren angetroffen. Je tiefer man in den Schlamm eindringt, um so dunkeler und fester wird er. Seine Mächtigkeit beträgt, wie zwei Bohrungen beweisen, 21′. Im nördlichen Teil des Sees lagert er auf Sand, dieser wiederum auf Ton, in der Mitte bereits direkt auf der Tonschicht. Letztere habe ich leider auch nicht durchbohrt, weil ich sie damals für den ursprünglichen Untergrund der Seewanne hielt. Der auf dem Ton lagernde Sand ist voraussichtlich von dem ganz kurzen quelligen Zufluss aufgespült worden, der am Fuss den im Norden des Sees liegenden Sandhügeln entspringt.

Ausser den eben besprochenen zwei Bohrungen im freien Wasser, machte ich noch zwei auf der Ostseite des Sees durch die Ueberwachsungsschicht. Nachdem ich diese durchbohrt, versank der Bohrer circa 8′ wie in reinem Wasser, und stiess darauf auf festen Grund. Auch den durchstiess ich, worauf der Bohrer wiederum circa 4′ sank, um schliesslich in einer Sandschicht stecken zu bleiben. Als ich das Bohrgut untersuchte, zeigte sich unter der obersten Verwachsungsschicht 8′ flüssiger Schlamm, darauf folgte eine zweite Verwachsungsschicht, bestehend aus verschiedenen Wurzeln der Uferpflanzen, weiter wiederum 4′ flüssiger Schlamm, und schliesslich, wie schon erwähnt, Sand. Diese Erscheinung war mir so auffällig und überraschend, dass ich die Bohrung wiederholte. Das Resultat war dasselbe. Wie ist nun diese untere Verwachsungsschicht entstanden? Die Frage ist nicht so ganz leicht zu entscheiden ohne weitere Untersuchungen, zu denen ich leider der vorgerückten Stunde wegen keine Zeit fand. Ich vermute, dass wir es hier mit einem, in früheren Perioden versunkenen, Stück der Verwachsungsschicht, vielleicht auch mit einer versunkenen schwimmenden Insel zu tun haben. Ob meine Vermutung berechtigt ist, können ja selbstredend nur weitere genaue Bohrungen erweisen.

Das Bohrgut dieser Seen harrt noch der Bearbeitung, weder ist es einer chemischen, noch mikroskopischen Analyse unterworfen worden. Durch Amtspflichten verhindert, fehlte mir leider zu diesen Untersuchungen die erforderliche Zeit.

Zum Schluss dieses Aufsatzes möchte ich noch darauf hinweisen, wie interessant es wäre, festzustellen, in welcher Zeitdauer sich so grosse Schlamm-Massen, wie ich sie in den besprochenen Gewässern angetroffen, anhäufen. Vorläufig fehlt uns dazu jede Handhabe. Wir müssen uns darauf beschränken festzustellen, dass recht bedeutende Zeiträume darüber verstrichen sind. Zukünftige Generationen jedoch werden eher dazu in der Lage sein, da mit Hülfe solcher Karten wie die beiliegenden, sich bei einer wiederholten Lotung voraussichtlich ein Anwachsen der Schlammschicht nachweisen lassen wird. Mir erscheint es daher sehr erwünscht, noch eine grössere Zahl von Seen einer derartigen Untersuchung zu unterziehen. Hat doch ein jedes Gewässer seinen eigenen Charakter und erfolgt der Prozess des Verschlammens keineswegs überall gleich rasch. Der Nährwert, die Zuflüsse u. s. w. spielen dabei keine geringe Rolle.

Ist aber ein See in das Stadium eines Weihers getreten, — unter Weiher verstehen wir einen See, dessen Tiefe so gering ist, dass er in seiner ganzen Ausdehnung von der litoralen Flora besiedelt sein kann — so tritt sein Untergang meist in relativ kurzer Zeit ein. Dafür bietet der sogenannte grosse Neu-Laizensche See im Walkschen Kreise ein vorzügliches Beispiel. Auf einer Karte, die vor fünfzig Jahren angefertigt wurde, ist er noch als Wasserfläche von fünfundzwanzig Hektar verzeichnet. Die älteren Leute erinnern sich dieses Sees ganz genau. Jetzt ist vom Wasserspiegel nichts mehr übrig. Der ganze See hat einem Grasmoor Platz gemacht, der nun seinerseits, da sich an den Rändern des Moors Torfmoose festgesetzt haben, mit der Zeit ein Hochmoor werden wird.

DER SPANKAUSCHE SEE.

Wassertiefen.

1901

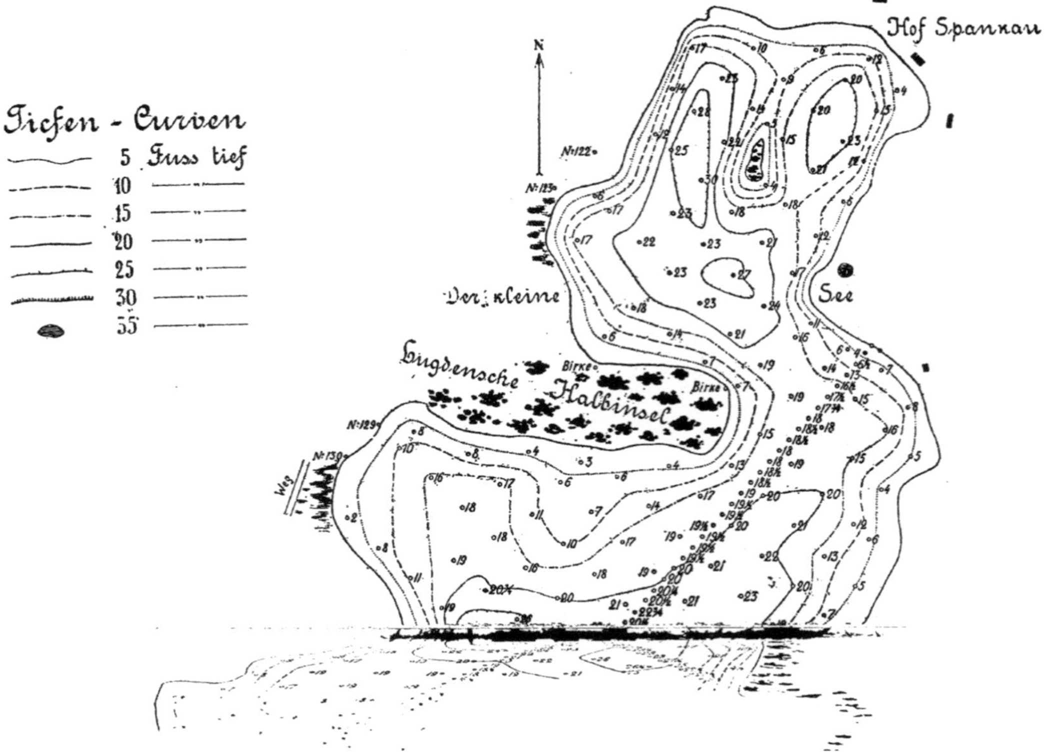

Tiefen - Curven
5 Fuss tief
10 "
15 "
20 "
25 "
30 "
35 "
N
Hof Spannau
See
Der kleine
Lugdensche Halbinsel
Birke
Birke
N:122
N:123
N:129
N:130
Weg

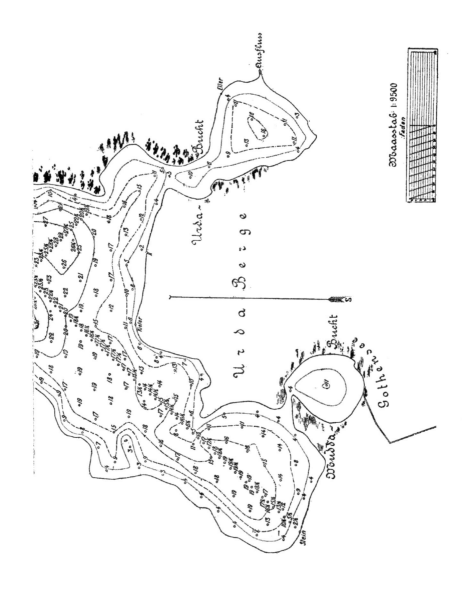

Maaßstab 1:9500
Faden

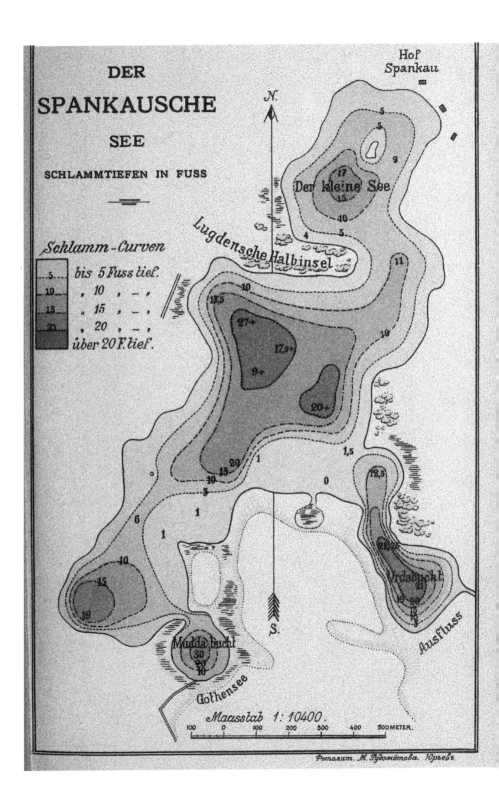

DER
SPANKAUSCHE
SEE

SCHLAMMTIEFEN IN FUSS

Schlamm - Curven

bis 5 Fuss tief.
5 . . .

10 „ 10 „ — „

15 „ 15 „ — „

30 „ 20 „ — „

über 20 F. tief.

N.

Hof
Spankau

Der kleine See

Lugdensche Halbinsel

Urdabucht

Ausfluss

Mudda bucht

Gothensee

S.

Maasstab 1: 10400.

100   0   100   200   300   400   500 METER.

Ueber die Binnenmollusken der Ostseeprovinzen [1]).

Von

Dr. J. Riemschneider.

Hochgeehrte Anwesende!

Aus der Reihe der Bearbeiter baltischer Mollusken sind Klagen
darüber laut geworden, dass in dem uns interessirenden Gebiet zu
wenig gesammelt, zu wenig publicirt werde. Eine Berechtigung zu
solchen Klagen kann nun freilich nicht in Abrede gestellt werden,
denn zweifellos giebt es in dieser Beziehung noch Vieles kennen zu
lernen und überhaupt: wann hat es für die Wissenschaft je ein
Endziel gegeben, an welchem sie befriedigt stillstehen konnte? Andererseits aber muss doch festgestellt werden, dass durch eine
ganze Anzahl von Arbeiten die Molluskenfauna des baltischen Gebiets verhältnismässig gut bekannt geworden ist, so dass Jemand,
der heute die Absicht hätte, unsere Weichtiere weiter zu untersuchen,
von einer ziemlich breiten Basis aus sein Werk beginnen könnte
und namentlich zu den bisher aufgefundenen Arten wohl nur sehr
wenige hinzuzufügen brauchte.

Sehr wichtig sind in der genannten Beziehung die Arbeiten
von Prof. Dr. M. Braun, erschienen hier in unseren Sitzungsberichten
und im „Archiv f. d. Naturkunde Liv-, Est- u. Kurlands" [2]), in
letzterem namentlich „die Land- und Süsswassermollusken der Ostseeprovinzen" 1884, nachdem von ihm schon 1883 ein „Verzeichnis
der baltischen Land- und Süsswasserkonchylien" veröffentlicht worden
war. Prof. Braun hat in den „Land- u. Süsswassermollusken der
Ostseeprovinzen" die Ergebnisse der gesammten bisherigen Forschung auf diesem Gebiet in eine einheitliche Uebersicht gebracht,

---

1) Vortrag, gehalten in der Sitzung vom 16. Nov. 1906.
2) Bd. IX. Lief. 5.

er hat die einschlägige Litteratur studiert, mit den hiesigen Sammlungen verglichen und eingehende Angaben sowohl über alle wich-
tigeren bis dahin erschienenen Arbeiten als auch aus diesen über
das Vorkommen und die Verbreitung der sämmtlichen baltischen
Binnenmollusken gemacht. Aber nicht allein das Ostseegebiet wird
von dieser Arbeit umfasst, sondern es wird bei jeder Art auch über
das Vorkommen in anderen Teilen des russischen Reiches berichtet
soweit Litteraturangaben darüber vorhanden waren, so aus Archangelsk, Finnland, dem Petersburger Gouvernement, aus Litthauen,
Polen, Wolhynien, Podolien, Kiew, Charkow, Orel, Kaluga, Smolensk,
Moskau, Westsibirien, Ostsibirien, dem Altai, Amurgebiet, aus Kam-
tschatka und anderen Gegenden, so dass diese Arbeit für die Molluskenforschung des ganzen Reiches von Wert ist; für das Ostseegebiet besitzt sie auch jetzt eben — besonders da seitdem nur
wenig veröffentlicht worden ist — die Bedeutuug eines Fundamentes
für die nachfolgenden Arbeiten. Auch ich werde noch mehrfach
Gelegenheit haben auf diese Schrift zurückzukommen, da sie mir die
Anführung der älteren Litteratur erspart.

Meine Aufgabe am heutigen Abend wird es nun sein Ihnen
die nach dem Erscheinen von Prof. Braun's „Land- und Süsswassermollusken" erfolgten Arbeiten vorzuführen und über das End-
resultat derselben zu berichten.

Da ist zunächst aus dem Jahre 1884, im VII Bande der Sitzungsberichte[1]) ein „Beitrag zur Kenntnis der Molluskenfauna Estlands von stud. med. Ferd. Schmidt. Derselbe fügt zu den bis
dahin aus Estland bekannten Clausilien 6 neue Arten, es sind das:

Clausilia ventricosa *Drap.*
„ orthostoma *Menke*
„ latestriata *Bielz*
„ cana *Held*
„ dubia *Drap.*
„ filograna *Ziegler.*

Diese Arten müssen also zu den in der Braun'schen Publikation für Esthland aufgeführten hinzuaddirt werden.

Ausser einer Anzahl von kleineren Mitteilungen, die grösstenteils von Mag. W. Dybowski und stud. Ferd. Schmidt her-
rühren, findet sich von Letzterem ein „Beitrag zur Molluskenfauna

---

1) Sitzungsber. d. Naturf.-Ges. b. d. Univers. Dorpat. Bd. VII. 1886.
p. 190.

der Ostseeprovinzen" [1]), in welchem folgende von dem Verfasser gesammelte und für das Gouvernement Estland neue Arten aufgeführt werden:

Pupa edentula *Drap.*

Aeme polita *L.*

Pisidium amnicum *Müll.*

„　obtusale *C. Pfr.*

„　pulchellum *Jenyns.*

Von diesen ist Pisidium pulchellum auch neu für das ganze
Gebiet der Ostseeprovinzen.

Nach einigen, für die systematische Kenntnis unserer Arten
unwesentlichen, Mitteilungen hören die Beiträge von Dr. Ferd.
Schmidt auf, der Tod hat ihn ereilt — für die Wissenschaft viel
zu früh, er war nicht mehr im Stande über seine weiteren Funde
zu publiciren, um so eher halte ich es für gerechtfertigt über eine
neue Form Mitteilung zu machen, die mir bei flüchtigem Einblick
in die im Besitz unserer Gesellschaft befindliche Schmidt'sche
Sammlung auffiel und der eine Notiz beigefügt war, welche bewies,
dass Dr. Schmidt sich mit ihr beschäftigt hatte. Ich konnte mit
dieser Form nun nicht fertig werden und wandte mich um Aufklä-
rung an Herrn S. Clessin, Letzterer schreibt mir darüber: „die
beiden Limnaen" — es handelt sich nämlich um 2 Varianten —
sind mir bekannt; ich habe sie von Dr. Ferd. Schmidt, mit
dem ich früher in Verbindung gestanden, selbst erhalten. ————
Beide Formen gehören zum Formenkreise der Limnaea stagnalis *L.*
Ich betrachte selbe als Brackwasserformen, welche mir schon damals,
als ich sie von Dr. Schmidt erhielt, auffielen, weshalb ich die
schlankere Limnaea livonica benannte. Ich habe damals Schmidt
aufgefordert an der Fundstelle weiter zu sammeln, da auch zu er-
warten steht, dass unsere übrigen Limnaeen dort ebenso merk-
würdige Formen annehmen, aber ich habe seitdem Nichts mehr von
Schmidt gehört. Die aufgeblasenere Form nähert sich gewissen
Seeformen von L. stagnalis, welche z. B. im Bodensee, aber auch
im Issyk-kul in Turkestan sich finden, nur sind die Seeformen fest-
schaliger. Die Limnaeen sind überhaupt sehr variabel und werden
deren Schalen in weitgehender Weise von den physikalischen und
chemischen Eigenschafteu ihrer Standorte beeinflusst".

---

1) Sitzgsber. d. Naturf. - Ges. b. d. Univ. Dorpat. Bd. VII. 1886.
p. 342, 343.

Nachdem ich Herrn Clessini's Brief erhalten hatte, kam ich dazu eine Kollektion, die Dr. P. Lackschewitz auf der Insel Gotland zusammengebracht hat, durchzusehen und da fanden sich denn Brackwasserexemplare, die gewiss zu L. stagnalis gehören und die mir zu den Schmidt'schen Limnaeen hinüberzuleiten scheinen, darin würde Herrn Clessin's Anschauung von den Brackwasserformen eine Bestätigung finden.

Chronologisch die nächste hierher gehörige Arbeit ist ein Aufsatz von Dr. B. Doss in Riga: „Zur Kenntnis der lebenden und subfossilen Molluskenfauna in Rigas Umgebung insbesondere des Rigaer Meerbusens", erschienen im Korrespondenz - Blatt des Naturforscher-Vereins zu Riga[1]). Professor Doss giebt darin einen historischen Ueberblick über die Erforschung der Molluskenfauna des Rigaer Meerbusens und der Ostsee überhaupt mit Anführung der gefundenen Arten und Vergleichung mit der recenten Fauna der Umgebung. Unter diesen Arten ist neu für die Ostseeprovinzen Pupa laevigata *Kokeil*, ausserdem wird zum ersten Mal Gulnaria ampla *Hartmann* angeführt, allerdings als eine Varietät von Guluaria auricularia *L*. An dieser Stelle muss ich einen Irrtum korrigieren, den ich mir habe zu Schulden kommen lassen: gelegentlich einer früheren Sitzung der Naturforscher-Gesellschaft hatte ich brieflich darüber berichtet, dass ich Gulnaria ampla im Wirzjärw gefunden habe und diese Art als neu für die Ostseeprovinzen bezeichnet, ich hatte damals die Doss'sche Arbeit noch nicht kennen gelernt, die vor meiner Mitteilung erschienen ist. Ich bitte die Gesellschaft um Entschuldigung für diesen Irrtum; Jeder von Ihnen weiss, wie schwer es ist alle in der Litteratur und obenein in Blättern allgemeineren Inhalts verstreuten Veröffentlichungen kennen zu lernen. Mir lag es jedenfalls ob hier zu konstatieren, dass Gulnaria ampla von Herrn Prof. Doss in den Bestand der baltischen Conchylien eingeführt worden ist.

Von demselben Autor sowie von Dr. J. Früh sind im Korrespondenz-Blatt noch einige Aufsätze erschienen, die über baltische Mollusken mehr gelegentliche Mitteilungen enthalten.

Von Professor Simroth ist in einer Arbeit über „die Gattung Limax in Russland"[2]) für Estland eine bisher von dort nicht bekannte Art aufgeführt, nämlich Limax marginatus *Müll*.

---

1) Bd. XXXIX. 1896. p. 110 ff.
2) Ann. Mus. zool. St. Petersb. 1898.

Eine für unser Thema wichtige Veröffentlichung ist das „Verzeichnis der Land- und Süsswassermollusken der Umgebung Revals" von A. Luther[1]). In diesem Verzeichnis fügt Luther die nachfolgenden Arten zu den bisher bekannten Mollusken Estlands:

Limax laevis *Müll.*
Hyalinia cellaria *Müll.*
„ pura *Alder*, in der var. viridula *Menke*
Arion subfuscus *Drap.*
„ Bourguignati *Mabille*
Patula pygmaea *Drap.*
Bulimus obscurus *Müll.*
Pupa substriata *Jeffreys.*
„ alpestris *Alder*
„ arctica *Wallenberg*
Clausilia bidentata *Ström*
Amphipeplea glutinosa *Müll.*
Planorbis crista *L.*
„ complanatus *L.*
Sphaerium corneum *L.*

und an neuen Varietäten ausser der schon erwähnten

Hyalinia viridula *Mke.* (Stammform H. pura *Ald.*) noch:
Sphaerium nucleus *Studer* (Stammform Sph. corneum *L.*)
Pisidium elongatum *Baudon* (Stammf. P. amnicum *Müll.*)

unter den genannten Arten sind für die Ostseeprovinzen überhaupt neu die folgenden:

Limax laevis *Müll.*
Hyalinia pura *Ald.*
Arion Bourguignati *Mab.*
Pupa substriata *Jeffr.*
„ alpestris *Ald.*
„ artica *Wallenb.*

und an Varietäten die 3 vorhin genannten, nämlich Hyalinia viridula, Sphaerium nucleus und Pisidium elongatum. Es sind somit 15 Arten, die Luther der estländischen und darunter 6 Arten, die er der Fauna des Gesammtgebietes hinzugefügt hat. Im Ganzen hat Luther ungefähr 65 Species in der Umgegend Revals gesammelt.

---

1) Acta Societatis pro fauna et flora fennica. XX. Nr. 2. 1901.

Meiner eigenen Mitteilung an die Naturforscher-Gesellschaft habe ich vorhin schon Erwähnung getan, es bleiben in derselben, nach Streichung von Gulnaria ampla, 2 für Livland und gleichzeitig für die Ostseeprovinzen neue Varietäten übrig, auf welche ich später noch zurückkommen will.

Die letzte Veröffentlichung auf diesem Gebiet rührt von Herrn N. Samsonow her und ist sowohl in den Sitzungsberichten als auch in den Arbeiten unserer Seenkommission erschienen unter dem Titel: „Предварительный списокъ животныхъ организмовъ собранныхъ въ озерѣ Садіервъ, Лифл. губ." 1906. Herr Samsonow führt darin aus dem Saadjärw 18 Arten und Varietäten von Mollusken auf.

Seit einigen Jahren sammele ich auch baltische Conchylien und verdanke solche ausser den von mir persönlich zusammengebrachten Exemplaren zum grossen Teil auch der Liebenswürdigkeit einiger naturwissenschaftlicher Freunde. Im Sommer vorigen Jahres konnte ich in dem diesbezüglich noch sehr zurückstehenden Kurland sammeln und habe mit Hülfe meiner Freunde 48 Arten und 19 Varietäten von dort erhalten, aus denen ich Ihnen für das uns jetzt interessirende Gebiet Neue sogleich - vorführen will. Es sind für die Provinz Kurland neu an Arten:

Arion subfuscus *Drap.* von mir in Rutzau (Südwestkurland) beobachtet worden.

Hyalinia radiatula *Alder* in der var. petronella *Charpentier* u. *Pfeiffer.* Gesammelt von Carl Lackschewitz in Niederbartau (Südwestkurland).

Patula ruderata *Studer.* Aus Niederbartau. Sammler: Dr. P. Lackschewitz.

Helix hispida *L.* Aus Rutzau und Niederbartau, an letzterem Ort gesammelt von Dr. P. Lackschewitz.

Helix strigella *Drap.* Aus Skirneek (Südostkurland). Sammler: Herr H. v. Oettingen.

Helix lapicida *L.* In Niederbartau von Herrn A Grosse gesammelt. Chilotrema lapicida muss hier selten sein, es ist sonst nicht einzusehen, wie diese grosse und markante Form früheren Sammlern entgangen sein kann.

Clausilia dubia *Drap.* Aus Niederbartau. Dr. P. Lackschewitz.

Succinea Pfeifferi *Rossmässler.* Niederbartau, Dr. P. Lackschewitz. Budendikshof (Südwestkurland).

Succinea oblonga *Drap.* Niederbartau, Sammler: A Grosse.

Aplexa hypnorum *L.* Aus Rutzau.

Gulnaria ampla *Hartmann.* Niederbartau, Dr. P. Lackschewitz.

Unio pseudolittoralis *Clessin,* in einer Varietät. Ich habe die Muschel Herrn S. Clessin übermittelt, der sie als zu U. pseudolitt gehörig erkannte. Er hält sie für eine gute Varietät und ich habe sie mit seiner Zustimmung U. curonicus genannt. Sie ist von mir in Rutzau gesammelt worden.

Pisidium amnicum *Müll.* Niederbartau, von Dr. P. Lackschewitz und aus Rutzau.

Von den genannten Arten ist Helix lapida *L.* auch neu für das ganze Gebiet.

An Varietäten sind bisher für Kurland noch nicht aufgeführt worden:

Hyalinia petronella *Charp.* u. *Pfr.* (Stammform: H. radiatula *Aïd.*).

Pupa pratensis *Cless.* } Von der Stammform P. muscorum *L.*
„ elongata *Cless.* } Beide, nebst der Stammform gesammelt von Carl Lackschewitz in Niederbartau.

Succinea recta *Baudon* (Stammform: S. Pfeifferi *Rossm.* aus Rutzau).

Gulnaria canalis *Villa* (Stammform: G. ampla *Hartm.* Niederbartau, Dr. P. Lackschewitz).

Limnophysa corvus *Gmelin* (Stammform L. palustris *Müll.* Aus Skirneek. Sammler: H. v. Oettingen).

Anodonta rostrata *Kokeil* (Stammform: A. cellensis *Schröter.* Aus Rutzau).

Unio curonicus *Riemschneider* (Stammform: U. pseudolittoralis *Cless.* Rutzau).

Von den eben genannten Varietäten sind für das ganze Gebiet neu:

Pupa pratensis.
„ elongata.
Succinea recta.
Gulnaria canalis.
Unio curonicus.

Aus Livland stammt weitaus der grösste Teil meiner Sammlung, trotzdem habe ich nur wenig Neues vorzuweisen, es hängt das damit zusammen, dass diese Provinz in malakologischer Beziehung am besten bekannt ist. Für Livland neue Arten sind:

Arion Bourguignati . *Mabille.* In Ringen von mir gefunden worden.

Hyalinia pura *Alder.* Von Dr. P. Lackschewitz in Sesswegen (Südlivland) gesammelt. Die etwas abgebleichten Exemplare haben Herrn S. Clessin zur Bestimmung vorgelegen.

Succinea elegans *Risso.* Von mir auf dem Gute Hellenorm (Nordlivland) gefunden worden. Auch diese Art ist von Herrn Clessin determiniert worden, dem ich überhaupt den grössten Dank für seine stete Hilfsbereitschaft schuldig bin.

Die Auffindung der beiden ersten Arten (Arion Bourguignati und Hyalinia pura) bildet für Livland die Ergänzung zu den estländischen Funden Luthers. Die letzte Art, S. elegans ist für die Ostseeprovinzen überhaupt neu.

An Varietäten, die für Livland neu sind, besitze ich:

Hyalinia petronella (Stammform: H. radiatula *Ald.* Gefunden bei Gross-Congota in Nordlivland und an anderen Orten).

Limnaeus lacustris *Studer* (Stammform: L. stagnalis *L.* Wirzjärw).

Gulnaria patula *d'Acosta* (Stammform: G. ovata *Drap.* Ringen).

Unio lacustris *Rossm.*
„ limicola *Mörch*
Stmmf.: U. tumidus *Retzius.* Beide gesammelt von Herrn M. v. z. Mühlen, der erstere im Jaegel-Fluss, der zweite im Euseküll'schen Bach.

Unio curonicus *Riemschn.* (Stammform: U. pseudolittoralis *Cless.* gesammelt von Herrn v. z. Mühlen im Schwarzbach bei Menzen).

Von diesen Varietäten sind neu für das Gesamtgebiet, wenn wir den bei Kurland schon erwähnten U. curouicus fortlassen:

Limnaeus lacustris.

Guluaria patula.

Unio lacustris.

Unio limicola.

Wie Sie bemerken, habe ich der Einfachheit halber die Varietäten aus meiner schon vorher erwähnten früheren Mitteilung mit
meinen späteren Funden vereinigt.

Estland ist in meiner Sammlung bisher am dürftigsten vertreten, ich kann nur eine einzige Varietät anführen, die für dieses
Gouvernement neu ist, nämlich Anodonta rostrata *Kokeil* aus dem
Oberen See bei Reval. Ich habe sie durch Herrn M. v. z. M ü h l e n
erhalten, gesammelt werden ist sie von Dr. S c h n e i d e r.

Wenn ich nun alle Arten, die seit Prof. B r a u n s Arbeit für
die Ostseeprovinzen neu mitgeteilt worden sind, übersichtlich zusam-
menfasse und sie zu den bei B r a u n angegebenen addiere, so
würde folgende Tabelle resultieren.

bei	Anzahl der Arten in			
	Estland	Livland	Kurland	Gesamt-gebiet
Braun	68	116	65	118
F. Schmidt	11	—	—	1
Doss	—	2	—	2
Simroth	1	—	—	—
Luther	15	—	—	6
Riemschneider	—	3	13	2
in Summa:	95	121	78	129

Somit ist der Bestand der estländischen Mollusken am stärksten
gewachsen, nämlich um 27 Arten, demnächst folgt Kurland mit 13
Arten und schliesslich Livland mit 5 Arten. Das Gesamtgebiet hat
einen Zuwachs von 11 Arten erhalten seit der Veröffentlichung von
Prof. B r a u n s „Land- und Süsswassermollusken der Ostseeprovinzen",
d. h. in einem Zeitraum von 22 Jahren.

Bei Aufstellung der obigen kleinen Tabelle ist vorausgesetzt
worden, dass alle die von B r a u n aufgeführten Arten bestehen
bleiben; ich erwähne das deshalb, weil ich persönlich das Gefühl
habe als hätten eine oder zwei von den dortigen Arten im Laufe
der Zeit das Recht verloren ihren gegenwärtigen Platz einzunehmen.

Bei den bisherigen Ausführungen ist ausschliesslich von recenten Mollusken die Rede gewesen: im Zusammenhang mit dem heutigen Thema möchte ich beiläufig erwähnen, dass in letzter Zeit unter subfossilen Binnenconchylien als neu für die Ostseeprovinzen folgende Arten festgestellt worden sind:

Pisidium milium *Held*

„ pusillum *Gmelin*

„ henslowianum *Sheppard*

Hydrobia baltica *Nilsson*

Planorbis glaber *Jeffreys* und vielleicht auch

„ stelmachaetius *Bourguignat*.

Hochgeehrte Anwesende! Gestatten Sie mir zum Schluss Ihnen an einigen Beispielen zu demonstrieren, wie die einheimischen Conchylien abändern können, meistens ohne dass sich dabei Formen bilden, die den Namen einer guten Varietät verdienten, wo vielmehr die Einwirkung nachweislicher äusserer Verhältnisse Erscheinungen hervorruft, die für die fernere Existenz des Geschöpfes wahrscheinlich belanglos sind; verständlicher Weise ist das vorzugsweise an Wassermollusken in die Augen fallend.

Da gibt es zunächst gewisse Färbungen, welche an Schneckengehäusen auftreten, die in schwarzschlammigen, sumpfigen Gewässern vorkommen und welche sich an den verschiedenen Genera derselben Fundorte wiederholen: das Gehäuse überzieht sich dann mit einem festen oft tiefschwarzen Niederschlage und zugleich wird die Innenseite der Mündung hellrot bis rotbraun, bis braunviolett gefärbt oder erhält eine solche Lippe. Sie sehen diese Erscheinungen hier an einigen Arten der Genera Limnaeus und Planorbis auftreten. Die gleichen Verhältnisse sind wahrscheinlich massgebend bei ähnlichen Färbungen an Paludina und Neritina. Bei der Art Limnophysa palustris *Müll.* wird eine derartige Färbung — wenigstens der Lippe — zur feststehenden Regel, unter den beschriebenen Verhältnissen aber färbt sich die ganze Innenseite purpurbraun, die Aussenseite wird dunkler, wie an dem demonstrierten Exemplar von Limnophysa corvus zu sehen ist. Unio batavus *Lam.* besitzt in der Regel eine braungrüne bis dunkelgrüne Epidermis, diese Färbung ändert aber sehr oft in rotbraun bis schwarzbraun ab; nun habe ich kürzlich in dem harten, blätterigen Niederschlage, der vielfach das Hinterende solcher Muscheln bedeckt, Eisenoxyd nachweisen können, aber nicht allein dieser Niederschlag, sondern auch die Epidermis der Muschel selbst, von völlig belagfreien Stellen abgeschabt, ergab bei entsprechender Behandlung intensive Eisenoxydreaktion und ich zweifle garnicht daran, dass die Färbung der Muschel durch den Eisengehalt hervorgerufen wird, ja es ist möglich, dass die Färbung vieler unserer Conchylien überhaupt anorganischen Verbindungen ihre Entstehung verdankt.

Wenn bei den eben geschilderten Veränderungen chemische Einflüsse im Spiel waren, so sehen wir in einer anderen Reihe von Fällen, dass die physikalischen Bedingungen der Umgebung sich in ausdrucksvoller Weise geltend machen, so wirkt z. B. an Individuen, die in grösseren Seen leben, der Wellenschlag verändernd ein: zu dem vorhin schon erwähnten und demonstrierten Limnaeus lacustris möchte ich Ihnen hier noch Gestaltungen vorführen, bei denen die Gewindeverkürzung noch weiter geht, bei denen zugleich der äussere Teil der Mündungsregion in bisweilen geradezu bizarrer Weise eingeschlagen, nach aussen umgebogen, wellig gefaltet, flügelförmig vorgezogen erscheint u. s. w. Ferner ist hier eine Form des Unio tumidus, welche ich am Wirzjärw aufgelesen habe und welche sich durch Kleinheit und abweichende Färbung der Epidermis deutlich von der Normalform unterscheidet. — So geht es fast ins Unendliche fort: dieselbe Art tritt aus jedem Gewässer in anderer Gestalt auf, dasselbe Gewässer bildet verschiedene, selbst extrem entgegengesetzte Formen einer und derselben Art aus (Limn. productus mit seinem übermässig langspitzig ausgezogenen Gewinde und die zusammengeschobenen abenteuerlichen Gestalten des Limn. lacustris stammen beide aus dem Wirzjärw, ersterer aus einer stillen, rohrverwachsenen Bucht, letzterer vom offenen Seegestade), ja kaum je ist ein Individuum dem anderen gleich — so kommt es, dass, trotz der verhältnissmässig geringen Artenzahl unserer Molluskenfauna, ihr Gesamtbild sich zu einem der wechselreichsten in der einheimischen Tierwelt gestaltet.

Исправленіе.

На стр. 91 тома XV, 2 Протоколовъ Общества Естество-испытателей послѣдніе шесть столбцовъ должны быть замѣ-нены нижеслѣдующими.

851					
852					
853					
851					
849	860				
847	859				
845	858				
843	857				
841	856	871			
839	855	871			
837	854	872			
834	852	870			
831	850	869	888		
828	848	868	888		
825	846	867	888		
821	844	866	887		
817	841	864	886	908	
812	837	861	885	907	
806	833	858	883	905	
801	829	855	881	903	
797	825	852	879	903	925
792	821	849	877	902	925
787	817	846	875	901	925
781	812	842	872	900	923

Опечатки и исправленія къ т. XV, 2.

Напечатано:	Слѣдуетъ быть:

Стр. 101 строчка 2 снизу:

$$\int e^{\infty} -\frac{x^2}{2\,\sigma^2}\,dx \qquad\qquad \int_0^\infty e -\frac{x^2}{2\,\sigma^2}\,dx$$

Стр. 104 строчка 5 снизу:

$$\sqrt{2\pi}\;\frac{1.3.5\ldots 2n-1}{2n}\;a^{\left.-\left(n+\frac{1}{2}\right)\right)} \qquad \sqrt{\pi}\;\frac{1.3.5\ldots 2n-1}{2^n}\;a^{-\left(n+\frac{1}{2}\right)}$$

Стр. 105 строчка 10 снизу:

$z_1 + z_2 = 1$; Отсюда мы найдемъ 6 ур-ій: | Отсюда … ур-ій: $z_1 + z_2 = 1$

Стр. 107 строчка 6:

$$\mu_5 = \nu_5 - 5\,\nu_1\,\nu_4 + 10\,\nu_1{}^2\,\nu_5 - 4\,\nu_1{}^5$$

$$\mu_5 = \nu_5 - 5\,\nu_1\,\nu_4 + 10\,\nu_1{}^2\,\nu_3 - 10\,\nu_1{}^3\,\nu_2 + \; + 4\,\nu_1{}^5$$

Стр. 111 строчка 12 сверху:

при | въ

Стр. 112 строчка 1 снизу:

$F > 0\;\; \beta_1 = 0\;\; \beta_2 < 3$ | $F < 0$

Стр. 113 строчка 1 сверху:

$$\varDelta = \sqrt{\frac{\Sigma'\delta_i{}^2}{y_i}} \qquad\qquad \varDelta = \sqrt{\Sigma\frac{\delta_i{}^2}{y_i}}$$

Стр. 113 строчка 8 сверху:

четное. | нечетное.

Стр. 113 строчка 10 сверху:

пропущено: | $s = \dfrac{6\,(1 + \beta_1 - \beta_2)}{3\,\beta_1 - 2\,\beta_2 + 6}$

Стр. 113 строчка 10 сверху:

β^2 | β_2

Стр. 117 строчка 11 сверху:

0,6 | 0,16

Стр. 117 строчка 12 сверху:

$\beta_1 = 1406$ | $\beta_1 = 5,5$

Стр. 117 строчка 13 сверху:

$F > 0$ и < 1 и … типъ IV. | $F < 0$ и … типъ I.

Schlamm aus dem kleinen Spankauschen See und der Muddabucht.

J. Schindelmeiser.

Die Schlammproben waren aus dem See und der Bucht von Herrn von Zur Mühlen entnommen worden. Alle enthielten verschiedene Mengen organischer Substanzen und waren dank ihres bedeutenden Gehalts an Wasser dickflüssig, die eine Probe fast hart. Weil bei der Analyse der einzelnen Proben die Ergebnisse stark divergirten, z. B. in ein und derselben Probe wurde einmal 49 %, das andere 54,50 % Kieselsäure gefunden, so wurden die einzelnen Schlamme bis zur Trockene auf dem Wasserbade eingedampft und dann 6 Stunden bei 110 ° im Trockenschrank getrocknet, nach dem Trocknen ergab sich ein Verlust an (I) 26 %; (II) 22 %; (III) 12 %; (IV) 18 %; (V) 28 %; darauf wurde die ganze Masse einer jeden Probe im Achatmörser fein verrieben und zuerst im Platintiegel auf der Gasflamme, dann im Gebläse geglüht. Es verloren nach dem Glühen (I) 16 %; (II) 8 %; (III) 12 %; (IV) 15 %; (V) 24 %.

Der geglühte Rückstand wurde in verschiedene Teile geteilt und ein Teil durch mehrfaches Eindampfen mit Chlorwasserstoffsäure aufgeschlossen, nach entsprechender analytischer Behandlung wurde der Kaligehalt als Kaliumplatinchlorid bestimmt. Da aber die anderen Silicate sich schwerer zerlegten als das Kaliumsilicat, so wurde ein anderer Teil durch Schmelzen mit Kalium-Natriumcarbonat zerlegt, mit Chlorwasserstoffsäure behandelt, die Kieselsäure und das Kalziumoxyd gewichtanalytisch, das Eisen nach den gemeinsamen Ausfällen mit dem Aluminium, Glühen im Platintigel, Wägen, Erschliessen durch Kaliumbisulfat und Reduktion titrimetrisch bestimmt. Das Aluminium wurde aus der Differenz des Gesamtgewichts des geglühten Eisenoxyds und Aluminiumoxyds nach Abzug des Gehaltes

9

an Eisenoxyd bestimmt. Der Kohlensäure- und Schwefelsäuregehalt wurde in einer besonderen Probe des geglühten Rückstandes bestimmt, die erstere wie die andere nach dem Aufschliessen und Entfernen der Kieselsäure. Der Mangan- und Magnesiumgehalt wurde nur qualitativ geprüft, seine Menge war eine geringe.

Aus den Analysen ersehen wir, dass die Schlammproben neben der organischen Substanz aus Ton und kieselsaurem Kalzium bestehen, der Kaligehalt ist teilweise dem Ton, teilweise der Pflanzenasche zuzuschreiben. Um den Analysen einen Wert beizumessen, müssten eine ganze Serie von Analysen, sowohl aus verschiedenen Tiefen der Erdschichte des Seebodens als auch an verschiedenen Stellen des Sees entnommen werden, weil einerseits der Ton an und für sich kein chemisch homogener Körper ist, andererseits aber auch die Mischung von Sand (kieselsaurem Kalzium) und Ton ein verschiedener sein wird. Erst eine grosse Reihe von Analysen kann uns einigen Aufschluss über diese Frage geben.

Muddabucht.

I 3'—10'; II 18'—22'; 29' Tiefe.

I.

Glühverlust in Gesamt	42.0 %	
Kieselsäure (SiO_2)	63,98 %	
Kalziumoxyd (CaO)	16,52 %	
Aluminiumoxyd (Al_2O_3)	15,08 %	3'—10'
Eisenoxyd (Fe_2O_3)	1,69 %	
Kaliumoxyd (K_2O)	1,18 %	
Schwefelsäure (SO_3)	0,47 %	
Kohlensäure (CO_2)	0,38 %	

II.

Gesamtverlust	30 %	
SiO_2	51,83 %	
CaO	18,74 %	
Al_2O_3	21,61 %	18'—22'
Fe_2O_3	2,09 %	
K_2O	3,78 %	
SO_3	0,64 %	
CO_2	0,98 %	

III.

Gesamtverlust	24 %	
SiO_2	52,00 %	
CaO	7,89 %	
Al_2O_3	34,72 %	29'
Fe_2O_3	1,02 %	
K_2O	2,57 %	
SO_3	0,76 %	
CO_2	1,04 %	

Spuren von Mangan und Magnesium in allen drei Proben.

Kleiner Spankausche See.

IV 14′; V; Oberflächen - Schlamm.

	IV.			V.		
Gesamtverlust	33 %		Gesamtverlust	52 %		
SiO_2	56,63 %		SiO_2	54,50 %		
CaO	8,84 %		CaO	11,43 %		20′
Al_2O_3	29,37 %	14′	Al_2O_3	27,32 %		
$Fé_2O_3$	1,78 %		Fe_2O_3	1,03 %		Wassertiefe
K_2O	2,21 %		K_2O	3,15 %		
SO_3	0,39 %		SO_3	0,79 %		
CO_2	0,71 %		CO_2	0,93 %		

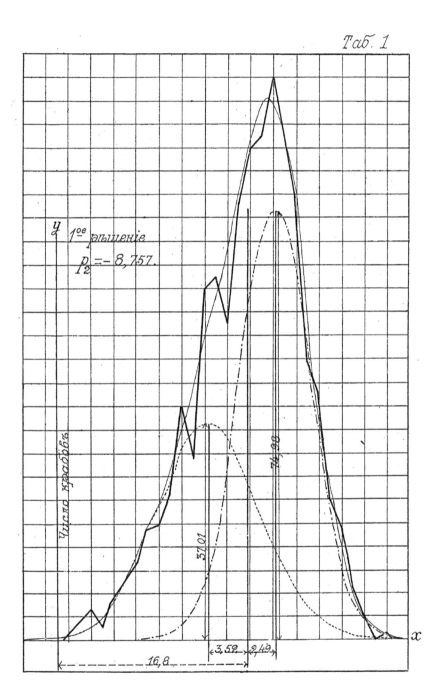

Таб. 1

Таб. 2.

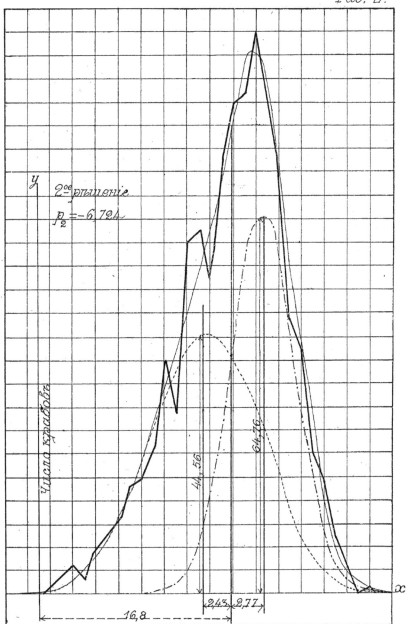

Таб. 5.

Таб. 4.

1907. XVI, 1.

Протоколы

Общества Естествоиспытателей

при

Императорскомъ Юрьевскомъ Университетѣ,

издаваемые подъ редакціей

прив. доц. Б. Б. Гриневецкаго.

---※---

Sitzungsberichte

der

Naturforscher-Gesellschaft

bei der Universität Jurjew (Dorpat)

redigirt von

Priv.-Doz. B. Hryniewiecki.

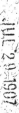

ю. о. є.

Jurjew (Dorpat) 1907.

Verlag der Naturforscher-Gesellschaft.

In Commission bei:

K. F. Koehler in Leipzig & C. Glück, vorm. E. J. Karow, in Jurjew (Dorpat).

Оглавленіе.

I. Оффиціальный отдѣлъ.

II. Научный отдѣлъ.

1907. XVI.

Протоколы
Общества Естествоиспытателей

при

Императорскомъ Юрьевскомъ Университетѣ,

издаваемые подъ редакціей

прив. доц. Б. Б. Гриневецкаго.

Sitzungsberichte

der

Naturforscher-Gesellschaft

bei der Universität Jurjew (Dorpat)

redigiert von

Priv.-Doz. B. Hryniewiecki.

Юрьевъ. 1907—1908.
Изданіе Общ. Естествоиспытателей.

Jurjew (Dorpat) 1907—1908.
Verlag d. Naturforscher-Gesellschaft.

На комиссіи у
К. Ф. Кёлеръ въ Лейпцигѣ, и К. Глюкъ,
бывш. Э. Ю. Каровъ въ Юрьевѣ.

In Commission bei:
K. F. Koehler in Leipzig & C. Glück, vorm.
E. J. Karow, in Jurjew (Dorpat).

Печатано по постановленію Правленія Общества.

За содержаніе научныхъ статей отвѣчаютъ лишь авторы ихъ.

Für die wissenschaftlichen Abhandlungen sind die Autoren allein verantwortlich.

Gedruckt bei C. Mattiesen in Jurjew (Dorpat).

Оглавленіе.

Inhaltsverzeichnis.

I. Оффиціальная часть.
I. Geschäftlicher Teil.

II. Научный отдѣлъ.

II. Wissenschaftlicher Teil.

III. Матеріалы по изслѣдованію озеръ Лифляндской губерніи.

III. Materialien zur Erforschung der Seen Livlands.

1907. XVI, 1.

Протоколы
Общества Естествоиспытателей

при

Императорскомъ Юрьевскомъ Университетѣ,

издаваемые подъ редакціей

прив. доц. Б. Б. Гриневецкаго.

Sitzungsberichte

der

Naturforscher-Gesellschaft

bei der Universität Jurjew (Dorpat)

redigirt von

Priv.-Doz. B. Hryniewiecki.

Jurjew (Dorpat) 1907.
Verlag der Naturforscher-Gesellschaft.

In Commission bei:
K. F. Koehler in Leipzig & C. Glück, vorm. E. J. Karow, in Jurjew (Dorpat).

Печатано по постановленію Правленія Общества.

За содержаніе научныхъ статей отвѣчаютъ лишь авторы ихъ.

Für die wissenschaftlichen Abhandlungen sind die Autoren allein verantwortlich.

Gedruckt bei C. Mattiesen in Jurjew (Dorpat).

I.

Оффиціальный отдѣлъ.

Geschäftlicher Teil.

402-ое засѣданіе.

1 февраля 1907 г.

***

Годичное собраніе.

Присутствовало: 21 членъ и 5 гостей.

1. Предсѣдатель открылъ собраніе рѣчью, въ которой указалъ на то, что въ текущемъ году предстоитъ 200 - лѣтній юбилей со дня рожденія Линнея.

2. Предсѣдатель сообщилъ, что Общество понесло невознаградимую утрату въ лицѣ своего почетнаго члена Д. И. Менделѣева, скончавшагося 20 января 1907. —

Отъ имени Общества имъ была послана телеграмма вдовѣ покойнаго.

Память почившаго была почтена вставаніемъ.

По предложенію Правленія Общества Общее Собраніе постановило: назначить на 8-ое февраля экстренное собраніе, посвященное памяти Д. И. Менделѣева и слѣдующій 4 выпускъ XV тома Протоколовъ Общества посвятить памяти этого ученаго.

3. Вицепредсѣдатель, прив.-доц. Р. Ландезенъ произнесъ рѣчь, посвященную памяти Н. А. Меншуткина, скончавшагося 23 января сего года.

Память покойнаго была почтена вставаніемъ.

4. Предсѣдатель сообщилъ, что 26 января умеръ извѣстный ученый, химикъ Bakhuis Roozeboom. Память покойнаго была почтена вставаніемъ.

5. Заслушанъ и утвержденъ протоколъ прошлаго собранія.

6. Заслушанъ и утвержденъ годовой отчетъ секретаря за 1906 годъ.

7. Предсѣдатель сообщилъ, что согласно постановленію Правленія Общества отъ 19/XII/06, было возбуждено ходатайство передъ Департаментомъ Земледѣлія Главнаго Управленія Землеустройства

и Земледѣлія, объ ассигнованіи 300 руб. на нужды Озерной Комиссіи; ходатайство это Департаментомъ было удовлетворено.

Предсѣдатель сообщилъ, что онъ согласно постановленію Правленія отъ 19/XII/06 ходатайствовалъ передъ Имп. Русскимъ Географическимъ Обществомъ о снабженіи Озерной Комиссіи необходимыми для нея инструментами. Имп. Рус. Геогр. Общество ассигновало Комиссіи 200 руб.

Общее Собраніе постановило, заслушавъ эти сообщенія, поручить Правленію благодарить Департаментъ Земледѣлія и Имп. Рус. Географ. Общество за ихъ пожертвованія и во-вторыхъ выразило благодарность Предсѣдателю Общества проф. Н. Н. Кузнецову.

8. Предсѣдатель сообщилъ, что имъ согласно постановленію Правленія 30/XII/06 было послано привѣтствіе Вицепредсѣдателю Имп. Русскаго Географическаго Общества П. П. Семенову-Тяньшанскому по случаю исполнившагося 80-тилѣтія со дня рожденія.

На привѣтствіе отъ юбиляра была получена благодарность.

9. Секретарь доложилъ текущія дѣла:

а) Нижеслѣдующія постановленія Правленія Общества:

Послано привѣтствіе отъ имени Общества Reale Instituto d'incorraggiamento di Napoli, по поводу его 100-лѣтія. Принято къ свѣдѣнію.

Нижеслѣдующія лица, какъ неуплатившія своего членскаго взноса въ теченіе 3-хъ и больше лѣтъ, считаются выбывшими изъ числа членовъ Общества: В. Зайковскій, бар. Б. Кампенгаузенъ, Л. Каупингъ, Н. Корниловичъ, Лавданскій, М. Микутовичъ, С. И. Михайловскій, проф. А. Муратовъ, А. Н. Никитинскій, проф. Н. А. Поляковъ, Д-ръ К. фонъ Ренненкампфъ, С. Ривошъ, А. А. Семыкинъ, проф. А. Н. Сѣверцовъ, А. фонъ Фегезакъ, А. Ф. Флёровъ, Н. П. Флоровъ, Г. В. Фовелинъ, проф. Г. В. Хлопинъ, В. Цебриковъ, проф. С. О. Чирвинскій, П. А. Штудемейстеръ, А. В. Ѳоминъ. — Принято къ свѣдѣнію.

Постановлено просить библіотечную комиссію высылать недостающія изданія Общества тѣмъ обществамъ и учрежденіямъ, которыя по просьбѣ библіотечной комиссіи присылаютъ нашему Обществу недостающія ихъ изданія. — Принято къ свѣдѣнію.

Постановлено представить исполнительную смѣту за 1906 годъ на утвержденіе Общаго Собранія, испросивъ утвержденія перерасходовъ по статьямъ : 1) хозяйственные расходы — 89 руб. 69 коп., мотивируя увеличившимся количествомъ разсылки изданій и 2) печатаніе изданій — 213 руб. 05 коп., мотивируя необходимостью печатать таблицы и карты. Кромѣ того сверхсмѣтный расходъ 323 руб. 50 коп. на покупку %ₒ бумагъ (4 %ₒ рента) вызванъ выходомъ въ тиражъ двухъ бумагъ на сумму 200 руб. и обращеніемъ въ неприкосновенный капиталъ двухъ пожизненныхъ членскихъ взносовъ на основаніи § 9 устава.

Общее Собраніе утвердило исполнительную смѣту и перерасходы, и разрѣшило произвести уплату за проэкціонный аппаратъ изъ остатка къ 1 января 1907 года. Правленіе постановило доложить Общему Собранію, что ревизіонная комиссія, провѣривъ приходы и расходы Общества, кассовыя книги и наличность, нашла все въ порядкѣ, о чемъ сдѣланы членами ревизіонной комиссіи соотвѣтствующія надписи въ кассовыхъ книгахъ.

Принято къ свѣдѣнію и членамъ ревизіонной комиссіи гг. П. Н. Бояринову и прив.-доц. А. К. Пальдроку выражена благодарность Общества.

b) Получены благодарственныя письма отъ Имп. Русскаго Общества Рыболовства и отъ Имп. Русскаго Общества Акклиматизаціи животныхъ въ Москвѣ за пополненіе ихъ библіотеки присылкой нашихъ изданій. — Принято къ свѣдѣнію.

c) Получены приглашенія на международный зоологическій конгрессъ въ Бостонѣ и на XIV международный конгрессъ гигіены и демографіи 23/IX въ Берлинѣ. — Принято къ свѣдѣнію.

d) Въ библіотеку Общества поступили подарки отъ гг. Г. Сумакова, Я. Неготина, С. Шарбе, А. Я. Орлова, Л. Култашева, Ботаническаго Сада Имп. Юрьевскаго Университета и д-ра Пальдрока — всего 25 книгъ.

Жертвователямъ выражена благодарность.

10. Въ дѣйствительные члены Общества выбраны студ. С. Н. Малышевъ (22 за); препод. М. К. Третьяковъ (21 за, 1 прот.)

11. Въ дѣйствительные члены предлагаются: провизоръ Г. Г. Лухтъ — прив.-доц. А. Нальдрокомъ и прив.-доц. Н. Култашевымъ; ассистентъ В. А. Скворцовъ — прив.-доц. Шиндельмейзеромъ и Н. Култашевымъ; студ. П. П. Образцовъ — асс. Абольдомъ и проф. Покровскимъ.

12. Проф. Е. Шепилевскій сдѣлалъ докладъ: „Къ вопросу объ образованіи споръ у бактерій“. (Напечатанъ въ Протоколахъ Т. XV, вып. 3.)

403-е засѣданіе,

8 февраля 1907 г.

Экстренное засѣданіе, посвященное памяти Д. И. Менделѣева.

См. 4 вып. XV тома.

404-е засѣданіе.

17 февраля 1907 г.

115-ая годовщина дня рожденія К. Э. фонъ Бэра.

Присутствовало: 33 члена, 32 гостя.

1. По предложенію предсѣдателя собраніе почтило вставаніемъ память К. Э. фонъ Бэра.

2. Заслушаны и утверждены протоколы засѣданій 1-го и 8 февраля.

3. Профессоръ Г. Н. Михайловскій произнесъ рѣчь, посвященную памяти Николая Алексѣевича Соколова. Память почившаго почтена вставаніемъ.

4. Приватъ-доцентъ Н. В. Култашевъ произнесъ рѣчь памяти французскаго химика Муассана (H. Moissan). Память покойнаго почтена вставаніемъ.

5. Секретарь доложилъ текущія дѣла:

a) Отъ Попечителя Рижскаго Учебнаго Округа получено утвержденіе всѣхъ членовъ Общества, выбранныхъ въ прошломъ году. — Принято къ свѣдѣнію.

b) Получено приглашеніе изъ Болоньи принять участіе въ чествованіи 300-лѣтней годовщины со дня смерти итальянскаго ученаго U. Aldrovandi. — Поручено Нравленію послать поздравленія.

c) Поступило предложеніе дѣйствительныхъ членовъ А. Орлова и Н. Култашева вступить въ обмѣнъ съ Пулковской Обсерваторіей. — Постановлено вступить.

d) Поступило предложеніе Біологическаго кружка студентовъ при Новороссійскомъ Университетѣ объ обмѣнѣ изданіями. — Постановлено всѣми голосами противъ 1-го вступить въ обмѣнъ.

6. Въ дѣйствительные члены Общества предлагаются: студ. юр. Р. ф. Мёллеръ — гг. Ф. Синтенисъ и Г. ф. Эттин-

генъ; студ. Н. ф. Транзе — гг. Ф. Синтенисъ и Г. ф. Эттингенъ; студ. мат. М. М. Барабановъ — гг. Богоявленскимъ и Н. Култашевымъ; асс. О. ф. Тернэ — гг. Г. Ландезенъ и Г. Адольфи; студ. ест. Н. Н. Василевскій — гг. Н. Н. Кузнецовымъ и Н. А. Самсоновымъ.

. 7. Въ дѣйствительные члены выбраны: провизоръ Г. Лухтъ (31 за, 2 противъ); ассистентъ В. Скворцовъ (32 за, 1 воздержался); студ. Н. П. Образцовъ (33 за).

8. Приватъ-доцентъ Б. Б. Гриневецкій сдѣлалъ сообщеніе: „О партеногенезисѣ въ растительномъ царствѣ".

„Указавъ на заслуги К. Э. фонъ Бэра для развитія эмбріологіи, авторъ далъ краткое резюмэ свѣдѣній, касающихся одного изъ вопросовъ этой науки, а именно вопроса о партеногенезѣ, ограничиваясь главнымъ образомъ растительнымъ царствомъ. До недавняго времени явленіе это считалось весьма рѣдкимъ для растительнаго міра. Единственными примѣрами являлись среди грибовъ *Saprolegniaceae* и среди водорослей *Chara crinita*. Указанія на возможность партеногенеза у высшихъ растеній опирались на недостаткѣ точныхъ изслѣдованій напр. у *Caelebogyne*. Поэтому еще въ 1860 г. H. Karsten относительно этого растенія писалъ: „Es wäre denn die letzte unsichere Stütze der Pflanzenparthenogenesis gefallen, und für jetzt ausser Zweifel gesetzt, dass die Erzeugung eines normalen Keimes in dem weiblichen Organe von der Mitwirkung des männlichen abhängig sei".

Впервые несомнѣнный случай партеногенеза у цвѣтковыхъ растеній былъ доказанъ Juel'емъ для цвѣтовъ *Antennaria alpina* (1898). Съ тѣхъ поръ ботаники обратили вниманіе на этотъ вопросъ и существованіе такого рода размноженія точно доказано для многихъ растеній, каковыми являются многіе виды рода *Alchemilla* (Murbeck 1901' Strassburger 1905), *Thalictrum purpurascens* (Overton 1902 и 1904), много видовъ *Taraxacum* (Raunkiaer 1903) и *Hieracium* (Ostenfeld и Raunkiaer 1903).

Весьма правдоподобенъ, хотя точно не доказанъ партеногенезъ у *Ficus hirta* (Treub 1902) и видовъ рода *Gunnera* (Schnegg 1902), сомнителенъ у *Gnetum Ula* (Lotsy 1903). *Euphorbia dulcis* (Hegelmaier 1901) обладаетъ способностью партеногентическаго образованія зародышей.

O. Kirchner повторилъ опыты надъ кастраціей *Taraxacum officinale* и *Hieracium aurantiacum* и доказалъ, что зародышъ дѣйствительно развивается изъ неоплодотвореннаго яйца. Но его мнѣнію, партеногенезъ правдоподобенъ также и для огурца *(Cucumis sativus)*.

Въ литературѣ существовали и раньше указанія на образованіе сѣмянъ нѣкоторыхъ растеній безъ оплодотворенія, а именно Spalanzani (по Gärtner'y 1844) наблюдалъ это у конопли *(Cannabis)* и шпината *(Spinacia)*, Кернеръ же (1896) у хмеля *(Humulus lupulus)* и *Mercurialis annua*, однако не доказано, что зародышъ дѣйствительно развивается изъ яйцеклѣтки.

Изслѣдованіе пыльцы исключительно партеногенетическихъ видовъ показало, что она представляетъ рядъ переходныхъ стадій отъ нормальной до такой, гдѣ исчезаетъ способность проростанія, т. е. образованія пыльцевой трубки. Что касается яйцеклѣтокъ, то большинство наблюдателей полагаетъ, что развиваться партеногенетически способны только яйцеклѣтки, заключающія полное количество хромозомовъ. Kirchner предполагаетъ, что сначала во время образованія зародышеваго мѣшка существовало большое количество зачатковъ, которыхъ не коснулся процессъ редукціоннаго дѣленія и яйцеклѣтка обладала вегетаціоннымъ характеромъ. Такого рода способныя къ развитію яйцеклѣтки сохранились на случай, если бы не состоялось оплодотвореніе. Это приспособленіе исчезло у видовъ, у которыхъ оплодотвореніе обезпечено, сохранилось однако у тѣхъ, гдѣ вслѣдствіе нѣкоторыхъ особенностей строенія цвѣтка оплодотвореніе не вполнѣ обезпечено.

Замѣчательно, что партеногенезъ встрѣчается главнымъ образомъ у такихъ родовъ, которые содержатъ большое количество мелкихъ видовъ. Этимъ можно объяснить замѣчательную устойчивость признаковъ такихъ видовъ.

Внѣшніе факторы являются важнымъ стимуломъ для партеногенетическаго развитія яицъ, какъ это показали опыты A. Nathansohn'a надъ развитіемъ споръ у *Marsilia vestita*, гдѣ при темп. 18^0 C. развивалось партеногенетически $1,3^0/_{00}$ споръ, а при 35^0 C. гораздо больше — $73^0/_{00}$". (Авторефератъ.)

9. Проф. К. R. Сентъ-Илеръ сдѣлалъ сообщеніе „О химическомъ оплодотвореніи".

Н. А. Соколовъ.

Некрологъ.

Рѣчь проф. Г. Н. Михайловскаго.

2-го февраля наука понесла тяжелую, невознаградимую утрату — скончался знаменитый русскій геологъ Николай Алексѣевичъ Соколовъ. Внѣшнія событія его жизни могутъ быть изложены въ нѣсколькихъ словахъ, но пришлось бы сказать очень много, если задаться цѣлью изложить всѣ тѣ богатыя и глубокія мысли, весь тотъ громадный фактическій матеріалъ, который оставленъ будущимъ поколѣніямъ ученыхъ въ печатныхъ работахъ Николая Алексѣевича.

Н. А. Соколовъ родился въ Петебургѣ въ 1856 году. Покойный любилъ шутя говорить, что вся жизнь его прошла на Васильевскомъ островѣ и въ этой части Петербурга ему пришлось и умереть такъ рано. Хотя Н. А. зимой дѣйствительно жилъ въ Нетербургѣ, но каждое лѣто онъ какъ геологъ Геологическаго Комитета экскурсировалъ по югу Россіи, работалъ и на Кавказѣ и на Алтаѣ, въ калмыцкихъ и киргизскихъ степяхъ, бывалъ два раза и заграницей.

Образованіе Н. А. получилъ сначала изъ одной изъ петербургскихъ гимназій, гдѣ по его разсказамъ ему посчастливилось найти въ преподавателѣ естественной исторіи г. Вильямсѣ человѣка, сумѣвшаго зажечь въ своихъ ученикахъ любовь къ природѣ и ея изученію. Затѣмъ Н. А. поступилъ на физико-математическій факультетъ Петербургскаго университета, курсъ котораго окончилъ въ 1879 году. Въ университетѣ онъ рано заинтересовался геологіей, а поэтому по окончаніи курса, обративъ вниманіе на его выдающіяся способности, факультетъ оставилъ Н. А. для приготовленія къ профессорскому званію. Въ 1881 году Соколовъ былъ избранъ хранителемъ геологическаго кабинета Петербургскаго университета.

Въ 1884 году вышла въ свѣтъ его работа „Дюны, ихъ образованіе, развитіе и внутреннее строеніе“. Работа эта была его магистерской диссертаціей.

Въ 1885 году, уже магистромъ, Н. А. перешелъ въ Геологическій Комитетъ, гдѣ и проработалъ всю жизнь сначала на должности младшаго геолога, а потомъ старшаго.

Служа въ Комитетѣ, Соколовъ нѣсколько лѣтъ читалъ лекціи въ Петербургскомъ университетѣ какъ приватъ-доцентъ. Н. А. Соколовъ хотя любилъ дѣлиться своими знаніями съ начинающими геологами и хотя являлся главой цѣлой школы геологовъ, тяготился чтеніемъ лекцій и при первомъ удобномъ случаѣ прекратилъ ихъ, всецѣло отдавшись творческой дѣятельности.

Въ 1893 году появился большой, произведшій переворотъ во взглядахъ на русскій палеогенъ, трудъ Николая Алексѣевича — „Нижнетретичныя отложенія южной Россіи“. Эта книга была его докторской диссертаціей, и въ виду выдающихся ея научныхъ достоинствъ она была увѣнчана преміей Академіей наукъ. Академія въ послѣдніе годы жизни Н. А. признала его заслуги и другимъ путемъ: избравъ его въ члены-корреспонденты Академіи.

Хотя Н. А. никогда не отличался хорошимъ здоровьемъ, но былъ на рѣдкость выносливъ — достаточно вспомнить, сколько верстъ онъ прошелъ пѣшкомъ и проѣхалъ верхомъ и въ телѣгѣ во время своихъ многочисленныхъ странствованій по Россіи. Смерть его была неожиданностью для всѣхъ его близкихъ, хотя намъ было извѣстно, что въ послѣдніе годы его жизни онъ былъ боленъ одной хронической болѣзнью, которая, насколько я знаю, послужила поводомъ къ удару, сведшему его въ раннюю могилу. Намъ казалось, что при той на рѣдкость воздержанной жизни, которую всегда велъ покойный, даже при его слабомъ здоровьи можно жить еще долгіе годы. Судьба судила иное и Н. А. умеръ неожиданно въ разгарѣ начатыхъ работъ, не успѣвъ даже закончить описаніе фауны Мандриковки — фауны, которую онъ открылъ и надъ описаніемъ формъ которой, отличающихся удивительной степенью сохраненія, онъ работалъ долгіе годы.

Несмотря на выдающееся трудолюбіе (Н. А. работалъ буквально съ утра до вечера и только и жилъ работой) Соколовъ написалъ не такъ много, какъ этого можно было бы ожидать (хотя и списокъ работъ его великъ и въ числѣ ихъ находится нѣсколько большихъ книгъ). Это объясняется всегдашнимъ девизомъ покойнаго „Non multa, sed multum“. Каждую работу онъ долго обдумывалъ и свои мысли онъ любилъ излагать въ точной и изящной формѣ (онъ былъ знатокомъ русской литературы и языка).

Какъ это ни трудно, я постараюсь въ нѣсколькихъ словахъ охарактеризовать богатое наслѣдство, оставленное Н. А. Соколовымъ наукѣ. Я не имѣю возможности останавливаться на каждой его работѣ и постараюсь лишь отмѣтить важнѣйшія.

Крупные умы рѣдко замыкаются въ одной какой-нибудь маленькой, узкой спеціальности. Н. А. Соколовъ всего больше извѣстенъ своими работами, посвященными главнымъ образомъ т. наз. третичнымъ отложеніямъ юга Россіи. Этими вопросами занимается теперь рядъ ученыхъ, но всѣ мы спеціализируемся одни въ палеогенѣ, другіе въ міоценѣ, третьи въ пліоценовыхъ отложеніяхъ. Нокойный Н. А. хотя занимался преимущественно палеогеномъ, но рядъ его работъ посвященъ и сармату и мэотису и имъ открыты на рѣкѣ Конкѣ слои, переходные отъ средиземноморскихъ къ сарматскимъ.

Не ограничиваясь исторической геологіей, Н. А. рано заинтересовался вопросами той части общей геологіи, которая называется динамической. Наконецъ, Соколовъ — авторъ ряда трудовъ по палеонтологіи, въ которыхъ съ большимъ мастерствомъ описаны и изображены многочисленные новые виды ископаемыхъ раковинъ.

Изъ работъ покойнаго по динамической геологіи я позволю себѣ остановиться на двухъ. Первая — это его магистерская диссертація „Дюны, ихъ образованіе, развитіе и внутреннее строеніе“. Тема этой работы была чрезвычайно удачна и оригинальна. Когда въ 1879 году Н. А. началъ свои изслѣдованія надъ дюнами Сестрорѣцка, во всемірной геологической литературѣ не было, какъ это ни странно, сводной большой работы о дюнахъ. Существовали, правда, монографіи о дюнахъ той или другой мѣстности (Бремонтье, Андресена, Краузе, Гагена, Вессели и др.), но всѣ эти работы были написаны не геологами, а лѣсоводами и инженерами, преслѣдовавшими преимущественно практическія цѣли. Научной работы о дюнахъ въ западной Европѣ не было.

Въ своемъ трудѣ Н. А. не ограничился наблюденіемъ и описаніемъ, онъ произвелъ рядъ опытовъ въ полѣ и лабораторіи. Такимъ образомъ онъ внесъ экспериментъ въ эту любопытную область, изслѣдуя явленія количественно (цѣлью опытовъ Гагена была только качественная сторона явленій). Въ сочиненіи Соколова весьма подробно разсматриваются такіе вопросы, какъ распространенность эоловыхъ образованій, важное значеніе климатическихъ факторовъ для образованія дюнъ, отношеніе скорости вѣтра къ величинѣ переносимыхъ частицъ, различные типы береговъ, благопріятные для образованія дюнъ, зависимость этого образованія отъ вѣковыхъ колебаній берега, дѣйствіе вѣтра на намытый волнами песокъ, скучиваніе вѣтромъ песка у кустовъ, образованіе холмиковъ — косъ и преобразованіе ихъ въ дюны. Затѣмъ разсматриваются общія формы дюнъ, группировка приморскихъ дюнъ, поступательное движеніе ихъ, указывается на слоистость дюннаго песка, какъ на важный признакъ, затѣмъ разсматриваются приморскія дюны, обращается вниманіе на отличіе береговыхъ валовъ отъ дюнъ (ихъ часто смѣшивали), описываются дюны рѣчныхъ долинъ, материковыя дюны, группировка и происхожденіе дюнъ пустынь.

Помимо большого литературнаго матеріала работа содержитъ собственныя чрезвычайно любопытныя наблюденія автора надъ дюнами побережья Финскаго залива, западнаго берега Курляндіи, южнаго берега Рижскаго залива, рѣчными дюнами по западной Двинѣ, Дону и Днѣпру, барханами Калмыцкой и Киргизской степи и навѣтренными материковыми образованіями окрестностей Барнаула.

Въ книгѣ особенно интересны страницы, посвященныя процессу, если можно такъ выразиться, зарожденія дюны, возникновенію холмика-косы и преобразованія такого холмика-косы въ дюну. Чрезвычайно любопытны и интересны наблюденія и опыты, связывающіе силу вѣтра и діаметръ передвигаемыхъ частицъ, обращено впервые надлежащее вниманіе на слоистость дюнныхъ образованій, что даетъ ключъ къ уясненію тѣхъ песковъ со сложной слоеватостью, которые наблюдаются въ различныхъ геологическихъ системахъ. Наконецъ важно общее заключеніе этого труда о чрезвычайномъ сходствѣ дюнъ приморскихъ, рѣчныхъ и бархановъ какъ въ способѣ своего первоначальнаго зарожденія, такъ и въ дальнѣйшемъ развитіи, какъ во внѣшней формѣ, такъ и во внутреннемъ строеніи. „Дюны“ Соколова удостоились рѣдкой чести для научной монографіи, наиисаніой на русскомъ языкѣ: переводъ этой книги на нѣмецкій языкъ вышелъ въ Германіи съ нѣкоторыми дополиеніями, сдѣланными по просьбѣ издателя Соколовымъ.

Второй работой, чрезвычайно интересной для динамической геологіи, является трудъ Соколова „О происхожденіи лимановъ Южной Россіи“. Изслѣдуя эти любопытныя удлиненныя озера, расположенныя по сѣвернымъ берегамъ Чернаго и Азовскаго морей, Соколовъ задался вопросомъ объ ихъ происхожденіи. Какъ и въ предъидущей работѣ, Н. А. опять взялся за тему совершенно новую, такъ до Соколова существовали работы химиковъ и зоологовъ, посвященныя лиманамъ, описывалось даже геологическое строеніе ихъ береговъ, но никто изъ геологовъ серьезно не занялся вопросомъ объ ихъ происхожденіи. Такимъ образомъ и въ этой области Соколову посчастливалось быть піонеромъ. Результатомъ его изслѣдованій явилась широкая картина происхожденія лимановъ, которую онъ рисуетъ въ концѣ книги. Лиманы по Соколову расширенныя устья рѣкъ, потомъ отшнуровывающіяся отъ моря, происхожденіе которыхъ объясняется колебаніемъ уровня водъ прилегающаго морского бассейна. По его мнѣнію, къ концу пліоцена море совершенно покинуло степи Новороссіи, которыя оно покрывало приблизительно до 48⁰ с. широты, и вошло въ предѣлы нынѣшняго Чернаго моря. При отступаніи береговой линіи послѣпонтическаго моря рѣки прокладывали свои русла все далѣе къ югу, все глубже врѣзываясь въ освобождающуюся изъ подъ моря землю. Вѣроятно въ началѣ четвертичнаго періода остаточный бассейнъ, въ видѣ озера-моря, совершенно обособленнаго отъ океана, имѣлъ наименьшіе размѣры и его уровень былъ ниже уровня современнаго Чернаго моря по крайней мѣрѣ метровъ на 40—50. При послѣдовавшемъ затѣмъ повышеніи уровня, море опять проникло до извѣстной изогипсы въ долинѣ рѣкъ и балокъ и образовало, нѣсколько расширивъ эти долины, далеко вдающіеся въ материкъ узкіе, нерѣдко извилистые заливы — лиманы. Характеръ фауны, населявшей эти заливы, показываетъ, что прониканіе моря въ долины рѣкъ произошло послѣ соединенія Чернаго моря съ Средиземнымъ. Жившая раньше въ устьяхъ рѣкъ фауна прѣсноводно-каспійская была вытѣснена въ вершины лимановъ, гдѣ прѣсная вода впадавшей въ лиманъ рѣки ставила предѣлъ дальнѣйшему распространенію морской фауны. Затѣмъ долго жившая въ лиманахъ морская фауна мало по малу стала угасать вслѣдствіе осолонѣнія, или опрѣсненія лимановъ.

Увеличеніе концентраціи солей происходило въ лиманахъ, отшнуровавшихся отъ моря путемъ образованія пересыпей. Въ открытыхъ лиманахъ вслѣдствіе увеличивавшагося опрѣсненія морская фауна вытѣсняется прѣсноводными формами съ примѣсью нѣкоторыхъ уцѣлѣвшихъ видовъ каспійскаго типа.

Къ темѣ объ образованіи лимановъ авторъ возвращается въ работѣ „Der Mius-Liman und die Entstehungszeit der Limane Süd-Russlands“. Въ этой послѣдней работѣ и въ статьѣ „Къ исторіи причерноморскихъ степей въ концѣ третичнаго періода“ Соколовъ указываетъ и на время образованія лимановъ. По его мнѣнію это образованіе одновременно возникновенію лесса и лессовиднаго суглинка южной Россіи, т. е. относится ко II-му межледниковому времени и третьему оледенѣнію по сѣверо-германскому счету, или послѣледниковой эпохѣ, если принимать для Россіи одно оледенѣніе.

Я думаю, что изъ бѣглаго изложенія этихъ главнѣйшихъ работъ Н. А. видно, какъ много важнаго и новаго внесено покойнымъ въ динамическую геологію.

Еще бо́льшее значеніе для науки имѣютъ его труды по исторической геологіи (стратиграфіи).

Въ этой наукѣ Н. А. главнымъ образомъ занимался палеогеномъ. До работъ Соколова наши представленія о русскомъ палеогенѣ были неполны, отрывочны и очень часто невѣрны. Достаточно сказать, что до работъ Домгера никто даже не высказывалъ предположеній о существованіи южно-русскаго олигоцена. Этотъ молодой ученый, чрезвычайно талантливый наблюдатель и изслѣдователь, едва принявшись за изученіе собранныхъ въ Екатеринославской губерніи раковинъ, умеръ. Продолжать начатое дѣло пришлось Николаю Алексѣевичу. Просматривая коллекціи Домгера, Соколовъ прежде всего нашелъ, что раковины, собранныя въ слояхъ, обнаруженныхъ подъ ложемъ Днѣпра при постройкѣ желѣзнодорожнаго моста у Екатеринослава, нижнеолигоценовыя, а не эоценовыя, какъ думалъ Домгеръ. Такимъ образомъ Соколовъ первый открылъ олигоценъ въ южной Россіи. Не довольствуясь опредѣленіемъ Домгеровскаго матеріала, Н. А. произвелъ цѣлый рядъ экскурсій въ области развитія южно-русскаго палеогена. Надо сказать, что на югѣ Россіи палеогеновыя отложенія если занимаютъ обширныя площади, то обыкновенно лишены окаменѣлостей, а слои съ этими послѣдними, сохраняющимися обыкновенно неудовлетворительно, встрѣчаются въ видѣ маленькихъ - клочковъ напр. въ впадинахъ на поверхности кристаллическихъ породъ, гдѣ слои палеогена защищены отъ размыва. Нужно было терпѣніе, внимательность и настойчиво.ть Н. А., чтобы находить эти уцѣлѣвшіе отъ размыва клочки и умѣть собирать сравнительно хорошо сохранившіяся окаменѣлости. Труды Соколова увѣнчались полнымъ успѣхомъ. Въ Мандриковкѣ — предмѣстьи Екатеринослава Н. А. нашелъ сначала въ отвалахъ колодца, а потомъ заложивъ для этой цѣли турфъ, богатѣйшую коллекцію нижнеолигоценовыхъ формъ въ прекрасной степени сохраненія. Достаточно сказать, что эта фауна содержитъ свыше 100 видовъ гастеропродъ и болѣе 60 видовъ пластинчатожаберныхъ, кромѣ того головоногихъ моллюсковъ, и нуммулитовъ. Результаты своихъ экскурсій и изслѣдованій въ области южно-русскаго палеогена Соколовъ изложилъ въ боль-

шомъ сочиненіи „Нижнетретичныя отложенія южной Россіи". Книга
эта положила начало изученію русскаго палеогена и сдѣлалась
настольной для каждаго ученаго, занимающагося нижнетретичными
отложеніями Россіи. Въ хаосъ отрывочныхъ, но и многочисленныхъ
свѣдѣній о русскомъ палеогенѣ внесенъ былъ свѣтъ и порядокъ.
Разрозненные клочки уцѣлѣвшихъ отъ размыва отложеній были
сопоставлены и приведены въ систему. Указано было, что различные ярусы олигоцена присутствуютъ и на югѣ Россіи и на
сѣверо-западѣ ея и въ Закавказья и за Ураломъ. Русскія палеогеновыя отложенія раздѣлены были на 4 яруса, начиная съ нижняго
Бучакскаго, потомъ Кіевскаго, Харьковскаго и кончая Полтавскимъ.
Доказано было, что въ южной Россіи въ эпоху нижняго олигоцена
существовало обширное море, которое тянулось отъ сѣверной Германіи до береговъ Арала. Намѣчены были очертанія областей
нижнетретичныхъ осадковъ и мѣстами указаны береговыя линіи
палеогеноваго моря. Обращено вниманіе на тотъ важный фактъ,
что псевдоэоценовый характеръ фауны нижняго олигоцена южной
Россіи зависитъ не отъ болѣе глубокаго стратиграфическаго положенія этихъ слоевъ, а отъ разницы въ климатѣ между Сѣверной Европой и югомъ Россіи въ нижнеолигоценовую эпоху, и,
можетъ быть, отъ большей солености воды. Однимъ словомъ Соколовъ освѣтилъ и физико-географическія условія существованія
нижнеолигоценовой фауны на югѣ Россіи.

14 лѣтъ тому назадъ вышло въ свѣтъ сочиненіе Соколова
и до сихъ поръ оно является единственнымъ крупнымъ трудомъ
съ широкими обобщеніями для русскаго палеогена. Классификація,
предложенная Соколовымъ, принята почти всѣми учеными.

Н. Алексѣевичъ не занимался спеціально міоценомъ и
пліоценомъ. Интересуясь ими, такъ сказать, по пути, онъ тѣмъ
не менѣе и въ этихъ областяхъ сдѣлалъ открытія, которыя указали
новые пути, освѣтили, наконецъ, уже извѣстные факты съ новыхъ
точекъ зрѣнія. Прежде всего Соколовымъ были открыты
средиземноморскія отложенія Томаковки въ Екатеринославской губерніи. Обработка фауны этихъ пластовъ, произведенная Михай-
ловскимъ, показала, что въ Екатеринославской губерніи присутствуютъ отложенія Волыне-Подольскаго типа, а не Чокракско-
Евксинскаго, какъ можно было ожидать по теоріи Н. Андрусова.

Затѣмъ Соколовъ, открывъ переходные слои на рѣкѣ Конкѣ,
такъ сказать документально рѣшилъ вопросъ о происхожденіи
загадочной сарматской фауны, т. е. тотъ вопросъ, который долго

и безплодно пытались разрѣшить (такъ какъ не хватало фактическаго матеріала) З ю с с ъ, Ф у к с ъ, Б и т т н е р ъ и А н д р у с о в ъ. Знаменитый Э. З ю с с ъ, усматривая рѣзкую границу и отсутствіе переходовъ между средиземноморской фауной и сарматской, пришелъ къ гипотезѣ о миграціи сарматской фауны сначала съ сѣвера, а потомъ съ востока. Б и т т н е р ъ, которому рѣзко возражалъ Ф у к с ъ, высказывалъ правильный по существу взглядъ на аутохтонное происхожденіе сарматской фауны, но у него не хватало фактовъ, чтобы подтвердить свое положеніе. А н д р у с о в ъ, примыкая къ взглядамъ З ю с с а, усмотрѣлъ въ своемъ чокракскомъ известнякѣ (содержащемъ переходную отъ средиземноморской къ сарматской фауну) эквивалентъ средиземноморскихъ отложеній Волыне-Подольскаго типа и училъ о одновременности средиземноморскихъ отложеній нормальнаго типа (въ Галиційско-Волынскомъ заливѣ) и пластовъ эвксинскаго типа въ восточной области. Открытіе пластовъ Конки нанесло тяжелый ударъ всѣмъ этимъ теоріямъ. С о к о л о в ы м ъ было доказано, что фауна Конки, несомнѣнно, переходнаго характера и содержитъ рядъ формъ, связывающихъ сарматъ съ средиземноморскими отложеніями. Можно еще было возражать, что сарматская фауна зарождалась на Конкѣ и еще далѣе къ востоку, но открытіе пластовъ Бугловки Л а с к а р е в ы м ъ показало, что и въ самомъ Галиційско-Подольскомъ заливѣ шла переработка средиземноморской фауны въ сарматскую. А н д р у с о в у пришлось послѣ этихъ неопровержимыхъ фактовъ говорить уже не о миграціи сарматской фауны цѣликомъ съ востока на западъ, а о миграціи нѣкоторыхъ ея видовъ, раньше зародившихся въ его „эвксинской“ области. Я имѣю основанія думать, что детальныя изслѣдованія Кавказа очень скоро укажутъ, что ученіе А н д р у с о в а объ эвксинской области въ средиземноморскій вѣкъ есть только недоразумѣніе и что Чокракскій известнякъ, который всю жизнь изучалъ А н д р у с о в ъ —. переходное образованіе, эквивалентное пластамъ Конки, Гяуръ-Тапа и можетъ быть Б у г л о в к и. Что жѐ касается спаніодонтовыхъ пластовъ А н д р у с о в а, то они или самые низы сармата, или верхи переходныхъ отложеній.

Изъ выше сказаннаго, я полагаю, достаточно ясно, что Н. А., мимоходомъ затронувъ міоценъ юга Россіи, сдѣлалъ въ немъ больше, чѣмъ другіе ученые, всю жизнь занимавшіеся происхожденіемъ сармата. Открытія Н. А. послужили толчкомъ къ цѣлому ряду работъ его учениковъ (Г о л у б я т н и к о в а, Б о г а ч е в а,

Калицкаго и Михайловскаго), занимающихся изученіемъ средиземноморскихъ и сарматскихъ отложеній земли юга Россіи и на Кавказѣ.

Отложеніями моложе сармата (мэотисомъ и т. наз. понтическими) Николай Алексѣевичъ также спеціально не занимался.

Обладая однако удивительнымъ талантомъ связывать современный рельефъ мѣстности съ геологической исторіей страны и возстановлять физико-географическія условія давноминувшихъ временъ, Соколовъ подмѣтилъ, напримѣръ, тотъ любопытный фактъ, что въ областяхъ 47 и 48 листа, т. е. на довольно значительномъ пространствѣ изогипса (горизонталь) 120 метровъ совпадаетъ съ очертаніями береговой линіи понтическаго бассейна.

Для отложеній юга Россіи еще болѣе новыхъ (послѣтретичныхъ и современныхъ) чрезвычайно важными являются работы Н. А. о Міусскомъ лиманѣ и „Къ исторіи причерноморскихъ степей съ конца третичнаго періода“. Мастерской рукой въ этихъ статьяхъ набросана новѣйшая исторія нашей черноморской степи и прилегающихъ къ ней морей Чернаго и Азовскаго. Въ этихъ же работахъ поднятъ совершенно новый вопросъ для юга Россіи — о слояхъ съ *Paludina diluviana*.

Изъ этого краткаго очерка важнѣйшихъ работъ Н. А. по третичной геологіи видно, что работы Соколова въ этой области науки чрезвычайно богаты содержаніемъ, оригинальны и разнообразны по сюжетамъ. Можно поэтому сказать, что никто изъ современныхъ геологовъ не сдѣлалъ столько для изученія третичной системы Россіи какъ Н. А. Соколовъ (изъ прежнихъ ученыхъ съ нимъ можно только сравнить по богатству наблюденій и широтѣ взглядовъ Барбота-де-Марни, а изъ современныхъ геологовъ большой матеріалъ собранъ Н. Ф. Синцовымъ).

Остается сказать нѣсколько словъ о покойномъ, какъ о палеонтологѣ. Но собственнымъ признаніямъ Н. А. любилъ палеонтологію меньше, чѣмъ историческую или динамическую геологію. Тѣмъ не менѣе и въ этой области Соколовъ является первоклассной научной величиной. Онъ не принадлежалъ къ числу очень распространенныхъ въ настоящее время изобразителей и описателей ископаемыхъ раковинъ, наводняющихъ палеонтологическую литературу множествомъ новыхъ подродовъ, видовъ, подвидовъ и варіететовъ. Какъ умный человѣкъ, Н. А. понималъ, что въ такомъ направленіи палеонтологіи (особенно третичной) не прогрессъ, а смерть ея. Создавалъ онъ новые виды осторожно, такъ сказать

11*

ио необходимости, а поэтому обработку своихъ коллекцій не могъ вести съ такой быстротой, съ какой это продѣлывается нѣкоторыми спеціалистами по третичнымъ раковинамъ.

Насколько Н. А. былъ въ смыслѣ обработки матеріала требователенъ къ самому себѣ, служитъ доказательствомъ слѣдующій фактъ. Только для того, чтобы въ своей докторской диссертаціи дать предварительный списокъ окаменѣлостей Мандриковки, оиъ поѣхалъ сличить свои раковины съ коллекціями К е и е и а (съ которымъ онъ подружился и всю жизнь переписывался). Принимаясь за обработку мандриковской фауны, онъ не былъ доволенъ своими опредѣленіями и еще разъ (нѣсколько лѣтъ тому назадъ) опять поѣхалъ заграницу и сравнивалъ свой матеріалъ съ коллекціями К е н е н а, К о с с м а н а и О п п е н г е й м а. При такой требовательности къ себѣ неудивительно, что обработка фауны Мандриковки осталась незаконченной. Палеонтологическими работами Н. А. являются кромѣ монографій, посвященныхъ фаунѣ олигоцена, описаніе фауны Конки и замѣтка о *Mastodon Arvernensis*.

Н. А. занимался также вопросами гидрогеологіи и существуетъ даже большой трудъ его, посвященный гидрогеологіи Херсонской губерніи, имѣющій важное теоретическое и практическое значеніе для этой губерніи, въ общемъ страдающей безводіемъ. Къ труду этому приложена хорошая геологическая карта.

Наконецъ Н. А. С о к о л о в ъ интересовался ученіемъ о рудныхъ мѣсторожденіяхъ.

Изъ работъ его въ этой области очень интересна монографія „Марганцовыя руды третичныхъ отложеній Екатеринославской губерніи". Поступая какъ и во всѣхъ своихъ сочиненіяхъ, С о к о л о в ъ написалъ не шаблонную работу, въ которой бы описывались различныя мѣсторожденія, а попытался освѣтить тѣ условія, при которыхъ образовались марганцовыя руды на днѣ палеогеноваго (вѣроятно среднеолигоценоваго) моря. Экспедиціи Чэлленджера, Альбатроса, Газели и Тускароры обнаружили на днѣ океановъ на очень большихъ глубинахъ (4—6 тысячъ метровъ) желѣзисто-марганцовыя конкреціи. Конкреціи марганца въ Екатеринославской губерніи очень напоминаютъ тѣ, которыя были извлечены со дна глубокихъ океановъ. Какъ тѣ, такъ другія часто образуются вокругъ зубовъ акулъ. Внимательное изученіе убѣдило однако Соколова, что марганцовыя руды Екатеринославской губерніи по условіямъ своего образованія гораздо болѣе подходятъ къ тѣмъ содержащимъ марганецъ осадкамъ, которые теперь образуются на незначительной глубинѣ у скалистыхъ береговъ (напр. Шотландіи). По Соколову марганцовыя руды Екатеринославской губерніи образовались у громадной отмели, ширина которой была 100—120 верстъ, окаймляя съ юга ее. Это обстоятельство, по мнѣнію Соколова, указываетъ, что образованіе марганца соотвѣтствуетъ извѣстной прибрежной зонѣ. Замѣчается далѣе по Соколову извѣстная оріентировка марганцовыхъ скопленій по отношенію къ странамъ свѣта. Все это наводитъ иа мысль, что явленіе находилось въ связи съ особенностями органическаго міра, населявшаго близкую къ берегу и опредѣленной глубины полосу моря. Авторъ высказываетъ предположеніе, что въ накопленіи марганца (въ морской водѣ нѣтъ даже слѣдовъ его) играли роль различныя крупныя морскія растенія (водоросли) и бактеріи. Такое предположеніе находитъ себѣ подтвержденіе въ свойствѣ многихъ растеній накоплять въ себѣ марганецъ, несмотря на крайнюю бѣдность почвъ этимъ элементомъ.

Изъ настоящаго краткаго очерка научной дѣятельности Н. А. видно, что покойный ученый работалъ въ самыхъ разнообразныхъ областяхъ геологіи (динамической, исторической, прикладной и палеонтологіи) и во всѣхъ этихъ областяхъ былъ творцомъ, а не подражателемъ; наукѣ онъ завѣщалъ богатое наслѣдство — массу новыхъ фактовъ, оригинальныхъ мыслей, широкихъ обобщеній. Онъ былъ не только трудолюбивымъ собирателемъ фактовъ, но также и мастерскимъ истолкователемъ ихъ. Зная основательно зоологію и ботанику, онъ былъ настоящимъ натуралистомъ, онъ любовно пытался заглянуть въ тайны природы, потому что любилъ ее.

Мнѣ еще хотѣлось бы сказать нѣсколько словъ о Николаѣ Алексѣевичѣ какъ о человѣкѣ. Скромный, даже застѣнчивый, несмотря на громадныя знанія и свои научныя заслуги, Соколовъ былъ цѣнимъ въ Россіи менѣе, чѣмъ онъ этого заслуживалъ. Онъ не любилъ выдвигать себя впередъ, не искалъ дешевой популярности, не произносилъ рѣчей, не писалъ статей въ толстыхъ журналахъ. Блескъ, торжественность, толпа пугали его. Заграницей, гдѣ извѣстность пріобрѣтается нѣсколько иначе, чѣмъ у насъ, Соколова ставили очень высоко. Я знаю о немъ мнѣніе Зюсса, Іекеля, Титце. Заграничныя свѣтила геологіи считали Николая Алексѣевича однимъ изъ первыхъ современныхъ геологовъ. Кроткій по характеру, отзывчивый на всякое людское горе, лишенный зависти и честолюбія, покойный привлекалъ къ себѣ всѣхъ, кто его лучше зналъ, и каждый, сближавшійся съ нимъ, находилъ въ немъ съ каждымъ днемъ новыя и новыя достоинства.

Николай Алексѣевичъ со своей кристально-чистой душой напоминалъ мнѣ всегда тѣ типы благородныхъ энтузіастовъ науки, которые съ каждымъ годомъ становятся все рѣже и рѣже.

Въ самомъ дѣлѣ: въ наши практическіе дни не искать карьеры, денегъ и популярности, жить какъ средневѣковый монахъ — отшельникъ, почти не бывать въ обществѣ, тратить деньги только на книги, любить только науку и больше ничего — развѣ это не анахронизмъ!

Близорукіе и узкіе люди иногда осуждали Николая Алексѣевича за то, что онъ мало интересуется общественными дѣлами. Лица эти его совсѣмъ не понимали. Не безучастіе къ судьбамъ своей родины, которую, къ слову сказать, онъ горячо любилъ, мѣшало ему напр. увлекаться современными общественными теченіями, а у него просто не хватало времени. Мнѣ всегда казалось, что Николай Алексѣевичъ не сдѣлался ученымъ, а родился имъ. Все что у него было въ душѣ, всѣ свои силы и все свое время онъ отдалъ наукѣ. Поэтому у него ничего не осталось не только для общественныхъ дѣлъ, но даже для личнаго счастья. Онъ даже обзавелся семьей всего нѣсколько лѣтъ тому назадъ, но смерть не позволила ему сколько-нибудь продолжительное время жить для себя въ уютной семейной обстановкѣ.

Я имѣлъ счастье быть ученикомъ и другомъ Николая Алексѣевича. Смерть его для меня и для другихъ его друзей и учениковъ очень тяжелая утрата. Въ немъ мы потеряли учителя, направлявшаго наши первые научные шаги, умѣвшаго вдохнуть въ насъ часть той великой любви къ знанію, которой жилъ покойный, руководителя, который радовался каждому успѣху ученика, который дѣлился съ нами и своимъ громаднымъ научнымъ опытомъ и своими глубокими мыслями. Нельзя было быть ученикомъ Николая Алексѣевича и не любить его какъ учителя и друга.

Умеръ онъ и какую пустоту, какое одиночество чувствуемъ мы, его друзья!

402. Sitzung

J a h r e s v e r s a m m l u n g.

Anwesend: 21 Mitglieder, 5 Gäste.

1. Die Sitzung wurde vom Präsidenten Prof. N. K u s n e z o w mit einer Rede eröffnet, in welcher er die Versammlung daran erinnerte, dass im laufenden Jahre die zweihundertste Wiederkehr des Geburtstages von C a r l L i n n é stattfinden werde.

2. Der Präsident machte der Versammlung die traurige Mitteilung über den Verlust eines Ehrenmitgliedes der Gesellschaft in der Person von D. I. M e n d e l e j e w, der den 20. Januar 1907 starb. Im Namen der Gesellschaft wurde ein Telegramm der Witwe des Verschiedenen geschickt. Das Andenken des Verstorbenen wurde durch Erheben von den Sitzen geehrt.

Laut Antrag des Direktoriums hat die Versammlung beschlossen die nächste Sitzung den 8. Februar und das 4. Heft des XV. Bandes der Sitzungsberichte der Gesellschaft dem Andenken D. I. M e n d e l e j e w s zu widmen.

3. Der Vize-Präsident der Gesellschaft Priv.-Doz. G. L a n d e s e n hielt eine Rede dem Andenken von N. A. M e n s c h u t k i n gewidmet, welcher in Petersburg den 23. Januar d. J. starb. Das Andenken des Verschiedenen wurde durch Erheben von den Sitzen geehrt.

4. Der Präsident teilte mit, dass den 26. Januar der berühmte Chemiker B a k h u i s R o o z e b o o m starb. Das Andenken des Verstorbenen wurde durch Erheben von den Sitzen geehrt.

5. Das Protokoll der vorigen Sitzung wird vorgelesen und genehmigt.

6. Der Sekretär verlas den Jahresbericht für das Jahr 1906, welcher von der Versammlung genehmigt war.

7. Der Präsident teilte mit, dass er gemäss des Beschlusses des Direktoriums vom 19./XII/06 bei dem Departement für Ackerbau der Hauptverwaltung für Landwirtschaft um eine Subvention von 300 Rbl. für die Seenkommission nachgesucht hat; das Gesuch ist vom Departement genehmigt worden.

Der Präsident teilte mit, dass er gemäss des Beschlusses des Direktoriums vom 19./XII/06 bei der Kais. Geographischen Gesellschaft nachgesucht hat die Seenkommission mit den notwendigen Instrumenten zu versehen. Die Kais. Russ. Geograph. Ges. hat daraufhin der Kommission 200 Rubel überwiesen.

Die Versammlung beschloss nach diesen Mitteilungen das Direktorium zu bitten dem Departement für Ackerbau etc. sowie der Kais. Russ. Geograph. Gesellschaft den Dank der Gesellschaft auszusprechen, und zweitens sprach sie bei dieser Gelegenheit dem Präsidenten Prof. N. I. K u s n e z o w ihren Dank aus.

8. Es wurde die Mitteilung des Präsidenten zu Kenntnis genommen, dass er gemäss des Beschlusses des Direktoriums vom 30./XII/06 dem Vizepräsidenten der Kais. Russischen Geographischen Gesellschaft P. P. S e m j o n o w - T j a n s c h a n s k y ein Glückwunschtelegramm zur Feier des 80-sten Geburtstages abgeschickt hat.

9. Der Sekretär teilte die laufenden Geschäfte mit:

a) Folgende Beschlüsse des Direktoriums:

Im Namen der Gesellschaft wurde dem Reale Instituto d'incorragiamente di Napoli eine Gratulation zur Feier des hundertsten Jubiläums des genannten Instituts abgeschickt. — Es wurde zur Kenntnis genommen.

Folgende Personen werden als ausgetreten betrachtet, da sie im Laufe von 3 Jahren ihren Beitrag nicht bezahlt haben: W. Z a y - k o w s k i, Baron B. C a m p e n h a u s e n, L. K a u p i n g, N. K o r n i l o w i c z, L a w d a n s k i, M. M i k u t o w i c z, S. M i - c h a j l o w s k y, ·Prof. A. A. M u r a t o w, A. N i k i t i n s k y, Prof. P. P o l j a k o w, Dr. K. von R e n n e n k a m p f, S. R y - w o s c h, A. S s e m y k i n, Prof. A. S s j e w e r z o w, A. von F e - g e s a c k, A. F l ë r o w, N. F l o r o w, H. F o w e l i n, Prof. G. C h l o p i n, W. Z e b r i k o w, Prof. St. C z i r w i n s k y, P. S t u d e m e i s t e r, A. F o m i n. — Es wurde zur Kenntnis genommen.

Es wurde beschlossen die Bibliothek - Kommission zu bitten die fehlenden Editionen der Gesellschaft denjenigen Gesellschaften und Instituten zu schicken, welche laut dem Gesuche der Bibliothek-Kommission unserer Gesellschaft ihre fehlenden Editionen senden. — Es wurde zur Kenntnis genommen.

Es wurde beschlossen der Versammlung folgende das Budget überschreitende Ausgaben zu legalisieren vorzustellen 1) wirtschaftliche Ausgaben — 89 Rbl. 69 Kop. für Postporto infolge des gesteigerten Tauschverkehrs und 2) Druckkosten 213 Rbl. 05 Kop. für die Herstellung notwendiger Tafeln und Karten. Ausserdem wurden für 323 Rbl. 50 Kop. zinstragende Papiere gekauft (4 % Rente) da 2 Papiere im Betrage von 200 Rbl. ausgelost worden waren und 2 Mitglieder ihren Beitrag durch einmalige Zahlung von je 50 Rbl. abgelöst haben, welche Summe laut § 9 des Statuts der Gesellschaft dem Grundkapital hinzugefügt werden musste.

Die Versammlung bestätigte das Budget nebst überschreitenden Ausgaben und hat beschlossen für das Projektionsapparat aus dem Reste für das Jahr 1907 zu zahlen.

Das Direktorium teilte mit, dass von den Gliedern der Revisionskommission, den Herren P. J. Bojarinow und Pr.-Doz. A. K. Paldrock, die Bücher und die Kasse der Gesellschaft revidiert worden sind und alles in vollkommener Ordnung befunden worden ist.

Die Mitteilung wurde zu Kenntnis genommen und es wurde beschlossen den Gliedern der Revisionskommission im Namen der Gesellschaft für die Revision der Bücher und der Kasse der Gesellschaft zu danken.

b) Es sind folgende Dankschreiben eingelaufen: von der Kais. Russischen Gesellschaft für Fischfang und Fischzucht und von der Kais. Russischen Gesellschaft für Akklimatisation der Tiere in Moskau für die Sendung der Editionen der Naturforscher-Gesellschaft. — Es wurde zur Kenntnis genommen.

c) Es sind folgende Einladungen eingelaufen: zur Teilnahme an dem Internationalen Zoologischen Kongress zu Boston und an dem XIV Internatiolen Kongress für Hygiene und Demographie zu Berlin am 23./IX. — Es wurde zur Kenntnis genommen.

d) In die Bibliothek der Gesellschaft sind 25 Bücher geschenkt, nämlich von den Herren: G. Ssumakow, J. Njegotin, S. Scharbe, A. Orlow, L. Kultaschew, Dr. Paldrock und von dem Botanischen Garten der Kais. Universität Jurjew (Dorpat).

Den Schenkern wurde der Dank der Gesellschaft ausgesprochen.

10. Zu ordentlichen Mitgliedern wurden gewählt die Herren: Stud. S. M a l y s c h e w (22 pro); Oberlehrer M. K. T r e t j a k o w (21 pro; 1 contra).

11. Als ordentliche Mitglieder werden vorgeschlagen: 1) Provisor G. G. L u c h t — von Priv. Doz. Dr. A. P a l d r o c k und Priv.-Doz. N. K u l t a s c h e w; 2) Assistent W. A. S k w o r z o w — von Priv.-Doz. S c h i n d e l m e i s e r und Priv.-Doz. N. K u l t a - s c h e w; 3) Stud. P. P. O b r a s z o w — von Ass. A b o l d und Prof. P o k r o w s k y.

12. Prof. E. S c h e p i l e v s k y hielt einen Vortrag: „Einige Details im Prozesse der Sporenbildung bei Bakterien". (S. Bd. XV, H. 3.)

403. Sitzung

am 8. Februar 1907.

Zu Ehren des verewigten Ehrenmitgliedes der Gesellschaft
D. I. Mendelejew.

(S. Bd. XV., Heft 4.)

404. Sitzung

am 17. Februar 1907.

Jahresfeier zur 115 Wiederkehr des Geburtstages von
Karl Ernst von Baer.

Anwesend: 33 Mitglieder, 32 Gäste.

1. Laut Antrag des Präsidenten haben die Anwesenden durch das Erheben von den Sitzen das Andenken von K. E. v. B a e r geehrt.

2. Die Protokolle der vorigen Versammlungen vom 1. u. 8. Februar werden gelesen und genehmigt.

3. Prof. G. P. M i c h a j l o w s k y hielt eine Rede dem Andenken des Geologen N. A. S o k o l o w gewidmet. Das Andenken des Verschiedenen wurde durch Erheben von den Sitzen geehrt.

4. Priv.-Doz. N. V. K u l t a s c h e w hielt eine Rede dem Andenken des berühmten französischen Chemikers H e n r y M o i s s a n gewidmet. Das Andenken des Verstorbenen wurde durch Erheben von den Sitzen geehrt.

5. Der Sekretär teilte die laufenden Geschäfte mit:

a) Vom Herrn Kurator des Rigaer Lehrbezirks ist die Mitteilung eingelaufen, dass alle im Jahre 1906 gewählten Mitglieder bestätigt sind. — Es wurde zur Kenntnis genommen.

b) Aus Bologna ist eine Einladung eingelaufen an der Feier des 300-jährigen Wiederkehr des Tages seit dem Tode des berühmten italienischen Naturforschers U. Aldrovandi teilzunehmen. — Es wurde beschlossen eine Gratulation zu senden.

c) Von den Herren N. Kultaschew und A. Orlow ist ein Antrag eingelaufen, mit dem Observatorium zu Pulkowo in Schriftenaustausch zu treten. — Der Vorschlag wurde genehmigt.

d) Vom dem Biologischen Verein der Studenten bei der Universität in Odessa ist ein Gesuch mit Tauschangebot eingelaufen. — Es wurde beschlossen in Austausch zu treten.

b) Als ordentliche Mitglieder werden vorgeschlagen: 1) Stud. jur. R. v. Möller — von Oberlehrer F. Sintenis und H. v. Oettingen; 2) Stud. H. v. Transe — von F. Sintenis und H. v. Oettingen; 3) Stud. math. M. M. Barabanow — von Doz. A. Bogojawlensky und Priv.-Doz. N. Kultaschew; 4) Assistent O. v. Terne — von Priv.-Doz. G. Landesen und Prof. P. Adolphi; 5) Stud. N. I. Wassielewsky — von Prof. N. I. Kusnezow und N. A. Ssamsonow.

7. Zu ordentlichen Mitgliedern der Gesellschaft wurden folgende Herren gewählt: Provisor G. Lucht (31 pro, 2 contra), Assistent W. Skworzow (32 pro, 1 St.-Enth.) und stud. P. Obraszow (einstimmig).

8. Priv.-Doz. B. Hryniewiecki hielt einen Vortrag „Ueber Parthenogenesis im Pflanzenreiche".

9. Prof. K. K. Saint-Hilaire hielt einen Vortrag „Ueber chemische Befruchtung".

Отчетъ секретаря

о дѣятельности Общества Естествоиспытателей

при Императорскомъ Юрьевскомъ Университетѣ

за 1906 г.

(54-ый годъ существованія Общества).

Читанъ въ годичномъ засѣданіи 1/II/07.

———

Честь имѣю предложить вниманію Общаго Собранія нижеслѣдующій отчетъ за 1906 г.

Въ отчетномъ году произошли слѣдующія перемѣны въ личномъ составѣ Общества:

Вслѣдствіе отказа предсѣдателя Общества, проф. Н. Н. К у з-н е ц о в а, вицепредсѣдателя, проф. К. К. С е и т ъ - И л е р а, казначея, преподав. Ф. С и н т е н и с а отъ своихъ должностей, были выбраны Обществомъ: предсѣдателемъ — вторично проф. Н. Н. К у з н е ц о в ъ, вицепредсѣдателемъ — секретарь Общества прив.-доц. Р. А. Л а и д е з е и ъ, казначеемъ — прозекторъ Г. А. А д о л ь ф и; въ секретари выбранъ редакторъ изданій Общества, прив.-доц. Н. В. К у л т а ш е в ъ. Такимъ образомъ, къ концу отчетнаго года Правленіе Общества состояло изъ слѣдующихъ членовъ:

Предсѣдатель: проф. Н. И. К у з н е ц о в ъ.

Вицепредсѣдатель: прив.-доц. Г. А. Л а и д е з е и ъ.

Секретарь: прив.-доц. Н. В. К у л т а ш е в ъ.

Казначей: прозект. Г. А. А д о л ь ф и.

Редакторомъ изданій Общества, временно, до окончанія печатанія текущаго XV т. Протоколовъ состоитъ секретарь Н. В. К у л т а ш е в ъ.

Хранителемъ ботаническихъ и временно минералогическихъ коллекцій Общества состоитъ Г. Г. фонъ Э т т и н г е и ъ; хранителемъ зоологическихъ коллекцій — Ф. С и н т е н и с ъ, обязанности библіотекаря и дѣлопроизводителя Общества исполняетъ г-жа М. Непертъ (по найму).

Въ отчетномъ году въ дѣйствительные члены Общества выбрано 29 лицъ.

Изъ числа дѣйствительныхъ членовъ Общества выбыло 35. Изъ нихъ 12 — вслѣдствіе ихъ отказа, 23 — на основаніи постановленія Общаго Собранія 17 февраля 1906 г. о выходѣ изъ числа членовъ Общества лицъ, не уплатившихъ свой членскій взносъ въ теченіи трехъ и болѣе лѣтъ.

Общество понесло утрату въ лицѣ умершаго ея члена: г-на О. фонъ Самсонъ.

Такимъ образомъ Общество къ началу 1907 г. состоитъ: изъ 13 почетныхъ членовъ; 132 дѣйствительныхъ членовъ, изъ коихъ 24 — пожизненные, и 108 платящіе годовые членскіе взносы, 15 членовъ-корреспондентовъ, всего: 160 членовъ, изъ нихъ въ Юрьевѣ проживаетъ — 93; иногородныхъ 67 лицъ.

Въ отчетномъ году Общество имѣло 15 засѣданій, изъ нихъ 1 закрытое экстренное. На ихъ сдѣлано 21 членами 28 докладовъ.

Проф. Д. М. Лавровъ: Къ вопросу о химизмѣ пептическаго и триптическаго перевариванія бѣлковыхъ веществъ.

Проф. Б. И. Срезневскій: 1) Связь между погодой и преломленіемъ свѣта въ атмосферѣ. 2) О научныхъ работахъ почетнаго члена Общества, проф. А. фонъ Эттингена (по поводу 70-лѣтія со дня его рожденія).

Д. П. Севастьяновъ: 1) Экскурсія на ледникъ верховья рѣки Теберды. 2) Вулканическій пепелъ изъ третичныхъ отложеній Кавказа. 3) Предполагаемая экскурсія на сѣв. островъ Новой Земли.

Проф. Н. И. Кузнецовъ: 1) Къ вопросу о происхожденіи видовъ: варіація или мутація? 2) Рѣчь, посвященная памяти К. Э. фонъ Бэра.

И. В. Палибинъ: Нѣкоторыя данныя о третичной флорѣ Кавказа, ея отношеніе къ современной.

Проф. К. К. Сентъ-Илеръ: 1) Объ иннерваціи хроматофоровъ у головоногихъ. 2) Экскурсія на берегъ Двинскаго залива лѣтомъ 1906 г.

Проф. В. Ѳ. Чижъ: О наслѣдственности талантовъ.

Проф. Г. В. Колосовъ: 1) О математической теоріи эволюціи видовъ ироф. К. Pearson'a, съ приложеніемъ къ послѣднему сообщенію проф. Н. И. Кузнецова. 2) Объ аркахъ инженера С. И. Белзецкаго, въ примѣненіи къ желѣзно-дорожному дѣлу.

Г. Г. Сумаковъ: Энтомологическая экскурсія въ Сыръ-Дарьинскую и Закаспійскую области.

Др. Э. Ландау: Къ вопросу о фиксаціи тканей кипяченіемъ.

А. Я Орловъ. 1) О колебаніяхъ земной коры; 2) о сейсмографахъ.

М. фонъ цуръ Мюленъ. Zur Entwickelungsgeschichte des Spankauschen Sees wie auch einiger anderer Seen in der Umgebung Dorpats.

Прив.-доц. С. Б. Шарбе. Объ астрономическихъ таблицахъ для гор. Юрьева.

Проф. R. R. Гаппихъ: Двѣ опасныя болѣзни нашего крыжовника.

М. Г. Ребиндеръ: О вращеніи тяжелаго твердаго тѣла вокругъ неподвижной точки.

Др. Н. Римшнейдеръ: Ueber die baltischen Land- und Süsswassermollusken.

Студ. R. А. Фляксбергеръ: Водяныя устьица новаго типа у *Lobelioideae*..

Студ. Г. Г. фонъ Эттингенъ: Ueber eine von ihm geplante Exkursion nach Dagestan.

Студ. С. Н. Малышевъ: Топографическая способность насѣкомыхъ.

Проз. И. И. Широкогоровъ: О тромбозѣ воротной вены.

Прив.-доц. А. К. Пальдрокъ: О гонококкахъ.

Общимъ Собраніемъ, на основаніи Правилъ 12/X., присуждены слѣдующія субсидіи изъ соотвѣтствующей смѣтной статьи: Озерной коммиссіи — 450 руб.; Г. Г. Сумакову — 150 руб. для экскурсіи въ Закаспійскую область съ энтомологической цѣлью и Г. Г. фонъ Эттингену — 400 руб. для ботанической экскурсіи въ Дагестанъ.

Открытые листы для экскурсій были выданы Обществомъ: дѣйств. члену R. В. Товарову — для экскурсіи въ Курмышскомъ, Алатырскомъ и Буинскомъ уѣздахъ Симбирской губ., и дѣйств. члену проф. R. R. Сентъ-Илеру для экскурсіи въ Архангельской губ.

Правленіе Общества имѣло въ отчетномъ году 20 засѣданій; на трехъ изъ нихъ, кромѣ членовъ Правленія, присутствовали по приглашенію Правленія и нѣкоторые другіе члены

Общества, именно при рѣшеніи вопроса объ измѣненіи изданій Общества, для обсужденія дѣла объ арестѣ А. Д. Богоявленскаго и при обсужденіи докладныхъ записокъ объ испрашиваемыхъ на экскурсіи субсидіяхъ.

О матеріальномъ положеніи Общества даетъ понятіе слѣдующій отчетъ казначея, составленный по ревизіи кассы и книгъ членами ревизіонной коммиссіи: прив.-доц. А. К. Пальдрокомъ и дир. Н. Н. Бояриновымъ.

Приходъ.

	Руб.	Коп.
Остатокъ къ 1 янв. 1906	419	—
Процентъ съ бумагъ	485	72
Продажа изданій	30	97
Членскіе взносы	630	10
Пособіе отъ Универс.	400	—
Пособіе отъ Госуд. Казн.	2500	—
Подарокъ на Озерн. комм.	25	—
Возвращенный авансъ	7	42
Тиражъ бумагъ	200	—
Итого	4698	21

Расходъ.

	Руб.	Коп.
Наемъ квартиры	750	—
Жалованье служащимъ	250	—
Хозяйственные расходы	289	69
Полки для библіотеки и др. мебель	606	21
Печатаніе	813	05
Устройство библіотеки	277	80
Содержаніе коллекцій	98	32
Расходы по Озерной коммиссіи	125	—
Устройство газоваго освѣщенія	245	11
Пріобрѣтеніе проекціоннаго фонаря	10	56
Непредвидѣнные расходы	100	—
Возвращенный авансъ	7	42
Покупка % бумагъ	323	50
Купоны	10	94
Остатокъ къ 1 янв. 1907 г.	790	61
Итого	4698	21

Въ отчетномъ году Обществомъ изданы: Выпускъ 1 и 2 тома XV Протоколовъ Общества и сданы въ печать выпускъ 3 того же тома. Къ сожалѣнію, не удалось къ концу года выпустить всѣ четыре выпуска текущаго тома, вслѣдствіе того, что томъ начатъ печатаніемъ только съ конца апрѣля 1906 г.; редакторъ смѣетъ надѣяться, что въ 1907 году помимо послѣдняго выпуска XV тома за 1906 г. будетъ возможность своевременно кончить и слѣдующій томъ, первый выпускъ котораго долженъ появиться одновременно, съ послѣднимъ этого года. Кромѣ того изданъ: томъ XVII Трудовъ Общества Естествоиспытателей.

Въ отчетномъ году коллекція Общества увеличилась на 15 №№ отдѣльныхъ предметовъ и цѣлыхъ коллекцій, пожертвованныхъ разными лицами Обществу.

Библіотечная комиссія въ отчетномъ году состояла изъ предсѣдателя доц. А. Д. Богоявленскаго, секретаря Н. А. Сахарова, и членовъ: Н. Н. Мищенко, С. Б. Шарбе, Н. В. Култашева. [1]

Библіотека Общества за истекшій годъ установлена въ новомъ помѣщеніи Общества въ окончательномъ видѣ, по форматамъ, причемъ періодическія изданія поставлены отдѣльно отъ другихъ книгъ. Имѣющіяся періодическія изданія проконтролированы, каталогъ къ нимъ составляется и будетъ готовъ въ скоромъ времени къ печати. Кромѣ того библіотечная комиссія нашла возможнымъ приступить къ постепенному переплету книгъ и журналовъ и окончательному этикетированію ихъ. Провѣрены имѣющіяся у насъ на складѣ изданія нашего Общества и составленъ къ нимъ подробный каталогъ, который разосланъ во всѣ Общества, состоящія съ нами въ обмѣнѣ.

Что касается до обмѣна изданіями, то библіотечная комиссія, провѣривъ имѣющіеся на лицо журналы Общества, обратилась ко многимъ изъ Обществъ (153) съ просьбой пополнить имѣющіеся у насъ пробѣлы въ ихъ изданіяхъ, причемъ должно прибавить, что просьба эта не осталась безъ результата: въ библіотечную комиссію поступаютъ все время просимыя дополненія (38 отвѣтовъ и 176 экз.) Съ другой стороны и наше Общество откликнулось на просьбы многихъ другихъ Обществъ, выславъ имъ недостававшія у нихъ изданія нашего Общества.

Въ отчетномъ году библіотека Общества возросла на 744 тома путемъ обмѣна и подарковъ. Состоитъ въ обмѣнѣ съ 298 Обществами

[1] По приглашенію Комиссіи въ библіотекѣ работали гг. Н. И. Виноградовъ и Боголюбовъ.

и учрежденіями, изъ коихъ 80 находятся въ Россіи, и 218 за гра-иицей; вновь вступлено обмѣнъ изданіями: за границей съ: Museum für Natur und Heimatkunde, Magdeburg; Ungarische botanische Blätter, Budapest; Thüringischer botanischer Verein, Weimar.

Комиссія по изслѣдованію озеръ Лифляндской губ.[1]) въ от-четномъ году состояла изъ 19 членовъ, при предсѣдателѣ канд. М. фонъ цуръ Мюленѣ и секретарѣ Г. Г. фонъ Эттингенѣ. Вновь выбраны въ члены комиссіи проф. Михайловскій, Д-ръ Римшнейдеръ; выбыли за выѣздомъ изъ Юрьева архи-текторъ Гулеке и асс. Э. Таубе. Засѣданій комиссія имѣла 3, главнымъ образомъ для обсужденія и распредѣленія плана работъ.

Доходы и расходы комиссіи выражаются въ слѣдующихъ цифрахъ:

Доходъ.

Но смѣтѣ	100	руб.
Отъ неизвѣстнаго пожертвователя	25	„
Итого	125	руб.

Расходъ.

	Руб.	Коп.
Поѣздки	57	70
Инструменты и аппараты . . .	8	98
Аппараты	37	93
Жалованіе сторожа	10	—
Жалованіе рабочимъ	6	15
Различные мелк. расх.	4	24
Итого	125	—

Въ отчетномъ году комиссіею произведены были слѣдующія работы:

1) Въ январѣ 1906 г. дѣйств. чл. Н. А. Самсоновъ былъ командированъ въ С-Петербургъ для ознакомленія съ новѣйшими методами обработки планктона; отчетъ объ этой командоровкѣ доложенъ на засѣданіи 13 апрѣля.

2) Въ февралѣ члены комиссіи гг. проф. Н. Н. Рузие-цовъ, М. фонъ цуръ Мюленъ, проф. Ю. Кеннель, асс. Э. Таубе, асс. О. фонъ Терне, Г. Г. фонъ Эттингенъ и Д-ръ Римшнейдеръ участвовали по приглашенію члена О-ва Э. фонъ Миддендорфа въ экскурсіи въ Гелленормъ, во время которой были произведены различныя наблюденія на трехъ озерахъ.

—————

1) Согласно отчету ея секретаря.

3) 26-го марта начались систематическія наблюденія надъ озеромъ Шпанкау. Изслѣдованія и наблюденія производились черезъ каждые 10 дней. Участвовали въ этихъ работахъ гг. М. фонъ цуръ Мюленъ, Н. А. Самсоновъ, Г. фонъ Эттингенъ, проф. Н. Н. Кузнецовъ, проф. Михайловскій, Д-ръ Римшнейдеръ, асс. Д. П. Севастьяновъ.

Въ теченіи сезона собранъ богатый матеріалъ по фаунѣ, флорѣ и геологіи озера, отчасти уже обработанный гг. Самсоновымъ, фонъ цуръ Мюленомъ, И. В. Шиндельмейзеромъ и Г. фонъ Эттингеномъ.

Въ августѣ мѣсяцѣ озерная комиссія приняла участіе въ сельскохозяйственной и промышленной выставкѣ въ Юрьевѣ, выставивъ различныя коллекціи живого и мертваго матеріала, приборы для изслѣдованія, литературу и т. д. За свои экспонаты она была удостоена золотой медали отъ Имп. Росс. О-ва Рыболовства и Рыбоводства. Кромѣ того отдѣльные члены этой комиссіи получили: Д-ръ Римшнейдеръ и Г. фонъ Эттингенъ — большую серебр. медаль отъ Лифл. Земледѣльческаго О-ва и Н. А. Самсоновъ серебряную медаль Общества Рыболовства и Рыбоводства.

Jahresbericht

der

Naturforscher-Gesellschaft

bei der

Kaiserlichen Universität in Jurjew (Dorpat)

für das Jahr 1906.

(Das 54. Jahr des Bestehens der Gesellschaft.)

Im laufenden Jahre haben folgende Aenderungen im Stande der Gesellschaft stattgefunden.

Infolge des Rücktritts Prof. N. I. Kusnezow's von dem Amte des Präsidenten der Gesellschaft, Prof. K. Saint-Hilaire's von dem Amte des Vize-Präsidenten und Oberlehrers F. Sintenis von dem Amte des Schatzmeisters wurden von der Gesellschaft folgende Herren gewählt: Prof. N. I. Kusnezow — als Präsident (das zweite Mal); Sekretär der Gesellschaft Priv.-Doz. G. Landesen, als Vize-Präsident; Prosektor H. Adolphi — als Schatzmeister und Redakteur der Editionen Priv.-Doz. N. V. Kultaschew — als Sekretär.

Das Direktorium bestand also zum Schluss des Jahres aus folgenden Herren:

Präsident: Prof. N. I. Kusnezow.

Vize-Präsident: Priv.-Doz. G. Landesen.

Sekretär: Priv.-Doz. N. Kultaschew.

Schatzmeister: Prosektor H. Adolphi.

Das Amt des Redakteurs der Editionen der Gesellschaft hat bis zum Schluss des laufenden XV-ten Bandes der Sitzungsberichte der Sekretär der Gesellschaft Priv.-Doz. N. Kultaschew bekleidet.

Als Konservator der botanischen und mineralogischen Sammlungen der Gesellschaft fungierte Cand. H. v. Oettingen, als Konservator der zoologischen Sammlungen — Oberlehrer F. Sintenis, als Geschäftsführerin — Frau M. Neppert.

III*

In die Zahl der Mitglieder wurden im verflossenen Berichtsjahre 29 Personen aufgenommen.

Ausgetreten aus der Gesellschaft sind 35 Mitglieder: 12 Personen, die ihre Zugehörigkeit zur Gesellschaft als deren ordentliche Mitglieder zu lösen wünschten und 23 Personen laut Beschluss der Versammlung, da sie im Laufe von 3 Jahren ihren Beitrag nicht bezahlt haben.

Die Gesellschaft hatte einen schweren Verlust durch das Hinscheiden eines ordentlichen Mitgliedes Herrn O. v. Samson-Himmelstjerna-Kurrista.

Der Bestand der Gesellschaft war also zum Schluss des Berichtsjahres folgender:

13 Ehrenmitglieder.

132 ordentliche Mitglieder.

15 korrespondierende Mitglieder.

Zusammen 160 Mitglieder, von denen 93 Personen, die in Dorpat wohnen, und 67 auswärtige Mitglieder.

Im Berichtsjahre wurden von der Naturforscher-Gesellschaft der Kaiserlichen Universität Jurjew (Dorpat) 14 ordentliche Sitzungen und eine Extra-Sitzung abgehalten; in den Sitzungen wurden von 21 Mitgliedern 28 Vorträge gehalten:

Prof. D. Lawrow: Zur Frage über die Wirkung der kohlensauren Alkalien auf die Eiweisskörper.

Prof. B. Sresnewsky: Ueber die Beziehungen zwischen dem Wetter und der optischen Strahlenbrechung in der Atmosphäre. 2) Ueber die wissenschaftlichen Arbeiten des Ehrenmitgliedes der Gesellschaft Prof. Dr. A. v. Oettingen (in Anlass seines 70. Geburtstages).

D. Sewastjanow: 1) Eine Exkursion auf dem Gletscher des Flusses Teberda. 2) Vulkanische Asche aus den Tertiär-Ablagerungen des Kaukasus. 3) Die beabsichtigte Exkursion nach der nördlichen Insel der Nowaja-Semlja.

Prof. N. I. Kusnezow: 1) Zur Frage über Entstehung der Arten: Variation oder Mutation? 2) Rede dem Andenken von K. E. v. Baer gewidmet.

J. Palibin: Einiges über die tertiäre Flora des Kaukasus, ihr Verhältnis zur gegenwärtigen Flora.

Prof. K. Saint-Hilaire: 1) Innervation der Chromatophoren bei den *Cephalopoden*. 2) Exkursion an den Strand der Dwina-Bai im Sommer 1906.

Prof. W. T s c h i s h: Ueber Erblichkeit der Talente.

Prof. G. K o l o s s o w: 1) Mathematische Theorie der Evolution der Arten nach Prof. K. P e a r s o n, mit Anwendung auf den
letzten Vortrag von Prof. N. K u s n e z o w. 2) Ueber die Bogen
des Ingenieurs S. J. B e l s e t z k i in Anwendung beim Eisenbahnbau.

G. S u m a k o w: Entomologische Exkursion in die Gebiete
Syr-Darja und Transkaspien.

Dr. E. L a n d a u: Versuche über Hitzefixation.

Ass. A. O r l o w: 1) Ueber die Schwankungen der Erdrinde.
2) Ueber die Seismographen.

M. v o n z u r M ü h l e n: Zur Entwickelungsgeschichte des
Spankauschen Sees, wie auch einiger anderer Seen in der Umgebung Dorpats.

Priv.-Doz. S. S c h a r b e: Astronomische Hilfstabellen für die
Breite Jurjews.

Prof. K. H a p p i c h: Ueber zwei gefährliche Krankheiten
der Stachelbeere.

M. R e h b i n d e r. Ueber die Rotation eines schweren Körpers
um einen unbeweglichen Punkt.

Dr. J. R i e m s c h n e i d e r. Ueber die baltischen Land- und
Süsswassermollusken.

Stud. K. F l a c h s b e r g e r: Wasserspalten des neuen Typus bei *Lobelioideae.*

Ass. H. v. O e t t i n g e n: Ueber eine von ihm geplante Exkursion nach Daghestan.

Stud. S. M a l y s c h e w: Die topographische Fähigkeit der
Insekten.

Pros. I. S c h i r o k o g o r o w: Ueber Trombosis venae portae.

Priv.-Doz. Dr. P a l d r o c k: Ueber Gonokokken.

Laut Regeln vom 12./X./06 über die Verteilung der Summe,
welche zu wissenschaftlichen Exkursionen u. s. w. bestimmt ist, hat
die Naturforscher-Gesellschaft für das Jahr 1907 folgende Summen
bewilligt: der S e e n - K o m m i s s i o n — 450 Rbl.; Herrn G.
S u m a k o w — 150 Rbl. für die Exkursion in das Transkaspische
Gebiet zu entomologischem Zwecke und Herrn H. v. O e t t i n g e n
— 400 Rbl. für die botanische Exkursion nach Daghestan.

Offene Briefe für die Exkursionen wurden von der Natur-forscher-Gesellschaft im Berichtsjahre folgenden Personen heraus-gegeben: dem ordentlichen Mitgliede Herrn K. T o w a r o w für die Exkursion in den Kreisen Kurmysch, Alatyr und Buinsk im Gouvernement Simbirsk und dem ordentlichen Mitgliede Prof. K. K. S a i n t - H i l a i r e für die Exkursion ins Gouvernement Archangelsk.

Das Direktorium hielt im Berichtsjahre 20 Sitzungen ab. An 3 von ihnen nahmen ausser dem Direktorium, gemäss der Einladung desselben, auch andere Mitglieder der Gesellschaft teil und zwar in der Kommission zur Regulierung der Editionen der Gesellschaft, bei Beratung des Falles über die Verhaftung des Priv.-Doz. A. D. B o g o - j a w l é n s k y und bei Beratung der motivierten Berichte über die geplanten Exkursionen, zu welchen die Mitglieder um Unterstützung nachsuchten.

Ueber die ökonomische Lage der Gesellschaft gibt folgender Rechenschaftsbericht des Schatzmeisters Aufschluss, welcher auf-gestellt wurde, nachdem die Bücher und die Kasse von der Revi-sions-Kommission, bestehend aus den Herren Priv.-Doz. Dr. P à l - d r o c k und Dir. P. J. B o j a r i n o w geprüft und richtig befunden worden waren.

Einnahmen.

	Rbl.	Kop.
Saldo vom Jahre 1905	419	—
Zinsen von zinstragenden Papieren	485	72
An verkauften Drucksachen	30	97
An Mitgliedsbeiträgen	630	10
An Zuschuss v. d. Kais. Univers. Jurjew (Dorpat)	400	—
An Zuschuss aus dem Reichsschatz	2500	—
An Privatspenden (Geschenk eines Unbekannten für die Seenkommission)	25	—
Zurückgegebene Avance	7	42
Ausgeloste Papiere	200	—
Summa	4698	21

Ausgaben.

	Rbl.	Kop.
Wohnungsmiete	750	—
Besoldung der Beamten	250	—
Wirtschaftliche Ausgaben	289	69
Bücherschränke, Möbel	606	21
Druckkosten	813	—
Ordnung der Bibliothek	277	80
Konservierung der Kollektionen	98	32
Ausgaben für die Seenkommission	125	—
Einrichtung der Gasbeleuchtung	245	11
Für den Projektionsapparat	10	56
Unvorhergesehene Ausgaben	100	—
Avance	7	42
Zinstragende Papiere gekauft	323	50
Koupons	10	94
Saldo pro 1907	790	61
Summa	4698	21

Im Berichtsjahre sind das 1. und 2. Heft des XV. Bandes der Sitzungsberichte erschienen und das 3. Heft dieses Bandes wird gedruckt. Leider ist es nicht gelungen zum Schluss des Jahres alle 4 Hefte des betreffenden Bandes herauszugeben, da der Druck dieses Bandes erst Ende April 1906 begonnen wurde; der Redakteur hofft aber, dass im Jahre 1907 ausser dem 4. Heft des XV. Bandes alle vier Hefte des folgenden Bandes zur rechten Zeit erscheinen werden.

Ausserdem wurde im Berichtsjahre der XVII. Band der Schriften der Naturforscher-Gesellschaft gedruckt.

Die wissenschaftlichen Kollektionen erhielten einen Zuwachs von 15 №№ der einzelnen Gegenstände sowie auch vollständiger Kollektionen, welche von verschiedenen Personen geschenkt wurden.

Die Bibliothekskommission bestand aus dem Präses Doz. A. D. Bogojawlensky, Sekretär N. A. Sacharow und den Mitgliedern P. J. Mischtschenko, S. B. Scharbe, N. V. Kult a s c h e w [1]). Die Bibliothek der Gesellschaft ist augenblicklich im neuen Lokal gänzlich entsprechend den Formaten eingerichtet, so dass die periodisch erscheinenden Editionen apart von den übrigen Büchern stehen. Die vorhandenen periodischen Editionen sind kontrolliert worden und die Kataloge für sie werden in kurzer Zeit fertig zum Druck sein. Revidiert sind die auf Lager vorhandenen Editionen der Gesellschaft; für sie ist ein genauer Katalog zusammengestellt. Die Bibliotheks-Kommission wandte sich an viele Vereine mit der Bitte, fehlende Schriften einzusenden. Die Bitte ist nicht ohne Resultat geblieben: in unsere Bibliothek treffen die ganze Zeit über die gebetenen Ergänzungen ein (38 Antworten — 176 Exemplare). Im Berichts-Jahre vergrösserte sich die Bibliothek der Gesellschaft um 744 Bände; sie hat Verbindungen mit 298 Vereine und Anstalten (80 russische und 218 ausländische).

Neue Tauschverbindungen wurden angeknüpft mit:

1) dem Museum für Natur-, und Heimatskunde in Magdeburg;

2) den Ungarischen Botanischen Blättern (Magyar Botanikai Lapok) in Budapest und

3) dem Thüringischen botanischen Verein in Weimar.

Die Seenkommission bestand aus 19 Mitgliedern unter dem Vorsitzenden Herrn M. v o n z u r M ü h l e n und dem Sekretär H. von O e t t i n g e n. Neu sind als Mitglieder gewählt worden: Prof. G. P. M i c h a i l o w s k y und Dr. J. R i e m s c h n e i d e r; ausgetreten sind Arch. G u l e c k e und Assist. E. T a u b e, infolge ihrer Abreise ins Ausland.

Die Seenkommission hielt 3 Sitzungen ab, hauptsächlich für die Beratung und Ausarbeitung eines systematischen Planes ihrer Tätigkeit.

Ueber die ökonomische Lage der Seenkommission gibt folgender Rechenschaftsbericht Aufschluss.

E i n n a h m e n.

	Rbl.	Kop.
Laut Budget	100	—
Geschenk eines Unbekannten . .	25	—
Summa	125	—

---

1) Nach der Einladung der Kommission arbeiteten in der Bibliothek auch die Herren N. J. W i n o g r a d o w und B o g o l j u b o w.

Ausgaben.

	Rbl.	Kop.
Reisen der Mitglieder	57	70
Instrumente	8	98
Apparate	37	93
Besoldung des Wächters . . .	10	—
Besoldung von Arbeitern . . .	6	15
Verschiedene kleine Ausgaben . .	4	24
Summa	125	—

Die Seenkommission hat im Berichtsjahre folgende Arbeiten ausgeführt:

1) Im Januar 1906 wurde Herr N. A. Samsonow nach Petersburg abkommandiert um die neue Methode der Plankton-Untersuchung zu studieren; der Bericht über die Resultate wurde in der Sitzung vom 13 April vorgelegt.

2) Im Februar nahmen die Mitglieder der Kommission: Prof. N. I. Kusnezow, M. von zur Mühlen, Prof. J. v. Kennel, Assist. E. Taube, Assist. O. v. Törne, Stud. H. v. Oettingen und Dr. Riemschneider auf Einlandung des Mitgliedes der Gesellschaft, Herrn E. von Middendorff, an einer Exkursion nach Hellenorm teil, um einige wissenschaftliche Beobachtungen in drei Seen auszuführen.

3) Seit dem 26. März 1906 begann die systematische planmässige Erforschung des Spankauschen Sees. Die Untersuchungen wurden alle 10 Tage ausgeführt. An diesen Arbeiten nahmen teil die Herren: M. von zur Mühlen, N. A. Samsonow, H. v. Oettingen, Prof. N. I. Kusnezow, Prof. G. P. Michajlowsky, Dr. Riemschneider und D. P. Sewastjanow.

Während des Sommers wurde ein reichhaltiges Material gesammelt, welches Fauna, Flora und Geologie des Bassins betrifft. Ein Teil von dem gesammelten Material ist schon von den Herren N. A. Samsonow, M. von zur Mühlen, J. W. Schindelmeiser und H. v. Oettingen bearbeitet.

Im August hat die Seenkommission auf Vorschlag der Gesellschaft an der landwirtschaftlichen und gewerblichen Ausstellung in Dorpat teilgenommen und eine goldene Medaille der Kaiserlichen

Russischen Gesellschaft für Fischfang und Fischzucht bekommen. Ausserdem haben die Mitglieder derselben Kommission folgende Preise bekommen: Herr Dr. J. R i e m s c h n e i d e r — die grosse silberne Medaille der Livl. landwirtschaftlichen Gesellschaft, Herr H. v. O e t t i n g e n — dasselbe, und Herr N. S a m s o n o w — die silberne Medaille der Gesellschaft für Fischfang und Fischzucht.

Личный составъ Общества къ концу 1906 г.
Stand der Gesellschaft zum Schluss des Jahres 1906.

Правленіе. Direktorium.

Предсѣдатель : Проф. Н. И. Кузнецовъ.
Präsident : Prof. N. Kusnezow.
Товарищъ предсѣдателя : Прив.-Доц. Г. А. Ландезенъ.
Vizepräsident : Priv.-Doz. G. Landesen.
Секретарь : Прив.-доц. Н. В. Култашевъ.
Sekretär : Priv.-Doz. N. Kultaschew.
Казначей : Прозекторъ Г. А. Адольфи.
Schatzmeister : Prosektor H. Adolphi.

Предсѣдатель библіот. комиссіи : Доц. А. Д. Богоявленскій.
Präses der Bibliotheks-Kommission : Doz. A. Bogojawlenski.
Предсѣдатель озерной комиссіи : Канд. М. М. фонъ цуръ Мюленъ.
Präses der Seen-Kommission : Cand. M. von zur Mühlen.
Хранитель зоол. коллекцій : Преподаватель Ф. Синтенисъ.
Konservator der zool. Sammlung : Oberlehrer F. Sintenis.
Хранитель ботан. коллекцій : Канд. Г. Г. фонъ Эттингенъ.
Konservator der botan. Sammlung : Cand. H. v. Oettingen.
Дѣлопроизводительница : Г-жа М. К. Неппертъ.
Geschäftsführerin : Frau M. Neppert.

Звѣздочкой * обозначены члены, уплатившіе пожизненный членскій взносъ (50 руб.) въ основной капиталъ Общества.

Крестики ✕ у именъ членовъ показываютъ, за сколько лѣтъ названный членъ не уплатилъ свой членскій взносъ.

Ein Sternchen * bezeichnet die Mitglieder, welche ihre Jahresbeiträge durch eine einmalige Zahlung von 50 Rbl. zum Grundkapital der Gesellschaft abgelöst haben.

Kreuze ✕ bei den Namen der Mitglieder zeigen, für wie viele Jahre das betreffende Mitglied seinen Beitrag nicht entrichtet hat.

Дѣйствительные члены. Ordentliche Mitglieder.

Фамилія. Name.	Время избранія. Eintritt.	Званіе. Stellung.	Мѣстожительство, адресъ. Wohnort, Adresse.
Абольдъ, В. К. Abold, W.	1905 10.III	ассистентъ Assistent	г. Юрьевъ, Ревельская ул. Dorpat, Revalsche Str. 47.
Адельгеймъ, Р. В. Adelheim, R.	1906 20.IV	студ.-мед. stud. med.	г. Юрьевъ, Садовая ул. Dorpat, Garten-Str. 10.
* Адольфи, Г. А. Adolphi, H.	1891 24.I	прозекторъ Prosektor	г. Юрьевъ, Рижская ул. Dorpat, Rigasche Str. 16.
* фонъ Анрепъ, К. v. Anrep, C.	1870 15.V	помѣщикъ Gutsbesitzer	Рингенъ чр. ст. Миддендорфъ, Лифл. губ. Ringen über Middendorf, Livland.
Баронъ, А. А. Baron, A.	1906 11.V	студ.-мед. stud. med.	г. Юрьевъ, Карловская ул. Dorpat, Karlowa Str. 29.
✕ Белзецкій, С. И. Belsetzki, S.	1906 2.XI	инженеръ Ingenieur	С. Петербургъ, Литейный просп. St. Petersburg, Liteini 38.
* графъ Бергъ, Ф. Graf Berg. F.	1886 23.I	помѣщикъ Gutsbesitzer	Замокъ Загницъ, Лифл. губ. Schloss Sagnitz, Livland.
✕✕ Берманъ, Б. В. Bergmann, B.	1904 18.III		Саддокюль, Лифл. Saddoküll, Livland.
✕ Блонскій, Ф. Blonski, F.	1906 9.III	д-ръ Dr.	почт. ст. Спичинцы, Кіевск. губ. Spitschinzi, Gouv. Kiew.
Богоявленскій, А. Б. Bogojawlenski, A.	1899 17.II	доцентъ Dozent	г. Юрьевъ, Пасторатская ул. Dorpat, Pastorat-Str. 4.
Бородовскій, В. А. Borodowski, W.	1903 2.X	канд. хим. Cand. chem.	г. Юрьевъ, Ботаническая ул. Dorpat, Botanische Str. 56.
Боршовъ, Н. И. Borschtschow, N.	1901 15.III	помощникъ ассистента Assistentgehilfe	г. Юрьевъ, Ботаническій Садъ. Dorpat, Botanischer Garten.
Бояриновъ, П. И. Bojarinow, P.	1905 28.IV	директоръ Schuldirektor	г. Юрьевъ, Реальное училище. Dorpat, Realschule

Name	Дата / Datum	Званіе / Titel	Адресъ / Adresse
*Бубновъ, С. Ѳ. / Bubnow, S.	1896 14.III	профессоръ, Professor	г. Москва. Moskau.
✕Бурденко, Н. Н. / Burdenko, N.	1906 9.XI	ассистентъ Assistent	г. Юрьевъ, хирургич. клиника. Dorpat, Dom, Chirurg. Klinik.
Бухгольцъ, Ѳ. В. / Buchholz, Th.	1905 5.V	профессоръ Professor	г. Рига, Политехнич. Инст., нов. зданіе. Riga, Polytechnikum, neues Gebäude.
✕✕Бушъ, Н. А. / Busch, N.	1896 16.IX	консерваторъ Konservator	г. С. Петербургъ, Ботан. Садъ. St. Petersburg, Botan. Garten.
фонъ Валь, Э. / v. Wahl, E.	1904 25.XI	помѣщикъ Gutsbesitzer	Аддаферъ чр. Оберпаленъ, Лифл. Addafer über Oberpahlen, Livland.
Воронцовъ, В. И. / Woronzow, W.	1906 11.V	ассистентъ Assistent	г. Юрьевъ, Пеплерская ул. Dorpat, Pepler-Str. 26.
Гаппихъ К. К. / Happich, K.	1895 17.II	профессоръ Professor	г. Юрьевъ, Мельничная ул. Dorpat, Mühlen-Str. 22.
г-жа Гартьеръ, О. А. / Fräulein Hartier, O.	1906 14.IX	мед. med.	г. Юрьевъ, Александровская ул. Dorpat, Alexander-Str. 41.
Гассельблатъ, А. / Hasselblatt, A.	1889 30.VIII	редакторъ Redakteur	г. Юрьевъ, Звѣздная ул. Dorpat, Stern-Str. 5.
*Греве, Л. / Greve, L.	1889 7.IX	аптекарь Apotheker	г. Самара. Samara.
✕Гриневецкій, Б. Б. / Hryniewiecki, B.	1900 5.III	пом. дир. и прив.-доц. Dir.-Geh.u.Priv.-Doz.	г. Юрьевъ, Ботан. Садъ. Dorpat, Botan. Garten.
*Грюнингъ, В. / Grüning, W.	1881 24.IX	маг. фарм. Magister pharm.	г. Полангенъ, Курл. губ. Polangen, Kurland.
Гулеке, Р. Ф. / Guleke, R.	1882 21.I	архитекторъ Architekt	г. Юрьевъ, Широкая ул. Dorpat, Breit-Str. 31.
*баронъ Гюне, Ф. / Baron Huene, F.	1873 13.IX	помѣщикъ Gutsbesitzer	Лехтсъ, Эстл. губ. Lechts, Estland.
Давидъ, С. / David, S.	1900 5.III	маг. агроном. Mag. agronom.	г. Юрьевъ, Петербургская ул. Dorpat, Petersburger Str. 113,

Фамилія. Name.	Время избранія. Eintritt.	Званіе. Stellung.	Мѣстожительство, адресъ. Wohnort, Adresse.
Десслеръ, В. К. Dessler, W.	1906 23.III	лаборантъ Laborant	г. Юрьевъ, Аллейная ул. Dorpat, Allee-Str. 57.
Дрейеръ, Ф. Э. Dreyer, F.	1902 4.IV	лаборантъ Laborant	г. С. Петербургъ, Политехн. Институтъ. St. Petersburg, Polytechnikum.
Дубянскій, А. А. Dubjanski, A.	1904 27.V	студ.-геол. stud. geol.	г. Юрьевъ, Александровская ул. Dorpat, Alexander-Str. 32.
Евецкій Ѳ. О. Jewetzky, Th.	1904 8.IV	профессоръ Professor	г. Юрьевъ, Рижская ул. Dorpat, Rigasche Str. 37.
* Ивановъ, А. П. Iwanow, A.	1901 25.IX		г. Баку. Baku.
XX Казанцевъ, В. П. Kasanzew, W.	1905 5.V	д-ръ зоол. Dr. zool.	
Колоссовъ, Г. В. Kolossow, G.	1903 20.III	профессоръ Professor	г. Юрьевъ, Техельферская ул. Dorpat, Techelfersche Str. 5.
Коппель, Г. И. Koppel, H.	1896 1.II	прив.-доц. Priv.-Doz.	г. Юрьевъ, Большой Рынокъ. Dorpat, Grosser Markt 7.
фб. К. Г. Koch, K.	1899 17.V	асистентъ Assistent	г. Юрьевъ, Петербургская ул. Dorpat, Petersburger Str. 69.
* Кузнецовъ, Н. И. dbw, N.	1896 1.II	профессоръ Professor,	г. Юревъ, Ботан. Dorpat, Botan. Garten.
г-жа Кузнецова, М. А. Frau Kusnezow, M.	1906 14.IX		г. Юрьевъ, Ботан. Садъ. Dorpat, Botan. Garten.
Култашевъ, Н. В. Kultaschew, N.	1899 17.II	прив.-доц. Priv.-Doz.	г. Юрьевъ, Мельничная ул. Dorpat, M-Str. 16.
Кундзинъ, Л. К. Kundsin, L.	1894 6.X	проф. и директоръ Prof. u. Direktor	г. Юрьевъ, Ветеринарный Институтъ. Dorpat, Veterinär-Institut.

Name	Datum	Stellung	Adresse
Kupffer, K.		Professor	Riga, Suworow-Str. 23.
Курчинскій В. П. / Kurtschinski, W.	1896 18.IV	профессоръ / Professor	г. Юрьевъ, Мельничная ул. / Dorpat, Mühlen-Str. 26.
✕ Лавровъ, Д. М. / Lawrow, D.	1903 3.X	профессоръ / Professor	г. Юрьевъ, Философская ул. / Dorpat, Philosophen-Str. 10.
Ландау, Э. Г. / Landau, E.	1900 5.II	помощникъ прозект. / Prosektor-Gehilfe	г. Юрьевъ, Марiенгофская ул. / Dorpat, Marienhofer Str. 64.
Ланцеаенъ, Г. А. / Landesen, G.	1896 1.II	прив.-доц. / Priv.-Doz.	г. Юрьевъ, Звѣздная ул. / Dorpat, Stern-Str. 27.
Ласкаревъ, В. Д. / Laskarew, W.	1903 2.X	профессоръ / Professor	г. Одесса, Унив. Геолог. Кабинетъ. / Odessa, Universität, Geol. Kabinet.
Левиновичъ, Д. И. / Lewinowitsch, D.	1906 7.XII	ассистентъ / Assistent	г. Юрьевъ, Лодейная ул. / Dorpat, Lodjen-Str. 19.
✕ Лепорскій, Н. И. / Leporski, N.	1906 23.III	ассистентъ / Assistent	г. Юрьевъ, Городская больница. / Dorpat, Stadthospital.
фонъ Липгартъ, Р. Р. / von Liphart, R.	1905 29.IX	помѣщикъ / Gutsbesitzer	Ратсгофъ, близъ г. Юрьева. / Ratshof bei Dorpat.
Лютеръ, А. Ф. / Luther, A.	1906 12.X	химикъ / Chemiker	Бреслау. Германiя. / Breslau, Wassergasse 1 II.
*Мазингъ, К. М. / Masing, K.	1880 17.II	учитель / Lehrer	г. Юрьевъ, Прудовая ул. / Dorpat, Teich-Str. 15.
баронъ Майделъ, Э. / Baron Maydell, E.	1906 20.IV	помѣщикъ / Gutsbesitzer	Левекюль чр. г. Верро, Лифл. / Löweküll über Werro, Livland.
✕ Мальманъ, А. А. / Mahlmann, A.	1906 16.XI	помощникъ прозект. / Prosektor-Gehilfe	г. Юрьевъ, Петербургская ул. / Dorpat, Petersburger Str. 133.
Мальценъ, А. И. / Maljzew, A.	1905 24.XI	студ.-бот. / stud. bot.	г. Юрьевъ, Ягодная ул. / Dorpat, Beeren-Str. 9.
Маттисенъ, Э. Э. / Mattiesen, E.	1906 9.III	редакторъ, д-ръ фил. / Redakteur, Dr. phil.	г. Юрьевъ, Обводная ул. / Dorpat, Wallgraben 4.
Мейеръ, Р. А. / Meyer, R.	1905 15.IX	ассистентъ / Assistent	г. Юрьевъ, Прудовая ул. / Dorpat, Teich-Str. 15.

Фамилія. Name.	Время избранія. Eintritt.	Званіе. Stellung.	Мѣстожительство, адресъ. Wohnort, Adresse.
Мейеръ, І. Ю. Meyer, J.	1906 17.II	прив.-доц. Priv.-Doz.	г. Юрьевъ, Замковая ул. Dorpat, Schloss-Str. 14.
* і фнъ Мейендорфъ, Ф. Baron ndff, F.	1870 14.XI	ландмаршалъ Landmarschall	г. иРа, Риттергаусъ. Riga, Ritterhaus.
фнъ ј Ф. von Ѫr, F.	1895 23.XI	помѣщикъ, д-ръ фил. Gutsbes., Dr. phil.	Зоммерпаленъ, Лифл. губ. Sommerpahlen, Livland.
* фнъ Мензенкампфъ, Д. von Mensenkampff, J.	1869 30.I	помѣщикъ Gutsbesitzer	Замокъ Тарвастъ, Лифл. губ. Schloss v Ѫ, ˙iland.
* фонъ Миддендорфъ, Э. А. von Middendorff, E.	1879 27.I	по иѣ Gutsbesizer	Гелл ј рвъ чр. ст. Миддендорфъ, Лифл. Hellen o m, über Mdendorff Livland.
фнъ Миквицъ, А. von Mickwitz, A.	1887 19.IV	инженеръ Ingenieur	г. Ревель, Антонова гора. Reval, Antonisberg.
× Михайловскій, Г. П. Michailowski, G.	1905 10.X	профессоръ Professor	г. Юрьевъ, Маріентофская ул. Dorpat, Marienhofsche Str. 19.
× ѣо, П. И. Mischtschenko, P.	1902 15.III	ассистентъ Assistent	г. Юрьевъ, Новая Кантан. ул. Dorpat, Nie : ѫien-Allee 8.
фнъ гръ Мюленъ, М. М. von zur Mhlen, M.	1872 19.X	канд. зоол. Cand. zool.	г. Юрьевъ, Яковлевская ул. Dorpat, Jakob.-Str. 39.
Нарбутъ, І. И. Narbut, J.	1903 2.X	канд. хим. Cand. chem.	г. Мюнхенъ, Германія. München, Schelling-Str. 3, Pens. Nordland.
Неготинъ, Я. К. Negotin, J.	1895 2.II	доц етъ oꝛ̈ent	г. Юрьевъ, Петербургская ул. Dorpat, Petersburger Str. 111.
Нейманъ, Ю. В. Neumann, J.	1905 8.XII	инженеръ-технологъ Ingenieur-Technol.	г. Юрьевъ, Газовый заводъ. Dorpat, Gasanstalt.
×× Образцовъ, С. Н. Obraszow, S.	1905 28.IV	ассистентъ Assistent	г. Ростовъ на Дону, Городск. больн. Rostow am Don, Stadthospital.
Орловъ, А. Я. Orlow, A	1906 12.V	ассистентъ Assistent	г. Юрьевъ, Пешлерская ул. Dorpat, Pepler-Str. 5.

Фамилія / Name	Дата	Званіе / Beruf	Адресъ / Adresse
Орловъ, K. E. / Orlow, J.	190.	преподаватель / Oberlehrer	г. Юрьевъ, Ботан. ул. / Dorpat, Botanische Str.
×Otto, Б. Р. / Otto, B.	1906 12.X	студ.-мед. / stud. med.	г. Юрьевъ, Пеплерская ул. / Dorpat, Pepler-Str. 25.
*бар. ф. деръ Пален, А. / Baron v. der Pahlen, A.	1875 20.III	помѣщикъ / Gutsbesitzer	Пальмсъ чр. Везенбергъ, Эстл. / Palms über Wesenberg, Estl.
×Пальбинъ, И. В. / Palibin, J.	1906 20.IV	помощникъ консерв. / Konservator-Gehilfe	С. Петербургъ, Ботан. Садъ. / St. Petersburg, Botan. Garten.
Пальдрокъ, А. К. / Paldrock, A.	1904 27.V	прив.-доц. / Priv.-Doz.	г. Юрьевъ, Ратушная ул. / Dorpat, Rathaus-Str. 4.
Пассекъ, Е. В. / Passek, E.	1903 2.X	профессоръ и ректоръ / Professor u. Rektor	г. Юрьевъ, Карловская ул. / Dorpat, Karlowa-Str. 41.
Писаржевскій, Л. В. / Pisarshewski, L.	1904 25.XI	профессоръ / Professor	г. Юрьевъ, Рижская ул. / Dorpat, Rigasche Str. 60.
...овскій, К. Д. / Pokrowski, K.	1899 17.II	астрономъ-набл. / Observator	г. Юрьевъ, Звѣздная ул. / Dorpat, Stern-Str. 9.
Пучковскій, С. Е. / Putschkowski, S.	1899 25.III	профессоръ / Professor	г. Юрьевъ, Ревельская ул. / Dorpat, Revaler Str. 56.
нф Ратлефъ, Г. Г. / von Rathlef, H.	1898 29.I	канд. / Cand.	г. Рига, Замковая ул. / Riga, Schloss-Str. 25.
Ребиндеръ, М. Г. / Rehbinder, M	1904 25.XI	препод. / Oberlehrer	г. Юрьевъ, Петровская ул. / Dorpat, Petri-Str.
Римшнейдеръ, И. К. / Riemschneider, J.	1906 23.III	врачъ / вр. Arzt	г. Юрьевъ, Садовая ул. / Dorpat, Garten-Str. 30.
Розенбергъ, А. / Rosenberg, A.	1869 14.XI	профессоръ / Professor emer.	г. Юрьевъ, Марiенгофская ул. / Dorpat, Marienhofer Str. 46.
Розенбергъ, Ф. А. / Rosenberg, F.	1906 14.IX	студ.-зоол. / stud. zool.	г. Юрьевъ, Марiенгофская ул. / Dorpat, Marienhofer Str. 46.
××Ростовцевъ, М. И. / Rostowzew, M	1905 5.V	про фъ / Professor	г. Юрьевъ, Карловская ул. / Dorpat, Karlowa-Str. 26.

IV

L

Фамилія. Name.	Время избранія. Eintritt.	Званіе. Stellung.	Мѣстожительство, адресъ. Wohnort, Adresse.
✕ Садовскій, А. И. Ssadowski, A.	1899 17.II	профессоръ Professor	г. Юрьевъ, Мельничная ул. Dorpat, Mühlen-Str. 20.
Самсоновъ, Н. А. Ssamsonow, N.	1905 29.IX	студ.-зоол. stud. zool.	г. Юрьевъ, Маріенгофская ул. Dorpat, Marienhofer-Str. 8.
✕ Сахаровъ, Н. А. Ssacharow, N.	1905 28.IV	ассистентъ Assistent	г. Юрьевъ, Новая Каштановая ул. Dorpat, eNe Kastanien- Ade 1 a.
Свирскій, Г. П. Swirski, G.	898 17.II	прив.-доц. Priv.-Doz.	г. Юрьевъ, Бочарная ул. Dorpat, Küter-Str. 10.
✕ ✕ Севастьяновъ Ssewastjanow, D.	190 5.III	студ.-геол. stud. geol.	г. Юрьевъ, Ѳяа ул. Dorpat, Rigasche Str. 68.
Сентъ- Иръ, К. К. Saint-Hilaire, K.	1903 4.XII	профессоръ Professor	г. Юрьевъ, Кардовская ул. Dorpat, Karlowa-Str. 39.
* фонъ Сиверсъ, А. von Sivers, A.	870 14.XI	помѣщикъ Gutsbesitzer	Эйзекюль, Лифл. губ. Eiseküll, Livland.
Синтенисъ, Ф. Sintenis, F.	1871 20.I	преподаватель Oberlehrer	г. Юрьевъ, ˋ Ѳяа ул. Dorpat, Breit-Str. 19.
Смирновъ, Е. И. Ssmirnow, E.	196 13.IV	преподаватель Oberlehrer	г. Юрьевъ, Каштановая ул. Dorpat, Kastanien-Allee 1.
✕ С к довъ, В. П. Ssokolow, W.	1900 30.III	инспекторъ студ. Inspektor der Studenten	г. Юевъ, Прудовая ул. Dorpat, Teich-Str. 74.
Софинскій, Д. М. Sophinski, D.	196 14.IX	студ.-бот. stud. bot.	г. Юрьевъ, Ѳяа ул. Dorpat, Jamasche Str, 20.
✕ Срезневскій, Б. И. Sresnewski, B.	1899 17.V	профессоръ Professor	г. Юрьевъ, Рижская ул. Dorpat, Rigasche Str 46.
* фонъ Стрельборнъ, В. von Straelborn, W.	1875 20.II		Фридрихсгофъ. Friedrichshof.
✕ Сукачевъ, Б. В. Ssukatschew, B.	1906 12.X	ассистентъ Assistent	г. Юрьевъ, Яковлевская ул. Dorpat, Jakob.-Str. 23.
Сумаковъ, Г. Г. Ssumakow, G	1893 16.IX	учитель гимназіи Lehrer	г. Юрьевъ, Аллейная ул. Dorpat Allee-Str. 64

Name	Date	Profession	Address
Ssjeninski, K.		Geologe	Alupka, Taurien.
Сърковъ, M. A. / Ssjerkow, M.	1901 18.X	директоръ семин. / Seminar-Direktor	г. Юрьевъ, Широкая ул. / Dorpat, Breit-Str. 28.
×× Тарасенко, В. Е. / Tarassenko, W.	1903 16.X	профессоръ / Professor	г. Юрьевъ, Садовая ул. / Dorpat, Garten-Str. 55.
× Тимоновъ, Н. Ф. / Timonow, N.	1906 11.V	канд. мат. / Cand. math.	г. Юрьевъ, Мельничная ул. / Dorpat, Mühlen-Str. 51.
×× Т варовъ, К. В. / Towarow, K.	1905 28.IV	студ.-геол. / stud. geol.	г. Юрьевъ, Пеплерская ул. / Dorpat, Pepler-Str. 7.
Томсонъ, А. И. / Thomson, A.	1891 6.IV	доцентъ / Dozent	г. Юрьевъ, Карловская ул. / Dorpat, Karlowa-Str. 25.
* Фальцъ-Фейнъ, Ф. / Falz-Fein, F.	1884 17.II	помѣщикъ / Gutsbesitzer	Асканіа Нова, Таврич. губ. / Askania Nova, Gouv. Taurien.
Фейерейзенъ, I. / Feuereisen, J.	1903 8.V	преподаватель / Oberlehrer	г. Юрьевъ, Садовая ул. / Dorpat, Garten-Str. 38 a.
Флаксбергеръ, К. А. / Flachsberger, K.	1906 9.XI	студ.-бот. / stud. bot.	г. Юрьевъ, Зайчья ул. / Dorpat, Hasen-Str. 1.
× Холлманъ, Р. Ф. / Hollmann, R.	1898 17.II	прив.-доц. / Priv.-Doz.	г. Юрьевъ, Замковая ул. / Dorpat, Schloss-Str. 14.
Цегеф.Мантейфель,В.Г. / Zöge v. Manteuffel, W.	1895 23.IX	профессоръ / Professor	г. Юрьевъ, Обводная ул. / Dorpat, Wallgraben 18.
Целинскій, К. Ю. / Zelinsky, K.	1905 28.IV	студ.-мед. / stud. med.	г. Юрьевъ, Обводная ул. / Dorpat, Wallgraben 21.
Чапкевичъ, Б. I. / Czapkewicz, B.	1905 29.IX	студ.-зоол. / stud. zool.	г. Юрьевъ, Петербургская ул. / Dorpat, Petersburger Str. 17.
× Чижъ, В. Ө. / Tschish, W.	1903 20.III	профессоръ / Professor	г. Юрьевъ, Яковлевская ул. / Dorpat, Jakob-Str. 56.

Фамилія. / Name.	Время избранія. / Eintritt.	Званіе. / Stellung.	Мѣстожительство, адресъ. / Wohnort, Adresse.
Шабакъ, Р. И. / Schaback, R.	1905 24.XI	ветер. врачъ / Veterinär-Arzt	г. Юрьевъ, Р з ваа ул. / Dorpat, Rosen-Str. 28.
Шарбе, С. Б. / Scharbe, S.	1905 5.V	прив.-доц. / Priv.-Doz.	г. Юрьевъ, Мельничная ул. / Dorpat, Mühlen-Str. 5.
Шешилевскій, Е. А. / Schepilewski, E.	1905 3. XI	профессоръ / Professor	г. Юрьевъ, Карловская ул. / Dorpat, Karlowa-Str. 26.
* баронъ Шиллингъ, Г. / Baron Schilling, G.	1873 15.XI		г. Ревель. / Reval.
Шиндельмейзеръ, И. В. / Schindelmeiser, J.	1898 23.IV	ученый аптекарь / gelehrter Apotheker	г. Юрьевъ, Петербургская ул. / Dorpat, Petersburger-Str. 54.
Широкогоровъ, И. И. / Schirokogorow, J.	1906 12.X	помощникъ проз. / Prosektor-Gehilfe	г. Юрьевъ, Мельничная ул. / Dorpat, Mühlen-Str. 3.
Шть, I. А. / Stamm, J.	1906 23.III	студ.-фарм. / stud. pharm.	г. Юрьевъ, Петербургская ул. / Dorpat, Petersburger-Str. 97.
* фонъ Штрикъ, Ф. Г. / von Stryk, F.	1853 18IX	помѣщикъ / Gutsbesitzer	Морсель чр. Феллинъ, Лифл. / Mel über Fellin, Livland.
* фтъ Штрикъ, А. / von Stryk, A.	1?0 14.XI	помѣщикъ / Gutsbesitzer	Палла, Лифл. губ. / Palla, Liv lnd.
* Шульце, А. / Schulze, A.	1878 17.IV	канд. хим. / Cand chem.	Раппинъ, Лифл. / Rappin, Livland.
* фонъ Эттингенъ, А. А. / von Oettingen, A.	1873 28.IX	д-ръ / Dr. jur.	г. Юрьевъ, Налимья. / Dorpat, Quappen-Str. 2.
* фонъ Эттингенъ, Г. / von Oettingen, G.	1873 15.II	канд. / Cand.	Скирнекъ чр. Грива-Земгаллень. / Skirneek über Griwa-Semgallen.
* фонъ Эттингенъ, А. Н. / von Oettingen, A.	1889 30.VIII	помѣщикъ / Gutsbesitzer	Луденгофъ чр. ст. Керсель, Лифл. / Hof üer Kersel, Livland.
фонъ Эттингенъ, Г. Г. / von Oettingen H	1900 7.XII	канд. бот.	г. Юрьевъ, Пасторатская ул. / Dor at. Pastorat-Str. 7.

Почетные члены. Ehrenmitglieder.

Фамилія. Name.	Званіе. Stand.	Мѣстожительство, адресъ. Wohnort, Adresse.
Андрусовъ, Н. И. Andrussow, N.	профессоръ Professor	г. Кіевъ. Kijew.
Анучинъ, Д. Н. Anutschin, D.	профессоръ Professor	г. Москва. Moskau.
Дегіо, К. К. Dehio, K.	профессоръ Professor	г. Юрьевъ, Католическая ул. Dorpat, Katholische Str. 1.
фонъ Кеннель, Ю. Г. von Kennel, J.	профессоръ Professor	г. Юрьевъ, Маріенгофская ул. Dorpat, Marienhofsche Str. 9.
Кобертъ, Р. Ф. Kobert, R.	профессоръ Professor	Ростокъ. Rostock.
Менделѣевъ, Д. И. Mendelejew, D.	профессоръ Professor	г. С. Петербургъ, Палата мѣръ и вѣсовъ. St. Petersburg.
Семеновъ-Тяншанскій, П.П. Ssemenow-Tianschanski, P.	членъ Госуд. Совѣта и Сенаторъ Reichsratmitglied u. Senateur	г. С. Петербургъ. St. Petersburg.

Фамилія. Name.	Званіе. Stellung.	Мѣстожительство, адресъ. Wohnort, Adresse.
Тамманъ, Г. Г. Tammann, G.	профессоръ Professor	Геттингенъ Göttingen
Шведеръ, Г. Schweder, G.	директоръ гимназіи Gymnasial-Direktor	г. Рига, Николаевская ул. Riga, Nikolai-Str. 21.
Швейнфуртъ, Г. Schweinfurth, G.	д-ръ Dr.	Каиръ. Kairo.
Шмидтъ, Ф. Б. Schmidt, F.	академикъ Akademiker	С. Петербургъ. St. Petersburg.
фонъ Эттингенъ, А. А. von Oettingen, A.	профессоръ Professor	Лейпцигъ. Leipzig.
фонъ Эттингенъ, Э. А. von Oettingen, E.	помѣщикъ Gutsbesitzer	Іензель чр. Лайсгольмъ, Лифл. Jensel über Laisholm, Livland.

Члены-корреспонденты. Correspondierende Mitglieder.

Фамилія. Name.	Званіе. Stellung.	Мѣстожительство, адресъ. Wohnort, Adresse.
Браунъ, М. Braun, M.	профессоръ Professor	Кенигсбергъ Königsberg
Брунсъ, Г. Bruns, H.	профессоръ Professor	Лейпцигъ Leipzig
Бунге, А. Bunge, A.		
Греве, К. Greve, C.	зоологъ Zoologe	г. Рига, Александровская ул. Riga, Alexander-Str. 92.
Гринишъ, Г. Greenish, G.	аптекарь Apotheker	Лондонъ. London.

Лакшевицъ, П. Lakschewitz, P. A.	д-ръ мед. Dr. med.	г. Либава, Курл. губ. Libau, Kurland.
Плеске, Ѳ. Д. Pleske, Th.	д-ръ зоол. Dr. zool.	Царское Село. Zarskoje Sselo.
баронъ Полль, Э. Baron Poll, E.		г. Аренсбургъ. Arensburg.
баронъ Полль, Т. Baron Poll, Th.		г. Аренсбургъ. Arensburg.
фонъ Рёдеръ-Гоймъ, В. von Roeder-Hoym, W.	профессоръ Professor	Ангальтъ. Anhalt.
Розенбергъ, Э. Rosenberg, E.	профессоръ Professor	Утрехтъ. Utre hto
Рудо, Ф. Rudo, F.		Бранденбургъ. Brand nburg.
ф. Самсонъ-Гиммелстерна,Г. v.Samson-Himmelstjerna,H.	профессоръ Professor	г. Юрьевъ, Жуковская ул. Dorpat, Blum-Str.
Тома, Р. А. Toma, R.	профессоръ Professor	Магдебургъ. Magdeburg-Sudenberg.
Штауде, О. Staude, O.		Ростокъ. Rostock.

405-ое засѣданіе.

8 марта 1907 г.

———

Присутствовало : 30 членовъ, 29 гостей.

1) Предсѣдатель предложилъ почтить вставаніемъ память скончавшихся ученыхъ: химика М. Бертело (M. Berthelot) и ботаника-математика В. Я. Цингера.

2) Заслушанъ и утвержденъ протоколъ предыдущаго засѣданія.

3) Секретарь доложилъ текущія дѣла:

а) въ библіотеку Общества въ качествѣ подарка поступила книга E. Rosenberg'a: „Bemerkungen über den Modus des Zustandekommens der Regionen an der Wirbelsäule des Menschen“. — Жертвователю выражена благодарность Общества.

b) Поступила просьба отъ Екатеринославскаго Горнаго Училища объ обмѣнѣ изданіями. — Постановлено вступить въ обмѣнъ.

4) Произведены выборы редактора изданій Общества. Записками предложены: гг. Г. Г. Сумаковъ — 1 голосомъ, проф. А. И. Яроцкій — 2, Н. В. Култашевъ — 3, А. Д. Богоявленскій — 6, Б. Б. Гриневецкій — 8 и Б. В. Сукачевъ — 10. Гг. Сумаковъ, Яроцкій, Култашевъ, Богоявленскій отказались отъ баллотировки. Баллотировались гг. Гриневецкій и Сукачевъ. Б. Б. Гриневецкій получилъ 20 голосовъ за и 14 противъ; Б. В. Сукачевъ 17 за и 16 противъ. Въ редакторы изданій Общества избранъ прив.-доцентъ Б. Б. Гриневецкій.

Секретарь докладываетъ постановленія Правленія отъ 20/II/07, а именно:

а) Постановлено печатать объявленія о засѣданіяхъ въ газетѣ 1 разъ.

b) Постановлено печатные баллотировочные листы замѣнить гектографированными.

c) Постановлено доложить общему Собранію на утвержденіе: Съ цѣлью сокращенія расходовъ на печатаніе изданій постановлено: 1) Рукописи представляются авторами въ формѣ вполнѣ готовой къ печати. 2) Авторамъ предоставляется дѣлать различныя измѣненія въ корректурахъ, если они не вызываютъ увеличенія нормальной платы за таковую, въ противномъ случаѣ перерасходы принимаютъ на себя авторы.

Постановленія a) и b) приняты къ свѣдѣнію; c) утверждено Общимъ Собраніемъ.

6. Въ дѣйствительные члены Общества избранъ: студ. Р. ф. Меллеръ (25 за, 7 противъ, 2 воздерж.); студ. Н. ф. Транзе (25 за, 7 противъ, 2 воздерж.); студ. М. Барабановъ (33 за, 1 противъ); ассист. О. ф. Терне (30 за, 4 противъ); студ. Н. Василевскій (33 за, 1 воздерж.).

7. Въ дѣйствительные члены Общества предлагаются: студ. И. И. Стандровскій — гг. Култашевымъ и А. Д. Богоявленскимъ; студ. М. Пэнгу — гг. Р. Мейеромъ и Г. Ландезеномъ; студ. Е. Кюглеръ — тѣми же; студ. Г. Михельсонъ — Р. Мейеромъ и Д-ромъ Э. Маттисеномъ; г-жа А. Г. Ростовцева — гг. Н. И. Кузнецовымъ и Н. В. Култашевымъ.

9. Проф. А. И. Яроцкій сдѣлалъ докладъ: „Къ ученію объ иммунитетѣ". (Съ демонстраціями).

406-ое засѣданіе.
22 марта 1907 г.

Присутствовало: 34 члена и 12 гостей.

1. Протоколъ предыдущаго собранія заслушанъ и утвержденъ.

2. Въ коллекціи общества поступилъ подарокъ отъ г-на Ф. Синтениса изъ наслѣдства покойнаго проф. Гершельмана — найденные въ Касервикѣ сросшіеся корни дерева. — Жертвователю выражена благодарность Общества.

3. Въ дѣйствительные члены Общества предлагаются: студ. П. И. Курскій — проф. Н. И. Кузнецовымъ и прив.-доц. Б. Б. Гриневецкимъ, студентъ медиц. магистрантъ В. В. Ивановъ — проф. Н. И. Кузнецовымъ и студ. Б. Чапкевичемъ.

4. Въ дѣйствительные члены Общества выбраны: И. И. Стандровскій (28 голосовъ за, 3 противъ, 2 возд.), М.

Пэнгу (25 за, 8 противъ), Е. Кюглеръ (25 за, 8 противъ), А. Грефенфельсъ (27 за, 6 противъ), г-жа А. Г. Ростовцева (23 за, 9 противъ, 1 возд,)

5. Заслушанъ приложенный къ сему протоколу докладъ проф. К. К. Сентъ-Илера: „Результаты совѣщанія о педагогической комиссіи“.

Въ засѣданіи Общ. Ест. отъ 7/XII/06 проф. К. К. Сентъ-Илеромъ было внесено предложеніе объ устройствѣ при Обществѣ особыхъ засѣданій, посвященныхъ разработкѣ педагогическихъ вопросовъ. Мотивировано предложеніе было слѣдующимъ образомъ: большая часть членовъ общества занимается преподавательской дѣятельностью и невольно наталкивается на многіе вопросы, которые требуютъ разрѣшенія и могутъ быть разрѣшены при совмѣстномъ обсужденіи съ товарищами по профессіи; въ г. Юрьевѣ однако не существуетъ никакого общества, въ программу котораго входили бы вопросы воспитанія и преподаванія. Наиболѣе близкимъ къ этому является Общ. Ест. т. к. часть педагогики, посвященная изученію „человѣка, какъ предмета воспитанія“ естественнымъ образомъ, входитъ въ программу работъ Общества, занимающагося изученіемъ природы вообще и человѣка въ частности. Далѣе, разработка методнаго преподаванія наукъ математическихъ, физическихъ и біологическихъ также близко стоитъ къ задачамъ Общества, ибо не только важно добыть научные факты, но и использовать ихъ въ качествѣ общеобразовательнаго матеріала.

Означенное предложеніе было встрѣчено собраніемъ сочувственно и было принято слѣд. постановленіе.

Постановлено: 1) просить проф. К. К. Сентъ-Илера взять на себя иниціативу и собрать предварительное собраніе членовъ Общества, интерессующихся этимъ начинаніемъ и 2) поставить на обсужденіе одного изъ слѣдующихъ засѣданій это предложеніе.

На основаніи этого постановленія было созвано 25/II/07 собраніе, на которое собралось 19 членовъ общества.

Предсѣдателемъ собраній былъ избранъ К. К. Сентъ-Илеръ, секретаремъ В. А. Бородовскій.

Собраніемъ прежде всего были заслушаны нѣкоторые доводы въ пользу желательности устройства педагогическихъ засѣданій.

При этомъ высказывались мнѣнія, что ограничивать программу этихъ засѣданій невозможно, такъ какъ вопросы о преподаваніи отдѣльныхъ предметовъ связаны неразрывно съ постановкой всего преподаванія и такъ какъ вопросы физическаго воспитанія, психологическіе и т. под. основные вопросы естественно входятъ въ программу дѣятельности самого Общества.

Послѣ того, какъ желательность педагогическихъ засѣданій была подтверждена собраніемъ, поставленъ былъ на разрѣшеніе слѣд. вопросъ: „Находитъ ли собраніе возможнымъ, принимая во вниманіе задачи Общества и уставъ его, устройство подобныхъ засѣданій?“ Собраніе отвѣтило утвердительно.

Что касается до способа приведенія въ исполненіе указаннаго пожеланія, то выяснилась необходимость устройства о с о б ы х ъ засѣданій, т. к. вносить педагогическіе доклады въ программу очередныхъ собраній, или посвящать таковые цѣликомъ педагогическимъ вопросамъ не представляется удобнымъ. Во первыхъ, это прибавило бы слишкомъ много работы правленію общества; во вторыхъ это могло бы отвлечь Общество отъ его прямыхъ задачъ чисто научныхъ. Собраніе же единодушно высказалось въ томъ смыслѣ, что устройство педагогическихъ собраній никоимъ образомъ не должно отражаться на научной продуктивности Общества, ни на его бюджетѣ.

Наиболѣе удобной формой казалось собранію образованіе особой педагогической комиссіи, организованной на тѣхъ же началахъ, какъ и функціонирующая „Озерная комиссія“, въ которую могутъ записаться всѣ желающіе члены Общества. Комиссія изберетъ свое бюро для веденія дѣла и для сношеній съ Правленіемъ Общества и выработаетъ свою организацію. Засѣданія комиссіи должны быть публичными. Такимъ образомъ цѣль учрежденія комиссіи была формулирована собраніемъ въ слѣдующемъ видѣ:

„Въ виду связи вопросовъ педагогическихъ съ естественно историческими дисциплинами, при Обществѣ Естествоиспытателей учреждается комиссія, имѣющая своею цѣлью научную разработку вопросовъ педагогики“.

Исполняя постановленіе Общаго Собранія отъ 7/XII/06 и данное мнѣ порученіе, я имѣю честь представить вышеизложенный отчетъ о совѣщаніи, созванномъ для обсужденія вопроса объ устройствѣ педагогическихъ засѣданій въ Общ. Ест., и прошу Правленіе поставить на повѣстку одного изъ ближайшихъ засѣданій или созвать экстренное засѣданіе Общества для окончательнаго рѣшенія этого вопроса. Проф. К. С е н т ъ - И л е р ъ.

6. Предсѣдатель ставитъ на баллотировку вопросъ объ учрежденіи при Обществѣ педагогической комиссіи, согласно докладу проф. К. К. Сентъ-Илера.

Учрежденіе педагогической коммиссіи принято (27 голосовъ за, 4 противъ, 2 возд.).

7. Предсѣдатель предлагаетъ поручить Правленію Общества извѣстить повѣстками всѣхъ членовъ Общества о состоявшемся учрежденіи педагогической комиссіи и о созывѣ перваго ея собранія для установленія личнаго состава ея, такъ и для выбора своего бюро. Баллотировкой это предложеніе принято (30 голосовъ за, 2 возд.).

8. Д. П. Севастьяновъ дѣлаетъ предложеніе снова начать наблюденія за земляными работами въ Юрьевѣ.

Постановлено единогласно передать это предложеніе въ Правленіе Общества.

9. Студ. Б. І. Чапкевичъ сдѣлалъ докладъ: „Результаты микробіологическихъ изслѣдованій системы біологическихъ фильтровъ".

Авторъ сообщилъ свои наблюденія за дѣйствіемъ Біологической станціи для очистки сточныхъ водъ въ колоніи душевнобольныхъ Псковскаго Губ. Земства.

Біологическая станція для очистки сточныхъ водъ (система біологическихъ фильтровъ) состоитъ изъ 2-хъ основныхъ частей: 1) изъ „септикъ-тэнка" — подземнаго резервуара, — куда непосредственно поступаютъ сточныя воды изъ главнаго коллектора канализаціонной сѣти, 2) изъ 3-хъ паръ окислительныхъ бассейновъ.

Септикъ-тэнкъ состоитъ изъ 2-хъ частей: осадочнаго колодца, гдѣ задерживается плотный остатокъ и изъ резервуара для откачки сточныхъ водъ въ распредѣлительный бассейнъ, откуда сточныя воды поступаютъ въ окислительные бассейны.

Открытый септикъ-тэнкъ работаетъ интенсивнѣе герметически закрытаго.

Открытый септикъ-тэнкъ ничуть не вліяетъ на анаэробные процессы осадочнаго колодца. Сточныя воды перекачиваются изъ одного окислительнаго бассейна въ другой автоматически при помощи приборовъ Adams'a. Для нормальной работы окислительныхъ бассейновъ необходимо: время (выдержка), доступъ воздуха въ шлаку, заполняющую окислительный бассейнъ, организмы. Данная станція разсчитана на трекратное наполненіе т. е., при каждомъ наполненіи равномъ 1250 ведрамъ способна въ сутки очистить 7500 ведеръ.

Всякое лишнее наполненіе окислительныхъ бассейновъ, сверхъ установленной нормы, вредно отражается на работоспособности окислительныхъ бассейновъ, послѣдствіемъ чего является постепенное пониженіе процента очистки сточныхъ водъ, а равно и быстрое загрязненіе ихъ. Такъ, при шестикратномъ наполненіи процентъ очистки черезъ 1 мѣсяцъ съ 75 % палъ до 32 %, а 1-ая пара окислительныхъ бассейновъ сильно загрязнилась, вслѣдствіе чего емкость послѣднихъ уменьшилась приблизительно на 40 %.

Количество и качество микроорганизмовъ очень измѣнчиво и зависитъ главнымъ образомъ отъ степени загрязненія сточныхъ водъ, отъ количества пропускаемыхъ сточныхъ водъ, отъ времени года.

Такъ въ лѣтніе мѣсяцы % очистки колеблется отъ 75 % — 85 %, въ зимніе отъ 50—65 %.

Наибольшее количество и наибольшее разнообразіе микроорганизмовъ замѣчается въ I-ой парѣ окислительныхъ бассейновъ, во II-ой парѣ, при значительномъ разнообразіи микроорганизмовъ, количество послѣднихъ меньше. Наконецъ, III-ая пара сравнительно бѣдна микроорганизмами.

Микроорганизмы I-ой пары окислительныхъ бассейновъ характерны для относительно загрязненныхъ органическими отбросами водъ;

II-ой пары для стоячихъ водъ прудовъ, канавъ;

III-ьей пары для проточныхъ чистыхъ водъ.

Въ концѣ авторъ привелъ списокъ болѣе характерныхъ микроорганизмовъ, замѣченныхъ въ біологическихъ фильтрахъ.

Авторефератъ.

10. Асс. Н. Н. Бурденко сдѣлалъ докладъ: „Физіологическая оцѣнка операціи на Vena porta“.

407-ое засѣданіе.

29 марта 1907 г.

Присутствовало: 22 члена, 5 гостей.

Проф. К. К. Сентъ-Илеръ сказалъ рѣчь, посвященную памяти Николая Петровича Вагнера. Собраніе почтило память скончавшагося вставаніемъ.

2. Протоколъ предыдущаго собранія заслушанъ и утвержденъ.

3. Проф. К. К. С е н т ъ - И л е р ъ поднялъ вопросъ о томъ, чтобы въ протоколахъ засѣданій заносились пренія по сдѣланнымъ докладамъ. Послѣ обмѣна мнѣній по этому вопросу — баллотировались слѣдующія предложенія:

а) Доклады допускаются къ слушанію только послѣ представленія соотвѣтствующаго автореферата. — Это предложеніе постановлено всѣми голосами противъ 2-хъ снять съ очереди.

b) Выразить желаніе, чтобы представлялись для помѣщенія въ протоколы резюмэ преній на сдѣланные доклады, притомъ не позже трехъ дней послѣ засѣданія. — Принято всѣми противъ 3-хъ.

с) Заносить въ протоколъ перечень всѣхъ лицъ, участвовавшихъ въ преніяхъ. — Принято 13-ю голосами противъ 11-и при 1-омъ воздержавшемся.

4. Въ дѣйствительные члены Общества выбраны: студентъ П. И. К у р с к і й (24 за, 3 противъ); магистрантъ студ. В. И в а н о в ъ (24 за, 3 противъ).

5. Въ дѣйствительные члены Общества предлагаются: студ. хим. Б. Р. Н а т у с ъ — предлагаютъ гг. Г. ф. Э т т и н г е н ъ и Р. ф. М е л л е р ъ, студенты С. ф. С и в е р с ъ, Г. В и д е м а н ъ, Е. К о х ъ — предлагаютъ прив.-доц. Р. Х о л л м а н ъ и студ. К. Ц е л и н с к і й.

6. Ассистентъ Г. ф. Э т т и н г е н ъ сдѣлалъ докладъ „Die botanischen Formationen der Nord-Livländischen Seen“.

Въ преніяхъ участвовали: М. ф. ц. М ю л е н ъ, прив.-доц. Г. А. Л а н д е з е н ъ и проф. Н. И. К у з н е ц о в ъ.

Прив.-доцентъ Л а н д е з е н ъ спрашиваетъ, не зависитъ ли распространеніе *Characeae* не только отъ глубины и прозрачности воды, но и свойствъ дна озера.

Проф. Н. И. К у з н е ц о в ъ указалъ на зависимость распространенія харъ отъ глубины по наблюденію, произведенному имъ на Аландскихъ островахъ въ Финляндіи, и затѣмъ, отмѣтивъ важность составленія ботанико-географическихъ картъ лифляндскихъ озеръ, выразилъ желаніе, чтобы на картахъ обязательно отмѣчался годъ ботанической съемки и чтобы съемки эти повторялись бы черезъ нѣсколько лѣтъ; такой картографическій матеріалъ далъ бы цѣнныя данныя для выясненія вопроса о борьбѣ за существованіе между различными видами водной растительности.

7. Проф. Д. М. Лавровъ сдѣлалъ сообщеніе: „Къ вопросу о коагулезообразовательной дѣятельности пепсина". (См. научный отдѣлъ.)

Въ преніяхъ участвовали: проф. Е. А. Шепилевскій, прив.-доц. Г. А. Ландезенъ, проф. К. К. Сентъ-Илеръ.

408-ое засѣданіе.

5 апрѣля 1907 г.

Присутствовало: 25 членовъ, 12 гостей.

1. Протоколъ предыдущаго собранія заслушанъ и утвержденъ.

2. Получено благодарственное письмо отъ Имп. Рус. Общ. Рыбоводства и Рыболовства за привѣтствіе отъ нашего Общества ко дню 25-лѣтняго юбилея названнаго Общества. — Принято къ свѣдѣнію.

3. Въ библіотеку Общества поступили въ качествѣ подарка 3 книги отъ барона Гойнингенъ-Гюне, Н. В. Култашева, А. ф. Эттингена. — Постановлено жертвователей благодарить.

4. Въ члены Общества предлагается студ. физ.-мат. факультета Н. П. Поповъ — проф. Н. И. Кузнецовымъ и прив.-доц. Н. В. Култашевымъ.

5. Въ дѣйствительные члены Общества выбраны: студ. Б. Натусъ (21 голосъ за, 7 противъ), студ. С. ф. Сиверсъ (22 за, 6 противъ), студ. Г. Видеманъ (22 за, 6 противъ), студ. Е. Кохъ (21 за, 7 противъ).

6. Проф. А. И. Яроцкій сдѣлалъ докладъ: „Къ ученію объ иммунитетѣ (2-ое сообщеніе). Морфологическія измѣненія селезенки при инфекціи у пассивно иммунизированныхъ животныхъ". (Напечатано въ Проток. Общ., Т. XVI, вып. 1, стр. 57—78).

По поводу доклада проф. А. И. Яроцкаго проф. Н. И. Кузнецовъ, обращая вниманіе на таблицу докладчика, иллюстрирующую количество крупноядерныхъ клѣтокъ въ селезенкѣ, попросилъ разъясненія, почему количество клѣтокъ этихъ рѣзко падаетъ черезъ 24 часа, а затѣмъ на слѣдующій день опять увеличивается, тогда какъ въ первый день наблюденій, по часамъ, замѣчается быстрое увеличеніе количества этихъ клѣтокъ.

7. Н. А. Самсоновъ сдѣлалъ сообщеніе: „Къ вопросу о перезимовываніи моллюсковъ".

1. марта 1907 г. на озерѣ Шпанкау Лифл. губ. въ толщѣ льда были найдены моллюски *Limnaea stagnalis* L. (1 экз.) и *L. glutinosa* Rossm. (*Amphipeplea glutinosa* Müller) (8 экз.).

По освобожденіи животныхъ изъ льда и ихъ осмотрѣ оказалось: 1) раковина была совершенно чистой неповрежденной, 2) животныя были въ состояніи анабіоза 3) раструбъ раковинъ былъ покрытъ просвѣчивающей тонкой, по упругой пленкой; между нею и самимъ животнымъ находился слой воздуха или газа, количество котораго было достаточно для того, чтобы животное положенное потомъ въ жидкость оказалось подвѣшеннымъ въ ней и плавало на ея поверхности.

Послѣ экскурсіи часть животныхъ была фиксирована въ формалинѣ другая часть помѣщена въ сосудъ съ водой комнатной температуры; на слѣдующій день животныя, находившіяся въ водѣ, постепенно выдѣливъ заключавшійся подъ указанной пленкой воздухъ или газъ, начали ползать и производили впечатлѣніе совершенно здоровыхъ. Пребываніе ихъ въ толщѣ льда было около 40—50 дней. Основываясь на томъ, что слой льда занятый моллюсками, находился на разстояніи 1—1$\frac{1}{2}$ четв. аршина отъ верхней поверхности его и принимая во вниманіе данныя г. Брокмейера о возможности активной жизни моллюсковъ подъ льдомъ, докладчикъ объясняетъ описанное явленіе такимъ образомъ: животныя послѣ образованія ледяного покрова вели сначала активную жизнь и могли даже ползать на нижней поверхности льда, какъ у Брокмейера, послѣ же, подъ вліяніемъ неизвѣстныхъ пока причинъ, оказались въ немъ замерзшими. Слой воздуха, находившійся между пленкой и ногою животнаго, съ этой точки зрѣнія является приспособленнымъ для предупрежденія обмораживанія животнаго.

(Авторефератъ).

Въ преніяхъ участвовали гг. П. И. Бояриновъ, Д-ръ Римшнейдеръ, А. Д. Богоявленскій, Р. Ф. Холлманнъ, Н. И. Кузнецовъ, Г. А. Адольфи и М. Г. Ребиндеръ.

П. И. Бояриновъ выразилъ удивленіе, услышавши, что существуетъ общепринятое положеніе, что прѣсноводные моллюски на зиму обязательно зарываются въ илъ. Ему лично приходилось наблюдать слѣдующій фактъ. Года 4 тому назадъ въ концѣ января при прорубаніи льда на одномъ прудѣ около Риги съ цѣлью полученія со дна зимующихъ почекъ *Hydrocharis* вмѣстѣ съ первой волной воды было выброшено на поверхность нѣсколько прудовиковъ *(Limnaeus palustris)*. Изъ воды сильно несло H_2S и она была теплована на ощупь. Прудовики были взяты домой и прожили нѣкоторое время въ акваріумѣ. Были ли они при выбрасываніи ихъ водою въ состояніи анабіоза или проснулись въ акваріумѣ, онъ теперь сказать не можетъ, но думаетъ, что прудовики проявляли признаки жизни, иначе бы они не были взяты.

Далѣе П. И. Б о я р и н о в ъ возразилъ противъ объясненія докладчика относительно нахожденія имъ моллюсковъ во льду. Моллюски могли быть приподняты, находясь въ состояніи анабіоза, со дна на верхъ къ нижней поверхности льда, благодаря накопившемуся подъ пленкою какому-то газу м. б. и не воздуху, а CO_2 и затѣмъ примерзнуть и далѣе вмерзнуть въ ледъ.

Д-ръ J. R i e m s c h n e i d e r высказалъ слѣдующія соображенія.

Ohne die Möglichkeit in Abrede zu stellen, dass unsere Süsswassermollusken während eines Teils des Winters in aktiver Lebenstätigkeit sich befinden, resp. den Winterschlaf unterbrechen können (sogar an einigen Landschnecken sind ähnliche Erscheinungen bemerkbar) — muss ich doch für die von Herrn S a m s o n o w gemachte Beobachtung annehmen, dass die im Eise eingeschlossenen Exemplare sich schon im Zustande der Anabiose befanden als sie dahin gelangten. Der Vorgang dabei wäre etwa so zu erklären, dass n a c h Bildung der Verschlussmembran und n a c h Eintritt der Winterruhe durch irgend einen äusseren Anlass der auf ein Minimum reducirte Stoffwechsel des Tieres etwas lebhafter wurde, dass dabei mehr Gas ausgeschieden wurde als die Verschlussmembran in derselben Zeit durchzulassen vermochte. So bildete sich zwischen dem Tier und der Verschlussmembran die von Hrn. S a m s o n o w beobachtete Gasblase, diese genügte für einen Auftrieb der das Geschöpf passiv bis an die Unterfläche der Eisdecke brachte, wo es dann von den später entstehenden Eisschichten eingeschlossen wurde.

Gerade das Vorhandensein der Gasblase hinter der Verschlussmembran an den eingefrorenen Exemplaren spricht für eine derartige Deutung; ich kann mir nicht denken, dass die Tiere bei voller Aktivität in das Eis eingeschlossen worden wären und dann erst sich eingekapselt hätten, bei den niedrigen Temperaturen um die es sich dabei handelt, muss schon die Lebenstätigkeit auf das äusserst Mögliche herabgesetzt sein. Ueberhaupt ist die Tatsache wunderbar und höchst interessant, dass die Schnecken ein so lange dauernds Einfrieren ohne Schaden für ihre spätere Lebensfähigkeit ertragen haben.

А. Д. Богоявленскій спрашиваетъ докладчика, насколько для даннаго вида моллюсковъ является цѣлесообразнымъ образованіе газоваго пузырька подъ пленкой и какое значеніе имѣетъ этотъ пузырекъ, для дыханія въ качествѣ запаса воздуха, или для передвиженія въ водѣ. Объемъ пузырька долженъ зависѣть отъ температуры; будетъ животное плавать или тонуть въ водѣ при 0⁰ и 4⁰ можно убѣдиться на прямыхъ опытахъ. Вѣроятнѣе. всего, что образованіе газоваго пузырька подъ пленкой явленіе случайное, ведущее къ непроизвольному всплыванію животнаго и примерзанію раковины къ нижней поверхности льда.

Dr. H. Adolphi hält es, ehe eine chemische Untersuchung ausgeführt worden ist, für wahrscheinlicher, dass das hinter dem Pneumophragma angesammelte Gasbläschen eine Ausscheidung des Tieres ist und nicht etwa eine Ansammlung aus dem Wasser in das Tier hineindiffundierten Sauerstoffes.

Проф. Н. И. Кузнецовъ, присоединяясь къ мнѣнію другихъ оппонентовъ, возражавшихъ докладчику, думаетъ также, что моллюски могли быть въ состояніи анабіоза и въ этомъ видѣ пассивно всплыли на верхъ и примерзли къ нижней поверхности льда, а затѣмъ, при утолщеніи льда очутились въ его толщѣ. Но при этомъ оппонентъ обратилъ вниманіе докладчика, что моллюски были найдены вмерзшими въ ледъ какъ разъ тамъ же, гдѣ вмерзъ въ ледъ концами своихъ листьевъ и *Stratiotes aloides*. Есть поэтому возможность предложить, что часть зимы моллюски проводили въ активномъ состояніи, ползая по листьямъ *Stratiotes aloides* и пользуясь для дыханія выдѣляемыми листьями этими кислородомъ, а затѣмъ, впадая въ состояніе анабіоза, лежали не на днѣ водоема, а среди розетокъ листьевъ *Stratiotes aloides*, и затѣмъ пассивно поднимались и примерзали ко льду съ нижней его стороны.

Докладчикъ оспариваетъ вышеприведенное возраженіе, базируясь на слѣдующихъ соображеніяхъ: 1) если бы животныя, прежде чѣмъ попасть въ толщу льда, были въ илу, то раковины ихъ должны были бы сохранить слѣды этой жизни, онѣ не могли бы быть такими чистыми, какими оказались при осмотрѣ; 2) если бы животныя, переходя въ анабіозъ выдѣляли описанную пленку и надъ ней слой воздуха или газа, то принимая во вниманіе одинаковость условій придонной жизни для большинства моллюсковъ, естественно было бы думать, что подобное явленіе для нихъ общее и констатировать его было бы легко каждому, собиравшему моллюсковъ зимой, между тѣмъ, судя по той, правда весьма неполной литературѣ, которую докладчикъ имѣетъ подъ рукой, ни одинъ изъ изслѣдователей моллюсковъ объ этомъ не упоминаетъ.

Въ заключеніи преній докладчикъ сообщаетъ, что онъ ждетъ окончательнаго рѣшенія этого вопроса отъ дальнѣйшихъ наблюденій и только въ томъ случаѣ онъ готовъ принять справедливость того объясненія, которое даютъ его оппоненты, если будетъ доказано, что моллюски, переходя въ анабіозъ и находясь въ илу, выдѣляютъ указанную перепонку и подъ ней слой воздуха или газовъ.

Резюмируя въ концѣ пренія, предсѣдатель указалъ, что хотя очень возможно, что предположеніе гг. Бояринова, Римшнейдера и Богоявленскаго, къ которому и онъ съ свой стороны присоединяется о пассивномъ поднятіи ракушекъ вслѣдствіе образованія пузырька газа между перепонкой и тѣломъ моллюска, и окажется правоподобнѣе предположенія г. докладчика о томъ, что моллюски вмерзли въ ледъ, ползая по его нижней поверхности, однако вопросъ нельзя считать рѣшеннымъ, самый же фактъ нахожденія моллюсковъ въ живомъ состояніи вмерзшими въ толщу льда является весьма интереснымъ. Выразивъ пожеланіе, чтобы интересныя наблюденія докладчика были продолжены будущей зимою проф. Кузнецовъ указалъ на важность и желательность организаціи зимнихъ наблюденій и изслѣдованій нашей природы.

7. Докладъ прив.-доц. Р. Ф. Холлманна „О полученіи смѣшанныхъ кристалловъ" былъ за позднимъ временемъ отложенъ.

405. Sitzung

am 8. März 1907.

_____

Anwesend: 30 Mitglieder, 29 Gäste.

1. Laut Antrag des Präsidenten haben die Anwesenden durch Erheben von den Sitzen das Andenken der verschiedenen Gelehrten M. Berthelot und W. J. Zinger geehrt.

2. Das Protokoll der vorigen Sitzung wird vorgelesen und genehmigt.

3. Der Sekretär teilte die laufenden Geschäfte mit:

a) In die Bibliothek der Gesellschaft ist ein Buch: „Bemerkungen über den Modus des Zustandekommens der Regionen an der Wirbelsäule des Menschen" von E. Rosenberg geschenkt. — Dem Schenker wurde der Dank der Gesellschaft ausgesprochen.

b) Von der Bergschule in Ekaterinoslaw ist ein Antrag eingelaufen in Schriftenaustausch zu treten. — Der Vorschlag wurde genehmigt.

4. Es wurden die Wahlen für das Amt des Redakteurs der Editionen der Gesellschaft vorgenommen. Durch Zettel wurden vorgeschlagen die Herren: G. Ssumakow (1 St.), Prof. A. Jarotzky (2), N. Kultaschew (3), A. Bogojawlensky (6), B. Hryniewiecki (8) und B. Ssukatschew (10) Da die Herren Ssumakow, Jarotzky, Kultaschew und Bogojawlensky das Ballotement ablehnten, als Kandidaten sind die Herren B. Hryniewiecki und B. Ssukatschew geblieben. Durch Ballotement haben erhalten B. Hryniewiecki 20 pro und 14 kontra, B. Ssukatschew 17 pro und 16 kontra. Als Redakteur wurde also Priv.-Doc. B. Hryniewiecki gewählt.

5. Der Sekretär teilte folgende Beschlüsse des Direktoriums vom 20./II./1907 mit:

a) Es wurde beschlossen die Publikation über die Sitzung nur einmal in der Zeitung zu veröffentlichen.

b) Es wurde beschlossen für das Ballotement anstatt der gedruckten die hektografierten Zettel zu benutzen.

c) Es wurde beschlossen der Versammlung folgende Beschlüsse zur Bestätigung vorzustellen:

Um die Druckkosten ein wenig zu vermindern wurden folgende Vorschläge angenommen. 1. Die Manuskripte sollen ganz druckfertig vom Verfasser geschickt werden. 2. Die Verfasser können einige Veränderungen in der Korrektur machen, wenn dieselben den normalen Preis der letzteren nicht aufheben; die eine Norma überschreitenden Ausgaben nehmen die Verfasser auf ihre Kosten.

Die Beschlüsse a und b wurden zur Kenntnis genommen; der Beschluss c wurde von der Versammlung bestätigt.

6. Zu ordentlichen Mitgliedern wurden gewählt die Herren: Stud. R. von Möller (25 pro, 7 kontra, 2 St. enth.); Stud. N. v. Transe (25 pro, 7 kontra, 2 St. enth.) Stud. M. Barabanow (33 pro, 1 kontra); Assist. O. v. Törne (30 pro, 4 kontra), Stud. N. Wassielewsky (33 pro, 1 kontra).

Als ordentliche Mitglieder werden vorgeschlagen: Stud. J. Standrowsky — von Priv.-Doz. N. Kultaschew uud Doz. A. Bogojawlensky; Stud. M. Pingoud — von Assist. R. Meyer und Priv.-Doz. G. Landesen; Stud. E. Kügler — von denselben; Stud. G. Michelsohn — von Ass. R. Meyer und Dr. E. Mattiesen; Frau Prof. A. Rostowzew — von Prof. N. J. Kusnezow und Priv.-Doc. N. Kultaschew.

8. Prof. A. Jarotzky hielt einen Vortrag: „Zur Immunitätslehre". (Mit Demonstrationen).

406. Sitzung

am 22. März 1907.

Anwesend: 34 Mitglieder und 12 Gäste.

1) Das Protokoll der vorigen Sitzung wird vorgelesen und genehmigt.

2) In die Kollektion der Gesellschaft ist ein Geschenk von Oberlehrer F. Sintenis aus der Erbschaft des verst. Prof. Hörschelmann — die in Kasperwiek gefundenen verwachsenen Wurzeln der Bäume, eingelanfen. — Dem Schenker wurde der Dank ausgesprochen.

3. Als ordentliche Mitglieder werden vorgeschlagen: Stud.
P. K u r s k i — von Prof. N. K u s n e z o w und Priv.-Doz. B.
H r y n i e w i e c k i; Stud. med. Magistrant W. I w a n o w — von
Prof. N. K u s n e z o w und Stud. B. C z a p k i e w i c z.

4. Zu ordentlichen Mitgliedern wurden gewählt: J. S t a n -
d r o w s k y.(28 St. pro, 3 kontra, 2 St. enth.), M. P i n g o u d (25 pro,
8 kontra), E. K ü g l e r (25 pro, 8 kontra), G. M i c h e l s o h n
(25 pro, 8 kontra), A. G r e f e n f e l s (27 pro, 6 kontra), Frau Prof.
R o s t o w z e w (23 pro, 9 kontra, 1 St. enth.).

5. Es wurde der Vortrag des Prof. K. S a i n t - H i l a i r e
„Resultate der Beratung über die pädagogische Kommission" verlesen.

Auf der Sitzung des Naturforscher-Vereins vom 7./XII./06
reichte Professor K. S a i n t - H i l a i r e eine Proposition ein, die
die Bildung besonderer Versammlungen innerhalb des Vereins zwecks
Befassung mit pädagogischen Fragen betraf. Motiviert war die
Proposition durch folgende Gesichtspunkte: Sehr viele Mitglieder
des Vereins beschäftigen sich mit der Lehrtätigkeit, und es drän-
gen sich ihnen viele Fragen auf, die gelöst werden müssen und
durch gemeinsame Beratung mit Berufsgenossen gelöst werden
können; in Dorpat jedoch existiert keine Vereinigung, in deren
Programm Fragen der Erziehung und des Unterrichts gehören. Am
nächsten hierzu steht der Naturfoscher-Verein, da der Teil der Pä-
dagogik, der sich mit der Erforschung „des Menschen als Erzie-
hungsobjekt" befasst, naturgemäss in das Programm der Arbeiten
des Vereins gehört, der sich mit der Erfoschung der Natur überhaupt und des Menschen im Besondern beschäftigt. Ferner steht
die Befassung mit der Methodik des Unterrichts in den mathema-
tischen, physikalischen und biologischen Wissenschaften der Aufgaben
des Vereins ebenfalls nahe, denn es ist ja nicht nur wichtig wissenschaftliche Tatsachen zu sammeln, sondern dieselben auch zu all-
gemeinbildendem Material zu verarbeiten.

Die erwähnte Proposition fand bei der Versammlung grossen
Anklang, und es wurde folgende Bestimmung angenommen:

Es wurde beschlossen: 1) Prof. K. S a i n t - H i l a i r e zu
zu. bitten, eine vorläufige Beratung der Mitglieder, welche sich für
diese Frage interessieren, zu organisieren 2) diesen Vorschlag in
einer der nächsten Sitzungen einer Beratung zu unterwerfen.

Auf Grund dieser Bestimmung wurde am 25./II./07 eine Versammlung einberufen, zu der sich 19 Mitglieder des Vereins ein-

fanden. Zum Vorsitzenden der Versammlung wurde K. S a i n t -
H i l a i r e gewählt, zum Sekretär B o r o d o w s k y.

Zuerst hörte die Versammlung einige Ausführungen an, die
davon handelten, wie wünschenswert die Einführung pädagogischer Sitzungen sei. Dabei wurden Stimmen laut, die darauf hin-
wiesen, dass man das Programm dieser Sitzung unmöglich ein-.
schränken könne, da die Fragen, über den Unterricht einzelner
Fächer mit der Frage über die Einrichtung des ganzen Unterrichts
untrennbar verknüpft seien; auch aus dem Grunde könne das nicht
geschehen, da die Fragen über physische Erziehung, ferner phycho-
logische und andere elementare Fragen naturgemäss in das Programm der Tätigkeit des Vereins selbst gehören. Nachdem das
Wünschenswerte der Einführung pädagogischer Sitzungen von der
Versammlung konstatiert worden war, wurde folgende Frage zur
Entscheidung vorgelegt: „Hält die Versammlung, wenn sie die
Aufgaben des Vereins und seine Statuten in Betracht zieht, die
Einführung derartiger Sitzungen für möglich?“ — Die Versammlung
entschied im bejahendem Sinne.

Was die Verwirklichung des erwähnten allgemeinen Wun-
sches betrifft, so erwies sich als notwendig die Einführung besonderer Sitzungen, da es unpraktisch schien, die pädagogischen Berichte in das Programm der ordentlichen Versammlungen einzu-
reihen oder sich auf denselben ausschliesslich pädagogischen Fragen
zu widmen. Durch das erstere hätte man der Leitung des Vereins
zu viel Arbeit aufgebürdet, durch das letztere jedoch könnte der
Verein von seinen rein wissenschaftlichen Aufgaben abgelenkt werden. Einstimmig aber sprach sich die Versammlung in dem Sinne
aus, dass die Einführung pädagogischer Versammlungen auf keine
Weise Einfluss haben dürfe auf die wissenschaftliche Produktivität
oder das Budget des Vereins.

Am zweckentsprechendsten schien der Versammlung die Bildung einer, nach denselben Prinzipien organisierten besonderen pädagogischen Kommission, wie die funktionierende „Seenkommission“,
zu der sich jedes Vereinsmitglied auf Wunsch melden kann. Die
Kommission wählt sich ihr Büreau zur Führung der Geschäfte und
zur Verbindung mit der Vereinsleitung und arbeitet ihre Statuten
aus. Die Sitzungen der Kommission müssen in der Oeffentlichkeit
stattfinden.

So wurde denn das Ziel der Einführung einer Kommission
von der Versammlung folgender Weise formuliert:

„In Anbetracht des Zusammenhanges pädagogischer Fragen mit den naturwissenschaftlichen Disciplinen, wird innerhalb des Naturforscher-Vereins eine Kommission gegründet zwecks wissenschaftlicher Bearbeitung pädagogischer Fragen". —

Indem ich den Beschluss der allgemeinen Versammlung vom 7./XII./06 und den mir geworden n Auftrag erfülle, habe ich die Ehre den eben dargelegten Bericht vorzulegen über die Versammlung, welche zur Beratung über die Frage der Einführung pädagogischer Sitzungen im Naturforscher-Verein einberufen wurde, und richte an das Präsidium die Bitte, zur endgültigen Lösung dieser Frage eine der nächsten Sitzungen zu bestimmen oder eine Extra-Sitzung einzuberufen.   Professor K. S a i n t - H i l a i r e.

6. Der Präsident schlägt laut des Vortrags des Prof. K. S a i n t - H i l a i r e die Frage über die Gründung der pädagogischen Kommission bei der Gesellschaft vor.

Der Vorschlag wurde genehmigt (27 pro, 4 kontra, 2 St.-enth.).

7. Der Präsident schlägt vor, das Direktorium zu beauftragen, alle Mitglieder über die Gründung der pädagogischen Kommission wie auch über die erste Sitzung derselben für die Wahl des Bureaus zu benachrichtigen. Durch Ballotement wurde dieser Vorschlag angenommen (30 St. pro, 2 St.-enth.).

8. Herr D. S e w a s t j a n o w schlägt vor, die Beobachtungen über die Erdarbeiten in der Stadt wieder anzufangen.

Es wurde beschlossen diesen Vortrag dem Direktorium zu übergeben.

9. Stud. B. C z a p k i e w i c z hielt einen Vortrag: „Resultate der mikrobiologischen Forschung des Systems der biologischen Filter". (Ref. s. russ. Text).

10. Assist. N. B u r d e n k o hielt einen Vortrag: „Ueber den physiologischen Wert der Operation der Vena porta".

407. Sitzung

am 29. März 1907.

Anwesend: 22 Mitglieder, 5 Gäste.

1. Prof. K. S a i n t - H i l a i r e hielt eine Rede dem Andenken des verstorbenen Prof. N. P. W a g n e r gewidmet. Die Anwesenden haben durch Erheben von den Sitzen das Andenken des Verstorbenen geehrt.

2. Das Protokoll der vorigen Versammlung wird genehmigt.

3. Prof. K. S a i n t - H i l a i r e schlägt vor in den Protokollen der Sitzungen neben den Referaten der Vorträge auch die betreffenden Diskussionen einzutragen.

Man ballotierte dann folgende Vorschläge:

a) Die Vorträge können nur dann angenommen werden, wenn der Verf. das Autoreferat liefern wird. — Dieser Vorschlag wurde abgelehnt.

b) Es ist wünschenswert, dass jedes an der Diskussion teilnehmende Mitglied ein kurzes Resumé seiner Meinungen über den Vortrag für die Sitzungsberichte der Gesellschaft nicht später als 3 Tage nach der Sitzung gäbe. — Wurde genehmigt.

c) In das Protokoll die Namen der sich an der Diskussion beteiligten Mitglieder einzutragen. — Der Antrag wurde genehmigt. (13 St. pro, 11 kontra, 1 St.-enth.).

4) Zu ord. Mitgliedern der Gesellschaft wurden gewählt: Stud. P. K u r s k i (24 pro, 3 kontra), Magistrant Stud. W. I w a n o w (24 pro, 3 kontra).

5) Als ordentliche Mitglieder der Gesellschaft sind vorgeschlagen: Stud. chem. B. N a t u s s — von Assist. H. v. O e t t i n g e n und R. v. M ö l l e r; die Studenten S. v. S i e v e r s , H. W i e d e m a n n , E. K o c h — von Priv.-Doz. R. H o l l m a n n und Stud. K. Z e l i n s k y.

6. Assistent H. v. O e t t i n g e n hielt einen Vortrag: „Die botanischen Formationen der Nord-Livländischen Seen".

An der Diskussion beteiligten sich die Herren: M. v o n z u r M ü h l e n , Priv.-Doz. G. L a n d e s e n und Prof. N. K u s n e z o w (S. russ. Text).

7. Prof. D. L a w r o w hielt einen Vortrag: „Zur Frage über die koagulosebildende Wirkung des Pepsins". (S. Wissenschaftlicher Teil p. 137—144).

An der Diskussion beteiligten sich die Herren: Prof. E. S c h e p i l e w s k y , Priv-Doz. G. L a n d e s e n und Prof. K. S a i n t - H i l a i r e.

408. Sitzung

am 5. April 1907.

Anwesend: 25 Mitglieder und 12 Gäste.

1. Das Protokoll der vorigen Sitzung wird genehmigt.

2. Von der Kaiserl. Russ. Gesellschaft für Fischfang und Fischzucht ist ein Dankschreiben für die seitens der Gesellschaft übersandte Gratulation zur Feier des 25-jährigen Jubiläums eingelaufen. — Es wurde zur Kenntnis genommen.

3. In die Bibliothek der Gesellschaft sind 3 Bücher geschenkt: von Baron Hoyningen-Huene, N. Kultaschew und A. v. Oettingen. — Es wurde beschlossen für die Geschenke zu danken.

4. Als ordentliches Mitglied wird Stud. N. Popow von Prof. N. Kusnezow und Priv.-Doz. Kultaschew vorgeschlagen.

5. Zu ordentlichen Mitgliedern wurden gewählt die Herren: Stud. B. Natuss (21 pro, 7 kontra), Stud. S. v. Sievers (22 pro, 6 kontra), Stud. H. Wiedemann (22 pro, 6 kontra), Stud. E. Koch (21 pro, 7 kontra).

6. Prof. A. Jarotzky hielt einen Vortrag: „Zur Immunitätslehre (II. Mitteilung) Morphologische Veränderung der Milz bei der Infektion bei den passiv-immunisierten Tieren". (Abgedr. in Bd. XVI, 1. S. 57—78, russisch.)

An der Diskussion hat Prof. N. Kusnezow teilgenommen.

7. N. Samsonow hielt einen Vortrag: „Zur Frage über die Ueberwinterung der Mollusken". An der Diskussion beteiligten sich die Herren: P. Bojarinow, J. Riemschneider, A. Bogojawlensky, R. Hollmann, N. Kusnezow, H. Adolphi und M. Rehbinder). (Autoreferat und Diskussion im russischen Texte).

409-ое засѣданіе.

11 апрѣля 1907 г.

———

Присутствовало: 18 членовъ, 3 гостя.

1. Засѣданіе открываетъ вицепредсѣдатель Г. А. Ланде-зенъ, передавъ затѣмъ предсѣдательство пришедшему предсѣдателю Общ. проф. Н. И. Кузнецову.

2. Протоколъ предыдущаго собранія заслушанъ и утвержденъ.

3. Секретарь докладываетъ нижеслѣдующее постановленіе Правленія отъ 10 апрѣля 1907 г. „Доложить Общему Собранію, что за неимѣніемъ средствъ Общество не можетъ взять на свой счетъ приготовленіе клише, картъ, рисунковъ и т. д. къ печатаемымъ въ текущемъ году работамъ.“ — Принято къ свѣдѣнію.

4. Секретарь докладываетъ, что въ учрежденную при Обществѣ педагогическую комиссію записалось до сихъ поръ 10 членовъ. Предсѣдателемъ комиссіи избранъ проф. К. К. Сентъ-Илеръ. — Принято къ свѣдѣнію.

5. По просьбѣ Магнито-метеорологической Обсерваторіи въ Иркутскѣ постановлено вступить съ ней въ обмѣнъ изданіями, начиная съ XVI тома изданій.

6. Предложенъ подписной листъ международной подписки на памятникъ Ламарку въ Парижѣ.

7. Въ дѣйствительные члены Общества избранъ студ. Н. П. Поповъ (16 за, 2 возд.)

8. Прив.-доц. Р. Холлманнъ сдѣлалъ докладъ: „О полученіи смѣшанныхъ кристалловъ“.

Въ преніяхъ участвовали А. Д. Богоявленскій, Г. А. Ландезенъ, М. Г. Ребиндеръ.

9. М. ф. ц. Мюленъ сдѣлалъ предварительное сообщеніе: 1) О растительности на озерѣ Сууріервъ; 2) о буровой скважинѣ на днѣ озера Садіервъ. (Авторефератъ въ нѣм. текстѣ).

О результатахъ микроскопическаго изслѣдованія бурового матеріала доложилъ студ. П. И. Курскій.

Въ преніяхъ участвовали гг. Р. Холлманъ, Г. А. Ландезенъ, Г. Адольфи и Р. Мейеръ.

10. Д-ръ И. Римшнейдеръ сдѣлалъ докладъ: „Лифляндскія наяды. I. Genus *Anodonta*“.

Въ преніяхъ участвовали гг. М. ф. ц. Мюленъ, проф. Н. И. Кузнецовъ и Д-ръ Г. А. Адольфи.

410-ое засѣданіе.

3 мая 1907 г.

Присутствуетъ: 16 членовъ.

1. За отсутствіемъ предсѣдателя предсѣдательствуетъ вице-предсѣдатель.

2. Протоколъ предыдущаго засѣданія заслушанъ и утвержденъ.

3. Секретарь сообщаетъ текущія дѣла:

a) Въ библіотеку Общества пожертвованы 2 книги — Г. Адольфи и „Nederlandsch Tijdschrift voor Genieskunde“. — Постановлено жертвователей благодарить.

b) Отъ „Comitato per le onoranze ad Ul. Aldrovandi“ получено приглашеніе послать на юбилейныя торжества въ Болонью 12/VI н. стиля делегата Общества. — Принято къ свѣдѣнію.

4. Вицепредсѣдатель сообщаетъ, что въ виду окончанія срока избранія казначея на будущемъ собраніи должны быть произведены выборы казначея Общества.

5. Д. П. Севастьяновъ сдѣлалъ докладъ: „Моренный ландшафтъ въ области озеръ около Садъервъ“.

Въ преніяхъ участвовали гг. М. ф. ц. Мюленъ, проф. Г. П. Михайловскій и П. И. Бояриновъ.

6. Д-ръ Римшнейдеръ сдѣлалъ докладъ: „Лифляндскія наяды. II. Родъ *Margaritana*. III. Родъ *Unio*“.

Въ преніяхъ участвовали: проф. Г. П. Михайловскій и М. ф. ц. Мюленъ. Проф. Михайловскій выразилъ желаніе, чтобы въ статьѣ д-ра Римшнейдера, имѣющей быть напечатанной въ Протоколахъ Общества, были помѣщены рисунки описываемыхъ авторомъ моллюсковъ.

411-ое засѣданіе.

10 мая 1907 г.

———

Присутствовало: 24 члена, 10 гостей.

1. Предсѣдатель открываетъ собраніе рѣчью, посвященной памяти Карла Линнея по поводу 200-лѣтія со дня его рожденія и сообщаетъ посланную имъ отъ имени Общества телеграмму:

„Upsala. Königliche Universität.

Die Dorpater Naturforscher-Gesellschaft begeht die Feier zur Erinnerung an den 200-ten Geburtstag Carl von Linnés und nimmt aus der Ferne mit warmem Herzen teil an den Festlichkeiten der ehrwürdigen Universität Upsala.

Der Präsident Prof. N. Kusnezow.

Память К. Линнея была почтена вставаніемъ.

2. Асс. П. И. Мищенко произнесъ рѣчь: „Жизнь Линнея и его научныя заслуги передъ ботаникой“. (Напечатано въ Трудахъ Юрьев. Ботан. Сада. 1907. Т. VIII. Вып. 2. Стр. 114—131).

3. Протоколъ предыдущаго собранія, заслушанъ и утвержденъ.

4. Произведены были выборы казначея. Записками были предложены гг. Г. Адольфи — 18 голосами, П. И. Мищенко — 3-мя и Б. Б. Гриневецкій — однимъ. Послѣдніе два отъ баллотировки отказались. При баллотировкѣ Д-ръ Г. А. Адольфи получилъ 21 избирательныхъ и 1 неизбирательный, слѣдовательно былъ избранъ вновь казначеемъ на трехлѣтній срокъ.

5. Предсѣдатель сообщаетъ, что графиня Е. П. Шереметева пожертвовала Обществу въ качествѣ субсидіи на экскурсію Г, ф. Эттингена 200 руб.

Постановлено благодарить.

6. Постановлено по предложенію предсѣдателя напечатать работу Б. Б. Гриневецкаго: „Реотропизмъ корня и связь этого явленія съ хемотропизмомъ и тигмотропизмомъ“.

7. По предложенію Г. фонъ Эттингена постановлено подарить въ Рижское Общество Естествоиспытателей подаренное въ наше Общество чучело тетерева (самецъ, окрашенный въ цвѣтъ самки).

8. Студентъ А. А. Дубянскій сдѣлалъ докладъ: „Экскурсія въ Уральскую и Тургайскую области“.

Въ преніяхъ участвовали проф. Г. П. Михайловскій и проф. Н. И. Кузнецовъ.

409. Sitzung

am 11. April 1907.

———

Anwesend : 18 Mitglieder und 3 Gäste.

1. Die Sitzung eröffnete der Vize-Präsident der Gesellschaft Priv.-Doz. G. L a n d e s e n , der später das Präsidium dem Präsidenten der Gesellschaft Prof. N. K u s n e z o w übergab, welcher während der Sitzung gekommen war.

2. Das Protokoll der vorigen Sitzung wurde verlesen und genehmigt.

3. Der Sekretär teilt folgenden Beschluss des Direktoriums vom 10. April 1907 mit: Wegen Mangel an Mitteln kann die Gesellschaft nicht auf ihre Kosten die Cliches, Karten, Zeichnungen etc. zu den Artbeiten, welche im laufenden Jahre gedruckt werden, anfertigen lassen. — Es wurde zur Kenntnis genommen.

4. Der Sekretär teilt mit, dass bisher 10 Mitglieder in die bei der Gesellschaft begründete pädagogische Kommission eingeschrieben sind. Zum Präsidenten der Kommission wurde Prof. K. S a i n t - H i l a i r e gewählt. — Es wurde zur Kenntnis genommen.

5. Es wurde beschlossen mit dem Meteorologischen Observatorium zu Irkutsk, seit dem XVI Bd. in Schriftenaustausch zu treten.

6. Es wurde eine Liste für Unterschriften zur Gründung eines Denkmals für L a m a r c k in Paris, vorgelegt.

7. Als ordentliches Mitglied wird Stud. N. P o p o w aufgenommen (26 pro, 2 St.-enth.)

8. Priv.-Doz. R. H o l l m a n n hielt einen Vortrag: „Ueber die Darstellung der Mischkrystalle".

An den Debatten gelegentlich dieses Vortrages nahmen teil die Herren A. B o g o j a w l e n s k y, G. L a n d e s e n , M. R e h b i n d e r.

9. M. von zur Mühlen machte einige vorläufige Mitteilungen: 1) „Ueber die Vegetation des Sees Suurjerw und 2) einige Bohrproben aus dem Sadjerwschen See".

Ueber die Resultate der mikroskopischen Bearbeitung der Bohrproben hat Stud. P. Kurski mitgeteilt.

An den Debatten gelegentlich dieses Vortrages nahmen die Herren R. Hollmann, G. Landesen, H. Adolphi und R. Meyer teil.

10. Dr. J. Riemschneider hielt einen Vortrag: „Livländische Najaden. I. Genus *Anodonta*".

An der Diskussion beteiligten sich die Herren: M. von zur Mühlen, Prof. N. Kusnezow und Dr. H. Adolphi.

Der Vortrag von M. von zur Mühlen lautete:

M. H.!

Gestatten Sie mir Ihnen schon heute, vordem meine Untersuchungen abgeschlossen sind, einige interessante Befunde mitzuteilen, die ich während meiner diesjährigen Arbeit auf der Raugeschen wie auch Sadjerwschen Seengruppe gemacht habe.

Wie Sie sich vielleicht erinnern werden, hat Herr von Oettingen drei verschiedene Arten des Verwachsungsprozesses bei unseren Seen unterschieden, und zwar das Verwachsen vom Ufer aus, das Durchwachsen vom Boden aus und das Ueberwachsen. Bei letzterer Art dringt die Ufervegetation rascher vor, als der See sich mit Schlamm zu füllen vermag, wodurch die Pflanzendecke wie eine Eisschicht auf dem Wasser schwimmt.

Ich bin nun in der Lage noch eine vierte Form des Verwachsungsprozesses aufstellen zu können, die allerdings höchst selten vorzukommen scheint und von mir bis jetzt nur am Krugs-See oder Suurjerw in Rauge konstatirt worden ist.

Wie Sie an vorliegender Karte sehen, zeigen Ihnen schon die Tiefenkurven, dass wir es mit einem, für unsere Verhältnisse auffällig tiefen Gewässer zu tun haben, dessen Ufer sehr steil bis zu einer Tiefe von 41 Meter abfallen. Trotzdem reicht an einzelnen Stellen die Ufervegetation recht weit in den See hinein, vielfach 40 und mehr Meter. Die Wurzeln dieser Pflanzen bilden in einer Wassertiefe von 1 bis 1 Meter 50 Cm. eine Ueberwachsungsschicht, die einen Menschen zu tragen vermag. Unter diesem Wurzelgeflecht befindet sich wieder Wasser, häufig zwei und mehr Meter und darauf folgt erst der Schlamm des Untergrundes. Wir haben es hier demnach mit einer Ueberwachsung unter der Wasseroberfläche zu tun.

Genauere Angaben über die Pflanzen, die diese eigenartige Schicht bilden, kann ich Ihnen erst im Herbst machen, da ich diesen interessanten See noch im Sommer einer weiteren Untersuchung unterziehen will. So viel ich im Winter unter Schnee und Eis konstatiren konnte, scheint in erster Linie *Arundo Phragmites* L. das schwimmende Wurzelgeflecht zu bilden, doch werden sich voraussichtlich noch andere Pflanzen dabei beteiligen.

Ausserdem erlaube ich mir Ihnen noch einige Bohrproben aus dem Sadjerwschen See vorzuweisen die in der Nähe des Ellistferschen Ufers gegenüber Tabbifer erbohrt worden sind. Auf eine Wassertiefe von 1—2 Meter folgt eine 20—30 cm. mächtige Schlammschicht, die von einem dichten *Chara*polster bedeckt ist. Wie Sie sehen, ist dieser Schlamm fast schwarz und besteht der Hauptsache nach aus zerfallenden Pflanzenresten unter denen sich auch recht viel *Planorbis* und *Pisidien*schalen befinden. Unter diesem Schlamm lagert eine 1—1 Meter 50 Cm. mächtige Mergelschicht, die sehr reich an Conchylienresten ist. Schliesslich folgt eine dunkele 30—40 cm. messende Schicht die vorzugsweise aus teils noch sehr gut erhaltenen Wassermoosen besteht, die ihrerseits auf einer den Untergrund bildenden blaugrauen Tonschicht lagert. Auch diese Schicht enthält eine grosse Zahl wohlerhaltener Conchylien.

Die Moose, so wie auch Conchylien dieser untersten Schicht gehören demnach zu den ersten Lebewesen, die im Sadjerwschen See festen Fuss gefasst haben, nachdem unser Land eisfrei geworden war.

Ob sich örtliche Unterschiede zwischen diesen und den jetzt lebenden Formen nachweisen lassen werden, kann nur eine genauere Bearbeitung des Materials erweisen. Vorläufig lässt sich durch den besprochenen Befund nur zeigen, dass dort, wo vor vielen Jahrtausenden ein üppiger Moosteppich grünte, jetzt ein dichter *Chara*-Wald wuchert.

Max von zur Mühlen.

(Autoreferat.)

410. Sitzung

am 3. Mai 1907.

Anwesend: 16 Mitglieder.

1. In Abwesenheit des Präsidenten präsidierte der Vize-Präsident der Gesellschaft Priv.-Doz. G. L a n d e s e n.

2. Das Protokoll der vorigen Sitzung wurde verlesen und genehmigt.

3. Der Sekretär teilte die laufenden Geschäfte mit:

a) In die Bibliothek der Gesellschaft sind 2 Bücher geschenkt: von Dr. H. A d o l p h i und von „Nederlandsch Tijdschrift voor Genieskunde". — Den Schenkern wurde der Dank der Gesellschaft ausgesprochen.

b) Von „Comitato per le onoranze ad Ul. A l d r o v a n d i" ist eine Einladung eingelaufen, einen Vertreter der Gesellschaft nach Bologna zur Teilnahme an der Jubiläumsfeier am 12./VI zu schicken. — Es wurde zur Kenntnis genommen.

4. Der Vize-Präsident teilte mit, dass die Jahresfrist, für welche der Schatzmeister der Gesellschaft gewählt war, abgelaufen sei und dass die Versammlung in der nächsten Sitzung die Neuwahl zu vollziehen habe.

5. D. S e w a s t j a n o w hielt einen Vortrag: „Drummlins-Landschaft im Bereich der Seen um Sadjerw".

An den Debatten gelegentlich dieses Vortrages beteiligten sich die Herren: M. v o n z u r M ü h l e n, Prof. G. M i c h a j - l o w s k y und P. B o j a r i n o w.

6. Dr. J. R i e m s c h n e i d e r hielt einen Vortrag: „Livlän-dische Najaden. II Genus *Margaritana*. III Genus *Unio*".

An der Diskussion beteiligten sich die Herren: Prof. G. M i - c h a j l o w s k y und Cand. M. v o n z u r M ü h l e n.

Prof G. M i c h a j l o w s k y hat den Wunsch ausgesprochen, dass der Aufsatz von Dr. J. R i e m s c h n e i d e r, der in den Sitzungsberichten der Naturf.-Ges. gedruckt wird, mit den Zeich-nungen der beschriebenen Mollusken-Arten versehen würde.

411. Sitzung

am 10. Mai 1907.

Anwesend: 24 Mitglieder, 10 Gäste.

1. Der Präsident eröffnet die Sitzung mit einer Rede, dem Andenken von Carl v. Linné, in Anlass der 200. Wiederkehr seines Geburtstages gewidmet, und teilte folgenden Inhalt des Telegramms, welches nach Upsala geschickt worden war, mit:

„Upsala. Königliche Universität.

Die Dorpater Naturforscher-Gesellschaft begeht die Feier zur Erinnerung an den 200-ten Geburtstag Carl von Linnés und nimmt aus der Ferne mit warmem Herzen teil an den Festlichkeiten der ehrwürdigen Universität Upsala.

Der Präsident Prof. N. Kusnezow".

Das Andenken von C. v. Linné wurde durch Erheben von den Sitzen geehrt.

2. Ass. P. Mischtschenko hielt eine Rede: „Carl v. Linné, sein Leben und seine Verdienste in der Botanik". (S. Acta Horti Bot. Un. Imp. Jurjev. Bd. VIII. H. 2. 1907. P. 114—131).

3. Das Protokoll der vorigen Sitzung wurde verlesen und genehmigt.

4. Es wurden die Wahlen für das Amt eines Schatzmeisters vorgenommen. Durch Zettel waren vorgeschlagen die Herren: Pros. Dr. H. Adolphi — 18 St., Ass. P. Mischtschenko — 3 St., und Priv.-Doz. B. Hryniewiecki — 1 St. Die zwei letzten lehnten das Ballotement ab. Als Schatzmeister der Gesellschaft für die 3-jährige Frist wurde Dr. H. Adolphi gewählt (21 pro, 1 kontra).

5. Der Präsident machte die Mitteilung, dass die Gräfin Cath. Scheremetjew der Gesellschaft als Subsidium für die Exkursion von H. v. Oettingen 200 Rubel geschenkt hat. — Es wurde beschlossen den Dank der Gesellschaft auszusprechen.

6. Laut Vorschlag des Präsidenten wurde beschlossen die Abhandlung des Priv.-Doz. B. Hryniewiecki „Ueber Rheotropismus der Wurzel nebst einigen Bemerkungen über Chemotropismus und Thigmotropismus" zu veröffentlichen.

7. Auf den Antrag des Herrn H. von Oettingen wurde beschlossen der Naturforscher-Gesellschaft zu Riga einen gestopften Birkhahn zu schenken. (Männchen wie ein Weibchen gefärbt).

8. Stud. A. Dubjansky hielt einen Vortrag „Ueber eine Exkursion in die Uraler und Turgai-Provinz". (Mit Demonstrationen).

An den Debatten gelegentlich dieses Vortrages nahmen teil Prof. G. Michajlowsky und Prof. N. Kusnezow.

II.

Научный отдѣлъ.

Wissenschaftlicher Teil.

412-ое засѣданіе.

13 сентября 1907 г.

Присутствуетъ 25 членовъ, 14 гостей.

1. Предсѣдатель сообщаетъ о кончинѣ Д-ра Э. Іеше, состоявшаго членомъ Общества съ 1875 по 1906 годъ. Память покойнаго была почтена вставаніемъ.

2. Предсѣдатель въ краткихъ словахъ сообщаетъ Обществу о результатахъ работъ Озерной Комиссіи и экскурсій, произведенныхъ гг. ф. Эттингеномъ и Г. Г. Сумаковымъ, и предложилъ Обществу выразить благодарность нижеслѣдующимъ лицамъ, содѣйствовавшихъ работамъ Озерной Комиссіи и г. г. Эттингена п Сумакова: Проф. Д-ру Шталь-Шрёдеру; К. ф. Самсонъ-Гимельстьерна; ф. Хекелю, Б. ф. Левену; г-жѣ М. ф. Ротъ-Тильзитъ; А. ф. Вульфъ-Коссе; Военному губернатору Дагестанской области; Полковнику Н. К. Вишневскому, начальнику Гунибскаго округа; Капитану И. А. Новаковскому, начальнику участка въ Тляратѣ; Ю. Р. Земмелю, инструктору по хлопководству; П. К. Галкину, письмоводителю при начальникѣ участка Лагодехи; Полковнику М. Ага-Анцухскому и его брату; Д-ру Шмидту, помощнику директора Кавказскаго музея; Х. Н. Фишеру; Е. И. Вильбергу; М. В. Суханову; Ф. П. Кулыгину, Н. И. Самокишъ.

Постановлено благодарить означенныхъ лицъ.

3. Протоколъ предыдущаго собранія заслушанъ и утвержденъ.

4. Въ библіотеку Общества пожертвованы книги отъ гг. Д-ра Римшнейдера, Неготина, Холлмана, Лютера, Ландезена и Якобсона — 5 книгъ. Въ Коллекціи Общества пожертвовано: г-номъ С. Б. Шарбе — рядъ фотографій и коллекція бабочекъ; проф. Гаусманномъ — кусокъ

дерева, изъѣденнаго насѣкомыми; г-номъ Розенбергомъ чучело чибиса (Vanellus vanellus).

Жертвователямъ выражена благодарность Общества.

5. Постановлено послать поздравленія „Verein für Natur- und Heilkunde in Poszony“ по поводу его 50-лѣтняго юбилея, бывшаго 25 августа сего года.

6. Заявлено, что д. чл. Общества ассистентъ К. Кохъ выходитъ изъ членовъ Общества по болѣзни. Принято къ свѣдѣнію.

7. Въ д. члены Общества предлагаются: г-жа Martha Groth и г-жа Meta Koller — гг. Г. А. Ландезеномъ и Ф. Синтенисомъ.

Проф. Н. И. Кузнецовъ сдѣлалъ сообщеніе: „О ботанико-географическихъ провинціяхъ Кавказа“. Въ преніяхъ участвовали гг. Ландезенъ и ф. Эттингенъ.

413-ое засѣданіе.

27 сентября 1907 г.

Присутствуетъ 26 членовъ, 14 гостей.

1. Протоколъ предыдущаго собранія заслушанъ и утвержденъ.

2. Въ коллекціи общества пожертвовано Н. Н. Бурденко — двѣ рентгенографіи. Жертвователю выражена благодарность Общества.

3. Принятъ обмѣнъ изданіями, предложенный „Societé Portugaise de Sciences naturelles“.

4. Въ дѣйствительные члены Общества предложены: преподаватель, Ник. Иван. Добровольскій — И. Е. Орловымъ и Н. В. Култашевымъ; канд. мат. Николай Петр. Самбикинъ — Н. А. Сахаровымъ и Н. В. Култашевымъ; студ. физ. мат. Петръ Петр. Поповъ — Н. И. Борщовымъ и П. И. Курскимъ; студ. физ. мат. Влад. Александр. Кузнецовъ — А. И. Мальцевымъ и Н. П. Поповымъ; студ. физ. мат. Ѳед. Петр. Швецъ — Н. И. Василевскимъ и М. М. Барабановымъ; студ. фарм. Э. А. Кесслеръ — Н. И. Василевскимъ и Н. А. Самсоновымъ; студ. мед. Г. Ю. Кулль — Н. А. Самсоновымъ и К. А. Фляксбергеромъ; студ. физ. мат., Як. Як. Алексѣевъ — проф. Н. И. Кузнецовымъ и Н. В. Култашевымъ;

Д-ръ Л. И. Меписовъ — проф. Н. И. Кузнецовымъ, И. И. Широкогоровымъ, А. К. Пальдрокомъ.

5. Въ дѣйствительные члены Общества выбраны: г-жа М. Гротъ — 21 за, 7 противъ; г-жа М. Коллеръ — 22 за, 4 противъ, 1 возд.

6. А. И. Мальцевъ сдѣлалъ сообщеніе: „Типы растительныхъ фармацій по изслѣдованіямъ въ Корочанскомъ уѣздѣ, Курской губ." Въ преніяхъ участвовали: П. И. Мищенко, проф. Н. И. Кузнецовъ.

7. Д-ръ А. К. Пальдрокъ сдѣлалъ сообщеніе: „Нѣсколько словъ о желательности изслѣдованія рыбъ, отъ которыхъ якуты заражаются проказой". Въ преніяхъ принимали участіе: И. И. Широкогоровъ, Д-ръ Штюрмеръ, проф. Сентъ-Илеръ, Д-ръ Адольфи. По поводу сообщенія предложено поставить на рѣшеніе собранія вопросъ: Желаетъ ли Общество Естествоиспытателей обратиться къ г-ну якутсткому губернатору и г-ну якутскому врачебному инспектору съ просьбой выслать рыбы для изслѣдованій? — Принято всѣми при 2 воздержавшихся.

414-ое засѣданіе.

4 октября 1907 г.

Присутствуетъ 22 члена, 7 гостей.

1. Заслушанъ и утвержденъ протоколъ предыдущаго засѣданія.

2. Въ коллекціи Общества поступилъ подарокъ отъ Г-на Юргенса — окаменѣлости изъ Odenpä.

3. Въ библіотеку Общества поступилъ подарокъ отъ А. Д. Богоявленскаго — 1 брошюра.

4. Въ дѣйствительные члены Общества предложенъ канд. естеств. наукъ докторъ медицины Штюрмеръ — проф. Н. И. Кузнецовымъ и Н. В. Култашевымъ.

Въ дѣйствительные члены Общества выбраны гг. Н. И. Добровольскій (22 +, 1 —, 1 возд.), Н. П. Самбикинъ (20 +, 2 —, 2 возд.), П. П. Поповъ (23 +, 1 возд.), В. А. Кузнецовъ (23 +, 1 возд.), Ѳ. И. Швецъ (23 +, 1 возд), Э. А. Кесслеръ (23 +, 1 возд.), Г. Ю. Кулль (23 +, 1 возд.),

Я. Я. Алексѣевъ (22 +, 1 —, 1 возд.), Л. И. Меписовъ (22 +, 2 возд.). При подсчетѣ избирательныхъ записокъ, двѣ изъ нихъ были признаны недѣйствительными, такъ какъ онѣ были пустыми.

5. Асс. В. Н. Воронцовъ сдѣлалъ сообщеніе: „Къ вопросу о полученіи рицина изъ старыхъ и свѣжихъ сѣмянъ клещевины“. Въ преніяхъ участвовали: гг. Богоявленскій, Скворцовъ, Бурденко, Лепорскій. (См. Т. XVI, вып. 3, стр. 145—208).

6. М. ф. ц. Мюленъ сдѣлалъ сообщеніе: „Объ озерахъ въ Рауге“. Въ преніяхъ участвовали гг. Кузнецовъ, Римшнейдеръ, Михайловскій, Ландезенъ.

415-ое засѣданіе.

18 октября 1907 г.

Присутствуетъ 20 членовъ, 5 гостей.

1. Протоколъ предыдущаго собранія заслушанъ и утвержденъ.

2. Въ библіотеку Общества пожертвована г-омъ Г. Г. ф. Эттингеномъ 1 брошюра. Жертвователю выражена благодарность Общества.

3. Г-нъ предсѣдатель сообщаетъ, что имъ получены нижеслѣдующія докладныя записки, поданныя на основаніи Правилъ для распредѣленія суммы на научныя экскурсіи и т. д.: г-на А. И. Мальцева — на 200 руб. (подана г-ну предсѣдателю 27 сентября 1907), Озерной комиссіи на 450 руб. (подана г-ну предсѣдателю 28 сентября 1907). Кромѣ того г-нъ предсѣдатель сообщаетъ, что имъ получена еще одна докладная записка, г-на Дубянскаго на 200 руб., но послѣ срока, т. е. 8 октября 1907 года.

Послѣ обсужденія послѣдняго заявленія г-на предсѣдателя было постановлено поставить на рѣшеніе собранія нижеслѣдующій вопросъ: „Считаетъ ли сегодняшнее собраніе для себя возможнымъ на этомъ засѣданіи рѣшить вопросъ о томъ, слѣдуетъ ли принять записку г-на Дубянскаго на конкурсъ сего года“. Всѣми при двухъ воздержавшихся постановлено этотъ вопросъ не рѣшать на этомъ засѣданіи. Постановлено затѣмъ: (20 за, при 3 возд.) вопросъ этотъ отложить до слѣдующаго засѣданія и (всѣми при 2 возд.) поставить его на повѣстку слѣдующаго собранія.

4. Въ дѣйствительные члены Общества выбранъ Д-ръ Штюрмеръ (21 +, 1 —).

5. Ассист. Г. Г. ф. Эттингенъ сдѣлалъ докладъ: „Отчетъ о путешествіи въ Дагестанъ лѣтомъ сего 1907 года“. Въ преніяхъ участвовали Д-ръ Римшнейдеръ, проф. Михайловскій, проф. Кузнецовъ, асс. Мищенко.

416-ое засѣданіе.

25 октября 1907 г.

Присутствуетъ 51 членовъ, 44 гостей.

1. Заслушанъ и утвержденъ протоколъ предыдущаго засѣданія.

2. Постановлено единогласно сперва выслушать докладъ Н. Култашева и Н. Сахарова.

3. Н. В. Култашевъ и Н. А. Сахаровъ сдѣлали сообщеніе: Демонстрація цвѣтной фотографіи на пластинкахъ „Autochrome“ Люмьера.

4. На обсужденіе собранія поставленъ вопросъ о допущеніи къ соисканію пособій на экскурсіи докладной записки, поданной послѣ срока, установленнаго правилами. По обсужденіи этого вопроса на рѣшеніе собранія ставятся слѣдующія предложенія:

а) „Согласно ли общее Собраніе продлить въ текущемъ году срокъ подачи докладныхъ записокъ?“ По предложенію Н. И. Сахарова производится закрытая балотировка. За продленіе срока высказалось 20, противъ 21, 2 воздержалось. — Отклонено.

b) „Допускаетъ ли Общее Собраніе къ соисканію пособій на экскурсіи докладную записку г-на Дубянскаго?“ За допущеніе высказалось 28, противъ 13, возд. 2. Принято.

417-ое засѣданіе.

8-го ноября 1907 г.

Присутствуетъ 36 членовъ, 1 гость.

1. Протоколъ предыдущаго засѣданія заслушанъ и утвержденъ.

2. Доложено секретарю извѣщеніе распорядительнаго комитета перваго Менделѣевскаго съѣзда по общей и прикладной

химіи. Принято къ свѣдѣнію и постановлено просить проф. Л. Ѳ. Писаржевскаго быть представителемъ Общества на этомъ съѣздѣ.

3. Доложены секретаремъ нижеслѣдующія постановленія Правленія Общества.

a) Постановлено: отпечатать каталогъ періодическихъ изданій библіотеки Общества въ видѣ приложенія къ протоколамъ, отдѣльно сброшюрованнаго, причемъ 650 экз. безъ обложки, а 350 съ обложкой для продажи для увеличенія суммы библіотечной Комиссіи.

. Постановленіе это утверждено единогласно общимъ собра-ніемъ.

b) Постановлено: утвердить временныя правила, выработанныя библіотечной комиссіи для библіотеки и читальни Общества.

Временныя правила

для библіотеки и читальни Общества Естествоиспытателей:

1) Библіотека Общества открыта для гг. членовъ Общества по средамъ и пятницамъ отъ 12 до 2 ч. и по червергамъ и субботамъ отъ 6—8 вечера.

2) Читальня Общества открыта для гг. членовъ Общества по четвергамъ и субботамъ отъ 6 до 8 вечера.

3) Книги находящіяся въ читальнѣ на домъ не выдаются.

4) Всякая книга, находящаяся въ читальнѣ и взятая для пользованія, обратно ставится на свое мѣсто самимъ читающимъ.

5) Желающіе получить въ читальню книгу изъ библіотеки обращаются за полученіемъ книги къ г-жѣ Нейпертъ. — Въ виду того обстоятельства, что устройство библіотеки еще не окончено, не всѣ запросы гг. членовъ Общества по выдачѣ книгъ могутъ быть удовлетворены.

Постановленіе это принимается Общимъ собраніемъ къ свѣдѣнію.

c) Постановлено просить Общее собраніе выбрать 5 членовъ для пополненія библіотечной Комиссіи при выработкѣ постановленныхъ правилъ библіотеки и читальни. По этому пункту Общее собраніе единогласно постановляетъ произвести выборы 5 членовъ для пополненія библіотечной комиссіи на будущемъ засѣданіи.

4) Предсѣдатель докладываетъ, что Правленіе Общества на засѣданіи 22/X/07 г. приняло тремя голосами противъ 1 голоса секретаря, который заявилъ отдѣльное мнѣніе, нижеслѣдующую смѣту на 1908 годъ, которую Правленіе и предлагаетъ на утвержденіе Общаго Собранія.

Доходы:

% съ бумагъ	500 руб.
Продажа изданій	25 „
Членскіе взносы.	475 „
Пособіе отъ Университета	400 „
„ отъ Государ. Казначейства	2500 „
Итого . .	3900 руб.

Расходы:

Квартира	750 руб.
Жалованіе служащимъ	250 „
Хозяйственные расходы.	300 „
На библіотеку	300 „
На содержаніе коллекцій	25 „
На работы озерной коммиссіи, экскурсіи и др. научныя препріятія и работы	750 „
На печатаніе изданій	1200 „
„ „ таблицъ	250 „
Непредвидѣнные расходы	75 „
Итого . .	3900 руб.

5. Секретарь Общества Н. В. Култашевъ докладываетъ смѣту на 1908 годъ, выработанную имъ согласно заявленному имъ въ Правленіе отдѣльному мнѣнію:

Доходы:

% съ бумагъ	500 руб.
Продажа изданій	25 „
Членскіе взносы	475 „
Пособіе отъ Университета	400 „
Пособіе отъ Госуд. Казначейства	2500 „
Итого . .	3900 руб.

Р а с х о д ы :

Квартира	750	руб.
Жалованіе служащимъ	250	,,
Хозяйственные расходы	300	,,
Библіотека	300	,,
Коллекціи	25	,,
Печатаніе изданій	1250	,,
,, таблицъ	250	,,
Экскурсіи и т. п.	250	,,
Погашеніе долга	450	,,
Непредвидѣнные расходы	75	,,
Итого	3900	руб.

6. Предсѣдатель ставитъ на обсужденіе Собранія обѣ смѣты. Послѣ продолжительныхъ преній и послѣ того какъ предложеніе отложить рѣшеніе вопроса о бюджетѣ до слѣдующаго засѣданія было отклонено всѣми голосами противъ одного, на рѣшеніе собранію ставится вопросъ:

Желаетъ ли собраніе утвердить смѣту предложенную Правленіемъ? По предложенію Н. А. Сахарова производится закрытая баллотировка.

Результатъ: 19 голосовъ за (+); 16 противъ (—); всего голосуетъ 35.

На голосованіе ставится смѣта, предложенная Н. В. Култашевымъ.

Результатъ 21 за (+); 14 противъ (—); всего голосуетъ 35 человѣкъ.

Принята общимъ собраніемъ на 1908 годъ смѣта предложенная Н. В. Култашевымъ.

7. Произведены выборы вицепредсѣдателя Общества вслѣдствіе окончанія срока избранія.

Записками предложены гг. Г. А. Ландезенъ, (19 голосами), проф. Г. И. Михайловскій (1 гол.), М. фонъ цуръ Мюленъ (14), А. Д. Богоявленскій (1). За отказомъ гг. ф. ц. Мюлена и А. Д. Богоявленскаго и ввиду отсутствія проф. Г. Михайловскаго, баллотируется Г. А. Ландезенъ и избирается 22-мя положительными голосами при 12-и отрицательныхъ.

8. Произведены выборы секретаря Общества вслѣдствіе того, что срокъ его избранія истекалъ на другой день.

Записками предложены гг. Н. В. К у л т а ш е в ъ (20); Б. В. С у к а ч е в ъ (11); Б. Б. Г р и н е в е ц к і й (1); А. Д. Б о г о я в- л е н с к і й (2); Г. Г. С у м а к о в ъ (1).

За отказомъ всѣхъ кромѣ Н. В. К у л т а ш е в а баллотиро- вался послѣдній и избранъ 24-мя положительными голосами про- тивъ 10-и отрицательныхъ.

9. Въ дѣйствительные члены Общества предлагается Д-ръ В. И. И л ь и н с к і й — гг. Н. И. Л е п о р с к и м ъ и Н. Н. Б у р- д е н к о.

10. Студ. А. А. Д у б я н с к і й сдѣлалъ сообщеніе: „Гео- логическій интересъ предполагаемой экскурсіи по Павловскому, Бобровскому и Новопокровскому уѣзду Воронежской губ. и юго- западной части области Войска Донского“.

Въ преніяхъ участвовали гг. Б о г о я в л е н с к і й, К у л- т а ш е в ъ, М а л ь ц е в ъ и проф. К у з н е ц о в ъ.

418-ое засѣданіе

15 ноября 1907 г.

Присутствуетъ 38 членовъ, 2 гостя.

1. За отсутствіемъ г. предсѣдателя предсѣдательствуетъ г. вицепредсѣдатель.

2. Протоколъ предыдущаго собранія заслушанъ и утвержденъ.

3. Въ библіотеку Общества пожертвовано г-номъ Fr. Gop- pelsroeder (Basel) книга, за что жертвователю выражена благодарность Общества.

4. Секретарь докладываетъ поступившія въ Правленіе на основаніи Правилъ 12/X/1906 о распредѣленіе суммы и т. д. до- кладныя записки: Озерной Комиссіи, г-на А. И. М а л ь ц е в а и А. А. Д у б я н с к а г о.

5. Секретарь докладываетъ нижеслѣдующее заключеніе Прав- ленія по поводу поданныхъ докладныхъ записокъ:

„Заслушавъ въ своемъ засѣданіи 11/XI/07 поданныя доклад- ныя записки — Озерной Комиссіи на 450 руб., дѣйств. чл. А. И. М а л ь ц е в а — на 200 руб. и дѣйств. чл. А. А. Д у б я н с к а г о на 200 руб. и обсудивъ ихъ, Правленіе Общества имѣетъ честь доложить Общему Собранію нижеслѣдующее: Соглашаясь съ на- учными задачами поставленными всѣми тремя записками и признавая испрашиваемыя суммы не превышающими дѣйствительной надобности, Правленіе Общества находитъ всѣ три записки заслуживающими поддержки со стороны Общества. Ввиду же того, что ассигнованная на экскурсіи, работы Озерной коммиссіи и др. научныя предпріятія по смѣтѣ на 1908 годъ сумма недостаточна для удовлетворенія всѣхъ трехъ записокъ, Правленіе Общества проситъ общее собраніе поручить Правленію возбудить ходатайство о недостающей на этотъ годъ на экскурсіи суммы".

6. Послѣ преній, открытыхъ относительно поданныхъ записокъ и заключенія Правленія постановлено: пробаллотировать поданныя записки; способъ баллотировки принятъ такой же какъ и въ прошломъ году.

7. Произведена баллотировка докладныхъ записокъ.
Получили: Озерная Коммиссія + 23 — 13.
　　　　　г-нъ А. Дубянскій + 22 — 14.
　　　　　г-нъ А. Мальцевъ + 18 — 18.
Всего баллотировало 38 членовъ.

Слѣдовательно сумма присуждена Озерной Коммиссіи и удовлетворена въ размѣрѣ 250 руб.

8. Открыты пренія по второй части заключенія Правленія. Открытой баллотировкой Общее Собраніе постановило:

a) Поручить правленію ходатайствовать о субсидіи, недостающей на 1908 годъ на экскурсіи суммы (2 противъ, 1 возд. 34 за).

b) Баллотировать сразу всѣхъ трехъ кандитатовъ относительно дополнительной суммы.

Открытой баллотировкой отклонено: .

a) Баллотировать только г-на Мальцева:
　　(1 за, 6 воздерж., 30 противъ).

b) Баллотировать каждаго кандидата отдѣльно, не рѣшая вопроса о распредѣленіи могущей быть полученной суммы:
　　(4 за, 7 воздерж., 26 противъ).

9. Произведена баллотировка, согласно второму постановленію; результатъ слѣдующій:
г-нъ А. Дубянскій + 25, — 11
г-нъ А. Мальцевъ + 21, — 15
Озерная Коммиссія + 19, — 18.

Слѣдовательно постановлено распредѣлить могущую быть

полученной дополнительную сумму въ этомъ указанномъ баллотировкой порядкѣ.

10. Произведены выборы пяти членовъ въ библіотечную комиссію. Записками избраны: гг. С у м а к о в ъ (6-ю зап.), Ш в е ц ъ (11), М а л ь ц е в ъ .(10), ф. Э т т и н г е н ъ (9), А б о л ь д ъ (7).

11. Избранъ въ дѣйств. члены Общества Д-ръ В. И. И л ь и н с к і й (17 за, 4 противъ, 3 возд.)

12. Въ дѣйств. члены Общества предлагаются: Д-ръ Г а ф ф н е р ъ, предлагаютъ гг. ф. Э т т и н г е н ъ и Б у р д е н к о и студ. этногр. П. И. С л ю н и н ъ, предлагаютъ гг. ф. Э т т и н г е н ъ и А. М а л ь ц е в ъ.

419-ое засѣданіе

13-го декабря 1907 г.

Присутствуетъ 30 членовъ, 16 гостей.

1. По предложенію предсѣдателя Собраніе почтило вставаніемъ память великаго ученаго лорда К е л ь в и н ъ - В. Т о м с о н а, скончавшагося 4/17 декабря 1907 г.

2. Асс. Н. А. С а х а р о в ъ и проф. Б. И. С р е з н е в с к і й произнесли рѣчь: „О трудахъ лорда К е л ь в и н а - В. Т о м с о н а въ области физики".

3. Прив.-доцентъ В. А. Б о р о д о в с к і й произнесъ рѣчь: „Строеніе вещества по лорду К е л ь в и н у - В. Т о м с о н у".

4. Въ библіотеку Общества пожертвованы г. Н. Ф. Т и м о н о в ы м ъ сочиненія В. Т о м с о н а, за что жертвователю выражена благодарность.

5. Протоколъ предыдущаго собранія. заслушанъ и утвержденъ.

6. Въ библіотеку общества подаренъ г. W. H e i n оттискъ его статьи: Zur Biologie der Forellenbrut, II und III. Постановлено просить Озерную Комиссію выслать свои отдѣльные оттиски въ обмѣнъ.

7. Принято предложенный И. Р. Вольно-экономическимъ Обществомъ обмѣнъ изданіями. Постановлено просить И. Р. В.-Э О. въ виду того, что наши изданія ему посылались еще раньше, прислать недостающія у насъ изданія.

8. Секретарь докладываетъ извѣщеніе Кіевскаго Политехническаго Института о чествованіи въ Кіевѣ 9 декабря памяти М. И. Коновалова. Въ виду запозданія принято къ свѣдѣнію.

9. Въ дѣйствительные члены Общества избраны: Д-ръ Гаффнеръ (31 за, 1 противъ, 1 возд.), студентъ Слюнинъ (29 за, 3 противъ, 1 возд.).

10. Въ дѣйствительные члены Общества предлагаются гг. ассист. Э. Г. Шенбергъ — предлагаютъ В. К. Абольдъ и Н. В. Култашевъ и врачъ В. Рейеръ — предлагаютъ гг. В. И. Воронцовъ и Н. Н. Бурденко.

11. Произведены выборы членовъ ревизіонной комиссіи; избраны записками проф. Б. И. Срезневскій и проф. Е. А. Шепилевскій.

12. Д-ръ И. И. Широкогоровъ сдѣлалъ сообщеніе: О зобной железѣ. (*Thymus persistens*). Въ преніяхъ участвовали гг. проф. К. К. Сентъ-Илеръ, Г. Ю. Кулль, проф. Н. И. Кузнецовъ.

13. Сообщеніе П. И. Мищенко: „Родъ *Gagea* и его кавказскіе представители“, было отложено по болѣзни докладчика.

412. Sitzung

am 13. September 1907.

————

Anwesend: 25 Mitglieder, 14 Gäste.

1. Der Präsident berichtet über das Ableben des Dr. Jaesche, welcher von 1875—1906 Mitglied der Gesellschaft gewesen ist. Das Andenken des Verstorbenen wurde durch Erheben von den Sitzen geehrt.

2. Der Präsident berichtet der Versammlung in kurzen Worten über das Resultat der Arbeiten der Seenkommission und über die Exkursionen, die von den Herren v. Oettingen und, G. G. Ssumakow unternommen worden waren, und beantragte folgenden Personen, die den Arbeiten der Seenkommission und der Herren von Oettingen und Ssumakow Vorschub geleistet hatten, einen Dank zu votieren: Prof. Dr. Stahl-Schroeder; K. v. Samson-Himmelstjerna; v. Häckel; B. v. Loewen; Frau M. v. Roth-Tilsit; A. v. Wulf-Kosse; dem Militairgouverneur des Daghestan - Gebiets; dem Gunibschen Kreischef Oberst N. K. Wischnewsky; dem Kapitain J. A. Nowakowsky dem Kreischef-Gehülfen in Tlarata; dem Instruktor des Baumwollbaues J. P. Semmel; P. N. Galkin, Schriftführer beim Lagodechi'schen Chef; Oberst M. Aga-Anzuchsky und seinem Bruder; Dr. Schmidt, Direktors-Gehülfe des Kaukasischen Museums; H. N. Fischer; E. J. Wilberg; M. B. Ssuchanow; F. P. Kulygin; N. J. Ssamokisch. — Es wurde beschlossen den betreffenden Personen zu danken.

3. Das Protokoll der vorigen Sitzung wird verlesen und genehmigt.

4. Der Vereinsbibliothek sind 5 Bücher geschenkt worden, von den Herren Dr. Riemschneider, Negotin, Hollmann,

Luther, Landesen und Jacobson. Zu den Sammlungen der Gesellschaft hatten beigesteuert Herr S. B. Scharbe: Eine Reihe von Photographien und eine Schmetterlingssammlung; Prof. Hausmann — ein von Insekten zerfressenes Stück Holz; von Herrn Rosenberg ein ausgestopfter Kibitz (*Vanellus vanellus*). Den Schenkern sprach die Versammlung ihren Dank aus.

5. Es wurde beschlossen dem „Verein für Natur- und Heilkunde in Poszony" anlässlich seines 50-jährigen Jubiläums, das am 25. August dieses Jahres stattfand, einen Glückwunsch zu senden.

6. Es wurde mitgeteilt, dass das Mitglied der Gesellschaft, Assistent K. Koch wegen Krankheit aus der Zahl der Mitglieder austritt. Die Mitteilung wurde zur Kenntnis genommen.

7. Zu ordentlichen Mitgliedern der Gesellschaft wurden vorgeschlagen: Frl. Martha Grot und Frl. Meta Koller von den Herren G. A. Landesen und Sintenis.)

8. Prof. N. J. Kusnezow machte Mitteilung „Ueber die botanisch-geographischen Provinzen des Kaukasus". An den Debatten beteiligten sich die Herren Landesen und Oettingen.

413. Sitzung

am 27. September 1907.

Anwesend: 26 Mitglieder, 14 Gäste.

1. Das Protokoll der vorigen Sitzung wird verlesen und genehmigt.

2. Für die Sammlungen der Gesellschaft schenkte N. N. Burdenko zwei Röntgen-Photographien. Dem Schenker wurde der Dank der Gesellschaft ausgesprochen.

3. Der Vorschlag der „Société Portugaise de Sciences naturelles" Bücherausgaben zu tauschen, wurde angenommen.

4. Zu ordentlichen Mitgliedern der Gesellschaft wurden vorgeschlagen: Der Lehrer N. J. Dobrowolsky — von A. J. Orlow und N. B. Kultaschew; Cand. math. N. P. Ssambikin — von N. A. Ssacharow und N. B. Kultaschew; der Stud. der phys.-math. Fakultät P. P. Popow — von N. J. Borschtschow und P. Kursky; der Stud. der phys.-math. Fakultät W. A. Kusnezow — von A. J. Malzew und N. P. Popow; der Stud. der phys.-math. Fakultät T. P. Schwez — von N. J. Was-

siljewsky und M. M. Barabanow; stud. pharm. E. A. Kessler — von Wassiljewsky und N. A. Ssamsonow; stud. med. H. J. Kull — von Ssamsonow und R. A. Flachsberger; der Stud. der phys.-math. Fakultät J. J. Alexejew — von Prof. N. J. Kusnezow und N. B. Kultaschew; Dr. L. J. Mepissow — von Prof. N. J. Kusnezow, Dr. J. J. Schirokogorow und Dr. A. K. Paldrock.

5. Zu ordentlichen Mitgliedern der Gesellschaft wurden gewählt: Frl. M. Grot — 21 St. pro, 7 kontra; Frl. M. Koller — 22 pro, 4 kontra, bei einer Stimmenthaltung.

6. A. J. Malzew berichtete über „Typen von Pflanzenformationen nach Untersuchungen im Kreise Korotscha im Gouvernement Kursk". An den Debatten beteiligten sich P. J. Mischtschenko und N. J. Kusnezow.

7. Dr. A. K. Paldrock lieferte einen Bericht: „Einige Worte über das Wünschenswerte der Untersuchung von Fischen, durch welche sich die Jakuten mit Lepra infizieren". An den Debatten beteiligten sich J. J. Schirokogorow, Dr. Stürmer, Prof. St.-Hilaire und Dr. Adolphi. Anlässlich des Berichtes wurde beantragt der Versammlung folgende Frage zur Entscheidung vorzulegen: Hält die Naturforscher-Gesellschaft es für wünschenswert sich an den Herrn Gouverneur von Jakutsk und den Herrn Medizinalinspektor von Jakutsk zu wenden mit der Bitte, Fische zur Untersuchung zu senden. Der Antrag wurde von allen Anwesenden bei zwei Stimmenthaltung angenommen.

414. Sitzung

am 4. Oktober 1907.

Anwesend: 22 Mitglieder, 7 Gäste

1. Das Protokoll der vorigen Sitzung wird verlesen und genehmigt.

2. In die Sammlungen der Gesellschaft ist ein Geschenk von Herrn Jürgens eingelaufen — Versteinerungen aus Odenpä.

3. In die Bibliothek der Gesellschaft ist als Geschenk von A. D. Bogojawlensky eine Broschüre eingelaufen.

4. Zum ordentlichen Mitglied der Gesellschaft wurde der Kand. der Naturwissenschaften Dr. med. Stürmer vorgeschlagen

IX*

— von Prof. N. J. K u s n e z o w und N. B. K u l t a s c h e w. Zu ordentlichen Mitgliedern der Gesellschaft wurden gewählt: die Herren N. J. D o b r o w o l s k y (22 pro, 1 kontra, 1 Stimmenthaltung), N. P. S s a m b i k i n (20 pro, 2 kontra, 2 Stimmenthaltungen), P. P. P o p o w (23 pro, 1 Stimmenthaltung), B. A. K u s n e z o w (23 pro, 1 Stimmenthaltung), T. J. S c h w e z, (33 pro, 1 Stimmenthaltung), E. A. K e s s l e r (23 pro, 1 Stimmenthaltung), H. J. K u l l (23 pro, 1 Stimmenthaltung), J. J. A l e x e j e w (22 pro, 1 kontra, 1 Stimmenthaltung), L. J. M e p i s s o w (22 pro, 2 Stimmenthaltungen). Bei Zählung der Wahlzettel wurden 2 von ihnen für ungültig erklärt, da sie leer waren.

5. Ass. B. N. W o r o n z o w lieferte einen Bericht: „Zur Frage über die Darstellung des Ricins aus alten und frischen Ricinussamen". An den Debatten beteiligten sich die Herren B o g o j a w - l e n s k y, S k w o r z o w, B u r d e n k o und L e p o r s k y.

6. M. v. zur M ü h l e n sprach „Ueber die Seen in Rauge". An den Debatten beteiligten sich die Herren K u s n e z o w, R i e m - s c h n e i d e r, M i c h a i l o w s k y und L a n d e s e n.

415. Sitzung

am 18. Oktober 1907.

Anwesend: 20 Mitglieder, 5 Gäste.

1. Das Protokoll der vorigen Sitzung wird verlesen und genehmigt.

2. Herr H. v. O e t t i n g e n hat der Bibliothek der Gesellschaft eine Broschüre gestiftet. Dem Schenker wurde der Dank der Gesellschaft ausgesprochen.

3. Der Präsident berichtet, dass ihm folgende Anmeldungsschreiben zugegangen sind, welche auf Grund der Regeln über Verteilung von Summen für wissenschaftliche Exkursionen u. s. w. eingereicht wurden: Von Herrn A. J. M a l z e w — 200 Rbl. (eingereicht beim Präsidenten am 27. Sept. 1907), von der Seenkommission — 450 Rbl. (eingereicht beim Präsidenten am 28. Septbr. 1907). Ausserdem berichtete der Präsident, dass er noch ein Anmeldungsschreiben erhalten habe, und zwar von Herrn D u b j a n s k y — auf 200 Rbl., jedoch nach dem Termin, d. h. am 8. Okt. 1907. Nach Besprechung der letzten Mitteilung des Präsidenten wurde der Versammlung folgende Frage zur Entscheidung vorgelegt: „Hält

die heutige Versammlung für möglich, auf dieser Sitzung die Frage zu entscheiden, ob die Anmeldung des Herrn D u b j a n s k y zur Konkurrenz für dieses Jahr zugelassen werden kann". Einstimmig — bei 2 Stimmenthaltungen — würde beschlossen diese Frage nicht auf dieser Sitzung zu entscheiden. Darauf wurde beschlossen (20 pro, 3 Stimmenthaltungen) diese Frage bis zur nächsten Sitzung aufzuschieben und sie auf die Tagesordnung der nächsten Versammlung zu setzen.

4. Zum ordentlichen Mitgliede der Gesellschaft wurde gewählt Dr. S t ü r m e r (21 pro, 1 kontra).

5. Assistent H. v. O e t t i n g e n erstattete Bericht über „Eine Reise nach Daghestan im Sommer d. J." An den Debatten beteiligten sich Dr. R i e m s c h n e i d e r, Prof. M i c h a i l o w s k y, Prof. K u s n e z o w und Assistent M i s c h t s c h e n k o.

416. Sitzung

am 25. Oktober 1907.

Anwesend: 51 Mitglieder, 44 Gäste.

1. Das Protokoll der vorigen Sitzung wird verlesen und genehmigt.

2. Einstimmig wurde beschlossen, zuerst den Bericht N. V. K u l t a s c h e w's und N. A. S s a c h a r o w s's anzuhören.

3. N. V. K u l t a s c h e w und N. A. S s a c h a r o w: Demonstration farbiger Photographien auf Autochrome-Platten von L u m i è r e.

4. Zur Besprechung wird der Versammlung die Frage vorgelegt: „Ueber die Zulassung von Anmeldungen zur Erlangung von Unterstützungen für Exkursionen, welche nach dem, in den Statuten vorgesehenen Termin eingereicht worden sind. Nach Besprechung dieser Frage werden der Versammlung folgende Anträge vorgelegt :

a) „Ist die allgemeine Versammlung damit einverstanden im laufenden Jahre den Termin zur Einreichung von Anmeldungen zu verlängern?" Auf die Proposition von N. A. S s a c h a r o w wird ein verdecktes Ballotement vorgenommen. Für eine Verlängerung des Termins sind 20 Stimmen, gegen eine Verlängerung 21; 2 haben sich der Stimmen enthalten. Abgelehnt.

b) „Nimmt die Versammlung die Anmeldung des Herrn Dubjansky zur Erlangung einer Unterstützung für eine Exkursion an?" Für eine Annahme sind 28 Stimmen, gegen eine Annahme 13, 2 enthielten sich der Stimme. Angenommen.

417. Sitzung

am 8. November 1907.

Anwesend: 36 Mitglieder, 1 Gast.

1. Das Protokoll der vorigen Sitzung wird verlesen und genehmigt.

2. Dem Sekretair wird die Bekanntmachung des Organisationskomités des ersten Mendelejewkongresses für allgemeine und angewandte Chemie gemeldet. Es wird zur Kenntnis genommen und beschlossen Prof. Pissarschewsky zu bitten, auf diesem Kongress als Vertreter der Gesellschaft zu fungieren.

3. Vom Sekretair werden folgende Beschlüsse der Vereinsleitung verkündigt:

a) Es wurde beschlossen: einen Katalog der periodischen Bibliotheksausgaben der Gesellschaft in Form einer Beilage zu den Protokollen zu drucken, und zwar einzeln brochiert — 650 Exemplare ohne Umschlag, 350 mit Umschlag zum Verkauf, zwecks Vergrösserung der, der Bibliothekskommission zur Verfügung stehenden Summe. Der Beschluss wird einstimmig von der allgemeinen Versammlung genehmigt.

b) Es wurde ferner beschlossen der Bibliothekskommission ausgearbeitete temporäre Regeln für die Bibliothek und das Lesezimmer der Gesellschaft festzusetzen.

Temporäre Regeln

für die Bibliothek und das Lesezimmer der Naturforschergesellschaft.

1. Die Bibliothek der Gesellschaft ist für die Herren Mitglieder am Mittwoch und Freitag von 12—2 Uhr, am Donnerstag und Sonnabend von 6—8 Uhr abends geöffnet.

2. Das Lesezimmer der Gesellschaft ist für die Herren Mitglieder am Donnerstag und Sonnabend von 6—8 Uhr abends geöffnet.

3. Bücher, die sich im Lesezimmer befinden, dürfen nicht nach Hause mitgenommen werden.

4. Jedes im Lesezimmer befindliche Buch, welches benutzt worden ist, muss vom Leser selbst auf seinen Platz zurückgestellt werden.

5. Diejenigen, welche ein Buch aus der Bibliothek ins Lesezimmer zu nehmen wünschen, haben sich deswegen an Frau Neppert zu wenden.

In Anbetracht des Umstandes, dass die Einrichtung der Bibliothek noch nicht beendet ist, können nicht alle Wünsche der Herren Mitglieder in Betreff Herausgabe von Büchern befriedigt werden. Dieser Beschluss wird von der allgemeinen Versammlung zur Kenntnis genommen.

c) Es wurde beschlossen die allgemeine Versammlung zu bitten, zur Vervollständigung der Bibliothekskommission bei Ausarbeitung der angeführten Regeln für die Bibliothek und das Lesezimmer 5 Mitglieder zu wählen. In Betreff dieses Punktes beschliesst die allgemeine Versammlung einstimmig die Wahlen von 5 Mitgliedern zur Vervollständigung der Bibliothekskommission auf der nächsten Sitzung vorzunehmen.

4. Der Präsident teilt mit, dass das Direktorium der Gesellschaft auf der Sitzung vom 22./X/07 mit 3 Stimmen gegen die eine Stimme des Sekretairs, welcher eine abweichende Meinung vertrat, folgenden Budgetvoranschlag angenommen hat, den sie der allgemeinen Versammlung zur Genehmigung vorlegt.

Einnahmen:

$\%$ von Papieren	Rbl.	500
Verkauf von Bücherausgaben	„	25
Mitgliedsbeiträge	„	475
Unterstützung v. S. der Universität	„	400
Unterstützung aus der R.-Rentei	„	2500

in Summa Rbl. 3900

Ausgaben:

Quartier	Rbl.	750
Gage für Bedienstete	,,	250
Wirtschaftsausgaben	,,	300
Bibliothek	,,	300
Zur Erhaltung der Sammlungen	,,	25
Für die Arbeiten der Seenkommission, Exkursionen und anderen wissenschaftlichen Unternehmungen	,,	750
Für die Drucklegung von Bücherausgaben . .	,,	1200
Für die Drucklegung von Tabellen	,,	250
Unvorhergesehene Ausgaben	,,	75
	in Summa Rbl.	3900

5. Der Sekretair der Gesellschaft Priv.-Doz. N. Kulta-schew bringt den von ihm, entsprechend der von ihm vertretenen abweichenden Meinung, ausgearbeiteten Budgetvoranschlag zur Kenntnis.

Einnahmen:

$^0/_0$ von Papieren	Rbl.	500
Verkauf von Bücherausgaben	,,	25
Mitgliedsbeiträge	,,	475
Unterstützung v. S. d. Univ.	,,	400
Unterstützung a. d. R.-Rentei	,,	2500
	in Summa Rbl.	3900

Ausgaben:

Quartier	Rbl.	750
Gage für Bedienstete	,,	250
Wirtschaftsausgaben	,,	300
Bibliothek	,,	300
Sammlungen	,,	25
Für Exkursionen etc.	,,	250
Drucklegung von Bücherausgaben	,,	1250
Drucklegung von Tabellen	,,	250
Abzahlung von Schulden	,,	450
Unvorhergesehene Ausgaben	,,	75
	in Summa Rbl.	3900

6. Der Präsident legt der Versammlung beide Budgetvoranschläge zur Besprechung vor. Nach langen Debatten und nachdem die Proposition, die Entscheidung der Budgetfrage bis zur nächsten Sitzung aufzuschieben, mit allen Stimmen gegen eine abgelehnt worden, wird der Versammlung zur Entscheidung die Frage vorgelegt:

„Will die Versammlung den von dem Direktorium der Gesellschaft proponierten Budgetvoranschlag genehmigen?" Auf Vorschlag von N. A. S s a c h a r o w wird ein verdecktes Ballotement vorgenommen. Resultat: 19 Stimmen pro (+), 16 kontra (—); im Ganzen stimmten 35 Mitglieder.

Zur Abstimmung wird der von N. K u l t a s c h e w proponierte Budgetvoranschlag vorgelegt.

Resultat: 21 Stimmen pro (+), 14 kontra (—); im Ganzen stimmten 35 Mitglieder.

Von der allgemeinen Versammlung ist der, von N. K u l t a s c h e w proponierte Budgetvoranschlag für's Jahr 1908 angenommen.

7. Es wird, wegen Ablauf der Wahlzeit, die Wahl eines Vizepräsidenten der Gesellschaft vorgenommen. Auf schriftlichem Wege sind proponiert die Herren: G. A. L a n d ē s e n (19 Stimmen), Prof. G. J. M i c h a i l o w s k y (1 Stimme), M. v. z. M ü h l e n (14 Stimmen), A. D. B o g o j a w l e n s k y (1 Stimme). Wegen des Verzichtens der Herren M. v. z. M ü h l e n und A. D. B o g o j a w l e n s k y und in Anbetracht der Abwesenheit von Prof. M i c h a i l o w s k y, wird über Herrn G. A. L a n d e s e n gestimmt: derselbe wird mit 22 Stimmen pro und 12 Stimmen kontra gewählt.

8. Es wird, da die Wahlzeit am nächsten Tage abläuft, die Wahl eines Sekretairs der Gesellschaft vorgenommen.

Auf schriftlichem Wege sind proponiert die Herren N. V. K u l t a s c h e w (20), B. W. S s u k a t s c h e w (11), B. B. H r y n i e w i e c k i (1), A. D. B o g o j a w l e n s k y (2), G. G. S s u m a k o w (1). Wegen Verzicht sämtlicher Herren, ausser N. V. K u l t a s c h e w wird über den letzteren gestimmt und er mit 24 Stimmen pro und 10 Stimmen kontra gewählt.

9. Zum ordentlichen Mitgliede der Gesellschaft wird Dr. M. I. I l j i n s k y vorgeschlagen — von den Herren N. J. L e p o r s k y und N. N. B u r d e n k o.

10. Stud. A. A. D u b j a n s k y liefert einen Bericht: „Das geologische Interesse einer beabsichtigten Exkursion im Pawlowschen Bobrowsk'schen und Nowokrowsk'schen Kreise des Gouverne-

ments Woronesh und dem südwestlichen Teile des Gebiets des Donschen Heeres". An den Debatten beteiligten sich die Herren Bogojawlensky, Kultaschew, Malzew und Prof. Kusnezow.

418. Sitzung

am 15. November 1907.

Anwesend: 38 Mitglieder, 2 Gäste.

1. Wegen Abwesenheit des Präsidenten präsidiert der Vizepräsident.

2. Das Protokoll der vorigen Sitzung wird verlesen und genehmigt.

3. Der Bibliothek der Gesellschaft hat Fr. Goppelsröder (Basel) ein Buch gestiftet, wofür ihm der Dank der Gesellschaft ausgesprochen wird.

4. Der Sekretair meldet die dem Direktorium auf Grund der Regeln von 12./X/1906 in Betreff der Verteilung von Summen u. s. w. zugegangenen Anmeldungsschreiben an: Von der Seenkommission, von Herrn A. J. Malzew und Herrn A. A. Dubjansky.

5. Der Sekretair verkündigt folgenden Beschluss der Vereinsleitung in Betreff der eingelaufenen Anmeldungsschreiben: „Nachdem das Direktorium der Gesellschaft in ihrer Sitzung von 11./XI/07 die eingelaufenen Anmeldungsschreiben — von der Seenkommission auf 450 Rbl., vom ordentlichen Mitgliede A. J. Malzew auf 200 Rbl. und von dem ordentlichen Mitgliede A. A. Dubjansky auf 200 Rbl. — zur Kenntnis genommen und geprüft, beehrt sie sich der allgemeinen Versammlung Folgendes zur Kenntnis zu bringen: Indem sie sich mit den, in den 3 Anmeldungsschreiben angeführten wissenschaftlichen Aufgaben einverstanden erklärt und die erbetenen Summen, als das wirkliche Bedürfnis nicht übersteigend erkannt hat, hält das Direktorium alle 3 Anmeldungsschreiben für würdig der Unterstützung von Seiten der Gesellschaft. In Anbetracht dessen jedoch, dass die im Budgetvoranschlage fürs Jahr 1908 für Exkursionen, Arbeiten der Seenkommission und andere wissenschaftliche Unternehmungen festgesetzte Summe zur Befriedigung aller 3 Anmeldungen nicht ausreicht, richtet das Direktorium an die

allgemeine Versammlung die Bitte, sie zu beauftragen eine Bittschrift zu veranlassen wegen der in diesem Jahr für Exkursionen fehlenden Summe".

6. Nach Debatten, die sich anlässlich der eingelaufenen Anmeldungsschreiben und des Beschlusses des Direktoriums entwickelten, wurde beschlossen über die Anmeldungen zu ballotieren; der Modus des Ballotements soll derselbe sein, wie im vorigen Jahre.

7. Es wird über die Anmeldungsschreiben ballotiert.

Es erhielten: Die Seenkommission + 23 — 13
Herr A. Dubjansky + 22 — 14
Herr A. Malzew + 18 — 18.

Es stimmten im Ganzen 38 Mitglieder.

Folglich wurde der Seenkommission eine Summe zugesprochen und zwar im Betrage von 250 Rbl.

8. Es entwickelten sich Debatten über den II. Teil des Beschlusses des Direktoriums. Bei verdecktem Ballotement beschloss die allgemeine Versammlung: a) das Direktorium zu beauftragen, um eine Subsidie zu bitten im Betrage der fürs Jahr 1908 für Exkursionen fehlenden Summe (2 Stimmen kontra, 1 Stimmenthaltung, 34 Stimmen pro); b) über alle 3 Kandidaten auf einmal in Betreff der Ergänzungssumme zu ballotieren.

Durch offenes Ballotement wurde abgelehnt: a) nur über Herrn Malzew zu ballottieren (1 pro, 6 Stimmenthaltungen, 30 kontra). b) über jeden Kandidaten einzeln zu ballottieren, ganz abgesehen von der Frage der Verteilung der ev. zu erhaltenden Summe (4 pro, 7 Stimmenthaltungen, 26 kontra).

9. Es wird, entsprechend dem 2. Beschlusse ein Ballotement vorgenommen.

Das Resultat ist folgendes:

Herr A. Dubjansky + 25 — 11
Herr A. Malzew + 21 — 15
Die Seenkommission + 19 — 17.

Folglich ist beschlossen worden, die ev. zu erhaltende Ergänzungssumme in der durchs Ballotement geäusserten Reihenfolge zu verteilen.

10. Es werden die Wahlen von 5 Mitgliedern in die Bibliothekskommission vorgenommen. Durch Zettel wurden gewählt: die Herren Ssumakow (6 Zettel), Schwez (11), Malzew (10), v. Oettingen (9), Abold (7).

11. Zum ordentl. Mitgliede der Gesellschaft wird Dr. B. I. Iljinsky gewählt (17 pro, 4 kontra, 3 Stimmenthaltungen).

12. Zu ordentl. Mitgliedern der Gesellschaft werden vorgeschlagen: Dr. Haffner — von den Herren v. Oettingen und Burdenko und stud. ethnogr. P. J. Sljunin — von den Herren v. Oettingen und A. Malzew.

419. Sitzung

am 13. Dezember 1907.

1. Auf Vorschlag des Präsidenten ehrt die Versammlung durch Erheben von den Sitzen das Andenken des grossen Gelehrten Lord Kelvin-W. Tomson, gest. am 4./17. Dezember 1907.

2. N. A. Ssacharow und Prof. B. J. Sresnewsky hielten eine Rede: „Ueber die Arbeiten des Lord Kelvin-W. Tomson auf dem Gebiete der Physik".

3. Privatdozent W. A. Borodowsky hielt eine Rede: „Die Struktur des Stoffes nach Lord Kelvin-W. Tomson".

4. Der Bibliothek der Gesellschaft hat Herr N. F. Timonow die Werke W. Tomsons geschenkt, wofür ihm der Dank der Gesellschaft ausgesprochen wird.

5. Das Protokoll der vorigen Sitzung wird verlesen und genehmigt.

6. Der Bibliothek der Gesellschaft ist von Herrn W. Hein ein Abdruck seines Aufsatzes „Zur Biologie der Forellenbrut, II" geschenkt worden. Es wurde beschlossen die Seenkommission zu bitten ihre Separatabdrücke als Gegengeschenk zu senden.

7. Der von der Kais. Russ. Frei-Oekonomischen Gesellschaft vorgeschlagene Tausch von Bücherausgaben wird angenommen. Es wird beschlossen, die K. R. F. O. G. zu bitten, sich die uns fehlenden Ausgaben zu verschaffen, in Anbetracht dessen, dass unsere Ausgaben ihr noch früher geschickt worden sind.

8. Der Sekretair meldet die Bekanntmachung des Kiewer Polytechnischen Instituts über die am 9. Dez. in Kiew stattgehabte Ehrung des Andenkens M. J. Konowalows. In Anbetracht der Verspätung wurde dieses zur Kenntnis genommen.

9. Zu ordentl. Mitgliedern der Gesellschaft wurden gewählt: Dr. Haffner (31 pro, 1 kontra, 1 Stimmenthaltung), Stud. Sljunin (29 pro, 3 kontra, 1 Stimmenthaltung).

10. Zu ordentlichen Mitgliedern der Gesellschaft werden vorgeschlagen die Herren Assistent E. Schönberg — von W. K. Abold und N. V. Kultaschew und Dr. W. Reyher — von den Herren Woronzow und N. N. Burdenko.

11. Es werden die Wahlen der Glieder der Revisions-Kommission vorgenommen. Durch Zettel werden gewählt Prof. B. J. Sresnewsky und. Prof. E. A. Schepilewsky.

12. Dr. J. J. Schirokogorow lieferte einen Bericht: „Ueber die Kropfdrüse (*Thymus persistens*)". An den Debatten beteiligten sich die Herrn Prof. K. K. St.-Hilaire, Herr Kull und Prof. N. J. Kusnezow.

13. Der Bericht des Herrn P. J. Mischtschenko: „Die Gattung *Gagea* und ihre kaukasischen Repräsentanten", wurde wegen Krankheit des betreffenden Herrn verschoben.

II.

Научный отдѣлъ.

Wissenschaftlicher Teil.

II.

Научный отдѣлъ.

Wissenschaftlicher Teil.

Очеркъ растительности Корочанскаго уѣзда Курской губерніи.

А. И. Мальцевъ.

„Къ числу мѣстъ въ Курской губ., наиболѣе богатыхъ разнообразіемъ своей растительности, должно отнести уѣздъ Корочанскій, который поэтому заслуживаетъ преимущественное предъ другими вниманіе при ботаническихъ разслѣдованіяхъ и, согласно мнѣнію проф. Черняева, обѣщаетъ жатву новыхъ открытій для флоры, особенно по отношенію къ растеніямъ, появляющимся весною на мѣловомъ кряжѣ".

А. Мизгеръ.

Въ настоящемъ очеркѣ я хочу подвести итоги своимъ ботаническимъ изслѣдованіямъ, произведеннымъ въ Корочанскомъ уѣздѣ Курской губ. въ теченіи послѣднихъ четырехъ лѣтъ (1902—1906 г. г.) [1]. Въ результатѣ этихъ изслѣдованій получился довольно богатый гербарный матеріалъ [2] (до 800 видовъ), дающій 19 видовъ новыхъ [3] для Курской флоры и гораздо большее число такихъ, которые до сихъ поръ не приводились другими авторами для изслѣдуемаго раіона. Задача этой работы — освѣтить мертвый матеріалъ своими наблюденіями, сдѣлать нѣкоторыя обобщенія, поставивъ ихъ въ связь съ современными научно-теоретическими представленіями по разнымъ гео-ботаническимъ вопросамъ и на основаніи сдѣланныхъ выводовъ „возстановить

---

1) Въ этомъ году (1906) изслѣдованія производились мною по порученію Юрьевскаго Общества Естествоиспытателей, при чемъ главное вниманіе было обращено на растительность мѣловыхъ обнаженій.

2) См. прилагаемый къ работѣ списокъ дикорастущихъ растеній, которыя имѣются въ моемъ гербаріумѣ, пожертвованномъ въ „Herbarium Florae Rossicae" Ботаническаго Сада Юрьевскаго Университета.

3) См. мою работу: „Къ флорѣ Короч. у. Курской губ." Труд. Бот. Сад. И. Юрьев. Унив. Т. VII, в. 1. 1906.

первобытный [видъ растительности страны" (К о р ж и н с к і й. 25.) [1]) или хотя въ общихъ чертахъ набросать исторію ея развитія.

Рѣшеніе намѣченной задачи обусловливаетъ содержаніе этой работы, которую я раздѣлю на слѣдующія части:

1. Краткій очеркъ физико-географическихъ условій Корочанскаго у. Курской г., какъ раіона изслѣдованій, куда, слѣдовательно, войдутъ топографическія, орографическія, гидрографическія геологическія, почвенныя и климатическія свѣдѣнія.

2. Очеркъ литературныхъ работъ другихъ флористовъ, ранѣе изслѣдовавшихъ растительность этого раіона, — работъ, которыя выясняютъ намъ общее направленіе ботаническихъ изысканій, производившихся здѣсь и въ этомъ смыслѣ служатъ для насъ источниками.

3. Очеркъ растительности Корочанскаго уѣзда, — главнѣйшая часть моей работы —, въ которомъ излагается: a) современное распредѣленіе растительности раіона въ зависимости отъ характера почвъ, съ полнымъ перечисленіемъ видовъ, пріуроченныхъ къ извѣстной почвѣ, съ указаніемъ ихъ принадлежности къ опредѣленной формаціи и къ опредѣленному классу растительныхъ сообществъ, а такъ-же съ точнымъ указаніемъ изслѣдованныхъ, наиболѣе характерныхъ мѣстонахожденій; b) краткая характеристика каждаго въ отдѣльности типа растительности, въ которой сведены наблюденія и сдѣланы нѣкоторые общіе ботанико-географическіе выводы.

4. Заключительная часть, представляющая общій выводъ изъ всего вышеизложеннаго, как попытку дать отвѣтъ на намѣченную задачу и указанную цѣль работы.

5. Списокъ однихъ дико-растущихъ въ Корочанскомъ у. растеній, расположенныхъ по системѣ Энглера, какъ документальное подтвержденіе производившихся мною ботаническихъ изслѣдованій.

Къ работѣ приложены двѣ карты Корочанскаго у., демонстрирующія, какъ исторію развитія растительности края, такъ и современное ея распредѣленіе.

Предлагая на судъ научной критики эту работу, я далекъ отъ мысли придавать ей исчерпывающій характеръ, но вполнѣ

---

[1] Ссылки почти вездѣ обозначены цифрами, подъ которыми въ концѣ этого сочиненія приведены цитируемыя работы другихъ авторовъ.

убѣжденъ, что она дастъ нѣкоторыя точки опоры для послѣдующихъ, болѣе детальныхъ, ботаническихъ изысканій въ этомъ раіонѣ, хотя-бы конечные выводы ея были-бы односторонни или даже ошибочны.

1. Физико-географическія условія.

Топографія. Корочанскій уѣздъ лежитъ въ юго-восточной части Курской губерніи (между $6^0 7'$—$7^0 15'$ вост. долготы отъ Пулкова и между $50^0 21'$—$51^0 19'$ сѣверн. широты) и занимаетъ пространство по вычисленіямъ астронома Швейцера на основаніи подробной карты Шуберта въ 2548,7 кв. верстъ или 52,68 кв. мили. Въ восточной части онъ граничитъ съ уѣздомъ Ново-Оскольскимъ; въ сѣверной — съ Старо-Оскольскимъ и отчасти съ Тимскимъ; на западѣ къ нему примыкаютъ Обоянскій и Бѣлородскій уѣзды, а на югѣ — Волчанскій уѣздъ Харьковской губ. Площадь, очерченная этими границами, представляетъ неправильную фигуру, какъ-бы двухъ участковъ, изъ которыхъ одинъ простирается на юго-западъ, а другой вытянутъ на югъ, но оба они соединяются по р. Кореню подъ тупымъ угломъ, вершина котораго лежитъ приблизительно у с. Ломово, а открытыя стороны смотрятъ на г. Бѣлогородъ. (47. 48.)

Орографія. Самыя высокія мѣста въ уѣздѣ лежатъ на сѣверѣ (с. Плотавецъ — 918 англ. фут., Б. Яблоново — 871, Кощеево — 854, Подъяруги — 835, Гусекъ — 829) [1], гдѣ проходитъ часть той гряды Средне-Русской возвышенности Тилло, которая служитъ водораздѣломъ системъ Днѣпровской и Донской. Отсюда высоты падаютъ (до 700 англ. фут.) во всѣ стороны, при чемъ строго соблюдается общій наклонъ всей площади на югъ. Общая высота раіона [2] надъ уровнемъ моря колеблется отъ 100 до 120 саж.; въ сѣверной части достигаетъ max. 140 саж., а въ долинахъ рѣкъ падаетъ до min. 80 саж. Такимъ образомъ Корочанскій уѣздъ представляетъ довольно возвышенную и значительно приподнятую надъ уровнемъ моря площадь, которая имѣетъ общій склонъ на югъ. (58.)

Гидрографія. Эти орографическія особенности раіона вполнѣ гармонируютъ съ его гидрографическими условіями. Всѣ

---

1) Высоты взяты съ 10-верстн. карты Генер. Штаба.
2) См. гипсометрическую карту Тилло.

рѣки уѣзда — Сѣверный Донецъ съ притокомъ Саженскій Донецъ, Корень съ притокомъ Сухой Коренекъ, Короча съ притокомъ Ивичкой и Нежеголь — берутъ свое начало въ сѣверной возвышенной части уѣзда (Сѣв. Донецъ — у с. Подольхи на высотѣ 117,5 саж.; Корень — у с. Коломійцево на высотѣ въ 749 англ. ф.; Короча — между с. с. Скородной и Ольховаткой на выс. 127—130 саж.; Нежеголь — близъ с. Заломной на высотѣ въ 110—112 саж.), на высотѣ въ среднемъ въ 115—120 саж. и, слѣдуя общему уклону всей площади на югъ, придерживаются строго Ю. Ю.-З. направленія. Они принадлежатъ къ системѣ Донской, — впадаютъ въ Сѣверный Донецъ, притокъ Дона (37.); обыкновенно имѣютъ въ своихъ верховьяхъ питающіе родники (ключевыя воды); правый берегъ ихъ крутой и обрывистый, лѣвый отлогій (законъ Бэра); вообще говоря отличаются маловодностью и какъ источники естественнаго орошенія страны играютъ незначительную роль, хотя во время таянія снѣговъ весною и сильныхъ ливней лѣтомъ выходятъ изъ береговъ и затопляютъ долины. Послѣднее обстоятельство имѣетъ свою причину въ рельефѣ мѣстности, который въ свою очередь обусловливается ея геологическимъ строеніемъ.

Геологія. По своему геологическому строенію (3. 6. 2. 22. 28. 32. 38. 39.) Корочанскій у. принадлежитъ преимущественно къ мѣловой формаціи. Мѣлъ выходитъ на дневную поверхность особенно въ южной части уѣзда по правымъ берегамъ рѣкъ, гдѣ чаще бываетъ прикрытъ или мѣловыми рухляками, или мергелемъ, въ которомъ видимо преобладаетъ известь, или, наконецъ, сѣровато-глинистымъ мергелемъ, который быстро вывѣтривается и обращается въ труху. Такія обнаженія изобилуютъ кремнями (черные и синіе камни) и носятъ характеръ каменистыхъ склоновъ. Чистый-же пишущій мѣлъ обнажается гораздо рѣже; въ немъ находятъ много *Belemnites* („чертовы пальцы") и великолѣпно сохранившіяся окаменѣлости — раковины моллюсковъ изъ родовъ *Pecten* и *Ostrea*. Составляя основную массу кряжей, образующихъ водораздѣльныя возвышенности, мѣловые осадки отличаются большою неровностью въ горизонтальномъ направленіи, что подтверждается неодинаковымъ возвышеніемъ мѣловыхъ толщъ надъ уровнемъ рѣки на близкихъ разстояніяхъ и видимымъ ихъ волнообразнымъ характеромъ, при которомъ впадины обыкновенно бываютъ заняты болѣе молодыми по возрасту отложеніями, а выдающіеся бугры образуютъ лбообразныя или конусовидныя обнаженія. Выше мѣла лежатъ тѣ проблематичные пески мертваго яруса, которые можно назвать гипотетично третичными („намѣловые осадки“ Борисяка). Они изрѣдка выходятъ на дневную поверхность въ видѣ небольшихъ острововъ къ границамъ Ново-Оскольскаго уѣзда (с. Песчаное). Наконецъ всѣ эти осадки прикрываются пластомъ послѣтретичныхъ наносныхъ образованій, которыя еще Барботъ-де-Марни отнесъ къ „южно-русскому лессу“. Неравномѣрная толща лесса расположена такимъ образомъ, что по мѣрѣ возрастанія абсолютныхъ высотъ мѣстности, возрастаетъ и толща залегающаго здѣсь лесса. (Кудрявцевъ. 28.) Поэтому, начиная съ средины уѣзда и дальше, — на сѣверъ, гдѣ высоты поднимаются, залежи лесса становятся видимо мощнѣе; въ частности лессъ выклинивается къ низинѣ — въ сторону меньшихъ высотъ и сильно утолщается къ вершинамъ. Въ залежахъ лесса находятъ костяки вымершихъ млекопитающихъ-гигантовъ — зубы и кости мамонта *(Elephas primigenius)* — но здѣсь отсутствуютъ эрратическіе валуны (Никитинъ. 40.), что свидѣтельствуетъ о древности суши Корочанскаго у., не затронутой такимъ могучимъ геологическимъ дѣятелемъ, какъ ледники (въ ледниковый періодъ). Къ послѣтретичнымъ образованіямъ, повидимому, должно отнести и разнообразныя глины, которыя въ сѣверныхъ предѣлахъ уѣзда служатъ подпочвою пахотному слою. Такимъ образомъ, слѣдуя съ юга на сѣверъ уѣзда, мы будемъ видѣть въ южной части обнаженія мѣла; въ срединѣ уѣзда и особенно въ сѣверо-восточной части — сильное развитіе лесса и изрѣдка выходы песковъ; на сѣверѣ-же — глинистыя отложенія.

Рельефъ. Въ связи съ такимъ геологическимъ строеніемъ стоитъ и рельефъ мѣстности. Въ то время какъ сѣверная и южная части уѣзда, обнажающія водоупорныя породы (глины и мѣлъ) имѣютъ относительно болѣе равнинный характеръ, — средняя между ними наибольшая часть уѣзда изрѣзана въ различныхъ направленіяхъ пестрымъ узоромъ вѣтвистыхъ балокъ, овраговъ и яровъ, что несомнѣнно обусловливается преобладаніемъ здѣсь рыхлыхъ породъ, легко поддающихся размыву и сносамъ (лессъ и пески). Лессъ въ этомъ отношеніи, какъ овраго-образователь, играетъ выдающуюся роль; его способность быстро впитывать влагу, а затѣмъ, при размывахъ и высыханіи, обваливаться перпендикулярными стѣнами, какъ нельзя лучше соотвѣтствуетъ этому; образовавшіеся-же овраги, развивая рельефъ мѣстности, являются легкими проводниками атмосферныхъ водъ, — чѣмъ и объясняется отмѣченное выше переполненіе рѣкъ уѣзда во время таянія снѣга и ливней, — понижаютъ уровень грунтовыхъ водъ, сушатъ мѣстность, содѣйствуютъ сносу чернозема въ низины, затрудняютъ хлѣбопашество и пути сообщенія. Такимъ образомъ между орографіей мѣстности и ея геологическимъ строеніемъ, а такъ-же между этимъ послѣднимъ и рельефомъ устанавливается полное соотношеніе.

П о ч в ы. Что-же касается почвъ Корочанскаго у. (8. 11. 18. 41.), то они по своему характеру носятъ съ одной стороны отпечатокъ подстилающихъ ихъ материнскихъ породъ, съ другой — стоятъ въ связи съ прежнимъ (древнимъ) распредѣленіемъ здѣсь растительнаго покрова. Въ отношеніи характера преобладающихъ почвъ весь раіонъ можно разбить на двѣ неравныя части: юго-западную (большую) и сѣверо-восточную (меньшую); послѣдняя лежитъ выше первой. Въ юго-западной половинѣ преобладаютъ „сѣрыя растительныя земли" (Д о к у ч а е в ъ), мощностью 1—2 фут.; содержаніе гумуса 5 %—6 % (Ф р а н к о в с к і й); въ подпочвѣ мѣловые рухляки и тонкій лессъ. Въ сѣверо-восточной части залегаетъ „черный черноземъ", мощностью 2 — 3 . фут. (В е р н е р ъ); содержаніе гумуса 7 % — 9 % (Д о к у ч а е в ъ); въ подпочвѣ мощный лессъ, глины и супеси. Твердо-установленное положеніе (Р у п р е х т ъ. 45. Д о к у ч а е в ъ. 11.), что настоящій тучный, черноземъ, который мы видимъ въ сѣв.-вост. части Корочанскаго у., могли дать только степныя растенія, позволяетъ предполагать существованіе здѣсь когда-то степи, а „сѣрыя земли" съ орѣховатымъ горизонтомъ, какія мы наблюдаемъ на югѣ и юго-западѣ раіона, являются результатомъ переработки почвенныхъ слоевъ давно росшимъ здѣсь лѣсомъ. (С у к а ч е в ъ. 51.). Изученіе, такимъ образомъ, почвъ приводитъ насъ уже къ тому, что въ предѣлахъ Корочанскаго уѣзда мы будемъ имѣть дѣло съ частью одной климатической полосы (‚лѣсостепной"), въ которой, „какъ лѣсъ, такъ и степь являются не антагонистами (К о р ж и н-с к і й. 25. 26.), а равноправными членами, которые могутъ хорошо уживаться" (К у з н е ц о в ъ. 29.), такъ сказать по сосѣдству, рука-объ-руку. Изъ почвъ другихъ типовъ слѣдуетъ упомянуть еще о лугово-болотныхъ почвахъ, а такъ-же о торфяныхъ и солончаковыхъ, хотя они и мало распространены въ предѣлахъ описуемаго раіона.

К л и м а т ъ. Въ связи съ общими физико-географическими условіями Корочанскаго у. находятся и различныя метеорологическія явленія. При этомъ, какъ сейчасъ увидимъ, особенно возвышенное положеніе нашего уѣзда, сравнительно напр. съ сосѣдними Бѣлгородскимъ и Ново-Оскольскимъ, является причиною наибольшей континентальности его климата, отличающагося, вообще говоря, сухостью. Слѣдующая таблица показываетъ среднія годовыя данныя для важнѣйшихъ климатическихъ факторовъ, выведенныя на основаніи многолѣтнихъ наблюденій и позаимствованныя частью изъ „Атласа", частью изъ „Отчетовъ Главной Физической Обсерваторіи".

Среднія годовыя.

	Температ.	Колич. осадк.	Колич. дождл. дней
Новый Осколъ	5.4	403.9	94.1
Короча	5.1	359.2	69.0
Бѣлгородъ	6.0	475.6	143.7

Такимъ образомъ по средней годовой температурѣ Короча занимаетъ какъ-бы промежуточное положеніе между Бѣлгородомъ, который стоитъ южнѣе ея, и Новымъ Осколомъ, приближаясь болѣе къ послѣднему, лежащему приблизительно на одной параллели съ нею. То-же самое замѣчается и въ количествѣ осадковъ, а такъ-же дождливыхъ дней, которыхъ на долю Корочи выпадаетъ наименьшее количество, чѣмъ и обусловливается наиболѣе сухой, континентальный климатъ этого высокаго и открытаго раіона.

2. Литературныя работы.

Корочанскій уѣздъ давно уже обращалъ на себя вниманіе ботаниковъ. Изученіе его флоры шло постепенно и началось работами проф. Черняева (1836 г.)[1], какъ это можно заключать изъ его „Описанія произведеній растительнаго царства Курской губ." (61.), въ которомъ авторъ даетъ схематическій очеркъ

---

[1] Собственно изслѣдованіе флоры Курской губ. началось гораздо раньше; — въ 1794 г. появилась замѣтка Бёбера въ Pallas „Neue nordliche Beiträge" VI. 256—264; а въ 1826 г. была издана работа С. Геффта „Catalogue des plantes, qui croissent spontanément dans le district de Dmitrieff sur la Svapa, dans le Gouv. de Koursk. Moscou". Этими только работами и воспользовался Ledebour при составленіи своей знаменитой „Flora Rossica".

климатическихъ условій страны, отмѣчаетъ „примѣчательныя въ губерніи мѣста“ по ихъ растительности, къ которымъ, между прочимъ, относятся съ одной стороны „мѣловыя горы, или лучше говоря, возвышенные берега Донца, при впаденіи въ него р. Нежеголя съ р. р. Корочею и Коренемъ, гдѣ встрѣчается, по словамъ автора, примѣчательный кустарникъ *Daphne oleoides* (?)[1] оливковое дафне, а такъ-же *Thymus cretaceus, Centaurea Ruthenica* и др. растенія“; съ другой стороны отмѣчаются, какъ примѣчательныя, „степи Обоянскаго и смежныхъ съ нимъ уѣздовъ“; говоритъ о своихъ „открытіяхъ“ въ количествѣ 15 видовъ (съ русскими названіями) вовсе новыхъ для науки растеній; и, наконецъ, раздѣляетъ всѣ растенія по ихъ практическому примѣненію (употребляемыя въ пищу, врачебныя, кормовыя, пчеловодственныя, технологическія и т. п.). Его „Конспектъ растеній etc.“ (62.) для Украйны, вышедшій черезъ 23 года (1859 г.) послѣ упомянутой работы, очевидно, является результатомъ продолжительныхъ ботаническихъ изслѣдованій почтеннаго профессора, который, несомнѣнно, впервые посѣтилъ Корочанскій уѣздъ; но этотъ „Конспектъ etc.“, заключающій списокъ 1769 видовъ, къ сожалѣнію, теряетъ для насъ свое значеніе, такъ какъ не содержитъ указаній на мѣстонахожденія растеній, за исключеніемъ общихъ помѣтокъ, какъ напр. „Ucraina“, „Charkovia“ etc.

Слѣдующимъ изслѣдователемъ по времени былъ д-ръ Калениченко (20. 21.), который, посѣтивши (1849 г.) с. Бекарюковку (Михайловку), открылъ здѣсь въ бору на мѣлахъ знаменитую *Daphne Sophia* Kalen. и впервые описалъ довольно подробно, какъ самый Бекарюковскій боръ, такъ и новый открытый имъ видъ *Daphne*.

Дальнѣйшее изслѣдованіе Курской губ. и въ частности Корочанскаго у. принадлежитъ Эдуарду Линдеманну. (33.) Пользуясь различными источниками (Бёберъ, Геффтъ, Черняевъ, Калениченко, Августиновичъ и др.), онъ въ своей „Revisio florae Kurskianae“ приводитъ 1021 видъ растеній, изъ которыхъ 208 видовъ — для Корочанскаго уѣзда. Эта работа является для насъ первымъ цѣннымъ научнымъ источникомъ, такъ какъ авторъ, послѣ латинскихъ названій растеній, иногда

[1) Вопросъ нашъ; это по всей вѣроятности было *Daphne altaica* Pall. (*D. Sophia* Kalen.), какъ увидимъ ниже.

дѣлаетъ сокращенно помѣтку уѣзда, гдѣ они были найдены (для Корочанск: у. ставитъ знакъ „Ко.“, для Бѣлгородск. у. „Б.“ и. т. д.) и даже въ нѣкоторыхъ рѣдкихъ случаяхъ точно отмѣчаетъ мѣстонахожденія, какъ напр.: „*Campanula Rapunculus* L. Ко. prope Jablona copiose“, „*Androsace villosa* L. Ко. in cretaceis pr. Kurakowka copiose“ [1]); наконецъ онъ приводитъ 315 видовъ, новыхъ для Курской флоры, а сомнительные виды (174 sp.) отмѣчаетъ знакомъ (—).

Не менѣе важно для насъ появившееся вскорѣ послѣ Линдеманна (въ 1869 г.) солидное сочиненіе А. Мизгера. (36.) Для составленія своего „Конспекта растеній etc.“, авторъ, кромѣ собственныхъ восьмилѣтнихъ изслѣдованій, воспользовался всей существующей до него литературой; кромѣ этого имѣлъ въ своемъ распоряженіи коллекціи Горницкаго (до 600 видовъ изъ Н.-Оскол. у.), сообщенія Августиновича, Нетупскаго, Рейнгарда и друг. лицъ; опредѣленія растеній имъ были сдѣланы по Ledebour'у (Flor. Ross.) и Koch'у (Sinopsis, flor. Germ.); кромѣ латинскихъ названій растеній имѣются еще и русскія наименованія ихъ, а такъ-же и народныя, съ указаніемъ иногда на медицинское примѣненіе; кромѣ этого отмѣчается мѣстообитаніе растеній (ихъ statio), время ихъ цвѣтенія и продолжительность жизни, а такъ-же ихъ разновидности (varietates) и синонимы. Все растительное богатство по „Конспекту“ Мизгера приводится къ 1239 видамъ сѣмядольныхъ и 13 видамъ безсѣмядольныхъ растеній; изъ нихъ на долю разводимыхъ приходится до 118 sp., остальные же 1121 sp. суть дикорастующіе. Но уже самъ авторъ въ этомъ количествѣ видовъ указываетъ болѣе 10-ти требующихъ провѣрки, а если отнестись ко всему „Конспекту“ строго критически, то прійдется исключить изъ него болѣе 30 видовъ, которые по Шмальгаузену (60.) являются синонимами. Не смотря на всѣ достоинства этой крупной работы, она еще въ большей степени, чѣмъ работа Линдеманна, страдаетъ отсутствіемъ указанія на мѣстонахожденія растеній (ихъ locus), т. е. не указываются уѣзды, откуда брались растенія. Тѣмъ не менѣе эта работа Мизгера является для насъ вторымъ источникомъ. Послѣдующія произведенія Горницкаго (10.) и фонъ-Гердера

---

1) Кстати, мѣстонахожденіе въ Короч. у. такого интереснаго растенія, какъ *Androsace villosa* L. требуетъ до сихъ поръ подтвержденія; я облазилъ всѣ мѣлы около Кураковки и *Androsace villosa* L. не находилъ.

(17.) могутъ быть безъ ущерба оставлены нами, какъ ничего новаго не дающія, но за-то „Флора" Шмальгаузена (60.) является
для насъ настольной книгой, потому что авторъ пользовался не
только всей существующей до него литературой, но иногда такія
приводитъ растенія для Корочанскаго у., которыхъ нѣтъ въ „Кон-
спектѣ" Мизгера, какъ напр. *Astragalus sulcatus* L. (с. Бекарюковка, Лт.!)".

Изъ ботанико-географическихъ работъ мы имѣемъ цѣнныя
„Гео-ботаническія Замѣтки etc." Д. Литвинова (34.), гдѣ авторъ, проводя мысль о реликтовомъ характерѣ „горныхъ сосняковъ и сопровождающихъ ихъ мѣловыхъ растеній", упоминаетъ о
Бекарюковскомъ борѣ, который онъ посѣтилъ лично въ августѣ
1889 г. Другія его работы (35.) служатъ только въ подтвержденіе „теоріи реликтовъ", — теоріи, вызвавшей цѣлый рядъ
полемическихъ произведеній г. Таліева (52. 53. 55.), стоя-
щаго на другой точкѣ зрѣнія („вліяніе человѣка") по этому
вопросу.

Необходимо такъ-же упомянуть о небольшихъ замѣткахъ
различныхъ авторовъ [Буша (7.), Голенкина (9.), Паллона
(42. 43.) и Сукачева (50)], разсѣянныхъ по разнымъ періодическимъ изданіямъ по вопросу о *Daphne Sophia* Kalen., къ чему
мы въ свое время будемъ обращаться.

Наконецъ, въ послѣднее время появились одна за другой двѣ
работы В. Сукачева: „О болотной и мѣловой растительности
юго-восточной части Курской губ." (1902 г.) и „Очеркъ растительности ю.-вост. части Курской губ." (1903 г.). (49. 51.) Первая статья является, такъ сказать, предварительной ко второй,
болѣе солидной работѣ, и сообщаетъ результаты изслѣдованія болотной и мѣловой растительности въ трехъ уѣздахъ Курской
губерніи: Бѣлгородскомъ, Корочанскомъ и Н.-Оскольскомъ. Собственно о болотной растительности Корочанскаго у. мы не находимъ въ этой работѣ ни слова; — изслѣдованія, очевидно, огра-
ничивались преимущественно Бѣлгородскимъ уѣздомъ. Что-же
касается мѣловой растительности Корочанскаго у., то авторъ, вос-
пользовавшись нѣкоторыми частными сообщеніями г. г. Ширяевскаго и Паллона (для мѣловыхъ обнаженій около г. Корочи,
„Бѣлой горы" и „Кручекъ"), ограничился одною только Бекарю-
ковкою, въ которой обслѣдовалъ боръ и мѣловыя обнаженія; новаго въ этомъ отношеніи было сдѣлано лишь то, что авторъ нанесъ
на прилагаемую карту распространеніе *Daphne altaica* Pall. въ

этомъ мѣстѣ съ цѣлью, очевидно, подтвердить взглядъ г. Таліева, да нашелъ здѣсь нѣкоторыя новыя растенія *(Senecio sarracenicus, Thuidium abietinum, Cladonia rangiferina* etc.)

Вторая работа В. Сукачева представляетъ уже детальный обзоръ всей растительности юго-восточной части Курской губ., а слѣдовательно и Корочанскаго у. Въ содержаніе ея входятъ: и обзоръ литературныхъ работъ по Курской флорѣ, и очеркъ физико-географическихъ условій страны и подробное описаніе каждаго изъ типовъ растительности, съ массою разсужденій, выводовъ и даже наблюденій надъ развитіемъ растительности по временамъ года, и, наконецъ, списокъ дикорастущихъ растеній, заключающій общее число 967 видовъ, изъ коихъ 823 вида были собраны авторомъ. Къ работѣ приложены двѣ карты: одна (10-верстная) съ нанесеніемъ маршрута и высотъ мѣстности, другая (3-хъ-верстная), показывающая распредѣленіе растительности; имѣются такъ-же нѣкоторые рисунки и иллюстраціи. Не входя въ подробный разборъ этой капитальной работы В. Сукачева, что уже было въ свое время сдѣлано другими, мы только отмѣтимъ, что и изъ этого источника, такъ-же какъ изъ первой статьи В. Сукачева, мы не имѣемъ никакихъ предъ собою оригинальныхъ изысканій автора относительно растительности Корочанскаго у. „По р. р. Кореню и Корочѣ, какъ оказывается (l. c. p. 40), авторъ вовсе не экскурсировалъ", а потому свѣдѣнія у него о водной флорѣ Корочанскаго у. крайне скудны; корочанскіе лѣса (за исключеніемъ Бекарюковскаго) имъ не были тоже затронуты по той простой причинѣ, что авторъ, какъ это видно изъ прилагаемой къ работѣ карты маршрута, проѣхалъ только одинъ разъ чрезъ Корочанскій уѣздъ, да и то по большой дорогѣ (изъ г. Бѣлгорода по столбовому шляху въ г. Корочу, а отсюда то-же по шляху въ Н.-Оскольскій уѣздъ на с. Песчаное); по этой-же причинѣ у него осталась въ сторонѣ и сѣверо-восточная степная часть Корочанскаго уѣзда; описанія растительности корочанскихъ мѣловыхъ обнаженій опять ограничиваются сообщеніями г. г. Паллона и Ширяевскаго и изслѣдованія не идутъ дальше „Бѣлой горы" и „Кручекъ" подъ самымъ городомъ Корочей. Такимъ образомъ въ этомъ трудѣ В. Сукачева отсутствуютъ фактическія данныя относительно важнѣйшихъ растительныхъ формацій Корочанскаго у. (водной, лѣсной, степной и растительности обнаженій) и если имѣются, то настолько недостаточныя и скудныя, что на нихъ ни въ какомъ случаѣ нельзя строить обобщеній, касающихся растительности всего Корочанскаго у.; нельзя такъ-же было, съ другой стороны, переносить наблюденія и выводы, сдѣланные для сосѣдняго Бѣлгородскаго у. на Корочанскій у., въ виду того, что послѣдній раіонъ находится совершенно въ иныхъ физико-географическихъ условіяхъ, чѣмъ первый, какъ отмѣчаетъ и самъ авторъ (l. c. p. 11—24, 155), а это несомнѣнно должно отразиться и на характерѣ растительности. Поэтому правильное, можетъ быть, заключеніе автора относительно „сплошного облѣсенія" Бѣлгородскаго у., является натянутымъ и безосновательнымъ для Корочанскаго у.; Бѣлгородскія обнаженія могутъ дать больше поводовъ приложить къ нимъ взглядъ г. Таліева, чѣмъ другую какую-либо изъ существующихъ теорій, сравнительно съ обнаженіями Корочанскаго у.; исконное отсутствіе степей въ Бѣлгородскомъ уѣздѣ не есть еще доказательство ихъ несуществованія въ Корочанскомъ у. и. т. д. Отсюда — общій выводъ автора въ итогѣ — молодость въ Корочанскомъ уѣздѣ степной и мѣловой растительности — требуетъ провѣрки съ нашей стороны. Вообще, не говоря уже о техническихъ недочетахъ разсматриваемой работы В. Сукачева (о квалифицированныхъ спискахъ, о самомъ общемъ спискѣ растеній, гдѣ отсутствуютъ иногда даже обыкновенные виды, какъ напр. *Populus tremula, Sorbus Aucuparia* и др.), мы должны замѣтить, что она по существу дѣла почти не касается детальнаго, самостоятельнаго изслѣдованія растительности Корочанскаго уѣзда; но все-же имѣетъ за собою большую научную цѣну въ смыслѣ сводки въ одно цѣлое разнообразныхъ данныхъ, добытыхъ другими изслѣдователями. Словомъ — это одна изъ первыхъ работъ, касающаяся отчасти растительности Корочанскаго у., которая носитъ ботанико-географическій характеръ и, какъ таковая, является важнѣйшимъ для насъ источникомъ.

Въ заключеніе долженъ еще упомянуть о маленькой замѣткѣ I. Паллона (44.), гдѣ онъ говоритъ о нѣкоторыхъ новыхъ видахъ, найденныхъ имъ въ Корочанскомъ у.; и съ другой стороны —о спискѣ растеній, собранныхъ имъ въ Корочанскомъ уѣздѣ и любезно мнѣ присланномъ, за что я приношу I. Паллону глубокую благодарность.

Вотъ и всѣ литературныя работы, касающіяся флоры Корочанскаго у., которыми мы имѣли возможность располагать. Отсутствіе въ нихъ детальнаго изслѣдованія растительности нашего раіона и побудило насъ заняться подробно этимъ предметомъ, къ чему мы и переходимъ.

3. Растительность.

a. Современное распредѣленіе растительности въ зависимости отъ характера почвъ.

Не вдаваясь пока въ подробное описаніе каждаго растительнаго сообщества въ отдѣльности, мы въ этой главѣ попытаемся
поставить въ связь настоящее распредѣленіе растительнаго покрова
въ Корочанскомъ у. съ однимъ изъ важнѣйшихъ факторовъ въ
вопросахъ топографіи растеній — съ измѣненіемъ характера или
свойства почвъ. Конечно, однимъ какимъ либо факторомъ нельзя
объяснить цѣлой совокупности явленій, совершающихся хотя-бы
при распредѣленіи растеній; — нужно брать во вниманіе совокупность всѣхъ факторовъ, но, при прочихъ равныхъ, всякій разъ
получаетъ преобладаніе одинъ опредѣленный факторъ, на который
и указывается, какъ на реальную причину всего явленія, причемъ
и остальные факторы не остаются безъ вліянія на это явленіе
(Танфильевъ. 57.). Поэтому и Шимперъ, сравнивая вліяніе
различныхъ факторовъ на растительность, кладетъ въ основу дѣленія всего растительнаго покрова на большія естественныя группы
(„классы формацій: гидрофиты, мезофиты, ксерофиты“) отношеніе
растеній къ влагѣ, содержащейся въ почвѣ (46.) или, иначе говоря,
— вліяніе почвы, какъ питающаго субстрата, въ зависимости отъ
содержанія въ ней воды, — необходимѣйшаго элемента при пи-
таніи растеній. Принимая понятіе „формація“ вмѣстѣ съ Друде
(14.), „какъ извѣстный комплексъ растительныхъ формъ, приспо-
собившихся, какъ къ внѣшнимъ условіямъ среды, такъ и другъ
къ другу, и обладающій извѣстной физіономіей“, мы въ слѣдующей таблицѣ представимъ распредѣленіе растительныхъ формацій
въ зависимости отъ характера почвъ, при этомъ будутъ приведены полностью представители этихъ формацій и отмѣчены наиболѣе характерныя мѣста ихъ нахожденій въ Корочанскомъ
уѣздѣ, который мною детально изслѣдованъ во всевозможныхъ
направленіяхъ.

Таблица.

Почвы	Формаціи	Классы формац.	Типичныя растенія	Мѣстонахожденія
Вода	Водная растит.	Г	*a)* **Прикрѣпленно-погруженныя:** *Callitriche verna, C. autumnalis, Ceratophyllum demersum, Myriophyllum verticillatum, Nuphar luteum, Nymphaea alba, Potamogeton natans, P. pectinatus, P. lucens, P. perfoliatus, P. crispus, P. pusillus, Ranunculus divaricatus.*	Рѣки: Нежеголь, Короча, Корень и верховья Сѣвернаго Донца.
		—	*b)* **Свободноплавающія:** *Lemna trisulca, L. polyrrhiza, L. minor, Hydrocharis Morsus ranae, Utricularia vulgaris.*	
Илистые прибрежные наносы		и	*c)* **Прибрежно-рѣчныя:** *Acorus Calamus, Alisma Plantago, Butomus umbellatus, Carex Pseudocyperus, C. riparia, Cyperus fuscus, Iris Pseudacorus, Hippuris vulgaris, Heleocharis palustris, Glyceria fluitans, G. spectabilis, Gnaphalium uliginosum, Menyanthes trifoliata, Nasturtium amphibium, Phragmites communis, Polygonum amphibium, Rumex maritimus, R. hydrolapatum, Sparganium ramosum, S. simplex, Sagittaria sagittifolia, Scirpus lacustris, S. maritimus, S. silvaticus, Thypha latifolia, Veronica Anagallis, V. anagalloides.*	
Болотныя почвы	Болота	—	*a)* **Камышевыя:** *Phragmites communis, Carices.*	**Phragmiteta et Cariceta.** По р. Коренк: ок. Софоновки и Нов. Слободки. По р. Корочѣ: ок. Ивановки, Бѣлаго Колодезя, Короткаго Хутора, г. Корочи. Терновой, В. Городища Цыпляевки, Яблочково. По р. Нежеголи: ок. Троицкой, Цыпляевки и Зимовеньки.
Торфъ.		д	*b)* **Осоковыя:** *Carices: C. vulpina, C. stricta, C. vulgaris, C. acuta, C. ampulacea, C. paludosa, Catabrosa aquatica, Cicuta virosa, Heleocharis acicularis, Galium palustre, Oenanthe aquatica, Peucedanum palustre, Phragmites communis, Ranunculus polyphyllus, R. sceleratus, R. Lingua, R. flammula, Scirpus compressus, Thypha angustifolia.*	**Нурлета.** По теченію р. Ивички и р. Корочѣ — ок. с. Свѣт-
			c) **Гипновыя:** *Hypnum, Carex tomentosa, C. diluta, C. flava, Cardamine amara, Epilobium palustre, Epipactis palustris, Eriophorum angustifolium, Parnassia palustris, Pedicularis palustris, Senecio paluster, Scirpus Tabernaemontani, Veronica Beccabunga, V. scutellata.*	

По долинамъ средняго и нижняго теченія всѣхъ рѣкъ

Тлдрочп...ный лѣсъ		

silvestris, Archangelica officinalis, Aspidium Thelypteris, Calystegia sepium, Chrysosplenium alternifolium, Eupatorium cannabinum, Filipendula Ulmaria, Impatiens Noli tangere, Geum rivale, Geranium palustre, Humulus Lupulus, Lysimachia thyrsiflora, L. vulgaris, Ribes nigrum, Rhamnus frangula, Rubus Idaeus, Scrophularia alata, Scutellaria altissima, Solanum dulcamara.

b) **Ивняки:** Salices: S. pentandra, S. fragilis, S. alba, S. triandra, S. nigricans, S. cinerea, S. repens, S. depressa.

a) **Болотистые:** Alopecurus arundinaceus, A. geniculatus, A. fulvus, Bidens tripartitus, B. cernuus, Beckmannia eruciformis, Carex vulgaris, C. hirta, Cerastium triviale, Cardamine pratensis, Equisetum limosum, E. palustre, Epilobium hirsutum, Galium uliginosum, G. Mollugo, G. Saturejaefolium, Heleocharis ovata, Juncus effusus, J. compressus, J. bufonius, J. lamprocarpus, Lychnis Flos cuculi, Lathyrus paluster, Linum catharticum, Lythrum salicaria, L. virgatum, Lysimachia Nummularia, Lycopus europaeus, Mentha sativa, Malachium aquaticum, Orchis incarnata, O. maculata, Poa trivialis, Polygonum Bistorta, P. lapatifolium, P. Persicaria, P. Hydropiper, Rumex confertus, R. aquaticus, R. maximus, Sanguisorba officinalis, Sium latifolium, Scutellaria galericulata.

b) **Заливные:** Agrostis vulgaris, Aira caespitosa, Alopecurus pratensis, Achillea Millefolium, Briza media, Bromus erectus, Br. arvensis, Brunella vulgaris, Caltha palustris, Coronilla varia, Carum Carvi, Chrysanthemum Leucanthemum, Dactylis glomerata, Festuca elatior, Inula Helenium, Juncus glaucus, Geranium pratense, Knautia arvensis, Leontodon autumnalis, L. hastilis, Lathyrus pratensis, Lotus corniculatus, Lolium perenne, Leersia oryzoides, Medicago falcata, M. sativa, M. lupulina, Melilotus officinalis, M. albus, Poa pratensis, Phleum pratense, Potentilla anserina, Plantago media, Rhinanthus Crista galli, Rumex-Acetosa, Ranunculus repens, R. acris, R. polyanthemus, Stellaria graminea, Thalictrum angustifolium, Trifolium pratense, T. repens, T. hybridum, T. spadiceum, Veratrum album, Vicia sepium, V. sativa, V. Cracca, Valeriana officinalis.

Луга

р — о — ф — и

Луговныя наносныя почвы

Луговый гумусъ

Почвы	Классы формац.	Формаціи	Типичныя растенія	Мѣстонахожденія
Солонцы на низинахъ и на водо-раздѣлахъ	т ы	c) **Солончаковые:** *Agrostis alba, Atriplex nitens, A. patulum, A. laciniatum, Barbarea vulgaris, Centaurea Jacea, Chenopodium album, Ch. glaucum, Gladiolus Imbricatus, Gypsophila muralis, Lepidium latifolium, Ranunculus pedatus, Scirpus compactus, Trifolium fragiferum, Triglochin palustre, T. maritimum.*		
Сѣрыя лѣсныя земли съ орѣхова-тымъ гори-зонтомъ	М — е — з — о	Лѣса лиственные.	a) **Сплошные лѣса.** Основныя породы: *Acer platanoides, Betula alba, Fraxinus excelsior, Pirus Malus, P. communis, Populus tremula, Quercus pedunculata, Sorbus Aucuparia, Tilia cordata, Ulmus campestris, U. montana.* Подлѣсокъ: *Acer tataricum, A. campestre, Corylus Avellana, Crataegus monogyna, Cornus sanguinea, Daphne altaica (rarissime), Evonymus europaea, E. verrucosa, Prunus spinosa, P. Padus, Rhamnus cathartica, Rosa canina, R. cinnamomea, Salix Caprea, Viburnum Opulus.* Травянистая растительность: *Aconitum Anthora, A. pallidum, Actaea spicata, Allium oleraceum, Asarum europaeum, Anemone silvestris, A. ranunculoides, Arabis glabra, A. pendula, Astragalus glycyphyllus, Ajuga Genevensis, Aster acer, Asperula odorata, Adoxa Moschatellina, Adenophora liliifolia, Brachypodium pinnatum, B. silvaticum, Carex contigua, C. ericeorum, C. digitata, C. pilosa, C. Michelii, Convallaria majalis, Cypripedium macranthum, Clematis recta, Corydalis solida, C. Marschalliana, C. intermedia, Chaerophyllum bulbosum, Cuscuta trifolii, Clinopodium vulgare, Campanula persicifolia, C. rapunculoides, C. Trachelium, Carlina vulgaris, Centaurea stenolepis, Crepis sibirica, Dianthus superbus, Equisetum pratense, Epipactis latifolia, Euphorbia procera, Festuca gigantea, Fritillaria Ruthenica, Fragaria vesca, Fr. collina, Gagea minima, G. lutea, Galium rubioides, Gymnadenia Conopsea, Geranium sanguineum, Gentiana cruciata, G. Pneumonanthe, Glechoma hederacea, Hesperis matronalis, Hypericum perforatum, H. hirsutum, Hieracium cymosum, Inula Germanica, I. Britanica, I. salicina, Lychnis Chalcedonica, Lathyrus silvester, L. pisiformis,*	Полоса сплошныхъ лѣсовъ на водораздѣлахъ въ южн. части Короч. у. Обрывки сплошныхъ лѣсовъ: Лазаревскій лѣсъ, Бекарюковскій, Пушкарскій, на „Кручкахъ", лѣсъ „Стороженое", „ „Поповикъ" „ „Ямный", „ „Шолоковскій", „ „КрасняяЯруга, „ „Песчаное".

				Примѣчанія
Черноземъ	Ф — и — т — ы		*Libanotis sibirica, Laserpitium pruthenicum, Lathraea Squamaria, Melampyrum nemorosum, M. cristatum, Myosotis silvatica, M. sparsiflora, Mercurialis perennis, Melica nutans, M. picta, Orobanche Libanotidis, Origanum vulgare, Orobus vernus, O. niger, Orchis militaris, Pyrethrum corymbosum, Poa nemoralis, P. serotina, Polygonatum multiflorum, P. officinale, Paris quadrifolia, Peristilis viridis, Polygonum dumetorum, Potentilla Thuringiaca, Peucedanum Alsaticum, P. Oreoselinum, P. Cervaria, Primula officinalis, Polemonium coeruleum, Pulmonaria officinalis, P. angustifolia, Ranunculus Ficaria, R. auricomus, Scrophularia nodosa, Stachys silvatica, Scutellaria altissima, Selinum carvifolium, Sedum maximum, S purpureum, Silene noctiflora, Stellaria Holostea, Scilla cernua, Solidago Virga aurea, Senecio Doria, S. erucifolius, Serratula tinctoria, S. coronata, Triticum caninum, Trollius europaeus, Trifolium medium, T. alpestre, T. agrarium, Torilis Anthriscus, Veronica longifolia, Ver. spuria, Ver. Teucrium, Verbascum nigrum, V. Thapsiforme, Viola hirta, V. collina, V. suavis, V. mirabilis, V. Riviniana, V. canina, V. elatior, Vinca herbacea, Vicia pisiformis, Veratrum nigrum, Viscum album.* b) *Овражные:* Quercus pedunculata, Aspidium Filix mas. Cystopteris fragilis, Carex leporina, C. montana, Epilobium angustifolium, Geranium Roberthianum, Hieracium praealtum, H. echiodes, Luzula multiflora, Pteridium aquilinum, Rubus caesius, Triticum intermedium.*	Овражные лѣса по яру ок. Плотавца, с. Павловки, Мальцовки; балки: „Сухая Ивница" и „Портянка"; овраги: „Разбойный", „Плига"; яруги: „Соловьянова" и „Обобчина".
Степи	К — с — с		а) **Кустарниковая.** *Amygdalus nana, Caragana frutescens, Cytisus austriacus, C. biflorus, Genista tinctoria, Prunus Chamaecerasus, P. spinosa, Spiraea crenifolia*	По склонамъ балокъ, особенно въ с.-вост. части Короч. у., а такъ-же по обнаженіямъ
			b) **Травянистая.** *Avena pubescens, Allium paniculatum, Asparagus officinalis, Arenaria graminifolia, Anemone pratensis, A. Pulsatilla, Adonis vernalis, Astragalus hypoglottis, A. Cicer, A. Onobrychis, Androsace elongata, A. septentrionalis, Aster Amellus, A. Linosiris, Achillea nobilis, Artemisia inodora, A. scoparia, A. austriaca, Bromus inermis, B. mollis, Bulbocodium Ruthenicum, Brunella grandiflora, Clematis integrifolia, Campanula cervicaria, C. glomerata, C. Bononiensis, C. Patula, C. sibirica, Calamintha Acinos, Crepis praemorsa, Chondrilla juncea, Centaurea Marschalliana, C. scabiosa, Draba verna, D. nemorosa, Delphinium elatum, Dianthus capi-*	По склонамъ балокъ преимущественно въ с.-вост. части Короч. у.

Почвы	Классы формац.	Формаціи	Типичныя растенія	Мѣстонахожденія
	р — о — ф — п	Сосновый лѣсъ на мѣлу	tatus, D. campestris, D. deltoides, Euphorbia Esula, E. leptocaula, Eryngium campestre, E. planum, Echium rubrum, E. vulgare, Euphrasia Odontides, Erigeron acer, Festuca ovina, Fragaria collina, Filipendula hexapetala, Gagea pusilla, G. erubescens, Gypsophila paniculata, Galium boreale, G. verum, Hierochloa odorata, Hyacinthus leucophaeus, Holosteum umbellatum, Hypochoeris maculata, Hieracium pilosella, H. praealtum, Inula hirta, Iris pumila, I. nudicaulis, Jurinea mollis, Koeleria cristata, Koeleria glauca, Lychnis Viscaria, Linum flavum, L. hirsutum, L. nervosum, Libanotis montana, Melampyrum arvense, Onobrychis viciaefolia, Orobus albus, Orobanche alba, Phleum Boehmeri, Poa bulbosa f. vivipara, Poa compressa, Potentilla alba, P. argentea, P. opaca, P. recta, Polygala comosa, P. vulgaris, Phlomis tuberosa, Plantago lanceolata, Picris hieracioides, Ranunculus Illyricus, Rumex Acetosella, Senecio campestre, S. Jacobea, Serratula radiata, S. heterophylla, Seseli annuum, Salvia pratensis, S. silvestris, S. nutans, Scabiosa ochroleuca, Stipa pennata, S. capillata, Silene Otites, Taraxacum serotinum, Tragopogon major, T. orientalis, Trinia Kitaibelii, T. Henningii, Thymus Serpyllum, Trifolium montanum, Thalictrum minus, Th. simplex, Thesium ramosum, Th. ebracteatum, Valeriana tuberosa, Viola arenaria, V. pumila, Verbascum Lychnitis, V. orientalis, Veronica Chamaedrys, V. prostrata, V. austriaca, V. spicata. Pinus silvestris (P. cretacea K a l e n.), Daphne altaica (D. Sophia K a l e n.) Epipactis atrorubens, Pirola secunda, Rubus saxatilis, Cladonia rangiferina, Musci (20 sp.)	Противъ е. с: Бекарюковки, Логовой, Ржевки, Лмитріевки.
Обнаженія мѣла и глинист. породъ	п	Раститель- ность обна- женій	a) На пшпущемъ мѣлу: Anthyllis Vulneraria, Arabis auriculata, Artemisia armeniaca, Asperula cretacea, Astragalus albicaulis, A. sulcatus, A. austriacus, Carex humilis, Centaurea Ruthenica, Cotoneaster vulgaris, Crambe tatarica, Daphne altaica, Echinops Ritro, Gypsophila altissima, Hedysarum grandiflorum, Helianthemum Oelandicum, H. vulgare, Linum Ucrainicum, Melilotus albus f. tenellus, Orobanche major, Pimpinella Tragium, Poa	Пор. Корочь, Кручки, „Бѣлая гора", ок. с. „Дмитріевки и д. Добрсй. Правое побережье р. Ивички. Валка „Портянка". По р. Нежеголь: пра-

		bulbosa (non vivip.), Polygala Sibirica, Reseda lutea, Rosa rubiginosa, Rosa tomentosa, Schivereckia podolica, Scutellaria alpina f. lupulina, Silene sapina, Teucrium Polium, Triticum cristatum, Thymus cinicinus (mut. char.)	вое побережье отъ с. Терновой до с. Векарю-ковки (включит.)
		b) **На глинистыхъ и др. склонахъ:** Ajuga Chia, Asperula cynanchica, Allium flavescens, Anthericum ramosum, Bupleurum falcatum, Centaurea orientalis, Cent. maculosa, Chorispora tenella, Cuscuta Epithymum, C. planiflora, Erysimum canescens, Euphorbia Gerardiana, Hieracium virosum, Hypericum elegans, Inula ensifolia, Linum perenne, Melica ciliata, Marrubium praecox; M. vulgare, Onosma simplicissimum, Phyteuma canescens, Phlomis pungens, Pimpinella saxifraga, Silene chlorantha, Syrenia angustifolia, Stachis Germanica, Thymus odoratissimus, Vincetoxicum officinale, Veronica incana, Verbascum phoeniceum, Viola ambigua.	Обнаженія по правымъ побережьямъ рѣкъ и по южнымъ склонамъ овра-говъ.
Обнаженія песковъ по берегамъ рѣкъ и водораздѣ-ламъ	Раститель-ность пес-ковъ	Astragalus arenarius, A. virgatus, Calamagrostis Epigeios, Carex Schreberi, C. Ligerica, Centaurea arenaria, Cerato-carpus arenarius, Gnaphalium arenarium, Jasione montana, Jurinea cyanoides, Kochia arenaria, Linaria genistaefolia, L. odora, Oenothera biennis, Panicum sanguinale, P. lineare, Plantago arenaria, Thymus Serpyllum.	По берегамъ р. р. Не-жеголи и Корочи; около с. „Песчаное“.
Всевоз-можныя почвы		**Сорняки** *a)* **около жилья:** Amaranthus rethroflexus, Atriplex (5 sp.), Chenopodium (5 sp.), Cirsium arvense, Carduus crispus, Datura Stramonium, Lepidium ruderale, Lamium maculatum, Malva borealis, Hyosciamus niger, Leonurus cardiaca, Setaria (3 sp.), Urtica (2 sp.), Xanthium (2 sp.) и мн. др. **Сорняки** *b)* **внѣ жилья:** Allium rotundum, Agrostemma Githago, Camelina sativa, Capsella Bursa pastoris, Galeopsis (3 sp.), Delphinium consolida, Neslea paniculata, Nonnea pulla, Carduus (3 sp.), Cirsium (3 sp.), Ranunculus orthoceras, Stachys annua, Viola tricolor и мн. др.	Всюду.

Приведенная таблица, обрисовывая каждую растительную формацію со стороны типичнаго ея видового состава, наглядно показываетъ намъ въ тоже время современное распредѣленіе въ Корочанскомъ у. растительныхъ сообществъ, главнымъ образомъ, въ зависимости отъ характера почвъ, а равно какъ и дальнѣйшія ихъ комбинаціи въ единицы высшаго порядка („классы формацій“). Представляя такимъ образомъ голый матеріалъ, она даетъ намъ фактическія точки опоры для болѣе детальной характеристики всей растительности Корочанскаго уѣзда, описывая которую, мы не будемъ подробно касаться каждой растительной формаціи въ отдѣльности, а, для удобства изложенія и цѣльности нѣкоторыхъ обобщеній, будемъ придерживаться болѣе крупныхъ фитосоціальныхъ единицъ, описаніе которыхъ въ дальнѣйшемъ составитъ слѣдующія главы: водная растительность (гидрофиты); лиственные лѣса (мезофиты); степная растительность, растительность мѣловыхъ обнаженій и сосновые лѣса на мѣлу, растительность песковъ (ксерофиты); и, наконецъ, сорная растительность (отчасти галлофиты); къ разсмотрѣнію которыхъ мы н переходимъ.

b. Характеристика растительности.

Водная растительность.

Изучая гидрофитную растительность Корочанскаго уѣзда[1]), мы пришли къ слѣдующимъ выводамъ:

1) Рѣки описуемаго раіона (Нежеголь, Короча, Корень), н такъ незначительныя, находятся въ настоящее время въ критической стадіи заболачиванія и усыханія, происходящаго отъ взаимодѣйствія двухъ факторовъ: а) интенсивной жизнедѣятельности водныхъ (погруженныхъ) и прибрежно-рѣчныхъ растеній и ихъ взаимной борьбы и b) вліянія культуры, которая вырубкой лѣсовъ по водораздѣламъ и распахиваніемъ склоновъ только содѣйствуетъ процессамъ заболачиванія рѣкъ, особенно въ затонахъ и заводяхъ.

---

1) Изслѣдованіемъ гидрофитной флоры Короч. у. я занимался прошлымъ лѣтомъ (1905 г.), о чемъ былъ сдѣланъ соотвѣтствующій докладъ Юрьевскому Обществу Естествоиспытателей въ ноябрьскомъ засѣданіи прошлаго года. Этотъ докладъ напечатанъ въ Протоколахъ Общ. Ест. при Имп. Юрьев. Унив. 1906. XV, 1. Стр. 3—36, подъ заглавіемъ: „Водная растительность въ бассейнѣ рѣки Корочи Курской губерніи“.

2. Намѣчаются три типа болотъ: камышевыя, осоковыя и гипновыя, которыя являются характерными „луговыми болотами" (Wiesenmoore oder Niederungsmoore), въ отличіе отъ настоящихъ моховыхъ (сфагновыхъ) болотъ сѣвера (Moosmoore), которыхъ у насъ нѣтъ. Всѣ эти болота имѣютъ, повидимому, одинъ и тотъ-же генезисъ и являются результатомъ отдѣленія или отшнуровыванія отъ рѣки озероподобныхъ участковъ (затоновъ) обыкновенно путемъ естественнаго перемѣщенія русла рѣки въ сторону, или въ исключительныхъ случаяхъ искусственнымъ отведеніемъ его. Указанные типы болотъ различаются между собою, какъ въ топографическомъ отношеніи, такъ п по характеру своей растительности и отложеній, что видно изъ слѣдующаго сравненія:

a. *Phragmiteta* и *Cariceta.*
Заболачиваніе однодольными.
Отложенія кислаго гумуса.
Пріуроченность къ открытымъ водоемамъ.

b. *Hypneta.*
Заболачиваніе мхами *(Hypnum).*
Отложенія продуктивнаго торфа.
Пріуроченность къ защищеннымъ мѣстамъ выхода ключевыхъ водъ.

Конечно, рѣзко выраженные типы этихъ луговыхъ болотъ встрѣчаются рѣдко; обыкновенно они имѣютъ массу переходовъ между собою или примыкаютъ къ другимъ растительнымъ сообществамъ — къ лугамъ, ольшатникамъ.

3. Болота, a) проходя стадію заростанія древесными породами *(Alnus, Salices),* обращаются въ ольшатники или ивняки, а эти въ свою очередь, главнымъ образомъ подъ вліяніемъ культурной дѣятельности человѣка, — въ кочкарники; b) или-же, минуя стадію облѣсенія, болота могутъ прямо переходить въ кочкарники.

4. Кочкарники переходятъ въ луга.

Такимъ образомъ гидрофитныя сообщества въ естественной борьбѣ за существованіе, подъ вліяніемъ тѣхъ или другихъ доминирующихъ факторовъ, постепенно смѣняютъ другъ друга и переходятъ одно въ другое. Отмѣченная схема переходовъ и замѣны одного гидрофитнаго сообщества другимъ какъ бы показываетъ намъ тотъ историческій путь развитія гидрофитной флоры, посредствомъ котораго она приняла свой современный видъ въ предѣлахъ Корочанскаго уѣзда. Несомнѣнно древнѣйшая изъ растительныхъ формацій въ Корочанскомъ у. (Сукачевъ. 51.), водная растительность этого края подъ вліяніемъ послѣдующихъ факторовъ (физическихъ процессовъ, вліянія культуры и новаго біологиче-скаго режима) постепенно теряла свой первобытный видъ; — рѣки становились маловоднѣй, чѣмъ онѣ были прежде; процессы заболачиванія, начавшіеся издавна (торфъ), привели почти къ исчезновенію водоемовъ, а на мѣстахъ прежнихъ ольшатниковъ возникли луга, какъ результатъ культуры [1]).

Лиственные лѣса.

Лѣса въ Корочанскомъ уѣздѣ сгруппированы преимущественно въ южной части, къ границамъ Харьковской губ. Начинаясь при-близительно тамъ, гдѣ р. Нежеголь впадаетъ въ р. Корочу, они образуютъ полосы сплошного насажденія, которыя тянутся на сѣверъ параллельно р. Корочи, покрывая ея водораздѣлы на правой сто-ронѣ почти до самаго г. Корочи, а на лѣвой всего до параллели слоб. Стариковой. Все-же остальное пространство уѣзда пущено подъ пашни за исключеніемъ рѣчныхъ долинъ, яровъ, овраговъ и балокъ; по послѣднимъ, какъ-бы зелеными пятнами, разбросаны „овражные или байрачные лѣсочки". Иногда, впрочемъ, овражные лѣски выходятъ изъ балокъ и, поселяясь на ровныхъ мѣстахъ, принимаютъ болѣе значительные размѣры, занимая какъ-бы среднее переходное положеніе между типомъ „сплошныхъ" лѣсовъ п „овраж-ными" лѣсочками. Такимъ образомъ въ Корочанскомъ у. намѣчаются три типа лѣсовъ: 1) „Сплошные лѣса", занимающіе водораздѣлы рѣкъ и пріуроченные къ южной части уѣзда; 2) Лѣса, вышедшіе изъ балокъ на ровныя мѣста, которыя мы назовемъ „урочищами"; они рѣдко встрѣчаются только въ сѣверо-вост. части уѣзда; 3) наконецъ, „овражные лѣсочки", которыми особенно изобилуетъ юго-

---

[1] Интересно, что еще въ сравнительно недавнее время корочан-скія рѣки были величественны и изобиловали болѣе богатой фауной и флорой. Жалованными напр. грамотами царя Михаила Ѳеодоро-вича „лета 7147" разрѣшалось „корочевскимъ дѣтямъ болярскимъ въ Коренѣ і в Корочѣ і во Ржовои речке бобры бить", о которыхъ теперь корочанскіе старожилы и въ сказкахъ не говорятъ; а царемъ Пет-ромъ I у нѣкоего Климента Лохвицкаго „за три тысячи руб." были куплены „двадцать три мельницы" на одной только р. Корочѣ, да еще у этого-же Климента осталось „четыре" мельницы; а теперь едвали можно насчитать тамъ и десятокъ оставшихся мельницъ, изъ ко-торыхъ добрая половина вовсе не работаетъ за недостаткомъ воды, а нѣкоторыя даже стоятъ вдали отъ русла рѣки, „на сушѣ", какъ печаль-ные свидѣтели совершившихся здѣсь процессовъ заболачиванія и исчез-новенія водоема. (См. „Русскую Старину" Кохановской.)

западная часть Корочанск. у., гдѣ къ тому-же имѣются еще отъемные острова лѣсовъ, являющіеся, повидимому, оставшимися обрывками отъ прежде бывшихъ здѣсь сплошныхъ насажденій. Общій характеръ всѣхъ этихъ лѣсовъ — лиственный съ преобладаніемъ древесной породы дуба *(Quercus pedunculata)*. Частнѣе характеризуя растительность каждаго изъ намѣченныхъ типовъ лѣса въ различныхъ частяхъ Корочанскаго уѣзда, мы видимъ слѣдующее.

Въ сѣверо-восточн. части раіона „овражные лѣсочки“ встрѣчаются рѣдко; здѣсь яры и овраги носятъ всѣ слѣды новѣйшихъ образованій на лессовой равнинѣ, не успѣвшихъ еще облѣситься. Встрѣчающіеся-же по нимъ лѣсочки незначительны; состоятъ изъ корявaго низкорослаго дубняка; лѣсные представители въ нихъ совершенно отсутствуютъ, наоборотъ преобладаютъ степные виды, которые своею массою подавляютъ даже сорняки. Лѣсныя „урочища“ (лѣса „Красная яруга“ и „Песчаное“), тоже рѣдко встрѣчающіяся въ этой-же части уѣзда, уже представляются, такъ сказать, болѣе развившимися и сформировавшимися. Они, кромѣ дуба, приняли въ свой составъ другія древесныя породы *(Ulmus, Acer, Pirus)* и имѣютъ подлѣсокъ, въ составъ котораго, впрочемъ, обыкновенно входятъ дерезняки *(Prunus spinosa, P. Chamaecerasus* и даже *Amygdalus nana, Caragana frutescens* и *Spiraea crenifolia)*. Травянистая въ нихъ растительность только весною носитъ лѣсной характеръ (растенія съ короткимъ періодомъ вегетаціи: *Scilla, Gagea, Pulmonaria* и друг.), во все-же остальное время даже вульгарные лѣсные виды теряются въ массѣ степной и отчасти сорной флоры.

Переходя въ юго-западн. часть уѣзда, мы здѣсь видимъ массу овражныхъ лѣсковъ уже съ чисто-лѣснымъ характеромъ растительности. Кромѣ дубняка, который здѣсь даже мѣняетъ свою корявую форму на высокорослую, находимъ въ нихъ много другихъ древесныхъ породъ. Травянистая растительность въ теченіи всего вегетаціоннаго періода — типичная лѣсная, хотя обыкновенно засоряется сорными травами; степные-же виды встрѣчаются рѣдко. То-же самое должно сказать и объ отъемныхъ лѣсахъ, встрѣчающихся островами въ этой-же части уѣзда; они отличаются еще болѣе чистымъ лѣснымъ характеромъ своей растительности.

Наконецъ „сплошные лѣса“, занимающіе почти всю южную часть уѣзда, представляются типичными дубовыми лѣсами; они отличаются обиліемъ другихъ древесныхъ, строевыхъ породъ и имѣютъ богаторазвитый подлѣсокъ, въ составѣ котораго *Corylus*

Avellana и *Evonymus verrucosa* занимаютъ первыя мѣста. Лѣсная травянистая флора рѣзко выражена; сорняки устремляются
только на вырубки и опушки, а степныя растенія встрѣчаются
спорадически, напр. *Caragana frutescens* — въ Бекарюковскомъ
и Лазаревскомъ лѣсахъ.

Итакъ, изученіе лѣсной растительности въ различныхъ частяхъ
Корочанскаго уѣзда приводитъ къ слѣдующему выводу. „Овражные лѣсочки" сѣверо-восточной части являются по своему характеру піонерами лѣса въ степи; лѣсныя „урочища" въ этой-же
части раіона представляютъ какъ-бы дальнѣйшую формировку лѣсного сообщества среди степныхъ формацій; наконецъ, густо-раз-
бросанные байрачные лѣсочки и отъемные острова лѣсовъ, которые
пріурочены къ юго-западной части уѣзда, суть остатки тѣхъ
исконныхъ сплошныхъ лѣсовъ, которые еще до сихъ поръ покры-
ваютъ почти весь югъ уѣзда и отсюда въ прежнее время простирались далеко и на юго-западъ. Этотъ выводъ даетъ намъ основаніе раздѣлить весь Корочанскій уѣздъ на двѣ неравныя части:
на южную вмѣстѣ съ юго-западной — бо́льшую — съ одной стороны, и на сѣверо-восточную — меньшую — съ другой; первая
— лѣсная; вторая — степная; а обѣ вмѣстѣ составляютъ часть
одной климатической лѣсо-степной полосы. Это подтверждается
къ тому-же и различіемъ указанныхъ частей уѣзда, какъ въ орографическомъ, такъ и въ геологическомъ и особенно въ почвен-
номъ отношеніяхъ, какъ это мы видѣли раньше.

Настоящій выводъ какъ-бы не согласуется съ положеніемъ,
высказаннымъ В. С у к а ч е в ы м ъ (51.), или, лучше говоря, допол-
няетъ его. В. С у к а ч е в ъ признаетъ всю юго-восточную часть
Курской губ. (а слѣдов. и Короч. у.), „выдержавшей сплошное
облѣсеніе" на томъ основаніи, что „нигдѣ не наблюдается такихъ
условій, при которыхъ лѣсъ не могъ-бы рости"; съ другой стороны онъ считаетъ степную растительность въ нашемъ раіонѣ
вторичной, молодой формаціей, ровесницей человѣку въ этой области, занесенной съ юга" (l. c. p. 156—160). Правда В. С у -
к а ч е в ъ уже самъ замѣчаетъ, что „этого онъ не можетъ утверждать съ увѣренностью относительно восточныхъ уѣздовъ" (Корочан.
и Н.-Оскольск.), — которые имъ не были достаточно изслѣдованы,
какъ это мы имѣли случай показать раньше, — и стремится подтвердить свои выводы историческими сказаніями о набѣгахъ на
эту окраину Московскаго государства кочевниковъ, которые яко-бы
„уничтожали лѣса". Но, не говоря ужо о томъ, что самое древ-

нѣйшее свидѣтельство преп. лѣтописца Нестора, (48.) еще никѣмъ не опровергнутаго въ своихъ показаніяхъ, говоритъ, что нашъ
край — „Посемье“ — до временъ его колонизаціи носилъ ха-
рактерное названіе „дикаго поля“ и, слѣдовательно, былъ „степнымъ“; не говоря, далѣе, еще о томъ, что южнымъ кочевникамъ
не было смысла уничтожать лѣса для прокладыванія себѣ дорогъ
(„Муравскій шляхъ“), а удобнѣе, да и привычнѣе для этой цѣли
пользоваться открытыми равнинами степей, которыя тогда у насъ
были нетронуты и на которыхъ еще до сихъ поръ сохранились
въ Корочанскомъ у. курганы и валы, имѣющіе стратегическое значеніе (59.) — я все-же не могу согласиться съ В. Сукачевымъ еще въ томъ отношеніи, что въ Корочанскомъ у. „нигдѣ
не наблюдается такихъ условій, при которыхъ не могъ-бы рости
лѣсъ“. Такія условія представляютъ уже солончаки, которые мы
встрѣчаемъ на вершинахъ водораздѣловъ (хотя-бы напр.: противъ
с. Сѣтного, Короткаго Хутора, Б. Яблоновой и т. п.) какъ разъ
въ той части уѣзда, которую мы считаемъ степной, а на солон-
цахъ лѣсъ рости не можетъ. (5. 11. 27. 57.).

Съ другой стороны физико-географическія условія именно
этой сѣверо-восточной части Короч. у. болѣе благопріятствуютъ
степи, чѣмъ лѣсу, какъ это отмѣчаетъ и самъ В. Сукачевъ
(l. c. p. 155.). Далѣе, масса степныхъ растеній, которыя мы
встрѣчаемъ въ сѣверо-восточной части вездѣ, по балкамъ и оврагамъ, по овражнымъ лѣскамъ и урочищамъ, по склонамъ, межамъ,
по полямъ и даже дорогамъ; затѣмъ, остатки степныхъ нетрону-
тыхъ участковъ (т. наз. „Козинская степь“ по лѣвую сторону
балки „Портянки“ ок. с. Соколовки) и уже недавно распаханныя
степи (извѣстныя „Морозовскія степи“ до 3 т. десятинъ), могутъ
свидѣтельствовать, какъ это полагаетъ С. Коржинскій (26.)
о томъ, что здѣсь, въ сѣверо-восточной части Корочанск. у., искони
существовала степь, а не лѣсъ. Это подтверждаетъ и самъ В.
Сукачевъ, когда отмѣчаетъ, что въ сѣв.-восточ. предѣлахъ
нашего раіона „богатство степной флоры внезапно повышается“
(l. c. p. 126., 155.), но онъ не дѣлаетъ изъ этого соотвѣтствующихъ выводовъ, въ большинствѣ случаевъ принимая воззрѣнія
Таліева. Наши же воззрѣнія подтверждаетъ и „Экспедиція для
изслѣдованія источниковъ главнѣйшихъ рѣкъ Европ. Россіи“ (4),
которая, изслѣдуя верховья Сейма, захватила весь сѣверъ Корочанскаго уѣзда до верховьевъ Сѣв. Донца и его притоковъ Корени
и Корочи и пришла къ тому заключенію, „что эта мѣстность

носила чисто степной характеръ" (l. c. p. 68.), что „бывшія здѣсь нѣкогда обширныя степи въ настоящее время превращены въ пашню" (l. c. p. 63.). По всей вѣроятности эти степи отмѣчаетъ и проф. Черняевъ, когда, говоря о „примѣчательныхъ мѣстахъ" въ ботаническомъ отношеніи, указываетъ на „степи Обоянскаго и смежныхъ съ нимъ уѣздовъ" (61.).

Итакъ детальное изученіе характера лѣсной растительности въ Корочанскомъ у., повторяемъ, приводитъ насъ къ признанію существованія искони, — въ одной части (юго-зап.) — лѣса (согласно съ В. Сукачевымъ), въ другой (сѣв.-вост.) — степи (въ дополненіе къ выводамъ В. Сукачева). Такое близкое сосѣдство, повидимому, двухъ „антагонистовъ" (Коржинскій. 25.) станетъ еще болѣе понятнымъ, если мы вспомнимъ, полныя глубокаго смысла, слова проф. Н. И. Кузнецова (29.), который говоритъ: „степь и лѣсъ въ лѣсо-степной области Россіи не суть антагонисты. Они суть равноправные члены одной климатической полосы (лѣсо-степной). Но именно вслѣдствіе равноправія своего, во всякомъ частномъ случаѣ, занимаетъ мѣстность именно та изъ этихъ формцій, которая вслѣдствіе какого-либо благопріятнаго сочетанія условій успѣваетъ выдержать конкуренцію и оттѣснить другую. Стѣпь и лѣсъ взаимно исключаютъ другъ друга и въ результатахъ этого исключенія имѣютъ значеніе разныя условія — климатическія, почвенныя и топографическія, изъ которыхъ одни благопріятствуютъ болѣе степи, другія — лѣсу, хотя въ общемъ и лѣсъ, и степь могутъ уживаться со всѣми этими условіями хорошо" (l. c. p. 36.). Въ нашемъ же случаѣ физико-географическія условія страны именно таковы, — какъ мы уже не разъ выясняли, — что въ одной части (ю.-з.) они болѣе благопріятствуютъ лѣсу, въ другой-же (с.-в.) — степи.

Возвратимся снова къ растительности лѣсовъ. Мы видѣли, что овражные лѣски сѣв.-вост. части раіона являются зачатками лѣса въ степи, что „урочища" какъ-бы продолжаютъ формировку лѣса, стремясь къ типу сплошныхъ лѣсовъ. Какъ въ томъ, такъ и въ другомъ случаѣ мы имѣемъ дѣло съ борьбою двухъ элементовъ — лѣсного и степного, причемъ первый всегда стремится расширить свою площадь на счетъ окружащей степи.

Говоря о самооблѣсеніи степи, г. Танфильевъ (57.) перечисляетъ тѣ древесныя породы, которыя первыми идутъ въ степь. „На открытой степи, говоритъ онъ, появляются прежде всего яблоня, рѣже берестъ и груша. Въ заросли степныхъ кустарниковъ идутъ, главнымъ образомъ, тернъ, яблоня, груша, жестеръ, крушина, татарскій кленъ и дубъ". В. Сукачевъ (51.), говоря о томъ-же предметѣ, считаетъ только берестъ *(Ulmus campestris)* авангардомъ лѣса въ степи. Наши наблюденія надъ облѣсеніемъ овраговъ въ степной части уѣзда и надъ нетронутыми опушками урочищъ показываютъ, что первымъ въ степь идетъ тернъ *(Prunus spinosa)*, который въ такихъ случаяхъ обыкновенно комбинируется съ дерезняками *(Prunus Chamaecerasus)*; гораздо рѣже приходится встрѣчать по склонамъ овраговъ молодые побѣги береста *(Ulmus campestris)*. Дубъ *(Quercus pedunculata)*, повидимому, селится послѣ того, какъ указанныя породы подготовятъ соотвѣтствующимъ образомъ для него почву; по крайней мѣрѣ на это наводитъ то обстоятельство, что дубнякъ, покрывая склоны молодыхъ и еще дѣятельныхъ овраговъ, вытѣсняетъ къ переферіи дерезняки, которые въ тѣхъ случаяхъ, когда дуба нѣтъ, спускаются обыкновенно и по склонамъ. Что-же касается яблони *(Pirus Malus)* и груши *(P. communis)*, то хотя они и оставляются у насъ при рубкѣ лѣса, „какъ породы малоцѣнныя и полезныя своими плодами" (Сукачевъ l. с.), однако изрѣдка приходится видѣть молодые ихъ кусты по такимъ крутизнамъ овраговъ, гдѣ о существованіи прежде бывшаго лѣса, а тѣмъ болѣе о вырубкѣ его не можетъ быть и рѣчи. Если тернъ способенъ быстро размножаться массою молодыхъ побѣговъ отъ длинныхъ корней и выносить всевозможныя репрессіи, а берестъ при помощи своихъ летучекъ можетъ разноситься вѣтромъ на далекія разстоянія, то груша и яблоня, именно благодаря „полезности своихъ плодовъ", имѣютъ широкое распространеніе особенно въ Корочанскомъ у., какъ раіонѣ преимущественно садоводственномъ, гдѣ „дички" культивируются сотнями тысячъ [1]), какъ великолѣпные подвои для выводки на нихъ культурныхъ сортовъ. Всѣ эти наблюденія надъ самооблѣсеніемъ степи показываютъ, что „тернъ съ берестомъ и дубомъ" мы должны признать вмѣстѣ съ Танфильевымъ (l. с. p. 96.) „піонерами лѣса въ степи". Что-же касается дерезняковъ, состоящихъ изъ степной вишни *(Prunus Chamaecerasus)* и бобовника *(Amygdalus nana)*, то ихъ роль, какъ агентовъ, способствующихъ выщелачиванію почвы и подготовленію ея къ заселенію указанными древесными породами, достаточно выяснена

---

1) Напр въ извѣстныхъ питомникахъ Д. П. Алферова и др.

такъ-же г. Таифильевымъ (l. c. p. 99—109), который называетъ дерезняки „предвѣстниками лѣса въ степи“. С. Коржинскій (l. c. p. 51—52) тоже не видитъ „никакихъ поводовъ отрицать, что кустарниковая степь вообще можетъ служить началомъ и, такъ сказать, центромъ облѣсенія“.

Высокій научный интересъ представляетъ смѣна древесныхъ породъ въ лѣсахъ. Въ лѣсахъ ю.-запад. части Короч. у., отъемныхъ и разрѣженныхъ, замѣчается вытѣсненіе дуба осиной *(Populus tremula)*. Это явленіе отмѣчаетъ и С. Коржинскій (25.), указывая на то, что осина имѣетъ для этого хорошія приспособленія; она даетъ массу сѣмянъ, легко разносимыхъ вѣтромъ, быстро растетъ и заглушаетъ такимъ образомъ всходы другихъ породъ. Но съ другой стороны, исходя изъ того положенія, что дубъ могутъ смѣнить только породы, превосходящія его въ тѣнелюбіи, какъ это подтверждается различными фито-палеонтологическими изслѣдованіями (Anderson 1. Fischer-Benzon 19. etc.), т. е. что дубъ нормально можетъ самъ смѣнить осину, но — не смѣняться ею, С. Коржинскій приходитъ къ тому заключенію, что смѣна дуба осиной есть явленіе ненормальное, зависящее скорѣе отъ нераціональной рубки лѣсовъ, чѣмъ отъ естественнаго преобладанія одной породы надъ другою. И дѣйствительно, обращаясь къ полосѣ сплошныхъ лѣсовъ на югѣ Корочанскаго у., мы здѣсь уже не видимъ этой ненормальной смѣны дуба осиной; напротивъ, здѣсь дубъ самъ смѣняетъ породу, превосходящую его въ свѣтолюбіи, именно — сосну *(Pinus silvestris)*, какъ это мы можемъ хорошо наблюдать напр. въ Бекарюковскомъ бору, представляющемъ смѣшанное насажденіе. Эта смѣна сосны на мѣлу дубомъ ясно показываетъ, что нашимъ лиственнымъ лѣсамъ предшествовали лѣса хвойные, которые теперь сохранились въ видѣ обрывковъ только на мѣлахъ, гдѣ неблагопріятныя условія для существованія лиственныхъ лѣсовъ помогли борамъ выдержать до нашего времени борьбу за существованіе. Поэтому „горные сосняки“ признаются древнѣйшими на югѣ Россіи, даже съ точки зрѣнія самыхъ противоположныхъ теорій (Таліевъ 53. Литвиновъ 34.).

Подводя итогъ всему сказанному о лѣсахъ Корочанскаго у., мы имѣемъ слѣдующую картину. Лиственнымъ лѣсамъ въ этомъ раіонѣ предшествовали лѣса хвойные, которые были вытѣснены первыми. Распространяясь по водораздѣламъ изъ южной части уѣзда, лиственные лѣса въ прежнее доисторическое время далеко простирались и въ юго-западную часть раіона, но были здѣсь впослѣдствіи уничтожены, оставивъ по себѣ овражные лѣски и острова отъемныхъ лѣсовъ съ типичной лѣсной растительностью. Сѣверо-восточная часть уѣзда въ это-же время представляла степное, необлѣсенное пространство, въ которое уже послѣ, когда на лессовой равнинѣ образовались овраги, лѣсъ началъ стремиться по этимъ путямъ (т. е. по оврагамъ, какъ мѣстамъ наиболѣе выщелоченнымъ) въ степь. Первыми идутъ сюда тернъ, берестъ и дубъ, а затѣмъ уже яблоня и груша, образовывая овражные лѣсочки. Овражные лѣсочки, при извѣстныхъ условіяхъ, могутъ выходить на ровныя мѣста, принимая видъ „урочищъ“, которыя по составу растительности, въ свою очередь, стремятся къ типу сплошныхъ лѣсовъ.

Степная растительность.

Степная растительность въ Корачанскомъ у. пріурочена въ настоящее время преимущественно къ склонамъ балокъ; при этомъ сѣверо-восточная часть уѣзда (степная) особенно изобилуетъ степными растеніями сравнительно съ юго-западной (лѣсной), гдѣ степныя растенія встрѣчаются рѣже, то на различныхъ обнаженіяхъ, то заходятъ даже въ лѣса, въ несвойственную для нихъ обстановку. Основными формаціями, изъ которыхъ слагается степная растительность, являются: кустарниковая и травянистая степь.

Кустарниковая степь представлена дерезняками, въ составъ которыхъ входятъ: *Caragana frutescens, Amygdalus nana, Prunus Chamaecerasus, P. spinosa, Spiraea crenifolia, Cytisus biflorus, C. austriacus* и изрѣдка *Rosa canina;* изъ нихъ *Caragana* и *Cytisus* выбираютъ преимущественно обнаженныя мѣста склоновъ, остальныя предпочитаютъ задернованныя. Обыкновенно дерезняки занимаютъ верхнія части склоновъ, какъ мѣста наиболѣе удобныя для дренажа и выщелачиванія (Танфильевъ) или чаще ютятся по окраинамъ овражныхъ лѣсковъ, куда вытѣсняются послѣдними. Рѣже дерезняки представляютъ самостоятельныя заросли, при этомъ комбинируются вишня съ терномъ или бобовникомъ, *Caragana* съ *Cytisus.* Травянистая растительность въ дерезнякахъ разнообразна и складывается обыкновенно изъ высокорослыхъ видовъ; дѣленіе на, такъ называемые, горизонты, которое въ совершенствѣ выражено въ лѣсахъ и отсутствуетъ въ травянистой степи, намѣчается уже въ дерезнякахъ, а поэтому они являются связующимъ звеномъ между степью и лѣсомъ. Охотно мирясь съ условіями жизни степей и подготовляя въ то-же время почву для лѣса, дерезняки какъ-бы ведутъ за собою лѣсъ въ степь и являются, такимъ образомъ, „зачатками облѣсенія“, какъ мы видѣли выше.

Обращаясь къ травянистой степи, мы видимъ здѣсь богатую флору, которая въ мѣстахъ своего древняго statio (с.-в. часть) ютится не только по склонамъ балокъ, — мѣстамъ преимуще-ственнаго, современнаго своего обитанія, — но встрѣчается поло-жительно вездѣ тамъ, гдѣ ослаблено вліяніе человѣка въ смыслѣ постояннаго нарушенія имъ связности растительнаго покрова. Въ лѣсной части раіона нѣтъ такого обилія степныхъ видовъ; тѣмъ не менѣе и здѣсь можно видѣть довольно богатую степную расти-тельность, пріуроченную къ обнаженіямъ, вырубкамъ въ лѣсахъ, опушкамъ, лугамъ и т. п. мѣстамъ вторичнаго ея мѣстонахожденія. Что она сюда попала изъ ближайшихъ участковъ степи, это, кромѣ различныхъ физико-географическихъ условій, разсмотрѣнныхъ выше, подтверждается еще общимъ біологическимъ характеромъ степныхъ растеній, эмигрировавшихъ сюда, въ лѣсную часть раіона изъ степ-ной. Обыкновенно это — виды (изъ сем. *Compositae* по преиму-ществу), приспособленные къ широкому распространенію и надѣ-ленные летучками, хохолками, мелкими сѣменами, цѣпкими плодами и проч., играющіе скорѣе роль сорныхъ растеній. Однообразіе ихъ біологическаго типа здѣсь прямо противоположно разнообразнымъ комбинаціямъ многочисленныхъ видовъ въ степной части раіона. Тамъ мы имѣемъ „комплексъ растительныхъ формъ, приспосо-бившихся, какъ къ внѣшнимъ условіямъ среды, такъ и другъ къ другу“; здѣсь встрѣчаемъ случайныхъ представителей степи, по-павшихъ въ несвойственную для нихъ обстановку; это еще разъ подтверждаетъ наше воззрѣніе на Корочанскій уѣздъ, какъ на раіонъ, гдѣ искони лѣсъ и степь существовали по сосѣдству. Переходя къ разсмотрѣнію степныхъ растеній по склонамъ балокъ въ степной части уѣзда, мы должны отмѣтить то значеніе, кото-рое имѣетъ направленіе склоновъ на распредѣленіе на нихъ степ-ной растительности. Обращенные на югъ склоны, подвергающіеся постоянной эрозіи и наиболѣе сильной инсоляціи, не имѣютъ сплош-ного растительнаго покрова; обыкновенно здѣсь растенія разбра-сываются клочками и отдѣльными кустиками; на склонахъ-же, обращенныхъ на сѣверъ, растительность располагается сплошнымъ ковромъ, въ которомъ мхи играютъ видную роль. Первые склоны обыкновенно отличаются разнообразіемъ, иногда рѣдко-встрѣчающихся, видовъ; вторые представляютъ однообразіе вульгарныхъ представителей. Обычнымъ представителемъ степныхъ склоновъ, вообще, является ковыль *(Stipa pennata* et *S. capillata)*, который въ комбинаціи съ ксерофитными злаками *(Hierochloa odorata, Koeleria cristata, K. glauca. Poa bulbosa* f. *vivipara, Phleum Boehmeri, Festuca ovina, Bromus inermis, Br. mollis* и др.) даетъ фонъ, на которомъ живописнымъ узоромъ разбрасываются яркіе цвѣты разнообразныхъ растеній. Судя по тому, что, на сохранившихся остаткахъ цѣлины на ровныхъ мѣстахъ, составъ степной растительности такой-же, какъ и на склонахъ — съ преобладаніемъ ковыля, мы приходимъ къ тому заключенію, что въ сѣверо — восточной части Корочанскаго у. была когда-то ковыльная степь, въ которую вкрапливались участки кустарниковой степи; первая при этомъ покрывала ровныя мѣста и склоны, вторая занимала наиболѣе возвышенные пункты.

Растительность мѣловыхъ обнаженій и сосновые лѣса на мѣлу.

Растительность мѣловыхъ обнаженій, кромѣ теоретическаго интереса, представляетъ такую массу біологическихъ и систематическихъ особенностей, что всестороннее освѣщеніе ихъ создало даже цѣлую литературу и выдвинуло на очередь, такъ называемый, „мѣловой вопросъ“. Если на западѣ Европы на вершинахъ горъ и каменисто-мѣловыхъ обнаженіяхъ находится особая „альпійская“ растительность, имѣющая свою собственную физіономію безъ отношенія къ окружающей флорѣ, гдѣ, слѣдовательно, изученіе ея не затрудняется привнесеніемъ постороннихъ элементовъ, то у насъ, напротивъ, мѣловыя обнаженія характеризуются не только опредѣленной растительностью, свойственной исключительно мѣлу, но еще, такъ сказать, цѣлой флорой, которая складывается: а) изъ весьма рѣдкихъ растеній съ сильно прерваннымъ ареаломъ распространенія *(Daphne altaica);* b) изъ небольшой группы видовъ, встрѣчающихся единично и то только на чистомъ мѣлу *(Schivereckia Podolica, Scutellaria alpina* f. *lupulina);* с) изъ растеній, свойственныхъ вообще всякимъ обнаженіямъ (песчанымъ и глинистымъ): *(Thymus Serpyllum, Astragalus sulcatus, Salvia nutans* и др.); d) изъ многихъ чисто степныхъ видовъ *(Stipa capillata,*

3

St. pennata, Pulsatilla vulgaris, Adonis vernalis и друг.); e) изъ массы сорняковъ *(Blitum virgatum* и мн. др.); f) наконецъ, изъ такихъ видовъ, которые трудно отнести къ какой-либо формаціи, *(Vincetoxicum officinale, Lotus corniculatus* и др.), такъ какъ они встрѣчаются при самыхъ разнообразныхъ условіяхъ. Понятно, что, при такомъ разнообразіи флоры мѣловыхъ обнаженій, выясненіе различныхъ гео-ботаническихъ вопросовъ (ея происхожденія, условій существованія, различныхъ біологическихъ особенностей, эндемизма и. т. п.) является настолько запутаннымъ, что даже создало совершенно противоположныя воззрѣнія и цѣлыя теоріи по „мѣловому вопросу“. Такъ, г. Таліевъ (52. 53.) въ данномъ случаѣ все стремится объяснить „вліяніемъ человѣка“, какъ происхожденіе самыхъ мѣловыхъ обнаженій, такъ и появленіе на нихъ растительности (заносъ); Д. Литвиновъ (34. 35.) видитъ въ мѣловой растительности остатокъ или наслѣдіе древней флоры ледниковаго и частію конца третичнаго періода (реликты); Танфильевъ (57.) появленіе на мѣлахъ соотвѣтствующей растительности объясняетъ присутствіемъ извести (углесолей) (почвенныя условія); наконецъ г. Дубянскій (15. 16.) полагаетъ, что вся мѣловая растительность есть „пришлая“ съ юга (но не занесенная человѣкомъ и не реликтовая); „подъ вліяніемъ мѣла“ она измѣнилась и дала группу эндемическихъ видовъ, спеціально мѣловыхъ, происшедшихъ отъ коллективныхъ видовъ, путемъ распаденія этихъ послѣднихъ на „расы“ (Комаровъ 23. 24.), а расы уже подъ вліяніемъ мѣла дифференцировались на эндемическіе Линнеевскіе виды. Такимъ образомъ измѣненіе растеній подъ вліяніемъ мѣла приводитъ, по воззрѣніямъ г. Дубянскаго, къ образованію новыхъ видовъ.

Для того, что-бы каждой изъ этихъ теорій отвести надлежащее мѣсто, охарактеризуемъ вкратцѣ корочанскія мѣловыя обнаженія и ихъ растительность.

Мѣловыя обнаженія въ описываемомъ раіонѣ пріурочены, главнымъ образомъ, къ прибрежнымъ возвышенностямъ, сопровождающимъ правые берега всѣхъ рѣкъ, и изрѣдка — къ склонамъ балокъ, обращеннымъ на югъ. По морфологическому характеру обнаженія бываютъ: съ вогнутой поверхностью, обыкновенно изрѣзанной отъ верху до низу рытвинами; съ выпуклой поверхностью, — лбообразныя и конусовидныя; и, наконецъ, — отвѣсныя, какъ стѣна съ осыпями у подножія. Первыя образуются путемъ размыва коренной породы водою (эрозія); вторыя являются, какъ результатъ механическаго и химическаго вывѣтриванія породы и послѣдующихъ процессовъ сноса и смыванія (карозія); наконецъ, третьи — самыя рѣдкія — есть слѣдствіе обваловъ въ тѣхъ случаяхъ, когда порода разбивается вертикальными и горизонтальными трещинами на отдѣльности. Таковъ естественный путь образованія мѣловыхъ обнаженій. Почти всѣ корочанскія обнаженія пріурочены къ населеннымъ пунктамъ или находятся по близости къ нимъ; правильнѣе-же говоря, обратно; — при весьма густомъ населеніи Корочанскаго уѣзда, населенные пункты (села, деревни, хутора), расположенные верницами преимущественно по долинамъ рѣкъ, естественно пріурочиваются къ мѣстамъ, или уже существующихъ, или могущихъ возникнуть, обнаженій. Послѣднія, при такихъ условіяхъ, конечно, не могутъ остаться безъ „вліянія человѣка" (Таліевъ), или, лучше говоря, — безъ содѣйствія человѣка ихъ развитію; борозда, проведенная по склону, можетъ дать начало эрозіонному обнаженію; выпасъ скота на задернованныхъ бýграхъ окраинъ водораздѣла сопровождается сдираніемъ почвеннаго слоя и кладетъ начало лбообразнымъ обнаженіямъ; выработка мѣла сопровождается образованіемъ стѣнообразныхъ обнаженій. Вліяніе человѣка, такимъ образомъ, сводится только къ поддержкѣ мѣловыхъ обнаженій и, при сильномъ содѣйствіи различныхъ физико-химическихъ процессовъ, — къ расширенію и увеличенію ихъ площади. Поэтому, наблюдаемое сосѣдство рѣдкихъ мѣловыхъ видовъ съ мѣстами интенсивной дѣятельности человѣка (Таліевъ) объясняется лишь тѣмъ, что само существованіе мѣловыхъ обнаженій и расширеніе ихъ площади часто обусловливается дѣятельностью человѣка (Дубянскій); иначе говоря, человѣкъ лишь содѣйствуетъ развитію того, что есть, не принося съ собою непремѣнно новыхъ для мѣстности растеній; напротивъ, человѣкъ, при сильномъ вліяніи, не обогощаетъ мѣстность новыми видами, а обѣдняетъ ее, придавая ей тривіальный характеръ; вырытые лѣса, распаханныя степи и обращенныя въ камнеломни горы бѣднѣе растительностью, чѣмъ они были прежде (Литвиновъ). По геогностическому составу корочанскія обнаженія можно раздѣлить на „мѣловыя" въ собственномъ смыслѣ этого слова и на всѣ остальныя, которыя мы называемъ „каменистыми".

Настоящія „мѣловыя" обнаженія обнаруживаютъ выходы на дневную поверхность чистаго, пишущаго мѣла, который легко марается и содержитъ 98 % $CaCO_3$ и остальныхъ примѣсей не болѣе

2 %. (Н. Кудрявцевъ по Энгельгардту. 28.) Такія обнаженія встрѣчаются рѣдко въ Корочанскомъ у. и отличаются, какъ увидимъ ниже, весьма интересной флорой, въ которой имѣются рѣдкіе виды. „Каменистыя" обнаженія обыкновенно обнаруживаютъ или мѣловые рухляки, или мергель, въ которомъ видимо преобладаетъ известь, или сѣроватый глинистый мергель, который быстро вывѣтривается и обращается въ труху, или, наконецъ, глину (чаще сѣрую, рѣже голубоватыхъ оттѣнковъ) съ суглинками. Этотъ типъ обнаженій — самый распространенный въ предѣлахъ Корочанскаго уѣзда. Богатство такихъ обнаженій кремнями въ нашемъ раіонѣ было отмѣчено еще Борисякомъ (6.) и объяснено Н. Кудрявцевымъ (l. с. р. 695—696); поэтому эти обнаженія заслуживаютъ названія „каменистыхъ". Они, какъ увидимъ ниже, хотя и несутъ разнообразную флору, но не возбуждаютъ такого интереса, какъ чисто „мѣловыя" обнаженія. По степени дѣятельности (степени устойчивости поверхности) всѣ вообще указанные типы обнаженій слѣдуетъ раздѣлить на дѣятельныя и успокоившіяся. Первыя находятся подъ энергичнымъ и непрестаннымъ вліяніемъ различныхъ физико-химическихъ факторовъ и отчасти человѣка; вторыя прекратили свою дѣятельность и начали задерновываться. Наиболѣе дѣятельными являются лбообразныя обнаженія.

Разсмотримъ теперь типичную растительность [1] только „мѣловыхъ" обнаженій, слѣдуя по теченію рѣкъ, а затѣмъ дадимъ краткую характеристику растительности „каменистыхъ обнаженій".

Мѣловыя обнаженія 1, по р. Корочѣ:

    а) „Кручки" въ 6 в. отъ г. Корочи. Лбообразныя дѣятельныя обнаженія съ площадками мѣла, начавшія по краямъ задерновываться. Растительность на мѣлу:

        Artemisia armeniaca
        Crambe tatarica
        Centaurea Ruthenica
        Cotoneaster vulgaris
        Helianthemum vulgare
        Poa bulbosa (не живород. форма).

---

[1] Нижеприведенные списки заключаютъ только растенія, исключительно встрѣчающіяся на мѣлу, не касаясь тѣхъ многочисленныхъ, сопутствующихъ видовъ, которые свойственны всевозможнымъ обнаженіямъ и другимъ формаціямъ.

b) „Бѣлая гора" подъ г. Корочею. Обнаженія такого-же типа, какъ и на „Кручкахъ", только гораздо больше по размѣрамъ. На мѣлу находимъ:

Arabis auriculata
Astragalus austriacus
A. albicaulis
Helianthemum Oelandicum
Poa bulbosa (не живород. форма)
Schivereckia Podolica.

c) Обнаженія мѣла между д. Доброй и с. Дмитріевкой; лбообразныя и конусовидныя; довольно дѣятельныя. На мѣлу растутъ:

Carex humilis
Gypsophila altissima
Melilotus albus f. *tenellus*
Polygala sibirica
Pimpinella Tragium
Reseda lutea
Thymus cimicinus (mut. char.)

2. По р. Ивичкѣ. Все правое побережье представляетъ чередованіе куполообразныхъ выступовъ со впадинами. На выступахъ кое-гдѣ обнажается пишущій мѣлъ, на которомъ къ растеніямъ предшествующаго мѣстонахожденія присоединяются еще:

Silene supina
Linum ucrainicum
Echinops Ritro
Orobanche major (на Echinops)
Asperula cretacea.

b) Балка „Портянка", вблизи истоковъ р. Ивички. Обнаженія мѣла лбообразныя; кое-гдѣ начали задерновываться; склоны обращены на югъ. Мѣловая растительность складывается изъ:

Triticum cristatum
Melilotus albus f. *tenellus*
Rosa rubiginosa
Anthyllis Vulneraria
Hedysarum grandiflorum
Linum ucrainicum
Polygala sibirica
Scutellaria alpina f. *lupulina.*

3. По р. Нежеголи. Правое побережье отъ с. Терновой до с. Бекарюковки. Обнаженія мѣла или лбообразныя, или обрывистыя.
Здѣсь по стѣнкамъ находимъ большое количество резеды *(Reseda lutea)*, а по мѣловымъ откосамъ ютятся:

Thymus cimicinus (mut. char.)
Astragalus sulcatus
Melilotus albus f. *tenellus*
Asperula cretacea
Linum ucrainicum [1]).

b) Около с. Бекарюковки. Мощныя обнаженія мѣла; кое-гдѣ только
дѣятельныя; успокоившіяся ихъ части покрыты старымъ сосно-
вымъ боромъ, къ которому примѣшаны лиственныя породы. По
мѣлу въ самомъ бору находимъ:

Astragalus albicaulis
Centaurea Ruthenica
Daphne altaica
Rosa tomentosa
Teucrium Polium.

По обнаженіямъ мѣла внѣ бора растутъ:

Astragalus albicaulis
A. sulcatus
Centaurea Ruthenica
Gypsophila altissima
Linum ucrainicum
Melilotus albus f. *tenellus*
Polygala sibirica
Pimpinella Tragium
Helianthemum vulgare
Asperula cretacea
Thymus cimicinus (mut. char.)

Кромѣ этого Д-ръ Калениченко для Бекарюковскихъ мѣловыхъ обнаженій приводитъ еще: *Digitalis ochroleuca, Hyssopus
angustifolius, Onosma stellulatum, O. setosum* и др., а для бора
указываетъ *Rosa cretacea* Kalenicz, которая нигдѣ не описана.

---

1) Здѣсь-же, повидимому, Д. И. Литвиновъ находилъ *Hyssopus
officinalis* (l. с. p. 367), который мною не найденъ.

Вотъ и всѣ самыя выдающіяся „мѣловыя" обнаженія въ Корочанскомъ у. Мы видимъ, что они, по характеру своему, почти всѣ лбообразны, дѣятельны (за исключеніемъ Бекарюковскаго, покрытаго боромъ) и обнаруживаютъ чистый пишущій мѣлъ; въ нѣкоторыхъ мѣстахъ замѣтны попытки къ задерненію, при чемъ главную роль въ этомъ отношеніи, повидимому, играютъ: *Poa bulbosa* (non *vivip.*) *Triticum cristatum, Carex humilis* и *Thymus cimicinus* (mut. char.), вслѣдъ за которыми идутъ уже степные кустарники *(Caragana* и *Cytisus)* и даже лѣсныя породы *(Ulmus campestris* f. *suberosa)*. Обращаясь къ самой растительности, спеціально пріуроченной въ Корочанскомъ уѣздѣ только къ пишущему мѣлу, мы видимъ, что она складывается изъ слѣдующихъ видовъ:

Anthyllis Vulneraria	*H. vulgare*
Arabis auriculata	*Linum ucrainicum*
Artemisia armeniaca	*Melilotus albus* f. *tenellus*
Asperula cretacea	*Orobanche major*
Astragalus albicaulis	*Pimpinella Tragium*
A. austriacus	*Poa bulbosa* (non *vivipara*)
A. sulcatus	*Polygala sibirica*
Carex humilis	*Reseda lutea*
Centaurea Ruthenica	*Rosa rubiginosa*
Cotoneaster vulgaris	*R. tomentosa*
Crambe tatarica	*Schivereckia Podolica*
Daphne altaica	*Scutellaria alpina* f. *lupulina*
Echinops Ritro	*Silene supina*
Gypsophila altissima	*Teucrium Polium*
Hedysarum grandiflorum	*Triticum cristatum*
Helianthemum Oelandicum	*Thymus cimicinus* (mut. char.)

Всего 32 вида, характерныхъ для корочанскихъ мѣловъ. В. Сукачевъ (l. с. p. 143) приводитъ еще, какъ характерныя для курскихъ мѣловъ, слѣдующія пять растеній: *Allium moschatum, Euphorbia glareosa, Pimpinella magna, Senecio macrophyllus, Thymelaea Passerina*, найденныя имъ въ другихъ уѣздахъ; за то вмѣсто нихъ мною отмѣчены для Корочанскихъ мѣловыхъ обнаженій: *Carex humilis, Poa bulbosa* (не живород. форма), *Triticum cristatum*, а также *Artemisia armeniaca, Scutellaria alpina* f. *lupulina, Thymus cimicinus* (mut. char.), которые являются новостями для курской флоры, и наконецъ, подтверждается показаніе Линдеманна нахожденіемъ *Cotoneaster vulgaris.*

Прежде чѣмъ сказать что-либо объ этихъ 32-хъ видахъ растеній, характерныхъ для корочанскихъ мѣловыхъ обнаженій, мы выяснимъ понятія: „эндемизмъ“ и „реликты“, въ виду отчетливости послѣдующаго изложенія. „Мы различаемъ, говоритъ проф. Н. И. Кузнецовъ (31.), два рода эндемизма: эндемизмъ новѣйшаго происхожденія, это формы новыя, вырабатывающіяся въ послѣднюю геологическую эпоху; эти эндемическія формы отнюдь нельзя считать реликтовыми. Съ другой стороны среди эндемическихъ формъ какой либо мѣстности несомнѣнно встрѣчаются и формы древнія, стоящія особнякомъ въ системѣ, мало гармонирующія съ общими экологическими условіями страны; эти — то эндемическія формы и будутъ реликтовыми. Наконецъ, реликтовыми типами могутъ быть въ какой-либо странѣ и формы далеко для нея не эндемичныя, наоборотъ, иногда весьма широко распространенныя по земному шару, но чуждыя общимъ экологическимъ условіямъ данной мѣстности, встрѣчающіяся въ ней изрѣдка, единично, въ отдѣльныхъ особо-благопріятныхъ для существованія ихъ условіяхъ; такіе реликты (не эндемичные для данной флоры) отличаются часто прерывистостью своего географическаго распространенія“ (l. c. p. 263). Теперь посмотримъ на вышеприведенныя, характерныя для корочанскихъ мѣловъ, растенія именно съ этой точки зрѣнія на эндемическія и реликтовыя формы, высказанной проф. Н. И. Кузнецовымъ. Между ними, конечно, первое мѣсто занимаетъ *Daphne altaica* Pall. *(D. Sophia* Kalenicz), — этотъ камень преткновенія для ботанико-географовъ; растеніе тѣмъ болѣе интересное, что оно произрастаетъ только на Алтаѣ, да въ Курской губерніи. Какъ объяснить такую прерывистость его распространенія; какъ оно попало въ Курскую губернію; что это за растеніе, которое стоитъ особнякомъ въ системѣ курской флоры? Вотъ рядъ научныхъ вопросовъ, на которые мы должны бросить свѣтъ.

Впервые упоминаніе о курскихъ дафнахъ мы находимъ у проф. Черняева (61.), который, характеризуя Курскую губернію (въ 1836 г.) въ ботаническомъ отношеніи, приводитъ для „мѣловыхъ почвъ“ ея „восточныхъ уѣздовъ, прилегающихъ къ Харьковской и Воронежской губерніямъ, *Daphne oleoides* — оливковое дафне, весьма примѣчательный кустарникъ, говоритъ онъ, встрѣчающійся по лѣснымъ горамъ Донца и впадающихъ въ него рѣкъ“. Изъ этихъ словъ проф. Черняева видно, что ему хорошо было знакомо *Daphne* изъ Курской губ., которое онъ называетъ „*oleoides*". Принимая во вниманіе то, что этотъ послѣдній видъ *(D. oleoides)* близокъ по своимъ систематическимъ признакамъ къ нашей *Daphne altaica* Pall. *(D. sophia* Kalen.), а равно какъ, въ особенности, то обстоятельство, что проф. Черняевъ указываетъ для *D. oleoides* какъ-разъ тотъ раіонъ мѣстонахожденій (лѣсныя горы Донца и впадающихъ въ него рѣкъ, слѣд. Корочи и Нежеголь), въ которомъ находится locus classicus (с. Бекарюковка) и другія извѣстныя намъ мѣстонахожденія *Daphne altaica,* мы вправѣ сдѣлать болѣе, чѣмъ вѣроятное предположеніе, что проф. Черняевъ упоминаетъ именно о нашей *D. altaica,* называя ее *D. oleoides;* это тѣмъ болѣе вѣроятно, что другой подобной *Daphne* никто никогда не приводилъ для Курской губ. Судя-же потому, что проф. Черняевъ не дѣлаетъ никакихъ примѣчаній относительно распространенія *D. oleoides* (resp. *D. altaica),* указывая только на цѣлый раіонъ ея обитанія, а тутъ-же рядомъ говоритъ о другомъ растеніи, *Daphne Mesereum,* какъ о „самомъ рѣдкомъ въ Курской губ.", мы можемъ заключать, что 70 лѣтъ тому назадъ *D. oleoides* (наша *D. altaica)* была гораздо шире распространена въ нашемъ раіонѣ, какъ „примѣчательный кустарникъ", на который только черезъ 13 лѣтъ (въ 1849 г.), послѣ проф. Черняева, обратилъ вниманіе д-ръ Калениченко. Посѣтивъ с. Бекарюковку на Нежеголи, д-ръ Калениченко хорошо изслѣдовалъ здѣсь сосновой боръ на мѣлу, нашелъ тутъ *Daphne,* произрастающее въ большомъ изобиліи и далъ этому растенію полное научное описаніе (на латинск. и франц. язык.) подъ названіемъ *Daphne Sophia* Kalenicz. Онъ тогда-же указалъ кромѣ Бекарюковки еще два мѣстонахожденія *D. Sophia,* именно: 1) „на мѣловомъ берегу Донца въ дубовомъ лѣсу близъ с. Соломина Бѣлгородск. у. и 2) въ дубовыхъ лѣсахъ по р. Козинкѣ, Волчанск. у. Харьковской губ." (20. 21.), какъ-бы подтверждая этимъ показанія проф. Черняева о нахожденіи въ этомъ-же раіонѣ *D. oleoides.* Наконецъ, въ послѣднее время (1900 г.) В. Сукачевъ (50. 51.) отмѣчаетъ еще одно (четвертое) мѣстонахожденіе *D. Sophia* „въ 5 верстахъ отъ с. Соломина, около огородовъ слоб. Пушкарной, пригорода г. Бѣлгорода" на мѣловыхъ склонахъ. Изъ всѣхъ этихъ мѣстонахожденій (Бекарюковка, Соломино, р. Козинка, Пушкарная) Соломенское, посѣщенное тѣмъ-же В. Сукачевымъ, „требуетъ, по его словамъ, подтвержденія" (l. с. p. 97.), хотя и открытое имъ „новое" мѣстонахожденіе ок. слоб. Пушкарной, отстоящей всего

въ 5 верст. отъ того-же с. Соломино, судя по словамъ I. Паллона (42.), возможно, что относилось прежними авторами къ
Соломенскому. По рѣкѣ-же Козинкѣ (Волч. у. Харьк. г.) я не
экскурсировалъ; поэтому у насъ остается только одно классическое
мѣстонахожденіе *D. Sophia* — Бекарюковское, единственное въ
Корочанскомъ у., хорошо мнѣ извѣстное и не возбуждающее никакихъ сомнѣній, которое мы и будемъ имѣть въ виду при дальнѣйшихъ разсужденіяхъ.

Объясняя появленіе *D. Sophia* въ Курской губ., при ея
весьма прерванномъ распространеніи, — Курская губ. и Алтай,
дистанція большихъ размѣровъ! — многіе авторы высказывались
различно. Такъ г. Голенкинъ (9.), показывая, что *D. Sophia*
Kalen. тождественна съ *D. altaica* Pall., сдѣлалъ было предположеніе, что это растеніе занесено въ Курскую губ. перелет-
ными птицами, но такое предположеніе было опровергнуто Н. А.
Бушемъ (7.). Затѣмъ В. Сукачевъ (l. c. p. 95—97.), придерживаясь мнѣнія г. Таліева, объявилъ *D. altaica* выходцемъ
изъ сада помѣщиковъ Бекарюковыхъ, которые, по его мнѣнію,
въ свою очередь являются выходцами съ востока (татарскаго
происхожденія?), принесшими оттуда *Daphne*, и что отсюда она
была занесена, какъ въ Козинскіе лѣса, такъ и на мѣлы по берегамъ Донца (с. Соломино, сл. Пушкарная). Основаніемъ для такого воззрѣнія служитъ, повидимому, помѣщичій „садъ съ тепли-
цей“ по близости къ бору, да еще то обстоятельство, что *D. altaica*
не приноситъ плодовъ; остальное все взято изъ области голыхъ
гипотезъ. Прежде всего, по справкамъ, оказалось, что г. г. Бе-
карюковы — русскіе люди, одного изъ старыхъ дворянскихъ
родовъ; затѣмъ въ ихъ саду и теплицѣ *D. altaica* нѣтъ и она
тамъ никогда не культивировалась, иначе д-ръ Калениченко,
который несомнѣнно хорошо былъ знакомъ съ г. г. Бекарю-
ковыми и ихъ садомъ[1]), не сталъ-бы описывать *D. Sophia*, какъ
особый, „дикорастущій“ видъ; да и культивировать *Daphne altaica* въ саду или теплицѣ не было цѣлей; цвѣты ея маленькіе,
невзрачные; запахъ ихъ скорѣе одуряющій, чѣмъ пріятный, а меди-
цинскія свойства этого растенія неизвѣстны. Далѣе, садъ съ теп-
лицей ужъ не такъ „заходитъ въ соснякъ“, какъ это рисуетъ В.

---

1) Онъ упоминаетъ и даже описываетъ нѣкоторыя плодовыя
деревья, произрастающія тамъ. Напр. Bigareaux (Knorpelkirschen), Grosse
Guigne (Herzkirschen), Merisiers, Cerisiers.

Сукачевъ, а просто соприкасается съ мѣловыми склонами, по которымъ лѣпятся сосны и по близости къ саду *D. altaica* мы вовсе не находили, — она появляется въ соснякѣ на значительномъ отъ этого разстоянiи. Наконецъ, то обстоятельство, что *D. altaica* не приноситъ теперь плодовъ, совсѣмъ не говоритъ о ея заносѣ, какъ то полагаетъ В. Сукачевъ и какъ то совершенно правильно объясняетъ I. Паллонъ (43.) вымиранiемъ, вслѣдствiе котораго, обыкновенно, исчезающiе организмы теряютъ свою способность къ дальнѣйшему размноженiю; это тѣмъ болѣе вѣроятно, что Каленниченко еще были извѣстны плоды, которые онъ описываетъ[1]) и даже даетъ ихъ рисунокъ; да если-бы *D. altaica* никогда не приносила плодовъ въ Курской губернiи, то это только можетъ говорить противъ ея заноса напр. въ Козинскiе лѣса или на мѣлы около сл. Пушкарной; — плодовъ нѣтъ, а пересаживать кому-же охота за 50 верстъ какую-то дафне, которой даже названiя не знаютъ жители с. Бекарюковки. Такимъ обраѕомъ всѣ доводы В. Сукачева (а слѣд. и Талiева) — объяснить появленiе *Daphne altaica* въ Курской губ. заносомъ — становятся для насъ неубѣдительными и сами по себѣ теряютъ значенiе.

Совершенно особеннаго взгляда на *Daphne altaica* держится Д. И. Литвиновъ (34. 35.) Онъ считаетъ это растенiе „наслѣдiемъ предшествовавшаго нашей эрѣ ледниковаго перiода“, какъ и самый Бекарюковскiй боръ (locus classicus) — „горный сосонякъ“ — признаетъ „остаткомъ его обычнаго statio отъ той-же геологической эпохи“. Основанiями для такого воззрѣнiя служатъ: 1) Нахожденiе *D. altaica*, какъ и „горныхъ сосняковъ“ въ раiонѣ древней суши (Никитинъ 39.), незатронутой такимъ могучимъ дѣятелемъ, какъ ледники (въ ледниковый перiодъ). 2) Прiуроченность *D. altaica* къ выходамъ мѣла, какъ породы болѣе устойчивой, чѣмъ рыхлыя породы ледниковаго перiода (лессъ и пески), гдѣ, слѣдовательно, могла лучше сохраниться древняя флора, тѣмъ болѣе, добавимъ мы, что и экологическiя условiя мѣла благопрiятствовали этому. 3) Рѣдкость нахожденiя *D. altaica* и большая прерванность ея распространенiя свидѣтельствуютъ о реликтовомъ характерѣ этого растенiя, утерявшаго промежуточныя формы. 4) Вымирающiй характеръ самого растенiя, подобно напр. тѣмъ, которые ушли изъ Центральной Россiи вмѣстѣ съ ледникомъ *(Dryas*

[1] „Bacca matura, succosa pedicillata, ovato-globosa, subacuta, rubrominiata, monosperma; semen ovato-acutum, apice curvatum, fuscescens“ (l. c. p. 312.)

octopetale, Salix polaris и др.) или совершенно вымерли *(Brassenia purpurea)*, о чемъ свидѣтельствуетъ уже выше отмѣченная неспособность *D. altaica* давать плоды. 5) Общій біологическій типъ этого растенія, несоотвѣтствующій современнымъ экологическимъ условіямъ описываемаго раіона (Короч. у.), такъ какъ вообще виды *Daphne* въ Европѣ и на Кавказѣ суть горноальпійскія формы, ставитъ *D. altaica* особнякомъ въ системѣ курской флоры.

Такія растенія, исходя изъ вышеуказанной точки зрѣнія проф. Н. И. Кузнецова, мы должны признавать „реликтовыми". Такимъ образомъ, *Daphne altaica*, мы вмѣстѣ съ Литвиновымъ, считаемъ реликтомъ. Однако, принимая взглядъ Д. Литвинова по отношенію къ *D. altaica*, мы не можемъ раздѣлять его относительно другихъ растеній (напр. *Viscum album)*, которыя не имѣютъ свойствъ реликтовъ, а тѣмъ болѣе не можемъ цѣликомъ всю теорію „реликтовъ" приложить вообще къ мѣловой растительности по тѣмъ причинамъ, которыя выяснятся ниже:

Просматривая далѣе нашъ списокъ растеній, характерныхъ для корочанскихъ мѣловыхъ обнаженій, мы находимъ здѣсь, съ одной стороны, виды, отличающіеся горно-альпійскимъ характеромъ *(Scutellaria alpina* f. *lupulina, Schivereckia Podolica)*, съ другой стороны, виды, далеко заходящіе на сѣверъ *(Arabis auriculata, Anthyllis Vulneraria, Polygala sibirica)*. И тѣ и другіе, какъ-бы связывая собою альпійскую флору съ арктической, вообще говоря, довольно широко распространены по земному шару; но у насъ они имѣютъ прерывистое распространеніе, спорадическое, островное, обыкновенно встрѣчаются изрѣдка, единично и только въ особо-благопріятныхъ для нихъ условіяхъ существованія на мѣлахъ. Исходя опять изъ вышеприведеннаго опредѣленія „реликтовъ" проф. Н. И. Кузнецова, мы имѣемъ основаніе назвать такія растенія „реликтами, но не эндемичными" для нашей флоры.

Наконецъ, въ нашемъ спискѣ имѣется еще группа и такихъ видовъ, которые только находятся, можно сказать, въ стадіи формировки; это формы новыя, только вырабатывающіяся „подъ вліяніемъ мѣла" и какъ-бы отобранные изъ окружающей среды. Ихъ мы должны были-бы на прежнемъ основаніи признать „эндемическими формами новѣйшаго происхожденія", но они не успѣли еще накопить и закрѣпить въ себѣ такихъ рѣзкихъ систематическихъ признаковъ, которые позволяли-бы ихъ отличать, какъ новые виды, особые отъ тѣхъ, которые мы видимъ въ окружающей флорѣ. Такъ мѣловая форма *Thymus cimicinus* (mut. char.) очень близка къ песчаной формѣ *Th. odoratissimus;* мѣловая форма *Melilotus albus,* опредѣленная у В. Сукачева (l. с. р. 144.) Schultz'емъ, какъ *M. albus* f. *tenellus,* отличается отъ типичной только болѣе узкими листьями, почти цѣльнокрайными, да рѣдкой кистью; обыкновенно встрѣчаемая форма *Poa bulbosa* f. *vivipara* на мѣлу замѣняется „неживородящей формой“, *Linum ucrainicum,* обыкновенно свойственный мѣламъ, есть лишь слабо измененная форма *Linum flavum* и т. д. Вліяніе мѣла, такимъ образомъ, на измѣненіе растеній все-же довольно сильно сказывается и въ дальнѣйшемъ можетъ повести къ образованію новыхъ видовъ (Дубянскій); но корочанскіе мѣлы пока не могутъ дать такихъ „новыхъ эндемическихъ видовъ, какъ потому, что выходы настоящаго пишущаго мѣла у насъ молоды (за исключеніемъ Бекарюковскаго, но уже давно успокоившагося) и плохо развиты, такъ и потому, что они недостаточно дѣятельны и не лишены посторонней растительности. Самой-же характерной чертой настоящихъ мѣловыхъ эндемическихъ видовъ является, по наблюденіямъ г. Дубянскаго, ихъ способность обитать только на очень дѣятельныхъ обнаженіяхъ, при томъ состоящихъ исключительно изъ твердаго пишущаго мѣла и непремѣнно свободныхъ отъ всякой другой растительности. Такъ какъ этихъ условій Корочанскіе мѣлы не представляютъ, то поэтому на нихъ и отсутствуютъ такіе эндемическіе виды, которые напр. г. Дубянскій находилъ въ Воронежской губ. (*Scrophularia cretacea, Hyssopus cretaceus, Silene cretacea, Hedysarum cretaceum, Linaria cretacea* etc.), а встрѣчаются такіе, которые еще недостаточно измѣнились подъ вліяніемъ мѣла и подаютъ только намеки на новѣйшій эндемизмъ. Конечно, эти формы нельзя считать эндемичными. Говоря о вліяніи мѣла, какъ фактора видообразующаго, г. Дубянскій, однако, не достаточно выясняетъ, какимъ образомъ мѣлъ вліяетъ на измѣненіе растеній настолько, что создается цѣлая сумма признаковъ, которые, несглаживаясь гибридизаціей, закрѣпляются наслѣдственно, давая новые виды. Танфильевъ (57.) говоритъ, что въ данномъ случаѣ „углесоли вліяютъ на растенія химически, въ силу своей болѣе легкой растворимости въ водѣ“; но, принимая это во вниманіе, нельзя игнорировать и тѣхъ экологическихъ условій, которыя создаются на мѣловыхъ обнаженіяхъ. Обращенныя обыкновенно на югъ или близкое къ этому направленіе, мѣловыя обнаженія, на которыя солнечные лучи падаютъ почти отвѣсно, весьма сильно нагрѣваются лѣтомъ, но за то зимою, обнаженные отъ снѣга склоны, подвергаются сильнымъ восточнымъ вѣтрамъ и морозамъ; создаются, слѣдовательно, условія существованія въ нѣкоторой степени аналогичныя „альпійскимъ“. Поэтому и растенія, попавшія на мѣлы, должны приспособляться къ широкой амплитудѣ колебаній температуры; должны закаляться, считаясь въ то-же время съ малой питательностью субстрата; словомъ, должны держаться особаго біологическаго режима, который довольно рѣзко отражается на самой организаціи мѣловыхъ растеній, напоминающихъ своимъ общимъ habitus'омъ представителей альпійской флоры. Они обыкновенно низки ростомъ, имѣютъ короткія междоузлія, узкіе листья съ завороченными краями, сильно пушисты и почти сплошь многолѣтники. Напр. *Hedysarum grandiflorum, Helianthemum Oelandicum, H. vulgare, Astragalus albicaulis, Silene supina, Teucrium Polium* и друг. Замѣчательно, что нѣкоторыя сорныя растенія, попавши на мѣлы, тоже быстро принимаютъ подобный ксерофитный обликъ; они сильно уменьшаются въ ростѣ, принимая карликовую форму, собираютъ иногда въ розетки листья, пріобрѣтаютъ большую опушенность и своимъ видомъ невольно обращаютъ на себя вниманіе. Такое вліяніе мѣла мнѣ приходилось наблюдать на *Anthemis tinctoria, Medicago lupulina, Achillea Millefolium, Coronilla varia* и на друг. В. Сукачевъ говоритъ тоже самое относительно *Sonchus oleraceus* (l. c. p. 144.) Небезинтересно въ этомъ-же отношеніи вліяніе мѣла и на древесныя породы, которыя, кромѣ уменьшенія роста, измѣняютъ еще форму ствола, который, сильно изгибаясь или скручиваясь, принимаетъ корявый и обыкновенно стелящійся видъ. Такъ, мнѣ приходилось наблюдать на обнаженіяхъ мѣла ок. им. Лазаревки (подъ лѣсомъ) нѣсколько кустиковъ *Ulmus campestris* f. *suberosa* и *Rhamnus frangula;* берестъ здѣсь сильно развилъ пробку и принялъ корявую и низкорослую форму съ очень мелкими листочками; крушина-же имѣетъ стелящійся, ползучій видъ. Подобнымъ измѣненіямъ подверглась и береза *(Betula alba),* найденная мною „на мѣлу“ въ Бекарюковскомъ бору (противъ мельницы первый взлобокъ) [1]. Тамъ-же и сосна, растущая на чистомъ мѣлу, отличается отъ экземпляровъ, ростущихъ по склонамъ (нижнимъ частямъ), длиною иглъ и нѣсколько формою шишекъ, что, какъ извѣстно, подало поводъ д-ру Калениченко выдѣлить мѣловую сосну въ особый видъ *(Pinus cretacea* Kalen.). Всѣ эти наблюденія только говорятъ въ пользу

---

[1] Срав. В. Сукачева „Очеркъ etc.“ стр. 100.

теоріи г. Дубянскаго, которая, однако, не объясняетъ нахожденія, напр., на мѣлахъ такихъ видовъ, какъ *Daphne altaica*.

Перейдемъ теперь къ краткому описанію растительности „каменистыхъ обнаженій“, наиболѣе распространенныхъ въ Корочанскомъ уѣздѣ и наименѣе интересныхъ. Эти обнаженія представляютъ болѣе выгодныя экологическія условія (лучшая питательность, рыхлость, сильная нагрѣваемость и т. д.), чѣмъ „мѣловыя“; на нихъ многія растенія (сорныя) ростутъ даже лучше, чѣмъ на хорошихъ питательныхъ почвахъ. Поэтому на эти обнаженія и устремляются представители разнообразныхъ формацій, которые, при содѣйствіи человѣка, овладѣваютъ склонами, сообщая пестрый, смѣшанный характеръ ихъ растительности. Какъ наиболѣе характерные и интересные виды для такихъ обнаженій укажемъ:

Ajuga Chia	*M. vulgare*
Allium flavescens	*Melica ciliata*
Anthericum ramosum	*Onosma simplicissimum*
Asperula cynanchica	*Oxytropis pilosa*
Bupleurum falcatum	*Pimpinella Saxifraga*
Centaurea orientalis	*Phlomis pungens*
C. maculosa	*Phyteuma canescens*
Chorispora tenella	*Silene chlorantha*
Cuscuta Epithymum	*Syrenia angustifolia*
C. planiflora	*Stachys Germanica*
Erysimum canescens	*Teucrium Chamaedrys*
Euphorbia Gerardiana	*Thymus Serpyllum*
Hieracium virosum	*Viola ambigua*
Hypericum elegans	*Vincetoxicum officinale*
Inula ensifolia	*Verbascum phoeniceum*
Linum perrene	*Veronica incana* и друг.
Marrubium praecox	

Что-же касается остальной растительности, то она складывается изъ многочисленныхъ видовъ, главнымъ образомъ, степныхъ и сорныхъ растеній, которые намъ нѣтъ необходимости перечислять здѣсь подробно.

Обобщая теперь все сказанное о растительности Корочанскихъ мѣловъ, мы за послѣдними должны признать роль такихъ фито-географическихъ пунктовъ, экологическія условія которыхъ, съ одной стороны, благопріятствуютъ сохранности на нихъ нѣкоторыхъ элементовъ древней вымирающей флоры и пребыванію такихъ реликтовыхъ формъ, которыя связываютъ альпійскую флору съ арктической (Литвиновъ); — съ другой стороны, вліяютъ совмѣстно съ свойствами самого субстрата (Танфильевъ) на измѣненіе окружающей, современной флоры, въ смыслѣ выработки новыхъ эндемическихъ формъ (Дубянскій). Что-же касается вліянія человѣка (Таліевъ), то оно, или содѣйствуетъ развитію мѣловой растительности путемъ разширенія площади обнаженій и поддержкою ихъ дѣятельности, или задерживаетъ это развитіе, привнося въ мѣловую растительность чуждые ей элементы. Такимъ образомъ всѣ теоріи по „мѣловому вопросу“ являются только дополняющими одна другую и соединяются въ одно цѣлое, при условіи исключеніи въ каждой изъ нихъ крайнихъ выводовъ и обобщеній.

Сосна на мѣлу. Кромѣ травянистой растительности, на обнаженіяхъ мѣла въ Корочанскомъ уѣздѣ мы находимъ обрывки сосновыхъ лѣсовъ, которые Д. И. Литвиновъ назвалъ „горными сосняками“. Такихъ обрывковъ сосны на мѣлу имѣется три. Одинъ находится противъ с. Дмитріевки и представляетъ маленкую группу старыхъ и развѣсистыхъ сосенъ (всего до двухъ десятковъ), которыя еще недавно занимали гораздо большую площадь, о чемъ свидѣтельствуютъ остатки ихъ пней, разбросанные далеко кругомъ и раскинутый тутъ-же покровъ изъ отмершихъ хвой и мховъ. Другой соснякъ увѣнчиваетъ мѣловыя кручи противъ с. Ржевки (Петровки) и с. Логовой (Бѣлгородск. у.); здѣсь сосна молодая, еще не успѣвшая закруглить своихъ верхушекъ; мертвый покровъ изъ хвой-незначительный, а мхи отсутствуютъ. Наконецъ, третій островъ сосны на мѣлу представляетъ извѣстный Бекарюковскій боръ, образующій смѣшанное насажденіе преимущественно съ дубомъ и липами, на которыхъ въ большомъ изобиліи паразитируетъ *Viscum album*. Здѣсь имѣется сильно развитый покровъ изъ разнообразныхъ видовъ мховъ (Калениченко) и отмершихъ хвой, а такъ-же богатый подлѣсокъ, въ составѣ котораго *Evonymus verrucosa, Daphne altaica* и *Caragana frutescens* являются преобладающими. Вытѣсненіе сосны дубомъ, какъ отмѣчено выше, рѣзко выражено въ Бекарюковскомъ бору.

Травянистая растительность въ этихъ сосняхъ состоитъ изъ нѣкоторыхъ растеній, характерныхъ для корочанскихъ мѣловъ (*Astragalus albicaulis, Centaurea Ruthenica, Teucrium Polium* и др.) и, въ особенности, изъ различныхъ вульгарныхъ видовъ, свойственныхъ „каменистымъ“ обнаженіямъ; иногда сюда-же заходятъ и степные представители (*Caragana frutescens*) съ сорняками. Только въ Бекарюковскомъ бору мы находимъ сохранившихся спутниковъ сосны: *Pirola secunda, Rubus saxatilis, Pteris aquilina;* а Каленниченко приводилъ еще *Pirola rotundifolia, P. chlorantha* и *P. umbellata,* которыя теперь отсутствуютъ. Это послѣднее обстоятельство несомнѣнно свидѣтельствуетъ о вліяніи человѣка на боры (Таліевъ), подъ воздѣйствіемъ котораго спутники сосны вымираютъ (Сукачевъ), а самые боры находятся на пути къ совершенному исчезновенію, какъ это мы видѣли на примѣрѣ сосняка противъ с. Дмитріевки. Съ другой стороны, нахожденіе въ настоящее время указанныхъ представителей боровой формаціи не только въ соснякахъ, но и въ лиственныхъ лѣсахъ (Бекарюковка), только подтверждаетъ раньше высказанный нами взглядъ о смѣнѣ у насъ сосновыхъ лѣсовъ лиственными, что въ свою очередь говоритъ о древности „горныхъ сосняковъ“, которую отстаиваетъ Д. Литвиновъ (34. 35.) и съ чѣмъ согласны г.г. Таліевъ (55. p. 104.) и В. Сукачевъ (51. p. 101.). Что-же касается совмѣстнаго нахожденія *Daphne altaica* съ сосною на мѣлу (Бекарюковка), то я не могу считать это явленіе „характернымъ для горныхъ сосняковъ“, какъ это полагаетъ Д. И. Литвиновъ, по той простой причинѣ, что въ другихъ своихъ мѣстонахожденіяхъ *D. altaica* пріурочена къ „дубовымъ лѣсамъ“ или, правильнѣе говоря, только къ выходамъ мѣла, независимо отъ характера сосѣднихъ лѣсовъ (лиственныхъ или хвойныхъ), въ сообществѣ съ которыми она произрастаетъ; она напр. ростетъ „въ дубовыхъ лѣсахъ по р. Козинкѣ“ и отсутствуетъ хотя-бы въ „горномъ соснякѣ“ въ „Святыхъ горахъ“ Харьковской губ. Совмѣстное обитаніе *D. altaica* въ нѣкоторыхъ случаяхъ (Бекарюковка) съ сосною на мѣлу лучше всего объясняется общностью судьбы, постигшей то и другое растеніе въ послѣдующую послѣ ледниковъ и современную намъ эпоху. Какъ сосна „горныхъ сосняковъ“, такъ и *Daphne altaica,* тѣснимыя новой флорой (послѣледниковой), могли удержаться только на такихъ мѣстахъ, которыя предъявляютъ неблагопріятныя условія существованія для современной растительности; такими мѣстами и являются обнаженія чистаго мѣла, которыя помогли и горной соснѣ, и *Daphne altaica* выдержать борьбу за существованіе и сохраниться отъ древнихъ временъ до настоящаго момента.

Растительность песковъ.

Песчаныя обнаженія почти отсутствуютъ въ Корочанскомъ уѣздѣ. Имѣются только кое-гдѣ по отлогимъ берегамъ рѣкъ (Ко-

рочи и Нежеголи) маленькіе наносы песку со скудной растительностью *(Panicum lineare, P. sanguinale, Carex ligerica, Linaria
odora, Thymus Serpyllum* и др.), да къ границамъ Н.-Оскольскаго
у. на высотѣ водораздѣла между с. Короткимъ Хуторомъ и с. Песчаной извѣстенъ одинъ болѣе или менѣе значительный островъ
сыпучихъ песковъ, которые обнажаются въ лѣсу, называемомъ
поэтому „Песчаное". Судя по тому, что наиболѣе дѣятельныя
обнаженія сыпучихъ песковъ здѣсь пріурочены преимущественно
къ мѣстамъ вырубокъ лѣса, можно съ достовѣрностью полагать,
что происхожденіе ихъ здѣсь связано съ культурной дѣятельностью
человѣка; нарушеніе послѣднимъ связности почвы по сводкѣ
лѣса и дальнѣйшая дѣятельность вѣтра послужили несомнѣнно
причиною обнаженія песчаной подпочвы лѣса, обратившейся въ
участки сыпучихъ песковъ. На такихъ дѣятельныхъ песчаныхъ
обнаженіяхъ растительность почти отсутствуетъ; торчатъ кое-
гдѣ кустики *Cytisus byflorus*, да по впадинкамъ пріютился *Thymus odoratissimus*. Очень оригинальный видъ придаютъ эти сы-
пучіе пески разныхъ оттѣнковъ (отъ бѣлаго до краснаго) нѣкоторымъ участкамъ лѣса, производя такое впечатлѣніе, что, какъ
будто-бы, въ одныхъ случаяхъ, чахлыя деревца сами вылѣзли изъ
песка и стоятъ, склонившись. и опершись на концы своихъ обна-
женныхъ корней; въ другихъ случаяхъ, погрузли въ песокъ
настолько, что видны только верхушки погребенныхъ кустарниковъ. Въ другихъ мѣстахъ лѣса пески начали задерновываться
и въ этомъ отношеніи *Carex Schreberi, Calamagrostis Epigeios* и
Thymus odoratissimus играютъ видную роль; первыя два растенія пускаютъ свои длинныя корневища, связывая почву, а послѣднее покрываетъ ее густымъ фіолетовымъ ковромъ. По такимъ
задерновывающимся пескамъ разбрасываются кустики *Cytisus biflorus*, къ которому присоединяются уже остальные представители
песчаной растительности, какъ напр.: *Astragalus arenarius, Centaurea arenaria, Ceratocarpus arenarius, Gnaphalium arenarium,
Jasione montana, Jurinea cyanoides, Kochia arenaria, Linaria
genistaefolia, Oenothera biennis, Plantago arenaria* и многія другія.
Наконецъ, совершенно задернованные пески покрываются богатой
флорой степныхъ растеній съ сорняками, которыхъ стремится вы-
тѣснить лѣсъ.

Сорная растительность.

Сорная растительность представляетъ группу такихъ растеній, которыя біологически связаны съ культурной дѣятельностью

человѣка и селятся на мѣстахъ подавленной имъ дикой флоры. Общею отличительною чертою ихъ біологическаго типа (Таліевъ 56.) является совершеннѣйшая приспособленность къ наиболѣе широкому распространенію (летучки, зацѣпки, мелкіе плоды и обиліе ихъ, живучесть корней и проч.), при чемъ они не считаются съ внѣшними условіями среды и, оставаясь чуждыми другъ другу, не составляютъ, слѣдовательно, особой растительной формаціи, а являются обыкновенно пришлымъ элементомъ во всѣхъ остальныхъ растительныхъ формаціяхъ, засоряя своимъ присутствіемъ ихъ натуральный обликъ. Корочанскій уѣздъ, какъ край особенно земледѣльческій и садоводственный, изобилуетъ многочисленными видами сорныхъ растеній, которыя мы разобьемъ на двѣ группы, біологически отличныя между собою: a) на мусорную растительность, которая пріурочена исключительно къ жилью и b) на сорную растительность, которая, какъ окружаетъ жилище человѣка, такъ и стремится за нимъ во всевозможныя угодья: въ поля, на луга, въ лѣса и т. д.

Мусорная растительность обыкновенно образуетъ большія заросли, „бурьяны“, около жилищъ, въ которыхъ преобладающими являются одинъ или два вида высокорослыхъ сорняковъ. При этомъ замѣчается, что въ составъ бурьяновъ преимущественно входятъ сорняки, являющіеся представителями семействъ *Compositae* и *Urticaceae, Chenopodiaceae* и *Solanaceae.* Мусорные виды изъ семействъ *Compositae* и *Urticaceae* особенно любятъ селиться около построекъ, плетней, заборовъ, различныхъ развалинъ, щебня и т. п., что объясняется большимъ накопленіемъ ихъ сѣмянъ — летучекъ въ этихъ мѣстахъ. Таковы бурьяны изъ чертополоха *(Cirsium* и *Carduus)*, татарника *(Onopordon)*, лопушника *(Lappa)*, полыни *(Artemisia)* и крапивы *(Urtica).* Другіе мусорные виды изъ семействъ *Chenopodiaceae* и *Solanaceae* особенно роскошно развиваются на кучахъ мусора и различныхъ отбросовъ, т. е. на такихъ мѣстахъ, которыя изобилуютъ солями азота, кали и извести, что объясняется ихъ галлофитнымъ характеромъ, требующимъ богатства солей въ почвѣ. Таковы будутъ бурьяны, состоящіе изъ лебеды *(Chenopodium* и *Atriplex)*, бѣлены *(Hyoscyamus)*, щирицы *(Amaranthus)* и дурмана *(Datura).*

Переходя къ сорной растительности, мы видимъ, что она крайне разнообразна и проникаетъ всюду, гдѣ только побывалъ человѣкъ. Она стремится за нимъ въ огороды и сады *(Asperugo, Borago, Leonurus, Lamium, Malva, Sisymbrium, Ery-*

4*

simum, Lepidium, Echinochloa, Setaria, Solanum, Bryonia, Sonchus etc.); въ посѣвы хлѣбовъ и на паровыя поля *(Allium, Agrostemma, Vaccaria, Delphinium, Myosurus, Camelina, Thlaspi, Capsella, Filago, Cichorium, Bunias, Senecio, Neslea, Centaurea, Carduus, Cirsium* etc.); на луга *(Triticum, Rumex, Polygonum, Nasturtium, Pastinaca, Heracleum, Conium, Falcaria, Taraxacum, Plantago, Sinapis, Cirsium* etc.); въ лѣса *(Erigeron, Matricaria, Tanacetum, Lampsana, Anthriscus, Torilis, Geum, Aethusa, Aegopodium* etc.); на всевозможныя обнаженія *(Melica, Blitum, Salsola, Kochia, Euclidum, Alyssum, Dracocephalum, Tussilago, Echinops* etc.); наконецъ, ютится даже на бойкихъ дорогахъ и выгонахъ, гдѣ, покрытая пылью и забитая человѣкомъ и скотомъ, все-же влачитъ свое жалкое существованіе *(Polygonum aviculare, Potentilla anserina, Xanthium spinosum, X. Strumarium, Poa annua* etc.). Словомъ, нѣтъ такого мѣста, куда-бы не могли проникнуть сорныя травы вмѣстѣ съ человѣкомъ, благодаря своимъ приспособленіямъ. Онъ ихъ развозитъ по дорогамъ, высѣваетъ съ хлѣбомъ, заноситъ даже на своемъ платьѣ въ различныя угодья, чему еще особенно содѣйствуютъ домашнія животныя; наконецъ, подавляя дикую растительность страны, человѣкъ создаетъ тѣмъ самымъ благопріятныя условія для существованія сорняковъ, а борясь съ ними, въ сущности говоря, борется самъ съ собою, какъ главнѣйшею причиною ихъ наиболѣе интенсивнаго распространенія.

4. Общее заключеніе.

Изучая растительность Корочанскаго уѣзда, какъ со стороны современнаго распредѣленія ея сообществъ въ зависимости отъ характера почвъ, такъ и въ смыслѣ детальной характеристики каждаго изъ растительныхъ типовъ и ихъ взаимоотношеній, мы стремились къ тому, чтобы прослѣдить тотъ историческій путь, посредствомъ котораго изслѣдуемый раіонъ принялъ свой современный флористическій видъ. Въ этомъ отношеніи сдѣланные выводы привели насъ къ признанію глубокой древности за водной растительностью, хвойными лѣсами и тѣми представителями мѣловой флоры, которые носятъ реликтовый характеръ; нѣсколько меньшей древностью отличаются степи и лиственные лѣса, которые вытѣснили хвойные; наконецъ, въ историческую эпоху возникали обнаженія съ ихъ растительностью (тривіальной) и появилась сорная флора.

Частнѣе, пытаясь изложить исторію развитія флоры Корочанскаго уѣзда, мы можемъ набросать такую въ общемъ картину развитія въ немъ дикой растительности.

Въ то время, когда весь сѣверъ Россіи былъ покрытъ ледникомъ, буферомъ при наступленіи котораго являлась Среднерусская возвышенность, Корочанскій уѣздъ, какъ расположенный на южныхъ ея отрогахъ, находился подъ прикрытіемъ этой возвышенности. Орографическое положеніе этого раіона въ то время (гористость), сосѣдство ледника, хотя и отстоящаго на значительномъ разстояніи, а, слѣдовательно, и климатическія условія съ широкой амплитудой колебаній температуры, создавали тогда такого рода экологическія условія, которыя были близки къ альпійскимъ. Поэтому и флора въ то время носила горно-альпійскій характеръ, представляя хвойные лѣса, которые чередовались съ субальпійскими лужайками, покрытыми растительностью, тѣсно связывающей альпійскую флору съ арктической. Къ этому-же времени можно отнести и образованіе рѣчныхъ долинъ, а слѣдовательно и существованіе водной растительности. Съ отступленіемъ ледника на сѣверъ, климатическія и другія условія, а, значитъ, и экологическія, измѣнились; часть флоры субальпійскихъ лужаекъ начала спускаться на лессовыя равнины, гдѣ въ видѣ степной растительности стала давать отложенія чернозема; часть-же стала искать пріюта на болѣе возвышенныхъ мѣстахъ, гдѣ и сохранилась до нашего времени въ видѣ реликтовъ; остальная же часть арктическо-альпійскихъ растеній вымерла. Въ началѣ болѣе равнинная поверхность раіона, благодаря общему склону на югъ и рыхлымъ породамъ ледниковаго періода (лессъ и пески), стала впослѣдствіи всхолмливаться, а это въ свою очередь повело къ измѣненію распредѣленія влаги и выщелачиванію высокихъ пунктовъ водораздѣловъ, на которые охотно устремились лиственные лѣса съ сосѣднихъ мѣстностей (Карпаты), вытѣсняя собою древніе хвойные лѣса. Проходили сотни-тысячелѣтія; измѣнился климатъ; начали сильно развиваться вторичныя формы поверхности (балки и овраги); атмосферные осадки стали распредѣляться иначе, — перевалы обѣднѣли водой, а балки обогатились ключами, — и лѣса значительно расширили свою площадь на счетъ окружающей степи; формы древней флоры, выдерживая сильную борьбу за существованіе, могли оставаться только на такихъ мѣстахъ (мѣлы), которыя предъявляли для нихъ сносныя экологическія условія и въ то-же время являлись неблагопріятными для лѣса.

Но вотъ наступилъ для нашего раіона историческій моментъ, начала развиваться въ немъ въ теченіи нѣсколькихъ вѣковъ культурная жизнь и рука культиватора — человѣка сурово коснулась дикой флоры; остатки Корочанскихъ степей были пущены подъ пашни; старые дубовые лѣса затрещали подъ ударами топоровъ и большею частію были выкорчеваны; водораздѣлы обнажились, а устремившіяся съ нихъ массы почвы содѣйствовали обмелѣнію и заболачиванію рѣкъ; на мѣстѣ вырубленныхъ ольшатниковъ раскинулись широкіе луга; вмѣстѣ-же съ человѣкомъ появилась масса сорной растительности, которая придала странѣ современный тривіальный видъ [1]).

Дѣлая такое общее заключеніе на основаніи всего вышеизложеннаго матеріала, я не могу своимъ конечнымъ выводамъ придавать значенія неоспоримыхъ положеній, но они должны имѣть нѣкоторую научную цѣну, какъ результатъ продолжительной аналитической работы въ области изученія растительности Корочанскаго уѣзда Курской губерніи, — работы, можетъ быть, въ деталяхъ неточной, а въ выводахъ даже ошибочной, но въ общемъ несомнѣнно дающей нѣкоторыя точки опоры для послѣдующихъ изысканій въ описанномъ раіонѣ.

5. Списокъ растеній.

Прилагаемый къ этой работѣ списокъ однихъ только дикорастущихъ растеній, произрастающихъ въ Корочанскомъ у. Курской губ., заключаетъ всѣхъ вообще 904 вида растеній, изъ нихъ 780 видовъ собранныхъ мною лично; всѣ растенія расположены по новой системѣ A. Engler'a („Syllabus der Pflanzenfamilien". Berlin. 1904). Въ списокъ вошли не только собранныя мною растенія, но и тѣ, которыя были приводимы флористами, прежде изучавшими растительность Корочанскаго уѣзда; при чемъ я стремился къ тому, что-бы по возможности полнѣе исчерпать ихъ работы въ этомъ смыслѣ, дабы настоящій нашъ списокъ могъ наглядно представить общій итогъ всѣхъ ботаническихъ изысканій, коснувшихся когда-либо указаннаго раіона вмѣстѣ съ моими личными изслѣдованіями. Это является тѣмъ болѣе желательнымъ, что изъ предшествовавшихъ ботаниковъ никто и никогда не зани-

---

1) Все сказанное иллюстрируется отчасти сравненіемъ двухъ, прилагаемыхъ въ концѣ, картъ.

мался детальнымъ изслѣдованіемъ флоры исключительно одного Корочанскаго уѣзда; поэтому флористическій матеріалъ по указанному раіону, собираемый различными лицами, въ разное время и на разныхъ мѣстахъ, является разрозненнымъ и разбросаннымъ въ разнообразныхъ ученыхъ трудахъ и замѣткахъ. Выдѣлить этотъ матеріалъ, провѣрить его на основаніи собственныхъ наблюденій и скомбинировать все въ одно цѣлое и стройное по новѣйшей системѣ, — составляетъ цѣль этого списка, который долженъ, такимъ образомъ, заключать въ себѣ, если не все, то по крайней мѣрѣ то, что до настоящаго времени уже добыто научнымъ путемъ изъ растительнаго богатства Корочанскаго у. Курской губ. Въ видахъ строго-научнаго и документальнаго подтвержденія, мы вносили въ нашъ списокъ только тѣ виды, при которыхъ у другихъ авторовъ имѣются точныя указанія на ихъ мѣстонахожденія (locus). Источниками для насъ въ данномъ случаѣ служили работы слѣдующихъ авторовъ:

1) Д-ра Каленниченко (20. 21.) — „Quelques mots" etc.

2) Линдеманна (33.) — „Nova reviso" etc. . . . et „Addenda" etc.

3) Мизгера (36.) — „Конспектъ растеній etc."

4) Сукачева (51.) — „Очеркъ растительности etc."

5) Шмальгаузена (60.) „Флора etc."

6) Паллона и Ширяевскаго — „Частныя сообщенія".

Ссылаясь на этихъ авторовъ, мы сокращенно обозначали ихъ начальными буквами такимъ образомъ:

Кл. = Каленниченко,

Л. = Линдеманнъ,

М. = Мизгеръ,

С. = Сукачевъ,

П. = Паллонъ,

Ш. = Ширяевскій,

Шм. = Шмальгаузенъ;

при этомъ точно цитировали страницы ихъ работъ, гдѣ указывается нахожденіе даннаго растенія, №, за которымъ оно у нихъ числится и мѣстонахожденіе, если оно приводилось.

Что-же касается лично собранныхъ мною растеній, то при нихъ всегда послѣ латинскихъ названій указывается точно время сбора (годъ, мѣсяцъ и число), которое совпадало или со временемъ цвѣтенія даннаго растенія, или со временемъ его плодосозрѣванія; для древесныхъ-же породъ приводится и то и другое. Затѣмъ, точно указываются: мѣстонахожденія растеній (locus) и мѣстообитанія ихъ (statio), характеръ почвы и, по возможности, количественное распространеніе; такъ-же отмѣчаются варіаціи и синонимы. Всѣ мои растенія точно опредѣлены, главнымъ образомъ по И. Шмальгаузену (60.), хотя нерѣдко приходилось обращаться и къ многимъ другимъ „флорамъ“ и монографіямъ. Опредѣленные виды всѣ были сличены съ соотвѣтствующими экземплярами гербаріума „Florae Rossicae“ Ботаническаго Сада Юрьевскаго Университета, благодаря любезности проф. Н. И. Кузнецова, которому я приношу глубочайшую благодарность за большую помощь въ моей работѣ, равно какъ выражаю свою признательность г. г. Купфферу, Петунникову, Борщову и Мищенко, за провѣрку и опредѣленія многихъ родовъ и видовъ изъ моего гербаріума.

Въ спискѣ принята двойная нумерація: первыя цифры обозначаютъ общій счетъ всѣхъ видовъ растеній десятками; вторыя цифры (при каждомъ растеніи, за исключеніемъ тѣхъ, мѣстонахожденіе которыхъ мною не подтверждено) обозначаютъ число видовъ, собранныхъ мною. Одной звѣздочкой (*) отмѣчены растенія, впервые мною приводимыя для флоры Корочанскаго уѣзда; двумя звѣздочками (**) — растенія новыя для флоры всей Курской губерніи.

(Продолженіе слѣдуетъ.)

Условные знаки:

Лиственный лѣсъ.

Ольшатники.

Гидрофитн. растительность.

Сосновый лѣсъ.

Кустарниковая степь.

Травянистая степь.

Болота.

Обнаженія.

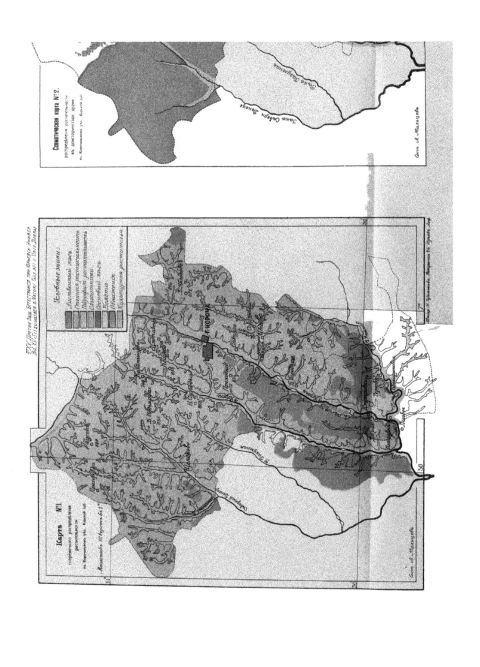

Схематическая карта № 2.

распредѣленіе растительности
въ доисторическое время
въ Коротоякскомъ уѣз. Курской губ.

Сост. А. Малащевъ.

Р.У. Против Ими Верестниость типъ Отраслъ Знанія
Вь IV Отдъленіе в Малие Сеть иго в Отн Знанію

Карта № 1

современнаго распредѣленія
растительности
въ Коротоякскомъ уѣз. Курской губ.

Масштабъ 10версть въ 1

Условные знаки:

Лиственные лѣса.
Границы распространенія
хвойныхъ растительностей.
Заросли.
Осиновый лѣсъ.
Болота.
Насажденія.
Культивная растительность.

Сост. А. Малащевъ.

Морфологическія измѣненія селезенки при инфекціи у пассивно иммунизированныхъ животныхъ.

Проф. А. Яроцкій.

Задачей нашего изслѣдованія было изучить, какъ селезенка у животнаго, получившаго противобактерійную сыворотку, отвѣчаетъ на инфекцію соотвѣтствующими микробами. Попутно, для сравненія намъ пришлось привлечь картину, которую представляетъ изъ себя селезенка у животныхъ зараженныхъ тѣми же микробами, но не получившихъ сыворотку.

Очевидно, что для цѣлей, поставленныхъ нами, не каждый микробъ и не каждый способъ инфекціи являются пригодными. Такъ прекрасныя изслѣдованія D o m i n i c i надъ измѣненіями, происходящими въ селезенкѣ при инфекціи, произведены надъ кроликами, которымъ вводилась прямо въ вены культура брюшнотифозныхъ палочекъ [1]). Такой способъ инфекціи безъ необходимости дѣлалъ сложной картину наблюдаемыхъ явленій. Дѣло въ томъ, что въ селезенкѣ мы имѣемъ органъ, функціи котораго, между про-. чимъ, тѣсно связаны съ судьбою форменныхъ элементовъ крови Введя культуру микробовъ непосредственно въ кровь, мы тѣмъ самымъ разрушаемъ часть форменныхъ элементовъ крови, а другой - части наносимъ болѣе или менѣе существенныя поврежденія. А такъ какъ селезенка является могилой для поврежденныхъ форменныхъ элементовъ крови, то при такомъ способѣ инфекціи картина, которую мы должны увидѣть въ селезенкѣ, должна быть въ высшей степени осложнена явленіями болѣе или менѣе рѣзкаго фагоцитоза форменныхъ элементовъ крови клѣтками селезенки.

---

1) D o m i n i c i. Sur l'histologie de la rate an cours des états infectieux. Arch. de médecine experim. T. XII, p. 733.

Точно также не вполнѣ пригодными являются для эксперименированія въ этомъ случаѣ такіе микробы, которые легко переходятъ въ кровь и даютъ септицемическія формы. Нашей задачей было изслѣдовать, какъ реагируетъ селезенка на инфекцію организма. Если же картина болѣзни сводится главнымъ образомъ къ размноженію микробовъ въ крови, то въ виду тѣсной связи селезенки съ кровью, мы будемъ въ такомъ случаѣ имѣть не измѣненія въ селезенкѣ въ отвѣтъ на мѣстную инфекцію, но самый процессъ инфекціи будетъ протекать главнымъ образомъ въ селезенкѣ.

Однимъ изъ наиболѣе удобныхъ микробовъ для эксперименированія является микробъ свиной краснухи. Съ нимъ можно экспериментировать надъ небольшими животными (бѣлыми мышами). Процессъ инфекціи при зараженіи подъ кожу въ теченіе извѣстнаго времени при немъ протекаетъ мѣстно и наконецъ для этого микроба мы имѣемъ очень сильную сыворотку, которую можно получать въ большихъ количествахъ.

Опыты производились надъ бѣлыми мышами, которымъ вводилась подъ кожу смѣсь сыворотки и культуры по 0,3 сс того и другого, къ которымъ добавлялось 0,4 сс физіологическаго раствора. Культура микробовъ свиной краснухи въ бульонѣ бралась суточная. Вирулентность ея была такова, что 0,005 убивали мышь на третьи сутки. Какъ показали контрольные опыты, мыши, получившія одновременно одинаковыя дозы противокраснушной сыворотки и культуры въ смѣси, всѣ выживали. Для микроскопическаго изслѣдованія органовъ мыши, получившія смѣсь культуры и сыворотки, убивались чрезъ различные промежутки времени.

Для изслѣдованія такихъ органовъ, какъ костный мозгъ и селезенка гораздо чаще, чѣмъ изслѣдованіе органовъ на срѣзахъ употребляется способъ мазковъ, фиксируемыхъ потомъ сухимъ способомъ. Мы считали этотъ способъ совершенно неподходящимъ для нашихъ цѣлей. Можетъ быть, послѣднимъ способомъ удается получить препараты, дающіе возможность констатировать больше нѣкоторыхъ подробностей въ строеніи отдѣльной клѣтки, но препараты, приготовляемые способомъ мазковъ, не даютъ возможность составить правильное представленіе объ измѣненіяхъ, происходящихъ въ этихъ органахъ. На такихъ мазкахъ будетъ, конечно, не только нарушено расположеніе клѣтокъ, но также элементы свободно плавающіе въ жидкости будутъ представлены въ большемъ числѣ, чѣмъ клѣтки образующія плотныя скопленія. Въ виду этого мы остановились на методѣ изслѣдованія срѣзовъ чрезъ селезенку.

Селезенка у мыши, животнаго надъ которымъ мы производили опыты, — не большихъ размѣровъ и въ этомъ мы видѣли особенное удобство для изслѣдованія. Благодаря этому наши препараты представляютъ изъ себя поперечный разрѣзъ чрезъ всю селезенку по срединѣ ея и, констатируя на препаратахъ какое-либо измѣненіе, мы могли съ увѣренностью судить, что эти измѣненія не представляютъ изъ себя чего-либо случайнаго, захватывающаго только незначительную часть органа.

Техника при фиксированіи примѣнялась нами таже, какую мы уже однажды примѣнили при изслѣдованіи поджелудочной железы[1]). Селезенка фиксировалась цѣликомъ въ 5 % растворѣ сулемы, къ которому прибавлено $1/2$ % поваренной соли, въ теченіе 2-хъ часовъ въ термостатѣ при 37° С. Послѣ этого она тщательно промывалась въ дестиллированной водѣ и опять ставилось въ стклянкѣ съ дестиллированной водой въ термостатъ на 2 часа. Послѣ этого селезенка помѣщалась при комнатной температурѣ на 12 часовъ въ 70° спиртъ, къ которому было прибавлено нѣсколько капель t-rae jodi до полученія цвѣта мадеры. Затѣмъ селезенка переводилась на сутки въ абсолютной алькоголь, послѣ чего клалась на сутки-же въ свѣжій абсолютный алькоголь. Изъ спирта препаратъ перемѣщался на 12 часовъ въ смѣсь абсолютнаго алькоголя и ксилоля по ровну, изъ этой смѣси она переносилась на 24 часа въ чистый ксилолъ, а затѣмъ на 12 часовъ въ насыщенный растворъ параффина въ ксилолѣ. Всѣ три послѣднихъ процедуры (съ ксилоломъ) продѣлывались въ термостотѣ при 37° С. Затѣмъ препаратъ заключался въ параффинъ.

Разрѣзы дѣлались толщиною въ 5 микроновъ. Срѣзы приклеивались къ стекламъ при посредствѣ спирта въ 50°, причемъ всегда на одно стекло наклеивались срѣзы отъ различныхъ селезенокъ для того, чтобы можно было удобнѣе ихъ сравнивать между собою.

Окрашивались препараты слѣдующимъ образомъ: мы употребляли или четверную окраску[2]) — гематоксилиномъ, нигрозиномъ, эозиномъ и сафраниномъ, хотя можно было бы удовлетвориться болѣе простымъ методомъ. Но наиболѣе цѣнные препараты

1) А. Яроцкій. Объ измѣненіи величины и строенія клѣтокъ поджелудочной железы при нѣкоторыхъ видахъ голоданія. СПБ. Дисс. 1898, стр. 35.

2) См. диссертацію, стр. 46, а также V. Arch. 156 Band, 1899, S. 425.

мы получили отъ окраски съ помощію Ehrlich'овскаго Triacidlösung für neutrophile Granulation (Grübler). Срѣзы, наклеенные на стеклѣ, клались на сутки въ растворъ краски разведенной въ десять разъ дестиллированной водой, послѣ чего избытокъ краски удалялся пропускной бумагой и препаратъ промывался слабымъ растворамъ уксусной кислоты (2 капли на 50 куб. с. воды). Затѣмъ препаратъ тщательно промывался водой, обработывался абсолютнымъ спиртомъ, ксилоломъ и заключался въ канадскій бальзамъ.

Примѣнялось мною окрашиваніе краской Giemsa по способу Шридде[1]), но въ нашемъ случаѣ (селезенка мыши) этотъ способъ не давалъ особенныхъ преимуществъ по сравненію съ окраской triacid'омъ.

Какія измѣненія представляла селезенка животнаго, получившаго подъ кожу одну культуру бациллъ свиной краснухи? Въ виду того, что измѣненія въ селезенкѣ при инфекціи интересуютъ насъ не сами по себѣ, а по отношенію къ тѣмъ измѣненіямъ, которыя представляетъ при инфекціи селезенка у животныхъ, получившихъ специфическую сыворотку, то для насъ особенно интересна та картина, которую мы получаемъ по прошествіи первыхъ сутокъ съ момента зараженія. Въ позднѣйшіе періоды, напр. черезъ 2 сутокъ селезенка представляетъ крайне рѣзкія измѣненія, но такъ какъ въ этотъ моментъ инфекція зашла уже такъ далеко, что черезъ нѣсколько часовъ должна наступить смерть животнаго, то эти явленія не имѣютъ уже такого значенія по отношенію къ тому вопросу, который насъ сейчасъ интересуетъ. Вопроса объ измѣненіяхъ въ селезенкѣ при болѣе позднихъ стадіяхъ инфекціи мы предполагаемъ коснуться въ нашей слѣдующей работѣ.

Къ чему же сводятся въ существенныхъ чертахъ измѣненія въ селезенкѣ черезъ 24 часа послѣ инфекціи микробами свиной краснухи.?

[1) Centralblatt f. allgemeine Pathol. u. path. An. Bd. XVI, S. 770. При этомъ считаю своимъ долгомъ выразить д-ру Шридде свою благодарность за то, что онъ любезно сообщилъ мнѣ о своемъ способѣ до его опубликованія.

Первое, что кидается въ глаза, это обиліе крови въ корковомъ слоѣ селезенки. Фактъ этотъ констатировался уже авторами, занимавшимися вопросомъ объ измѣненіяхъ селезенки при инфекціи, напр. Dominici[1]). Мѣстами кажется, что клѣточные элементы корковаго слоя въ значительномъ количествѣ исчезли: они лежатъ изолированно отдѣльными клѣтками или небольшими островками изъ нѣсколькихъ клѣтокъ и большая часть поля зрѣнія въ этихъ мѣстахъ занята красными кровяными шариками.

Во вторыхъ, мы констатируемъ необыкновенную многочисленность каріокинетически дѣлящихся клѣтокъ среди элементовъ корковаго слоя селезенки [2]).

Въ третьихъ, кидается въ глаза рѣзкое увеличеніе числа гигантскихъ клѣтокъ — мегакаріоцитовъ. Если принять, что при нормальныхъ условіяхъ въ селезенкѣ на поперечномъ разрѣзѣ встрѣчается этихъ клѣтокъ отъ 8 до 15, какъ принимаетъ это Карповъ[3]), то черезъ сутки послѣ инфекціи бациллами краснухи мы этихъ клѣтокъ можемъ насчитать на поперечномъ срѣзѣ черезъ селезенку около 140. На такое увеличеніе число мегакаріоцитовъ при инфекціи указываетъ Hess. Для того чтобы наблюдать ихъ въ большемъ количествѣ Hess заражалъ бѣлую мышь культурой сибирской язвы [4]). Въ ядрахъ этихъ клѣтокъ мы также, такъ и Hess, наблюдали явленія мультиполярнаго каріокинеза и явленія дегенераціи.

Въ четвертыхъ, въ селезенкѣ при инфекціи, какъ на это указалъ Dominici, появляются въ большемъ количествѣ клѣтки съ ацидофильной зернистотью и съ характернымъ подковообразнымъ или даже въ формѣ замкнутаго кольца съ отверстіемъ посреднѣ ядромъ. Эти клѣтки являются первыми стадіями развитія лейкоцитовъ полинуклеаровъ, играющихъ такую большую роль въ борьбѣ организма съ бактеріями это — т. н. міэлоциты.

Вотъ въ самыхъ существенныхъ чертахъ наиболѣе рѣзкія измѣненія, которыя мы имѣемъ въ селезенкѣ при инфекціи бациллами краснухи черезъ сутки послѣ момента зараженія. Явленій фагоцитоза

---

1) Dominici. Arch. de médecine expérim. T. XII, p. 736.
2) Сравни рисунокъ на стр. 746 только-что цитированной работы Dominici.
3) В. Карповъ. Изслѣдованіе о прямомъ дѣленіи клѣтокъ. М. 1904. Дисс. стр. 190.
4) Hess. Ueber Vermehrung und Zerfallvorgänge an den grossen Zellen ind. acut hyperplastischen Milz d. weissen Maus. Ziegler's Beiträge. Band VIII. 1890, S. 221.

красныхъ и бѣлыхъ шариковъ элементами селезенки мы на нашихъ препаратахъ не наблюдали въ сколько нибудъ замѣтныхъ расмѣрахъ (смотри объ этомъ еще дальше). Это и понятно, такъ какъ мы и не подвергали въ нашихъ опытахъ кровь какимъ либо грубымъ инсультамъ.

Какія же измѣненія по сравненію съ этимъ представляетъ селезенка животнаго, получившаго въ одно время съ микробами специфическую сыворотку? Сущность измѣненій таже самая, отличіе же заключается въ томъ, что большая часть явленій отличается меньшею интензивностью. Чтобы получить болѣе ясное представленіе мы попытались въ цифрахъ выразить тѣ измѣненія, которыя происходятъ въ селезенкѣ. Какъ мы говорили выше микроскопическій препаратъ представлялъ собою поперечный разрѣзъ чрезъ селезенку на серединѣ ея продольной оси. Систематически разсматривая препаратъ съ помощію подвижного столика Цейсса, мы сосчитывали на немъ число клѣтокъ представляющихъ наибольшія и характернѣйшія колебанія въ числѣ въ теченіе опыта — мегакаріоцитовъ и клѣтокъ съ ацидофильной зернистостью. (міэлоцитовъ). При этомъ попутно мы отмѣчали и тѣ клѣтки которыя встрѣчались сравнительно очень рѣдко, какъ-то эозинофиловъ, полинуклеарныхъ лейкоцитовъ и т. п.

Въ помѣщаемой ниже таблицѣ каждая цифра представляетъ собою среднюю, полученную отъ сосчитыванія клѣтокъ на пяти поперечныхъ срѣзахъ изъ селезенки. Цифры эти, можетъ быть, не удовлетворяютъ требованіямъ строгаго статистическаго изслѣдованія, но все таки прекрасно иллюстрируютъ явленія, которыя мы описывали.

I. Мыши, получившія смѣсь сыворотки и культуры.

№ мыши	Сколько времени прошло съ момента инфекціи	Число мегакаріоцитовъ	Число міэлоцитовъ
69	Черезъ 1 часъ	4	0 (0,2)
67	Черезъ 4 часа	32	5
68	Черезъ 7 часовъ	27	26
50	Черезъ 24 часа	42	34
61	Черезъ 3 дня	5	111
63	Черезъ 5 дней	11	37
62	Черезъ 9 дней	14	5

II. Мышь, получившая одну культуру.

48	Черезъ 24 часа	140	725

Какъ мы сказали выше, измѣненія въ селезенкѣ у животнаго, получившаго вмѣстѣ съ культурой спасительную сыворотку, отличаются тѣмъ отъ явленій, наблюдаемыхъ у животнаго, получившаго одну культуру, что они не выражены столь интензивно.

Такъ у животнаго, получившаго вмѣстѣ съ культурой сыворотку, въ селезеночной мякоти тоже наблюдается скопленіе красныхъ кровяныхъ шариковъ, замѣщающихъ клѣточные элементы мякоти. Но это скопленіе красныхъ кровяныхъ шариковъ выражено не столь рѣзко какъ при одной инфекціи.

Точно также, повидимому, размноженіе клѣтокъ селезеночной пульпы идетъ далеко не съ такой интензивностью, какъ у животнаго зараженнаго, но не получившаго сыворотку. Въ то время какъ тамъ препаратъ пестритъ каріокинетическими фигурами, здѣсь, хотя эти фигуры и многочисленны, но встрѣчаются значительно рѣже.

У мыши, получившей вмѣстѣ съ культурой сыворотку, число мегакаріоцитовъ тоже рѣзко увеличивается. Такъ, черезъ 1 часъ послѣ впрыскиванія смѣси на всемъ поперечномъ разрѣзѣ чрезъ селезенку мы нашли всего четыре такихъ клѣтки. Но уже черезъ 4 часа число ихъ возросло до 32, а черезъ сутки увеличилось до 42, чтобы потомъ опять быстро упасть. Но это увеличеніе числа мегакаріоцитовъ далеко не достигаетъ того, что мы наблюдаемъ, когда животное, зараженное микробами, не получило сыворотки и когда число этихъ клѣтокъ на разрѣзѣ равняется въ среднемъ 140.

Кромѣ того между мегакаріоцитами въ томъ и другомъ случаѣ можно констатировать и морфологическія отличія. Во первыхъ, у животныхъ, не получившихъ сыворотку, въ мегакаріоцитахъ довольно часто наблюдаются явленія мультиполярнаго митоза, въ соотвѣтствующихъ же клѣткахъ животныхъ, получившихъ сыворотку, явленія мультиполярнаго митоза, повидимому, не констатируются. Во вторыхъ, у животныхъ не получившихъ сыворотку, какъ въ ядрахъ, такъ и въ протоплазмѣ мегакаріоцитовъ въ значительномъ числѣ клѣтокъ наблюдаются явленія дегенераціи. Наоборотъ, у мегакаріоцитовъ въ селезенкѣ животныхъ, получившихъ сыворотку, клѣтки представляютъ болѣе или менѣе однообразный видъ. Всѣ составныя части ядра прекрасно дифференцированы и прекрасно видны. Ядро отграничено отъ протоплазмы правильной оболочкой, виденъ прекрасно ядерный остовъ и отдѣльныя ядрышки. Тѣло клѣтки представляетъ болѣе или менѣе правильную форму и довольно рѣзко отграничено отъ окружающихъ клѣтокъ. По сравненію съ этимъ при одной культурѣ безъ сыворотки почти каждое ядро мегакаріоцитовъ отличается отъ сосѣдняго и представляетъ различную степень дегенеративныхъ явленій. Можно наблюдать слѣдующую послѣдовательность измѣненій ядра. Дифференцированная окраска отдѣльныхъ составныхъ частей ядра не удается вполнѣ рѣзко, ядро какъ бы сморщивается, внутренность его окрашивается болѣе или менѣе диффузно и, наконецъ, ядро представляется намъ въ видѣ неправильной формы глыбки, диффузно окрашенной сафраниномъ. Къ этому времени и протоплазма диффузно окрашивается сафраниномъ, что также указываетъ на дегенерацію ея.

У мышей, получившихъ одну культуру безъ сыворотки, у значительнаго числа мегакаріоцитовъ наружная граница клѣтки является крайне неправильной, зазубреной, снабженной многочисленными короткими остроконечными отростками, вдающимися между сосѣдними клѣтками.

Точно также у этихъ же животныхъ мнѣ удавалось видѣть внутри мегакаріоцитовъ красные кровяные шарики. Но, не смотря на это я не могу признать въ этомъ случаѣ явленій фагоцитоза. Мнѣ кажется весьма вѣроятнымъ въ этимъ случаѣ мнѣніе Карпова, который считаетъ картину нахожденія красныхъ кровяныхъ шариковъ внутри мегакаріоцитовъ только кажущейся: „я и вообще“, говоритъ онъ, „не могъ убѣдиться въ фактѣ нахожденія мелкихъ элементовъ внутри тѣла гигантскихъ клѣтокъ; какъ я уже указывалъ, эритробласты вплотную охватываютъ ихъ и, послѣ отпаденія оболочки, могутъ вдавливаться довольно глубоко въ наружный слой, но дальше этого дѣло не идетъ. Если принять во вниманіе неправильность формы мегакаріоцитовъ, будетъ вполнѣ понятно, что клѣтки, лежащія въ углубленіяхъ по периферіи, на тангенціальныхъ срѣзахъ будутъ казаться лежащими внутри мегакаріоцита; убѣдиться въ этомъ можно только, прослѣживая рядъ срѣзовъ одной и той-же клѣтки“ [1]). Къ тому я могу прибавить, что на моихъ препаратахъ нахожденіе красныхъ кровяныхъ шариковъ внутри мегакаріоцитовъ является вообще рѣдкимъ явленіемъ.

У мышей, получившихъ вмѣстѣ съ культурой сыворотку, точно также, какъ и у животныхъ получившихъ одну культуру можно замѣтить рѣзкое увеличеніе числа клѣтокъ съ ацидофильной

---

1) Карповъ loc. cit p. 196.

зернистостью (міэлоцитовъ), хотя оно и не достигаетъ такихъ размѣровъ, какъ въ послѣднемъ случаѣ. Изъ таблицы видно, что черезъ
одинъ часъ послѣ впрыскиванія смѣси этихъ клѣтокъ почти нѣтъ, т. е.
на десяти разрѣзахъ было найдено только двѣ такихъ клѣтки, но
затѣмъ число ихъ быстро увеличивается, такъ что черезъ сутки
на каждомъ срѣзѣ можно сосчитать 34 такихъ клѣтки, а черезъ
3 дня ихъ 111. Послѣ этого они очень быстро уменьшаются въ
числѣ. Какъ ни значительно увеличеніе въ числѣ этихъ клѣтокъ
у мышей, получившихъ смѣсь культуры съ сывороткой, но оно во
много разъ меньше, чѣмъ у животныхъ не получившихъ сыворотки, гдѣ черезъ сутки послѣ инфекціи на одномъ разрѣзѣ на-
считывается въ среднемъ 725 такихъ клѣтокъ.

Какъ мы говорили выше, эти клѣтки характеризуются ядромъ
почкообразной или подковообразной формы, а также въ формѣ
замкнутаго кольца. Если разсматривать корковый слой селезенки
на препаратахъ, окрашенныхъ гематоксилиномъ, нигрозиномъ,
эозиномъ и сафраниномъ, то онъ представляетъ подобіе альвео-
лярнаго строенія. Въ немъ наблюдаются большіе островки изъ
клѣтокъ сравнительно большей величины, съ ядрами подковообразной формы или въ формѣ кольца. Эти ядра довольно большихъ
размѣровъ, съ тонко очерченной оболочкой, голубымъ ядернымъ
сокомъ, нѣжнымъ остовомъ и съ однимъ или двумя интензивно
окрашенными сафраниномъ ядрышками. Тѣло клѣтокъ довольно
значительныхъ размѣровъ; одни изъ этихъ клѣтокъ содержатъ
окрашенную эозиномъ зернистость, другія не содержатъ. Эта зернистость на препаратахъ окрашенныхъ тріацидомъ интензивно
окрашивается въ тотъ-же цвѣтъ, что и красные кровяные шарики.
Вокругъ большихъ группъ такихъ клѣтокъ въ видѣ тонкихъ прослоекъ, отдѣляющихъ одну такую группу отъ сосѣдней, расположены
клѣтки совершенно другого вида. Онѣ снабжены круглымъ ядромъ
значительно меньшихъ размѣровъ, чѣмъ у первыхъ клѣтокъ, вокругъ
ядра имѣется небольшая полоса протоплазмы. Ядро интензивно
окрашено сафраниномъ все цѣликомъ, такъ что въ немъ съ трудомъ можно различить ядерный остовъ (Kerngerüst). Такимъ
образомъ среди перваго сорта клѣтокъ встрѣчаются различныя
стадіи развитія міэлоцитовъ. Въ этихъ скопленіяхъ клѣтокъ происходитъ усиленное размноженіе ихъ, о чемъ можно судить по
обилію каріокинетическихъ фигуръ. Размножаются преимущественно клѣтки, протоплазма которыхъ не содержитъ зернистости.
Однако, хотя и рѣдко, но встрѣчаются клѣтки съ ацидофильной

зернистостью въ протоплазмѣ и съ каріокинетически дѣлящимся ядромъ. Такъ у мыши, получившей одну культуру и убитой черезъ 24 часа послѣ этого, на разрѣзѣ черезъ селезенку изъ 892 клѣтокъ съ ацидофильной зернистостью 4 дѣлились съ каріокинетически (фигура звѣзды).

Клѣтки съ ацидофильной зернистостью большею частью располагаются группами — гнѣздами по нѣсколько вмѣстѣ. Когда имѣешь передъ собою отдѣльно лежащую такую клѣтку, то, обыкновенно, это объясняется тѣмъ, что разрѣзъ прошелъ черезъ край такого отдѣльнаго скопленія.

Подковообразное ядро характеризующее міэлоцитовъ представляетъ изъ себя, какъ извѣстно, переходную форму къ тѣмъ лопастнымъ неправильнымъ ядрамъ, которыя такъ характерны для полинуклеаровъ. Эти измѣненія прекрасно прослѣдилъ Göppert[1]). Кольцевая форма является исходнымъ пунктомъ дальнѣйшаго раздробленія ядра, которое ведетъ къ образованію отъ 2—8 дочернихъ ядеръ. При этомъ чаще всего процессъ происходитъ такимъ образомъ, что кольцо раздѣляется перегородками на нѣсколько кусковъ. Эти отрѣзки могутъ совершенно отдѣлиться другъ отъ друга или остаются связанными съ помощію тонкихъ мостиковъ.

Изъ другихъ клѣтокъ отмѣченныхъ нами въ пульпѣ селезенки упомянемъ еще объ эозинофилахъ, полинуклеарныхъ лейкоцитахъ и клѣткахъ, напоминающихъ собою гематобластовъ. Относительно первыхъ двухъ классовъ клѣтокъ нужно отмѣтить, что они не только не представляютъ характерныхъ измѣненій въ числѣ во время различныхъ стадій инфекціи, но и вообще встрѣчаются крайне рѣдко. Такъ, напримѣръ, у мыши, получившей смѣсь культуры и сыворотки и убитой черезъ 24 часа, на пяти срѣзахъ было сосчитано 168 клѣтокъ съ ацидофильной зернистостью и былъ встрѣченъ только одинъ эозинофилъ. Точно также у мыши, убитой черезъ три дня послѣ впрыскиванія смѣси, на 556 клѣтокъ съ ацидофильной зернистостью (на 5 срѣзахъ) найденъ былъ тоже одинъ эозинофилъ. Приблизительно также рѣдко встрѣчаются и лейкоциты со сложнымъ лопастнымъ ядромъ (полинуклеары).

Что касается морфологіи этихъ клѣтокъ, то эозинофилы, какъ я сказалъ выше, у мыши отличаются очень большой величиной

1) Göppert. Kerntheilung durch indirecte Fragmentirung in der lymphatischen Randschicht der Salamandrinenleber. Arch. f. mikr. Anat. Bd. 37. S. 382 u. ff.

зернышекъ, которыхъ сравнительно небольшое число помѣщается въ протоплазмѣ.

Что касается полинуклеаровъ, то они нашихъ препаратахъ кромѣ очень лопастнаго ядра отличаются небольшими размѣрами и не заключаютъ въ себѣ зернистости. Протоплазма слабо и диффузно окрашена кислой краской. Нужно думать, что эта диффузная окраска и отсутствіе зернистоста указываютъ на дегенерацію клѣтки.

На препаратахъ окрашенныхъ тріацидомъ, встрѣчаются клѣтки, напоминающія гематобластовъ — клѣтки съ круглымъ ядромъ интенсивно окрашеннымъ основной краской и каемкой протоплазмы, интенсивно окрашенной кислой краской въ тотъ же цвѣтъ, какъ и красные кровяные шарики. Но, конечно, не каждая клѣтка съ такими морфологическими свойствами должна представлять изъ себя обязательно стадію развитія краснаго кровянаго шарика.

При нашей постановкѣ опытовъ измѣненія въ Мальпигіевыхъ тѣльцахъ не играютъ большой роли. Являются рѣзкимъ контрастомъ интенсивныя измѣненія, которыя мы констатируемъ въ селезеночной пульпѣ и рядомъ съ этимъ почти полное отсутствіе измѣненій въ Мальпигіевыхъ тѣльцахъ. Особенно важно то обстоятельство, что, когда мы находили множество каріокинетическихъ фигуръ въ пульпѣ, эти фигуры въ тоже время отсутствовали въ Мальпигіевыхъ тѣльцахъ. Но рѣзкій процессъ, происходящій въ пульпѣ все таки вызываетъ нѣкоторое нарушеніе правильнаго строенія Мальпигіевыхъ тѣлецъ.

Какъ извѣстно Flemming описалъ въ лимфатическихъ железахъ своеобразный рисунокъ: па разрѣзѣ этихъ железъ можно отличить отдѣльныя области; каждая изъ нихъ состоитъ изъ центральнаго свѣтлаго поля, окруженнаго темнымъ неширокимъ кольцомъ, внѣ котораго опять располагается свѣтлое поле. Въ центральномъ свѣтломъ полѣ происходить по Flemming'у размноженіе клѣтокъ. Въ темномъ кольцѣ расположены молодыя клѣтки, въ которыхъ ядро занимаетъ сравнительно много мѣста, наконецъ въ наружной области протоплазма занимаетъ опять значительную часть клѣтки и поэтому эта область кажется тоже болѣе свѣтлою[1]). Ассистентъ Флемминга Möbius ту-же самую картину нашелъ и въ Мальпигіевыхъ тѣльцахъ селезенки.

1) Flemming. Studien über Regeneration der Gewebe. I. Die Zellvermehrung in den Lymphdrüsen und verwandten Organen und ihr Einfluss auf deren Bau. Arch. f. mikr. Anat. Bd. 24. 1885.

Möbius. Zellvermehrung in der Milz bei Erwachsenen. Arch. f. mikr. Anatomie. Bd. 24.

У инфицированныхъ животныхъ правильность этой картины нарушается. Такъ она еще вполнѣ ясно выражена на разрѣзѣ селезенки отъ животнаго, получившаго смѣсь культуры и сыворотки и убитаго черезъ часъ послѣ этого. Но въ дальнѣйшихъ стадіяхъ ясность этого рисунка все болѣе затемняется. Вмѣсто центральнаго свѣтлаго поля, темнаго кольца вокругъ него и второго свѣтлаго кольца, мы видимъ что свѣтлыя и темныя мѣста начинаютъ располагаться неправильнымъ образомъ въ видѣ отдѣльныхъ островковъ. Впослѣдствіи картина проясняется и уже на 17-ый день послѣ впрыскиванія смѣси необыкновенно ярко выступаетъ то распредѣленіе свѣтлыхъ и темныхъ мѣстъ, какое описываетъ Flemming.

Можно соглситься съ Dominici, когда онъ утверждаетъ, что элементы пульпы — міэлоциты, кровяныя тѣльца и др. проникаютъ и въ наружные слои Мальпигіевыхъ тѣлецъ. Но я не могу согласится съ той точкой зрѣнія Dominici[1]), по которой Мальпигіево тѣло участвуетъ въ продукціи элементовъ пульпы, превращающихся потомъ въ міэлоциты, и другія клѣтки пульпы. Рѣзкая разница между множествомъ каріокинетическихъ фигуръ въ пульпѣ и, повидимому полнымъ отсутствіемъ ихъ въ Мальпигіевыхъ тѣлахъ, при нашей постановкѣ опытовъ, заставляетъ думать что это совершенно двѣ независимыя по своимъ функціямъ клѣточныя системы, хотя онѣ и находятся въ непосредственномъ сосѣдствѣ другъ съ другомъ и между ними нѣтъ рѣзкой границы. Попытаемся объяснить отдѣльныя явленія, входяшія въ составъ общей картины мѣстныхъ измѣненій въ селезенкѣ, которую мы описывали.

Во первыхъ, мы отмѣтили обиліе кровью корковаго слоя селезенки. Явленіе это можетъ зависѣть отъ обильнаго притока крови въ мякоть селезенки. Но намъ кажется, что причина этого обилія крови можетъ быть еще другая. Получается впечатлѣніе, какъ будто значительная часть клѣтокъ селезеночной мякоти исчезаетъ изъ нея и опустѣвшее пространство заполняется кровью. Какъ извѣстно, въ настоящее время лимфацитамъ приписывается способность къ амебоиднымъ движеніямъ, такъ что можно представить себѣ, что клѣтки активно удалились изъ этихъ мѣстъ. Но гораздо проще объяснить это явленіе себѣ тѣмъ, что клѣтки

---

1) Nous admettons donc que les cellules en question (les représentants de la groupe myeloide) naissent et dans les zones folliculaires et dans la pulpe de la rate. Arch. de médecine expérim T. XIII, 1901, p. 32.

унесены усиленнымъ токомъ крови. Подобныя же картины наблюдаются въ костномъ мозгѣ. Такъ Lengemann описываетъ,
что послѣ иньекціи въ брюшину или подъ кожу измельченныхъ
органовъ, въ костномъ мозгу нормальная ткань въ значительной
степени замѣняется полостями наполненными кровью. Зависитъ
это отъ того, говоритъ онъ, что элементы костнаго мозга активно
удалились изъ него; на ряду съ этимъ наступаетъ пассивное
вымываніе остальныхъ элементовъ" [1]).

Образованіе такихъ пустыхъ пространствъ наполненныхъ
кровью имѣетъ большое значеніе и въ нашемъ случаѣ, т. е. для
пульпы селезенки, такъ какъ такимъ образомъ освобождаются
пустыя пространства для развитія міэлоцитовъ.

Второе важное измѣненіе въ картинѣ, представляемой селезенкой, заключается въ обильномъ развитіи въ селезеночной пульпѣ
міэлоцитовъ съ ацидофильной зернистостью. Очевидно въ появ-
леніи и увеличеніи числа этихъ клѣтокъ мы имѣемъ главную сущность измѣненій, происходящихъ въ селезенкѣ при инфекціи у
животнаго получившаго специфическую сыворотку. Изъ нашихъ
изслѣдованій по вопросу объ измѣненіяхъ, происходящихъ на
мѣстѣ впрыскиванія смѣси бациллъ и сыворотки подъ кожей, мы
знаемъ, что процессъ выздоровленія происходитъ такимъ образомъ,
что въ этомъ мѣстѣ скопляется масса лейкоцитовъ (полинуклеаровъ),
которые поглощаютъ бациллъ и внутри которыхъ послѣднія и уни-
тожаются [2]). Наблюдаемые нами въ селезенкѣ міэлоциты представляютъ собою, какъ мы говорили уже, предварительную стадію
развитія полинуклеаровъ. Очевидно, селезенка принимаетъ самое
энергическое участіе въ продукціи этихъ клѣтокъ столь необходимыхъ для борьбы организма съ инфекціей.

Когда мы впрыскиваемъ подъ кожу смѣсь культуры бациллъ
и специфической сыворотки, то наиболѣе интенсивное скопленіе
лейкоцитовъ на мѣстѣ впрыскиванія и фагоцитозъ происходятъ
черезъ 10 часовъ послѣ введенія смѣси. Черезъ 24 часа можно
еще встрѣтить скопленіе лейкоцитовъ содержащихъ въ себѣ ба-

---

1) Lengemann. Knochenmarkveränderungen als Grundlage von
Leukocytose und Riesenkernverschleppungen. Ziegler's Beiträge Bd. 29.

2) См. A. Jarotsky. Sur l'action nuisible de grandes doses des
serums antibacteriens. Arch. russes de Pathologie de Podwyssotzky.
1902 и Ueber den schädlichen Einfluss grosser Dosen der Schweinsrotlauf-
serums. Centralblatt f. Bakteriolog., I. Abth., Referate, XXXVI Band, 1905,
S. 473.

циллъ. Послѣ же этого срока въ большинствѣ случаевъ уже не удается констатировать ни скопленія лейкоцитовъ, ни бациллъ. Послѣднія уже всѣ погибли внутри фагоцитовъ. Только сравнительно рѣдко намъ удавалось черезъ 48 часовъ констатировать подъ кожей маленькіе гнойнички, внутри которыхъ свободно размножались бациллы, окруженныя со всѣхъ сторонъ грануляціонной тканью изъ лейкоцитовъ, внутри которыхъ наблюдались поглощенныя ими бациллы. Наконецъ послѣ этого срока уже ни у одной мыши не удавалось констатировать на мѣстѣ впрыскиванія ни бациллъ, ни лейкоцитовъ.

Если съ этимъ сопоставить количество міэлоцитовъ, наблюдаемыхъ нами въ селезенкѣ (см. таблицу), то мы увидимъ, что и черезъ 7 час. и черезъ 24 час. число ихъ еще незначительно (26 и 34), только черезъ три дня мы можемъ констатировать большое число ихъ (111). Сопоставляя эти цифры, мы можемъ заключить, что при пассивномъ иммунитетѣ, въ нашей постановкѣ опытовъ, въ борьбѣ съ микробами въ первую очередь участтвуютъ полинуклеары не изъ селезенки, а являющіеся изъ другихъ отдѣловъ организма (костнаго мозга). А наиболѣе энергичное производство полинуклеаровъ въ селезенкѣ наступаетъ къ тому времени, когда борьба организма съ микробами уже закончена. Въ селезенкѣ происходитъ, такъ сказать, мобилизація резервовъ для борьбы организма съ инфекціей. Совсѣмъ другое мы видимъ у животнаго неиммунизированнаго. Тутъ уже черезъ сутки производство полинуклеаровъ въ селезенкѣ достигаетъ громадныхъ размѣрахъ.

Вполнѣ понятно, почему мы находили въ селезенкѣ полинуклеаровъ только въ исключительно рѣдкихъ случаяхъ — міэлоциты по мѣрѣ своего созрѣванія удалились изъ селезенки и направились къ мѣсту инфекціи.

Чѣмъ-же объясняется увеличеніе числа мегакаріоцитовъ въ селезенкѣ, наблюдаемое какъ у животныхъ получившихъ сыворотку, такъ и у неполучившихъ, а также дегенеративныя явленія, наблюдаемыя въ этихъ клѣткахъ у животныхъ неполучившихъ сыворотку?

Относительно природы и значенія этихъ клѣтокъ существуетъ цѣлый рядъ гипотезъ. Такъ Foa и Salvioli[1]), а за ними и

---

1) Foa и Salvioli. Sulla origine dei globuli rossi del sangue. Arch. sc. med. 4, цитировано по Карпову. Pugliese. Ueber die physiologische Rolle d. Riesenzellen. Fortschritte d. Medizin. Bd. XV, № 19, 1897 (образованія лейкоцитовъ внутри гигантовъ).

другіе считали, что внутри этихъ клѣтокъ развиваются кровяные шарики. Повидимому это ученіе не нашло себѣ признанія у большинства изслѣдователей. Во всякомъ случаѣ на нашихъ препаратахъ мы не нашли чего-либо, указывавшаго на возможность образованія кровяныхъ шариковъ внутри этихъ клѣтокъ.

Во вторыхъ, этимъ клѣткамъ приписывали большую роль въ фагоцитозѣ и красныхъ и бѣлыхъ кровяныхъ шариковъ. Выше мы говорили, что считаемъ невѣроятной эту точку зрѣнія. Болѣе соотвѣтствуютъ дѣйствительности толкованія наблюдаемой картины Карповымъ, по которому тѣла старыхъ мегакаріоцитовъ раздавливаются и разрываются внѣдряющимися со всѣхъ сторонъ эритро и лейкобластами, такъ что остается одни голыя ядра, ожидающія своей гибели.

Flemming считаетъ мегакаріоцитовъ за „аномаліи развитія“, за ненормально выросшіе лейкоциты безъ особой функціи [1]).

Howell предполагаетъ, что мегакаріоциты являются клѣтками секреторными, выдѣляющими какое-то вещество въ плазму; оно служитъ, можетъ быть, для питанія развивающихся красныхъ тѣлецъ [2]).

Наконецъ въ 1906 г. Wright высказываетъ утвержденіе, что роль мегакаріоцитовъ заключается въ образованіи кровяныхъ пластинокъ, третьяго форменнаго элемента крови [2]). На своихъ препаратахъ онъ видѣлъ у мегакаріоцитовъ многочисленные отростки, въ которыхъ можно различить два слоя — наружный гомогенный и внутренній зернистый. Таково же по его мнѣнію и строеніе кровяныхъ пластинокъ. Послѣднія образуются по мнѣнію Wright'а изъ отростковъ мегакаріоцитовъ такимъ образомъ, что отъ этихъ отростковъ отдѣляются отдѣльные кусочки, которые и представляютъ собою новыя пластинки. Насколько можно судить по работѣ Wright'а это утвержденіе въ настоящій моментъ не является достаточно обоснованнымъ. Методъ фиксаціи, который употреблялъ Wright довольно грубый — Methylalcohol. Способъ окраски онъ точно не указываетъ. При фиксаціи метиловымъ спиртомъ очень легко могло получиться въ щеляхъ ткани свертываніе бѣлковыхъ веществъ симулирующее отростки клѣтокъ.

---

1) Flemming. Zelle. Ergebnisse d. Anatomie und Entwickelungsgesch. II 1892. S. 57.
2) Howell. Observation upon the occurence, stucture and division of the giant cells of the marrow. Journ. of Morphology, 4, цит. по Карпову.
2) Wright. Die Entstehung d. Blutplättchen V. A. Bd. VI, H. 1, Folge XVIII, 1906.

На нашихъ препаратахъ, какъ мы описывали выше, мы видѣли въ нѣкоторыхъ случаяхъ неправильные, небольшіе отростки, вдающіеся въ промежутки между сосѣдними клѣтками, но такихъ отростковъ, какъ описываетъ Wright, намъ наблюдать не удавалось и вообще мы можемъ считать гипотезу Wrigth'а очень интересной, но пока достаточно не обоснованной.

Самое шаблонное объясненіе, какъ для увеличенія числа мегакаріоцитовъ, такъ и для дегенеративныхъ явленій, наблюдаемыхъ въ нихъ это дѣйствіе токсиновъ, выдѣляемыхъ микробами. Подъ вліяніемъ этихъ токсиновъ одна часть клѣтокъ начинаетъ увеличиваться и превращается въ мегакаріоциты, а если животное не получило специфической сыворотки и, вслѣдствіе этого, токсиновъ особенно много, то въ мегакаріоцитахъ появляются явленія дегенераціи. Примѣненіе этой шаблонной гипотезы представляетъ то неудобство, что влечетъ за собою необходимость введенія второй гипотезы — о томъ, что эти токсины обладаютъ специфическимъ свойствомъ воздѣйствовать именно на мегакаріоциты. Дѣйствительно, въ то время какъ у инфицированнаго животнаго (черезъ 24 часа) мы находимъ въ селезенкѣ рѣзкое увеличеніе числа мегакаріоцитовъ, явленія мультиполярнаго митоза и дегенеративныхъ процессовъ въ нихъ, въ это время въ клѣткахъ печени мы не замѣчаемъ никакихъ рѣзкихъ измѣненій. Тщательно присматриваясь къ препаратамъ изъ печени отъ тѣхъ же животныхъ, мы можемъ констатировать развѣ только то, что границы между печеночными клѣтками выражены не столь рѣзко, да волокнистый остовъ протоплазмы кажется болѣе густымъ — волоконца расположены болѣе тѣсно другъ къ другу. Что касается ядеръ, то всѣ составныя части ихъ прекрасно дифференцированы и не представляютъ никакихъ ненормальныхъ отклоненій.

По этому поводу важно вспомнить ту критику шаблоннаго примѣненія сложныхъ теорій въ біологіи и медицинѣ, которую мы находимъ въ одной изъ работъ R. Hertwig'a[1]). Задача гипотезы это помогать научному изслѣдованію, открывать для него новые пути, шаблонное-же ея примѣненіе ведетъ наоборотъ къ тому, что намъ кажется простымъ и понятнымъ то, что на самомъ дѣлѣ сложно и внимательное изученіе чего открыло бы намъ цѣлую новую систему отношеній.

---

1) Ueber physiologische Degeneration bei Actinos phaerium Eichhorni. Festschrift z siebzigsten Geburtstage v. E. Haeckel. Jena. Fischer. 1904.

Одной изъ такихъ теорій, способствующихъ тому, что научное изслѣдованіе начинаетъ вращаться все въ области однихъ и тѣхъ-же рамокъ, является и теорія токсиновъ, не смотря на реальную фактическую свою основу. Такъ какъ дѣйствіе и свойство большинства токсиновъ точно не изучены, то какое бы явленіе мы не нашли и отъ чего бы оно не зависѣло, мы всегда можемъ его приписать дѣйствію токсиновъ. Такимъ образомъ мы сами себѣ закрываемъ путь къ дальнѣйшему изученію явленій, которыя развертываются передъ нами.

R. Hertwig изучая біологію Actinosphaerium Eichhorni, низшаго одноклѣточнаго, многоядернаго существа, пришелъ къ выводу, что одно только усиленное питаніе можетъ вызвать за собою увеличеніе массы ядра и нарушеніе нормальнаго соотношенія между массами клѣточнаго ядра и протоплазмы. Это нормальное соотношеніе по мнѣнію R. Hertwig'а необходимо для существованія клѣтки. За гипетрофіей ядра слѣдуютъ дегенеративныя измѣненія какъ ядра, такъ и протоплазмы и наконецъ гибель клѣтки. Особенно важнымъ и интереснымъ является то, что весь этотъ циклъ дегенеративныхъ явленій наступаетъ, какъ результатъ усиленнаго питанія, которымъ въ такихъ размѣрахъ при естественныхъ условіяхъ Actinosphaerium не можетъ пользоваться. Actinosphaerium представляетъ изъ себя свободно живущее существо, никакого паразитизма здѣсь не замѣчается и нельзя представить себѣ въ этомъ случаѣ никакихъ токсиновъ, которые дѣйствовали бы извнѣ на клѣтки — явленія дегенераціи здѣсь могутъ зависѣть, по мнѣнію Hertwig'а, только отъ чрезмѣрнаго питанія.

А если это такъ, заключаетъ онъ, то многіе случаи дегенеративныхъ явленій, наблюдаемыхъ въ клѣткахъ высшихъ животныхъ и которые обыкновенно приписываются дѣйствію токсиновъ, выдѣляемыхъ возбудителями инфекціонныхъ заболѣваній, на самомъ дѣлѣ могутъ зависѣть отъ чрезмѣрнаго питанія клѣтокъ.

Характерный примѣръ такихъ дегенеративныхъ явленій Hertwig видитъ въ клѣткахъ злокачественныхъ опухолей. Именно присутствіе многочисленныхъ явленій дегенераціи считалось доказательствомъ паразитарнаго происхожденія злокачественныхъ опухолей, а различныя внутриклѣточныя включенія, представляющія собою разныя стадіи дегенераціи, ядра, выдавались за возбудителей злокачественной опухоли. Между тѣмъ для всѣхъ этихъ дегенеративныхъ явленій можетъ быть найдена другая причина.

Гертвигъ представляетъ себѣ, что въ жизни каждаго высокостоящаго по своей организаціи живого существа можно различить два типа питанія и роста клѣтокъ: цитотипическій типъ и органотипическій (cytotypen u. organotypen). Цитотипическій ростъ это такой, который управляется исключительно законами клѣточной жизни. Это способъ роста свойственный Protozoa: клѣтка питается и размножается постольку, поскольку имѣется на лицо пищи и поскольку въ клѣткѣ не наступаютъ явленія угнетенія ассимиляціонныхъ процессовъ. Такимъ же образомъ размножаются клѣтки зародышей, но не клѣтки взрослаго организма. Послѣднія обладаютъ „органотипическимъ способомъ роста“. Ихъ питаніе, переработка принятой пищи и размноженіе зависятъ отъ потребностей всего организма, зависятъ отъ тѣхъ требованій, какія весь организмъ предъявляетъ къ своимъ органамъ. Не функціонирующій нервъ или мышца атрофируются, также какъ и клѣтки, входящія въ ихъ составъ, сколько бы не было на лицо питательныхъ веществъ, функціонирующія части, напротивъ того, растутъ до извѣстной степени даже при недостаточномъ подвозѣ питательныхъ веществъ и тогда этотъ ростъ происходитъ на счетъ сосѣднихъ тканей.

Въ позднѣйшихъ стадіяхъ зародышевой жизни и впослѣдствіи цитотипическій способъ роста, по мнѣнію Гертвига, переходитъ въ органотипическій. Совершенно прекращается цитотипическій ростъ тогда, когда организмъ достигъ своей нормальной величины.

Характерной чертой опухолей, по мнѣнію Гертвига, есть возвратъ ихъ клѣтокъ къ цитотипическому способу роста. Клѣтки ихъ освобождаются отъ функціональныхъ потребностей организма и растутъ и разможаются (fortwuchern) постольку, поскольку это дозволяютъ имъ питательный матеріалъ, находящійся въ ихъ распоряженіи и условія ихъ внутриклѣточной жизни [1]).

Значеніе наблюденій Гертвига надъ Actinosphaerium Eichhorni заключается въ томъ, что они отняли почву отъ того взгляда, по которому многочисленныя явленія дегенераціи, наблюдаемыя въ злокачественныхъ опухоляхъ, приводились въ защиту паразитарной теоріи происхожденія этихъ опухолей. Гертвигъ доказываетъ, что непрерывное размноженіе и питаніе сами по себѣ вредятъ (gefährden) существованію клѣтки и при извѣстныхъ обстоятельствахъ ведутъ къ дегенераціи [2]).

---

1) loc. cit. p. 345 и 346.
2) loc. cit. p. 349.

Гертвигъ объясняетъ съ точки зрѣнія своей теоріи, почему злокачественныя опухоли появляются преимущественно во второй половинѣ жизни. Цитотипическій характеръ роста есть первоначальное свойство клѣтки. Органотипическій — есть результатъ послѣдующей дифференціаціи и спеціализаціи. Какъ извѣстно раньше всего пропадаютъ тѣ черты, которыя пріобрѣтены позже всего. Поэтому понятно, что при старѣніи организма клѣтки раньше всего могутъ потерять органотипическія черты своей жизни и начать размножаться цитотипическимъ образомъ совершенно независимо отъ функцій и потребностей всего организма. Онѣ и становятся исходными пунктами образованія злокачественныхъ опухолей.

Мегакаріоциты въ селезенкѣ у инфицированныхъ животныхъ представляютъ рядъ дегенеративныхъ измѣненій, имѣющихъ полную аналогію съ тѣмъ, что Hertwig наблюдалъ у усиленно питавшихся и размножавшихся Actinosphaerium Eichhorni.

Съ этой точки зрѣнія мы можемъ нарисовать слѣдующую послѣдовательность явленій, наблюдаемыхъ въ селезенкѣ. Подъ вліяніемъ мѣстной инфекціи (въ подкожной соединительной ткани) въ селезенкѣ наступаетъ гиперемія, съ другой стороны изъ селезеночной пульпы въ значительномъ числѣ исчезаютъ клѣтки, которыя обыкновенно тамъ находятся, такъ что получаются пустоты наполненныя кровью. Оставшіеся клѣточные элементы усиленно размножаются; одна часть ихъ превращается въ полинуклеары и удаляется изъ селезенки. А другія клѣтки начинаютъ гипертрофироваться и обращаются въ клѣтки гиганты-мегакаріоциты. Этимъ и ограничивается циклъ явленій у зараженнаго животнаго при пассивномъ иммунитетѣ. Но у животнаго, не получившаго спасительной сыворотки процессъ идетъ въ томъ же направленіи, но только болѣе бурно: гиперемія выражена болѣе рѣзко, митозы встрѣчаются въ очень большомъ количествѣ. Тѣ клѣтки, которыя не превращаются въ полинуклеары, встрѣчаютъ исключительно благопріятныя условія для своего существованія. Во первыхъ вся область обильно омывается кровью, а во вторыхъ, такъ какъ вновь образовавшіеся полинуклеары уходятъ отсюда, то остающіяся клѣтки не только имѣютъ въ избыткѣ притокъ питательнаго матеріала, но и свободное мѣсто для роста. Происходитъ обильное развитіе мегакаріоцитовъ, причемъ въ нихъ часто встрѣчаются явленія мультиполярнаго митоза. Является вопросомъ нерѣшеннымъ, слѣдуетъ ли за этимъ митозомъ дѣленіе самой клѣтки или же этотъ мультиполярной митозъ, какъ думаетъ Карповъ, ведетъ только къ дальнѣйшему расчлененію ядра. Во всякомъ случаѣ усиленное питаніе и ростъ протоплазмы и ядра ведутъ за собой также какъ и у свободноживущихъ Actinosphaerium Eichhorni къ явленіямъ дегенераціи какъ ядра такъ и протоплазмы мегакаріоцитовъ и конечной гибели клѣтокъ.

Гертвигъ указываетъ на гигантскія клѣтки саркомъ, какъ на примѣръ гипертрофіи клѣтки и ядра при злокачественныхъ опухоляхъ [1]).

Желая объяснить, почему злокачественныя опухоли появляются на тѣхъ мѣстахъ, которыя чаще всего поражаются внѣшними инсультами, а также почему онѣ возникаютъ такъ часто на почвѣ хроническихъ воспалительныхъ процессовъ, Гертвигъ говоритъ, что инсульты и инфекціи выводятъ клѣтки изъ рамокъ нормальныхъ соотношеній и клѣтки опять возвращаются къ цитотипическому характеру жизненныхъ процессовъ, который былъ когда то имъ свойствененъ. Въ нашемъ случаѣ точно также цитотипическій ростъ клѣтокъ наступилъ потому, что инфекція грубо нарушила обычное соотношеніе элементовъ селезенки.

То объясненіе, которое мы приводимъ для происхожденія мегакаріоцитовъ въ селезенкѣ, примѣнимо ко всѣмъ другимъ случаямъ, гдѣ они встрѣчаются въ сообществѣ съ кроветворными элементами, напр. въ костномъ мозгу. Такимъ образомъ, пока для нихъ не будетъ найдена и обоснована какая либо опредѣленная функція, мы согласно съ цитированнымъ выше мнѣніемъ Flemming'а должны считать мегакаріоциты за побочный продуктъ жизнедѣятельности кроветворныхъ органовъ.

Описаны случаи, когда у человѣка въ селезенкѣ и лимфатическихъ железахъ наблюдались многочисленные мегакаріоциты, кромѣ того въ печени наблюдались гнѣзда, состоявшія изъ большихъ лимфоцитовъ и опять таки мегакаріоцитовъ [2]). Такая картина объяснялось заносомъ мегакаріоцитовъ изъ костнаго мозга и размноженіемъ ихъ на новыхъ мѣстахъ (образованіемъ метастазовъ). Намъ кажется болѣе вѣроятной другая точка зрѣнія, по которой это явленіе объясняется метаплазіей лимфоидной ткани въ костномозговую и образованіемъ тутъ-же на мѣстахъ среди послѣдней мегакаріоцитовъ.

1) l, c. p. 343.
2) См. Michaelis. Ein Fall von riesenzelliger Degeneration der blutbildenden Organe. Verhandlungen d. XIX-ten Congresses f. innere Medic., 1901, S. 573.

Какъ извѣстно, селезенка принимаетъ самое энергическое участіе въ разрушеніи поврежденныхъ элементовъ крови. Поэтому понятно, что при тѣхъ инфекціонныхъ болѣзняхъ и при тѣхъ отравленіяхъ, при которыхъ наиболѣе страдаютъ элементы крови, происходитъ наибольшее увеличеніе селезенки[1]). Одинъ изъ существенныхъ выводовъ нашего изслѣдованія заключается въ томъ, что селезенка играетъ при инфекціи ту важную роль, что она самымъ энергическимъ образомъ участвуетъ въ борьбѣ организма съ микробами, являясь. однимъ изъ тѣхъ мѣстъ, въ которыхъ массами производятся полинуклеары. Признавая все важное значеніе работы Dominici въ этомъ отношеніи, мы думаемъ однако, что его изслѣдованія не рѣшали окончательно вопроса о производствѣ селезенкой полинуклеаровъ въ томъ отношеніи, что въ его опытахъ сама-же селезенка являлась мѣстомъ инфекціи (микробы вводились въ кровь). Такимъ образомъ на развитіе міэлоцитовъ въ селезенкѣ можно было смотрѣть какъ на результатъ мѣстной инфекціи селезенки и являлось вопросомъ, будетъ ли селезенка реагировать также на отдаленное гнѣздо инфекціи въ организмѣ. Наши изслѣдованія подтвердили это.

Съ точки зрѣнія Эрлиха между органами кроветворенія существуетъ рѣзкое раздѣленія труда, по крайней мѣрѣ при нормальныхъ условіяхъ: костный мозгъ производитъ полинуклеаровъ, а селезенка лимфоцитовъ. Но эта оговорка — при нормальныхъ условіяхъ — не имѣетъ существеннаго значенія, такъ какъ внѣ періодовъ инфекціи организмъ и не нуждается въ массахъ полинуклеаровъ и та незначительная потребность, которая въ нихъ существуетъ, можетъ покрываться дѣятельностью одного костнаго мозга. Когда-же организмъ подвергается инфекціи микробами, то наряду съ повышеніемъ интенсивности дѣятельности костнаго мозга начинаетъ энергично въ этомъ отношеніи функціонировать и селезенка. Насколько при этомъ важное значеніе она имѣетъ, можно заключить изъ ея значительныхъ размѣровъ. Конечно, можно противополагать животное, свободное отъ инфекціи-нормальное, животному инфицированному. Но нужно помнить, что инфекція есть нѣчто такое, что роковымъ образомъ много разъ врывается въ обыденныя внутреннія отношенія организма и каж-

1) Г. Явейнъ. О причинахъ остраго увеличенія селезенки при отравленіяхъ и инфекціонныхъ болѣзняхъ. Больничная Газета Боткина, 1899. — Jawein. Ueber die Ursachen des acuten Milztumors u. s. w. Virchow's Arch. CLXI, 1900.

дый разъ она влечетъ за собою усиленную продукцію полинуклеаровъ въ селезенкѣ.

Конечно, можно возразить, что нельзя переносить фактовъ добытыхъ на нѣкоторыхъ животныхъ и на человѣка. Но въ настоящее время есть рядъ изслѣдованій, доказавшихъ, что и у человѣка при различныхъ инфекціонныхъ процессахъ и анеміяхъ, селезенка содержитъ міэлоциты [1]). Если при этомъ въ нѣкоторыхъ случаяхъ въ селезенкѣ человѣка и не находили міэлоцитовъ или находили въ незначительномъ количествѣ, то нужно принимать во вниманіе, что селезенку человѣка мы можемъ изслѣдовать въ громадномъ большинствѣ случаевъ только тогда, когда борьба между организмомъ и инфекціей окончилось пораженіемъ перваго. Естественно, что въ этихъ случаяхъ продукціи міэлоцитовъ въ селезенкѣ или могло совсѣмъ не быть или къ моменту смерти организма этотъ процессъ могъ уже заглохнуть.

1) Hirschfeld. Ueber myeloide Umwandlung der Milz und der Lymphdrüsen. Berlin klin. Woch., 1902. S. 702.

Kurpjuweit. Ueber die Veränderungen d. Milz bei pernicioser Anämie und einigen anderen Erkrankungen D. Arch. f. klin. Medizin. Bd. 80. 1904.

Sternberg Ueber das Vorkommen von einkernigen, neutrophil granulierten Leukocyten in der Milz. Centralbl. f. allgem. Pathol, B. XVI, 1905, № 23 (литература).

Erik Meyer и A. Heineke. Ueber Blutbildung in Milz u. Leber bei schweren Anämien. Verhand. d. d. patholog. Gesellschaft zu Meran. 1905.

Очеркъ растительности Корочанскаго уѣзда Курской губерніи.

А. И. Мальцевъ.

(Продолженіе.)

Списокъ растеній,

дикорастущихъ въ Корочанскомъ уѣздѣ Курской губерніи и расположенныхъ по „Syllabus der Pflanzenfamilien" von Dr. Adolf Engler. Berlin. 1904.

Embryophyta asiphonogama.

I. Bryophyta (Muscinei) не изслѣдовались.
II. Pteridophyta.

a. Filicales.

Polypodiaceae.

1. *Cystopteris fragilis* L. 23/VIII 1905 fr. По лѣсистымъ яружкамъ около сл. Соколовки. Рѣдко. М. „Конспектъ etc." р. 334. № 1236 — указ. для Курской губ. безъ обозн. мѣстонахожденія. С. „Очеркъ etc." р. 224. № 967 приводитъ для Бѣлгородск. у.

2. *Aspidium Filix mas* Sw. 16/VII 1905 fr. Въ яружкѣ „Плотавецъ" ок. с. Сѣтного; между кустарниками. Рѣдко. М. (Ib. р. 334 № 1235). С. (Ib. р. 224 № 965). П. (частныя сообщенія).

3. *A. Thelypteris* Sw. 13/VIII 1904 fr. По ольшатникамъ, особенно на Пакидовскихъ лугахъ. Часто. М. (Ib. р. 334 № 1234). С. (Ib. р. 224 № 966).

4. *Pteridium aquilinum* Kuhn. 19/VI 1904 fr. По лѣсамъ, овражнымъ кустарникамъ; особ. много на горѣ „Куцовкѣ" ок. деревни Афанасовой. Обыкновенно. М. (Ib. р. 334 № 1239). С. (Ib. р. 224 № 963).

b. Equisetales.
Equisetaceae.

5. *Equisetum arvense* L. собр. 3/VI 1903, fr. 8/IV 1903. По полямъ. Обильно. М. (Ib. p. 334 № 1227). С. (Ib. p. 224 № 959).

6.** *E. pratense* Ehrh. 27/V 1904 fr. По полянамъ казеннаго лѣса противъ с. Нечаевой. Рѣдко.

7.* *E. limosum.* L. 3/VI 1904 fr. По илистымъ мѣстамъ на лугу ок. с. Сѣтного. Не рѣдко. С. (Ib. 224 № 960) приводитъ для Бѣлг. у.

8. *E. palustre* L. 5/VII 1904. По болотистымъ мѣстамъ на лугахъ. Обыкновенно. М. (Ib. 334 № 1228). С. (Ib. 224 № 961) указываетъ для Короч. у. по Ширяевскому.

Embryophyta siphonogama.

I. Gymnospermae.

Coniferae.

Pinaceae.

9. *Pinus silvestris* L. 7/VI 1905. На мѣлу около с. Бекарюковки, с. Петровки (Ржевки) и с. Дмитріевки.
Кл. — *P. cretacea, P. squarrosa* Kalenicz. — считаетъ за особый видъ Бекарюковскую сосну на томъ основаніи что „leurs cônes sont plus ovales que coniques et les écailles pointues et repliées" [1]). С. (Ib. 223 p. № 957).

II. Angiospermae.

1. Monocotyledoneae.

a. Pandales.

Typhaceae.

(10.) 10. *Typha latifolia* L. 20/VII 1904. По берегамъ рѣки Корочи и около болотъ. Часто. Л. (Nova revisio etc. p. 200 № 337). М. (Ibid. 316 № 976). С. (Ibid. 216 № 815. П. (частн. сообщенія).

11. *T. angustifolia* L. 13/VIII 1904. Около болотъ подъ с. Терновой. Рѣже, чѣмъ предъидущее. М. (Ib. 316 № 977). С. (Ib. 216 № 816). П. (ч. с.).

---

1) Kaleniczenko. „Quelques mots sur les Daphnés russes etc." Bulletin d. l. soc. Imp. des natur. de Moscou. 1849. T. XXII. p. 295 et 301.

Sparganiaceae.

12. *Sparganium simplex* H u d s. 8/VII 1904. По берегамъ рѣки Корочи и около болотъ. Изрѣдка. С. (216 р. № 818). П. (ч. с.).

13. *S. ramosum* H u d s. 9/VII 1904. По берегамъ рѣки Корочи. Обыкновенно. С. (Ib. 216 № 819). П. (ч. сообщ.)

b. Helobiae (Fluviales).

Potamogetonaceae.

14. *Potamogeton natans* L. 9/VII 1904. Въ рѣкѣ Корочѣ подъ Большой Слободой (Б. Городище). С. (Ib. р. 217 № 826) приводитъ по Ш и р я е в с к о м у. П. (частн. сообщ.).

15.* *P. pectinatus* L. 29/VII 1904. Въ рѣкѣ Корочѣ подъ им. Лазаревкой. Рѣдко. Л. (Ib. 201 р. № 345) и М. (Ib. р. 318 № 999) не указываютъ мѣстонахожденій. С. не приводитъ въ общемъ спискѣ своего „Очерка“, хотя и упоминаетъ объ этомъ растеніи въ самомъ текстѣ указанной работы для р. Донца. (Ib. 25 р.)

16. *P. lucens* L. 7/VI 1905. Въ рѣкѣ Корочѣ подъ с. Стрѣлицей и Большимъ Городищемъ. С. (Ib. р. 217 № 827) приводитъ для р. Корочи по Ш и р я е в с к о м у. П. (частн. сообщ.).

17. *P. perfoliatus* L. 7/VI 1905. Въ рѣкѣ Корочѣ около с. Петровки (Ржевки), подъ Б. Городищемъ и у „Кручекъ“. С. (Ib. р. 217 № 828) приводитъ для р. Корочи по показаніямъ Ш и р я е в с к а г о. П. (частн. сообщенія).

18. *P. crispus* L. 7/VI 1905. Въ рѣкѣ Корочѣ подъ с. Стрѣлицей с. Дмитріевкой и у „Кручекъ“; въ р. Нежеголь около Бекарюковки. С. (Ib. 217 № 829). П. (частн. сообщ.).

19. *P. pusillus* L. *v. tenuissimus* Koch 9/VII 1904. Обыкновенно у береговъ р. Корочи. С. (Ib. 217 № 832). П (частн. сообщенія).

Juncaginaceae.

(20.) 20. *Triglochin palustre* L. 12/VII 1904. По болотистымъ лугамъ обыкновенно. С. (Ib. 217 р. № 824). П. (частн. сообщ.).

21. *T. maritimum* L. 2/VI 1904. По влажнымъ мѣстамъ на лугу около с. Сѣтного. Л. (Ib. р. 201 № 346). С. (Ib. р. 217 № 825) приводитъ по Л и н д е м а н н у.

Alismataceae.

22. *Alisma Plantago* L. 30/VII 1905. По берегамъ р. Корочи и около болотъ. Обыкновенно. С. (Ib. 217 № 836). П.

23. *Sagittaria sagittifolia* L. 12/VII 1904. Обыкновенно вмѣстѣ съ предъидущимъ. С. (Ib. 217 р. № 838). П. частн. сообщ.).

6*

Butomaceae.

24. *Butomus umbellatus* L. 12/VII 1904. По берегамъ р. Корочи. Часто. С. (Ibid. 217 p. № 839). П.

Hydrocharitaceae.

25. *Hydrocharis Morsus ranae* L. 9/VII 1904. По затонамъ и заливчикамъ въ р. Корочѣ, особенно подъ с. Б. Городищемъ. С. (Ibid. p. 213 № 760). П. (частн. сообщ.).

c. Glumiflorae.

Gramineae.

26. *Panicum lineare* Krock. 13/VII 1904. Песчаныя мѣста по рѣкѣ Корочѣ около д. Афанасовой и г. Корочи. С. (Ib. 220 p. № 882). П. (частн. сообщ.).

27. *Echinochloa Crus galli* P. B. 29/VII 1905. По сорнымъ мѣстамъ на огородахъ. С. (Ib. 220 p. № 884). П.

28. *Setaria glauca* P. B. 28/VII 1904. По сорнымъ мѣстамъ на поляхъ. С. (Ib. 220 p. № 885). П.

29. *S. verticillata* P. B. 29/VII 1904. По сорнымъ мѣстамъ на лугахъ и сырыхъ огородахъ. С. (Ib. 220 p. № 886).

(30.) 30. *S. viridis* P. B. 29/VII 1904. По сорнымъ мѣстамъ на огородахъ и поляхъ. С. (Ib. 220 p. № 887). П.

31. *Leersia oryzoides* Sw. 6/VII 1905. По берегамъ рѣки Корочи около с. Дмитріевки. Рѣдко. С. (Ib. 220 p. № 888. Бекарюковка).

32. *Hierochloa odorata* Wahlenb. 4/V 1905. Степные склоны лога „Портянка" ок. сл. Соколовки. Рѣдко. С. (Ib. 220 p. № 890).

33. *Stipa pennata* L. 17/V 1905. Степные склоны „Кручекъ", логъ „Дудино" ок. с. Соколовки. П. (частн. сообщ. Бекарюковка).

34. *S. capillata* L. 28/VI 1905. Степные склоны „Кручекъ" мѣловыя обнаженія по рѣкѣ Ивичкѣ. С. (Ib. 220 № 893). П. (Бекарюковка). Л. (Ib. p. 206 № 412).

S. Lessingiana Trin. Л. (Ib. p. 206 № 412).

35. *Phleum pratense* L. 25/VI 1905. По лугамъ. Часто. С. (Ib. 220 № 896). П.

36. *Ph. Boehmeri* Wibel. 20/VII 1904. Склоны подъ Лазаревкой. Рѣдко. С. (Ib. 220 № 897). П. (Бекарюковка).

Ph. Michelii All. Л. („Addenda etc." p. 601). М. (Ib. 332 № 1211) по Л.

37. *Alopecurus pratensis* L. 4/V 1905. По лугамъ у „Кручекъ", мокрыя мѣста въ логу „Дубино". С. (Ib. 220 № 898).

(40.) 38.* *A. arundinaceus* Poir. 25/VII 1904. Мокрыя мѣста на Сѣтенскомъ лугу. Рѣдко.

39. *A. geniculatus* L. 27/VII 1905. По берегамъ рѣки Корочи
подъ с. Плуталовкой; по лугамъ подъ с. Терновой. П.
(частн. сообщ.).

40.* *A. fulvus* Sm. 8/VII 1905. Болота подъ с. Терновой. Изрѣдка.

41.* *Agrostis alba* L. 15/VII 1904. По лугу около с. Сѣтного.

42. *A. vulgaris* With. 27/VI 1905. По лугамъ; обыкновенно. П.
— *f. stolonifera* L. 25/VII 1905. Тамъ-же, но рѣже.

43.* *Apera spica venti* P. B. 25/VII 1905. Лугъ ок. с. Сѣтного.
Рѣдко.

44. *Calamagrostis Epigeios* Roth. 5/VII 1904. По склонамъ подъ
Лазаревкой и между кустарниками. П.

45. *Aira caespitosa* L. 13/VII 1905. По лугамъ; не рѣдко. С (Ib.
221 p. № 906).

46. *Avena pubescens* L. 21/V 1904. Степные склоны „Кручекъ“
и сухія мѣста на Сѣтенскомъ лугу. Рѣдко. С. (Ib.
221 p. № 907) приводитъ по Ш. П. (ч. с. „Кручки“).

47. *A. fatua* L. 11/VI 1905. Въ посѣвахъ; не рѣдко. С (221 p.
№ 909).

A. pratensis L. Л. (Ib. p. 205 № 406). М. (Ib. 331 p. № 1191.

(50.) 48. *Beckmannia eruciformis* Host. 9/VII 1905. По влажнымъ,
болотистымъ мѣстамъ на лугу подъ с. Терновой. Л.
(Ib. 206 p. № 414); С. (Ib. 221 p. № 910) по Л.

49. *Phragmites communis* Trin. 3/VIII 1904. По берегамъ рѣки
Корочи и болотамъ; С. (Ib. 221 p. № 911); П.

50. *Melica ciliata* L. 15/VII 1904. Склоны подъ Лазаревкой около
лѣса. С. (221 p. № 912); П. (ч. с. Бекарюковка). Л.
(Ib. 205 № 402) *Melica ciliata L. į. varia* Ledeb.

51. *M. altissima* L. 12/VII 1905. Около плетней въ им. Лазаревкѣ. С. (Ib. 221 p. № 913) по Ш.; П. (ч. с. Б. Городище въ садахъ).

52. *M. nutans* L. 15/V 1904. Лазаревскій лѣсъ; кустарники на
„Кручкахъ“; урочище „Красная яруга“. Не рѣдко. С.
(Ib. 221 p. № 914). П.

M. picta C. Koch. П. (частн. сообщ. лѣсъ на Кручкахъ). Л.
(Ib. 205 p. № 402). М. (p. 330 № 1181) по Л.

53.* *Briza media* L. 26/VI 1904. Луга подъ д. Афанасовой.

54. *Dactylis glomerata* L. 25/VII 1904. По лугамъ, полянамъ.
Часто.

55. *Koeleria cristata* Pers. 15/V 1905. Степные склоны „Кручекъ“. Л. (Ib. 205 p. № 403); С. (Ib. p. 221 № 918);
П. (частн. сообщ.).

56.* *K. glauca* DC. 4/VI 1905. По сухимъ мѣстамъ на Сѣтенскомъ лугу. Изрѣдка.

(60.) 57. *Catabrosa aquatica* P. B. 18/VII 1904. У ключевыхъ водъ и
по канавамъ на Сѣтенскомъ лугу. (Ib. 222 № 921).

58. *Poa pratensis* L. 20/VI 1905. Часто по лугамъ. С. (Ib. 222 p.
№ 922).

59. *Poa annua* L. 29/VII 1904. По садамъ и полямъ. С. (Ib. 222 p. № 923).

60. *P. bulbosa* L. *v. vivipara* K o c h. 18/V 1905. Выгоны около с. Сѣтного. Л. (Ib. 205 p. № 396) prope Jablona et in aliis locis copiose.

61. *P. bulbosa* Ḷ. (не живородящая форма 21/V 1904. Мѣловые склоны „Кручекъ". Рѣдко. П. [1]) („Бѣлая гора у г. Корочи).

62. *P. compressa* L. 15/VI 1904. Мѣловыя обнаженія около им. Лазаревки; сухіе холмы на Сѣтенскомъ лугу. С. (Ib. 222 p. № 925); П. (Бекарюковка).

63. *P nemoralis* L. 17/VI 1905. Лазаревскій тѣнистый лѣсъ. С. (Ib. 222 p. № 926).

64. *P. serotina* E h r h. 20/V 1905. Тамъ-же и изрѣдка по сухимъ лугамъ. С. (Ib. 222 p. № 927).

65.* *P. trivialis* L. 25/VI 1905. По болотистымъ мѣстамъ на Сѣтенскомъ лугу.

66. *Glyceria fluitans* R. Br. 29/VII 1904. По канавамъ на лугу около с. Сѣтного. П. (ч. сообщ.).

(70.) 67. *G. spectabilis* M. et K. 3/VIII 1904. По берегамъ рѣки Корочи. С. (Ib. 222 p. № 930). П.

68. *Festuca ovina* L. 20/V 1905. Степные склоны подъ Лазаревскимъ лѣсомъ. Рѣдко. С. (Ib. 222 p. № 931). П.

69. *F. elatior* L. 18/VII 1904. По лугамъ подъ с. Сѣтной. С. (Ib. 222 p. № 934) приводитъ по Ш и р я е в с к о м у.

F. rubra L. Приводится Л и н д е м а н н о м ъ. (Ib. 204 p. № 391).

F. arundinacea S c h r e b. *var. aristitata* найдена П а л л о н о м ъ ок. Бекарюковки („Дополн. къ списку etc. В. Н. Сука- чева № 9).

70. *F. gigantea* V i l l. 17/VI 1905. По лѣсамъ и садамъ; не рѣдко. С. (Ib. 222 p. № 936).

71. *Bromus inermis* L e y s. 13/VI 1904. Склоны около им. Лазаревки. С. (Ib. 222 p. № 937). П.

72.* *B. erectus* H u d s. 9/VI 1904. По сухимъ мѣстамъ на Пакидовскихъ лугахъ; степные склоны. Рѣдко.

73. *B. tectorum* L. С у к а ч е в ъ (Ib. 222 p. № 939) приводитъ по Ш и р я е в с к о м у.

74. *B. arvensis* L. 7/VII 1904. По полямъ, лугамъ и между кустарниками. С. (Ib. p. 223 № 940).

(80.) *B. squarrosus* L. Приводится Линдеманномъ. (Ib. p. 204 № 392).

75. *B. patulus* M. et K. 18/V 1905. Около дорогъ, по полямъ и степнымъ склонамъ. С. (Ib. p. 223 № 942).

---

1) I. П а л л о н ъ „Дополненіе къ списку растеній etc. В. Н. С у к а - ч е в а". Тр. Бот. С. И. Ю. У. Т. VI, в. I. стр. 35.

76. *Bromus mollis* L. 29/VI 1904. По лугамъ около с. Сѣтного. II. (ч. с.).
77.* *Brachypodium pinnatum* P. B. 23/VII 1903. Лазаревскій лѣсъ.
78.* *B. silvaticum* R. et Sch. 12/VII 1905. Тамъ-же и такъ-же рѣдко.
79.* *Lolium perenne* L. 29/VI 1905. Изрѣдка на лугамъ ок. им. Лазаревки.

    Secale fragile M. B. Приводится Линдеманномъ. (Ib. p. 204 № 388).

80. *Triticum caninum* Huds. 16/VII 1905. Въ Сѣтенскомъ лѣсу.
81. *T. repens* L. 26/VI 1904. По сорнымъ мѣстамъ на Сѣтенскомъ лугу; по полямъ. С. (Ib. p. 223 № 948).
82. *T. intermedium* Host. 14/VII 1905. Опушки Сѣтенскаго лѣса; по склонамъ яружекъ. П. (ч. с. Бекарюковка).

(90.) 83. *T. cristatum* Bess. 11/VII 1904. Мѣловыя обнаженія лога „Портянка“ ок. с. Соколовки. Л. (Ib. 204 p. № 389).

    Atropis distans Ledb. Приводится Линдеманномъ. (Ib. 205 p. № 398) — „prope Jablona“.

    Digraphis arundinacea Trin. Приводится Линдеманномъ. (Ib. p. 206 № 415).

84.** *Phalaris canariensis* L. 30/VI 1905. По лугу около им. Лазаревки; несомнѣнно одичалое.

Cyperaceae.

85. *Cyperus fuscus* L. 27/VII 1905. Берега рѣки Корочи подъ с. Терновой и Стрѣлицей. С. (Ib. 218 № 842).
86. *Eriophorum angustifolium* L. 2/VI 1904. Гипновыя болота на лугу около с. Сѣтного и по рѣкѣ Ивичкѣ. П. (Болото за Яснымъ Колодцемъ у г. Корочи). С. приводитъ по Ш. (Ib. 218 № 841).
87. *Scirpus lacustris* L. 9/VII 1905. По берегамъ рѣки Корочи. С. (Ib. p. 218 № 845). П. (частн. сообщ.). Часто.
88. *S. Tabernaemontani* Gmel. 15/VI 1905. Гипновое болото на лугу около с. Сѣтного. Рѣдко. Л. (Ib. p. 203 № 381). С. (Ib. p. 218 № 846).
89. *S. maritimus* L. 7/VI 1905. По берегамъ рѣки Корочи, особенно подъ деревней Додрой. С. (Ib. p. 218 № 848).
90. *S. silvaticus* L. 20/V 1905. По берегамъ р. Корочи. Часто. С. (Ib. p. 218 № 850). П. (ч. с.).

(100.) 91. *S. compressus* Pers. 23/VII 1905. Болотистыя мѣста на лугу около с. Сѣтного. Рѣдко. Л. („Addenda etc.“ p. 601).

92. *Heleocharis palustris* R. Br. 8/VII 1905. По берегамъ рѣки Корочи и болотистымъ лугамъ. Часто. С. (Ib. 218 p. № 843).
93. *H. acicularis* R. Br. 13/VII 1905. По болотистымъ мѣстамъ около с. Сѣтного. П. („Болото за Яснымъ Колодцемъ подъ г. Корочей“). Рѣдко.

94.** *Heleocharis ovata* R. Br. 28/VI 1905. По влажнымъ лугамъ около сл. Пушкарной подъ г. Корочей. Довольно рѣдко.

95.* *Carex vulpina* L. 29/V 1904. По лугамъ и берегамъ рѣки Корочи.

96.* *C. muricata* L. b. *nemorosa* L u m n i t z e r. 29/V 1905. Въ Лазаревскомъ лѣсу; не рѣдко.

97.* *C. contigua* H o p p e (*C. muricata* L. ex parte). 20/V 1905. Лазаревскій лѣсъ около с. Сѣтного. Часто.

98. *C. Schreberi* Sckr. 29/IV 1905. По склонамъ около Лазаревскаго лѣса; логъ „Портянка“ около сл. Соколовки. П. („На песчаныхъ мѣстахъ“). С. (Ib. p. 218 № 855).

99.* *C. leporina* L. 16/VII 1905. По яружкамъ лога „Большое Широкое“ около с. Сѣтного. Рѣдко. П. („На горѣ у сл. Пушкарной“).

C. teretiuscula G o o d. приводится Л и н д е м а н н о м ъ. (Ib. p. 203 № 385.)

(110.) 100.** *C. stricta* G o o d. 10/V 1905. По болотамъ подъ д. Плуталовкой и с. Сѣтнымъ. Рѣдко.

101. *C. caespitosa* L. Приводитъ С у к а ч е в ъ по Ш и р я е в с к о м у.

102.* *C. vulgaris* Fr. 30/V 1904. По сырымъ лугамъ. Обыкновенно.

103.* *C. acuta* L. β. rufa L. 3/VI 1904. По берегамъ рѣки Корочи за „Кручками“. Рѣдко.

104. *C. montana* L. 17/V 1904. По склонамъ лога „Большое Широкое“. С у к а ч е в ъ приводитъ по показаніямъ Ш и р я е в с к а г о и П а л л о н а, хотя послѣдній въ своемъ спискѣ, любезно мнѣ присланномъ, отмѣтилъ эту *Carex* знакомъ (?). (Ib. p. 219 № 865).

105.** *C. tomentosa* L. 29/V 1905. Гипновыя болота около с. Сѣтного. Рѣдко.

106.* *C. ericetorum* P o l l i c h. 15/V 1905. По лужайкамъ урочища „Красная Яруга“. Рѣдко.

107.* *C. digitata* L. 17/VI 1905. Въ Лазаревскомъ лѣсу. Изрѣдка.

C. pediformis C. A. M. Приводится Шмальгаузеномъ (Т. II p. 569).

108.* *C. humilis* L e y s s e r 10/IV 1905. Мѣловыя обнаженія „Кручекъ“ и подъ им. Лазаревкой. Рѣдко.

(120.) 109.* *C. diluta* М. В. 18/VI 1905. Гипновыя болота на Сѣтенскомъ лугу и по рѣкѣ Ивичкѣ. Рѣдко.

110.* *C. flava* L. 11/VI 1905. Тамъ-же, гдѣ и предъидущее.

111. *C. pilosa* S c o p. 18/IV 1905. По лѣсамъ. С. (Ib. p. 219 № 872).

112.* *C. Michelii* H o s t. 27/IV 1905. Между кустарниками на „Кручкахъ“.

C. silvatica H u d s. С. (Ib. p. 219 № 874) приводитъ по Ш и р я е в с к о м у.

113.* *C. pseudocyperus* L. 7/VI 1905. По берегамъ рѣки Корочи, особенно подъ с. Ржевкой (Петровкой).

114.* *Carex ampulacea* G o o d. 27/V 1905. По болотамъ на Пущкар-
скомъ лугу подъ г. Корочей.

115.** *C. vesicaria* L. 20/V 1905. По болотамъ подъ с. Терновой.
около с. Сѣтного. Не рѣдко.

C. nutans H o s t. приводится Л и н д е м а н н о м ъ. Ib. p. 204
№ 385).

116.* *C. riparia* C u r t. 13/VI 1905. По берегамъ рѣки Корочи и
болотамъ. Не рѣдко.

(130.) 117.* *C. paludosa* G o o d. 3/VI 1904. Болота подъ Терновой и
Стрѣлицей. Изрѣдка.

118.* *C. hirta* L. 23/VI 1904. Влажныя мѣста на лугахъ около с.
Сѣтного и дер. Афанасовой.

d. Spathiflorae.

Araceae.

119. *Acorus Calamus* L. 17/VII 1903. По берегамъ рѣки Корочи
подъ с. Нечаевой, Стариковой и въ др. мѣстахъ. Л. (Ib.
200 p. № 340). П. („у Б. Городища“).

Lemnaceae.

120. *Lemna trisulca* L. ⎧ Обыкновенно по затонамъ и заливчикамъ
121. *L. polyrrhiza* L. ⎬ въ рѣкѣ Корочѣ; по канавамъ. С. (Ib.
122. *L. minor* L. ⎩ 216 №№ 821—823).
123. *L. gibba* L. Л. (Ib. 200 № 343).

e. Liliiflorae.

Juncaceae.

124.* *Luzula multiflora* L e j e u n e. 23/V 1904. По лѣсистымъ
яружкамъ около сл. Соколовки. Рѣдко.

125.** *Juncus glaucus* E h r h. 26/V 1905. Сырыя мѣста въ логу
„Дубино“ ок. с. Соколовки. Рѣдко. Л и н д е м а н н ъ
(Ib. p. 203 № 377) приводитъ для Курской губ. по
H ö f f t' y, но со знакомъ (—) минусъ, какъ сомнитель-
ное и безъ указанія на locus.

126. *J. effusus* L. 28/VI 1904. По болотистымъ мѣстамъ около д.
Афанасовой, с. Терновой и въ друг. мѣстахъ. Не рѣдко.
С. (Ib. p. 216 № 809).

(140.) 127. *J. compressus* J a c q. 26/VI 1904. По влажнымъ лугамъ обыкновенно. С. (Ib. p. 216 № 810).

128. *J. bufonius* L. 13/VII 1903. По илистымъ мѣстамъ на лугу
около с. Сѣтного. С. (Ib. p. 216 № 811).

129. *J. lamprocarpus* E h r h. 18/VII 1904. По влажнымъ лугамъ
всюду. С. (Ib. p. 216 № 812).

J. alpinus V i l l. приводится Л и н д е м а н н о м ъ (Ib p. 203
№ 377).

Liliaceae.

130. *Veratrum album* L. *v. Lobelianum* B e r n h. 13/VI 1904. По лугамъ около с. Сѣтного. С. (Ib. p. 215 № 805).

131. *V. nigrum* L. 2/VII 1905. Между кустарниками на „Кручкахъ" и въ Сѣтенскомъ лѣсу. Довольно рѣдко. П.
(„Лѣсъ за Кручками").

132. *Anthericum ramosum* L. 23/VII 1904. Мѣловыя обнаженія ок.
им. Лазаревки и с. Бекарюковки, С. (Ib. p. 214 № 784,
„Бекарюковка"). П. (ч. с. „Кручки", „Бекар.").

133. *Allium sphaerocephalum* L. 27/VI 1903. Поля около с. Сѣтного
и въ др. мѣстахъ. Обыкновенно. Л. (Ib. p. 202 № 373).
С. (Ib. 214 p. № 785). П. (частн. сообщ.)

134. *A. rotundum* L. 19/VI 1904. По полямъ въ посѣвахъ. С. (Ib.
p. 214 № 786).

135. *A. oleraceum* L, 23/VII 1904. По полянамъ въ Лазаревскомъ
лѣсу. Л. (Ib. p. 202 № 373). С. (Ib. p. 214 № 787).
П. (ч. с. „Кручки").

(150.) 136.* *A. paniculatum* L. 25/VI 1903. Степные склоны около с.
Соколовки. Рѣдко.

A. tulipifolium L e d. (*A. decipiens* F i s c h) приводится Л и н -
д е м а н н о м ъ (Ib. p. 202 № 373) съ обозначеніемъ:
„prope Korocza rare".

A. Schoenoprasum L. Л. (Ib. p. 202 № 373).

137. *A. flavescens* B e s s. 2/VII 1905. Мѣловыя обнаженія на „Кручкахъ". С. (Ib. 215 p. № 792).

138. *Gagea minima* S c h u l t. 18/IV 1905. Лазаревскій и другіе
лѣса. Часто, С. (Ib. p. 215 № 797). П. (ч. с.).

139. *G. lutea* S c h u l t. 9/IV 1905. По лѣсамъ и садамъ; обыкновенно. С. (Ib. p. 215 № 798). П. (ч. с.).

140. *G. pusilla* S c h u l t. 16/IV 1904. Степные склоны подъ им.
Лазаревкой и с. Соколовкой. С. (Ib. p. 215 № 799).

141. *G. erubescens* S c h u l t. 29/IV 1905. Степные склоны подъ
им. Лазаревкой, около лѣса. Рѣдко. Л. (Ib. p. 202
№ 368).

142. *Frilillaria ruthenica* W i k s t r. 27/IV 1905. Между кустарниками на „Кручкахъ". С. (Ib. p. 215 № 802) приводитъ
по Ш. для этого-же мѣстопахожденія. П. (ч. с. „Кручка,
— лѣсъ"). Л. (Ib. p. 202 № 369).

(160.) 143. *Scilla cernua* R e d. 8/IV 1903. По лѣсамъ и садамъ всюду и
обильно. С. (Ib. p. 215 № 794). П и Ш. (ч. с.)

S. bifolia L. указывается С у к а ч е в ы м ъ по Л и н д е м а н н у
(Ib. p. 215 № 795), хотя послѣдній приводитъ это растеніе только для Бѣлгородскаго (В.) и Курскаго (—К.)
уѣздовъ (Ib. p. 202, № 372 — „Augustinowicz").

144. *Hyacinthus leucophaeus* S t e v. 27/IV 1905. Мѣловыя обнаженія „Бѣлой горы“, на „Кручкахъ“; степные склоны лога „Дубино“ ок. с. Соколовки С. (Ib. p. 215 № 793). П. (ч. с. „Бѣлая гора“).

145. *Bulbocodium ruthenicum* B ü n g e. „Разумный яръ“; было найдено здѣсь П а л л о н о м ъ. Цв. въ апрѣлѣ и является первымъ вѣстникомъ весны на степныхъ склонахъ такъ-же, какъ „подснѣжникъ“ *(Scilla cernua)* въ лѣсу.

146. *Asparagus officinalis* L a m. 9/VI 1904. По полямъ между кустарниками, на сухихъ мѣстахъ луговъ; обыкновенно. С. (Ib. p. 214, № 779). П. (ч. с. „Кручки“).

147. *Polygonatum officinale* A l l. 16/V 1904. Лазаревскій лѣсъ и Афанасовскія рощи С. (Ib. p. 214, № 780). П. (ч. с. „Кручки“).

148. *P. multiflorum* A l l. 2/VII 1905. По лѣсамъ, не рѣдко. С. (Ib. 214 p. № 781). П. (ч. с. „Пушкарскій лѣсъ“).

— *f. bracteatum* L e d b. приводится Л и н д е м а н н о м ъ съ обозначеніемъ „prope Korocza“. (Ib. p. 202 № 365).

149. *Convallaria majalis* L. 6/V 1904. Всюду по лѣсамъ и рощамъ. Обильно. С. (Ib. p. 214 № 782). П. (ч. с.).

150. *Paris quadrifolia* L. 27/IV 1905. Лазаревскій лѣсъ. Изрѣдка. П. (ч. с. „Кручки“).

Iridaceae.

151.* *Gladiolus imbricatus* L. 13/VI 1904. По влажнымъ лугамъ, особенно около села Сѣтного.

152. *Iris, Pseudacorus* L. 4/VI 1903. По берегамъ рѣкъ Корочи, Ивички и Кореня. С. (Ib. p. 213 № 774). П.

(170.) 153. *I. pumila* L. 27/IV 1905. Мѣловыя обнаженія лога „Большое Широкое“ около с. Сѣтного; склоны противъ с. Короткаго Хутора за „Кручками“. Рѣдко. С у к а ч е в ъ (Ib. p. 214 № 775) приводитъ по Ш и р я е в с к о м у для „Кручекъ“.

154. *I. nudicaulis* L a m. 5/V 1905. Мѣловыя обнаженія около им. Лазаревки, на „Кручкахъ“, логъ „Портянка“ около с. Соколовки. Не рѣдко. П. (ч. с. „Кручки“).

f. Microspermae.

Orchidaceae.

155.** *Cypripedium macranthum* S w. 7/VI 1905. Встрѣчается единичными экземплярами въ казенномъ лѣсу около с. Лихой Поляны по дорогѣ на Зимовное. Очень рѣдко.

156. *Orchis militaris* L. 18/VI 1905. Поляны въ Лазаревскомъ лѣсу. Рѣдко. С. (Ib. p. 213 № 767) по Ш. П. (ч. с. „въ сухомъ яру передъ кладбищемъ около г. Корочи“).

157. *Orchis incarnata* L. 30/V 1904. По влажнымъ мѣстамъ на лугу около с͘ Сѣтного. Не рѣдко. Собранныя Паллономъ около г. Корочи за „Яснымъ Колодцемъ“ формы этого орхиднаго Д-ръ Клинге опредѣлилъ какъ помѣси: *Orch. incarn. var.* ✕ *rossica: Orch. incarn.* ✕ *(O. latifolia).* Повидимому къ нимъ нужно отнести и мною собранные экземпляры. Сукачевъ (Ib. p. 213 № 768) приводитъ по Паллону и Ширяевскому.

158. *O. maculata* L. 24/VI 1905. Луга по рѣкѣ Ивичкѣ.

159. *Gymnadenia conopsea* B. Br. 12/VI 1904. Въ Лазаревскомъ лѣсу; рѣдко. Л. (Ib. p. 201 № 355). П. (ч. с. „Яръ передъ кладбищемъ ок. г. Корочи“). С. (Ib. p. 213 № 770) — по Ш.

160.* *Peristilis viridis* Lindl. 28/V 1905. По склонамъ лога въ казенномъ лѣсу противъ с. Терновой. Рѣдко.

161.* *Platanthera bifolia* B. Br. 15/VI 1905. Въ Лазаревскомъ лѣсу. Рѣдко.

162. *Epipactis latifolia* All. 2/VII 1904. Въ Лазаревскомъ лѣсу. С. (Ib. p. 213 № 764 — „Бекарюковскій боръ!!“). Кл. („Бекарюковка“) Ш („Кручка — лѣсъ“). П. („Большое Городище, Кручка“).

(180.) 163.* *E. palustris* Crantz. 3/VII 1903. Лазаревскій торфяникъ между д. Афанасовой и с. Сѣтнымъ.

164. *E. atrorubens* Schult. 7/VI 1905. Бекарюковскій боръ. Паллонъ (частн. сообщ.) тамъ-же собралъ большое количество экземпляровъ — „выше оранжереи — обильно“.

E. viridiflora Rchb. *(E. latifolia β varians* Rchb. Кауфм. М. Ф. p. 491) Калениченко приводитъ для Бекарюковскаго бора.

2. Dicotyledoneae.

a. Salicales.

Salicaceae.

165.* *Populus tremula* L. fl. 12/IV, fr. 18/V 1906. Обыкновенно по лѣсамъ; изрѣдка заходитъ и на низины (по сухимъ лугамъ). Л. (Addenda etc. p. 601) и М. (Ib. p. 312 № 931) приводятъ осину для Курской губ., какъ обыкновенное въ лѣсахъ, но въ спискахъ новѣйшихъ изслѣдователей Корочанскаго у. (Ш. П. С.) она почему-то отсутствуетъ.

166.* *Salix pentandra* L. fl. 25/V, fr. 11/VI 1905. Лазаревскій торфяникъ на лугу около с. Сѣтного.

167. *S. fragilis* L. fl. 29/IV, fr. 15/V 1904. Около рѣки Корочи и по деревнямъ всюду. С. (Ib. p. 212 № 757).

168. *S. alba* L. fl. 29/IV, fr. 20/V 1905. Вмѣстѣ съ предыдущимъ. Не рѣдко. С. (Ib. p. 212, № 748).

169.* *Salix triandra* L. f. a. *concolor* K o c h. fl. 29/IV, fr. 25/V 1905. Ивняки на лугу ок. с. Сѣтного.

— f. b. *discolor* K o c h. fl. 25/IV, fr. 20/V 1905. Около Лазаревскаго торфяника ок. с. Сѣтного.

170.* *S. nigricans* S m. fl. 29/V, fr. 25/V 1905. По болотамъ на лугу около с. Сѣтного.

171. *S. caprea* L. fl. 20/IV, fr. 29/V 1905. Лазаревскій и Сѣтенской лѣса. Обыкновенно. С. (Ib. p. 212 № 747).

(190.) 172. *S. cinerea* L. fl. 22/IV, fr. 29/V 1905. По лугамъ обыкновенно на влажныхъ мѣстахъ. С. (Ib. p. 212 № 752).

173.* *S. repens* L. fl. 22/IV, fr. 25/V 1905. Лазаревскій торфяникъ, рѣдко.

174.** *S. depressa* L. *f. bicolor* F r i e s. fl. 29/IV, fr. 25/V 1905. Тамъ-же, гдѣ и предъидущее, но еще рѣже. М и з г е р ъ приводитъ типичную форму — *S. depressa* L. для Курской губ., но безъ указанія на locus (Ib. p. 312 № 925), a L e d e b o u r (Fl. ross. III pars. 2 p. 611) указываетъ, кажется, нигдѣ не описанную *S. laurina?* — со знакомъ (?) по H ö f f t 'y (Cat. Kursk. p. 62).

*b. **Fagales**.*

Betulaceae.

175. *Corylus Avellana* L. fl. 7/IV, fr. 20/VII 1905. По лѣсамъ обильно въ видѣ подлѣска. С. (Ib. 211 p. № 743). П. (ч. с.)

176. *Betula alba* L. ур. 7/VI 1905. Въ Бекарюковскомъ бору „на мѣлу" въ видѣ кустарниковаго подлѣска. Рѣдко. Цв. въ апрѣлѣ.

— *f. verrucosa* E h r h. Встрѣчается единичными экземплярами на „Кручкахъ" противъ второй мельницы; въ лѣсу противъ с. Ржевки (Петровки). Цв. въ апрѣлѣ.

177. *Alnus glutinosa* L. fl. 5/IV, fr. 12/VI 1905. Образуетъ ольшатниковыя заросли. С. (Ib. p. 212 № 744). П. (ч. с.).

Fagaceae.

178. *Quercus pedunculata* E h r h. f. *praecox* C z e r n. et f. *tartiflora* C z e r n. Первая форма цв. въ первыхъ числахъ мая; поздняя-же — во второй его половинѣ. Основная порода нашихъ лиственныхъ лѣсовъ. С. (Ib. p. 211 № 742). П. (ч. с.) и др.

*c. **Urticales**.*

Ulmaceae.

179. *Ulmus campestris* L. f. *glabra* Mill. fl. 20/IV, fr. 29/IV 1905. Въ лѣсахъ обыкновенно. С. (Ib. p. 211 № 377). П. (ч. с.).

Ulmus campestris L. f. *suberosa* E h r h. fl. 13/IV, fr. 26/IV 1905.
Не рѣдко по опушкамъ лѣсовъ. Л. (Ib. p. 200 № 335).

180. *U. montana* W i t h. fl. 19/IV, fr. 25/IV 1905. Въ Лазаревскомъ
лѣсу; рѣдко. С. (Ib. p. 211 № 738). П. (ч. с.). Л.
(Ib. p. 200 № 333).

181. *Humulus Lupulus* L. 29/VII 1904. По ольшатникамъ, не рѣдко.

Urticaceae.

(200.) 182. *Urtica dioica* L. ⎰ По сорнымъ мѣстамъ всюду; послѣднее
183. *U. urens* L. ⎱ встрѣчается рѣже перваго.

d. Santalales.

Santalaceae.

184. *Thesium ramosum* H a y n e 28/VI 1905. Мѣловыя обнаженія
по р. Ивичкѣ и на „Кручкахъ“. С. (Ib. p. 211 № 739).
П. (ч. с. „Кручки“).

185. *Th. ebracteatum* H a y n e 15/V 1905. Мѣловые склоны лога
„Портянка“ ок. Соколовки. П. (ч. с. „Кручки“).
Th. intermedium S c h r a d. Л. (Ib. p. 198 № 320).

Loranthaceae.

186. *Viscum album* L. 7/VI 1905. Лѣсъ у с. Бекарюковки на ли-
пахъ и по р. Нежеголи тамъ-же на ракитахъ. Въ
этомъ-же мѣстѣ собралъ это растеніе С у к а ч е в ъ
(Ib. p. 187 № 364) и П а л л о н ъ (ч. с.), но К а л е -
н и ч е н к о, впервые описавшій Бекарюковскій боръ
(„Quelques mots sur les Daphnés russes etc.“ Ib. p.
293—302), не упоминаетъ о немъ, хотя въ настоящее
время *Viscum* паразитируетъ тамъ въ поразительномъ
изобиліи.

e. Aristolochiales.

Aristolochiaceae.

187. *Asarum europaeum* L. 17/IV 1905. Въ Лазаревскомъ лѣсу;
особенно на перегнойной почвѣ, обыкновенно. С. (Ib.
p. 210 № 719). П. (ч. с. „Кручки“).

188. *Aristolochia Clematitis* L. 7/VI 1905. Опушки и сорныя мѣста
въ Бекарюковскомъ бору. С. (Ib. p. 210 № 720). П.
(ч. с. „Опушки лѣса у с. Б. Городище“).

f. Polygonales.

Polygonaceae.

189. *Polygonum Bistorta* L. 13/VII 1904. „Лазаревскій торфяникъ“;
по лугамъ и между кустарниками; не рѣдко. С. (Ib.
p. 208 № 701).

190. *Polygonum amphibium* L. f. *natans*. По берегамъ рѣки Корочи
подъ с. Терновой. Рѣдко. П. (ч. с. „р. Короча у Кручекъ“).
— f. *terrestre*. 13/VII 1905. По берегамъ р. Ивички на Пакидовскихъ лугахъ. Обильно.

(210.) 191. *P. lapathifolium* L. typ. 7/VIII 1905. По сырымъ мѣстамъ около
с. Сѣтного и въ др. мѣстахъ. С. (Ib. p. 209 № 703).
П. (ч. с.).
— f. *nodosum* P e r s. 6/VIII 1905. По берегамъ рѣки Корочи.
С. (Ib. p. 209 № 703).

192. *P. Persicaria* L. 18/VII 1904. Часто вмѣстѣ съ предъидущимъ. С. (Ib. p. 209 № 704).

193. *P. minus* H u d s. 13/VII 1905. Около болотъ по р. Ивичкѣ.
С. (Ib. p. 209 № 705).

194. *P. aviculare* L. 25/VII 1904. По огородамъ, садамъ, около
дорожекъ, на выгонахъ. Обильно. С. (Ib. p. 209 № 706).

195. *P. convolvulus* L. 23/VII 1904. По садамъ, въ посѣвахъ, между
кустарниками. С. (Ib. p. 209 № 709).

196. *P. dumetorum* L. 20/VII 1904. По кустарникамъ и вырубкамъ
въ Лазаревскомъ лѣсу. С. (Ib. p. 209 № 710).

197.* *P. Hydropiper* L. 13/VII 1904. На лугу около с. Сѣтного
по сырымъ мѣстамъ и около ольшатниковъ.

198.* *Rumex maritimus* L. 30/VI 1905. По берегамъ рѣки Корочи
подъ с. Терновой.
R. obtusifolius L. приводится Л и н д е м а н н о м ъ (Ib. p. 198
№ 317).

199.* *R. Hydrolapathum* H u d s. 30/VI 1905. По берегамъ рѣки
Корочи подъ с. Терновой и въ друг. мѣстахъ.

(220.) 200. *R. crispus* L. 15/VI 1905. По лугамъ и сорнымъ мѣстамъ.
Часто. С. (Ib. p. 209 № 714).

201. *R. confertus* W i l l d. 7/VII 1904. По влажнымъ лугамъ обильно.
С. (Ib. p. 209 № 715).

202. *R. domesticum* H a r t m. 7/VII 1904. По огородамъ и сорнымъ
мѣстамъ. С. (Ib. p. 209 № 716). Л. (Ib. p. 198 № 317).

203.** *R. aquaticus* L. 2/VIII 1904. На влажныхъ лугахъ ок. с.
Сѣтного; около ольшатниковъ.

204.** *R. maximus* S c h r e b. 7/VIII 1905. Рязановскій лугъ ок. с.
Сѣтного. Изрѣдка.

205. *R. Acetosa* L. 15/VI 1905. Сухія мѣста на лугахъ. Не рѣдко.
С. (Ib. p. 209 № 717). П. (частн. сообщ.). Л. (= *R.
haplorhizus* C z e r n. Ib. p. 198 № 317).

206. *R. Acetosella* L. 7/VI 1904. По сухимъ холмамъ на лугахъ
и степнымъ склонамъ не рѣдко. С. (Ib. p. 209 № 718).

g. Centrospermae.   **Chenopodiaceae.**

207. *Polycnemum arvense* L. 12/VII 1904. По паровымъ полямъ и
холмамъ. Обыкновенно. С. (Ib. p. 207 № 682). П. (ч.
с. „Яръ за Бехтѣевской“). Л. („ad limites gub. Char-
cov. copiose“. Ib. p. 198 № 316).

208.* *Chenopodium polyspermum* L. 11/VIII 1905. По берегамъ рѣки Корочи въ Лазаревскомъ саду около с. Сѣтного.

209. *C. hybridum* L. 29/VII 1904. По сорнымъ мѣстамъ на огородахъ и въ садахъ. С. (Ib. p. 208 № 688).

(230.) 210. *C. urbicum* L. 13/VIII 1905. По сорнымъ мѣстамъ около им. Лазаревки. С. (Ib. p. 208 № 689). П. (ч. с.).

211. *C. album* L. 29/VII 1904. По сорнымъ мѣстамъ на огородахъ и поляхъ. С. (Ib. p. 208 № 690).

212. *C. glaucum* L. 7/VIII 1905. По сорнымъ мѣстамъ на Сѣтенскомъ лугу. С. (Ib. p. 208 № 691).

213. *Blitum virgatum* L. 2/VII 1905. Подъ „Бѣлой горой" около г. Корочи. С. (Ib. p. 208 № 692). П. (ч. с. „По улицамъ г. Корочи").

214. *Atriplex hortensis* L. 7/VIII 1905. По сорнымъ мѣстамъ на огородахъ. С. (Ib. p. 208 № 693). Л. (Addenda etc.) П.

215. *A. nitens* Schk. 7/VIII 1905. По сорнымъ мѣстамъ, на Сѣтенскомъ лугу по ивнякамъ.

216. *A. patulum* L. 9/VIII 1904. Тамъ-же, гдѣ и предъидущее. С. (Ib. p. 208 № 695).

217. *A. hastatum* L. 18/VIII 1905. Сорныя мѣста въ Лазаревкѣ, около дорогъ. С. (Ib. p. 208 № 696).

218. *A. laciniatum* L. 2/VIII 1904. По сорнымъ мѣстамъ на огородахъ. С. (Ib. p. 208 № 697).

A. roseum L. Приводится Линдеманномъ (Ib. p. 197 № 311).

219. *Salsola Kali* L. 29/VII 1904. По окраинамъ овраговъ ок. с. Сѣтного. С. (Ib. p. 208 № 700). П. (ч. с. „Яръ за Бехтѣевкой"). Л. (Ib. p. 198 № 314).

(240.) 220. *Kochia arenaria* Roth. 15/VII 1905. По холмамъ и на сухихъ мѣстахъ. Изрѣдка. Л. (Ib. p. 198 № 313). С. (Ib. p. 208 № 685).

221. *K. scoparia* Schrad. 29/VII 1904. По сорнымъ мѣстамъ на огородахъ. С. (Ib. p. 208 № 686). П. (ч. с. „Сады").

222. *Ceratocarpus arenarius* L. 7/VI 1905. По оврагу около хутора „Соловьева" недалеко отъ с. Сѣтного. С. (Ib. p. 208 № 669) по Ш. П. (ч. с. „Яръ на Бехтѣевкой").

Amaranthaceae.

223. *Amaranthus retroflexus* L. 13/VIII 1904. По огородамъ и сорнымъ мѣстамъ всюду обыкновенно. С. (Ib. p. 207 № 681). П. (ч. с.).

Caryophyllaceae.

224. *Stellaria media* L. 16/VII 1904. По сорнымъ мѣстамъ; обыкновенно. С. (Ib. p. 173 № 158).

225. *S. holostea* L. 4/V 1904. Въ Лазаревскомъ и др. лѣсахъ. Обильно. П. (ч. с. „Пушкарскій лѣсъ"). С. (Ib. p. 173 № 159).

226. *Stellaria graminea* L. 16/VI 1904. По сухимъ мѣстамъ на лугахъ и по степнымъ склонамъ. С. (Ib. p. 174 № 161). П. (ч. с.).

227. *Cerastium triviale* Lk. 26/VI 1904. На лугу около с. Сѣтного и по сорн. мѣстамъ. С. (Ib. p. 174 № 164).

228.* *Holosteum umbellatum* L. 6/V 1904. Степные склоны около сл. Соколовки. Рѣдко.

(250.) 229. *Malachium aquaticum* Fr. 30/VI 1904. По сырымъ мѣстамъ на лугахъ, около ольшатниковъ, часто. С. (Ib. p. 174 № 163). П. (ч. с. „Сыр. м. у Кручекъ“).

230. *Arenaria serpyllifolia* L. 18/V 1905. По лугамъ и паровымъ полямъ. Нерѣдко. С. (Ib. p. 173 № 154).

231. *A. graminifolia* Schrad. 21/V 1904. По лугамъ и на холмахъ около с. Сѣтного; степные склоны ок. сл. Соколовки и „Кручки“. С. (Ib. p. 173 № 155).

232. *Herniaria glabra* L. 18/VII 1904. По полямъ около с. Нечаевой. Нерѣдко. С. (Ib. p. 207 № 678).

233. *Scleranthus annuus* L. 18/V 1905. По паровымъ полямъ, степнымъ склонамъ и выгонамъ. Обыкновенно. С. (Ib. p. 207 № 679). П. (ч. с.).

234. *Agrostemma Githago* L. Часто въ посѣвахъ, особенно яровыхъ. С. (Ib. p. 173 № 151). П. Цв. — іюнь.

235. *Silene inflata* Sm. 20/VI 1904. По полямъ, на сорныхъ мѣстахъ. Обыкновенно. С. (Ib. p. 172 № 138).

236. *S. noctiflora* L. 12/VII 1905. Между кустарниками въ Лазаревскомъ лѣсу. П. („Лѣсъ у Б. Городища“).

237.* *S. supina* MB. 28/VI 1905. Мѣловыя обнаженія по рѣкѣ Ивичкѣ. Рѣдко.

238. *S. nutans* L. 21/V 1904. По склонамъ „Кручекъ“ и мѣловымъ обнаженіямъ около им. Лазаревки. П. („Кручки“).

(260.) 239. *S. chlorantha* Ehrh. 28/VI 1905. Мѣловыя обнаженія по рѣкѣ Ивичкѣ. Рѣдко. П. („Мѣловыя обнаженія за г. Корочей по дорогѣ на Кручки“). Л. („In montis cretaceis, ad margines nemorum“ Ib. p. 179 № 58).

S. tatarica Pers. Паллонъ находилъ „на влажныхъ песчаныхъ мѣстахъ у. с. Б. Городища“ (ч. с.).

240.** *S. dichotoma* Ehrh. 7/VII 1905. По полямъ около с. Сѣтного. Рѣдко.

241. *S. Otites* Sm. f. *genuina* 9/VI 1904. По холмамъ на Пакидовскомъ лугу по р. Ивичкѣ. Рѣдко.

—. f. *parviflora* Pers. 7/VI 1905. Степныя поляны въ Бекарюковскомъ бору; степные склоны ок. им. Лазаревки. С. (Ib. p. 172 № 144). П.

— f. *Wolgensis* Otth. Приводится Линдеманномъ (Ib. p. 179 № 58).

242. *Lychnis viscaria* L. 7/VI 1904. По холмамъ на Сѣтенскомъ лугу, по степнымъ лужайкамъ урочища „Красная яруга“; С. (Ib. p. 173 № 147). П. (ч. с. „Пушкарскій лѣсъ“).

243. *Lychnis flos cuculi* L. 7/VI 1904. На Сѣтенскомъ и другихъ лугахъ; обыкновенно по влажнымъ мѣстамъ. С. (Ib. p. 173 № 148). П. (ч. с.).

244. *L. alba* Mill. 5/VII 1904. По лугамъ, полямъ и сорнымъ мѣстамъ. Обыкновенно. С. (Ib. p. 173 № 149). П.

245. *L. chalcedonica* L. 28/VI 1903—4. Въ Сѣтенскомъ и Лазаревкомъ лѣсахъ. Нерѣдко. Л. (Ib. p. 179 № 61).

246. *Cucubalus baccifer* L. 29/VII 1904. По ивнякамъ, огородамъ и садамъ, какъ сорное. П. (ч. с „Б. Городище“).

247. *Gypsophila altissima* L. 5/VII 1904. Мѣловыя обнаженія около им. Лазаревки, с. Бекарюковки, „Кручки“. С. (Ib. p. 172 № 133). П. (ч. с. „Кручки“).

(270.) 248. *G. paniculata* L. 13/VII 1904. По полямъ, около дорогъ и по степнымъ склонамъ. С. (Ib. p. 172 № 134). П. (ч. с.).

249. *G. muralis* L. 28/VI 1905. По полямъ и дорогамъ; часто. С. (Ib. p. 172 № 135). П. (ч. с. „поля“).

250 *Vaccaria parviflora* Moench. 13/VII 1904. Въ посѣвахъ. Кл. („Бекарюковка“). Л. (Ib. p. 179 № 57). С. (Ib. p. 172 № 136). П. (ч. с.).

251 *Saponaria officinalis* L. 16/VII 1904. По опушкамъ Лазаревскаго лѣса; у дороги изъ с. Сѣтного на Плуталовку и изъ дер. Афанасовой на с. Терновое (по берегу р. Корочи). Кл. („Бекарюковка“). П. („на улицахъ“).

Dianthus barbatus L.
D. Cathusianorum L. } Приводятся Линдеманномъ (Ib. p. 179, № 54).
D. atrorubens All.

252. *D. capitatus* DC. 26/V 1905. Степные склоны лога „Дубино“ ок. с. Соколовки. Л. (Ib. p. 179 № 54). С. (Ib. p. 171 № 128).

253. *D. campestris* MB. Тамъ-же, но цв. въ іюнѣ. Л. (Ib. p. 179 № 54). С. (Ib. p. 171 № 129).

254. *D. deltoides* L. 20/VI 1904. Въ Лазаревскомъ лѣсу; урочище „Красная яруга“. С. (Ib. p. 172 № 131). П. (ч. с. = „Пушкарскій лѣсъ“).

(280.) 255. *D. superbus* L. 2/VII 1905. Въ лѣсу около с. Сѣтного и между кустарниками на „Кручкахъ“. П. (ч. с. „Кручки“).

h. Ranales.

Nymphaeaceae.

256. *Nuphar luteum* Sm, 4/VII 1903. Въ рѣкѣ Корочѣ; часто П. Ш.
257. *Nymphaea alba* L. 9/VII 1903. Тамъ-же, но рѣже. П. (ч. с.).

Ceratophyllaceae.

258. *Ceratophyllum demersum* L. 20/VII 1904. Въ рѣкѣ Корочѣ, по прудамъ. С. (Ib. p. 212 № 759).

C. submersum L. приводится Линдеманномъ (Ib. p. 185 № 122).

Ranunculaceae.

259. *Caltha palustris* L. 9/V 1903. По берегамъ рѣки Корочи и влажнымъ лугамъ. Обильно. С. (Ib. p. 164 № 29).

260. *Trollius europaeus* L. 12/V 1904. Между кустарниками въ Лазаревскомъ и Сѣтенскомъ лѣсахъ; на лугахъ. С. (Ib. p. 164 № 30).

270. *Actaea spicata* L. 23/VI 1905. Между кустарниками въ Пушкарскихъ яружкахъ около с. Сѣтного. Рѣдко. П. Ш. („Кручка — въ лѣсу").

271. *Delphinium Consolida* L. 3/VII 1904. По посѣвамъ. Часто. С. (Ib. p. 164 № 32).

272. *D. elatum* L. 16/VII 1904. Между кустарниками на „Кручкахъ"; по сухимъ холмамъ на лугахъ около с. Сѣтного и д. Афанасовой. Рѣдко. П. (ч. с. „По дорогѣ на Кручку").

(290.) 273. *Aconitum pallidum* L. 28/VI 1905. Въ Сѣтенскомъ лѣсу; лѣсъ на „Кручкахъ". П. ч. с. „Кручка въ кустахъ"). Ш и - р я е в с к і й приводитъ для Кручки *A. Lycoctomum* L., но С у к а ч е в ъ сомнѣвается въ вѣрности его опредѣленія, потому что на „Кручкахъ", какъ С у к а ч е в ы м ъ , такъ П а л л о н о м ъ и мною былъ найденъ *A. pallidum* L.

274. *A. Anthora* L. 29/VIII 1905. Яружки около сл. Соколовки; подпочва мѣлъ. П. (ч. с. „Кручка на верху въ кустахъ"). Рѣдко.

275. *Anemone patens* L. 27/IV 1905. Мѣловые склоны „Кручекъ", логъ „Портянка", ок. сл. Соколовки. П. Ш. („Кручки").

276. *A. Pulsatilla* L. 22/IV 1905. Степные склоны около с. Соколовки. Рѣдко. Л. (Ib. p. 175 № 4).

277. *A. pratensis* L. 29/IV 1903. Поляны въ Бекарюковскомъ бору. Рѣдко. Л. (Ib. p. 175 № 4).

278. *A. silvestris* L. 4/V 1904. По опушкамъ Лазаревскаго лѣса; степные склоны „Кручекъ". С. (Ib. p. 163 № 10).

279. *A. ranunculoides* L. 7/IV 1903. По лѣсамъ обильно. С. (Ib. p. 163 № 11). П. (ч. с.).

280. *Clematis integrifolia* L. 21/V 1904. По опушкамъ лѣсовъ, степнымъ и мѣловымъ склонамъ. С. (Ib. p. 162 № 1). П.

281. *C. recta* L. 2/VI 1904. По опушкамъ Лазаревскаго лѣса. П. („Кручка"). С. (Ib. p. 162 № 2).

282. *Myosurus minimus* L. 3/V 1903. Паровыя поля и илистыя мѣста на лугахъ. П.

(300.) 283. *Ranunculus orthoceras* B e n t h et H o o k. По полямъ, склонамъ и выгонамъ. Цв. въ апрѣлѣ. П. С. (Ib. p. 163 № 15).

284. *R. divaricatus* S c h r a n k. 9/VI 1904. Въ р. Корочѣ подъ Б. Городищемъ и с. Стрѣлицей. П. Ш.

285. *R. Ficaria* L. 15/IV 1903. По лѣсамъ. Нерѣдко. С. (Ib. p. 163 № 17). П. (ч. с.).

286.** *Ranunculus polyphyllus* W. K. f. a. *aquaticus* et f. b. *terrestris.*
9/VI 1904. Около болотъ на лугахъ подъ с. Терновой
и им. Лазаревкой. Рѣдко.

287. *R. sceleratus* L. 9/VI 1904. По влажнымъ мѣстамъ на лугахъ
и по берегамъ рѣкъ, Нерѣдко. С. (Ib. p. 163 № 19).
П. (ч. с.).

288. *R. Flammula* L. 23/VI 1905. Пруды около им. Лазаревки
по влажнымъ мѣстамъ. Изрѣдка. П. (ч. с.). С. (Ib.
p. 163 № 19).

289. *R. Lingua* L. 9/VII. 1904. По болотамъ и берегамъ рѣкъ. С.
(Ib. p. 164 № 20). П. („Б. Городище“).

290. *R. illyricus* L. 26/V 1905. Мѣловыя обнаженія „Бѣлой горы“,
по р. Ивичкѣ; логъ „Дубино“ около сл. Соколовки.
Рѣдко. П. Ш. („Бѣлая гора“). Л. („Ad vias, in pratis
non rare“. Ib. p. 175 № 8).

291. *R. pedatus* W. K. 21/V 1904. Глинистые склоны „Кручекъ“.
Рѣдко. Л. (Ib. p. 175 № 8 „in montosis frequens“.
П. Ш. („Бѣлая гора“).

292. *R. auricomus* L. 5/V. 1904. Обыкновенно въ лѣсахъ. С. (Ib.
p. 164 № 23).

(310). 293. *R. repens* L. 4/VI 1904. По лугамъ и берегамъ р. Корочи;
обыкновенно. С. (Ib. p. 164 № 25). Ш. П. („Берега
р. Корочи“).

294. *R. polyanthemus* L. 21/V 1904. Въ лѣсахъ и по лугамъ; нерѣдко. С. (Ib. p. 164 № 26). Ш. П. („Лѣса, сады“).

295. *R. acris* L. 4/VI 1903. По лугамъ; обильно. С. (Ib. p. 164
№ 27). П. Ш.

R. Villarsii D C. Приводится Линдеманомъ (Ib.. p. 175
№ 8. „Rarissime“) по Августиновичу со знакомъ
(—) минусъ.

296. *Thalictrum minus* L. 3/VII 1904. По сухимъ мѣстамъ на лугахъ; по степнымъ склонамъ и опушкамъ лѣсовъ. С.
(Ib. p. 162 № 4). Ш. П. („Бѣлая гора“) Линдеманнъ
приводитъ (Ib. p. 175 № 2) v. *β. procerum* R g l. и какъ
самостоятельный видъ *Th. collinum* Wallr, который,
по Шмальгаузену (Фл. С. и Ю. Р. Т 1 p. 6)
есть только „форма сухихъ мѣстъ“, что отмѣтилъ и
В. Сукачевъ.

297.* *Th. simplex* L. 2/VII 1904. На лугу около с. Сѣтного по
сухимъ мѣстамъ. Рѣдко.

298. *Th. angustifolium* Jacq. 2/VII 1904. На влажныхъ лугахъ ок.
с. Сѣтного и въ друг. мѣст. Нерѣдко. С. (Ib. p. 162
№ 6). Ш. П. („Лугъ за яснымъ колодцемъ“).

299. *Adonis vernalis* L. 4/V 1904. По степнымъ и мѣловымъ
склонамъ. Обыкновенн. С. (Ib. p. 163 № 12). Ш. П.
(„Кручки и Бѣлая гора“).

Berberidaceae.

Berberis vulgaris L. Приводится дикорастущимъ Линдеманномъ (Ib. p. 176 № 15).

k. *Rhoeadales.*

Papaveraceae.

300. *Chelidonium majus* L. 15/VI 1903. По садамъ и сорн. мѣстамъ.
Обильно. С. Ш. П.
— f. *β. laciniatum* Mill. приводится Линдеманномъ
(Ib. p. 176 № 18) *„in locis cultis, rare“.*

(320.) 301. *Corydalis cava* Schweigg. et Koerte. Приводится Линдеманномъ. (Ib. „Addenda etc.“).

302.* *C. Marschalliana* Pers. 20/IV 1905. Въ Лазаревскомъ лѣсу.
Рѣдко.

303. *C. solida* Sm. 9/IV 1903. По лѣсамъ; обильно. С. (Ib. p.
165 № 43). Ш. П. (частн. сообщ.).

304. *C. intermedia* P. M. E. 13/IV 1905. Въ Сѣтенскомъ лѣсу
(въ 7 в. отъ г. Корочи). Рѣдко. Ш. („Лѣсъ около г.
Корочи“).

305. *Fumaria officinalis* L. 15/VII 1904. Обыкновенно по полямъ.
П. (ч. с. „посѣвы“).

Cruciferae.

306. *Cardamine pratensis* L. 5/V 1904. По болотамъ („Hypneta“),
на лугахъ по р. Ивичкѣ, около с. Сѣтного, подъ „Кручками“. Ш. П. (ч. с. „Кручки“).

307. *C. amara* L. 30/V 1904. Тамъ-же, но встрѣчается рѣже у
ключевыхъ водъ. Ш. П.

308. *Nasturtium palustre* DC. 23/VII 1904. По берегамъ р. Корочи
ок. с. Сѣтного. П. („у Б. Городища“).

309. *N. amphibium* R. Br. 9/V 1904. По канавамъ на лугу ок.
Лазаревки. Ш. П.

310. *N. austriacum* Crantz. 22/VII 1905. По левадамъ и огородамъ около с. Сѣтного. Л. (Ib. p. 177 № 31 „non
rare“). П. Ш. („Сады, огороды“).

(330.) *N. aureum* Boiss. приводится Линдеманномъ (Ib. p. 176
№ 22) „prope Jablona“. По Шмальгаузену (Ф. С.
и Ю. Р. p. 53. T I). *N. aureum* рус. авторовъ (Черняевъ, Линдеманнъ, Мизгеръ) есть помѣсь
N. brachycarpum C. A. M. × *N. silvestre* R. Br.

311. *Barbarea vulgaris* R. Br. 12/V 1904. По лугамъ и сорнымъ
мѣстамъ. Обыкновенно. С. (Ib. p. 166 № 53). Ш.
— f. *arcuata* Rchb. (sp.) приводится Линдеманномъ
(Ib. p. 176 № 22) и была найдена Паллономъ (ч. с.
„поля, луга“).

Barbarea stricta A n d r z. приводится Линдеманномъ (Ib. p. 176 № 21 — „*rare*").

312. *Arabis glabra* C r a n t z. 20/VI 1904. По опушкамъ Лазаревскаго лѣса. С. (Ib. p. 166 № 55). Ш. П. („Пушкарскій лѣсъ").

A. hirsuta S c o p. Найдено Паллономъ въ „Пушкарскомъ лѣсу" (частн. сообщ.).

313. *A. auriculata* L a m. 7/V 1905. Мѣловыя обнаженія „Бѣлой горы" и „Кручекъ". П. Ш.

314. *A. pendula* L. 13/VII 1904. По лѣсамъ. Нерѣдко, Кл. (Бекарюковка"). П. („Между первой и второй Кручкой по дорогѣ"). С. (Ib. p. 167 № 59).

315. *Chorispora tenella* D C. 21/V 1904. Мѣловыя обнаженія ок. д. Плуталовки и на „Бѣлой горѣ" у г. Корочи. Рѣдко. Ш. П.

316. *Hesperis matronali*s L. 3/VII 1904. Въ Лазаревскомъ лѣсу и по садамъ. Рѣдко. Л. (Ib. p. 177 № 35 — „in silvis non rare").

H. tristis L. Приводитъ Калениченко („Бекарюковка") и Ширяевскій („По садамъ — дико").

(340.) 317. *Sisymbrium officinale* S c o p. 29/VII 1904. По сорнымъ мѣстамъ всюду. С. (Ib. p. 167 № 64). Ш. П.

318. *S. Loeselii* L. 25/VI 1904. Тамъ-же, гдѣ и предъидущее. С. (Ib. p. 167 № 66). П. Ш.

S. strictissimum L. Л. (Ib. p. 177 № 36 — „copiose").

S. austriacum J a c q. Л. (Ib. p. 177 № 36 „rare").

S. Sinapistrum C r t z. *(S. Pannonicum* J a c q.). Л. (Ib. p. 177 № 36).

319. *S. Sophia* L. 12/VII 1904. По огородамъ и сорнымъ мѣстамъ. Часто. С. (Ib. p. 167 № 69). П. Ш. (ч. с.).

320. *S. Thalianum* G a y. et M o n n. 6/V 1905. По степнымъ склонамъ лога „Дубино" ок. сл. Соколовки. С. (Ib. p. 167 № 70).

321. *S. Alliaria Scop.* 20/V 1905. Въ Лазаревскомъ лѣсу; нерѣдко. П. („Сады").

322. *Erysimum hieracifolium* L. 14/VII 1905. По опушкамъ Лазаревскаго лѣса и лугамъ. Не рѣдко. П. (ч. с.).

(350.) *E. strictum* G ä r t.
E. Marschalianum A n d r z. } Л. (Ib. p. 177 № 37). По Шмальг. (Ф. С. и Ю. Р. p. 70. Т I) представляютъ разновидности *E. hieracifolium* L.

323. *E. cheirantoides* L. 29/VII 1904. По садамъ и сорнымъ мѣстамъ. Обыкновенно.

324. *E. canescens* R o t h. 21/V 1904. По мѣловымъ обнаженіямъ. Нерѣдко. Л. (Ib. p. 178 № 37).

325. *Syrenia angustifolia* R c h b. 9/VII 1905. По мѣловымъ обнаженіямъ около Лазаревки и на „Бѣлой горѣ". Л. (Ib.

p. 178 № 38 „copiose"), П. („Бѣлая гора"). С. (Ib.
p. 168 № 76).

S. sessiliflora Ledeb. ⎫ Приводятся Линдеманномъ (Ib.
S. siliculosa Andrz. ⎭ p. 178 № 38).

326. *Brassica Sinapistrum* Boiss. v. *a. leiocarpa* Neil. 15/VII
1905. По полямъ и лугамъ.
— *v. β. dasycarpa* Neil. По сорнымъ мѣстамъ и огородамъ [1]).

B. incana Döll. *(Sinapis taurica* Fisch.) ⎫ Л. (Ib. 'p. 178,
B. alba Boiss. ⎭ № 45).

Crambe pinnatifida R. Br. Приводится В. Сукачевымъ
для мѣловыхъ обнаженій возлѣ с. Логовой на границѣ
Корочанскаго и Бѣлгородскаго уѣздовъ. (Ib. p. 168
№ 84).

(360.) 327. *C. tatarica* Jacq. 15/V 1905. По степнымъ склонамъ „Кручекъ". П. („Кручки и мѣлов. обнаженія у Короткаго
хутора").

328. *Berteroa incana* DC. 28/VII 1904. По дорогамъ въ посѣвахъ,
по паровымъ полямъ. Обыкновенно. С. (Ib. p. 168
№ 86). Ш. П. (ч. с.).

329. *Alyssum minimum* Willd. 18/V 1905. По склонамъ и полямъ; нерѣдко. Л. (Ib. p. 177 № 29 — „frequentis-
sime"). С. (Ib. p. 168 № 87). П.

330. *A. calycinum* L. 17/V 1905. По склонамъ, паровымъ полямъ
и выгонамъ. Нерѣдко. Л. (Ib. p. 177 № 28 „*Psilo-
nema calycinum* C. A. M. in cretaceis copiose").

331. *Draba nemorosa* L. 20/V 1905. По холмамъ и полямъ. Часто.
П. (ч. с.).

332. *D. verna* L. 26/IV 1903. Обыкновенно по склонамъ и холмамъ. С. (Ib. p. 168 № 91).

333. *Schivereckia podolica* Andrz. 5/V 1904. По мѣловымъ обнаженіямъ „Бѣлой горы" подъ г. Корочей. Линде-
маннъ приводитъ по Черняеву со знакомъ (—)
минусъ подъ названіемъ *Draba cretacea* Czern. (Ib.
p. 177 № 30). М. (Ib. p. 238 № 79). П. Ш. Судя по
свѣдѣніямъ, собраннымъ В. Сукачевымъ (Ib. p. 168
№ 92), растеніе, приводимое прежними авторами подъ
названіемъ *Draba cretacea* Czern. есть *Schivereckia podolica* Andrz.

334. *Camelina sativa* Crantz. 3/VII 1904. Между посѣвами, по
полямъ. Часто. С. (Ib. p. 169 № 93).

1) Приводимые Линдеманномъ: *Sinapis arvensis* L. (Ib. p. 178
№ 45) и *S. retrohirsuta* Bess., какъ различные виды, являются по
Шмальгаузену (Ф. С. и Ю. Р. Т. I p. 79) синонимами *Brassica sinapistrum* Boiss.

335. *Thlaspi arvense* L. 4/VI 1904. По паровымъ полямъ, садамъ; около дорогъ. Обыкновенно. С. (Ib. p. 169 № 94). Ш. П.

336. *Capsella Bursa pastoris* M o e n c h. Всюду обыкновенно. С. (Ib. p. 169 № 96). Собр. 29/VII 1904.

(370.) 337. *Lepidium latifolium* L. 14/VII 1905. По сорнымъ мѣстамъ у береговъ рѣки Корочи подъ с. Сѣтной, сл. Пушкарной и „Кручками". С. (Ib. p. 169 № 98). П. Ш.

338. *L. ruderale* L. 17/VI 1905. По сорнымъ мѣстамъ. Часто. С. (Ib. p. 169 № 99). П. Ш.

339. *Euclidium syriacum* R. B r. 3/VI 1904. У подножія мѣловыхъ обнаженій по р. Ивичкѣ. Л. (Ib. p. 177 № 33 „prope urbem ad vias copiose"). Ш. („у дорогъ"). П. („всюду").

340. *Bunias orientalis* L. 15/VII 1904. По сорнымъ мѣстамъ на лугахъ около с. Сѣтного. Ш. П. („Сады").

341.* *Neslea paniculata* D e s v. 20/VI 1904. По паровымъ полямъ; между посѣвами хлѣба (особенно озимыми). Нерѣдко.

Resedaceae.

342.* *Reséda lutea* L. 18/V 1905· Мѣловыя обнаженія по р. Корочѣ (ок. с. с. Сѣтного и Дмитріевки и по р. Нкжеголи (подъ с. с. Терновой, Неклюдевой и Огнищевой). Не рѣдко.

l. Rosales.

Crassulaceae.

343. *Sedum maximum* S u t e r. 2/VII 1904. По лѣсамъ, нерѣдко. С. (Ib. p. 183 № 305). П. Ш.

344. *S. acre* L. 9/VI 1904. По склонамъ и полямъ. Часто. С. (Ib. p. 183 № 306). П. Ш.

S. purpureum L i n k. Л. (Ib. p. 185 № 130). П а л л о н ъ находилъ въ „Пушкарскомъ лѣсу".

(380.) *S. Fabaria* K o c h. ⎫ К а л е н и ч е н к о приводитъ
Sempervivum Ruthenicum K o c h. ⎭ для Бекарюковки.

Saxifragaceae.

345. *Chrysosplenium alternifolium* L. 28/IV 1904. По ольшатникамъ. Нерѣдко. С. (Ib. p. 183 № 302).

346. *Parnassia palustris* L. 29/VII 1904. По торфянымъ болотамъ (*Hypneta*). Часто. П.

347. *Ribes nigrum* L. 9/V 1904. По ольшатникамъ. Обыкновенно. С. (Ib. p. 183 № 304). Л. (Ib. p. 185 № 131). П. Ш.

Rosaceae.

348. *Spiraea crenifolia* C. A. M. 15/V 1905. „Красная яруга“, урочище около сл. Соколовки. П. („Склоны балки ок. с. Бекарюковки“).

349. *Cotoneaster vulgaris* Lindl. 27/IV 1905. Въ количествѣ немногихъ кустовъ по склонамъ за „Кручками“. Л. (Ib. p. 184 № 114).

350. *Pirus communis* L. 1/V 1905. По лѣсамъ. Часто. С. (Ib. p. 283 № 300). П. Ш.

351. *P. Malus* L. 8/V 1905. Тамъ-же. С. П. Ш.

352.* *Sorbus Aucuparia* L. 20/VII 1905. Собр. съ плодами, цв. въ маѣ. По лѣсамъ; изрѣдка встрѣчаются старыя деревья, чаще кустарники.

353. *Crataegus monogyna* Jacq. 12/VI 1905. По опушкамъ лѣсовъ. Обыкновенно. С. (Ib. p. 183 № 299). П. („Пушкарскій лѣсъ“). Кл. (Бекарюковка).

(390.)   *C. oxyacantha* Gärt. } Каленниченко приводитъ для лѣ-
     C. nigra Waldst. } совъ с. Бекарюковки.

354. *Rubus saxatilis* L. 7/VI 1905. Въ глухихъ мѣстахъ Бекарюковскаго бора. Кл. („Бекарюковка“). С. (Ib. p. 181 № 268).

355.* *R. Idaeus* L. 15/VI 1905. По ольшатникамъ на лугу ок. с. Сѣтного. Рѣдко.

R. suberectus Anders. Приводится В. Сукачевымъ по спискамъ I. Паллона[1]).

356. *R. caesius* L. 12/VII 1905. По сырымъ яружкамъ и овражнымъ лѣскамъ. С. (Ib. p. 181 № 271).

357. *Fragaria vesca* L. 29/V 1905. По лѣсамъ. Часто. С. (Ib. p. 181 № 275). П. Ш.

358. *F. collina* Ehrh. 15/VI 1904. По холмамъ, степнымъ склонамъ и лѣсамъ. С. (Ib. p. 181 № 276).

359. *Geum rivale* L. 10/V 1904. Въ Лазаревскомъ торфяникѣ на лугу ок. с. Сѣтного; обильно. П. („Лугъ за яснымъ колодцемъ“).

360. *G. strictum* Ait. 23/VII 1904. По лѣсамъ. Нерѣдко. Л. (Ib. p. 183 № 104 „in fruticetis humidis non rare“). С. (Ib. p. 181 № 273). П. Ш. („Кручки“).

(400.) 361. *G. urbanum* L. 12/VII 1905. Лѣса и сорныя мѣста. Л. (Ib. p. 183 № 104). С. (Ib. p. 181 № 274). П. Ш.

362. *Filipendula hexapetala* Gilib. 13/VI 1904. По степнымъ склонамъ и сухимъ лугамъ. С. (Ib. p. 181 № 266). П. Ш.

---

1) I. Паллонъ въ послѣднее время любезно сообщилъ мнѣ, что онъ увѣренъ въ вѣрности опредѣленія этого *Rubus'а,* который по всей вѣроятности есть *R. caesius* L.

363. *Filipendula Ulmaria* M a x i m. 3/VII 1904. По влажнымъ лугамъ и особенно между ольшатниками. С. (Ib. p. 181 № 267). П. Ш.

364. *Potentilla anserina* L. 13/VI 1904. По лугамъ, выгонамъ и берегамъ рѣкъ. Обыкновенно. С. (Ib. p. 182 № 281).

P. norvegica L. Приводится Л и н д е м а н н о м ъ (Ib. p. 184 № 108) и была найдена В. С у к а ч е в ы м ъ по р. Не-жеголи. (Ib. p. 182 № 280).

365.* *P. alba* L. 6/V 1904. По полянамъ урочища „Красная яруга“. Рѣдко.

366.** *P. thuringiaca* B e r n k. v. *Goldbachi* K a u f m. 13/VII 1904. По опушкамъ Лазаревскаго лѣса. Рѣдко.

367. *P: incana* F l. W e t t. [=*P. cinerea* K o c h.; (n o n C h a i x)] 27/IV 1905. Мѣловые склоны „Кручекъ“. С. (Ib. p. 182 № 284 „по р. Нежеголи“). П. („Склоны горъ“).

368. *P. rubens* C r a n t z (= *P. opaca* L.). 6/V 1904. По степнымъ склонамъ. Нерѣдко. С. (Ib. p. 182 № 285). П. Ш.

369. *P. argentea* L. 7/VI 1904. По холмамъ и степнымъ склонамъ. П. („Сады“).

(410.) 370. *P: recta* L. 19/VI 1904. По степнымъ и мѣловымъ склонамъ; въ яружкахъ. Нерѣдко. Л. (Ib. p. 184 № 108).

P. Tormentilla S c h r k. Найдена П а л л о н о м ъ на „Круч-кахъ“. (Частн. сообщ.).

P. patula W. K. Приводится Л и н д е м а н н о м ъ („Addenda etc.“) и В. С у к а ч е в ы м ъ (Ib. p. 182 № 289) по сооб-щеніямъ I. П а л л о н а.

Alchemilla vulgaris L. Приводится В. С у к а ч е в ы м ъ (Ib. p. 182 № 290) по П а л л о н у.

371. *Sanguisorba officinalis* L. 12/VII 1904. По опушкамъ лѣсовъ, балкамъ и лугамъ. С. (Ib. p. 182 № 291). Ш. П. („Склоны Кручекъ“).

372. *Agrimonia Eupatoria* L. 20/VII 1904. По опушкамъ лѣсовъ и яружкамъ. Нерѣдко. С. (Ib. p. 183 № 292).

373. *Rosa canina* L. 26/V 1905. По опушкамъ лѣсовъ. Часто. Кл. („Бекарюковка“). С. (Ib. p. 183 № 293). П.

374.* *R. cinnamomea* L. 2/VII 1905. Между кустарниками на „Круч-кахъ“. Рѣдко.

375.* *R. rubiginosa* L. 25/VI 1905. Мѣловыя обнаженія ок. сл. Соколовки. Рѣдко.

376. *R. tomentosa* S w. 7/VI 1905. Въ бору ок. с. Бекарюковки. С. (Ib. p. 183 № 296). П.

(420.) *R. cretacea* K a l e n i c z. Приводится К а л е н и ч е н к о для мѣловыхъ обнаженій около с. Бекарюковки; но она, кажется, нигдѣ не описана.

377. *Prunus spinosa* L. I/V 1905. По опушкамъ лѣсовъ и бал-камъ. С. (Ib. p. 180 № 262). Ш. П.

378. *Prunus Chamaecerasus* J a c q. 6/V 1904. По опушкамъ лѣсовъ и дерезнякамъ. Часто. Л. (Ib. p. 183 № 102). К л. („Бекарюковка"). С. (Ib. p. 180 № 263).

879. *P. Padus* L. 6/V 1904. По лѣсамъ, балкамъ и садамъ. С. (Ib. p. 181 № 264). П. Ш. („Сады").

Leguminosae (Papillionatae).

380. *Genista tinctoria* L. 20/VI 1904. По опушкамъ Лазаревскаго лѣса; поляны въ урочищѣ „Красная яруга". С. (Ib. p. 177 № 204). Ш. П. („ок. с. Бекарюковки").

Cytisus elongatus K i t. Приводится Л и н д е м а н н о м ъ (Ib. p. 182 № 86 — „non rare").

381. *C. Austriacus* L. 12/VII 1904. Степные склоны подъ сл. Лазаревкой и въ др. мѣстахъ. Рѣдко. Л. (Ib. p. 182 № 86 — „copiose"). С. (Ib. p. 177 № 205). П.

382. *C. biflorus* L'.H e r i t. 21/V 1904. По степнымъ склонамъ. Нерѣдко. (С. Ib. p. 177 № 206). П. Ш.

383. *Anthyllis Vulneraria* L. 13/VII 1904. Мѣловыя обнаженія ок. сл. Соколовки. Ш. П.

Ononis hircina J a c q. Приводится Л и н д е м а н н о м ъ (Ib. p. 182 № 84 „sat. rare").

(430.) *Trigonella coerulea* S e r. Приводится Ш и р я е в с к и м ъ. („Въ посѣвахъ аниса").

384. *Medicago falcata* L. 28/VI 1904. По лугамъ, склонамъ и лѣсамъ. Часто. (Ib. p. 177 № 210.) Ш. П.

385. *M. sativa* L. 15/VII 1904. На лугахъ ок. с. Сѣтного. Рѣдко.

386. *M. lupulina* L. 15/VI 1904. По лугамъ, сорнымъ мѣстамъ и мѣловымъ обнаженіямъ. Часто. С. (Ib. p. 177 № 212). П. Ш.

387. *Melilotus officinalis* D e s r. 28/VI 1904. По лугамъ, опушкамъ и дорогамъ. Часто. С. (Ib. p. 177 № 213). П. Ш.

388. *M. albus* D e s r. 2/VII 1905. Подъ „Кручками" около дорогъ и по лугамъ. Рѣдко. С. (Ib. p. 178 № 214). Ш. П.

— f. *tenellus* W a l l r o t h. По мѣловымъ обнаженіямъ. Часто. С. (Ib. p. 178 № 214).

389. *Trifolium arvense* L. 28/VI 1904. По полямъ, степнымъ склонамъ и опушкамъ лѣсовъ. С. (Ib. p. 178 № 215). Ш. П. („поля").

390. *T. pratense* L. 7/VI 1904. По лугамъ и кустарникамъ. Обильно. С. (Ib. p. 178 № 216). Ш. П.

391.* *T. medium* L. 23/VI 1904. Лазаревскій и Сѣтенской лѣса. Нерѣдко.

392. *T. alpestre* L. 12/VI 1904. По склонамъ подъ Лазаревкой; по лугамъ и между кустарниками. С. (Ib. p. 178 № 217). Ш. П. („Кручки").

(440.) 393. *Trifolium fragiferum* L. 28/VII 1904. По лугамъ ок. с. Сѣтного. Часто. Ш. П.

394. *T. montanum* L. 30/V 1904. По степнымъ склонамъ и сухимъ лугамъ. Часто. С. (Ib. p. 178 № 219).

395. *T. repens* L. 27/VI 1904. По полямъ и лугамъ. Обыкновенно. С. (Ib. p. 178 № 220). Ш. П.

396.* *T. hybridum* L. 20/VI 1904. По лугамъ около с. Сѣтного. Нерѣдко.

T. spadiceum L. Найдено I. Паллономъ „въ лѣсу у с. Большое Городище".

397. *T. agrarium* L. 14/VII 1905. Въ лѣсу ок. с. Сѣтного. Обильно. С. (Ib. p. 178 № 223). Ш. П.

T. elegans Stev. Приводится Линдеманномъ (Ib. p. 182 № 89).

398. *Lotus corniculatus* L. 19/VI 1904. По лугамъ и между кустарниками. Обыкновенно. С. (Ib. p. 178 № 227). Ш. П.

399. *Caragana frutescens* D C. 4/V 1904. По степнымъ и мѣловымъ склонамъ (дерезняки). Кл. („Бекарюковка"). П. Ш. С. (Ib. p. 178 № 229).

400. *Onobrychis viciaefolia* Scop. 15/VI 1904. По сухимъ лугамъ, степнымъ и мѣловымъ склонамъ. Часто. П. Ш.

(450.) 401. *Coronilla varia* L. 5/VII 1904. По лугамъ, опушкамъ между кустарниками. Обыкновенно. С. (Ib. p. 179 № 231). П. Ш.

402. *Hedysarum grandiflorum* Pall. 26/V 1905. Мѣловыя обнаженія лога „Портянка" около с. Соколовки (недалеко отъ им. Александровки Нечаевской волости). Ш. П.

403. *Oxytropis pilosa* D C. 26/V 1905. Тамъ-же, гдѣ и предъидущее, а также на „Кручкахъ". Л. (Ib. p. 182 № 92). П. Ш.

404. *Astragalus glycyphyllus* L. 2/VII 1904. Въ Лазаревскомъ лѣсу. Нерѣдко и въ другихъ лѣсахъ. С. (Ib. p. 279 № 234). П. Ш.

405. *A. hypoglottis* L. 26/V 1905. По мѣловымъ и степнымъ склонамъ. Нерѣдко. Л. (Ib. p. 182 № 92). С. (Ib. p. 179 № 236). Ш. П.

A. sulcatus L. Найдено Д. Литвиновымъ у с. Бекарюковки (Шмальгауз. Ф. С. и Ю. Р. 1, p. 272 № 683); въ послѣднее время собрано тамъ-же I. Паллономъ въ большомъ количествѣ экземпляровъ. (Труд. Бот. Сад. И. Ю. Унив. Т VI, в. 1, p. 36).

406. *A. Cicer* L. 6/VII 1904. По степнымъ склонамъ, сухимъ лугамъ, между кустарниками. С. (Ib. p. 179 № 237).

407. *A. austriacus* L. 9/VI 1904. По мѣловымъ обнаженіямъ вдоль р. Ивички, „Бѣлая гора" у г. Корочи. Рѣдко. Л. (Ib. 182 № 93 — „in cretaceis copiose"). Ш. („Бѣлая гора„). П. („Бекарюковка").

408. *A. Onobrychis* L. 25/V 1905. Степные склоны около с. Соколовки. Рѣдко. С. (Ib. p. 179 № 239). П.

409. *Astragalus virgatus* P a l l. 26/VI 1905. Мѣловыя обнаженія по р. Нежеголи; по р. Корочѣ подъ с. Ржевкой, Доброй и Дмитріевкой. Л. (Ib. p. 182 № 93). С. (Ib. p. 179 № 240).

(460.)   *A. subulatus* M B. Приводится Л и н д е м а н н о м ъ (Ib. p. 182 № 93).

410. *A. albicaulis* D C. 17/VI 1905. По „Бѣлой горѣ“ около г. Корочи; по мѣловымъ обнаженіямъ ок. с. Бекарюковки. Рѣдко. Л. (Ib. p. 182 № 93 — „prope Korocza et Becarjukowka in cretaceis copiose“). Ш. („Бѣлая гора“). П. („Бекарюковка“).

411. *Vicia sepium* L. 15/VI 1904. По лугамъ. Часто. С. (Ib. p. 179 № 243).

412. *V. sativa* L. 10/VI 1904. Въ Сѣтенскомъ лѣсу по лужайкамъ, по лугамъ, полямъ. Часто. С. (Ib. p. 179 № 244). Ш. П.

413. *V. pisiformis* L. 29/VI 1904. Между кустарниками въ лѣсахъ. Нерѣдко. С. (Ib. p. 179 № 245). Ш. П.

414. *V. cracca* L. 15/VI 1904. По лугамъ, полямъ, между кустарниками въ лѣсахъ; въ посѣвахъ хлѣба. Рѣдко.

415.* *V. hirsuta* K o c h. 12/VII 1904. Между кустарниками въ лѣсахъ; въ посѣвахъ хлѣба. Рѣдко.

416. *V. tenuifolia* R o t h. 7/VI 1904. По лугамъ около с. Сѣтного. Рѣдко. Л. (Ib. p. 183 № 95 — „copiose“).

417. *Lathyrus tuberosus* L. 26/V 1905. По степнымъ склонамъ лога „Дубино“ ок. сл. Соколовки. Рѣдко. П. Ш. („Кручки“). Л. (Ib. p. 183 № 96 — „copiose“).

418. *L. silvester* L. v. *latifolius* R u p r. 28/VI 1904. Въ Сѣтенскомъ и Пушкарскомъ лѣсахъ. Нерѣдко. Л. (Ib. p. 183 № 96). П. Ш.

(470.) 419. *L. pratensis* L. 26/VI 1904. По лугамъ. Обыкновенно. С. (Ib. p. 180 № 254). П. Ш.

420.* *L. pisiformis* L. 8/VII 1904. По опушкамъ лѣсовъ и рощамъ. Нерѣдко.

421. *L. paluster* L. 26/VI 1904. По сырымъ лугамъ. Нерѣдко. Ш. *L. sativus* L. Приводится Л и н д е м а н н о м ъ (Ib. p. 183 № 96).

422. *Orobus vernus* L. 4/V 1904. По лѣсамъ. Часто. С. (Ib. p. 180 № 258). Ш. П.

    Orob. niger B e r n h. Приводится П а л л о н о м ъ („Лужайка на верху Кручки“).

423. *O. albus* L. (*L. pannonicus* G a r c k e). 6/V 1904. По степнымъ склонамъ лога „Дубино“ ок. сл. Соколовки; по лужайкамъ въ урочищѣ „Красная яруга“. Л. (Ib. p. 183 № 97). П. („Кручки“).

    O. canescens L. Приводится Л и н д е м а н н о м ъ (Ib. p. 183 № 97 — „in cretaceis copiose“).

m. Geraniales.

Geraniaceae.

424.* *Geranium Robertianum* L. 7/VI 1905. По сорнымъ мѣстамъ въ Бекарюковскомъ бору; по овражнымъ лѣскамъ. Изрѣдка.

425. *G. divaricatum* E h r h. 7/VI 1905. Тамъ-же, гдѣ и предъидущее, но встрѣчается рѣже. С. (Ib. p. 176 № 192).

(480.) 426.* *G. pusillum* L. 29/VII 1904. По садамъ и сорнымъ мѣстамъ. Нерѣдко.

427. *G. sanguineum* L. 30/V 1904. По опушкамъ лѣсовъ. Обыкновенно. С. (Ib. p. 176 № 191). Ш. П.

428. *G. pratense* L. 13/VI 1904. Обыкновенно по лугамъ. С. (Ib. p. 176 № 193). Ш. П.

429. *G. palustre* L. 23/VII 1904. По ивнякамъ и ольшатникамъ на сырыхъ мѣстахъ. С. (Ib. p. 176 № 194).

430. *Erodium cicutarium* L'H e r i t. 3/VII 1904. По садамъ, огородамъ и межамъ. („Сухіе луга").

Linaceae.

431.* *Linum catharticum* L. 23/VII 1904. По влажнымъ мѣстамъ и болотамъ на лугу около с. Сѣтного. Нерѣдко.

432. *L. flavum* L. 8/VII 1904. По степнымъ и мѣловымъ склонамъ „Кручекъ", подъ Лазаревкой, около Соколовки и Бекарюковки. Л. (Ib. p. 180 № 71). Кл. („Бекарюковка"). С. (Ib. p. 175 № 184).

433. *L. ucrainicum* C z e r n. 17/VI 1905. Мѣловыя обнаженія „Бѣлой горы" по р. Ивичкѣ, около с. Бекарюковки, на „Кручкахъ" [1]). П.

434. *L. hirsutum* L. 26/V 1905. Мѣловые склоны „Кручекъ" и лога „Портянка" ок. сл. Соколовки. Л. (Ib. p. 180 № 71 — „copiose"). Ш. П. („Кручки").

435. *L. nervosum* W. K. 15/V 1905. На „Кручкахъ" и въ логу „Маленькое Широкое" ок. с. Сѣтного. Рѣдко. Л. (Ib. p. 180 № 71 — „non rare").

(490.) 436. *L. perenne* L. *a genuinum* 26/VI 1904. Нерѣдко по мѣловымъ обнаженіямъ, особ: подъ Лазаревкой.

β. *austriacum* L. Тамъ-же. П.

---

1) Формы, найденныя мною, ничѣмъ не отличаются отъ экземпляровъ, найденныхъ I. П а л л о н о м ъ „на мѣлу ок. Топлинки Бѣлгород. у. въ 6/VI 1902" и хранящихся въ гербаріи Юрьевскаго Бот. Сада, которые Д. Л и т в и н о в ъ опредѣлилъ, какъ *„L. flavum* L. *forma humilior, corymbis laxioribus, sepalis lanceolatis.* D. L i t w." Я обозначилъ эту форму *L. ucrainicum* C z e r n., придерживаясь Ш м а л ь г а у з е н а (Ib. 1, p. 182), какъ и В. С у к а ч е в ъ (Ib. p. 175 № 185).

Polygalaceae.

437. *Polygala sibirica* L. 21/VI 1904. Мѣловыя обнаженія „Бѣлой' горы“, „Кручекъ“, около Лазаревки; въ логу „Дубино“ ок. сл. Соколовки. Л. (Ib. p. 179 № 53 — „in cretaceis copiose“). П. Ш.

438. *P. vulgaris* L. 21/V 1904. По степнымъ склонамъ. Нерѣдко. С. (Ib. p. 171 № 120).

439. *P. comosa* S c h k. 21/V 1904. По степнымъ склонамъ „Кручекъ“, по сухимъ лугамъ. С. (Ib. p. 171 № 121).

Euphorbiaceae.

440. *Euphorbia procera* M B. f. *leiocarpa* L d b. 29/V 1905. По опушкамъ Лазаревскаго лѣса. С. (Ib. p. 210 № 725).
— f. *trichocarpa* K o c h. 15/V 1905. Между кустарниками ок. с. Сѣтного.
E. palustris L. Приводится Л и н д е м а н н о м ъ (Ib. p. 199 № 324).

441. *E. Gerardiana* J a c q. 15/V 1905. По мѣловымъ обнаженіямъ. Нерѣдко. Л. (Ib. p. 199 № 324). С. (Ib. p. 210 № 727).
E. amygdaloides L. (*E. silvatica* J a c q.). Приводитъ К а л е н и ч е н к о для „Бекарюковки“.

442.* *E. peplus* L. 15/VII 1905. По сорнымъ мѣстамъ въ Лазаревскомъ саду. Рѣдко.

443. *E. Esula* L. 25/VI 1905. По лужайкамъ въ урочищѣ „Красная Яруга“. С. (Ib. p. 220 № 729).

(500.) 444. **E.* *leptocaula* B o i s. 15/V 1905. По степнымъ склонамъ и на лужайкахъ въ урочищѣ „Красная яруга“.
E. gracilis B e s s. Найдено I. П а л л о н о м ъ у с. Бекарюковки.

445. *E. virgata* W. K. 18/V 1905. Обыкновенно по паровымъ полямъ. С. (Ib. p. 211 № 731).
E. Cyparissias L. Приводится Л и н д е м а н н о м ъ (Ib. p. 199 № 324).

446. *Mercurialis perrenis* L. 17/IV 1905. По лѣсамъ на перегнойной почвѣ. С. (Ib. p. 211 № 733). П. Ш.

Callitrichaceae.

447.* *Callitriche verna* L. 12/VI 1904. По рѣкамъ уѣзда. Нерѣдко.
448.* *C. autumnalis* L. 23/VII 1905. Въ р. Корочѣ. Рѣдко.

n. Sapindales.

Celastraceae.

449. *Euonymus europaea* L. fl. 20/V, fr. 15/VIII 1905. По садамъ и лѣсамъ. С. (Ib. p. 176 № 197). П.

450. *Euonymus verrucosa* L. fl. 23/V, fr. 17/VII 1905. По лѣсамъ; встрѣчается гораздо чаще предъидущаго. С. (Ib. p. 173 № 198). Кл. („Бекарюковка"). П. Ш.

E. latifolius S c o p. Приводитъ К а л е н и ч е н к о для „Бекарюковскаго бора".

Aceraceae.

(510.) 451. *Acer tataricum* L. fl. 20/V. fr. 29/V 1905. По лѣсамъ. Часто. С. (Ib. p. 177 № 201). П. Ш.

452. *A. platanoides* L. fl. 23/IV, fr. 29/V 1905. Тамъ-же. С. (Ib. p. 177 № 202). П. Ш.

453. *A. campestre* L. fl. 25/V, fr. 15/V 1905. Тамъ-же. Нерѣдко. С. (Ib. p. 177 № 203). П. Ш.

Balsaminaceae.

454.* *Impatiens Noli tangere* L. 18/VII 1904. По ольшатникамъ на лугу ок. с. Сѣтного.

o. Rhamnales.
Rhamnaceae.

455. *Rhamnus cathartica* L. fl. 18/V, fr. 7/VII 1905. По лѣсамъ. Часто. С. (Ib. p. 177 № 199). Ш. П.

456. *Rh. Frangula* L. fl. 25/V, fr. 15/VII 1905. По ольшатникамъ и лѣсамъ. С. (Ib. p. 177 № 200). Ш. П.

p. Malvales.
Tiliaceae.

457. *Tilia cordata* M i l l. 3/VII 1903. По лѣсамъ. Не рѣдко. С. (Ib. p. 175 № 182). П. Ш.

Malvaceae.

458. *Althea officinalis* L. 13/VII 1904. На Сѣтенскомъ лугу. Рѣдко. Кл. („Бекарюковка"). П. („у Б. Городища"). С. (Ib. p. 175 № 180).

459. *Malva borealis* W a l l m. 13/VII 1904. По садамъ, огородамъ и сорнымъ мѣстамъ. С. (Ib. p. 175 № 177). П. Ш.

(520.) *M. Mauritiana* L. ⎫
M. silvestris L. ⎬ Приводятся Л и н д е м а н н о м ъ
M. crispa L. ⎭ (Ib. p. 181 № 74).

q. Parietales.
Guttiferae.

460. *Hypericum perforatum* L. 16/VII 1904. Между кустарниками, по мѣловымъ обнаженіямъ и полямъ. Обильно. П. Ш. С. (Ib. p. 174 № 170).

461. *H. hirsutum* L. 8/VII 1904. По лѣсамъ. Обыкновенно. С. (Ib. p. 174 № 171). П. Ш.
462. *H. elegans* S t e p h. 7/VIII 1905. По мѣловымъ обнаженіямъ „Кручекъ", подъ д. Доброй и ок. с. Бекарюковка. С. (Ib. p. 174 № 172).
   H. quadrangulum L. Приводится Л и н д е м а н н о м ъ (Ib. p. 181 № 76 — „rarissime").

Cistaceae.

463. *Helianthemum Chamaecistus* M i l l. *a. tomentosum* K o c h. 7/V 1905. По мѣловымъ склонамъ „Кручекъ". С. (Ib. p. 169 № 104). Ш.
164. *H. Oelandicum* W h l n b g. *β. tomentosum* K o c h. 17/V 1905. По „Бѣлой горѣ" ок. г. Корочи; по мѣловымъ обнаженіямъ вдоль р. Ивички. Л. (Ib. p. 178 № 49 — „in cretaceis copiose"). П.

Violaceae.

465. *Viola hirta* L. 28/IV 1905. Въ Лазаревскомъ лѣсу. П. („Сады").
466. *V. collina* B e s s. По „Кручкѣ" (П.) и лѣснымъ полянамъ.
(530.) 467. *V. ambigua* W. K. 20/IV 1905. По мѣловымъ обнаженіямъ ок. им. Лазаревки и на „Кручкахъ".
468.* *V. suavis* MB. 28/IV 1903. По рощамъ около с. Сѣтного и сл. Плуталовки.
   V. odorata L. Приводится для „Кручекъ" г. Г. Ш и р я - е в с к и м ъ и П а л л о н о м ъ[1]).
469. *V. mirabilis* L. 22/IV 1905. Обыкновенно по лѣсамъ. С. (Ib. p. 170 № 111). Ш. П.
470.* *V. Riviniana* R c h b. 22/IV 1905. По лѣсамъ, на вырубкахъ. Часто.
471. *V. arenaria* D C. 25/IV 1905. Мѣловыя обнаженія ок. им. Лазаревки. Рѣдко. С. (Ib. p. 170 № 113).
472. *V. canina* L. 29/IV 1905. Въ Лазаревскомъ лѣсу. Не рѣдко. Ш. („Кручки").
473. *V. elatior* Fr. 7/VI 1904. Въ лѣсу ок. с. Сѣтного. Ш. П. („Кручки" — „floribus albis").
474. *V. pumila* C h a i x. (= *V. pratensis* M. et K.) 4/V 1905. По степнымъ склонамъ лога „Портянка". ок. сл. Соколовки; поляны въ урочищѣ „Красная Яруга". Л. (Ib. 178 № 50).

---

1) I. П а л л о н ъ въ частномъ сообщеніи мнѣ сомнѣвается въ точности опредѣленія этого вида фіалки, а В. С у к а ч е в ъ (lb. p. 170 № 110) дѣлаетъ предположеніе, что можетъ быть это есть тоже *V. suavis* М. В.

475. *V. tricolor* L. *a vulgaris* 13/VI 1904. По степнымъ склонамъ, холмамъ и между кустарниками. Обыкновенно.
— *β arvensis* K o c h. 7/VI 1905. По паровымъ полямъ. Не рѣдко. С. (Ib. p. 171 № 117).

r. Myrtiflorae.

Thymelaeaceae.

(540). 476. *Daphne Altaica* P a l l. (*D. Sophia* K a l e n i c z). Въ Бекарюковскомъ бору въ видѣ подлѣска (*locus classicus*). Кл. (Ib. „Бекарюковка"). Л. (Ib. p. 198 № 321). М (Ib. p. 310 № 899). С. (Ib. p. 210 № 721). П. (ч. с.)

Lythraceae.

477. *Lythrum Salicaria* L. 29/VII 1904. По болотамъ и около канавъ на лугахъ. Обыкновенно. С. (Ib. p. 184 № 315). Ш. П.
478. *L. virgatum* L. 7/VII 1905. По болотамъ на лугу около с. Сѣтного. Рѣдко. П. (ч. с.).

Oenotheraceae.

479.* *Epilobium angustifolium* L. 2/VII 1905. По овражнымъ лѣскамъ; требуетъ влажности почвы. Изрѣдка.
480. *E. hirsutum* L. 8/VII 1904. По канавамъ на лугу ок. с. Сѣтного. Не рѣдко. С. (Ib. p. 184 № 318).
481. *E. palustre* L. 12/VII 1904. На лугахъ по болотамъ. Нерѣдко. П. Ш.
482. *Oenothera biennis* L. 7/VII 1905. По песчанымъ наносамъ у р. Корочи на Пушкарскомъ лугу. С. (Ib. p. 185 № 325). П. („Кладбище у г. Корочи").

Halorhagidaceae.

483.* *Myriophyllum verticillatum* L. 29/VII 1904. Въ рѣкѣ Корочѣ. Рѣдко.

Hyppuridaceae.

484. *Hyppuris vulgaris* L. 9/VII 1904. Тамъ-же. Обыкновенно. П. Ш.

s. Umbelliflorae.

Umbelliferae.

485. *Eryngium compestre* L. 7/VI 1905. У подножія мѣловыхъ склоновъ по р. Ивичкѣ; по склонамъ около Бекарюковскаго бора. Нерѣдко. С. (Ib. p. 185 № 327). П.

(550.) 486. *Eryngium planum* L. 20/VII 1904. По склонамъ ок. им. Лазаревки; по балкамъ. Часто. С. (Ib. p. 185 № 328).
П. Ш.

487. *Cicuta virosa* L. 25/VII 1904. По берегамъ р. Корочи и болотамъ. Часто. П. (у. Б. Городища").

v. tenuifolia K o c h. Приводится Линдеманномъ (Ib.
p. 185 № 135).

Berula angustifolia K o c h. Линдеманнъ приводитъ по
Августиновичу (Ib. p. 186 № 141).

488. *Sium latifolium* L. 5/VIII 1904. По лугамъ и болотамъ. Часто.
С. (Ib. p. 186 № 331).

S. lancifolium M B. Приводится В. Сукачевымъ (Ib.
p. 186 № 332).

489.* *Falcaria Rivini* H o s t. 15/VII 1904. По полямъ, около дорогъ; заходитъ и въ посѣвы хлѣба. Особенно обильно
около с. Сѣтного.

490. *Trinia Kitaibelii* MB. 20/VI 1904. По степнымъ лужайкамъ
въ урочищѣ „Красная Яруга". Л. (Ib. p. 186 № 136).

491. *T. Henningii* H o f f m. 21/V 1904. По мѣловымъ обнаженіямъ
„Кручекъ". Рѣдко. Л.

492. *Bupleurum falcatum* L. 20/VII 1904. По мѣловымъ обнаженіямъ. Нерѣдко. Л. (Ib. p. 186 № 143). С. (Ib. p. 186
№ 335). П. Ш.

493. *Aegopodium Podagraria* L. 27/VII 1904. По лѣсамъ и садамъ.
Часто. С. (Ib. p. 186 № 336). П. Ш.

(560.) 494. *Pimpinella Saxifraga* L. 29/VII 1905. Мѣловые склоны ок.
Лазаревки и по р. Ивичкѣ. С. (Ib. p. 186 № 338).

495. *P. Tragium* V i l l. 18/VIII 1905. Обыкновенно по мѣловымъ
обнаженіямъ. Кл. („Бекарюковка"). Л. (Ib. (p. 186
№ 140 — „in cretaceis copiose"). П. Ш. С. (Ib. p. 186
№ 339).

496. *Carum Carvi* L. 26/VI 1904. По лугамъ. Обыкновенно. С.
(Ib. p. 186 № 340). П. Ш.

497. *Oenanthe aquatica* L a m. 27/VII 1905. По болотамъ и берегамъ рѣкъ. Обыкновенно. С. (Ib. p. 186 № 341). П. Ш.

498. *Sesili anuum* L. 18/VIII 1905. По склонамъ около Лазаревскаго лѣса. Л. (Ib p. 186 № 416). С. (Ib. p. 186
№ 342). П. Ш.

S. glaucum J a c q. Приводится В. Сукачевымъ по Паллону для мѣловой горы около г. Корочи со знакомъ
вопроса (?).

499. *Libanotis sibirica* C. A. M. 2/VII 1905. Между кустарниками
на „Кручкахъ" въ Сѣтенскомъ лѣсу, въ Бекарюковскомъ
бору. Нерѣдко. С. (Ib. p. 186 № 344). П. Ш.

500.* *L. montana* A l l. 7/VIII 1905. Мѣловыя обнаженія по р.
Ивичкѣ. Рѣдко.

501. *Aethusa Cynapium* L. 14/VII 1905. Обыкновенно по сорнымъ мѣстамъ въ садахъ и лѣсахъ. Л. (Ib. p. 196 № 145). С. (Ib. p. 186 № 345). П. Ш. [1]).

502. *Levisticum officinale* K o c h. 18/VII 1903. Нерѣдко встрѣчается по огородамъ и садамъ. Л. (Ib. p. 186 № 149).

(570.) 503.* *Selinum carvifolium* L. 14/VШ 1905. Въ лѣсу около с. Сѣтного. Рѣдко.

504. *Angelica silvestris* L. 5/VII 1905. По ольшатникамъ и изрѣдка по лѣсамъ (Сѣтенской лѣсъ). С. (Ib. p. 186 № 348). П.

505. *A. palustris* B e s s. 5/VШ 1905. По влажнымъ лугамъ и ольшатникамъ. Нерѣдко. С. (Ib. p. 187 № 349).

506. *Archangelica officinalis* Hoffm. 25/VI 1905. По ольшатникамъ. Обильно. С. (Ib. p. 187 № 350). П. Ш.

507. *Peucedanum palustre* M o e n c h. 5/VIII 1905. По болотамъ. Нерѣдко. С. (Ib. p. 187 № 352).

508. *P. Alsaticum* L. 3/VIII 1905. По полянамъ въ Сѣтенскомъ лѣсу. С. (Ib. p. 187 № 353). П. („Бекарюковка“).

509. *P. Oreoselinum* M o e n c h. 26/VII 1905. Въ Бекарюковскомъ бору, по степнымъ склонамъ. С. (Ib. p. 187 № 354) П.

510. *P. Pastinaca* B e n t h e t H o o k 27/VII 1904. По лугамъ и сорнымъ мѣстамъ С. (Ib. p. 187 № 355). П. Ш.

511. *P. Cervaria* C u s s. 23/VII 1905. По лѣснымъ полянамъ въ лѣсу ок. с. Сѣтного Ш. П. („Кручки“).

512. *Heracleum sibiricum* L. 6/VII 1904. По лугамъ и сорнымъ мѣстамъ. П. Ш.

— *v. angustifolium* J a c q. Приводится В. С у к а ч е в ы м ъ (Ib. p. 187 № 357).

(580.) 513. *Laserpium Prutenicum* L. 14/VII 1905. По полянамъ къ лѣсу ок. с. Сѣтного. П. („Кручки“).

514. *Daucus Carota* L. 23/VII 1904. По полямъ и склонамъ ок. урочища „Красной Яруги“. С. (Ib. p. 187 № 359). П. Ш.

515. *Torilis Anthriscus* G m e l. 8/VII 1904. Обыкновенно по лѣсамъ. С. (Ib. p. 187 № 360). П. Ш.

516.* *Anthriscus silvestris* H o f f m. 15/VI 1903. По лѣсамъ и сорнымъ мѣстамъ. Обыкновенно.

517. *Chaerophyllum bulbosum* L. 28/VI' 1905. По опушкамъ лѣсовъ. Нерѣдко. С. (Ib. p. 187 № 361).

Ch. Prescottii D C. Приводится Л и н д е м а н н о м ъ (Ib. p. 187 № 162).

518. *Conium maculatum* L. 15/VI 1904. По сорнымъ мѣстамъ, между кустарниками. Часто. С. (Ib. p. 187 № 363). П. Ш.

---

1) Приводимое еще Л и н д е м а н н о м ъ *Aethusa Cynapioides* M. B., какъ особый видъ (Ib. p. 186 № 145), по Ш м а л ь г а у з. (Ib. Т. 1, p. 401) есть синонимъ *Aeth. Cynapium* L.

Cornaceae.

519. *Cornus sanguinea* L. 26/V 1905. По опушкамъ и въ лѣсахъ. С. (Ib. p. 188 № 365). П. Ш.

a. Ericales.

Pirolaceae.

520. *Pirola secunda* L. 7/VII 1905. Боръ и лиственный лѣсъ подъ с. Бекарюковкой. С. (Ib. p. 197 № 520). Д. Литви-новъ. („Тамъ-же“).

(590.) *P. rotundifolia* L. / Д-ръ Калениченко приводитъ для *P. umbellata* L. { Бекарюковскаго бора. *P. chlorantha* Sw. \

b. Primulales.

Primulaceae.

521. *Primula officinalis* Jacq. 17/V 1904. По лѣсамъ и степнымъ склонамъ. Часто. С. (Ib. p. 197 № 523).

Androsace villosa L. Приводится Линдеманномъ (Ib. p. 192 № 238, „in cretaceis prope Kurakowka copiose“).

522. *A. elongata* L. 14/IV 1905. Обыкновенно по степнымъ склонамъ. Л. (Ib. p. 192 № 238). С. (Ib. p. 198 № 525). П.

523.* *A. septentrionalis* L. 4/V 1905. Степные склоны лога „Ду-бино“ ок. сл. Соколовки. Рѣдко.

524.* *Lysimachia thyrsiflora* L. 15/VI 1903. Въ ольшатникѣ на лугу ок. с. Сѣтного. Рѣдко.

525. *L. vulgaris* L. 7/VII 1904. По ольшатникамъ и канавамъ. Нерѣдко. (С. Ib. p. 198 № 528). П.

L. punctata L. Было найдено г. Паллономъ „въ лѣсу у дер. Большое Городище“.

526. *L. Nummularia* L. 26/VI 1904. Обыкновенно по влажнымъ лугамъ. С. (Ib. p. 198 № 530). П.

(600.) *Centunculus minimus* L. Приводится В. Сукачевымъ по Шмальгауз. (Ib. p. 198 № 533).

c. Contortae.

Oleaceae.

527. *Fraximus excelsior* L. fl. 25/IV, fr. 20/V 1905. По лѣсамъ; нерѣдко. С. (Ib. p. 198 № 534). Ш. П.

Gentianaceae.

528. *Menyanthes trifoliata* L. 5/V 1904. По берегамъ рѣкъ и бо-лотамъ. П. Ш.

529. *Gentiana cruciata* L. 18/VIII 1905. По полянамъ къ лѣсу около с. Сѣтного. П. („Бекарюковка“).

530.* *G. Pneumonanthe* L. 13/VIII 1904. Между кустарниками въ
лѣсу ок. с. Сѣтного. Рѣдко.

G. Amarella L. Приводитъ К а л е н и ч е н к о для „Бекарюковскаго бора“.

Erythraea pulchella F r. Было найдено г. П а л л о н о м ъ
„въ дер. Терновой“.

Apocynaceae.

531.* *Vinca herbacea* L. W. 6/V 1904. По опушкамъ Лазаревскаго
лѣса. Рѣдко.

V.minor L. Приводится Л и н д е м а н н о м ъ дикорастущимъ
(Ib. p, 193 № 244) и было найдено г. П а л л о н о м ъ
на „Кручкахъ“.

Asclepiadaceae.

532. *Vincetoxicum officinale* M o e n c h. 21/V 1904. По мѣловымъ
обнаженіямъ и опушкамъ лѣсовъ. С. (Ib. p. 198 № 537).
Ш. П.

d. Tubiflorae.
Convolvulaceae.

(610.) 533. *Calystegia sepium* R. B r. 2/VIII 1904. По ольшатникамъ и
ивнякамъ. С. (Ib. p. 200 № 566). Ш. П.

534. *Convolvulus arvensis* L. 13/VIII 1904. По полямъ, огородамъ,
около плетней. Обыкновенно. С. (Ib. p. 200 № 567).
Ш. П.

535. *Cuscuta Epithymum* M u r r. 28/VI 1905. По мѣловымъ обна-
женіямъ по р. Ивичкѣ. Нерѣдко. (Паразит. на *Thymus,
Galium, Helianthemum* и др.). Ш. („Бѣлая гора“). П.
(Большое Городище“).

536.** *C. Trifolii* B a b i n g t. 2/VII 1905. По лужайкамъ въ лѣсу
ок. с. Сѣтного и между кустарниками на „Кручкахъ“.
Рѣдко. (Параз. на *Trifol. pratense* L et *T. medium* L.).

537.* *C. planiflora* T e n. 7/VI 1905. По мѣловымъ склонамъ ок. с.
Бекарюковки. (Паразит. на *Salvia, Medicago* и др. степныхъ растеніяхъ).

538. *C. Europaea* L. 14/VII 1905. По сорнымъ ивнякамъ у береговъ р. Корочи. Часто. (Паразит на *Urtica dioica* L. et
Lepidium latifolium L.).

Polemoniaceae.

539. *Polemonium coeruleum* L. 26/VI 1904. Между кустарниками
въ лѣсу ок. с. Сѣтного. Рѣдко. П. („Сухой яръ около
г. Корочи“).

540. *Cynoglossum officinale* L. 18/V 1904. По сорнымъ мѣстамъ, на лугахъ. С. (Ib. p. 199 № 543). П.

541. *Echinospermum Lappula* L e h m. 20/VII 1904. По сорнымъ мѣстамъ; около дорогъ; по мѣловымъ склонамъ. С. (Ib. p. 199 № 544).

E. barbatum L e h m. Приводится Линдеманномъ. (Ib. p. 194 № 264).

(620.) 542. *Asperugo procumbens* L. 12/V 1904. По огордамъ и сорнымъ мѣстамъ. С. (Ib. p. 199 № 546). П. Ш.

543. *Symphytum officinale* L. 12/V 1904. У ольшатниковъ, по мокрымъ лугамъ. Часто. Нерѣдко встрѣчаются экземпляры съ бѣлыми и ярко-красными цвѣтами. С. (Ib. p. 199 № 547). П. Ш.

544. *Borrago officinalis* L. 17/VI 1905. По огородамъ и сорнымъ мѣстамъ. Л. (Ib. p. 193 № 257). П.

545. *Nonnea pulla* D C. 25/V 1904. По полямъ и склонамъ. С. (Ib. p. 199 № 550). Ш. П.

546. *Pulmonaria officinalis* L. 8/IV 1905. По лѣсамъ. Часто. С. (Ib. p. 199 № 551). П. Ш.

547. *P. angustifolia* L. 27/IV 1905. По кустарникамъ на „Кручкахъ“; въ урочищѣ „Красная Яруга“. Рѣдко. Л. (Ib. p. 194 № 262).

548. *Myosotis caespitosa* S c h u l t z. 7/VI 1905. По мокрымъ мѣстамъ подъ с. Ржевкой (Петровкой). Нерѣдко. С. (Ib. p. 200 № 553). П.

549. *M. sparsiflora* M i k a n. 14/V 1904. Въ Лазаревскомъ лѣсу. С. (Ib. p. 200 № 554). П. Ш.

550. *M. intermedia* L i n k. 15/VI 1904. По полямъ. Обыкновенно. С. (Ib. p. 200 № 555).

551.* *M. silvatica* H o f f m. 19/V 1904. По лѣсамъ и степнымъ склонамъ („Кручки“). Часто.

(530.) 552. *M. arenaria* S c h r a d. 9/V 1905. По полямъ; нерѣдко. Л. (Ib. p. 194 № 263). С. (Ib. p. 200 № 556). П.

M. ucrainica C z e r n. Приводится Линдеманномъ (Ib. p. 194 № 263).

553. *Lithospermum arvense* L. 2/VII 1904. Обыкновенно по полямъ. С. (Ib. p. 200 № 558). Ш. П.

554. *L. officinale* L. 10/VII 1904. По сорнымъ мѣстамъ и опушкамъ. С. (Ib. p. 200 № 559).

555. *Echium vulgare* L. 20/VI 1904. По полямъ и глинистымъ склонамъ. Обыкновенно. С. (Ib. p. 200 № 561).

556. *E. rubrum* J a c q. 26/V 1905. По степнымъ склонамъ лога „Портянки“ и „Дубино“ ок. сл. Соколовки. Рѣдко. С. (Ib. p. 200 № 562). П.

Omphalodes scorpioides S c h r k. Приводится Линдеманномъ (Ib. „Addenda“ etc.).

557. *Onosma simplicissimum* L. 21/V 1904. Обыкновенно по мѣловымъ обнаженіямъ. П. Л. (Ib. p. 194 № 260). С. (Ib.
p. 200 № 564). Кл.

O. setosum Ldb. ⎰ Д-ръ Калениченко приводитъ
O. stellulatum W. K. ⎱ для Бекарюковскихъ обнаженій.

Labiatae.

(640.) 558. *Lycopus europaeus* L. 14/VII 1905. По канавамъ и мокрымъ
мѣстамъ на лугахъ. Часто. С. (Ib. p. 204 № 626).
П. Ш.

559. *L. exaltatus* L. 14/VII 1905. По берегамъ р. Корочи и сырымъ мѣстамъ. Л. (Ib. p. 196 № 288). Ш.

560. *Mentha sativa* L. v. *verticillata* L. 3/VIII 1904. По сырымъ
мѣстамъ и канавамъ на лугахъ. С. (Ib. p. 204
№ 628). П.

561. *M. silvestris* L. 30/VII 1905. По сырымъ мѣстамъ ок. им.
Лазаревки и подъ „Кручками". П. Ш.

562. *Origanum vulgare* L. 20/VII 1904. По опушкамъ лѣсовъ.
Часто. С. (Ib. p. 204 № 630). Ш. П.

563. *Thymus serpyllum* L. v. *Marschalianus* Willd. 20/VI 1904.
По степнымъ склонамъ вдоль р. Ивички; по лужайкамъ
въ урочищѣ „Красная Яруга". С. (Ib. p. 204 № 631).

Thymus angustifolius Pers. Приводитъ Д-ръ Калениченко
(„Бекарюковка").

564. *Th. odoratissimus* M. B. 28/VI 1905. По глинистымъ склонамъ. Нерѣдко. С. (Ib. p. 204 № 632).

565.** *Th. cimicinus* Blum. (mut. char.) 27/VIII 1905. Мѣловыя
обнаженія ок. сл. Соколовки и подъ дер. Терновой [1]).

Hyssopus officinalis L. Приводится Мизгеромъ (Ib. p. 303,
№ 824), какъ изрѣдка разводимое въ садахъ и огородахъ. Но Д. И. Литвиновъ находилъ типичную
широколистную форму „на мѣловыхъ горахъ по р. Нежеголи въ несомнѣнно дикомъ состояніи" („Геоботан.
Замѣтки etc. p. 367).

(650.) *H. angustifolius* M. B. узколистная мѣловая форма, приводится Д-ромъ Калениченко для мѣловыхъ обна-
женій около с. Бекарюковки.

566. *Calamintha Acinos* Clairv. 5/VIII 1905. По степнымъ склонамъ ок. им. Лазаревки. С. (Ib. p. 205 № 633). П.

567. *Clinopodium vulgare* L. 23/VII 1904. По опушкамъ и лужайкамъ въ лѣсахъ. С. (Ib. p. 205 № 634).

---

1) Дубянскій отличаетъ эту мѣловую форму отъ песчаной
Thymus odoratissimus MB. (Изв. СПБ. Бот. Сад. Т. III, № 7, p. 223, 1903 г.).

568. *Salvia nutans* L. 28/V 1904. По мѣловымъ и степнымъ склонамъ. Л. (Ib. p. 196 № 292). Кл. („Бекарюковка“).
С. (Ib. p. 205 № 635). П. Ш. (Нерѣдко встрѣчаются
экземпляры съ бѣлыми цвѣтами).

569. *S. pratensis* L. 4/VI 1904. По сухимъ мѣстамъ на лугахъ;
по склонамъ. Часто. (Сильно варьируетъ по окраскѣ
цвѣтовъ; наблюдаются формы съ синими, голубыми,
розовыми, красными и бѣлыми цвѣтами). С. (Ib. p. 205
№ 636). П. Ш.

570. *S. silvestris* L. 15/VIII 1904. По сухимъ лугамъ около д.
Афанасовой и Ивицы; по холмамъ и степнымъ скло-
намъ. С. (Ib. p. 205 № 637). П.

571. *S. verticillata* L. 8/VIII 1904. По мѣловымъ склонамъ, паровымъ полямъ, сорнымъ мѣстамъ и на огородахъ. С. (Ib.
p. 205 № 638). Кл. („Бекарюковка“). П. Ш.
S. dumetorum A n d r z. Л. (Ib. p. 196 № 292). Кл. („Бекарюковка“).

572. *Nepeta Cataria* L. 29/VII 1904. По садамъ, сорнымъ мѣстамъ
и огородамъ. С. (Ib. p. 205 № 340). П.

573. *N. nuda* L. 26/VII 1904. По опушкамъ и между кустарниками въ лѣсахъ. С. (Ib. p. 205 № 641). П.

(660.) 574. *Glechoma hederacea* L. 9/V 1904. По лѣсамъ и садамъ. С.
(Ib. p. 205 № 642). П. Ш.

575. *Dracocephalum thymiflorum* L. 18/V 1904. Обыкновенно по полямъ и склонамъ. С. (Ib. p. 205 № 643).

576. *Scutellaria altissima* L. 12/VI 1904. По тѣнистымъ лѣсамъ.
С. (Ib. p. 205 № 645). П. Ш.

577. *S. galericulata* L. 6/VII 1904. По берегамъ рѣкъ и болотамъ.
С. (Ib. p. 205 № 646). П. Ш.

578. *S. hastifolia* L. 26/VI 1904. По ивнякамъ около с. Сѣтного.
П. („Левада ок. г. Корочи“).

579.** *S. Alpina β lupulina* L. 26/V 1905. Мѣловыя обнаженія
лога „Портянка“ ок. сл. Соколовки. Рѣдко.

580. *Brunella vulgaris* L. 7/VI 1905. По лугамъ, склонамъ и между
кустарниками. С. (Ib. p. 205 № 648). П.

581. *B. grandiflora* M o e n c h. 2/VII 1904. По степнымъ склонамъ
ок. им. Лазаревки. С. (Ib. p. 205 № 649). П. Ш.

582. *Marrubium praecox* T a n k a 7/VI 1905. Мѣловые склоны
около Бекарюковки и у „Кручекъ“. С. (Ib. p. 205 № 650).
Ш. П.

583. *M. vulgare* L. 23/VII 1995. По мѣловымъ обнаженіямъ ок.
дер. Доброй и Большой Слободы. П.

(670.) *M. peregrinum* L. Л. (Ib. p. 196 № 298). Кл. („Бекарюковка“).

584. *Galeopsis Ladanum* L. 8/VII 1904. По лѣсамъ и полямъ.
Нерѣдко. С. (Ib. p. 206 № 652). Ш. П.

585. *G. Tetrahit* L. 14/VII 1905. Въ лѣсахъ по вырубкамъ и сорнымъ мѣстамъ. С. (Ib. p. 206 № 653). П.

586. *G. speciosa* M i l l. 14/VII 1905. Тамъ-же и по садамъ. С. (Ib. p. 296 № 654). П. Ш.

587. *Leonurus Cardiaca* L. 17/VI 1905. По садамъ и сорнымъ мѣстамъ. Кл. („Бекарюковка"). С. (Ib. p. 206 № 655). Ш. П.

588. *L. Marrubiastrum* L. 12/VII 1905. Сорныя мѣста по ивнякамъ на лугу ок. с. Сѣтного. С. (Ib. p. 206 № 656). П. Ш. Кл. („Бекарюковка").

589. *Lamium maculatum* L. 17/VI 1905. По садамъ и лѣсамъ. С. (Ib. p. 206 № 657). П. Ш.

590. *L. amplexicaule* L. 9/VI 1904. По полямъ и сорнымъ мѣстамъ на лугахъ. С. (Ib. p. 206 № 658). П.

591. *L. album* L. 17/VI 1905. По садамъ въ с. Сѣтномъ. Нерѣдко. Ш.

592. *Stachys germanica* L. 13/VII 1905. По склонамъ ок. с. Бекарюковки и дер. Доброй. П. („Бекарюковка").

(680). 593. *S. silvatica* L. 18/VII 1904. По лѣсамъ. П. Ш. С. (Ib. p. 206 № 661).

594. *S. palustris* L. 3/VII 1904. По влажнымъ мѣстамъ и въ посѣвахъ. С. (Ib. p. 206 № 662). Ш. П.

595. *S. annua* L. 7/VII 1905. По полямъ и между посѣвами (особ. яровыми). С. (Ib. p. 206 № 663). Ш. П.

596. *S. recta* L. 21/VI 1904. По холмамъ, склонамъ и между кустарниками. С. (Ib. p. 206 № 664). П.

597. *S. Betonica* B e n t h. 6/VII 1904. По опушкамъ лѣсовъ и холмамъ. С. (Ib. p. 206 № 665). Ш. П.

S. lanata J a c q. Приводитъ К а л е н и ч е н к о („Бекарюковка").

598. *Ballota nigra* L. 17/VI 1905. По сорнымъ мѣстамъ всюду. С. (Ib. p. 206 № 666). Ш. П.

599. *Phlomis tuberosa* L. 19/VI 1904. Нерѣдко по степнымъ склонамъ. С. (Ib. p. 206 № 667). П. Ш.

600. *Ph. pungens* M. B. 13/VII 1905. По мѣловымъ обнаженіямъ вдоль р. Ивички и по р. Нежеголи. Л. (Ib. p. 197 № 305). Кл. („Бекарюковка"). П. („Бѣлая гора"). С. (Ib. p. 206 № 668).

601. *Ajuga Genevensis* L. 10/V 1904. По лѣсамъ и лугамъ. С. (Ib. p. 206 № 669). Ш. П.

(690.) 602. *A. Chia* S c h r e b. 28/V 1904. По мѣловымъ и глинистымъ склонамъ. Нерѣдко. С. Ib. p. 206 № 670). Ш. П.

A. Laxmanni B e n t h. Приводитъ К а л е н и ч е н к о. („Бекарюковка").

A. pyramydalis L. } Приводится Л и н д е м а н н о м ъ
A. Chamaepitis S c h r e b. } (Ib. p. 197 № 307).

603. *Teucrium Polium* L. 13/VII 1905. Мѣловые склоны ок. с. Бекарюковки. С. (Ib. p. 207 № 672). П.

604. *T. Chamaedrys* L. 12/VII 1904. По мѣловымъ обнаженіямъ ок. им. Лазаревки и с. Б. Городища. П. Ш.

Solanaceae.

605. *Solanum nigrum* L. 28/VII 1904. По садамъ и сорнымъ мѣстамъ. Часто. С. (Ib. p. 201 № 572). П. Ш.

606. *S. Dulcamara L.* 13/VI 1904. Обыкновенно по ольшатникамъ. С. (Ib. p. 201 № 573). П. Ш.

607. *Lycium barbarum* L. 2/VII 1905. По улицамъ с. Корочи, около плетней въ с. Ржевкѣ (Петровкѣ). С. (Ib. p. 201 № 574. П. Ш.

608. *Datura stramonium* L. 15/VIII 1903. По мусорнымъ мѣстамъ. Часто. С. (Ib. p. 201 № 575). П. Ш.

(700.) 609. *Hyosciamus niger* L. 12/VII 1905. Обыкновенно по сорнымъ мѣстамъ. С. (Ib. p. 201 № 576. П. Ш.

Scrophulariaceae.

610. *Verbascum phlomoides* L. Л. (Addenda etc.).; было найдено г. П а л л о н о м ъ въ кустахъ на „Кручкѣ“.

611.* *V. thapsiforme* S c h r a d. 19/VII 1904. По мѣловымъ обнаженіямъ горы „Куцовки“ ок. дер. Афанасовой.

612. *V. Lychnitis* L. 2/VII 1904. По холмамъ и склонамъ; на поляхъ. Нерѣдко. С. (Ib. p. 201 № 579).

613. *V. nigrum* L. 8/VII 1904. По опушкамъ лѣсовъ. Часто. С. (Ib. p. 201 № 580).

614. *V. phoeniceum* L. 26/V 1905. По глинистымъ склонамъ лога „Портянка“ ок. сл. Соколовки, и по мѣловымъ обнаженіямъ „Бѣлой горы“. П.

615. *V. orientalis* М. В. 2/VII 1905. По холмамъ и склонамъ. С. (Ib, p. 201 № 581). П. Ш.

V. rubiginosum W. et K. Приводится Л и н д е м а н н о м ъ (Ib. p. 194 № 271 „ad limites Gub. Chercoviens, rarissime“ [1]).

616. *Linaria genistifolia* M i l l. 13/VII 1905. По степнымъ склонамъ лога „Дубино“ ок. сл. Соколовки. Рѣдко. С. (Ib. p. 201 № 583). Л. (Ib. p. 195 № 227).

L. odora C h a v. Приводится Л и н д е м а н н о м ъ (Ib. p. 195 № 227) и было найдено В. С у к а ч е в ы м ъ по песчанымъ мѣстамъ вдоль р. Нежеголи (Ib. p. 202 № 584).

(710.) 617. *L. vulgaris* M i l l. 8/VII 1904. По полямъ, лугамъ и обнаженіямъ. Часто. С. (Ib. p. 202 № 585). П. Ш.

618. *Scrophularia nodosa* L. 20/VI 1904. По лѣсамъ. Нерѣдко. С. (Ib. p. 202 № 586). П. Ш.

619. *S. alata* G i l i b. 14/VII 1905. По ольшатникамъ и канавамъ. Нерѣдко. С. (Ib. p. 202 № 587). П. Ш.

---

1) Этотъ видъ Ш м а л ь г а у з е н ъ считаетъ за помѣсь между *V. orientale* М В. и *V. phoeniceum* L. (Ib. Т. II p. 260).

Digitalis ochroleuca J a c q. *(D. grandiflora* L a m.) Приводитъ Д-ръ К а л е н и ч е н к о („Бекарюковка“).

620. *Veronica Anagallis* L. 15/VI 1904. По берегамъ рѣкъ. Обыкновенно. С. (Ib. p. 202 № 589). Ш. П.

621.* *V. anagalloides* G u s s. 27/VII 1905. По берегамъ р. Корочи ок. с. Терновой.

622. *V. Beccabunga* L. 13/VI 1904. По болотамъ. Нерѣдко. С. (Ib. p. 202 № 591). Ш. П.

623.* *V. scutellata* L. 7/VII 1905. По болотистымъ мѣстамъ ок. с. Сѣтного.

624. *V. Chamaedrys* L. 9/V 1904. По холмамъ и опушкамъ лѣсовъ. С. (Ib. p. 202 № 593). П. Ш.

625. *V. prostrata* L. 15/V 1905. По степнымъ склонамъ. Часто. С. (Ib. p. 202 № 594). П. Ш.

(720.) 626. *V. Teucrium* L. v. *latifoli* (S c h m a l h.) 25/V 1904. По лѣсамъ. С. (Ib. p. 202 № 595). П. Ш.

627. *V. Austriaca* L. 21/V 1904. По степнымъ склонамъ и холмамъ. С. (Ib. p. 202 № 596). П.

628. *V. incana* L. 23/VII 1904. По мѣловымъ склонамъ ок. им. Лазаревки. Нерѣдко. С. (Ib. p. 202 № 597). П.

629. *V. spuria* L. 28/VI 1905. Между кустарниками на „Кручкахъ“ и въ урочищѣ „Красная Яруга“. Л. (Ib. p. 195 № 277). П.

630. *V. spicata* L. 12/VI 1905. Обыкновенно по степнымъ склонамъ. С. (Ib. p. 202 № 599).

631.* *V. longfolia* L. 16/VII 1904. По опушкамъ лѣса ок. с. Сѣтного. Рѣдко.

632. *V. serpyllifolia* L. 29/IV 1904. По склонамъ и полямъ ок. д. Плуталовки. С. (Ib. p. 202 № 601).

633. *V. arvensis* L. 29/VI 1904. Тамъ-же. Обыкновенно. С. (Ib. p. 202 № 602).

634.** *V. hederifolia* L. 12/VII 1905. Въ садахъ им. Лазаревки; по полямъ ок. д. Плуталовки. Рѣдко.

635.* *Euphrasia Odontitis* L. 7/VIII 1904. По мѣловымъ склонамъ ок. им. Лазаревки и степнымъ лужайкамъ въ урочищѣ „Красная Яруга“.

(730.) 636.* *E. curta Fr. v. glabrescens* W e t t s t. 28/VI 1904. По лѣсамъ, лугамъ и обнаженіямъ. Нерѣдко. П. („*E. officinalis* L. „по склонамъ“).

637. *Pedicularis palustris* L. 29/V 1905. По моховымъ болотамъ. Нерѣдко. Ш. П.

638. *P. comosa* L. 17/VI 1904. По степнымъ склонамъ и холмамъ. Обыкновенно. С. (Ib. p. 203 № 608). П.

639. *Rhinanthus Crista galli* L. v. *minor* E h r h. 13/VII 1904. Обыкновенно по лугамъ. С. (Ib. p. 203 № 609). Ш. П.

640. *Melampyrum cristatum* L. 28/VI 1905. Нерѣдко по опушкамъ лѣсовъ. С. (Ib. p. 203 № 600). Ш. П.

641. *Melampyrum arvense* L. 2/VII 1905. Обыкновенно по степнымъ склонамъ. С. (Ib. p. 203 № 611). Ш. П.

642. *M. nemorosum* L. 28/VI 1904. По лѣсамъ; иногда обильно. С. (Ib. p. 203 № 612). Ш. П.

643. *Lathraea squamaria* L. Въ Лазаревскомъ лѣсу; изрѣдка. (Паразит. на корняхъ *Corylus Avellana* L.) Л. (Ib. p. 195 № 284). Ш. П.

Orobanchaceae.

644. *Orobanche alba* S t e v. 25/VI 1904. По степнымъ склонамъ и мѣловымъ обнаженіямъ. Нерѣдко. С. (Ib. p. 204 № 618). П. Ш. [1]).

645. *O. Libanotidis* R u p r. 7/VI 1905. Въ Бекарюковскомъ бору. (Параз. на *Libanotis sibirica* С. А. М.) Ш. („Лѣсъ ок. с. Сѣтного" на *Seseli Libanotis* K o c h). П. („Лѣсъ Лявданскаго ок. с. Терновой").

(740.)   *O. rubens* L. Было найдено Г. Ш и р я е в с к и м ъ на мѣловыхъ склонахъ „Кручекъ".

O. major L. (*O. elatior* S u t t). Приводится г. Ш и р я е в с к и м ъ для мѣловой горы ок. с. Большой Слободы.

O. coerulescens S t e p h. Было найдено гг. П а л л о н о м ъ и Ш и р я е в с к и м ъ на мѣловыхъ склонахъ „Кручекъ".

646. *O. Cumana* W a l l r. 7/VII 1904. Весьма обильно по полямъ ок. с. Сѣтного. (Паразит. на подсолнечникѣ *Helianthus annuus* L. и переходитъ на различные виды рода *Artemisia*). С. (Ib. p. 204 № 623). П. Ш.

Lentibulariaceae.

647.* *Utricularia vulgaris* L. 14/VII 1904. У береговъ р. Корочи подъ с. с. Терновой и Б. Городищемъ; по р. Ивичкѣ ок. с. Ивицы. Изрѣдка.

e. Plantaginales.

Plantaginaceae.

648. *Plantago major* L. 2/VIII 1904. По садамъ и около дорогъ. Нерѣдко. С. (Ib. p. 207 № 674). П. Ш.

649. *P. media* L. v. *d'Urvilleana*. 2/VI 1904. По степнымъ склонамъ и лугамъ. С. (Ib. p. 207 № 675. П. Ш.)

---

1) Приводимое прежними изслѣдователями (Л и н д е м а н н ъ, М и з г е р ъ, Ч е р н я е в ъ) *O. caryophyllacea* S m. (*O. Galii* D u b y), по мнѣнію В. С у к а ч е в а, указывалось вмѣсто *O. alba*. (Ib. p. 204, № 617)

650. *P. lanceolata* L. 7/VI 1904. По холмамъ и между кустарниками. С. (Ib. p. 207 № 676). П. Ш.

651. *P. arenaria* W. et K. 18/VII 1903. По песчанымъ мѣстамъ.
Изрѣдка. С. (Ib. p. 207 № 677).

f. Rubiales.

Rubiaceae.

652.* *Asperula odorata* L. 16/V 1904. Въ старомъ дубовомъ лѣсу
ок. им. Лазаревки. Изрѣдка.

(750.) 653. *A. Aparine* MB. 20/VII 1904. По опушкамъ лѣсовъ и сорнымъ мѣстамъ. Обыкновенно. С. (Ib. p. 188 № 371).

654. *A. cynanchica* L. 26/VI 1904. По степнымъ и мѣловымъ склонамъ. Нерѣдко. Кл. („Бекарювка“). С. (Ib. p. 188
№ 372). П. Ш.

A. cretacea Schlecht ⎰ Приводитъ д-ръ Калениченко
A. Tinctoria L. ⎱ для мѣлов. обнаж. Бекарюковки.

655. *A. glauca* Bess. 7/VI 1905. По полямъ и въ Бекарюковскомъ
бору. С. (Ib. p. 188 № 374). Л. (Ib. p. 187 № 170).

656. *Galium Aparine* L. 16/VI 1903. По лѣсамъ и садамъ. Обыкновенно. С. (Ib. p. 188 № 375). П. Ш.

657. *G. uliginosum* L. 9/VI 1904. По сырымъ лугамъ и болотамъ.
С. (Ib. p. 188 № 376). П. Ш.

658. *G. verum* L. 20/VI 1904. По сухимъ лугамъ и склонамъ.
С. (Ib. p. 188 № 377). П. Ш.
— *f. mutabile* Bess. С. (Ib.). По лугамъ.
— *f. ruthenicum* Willd. Кл. („Бекарюковка“).

659. *G. Mollugo* L. 18/VI 1905. По лугамъ ок. с. Сѣтного. С.
(Ib. p. 188 № 378).

G. lucidum All. ⎰ Приводитъ Д-ръ Калениченко для
(760.) *G. tenuissimum* MB. ⎱ с. Бекарюковки.

660. *G. palustre* L. 9/VI 1904. По болотамъ и лугамъ. Нерѣдко.
С. (Ib. p. 189 № 379).

661.** *G. saturejaefolium* Ter. 7/VII 1904. По канавамъ на лугу
ок. с. Сѣтного. Рѣдко.

662. *G. boreale* L. 20/VI 1904. По склонамъ и между кустарниками. Л. („Addenda“ etc.) П. Ш. С. (Ib. p. 189 № 380).

663. *G. rubioides* L. 26/VI 1904. По опушкамъ Лазаревскаго лѣса;
по сухимъ склонамъ между кустарниками. Нерѣдко.
С. (Ib. p. 189 № 381). П. Ш.

Caprifoliaceae.

664. *Sambucus nigra* L. 28/VI 1905. Около селеній и по рощамъ.
въ садахъ. С. (Ib. p. 188 № 367). П.

665. *Viburnum Opulus* L. 25/V 1905. По лѣсамъ и ольшатникамъ.
Нерѣдко. С. (Ib. p. 188 № 368). П. Ш.

Lonicera Xylosteum L. Приводится Линдеманномъ (Ib. p. 187 № 169 „in montosis silvaticis copiose“) и было найдено г. Паллономъ „по дорогѣ на „Вторую Кручку“.

Adoxaceae.

666. *Adoxa Moschatellina* L. 20/IV 1905. Нерѣдко по лѣсамъ. С. (Ib. p. 188 № 366). П. Ш.

Valerianaceae.

667. *Valeriana officinalis* L. *a. vulgaris,* b. *media* K o c h. 3/VII 1904. По лугамъ и ольшатникамъ. П.
— *c. exaltata* M i k a n. Л. (Ib. p. 187 № 172).

(770.) 668. *V. tuberosa* L. 3/V 1905. По степнымъ склонамъ лога „Дубино“, ок. сл. Соколовки; рѣдко. Приводилось Линдеманномъ (Ib. p. 189 № 383).

Dipsaceae.

669. *Dipsacus . pilosus* L. Приводится Линдеманномъ (Ib. p. 187 № 173) и было найдено г. Паллономъ ок. с. Б. Городища.

670. *Knautia arvensis* C o u l t. 13/VI 1904. По сухимъ лугамъ и между кустарниками. Нерѣдко. (С. (Ib. p. 189 № 385). П. Ш.

671. *Scabiosa ochroleuca* L. 7/VII 1904. По склонамъ и сухимъ ,лугамъ. Нерѣдко. С. (Ib. p. 189 № 386).

k. Campanulatae.

Cucurbitaceae.

672. *Bryonia alba* L. 12/VII 1905. Въ садахъ и огородахъ около плетней. С. (Ib. p. 185 № 326). П.

Campanulaceae.

673. *Jasione montana* L. 2/VII 1904. На супесчаной почвѣ въ логу ок. с. Кощеевой. П.

Phyteuma canescens W. K. Было найдено г. г. Сукачевымъ и Паллономъ на склонахъ ок. с. Бекарюковки.

Ph. spicatum L. Приводитъ Д-ръ Калениченко („Бекарюковка“).

674.* *Campanula cervicaria* L. 20/VI 1904. По степнымъ лужайкамъ въ урочищѣ „Красная Яруга“.

675. *C. glomerata* L. 20/VI 1904. Тамъ-же и по степнымъ склонамъ ок. им. Лазаревки. Нерѣдко. С. (Ib. p. 197 № 511). Кл. („Бекарюковка“). П. Ш.

(780.) 676. *Campanula persicifolia* L. 20/VI 1904. Нерѣдко по лѣсамъ и рощамъ. С. (Ib. p. 197 № 512). П. Ш.

677. *C. rotundifolia* L. Приводитъ Калениченко („Бекарю-ковка“). П.

678. *C. Bononiensis* L. 10/VII 1904. По степнымъ склонамъ ок. им. Лазаревки. С. (Ib. p. 197 № 514). Кл. П.

679.* *C. Patula* L. 21/V 1904. По склонамъ „Кручекъ“ и лога „Дубино“ ок. с. Соколовки. Рѣдко.

680. *C. rapunculoides* L. 23/VII 1904. Обыкновенно по лѣсамъ и садамъ. С. (Ib. p. 197 № 515).

681. *C. Trachelium* L. 2/VII 1904. Въ Лазаревскомъ лѣсу. С. (Ib. p. 197 № 516).

682. *C. sibirica* L. 9/VI 1904. По склонамъ и сухимъ лугамъ. Обыкновенно. Кл. („Бекарюковка“). С. (Ib. p. 197 № 517). П. Ш.

C. Rapunculus L. Приводится Линдеманномъ (Ib. p 191 № 226 — „prope Jablona copiose“).

683. *Adenophora liliifolia* Ledeb. 2/VII 1905. По полямъ въ лѣсу ок. с. Сѣтного; между кустарниками на „Кручкахъ“. П. Кл. („Бекарюковка“ [1]).

Compositae.

684. *Eupatorium cannabinum* L. 3/VIII 1904. По ольшатникамъ на лугу ок. с. Сѣтного. Нерѣдко. С. (Ib. p. 189 № 387). П. Ш.

(790.) 685. *Solidago Virga aurea* L. 15/VIII 1905. По лѣсамъ и между кустарниками. Обыкновенно. С. (Ib. p. 189 № 388). П. Ш.

686. *Erigeron acer* L. 13/VI 1904. По лугамъ, полямъ и степнымъ склонамъ. С. (Ib. p. 189 № 389). П. Ш.

687. *E. Cannadensis* L. 28/VII 1904. По лѣсамъ (на вырубкахъ), садамъ и сорнымъ мѣстамъ. Обыкновенно. С. (Ib. p. 189 № 390). П. Ш.

688. *Aster Amellus* L. 20/VIII 1904. По степнымъ склонамъ ок. им. Лазаревки и въ др. мѣстахъ. Рѣдко. П. („Кручки“).

689.* *A. acer* L. *(Galatella punctata* Cass.) v. *E. dracunculoides* Lallem. 10/VIII 1905. По полянамъ въ лѣсу ок. с. Сѣтного. Рѣдко.

690.* *A. acer* L. v. β. *diseoideus* Lallem. 15/VIII 1905. По степнымъ лужайкамъ въ урочищѣ „Красная Яруга“.

691.* *A. Linosyris* Bernh. 11/VIII 1904. По мѣловымъ обнаже-яіямъ ок. им. Лазаревки. Рѣдко.

---

1) Калениченко приводитъ еще для с. Бекарюковки, какъ особый видъ *Adenophora latifolia* Fisch., который, по Шмальгау-зену (Ib. Т. II p. 180), является синонимомъ *A. liliifolia* Ledeb.

692. *Filago arvensis* L. 18/VII 1903. По паровымъ полямъ и сорнымъ мѣстамъ. Обыкновенно. С. (Ib. p. 190 № 395). П. Ш.

693. *Gnaphalium uliginosum* L. 14/VII 1905. По берегамъ рѣкъ. Обыкновенно. С. (Ib. p. 190 № 396). П. Ш.

694. *G. arenarium* L. 25/VII 1904. По мѣловымъ обнаженіямъ ок. им. Лазаревки и по р. Ивичкѣ. С. (Ib. p. 190 № 397). П. Ш.

(800.) 695. *Inula Helenium* L. 25/VI 1905. По лугамъ ок. с. Сѣтного. С. (Ib. p. 190 № 398). П. Ш.

696. *I. germanica* L. Было найдено г. Паллономъ между кустарниками на „Кручкахъ".

697. *I. hirta* L. 20/VI 1904. По степнымъ лужайкамъ въ урочищѣ „Красная Яруга". Нерѣдко. Л. (Ib. p. 188 № 184 — „haud rare"). П. (Кручки").

698. *I. salicina* L. 20/VII 1904. По опушкамъ Лазаревскаго и др. лѣсовъ. С. (Ib. p. 190 № 401). П. Ш.

699. *I. ensifolia* L. 27/VI 1903. По мѣловымъ обнаженіямъ ок. с. Бекарюковки. С. (Ib. p. 190 № 402).

700. *I. britanica* L. 14./VII 1904. По лугамъ, полямъ и опушкамъ лѣсовъ. Часто. С. (Ib. p. 190 № 403). П.

701. *Pulicaria vulgaris* Gaertn. 12/VIII 1905. По берегамъ р. Корочи. П.

702. *Xanthium Strumarium* L. 5/VIII 1904. По огородамъ, сорнымъ мѣстамъ и полямъ. Нерѣдко. С. (Ib. p. 190 № 405. П. Ш.

703. *X. spinosum* L. 28/VI 1905. По улицамъ и сорнымъ мѣстамъ въ с. Сѣтномъ. С. (Ib. 190 № 406).

704. *Bidens tripartitus* L. 5/VIII 1905. Обыкновенно по мокрымъ мѣстамъ и канавамъ. С. (Ib. p. 190 № 407). П. Ш.

(810.) 705. *B. cernuus* L. 5/VIII 1905. По болотамъ и у ключевыхъ водъ; рѣже предыдущаго. С. (Ib. p. 190 № 408). П. Ш.

Anthemis arvensis L. Приводится Линдеманномъ (Ib. p. 188 № 188).

706. *A. tinctoria* L. 6/VII 1904. По сорнымъ мѣстамъ и глинистымъ склонамъ. Часто. С. (Ib. p. 191 № 410).

707. *Achillea Millefolium* L. 26/VI 1904. По холмамъ и между кустарниками. Обыкновенно. Нерѣдко встрѣчаются экземпляры съ розовыми и фіолетовыми цвѣтами. С. (Ib. p. 191 № 412). П. Ш.

A. magna L. (*A. tanacetifolia* All.) ⎫ Приводятся Линдеманномъ
A. setacea Kit. ⎭ (Ib. p. 188 № 190 „rare").

A. cartilaginea L. Было найдено г. Паллономъ ок. г. Корочи „за кладбищемъ на полѣ".

708. *A. nobilis* L. 5/VII 1904. Обыкновенно по степнымъ и глинистымъ склонамъ. С. (Ib. p. 191 № 415).

709. *Chrysanthemum Leucanthemum* L. 25/VII 1903. По лугамъ и полянамъ. Обыкновенно. С. (Ib. p. 191 № 416). П. Ш.

710. *Matricaria inodora* L. 15/VIII 1905. Всюду обыкновенно по сорнымъ мѣстамъ. С. (Ib. p. 191 № 418). П. Ш.

711. *Pyrethrum corymbosum* W. 20/VI 1904. По степнымъ склонамъ и полянамъ. Нерѣдко. С. (Ib. p. 191 № 419). П. Ш.

(820.) 712. *Tanacetum vulgare* L. 5/VIII 1904. По межамъ и между кустарниками. С. (Ib. p. 191 № 420). Кл. („Бекарюковка"). П. Ш.

713. *Artemisia Absinthium* L. 18/VII 1904. По сорнымъ мѣстамъ; обыкновенно. С. (Ib. p. 191 № 412). П. Ш.

714. **A.* armeniaca* L. 2/VII 1905. По мѣловымъ склонамъ на „Кручкахъ".

715. *A. inodora* MB. 12/VIII 1905. По степнымъ склонамъ лога „Дубино" ок. сл. Соколовки. Л. (Ib. p. 189 № 195). С. (191 № 423).

716. *A. scoparia* W. K. 15/VIII 1905. По склонамъ лога „Портянки" ок сл. Соколовки. С. (Ib. p. 191 № 424).

717. *A. annua* L. 19/VIII 1904. Изрѣдка по сорнымъ мѣстамъ ок. с. Сѣтного. С. (Ib. p. 191 № 425).

718. *A. vulgaris* L. 15/VIII 1904. Обыкновенно по сорнымъ мѣстамъ и пустырямъ. С. (Ib. p. 191 № 426). П. Ш.

719. *A. austriaca* Jacq. 7/VIII 1905. По полямъ и склонамъ. Часто. Л. (Ib. p. 189 № 195). Кл. („Бекарюковка"). С. (Ib. p. 192 № 427). П. Ш.

A. procera Willd. приводитъ Линдеманнъ (Ib. p. 189 № 195).

720. *Tussilago Farfara* L. 9/IV 1905. По глинистымъ берегамъ рѣкъ; по лугамъ и ярамъ. С. (Ib. p. 192 № 431). П. Ш.

(830.) *Senecio cacaliaefolius* Schultz Bip. (*Ligularia sibirica* Cass.) Приводится Линдеманномъ и Мизгеромъ (Ib. p. 189 № 201 „in locis elevatis ad silvarum margines; rarissime").

S. nemorensis L. Приводитъ В. Сукачевъ (Ib. p. 192 № 434) по показаніямъ Д. Литвинова для с. Бекарюковки.

721. **S.* paluster* L. 26/V 1905. На Лазаревскомъ торфяникѣ подъ сл. Соколовкой. Рѣдко.

722. **S.* campester* DC. 21/V 1904. Между кустарниками на „Кручкахъ"; въ Лазаревскомъ лѣсу.

723. *S. vernalis* W. K. 30/V 1904. По паровымъ полямъ и сорнымъ мѣстамъ. Часто. II.

724. *S. Jacobaea* L. 26/VII 1904. По холмамъ, степнымъ и мѣловымъ склонамъ. Нерѣдко. С. (Ib. p. 192 № 437). II. Ш.

725. *S. erucifolius* L. Тогда-же. Между кустарниками. Изрѣдка. С. (Ib. p. 192 № 438).

726. *Senecio Doria* L. var. *macrophyllus* MB. 14/VII 1905. У под-
ножія мѣловыхъ обнаженій „Кручекъ“, у с. Бекарю-
ковки и ок. с. Сѣтного по дорогѣ въ Сѣтенской лѣсъ.
Рѣдко. Л. (Ib. p. 189 № 202 — „rarissime“). Кл.
(„Бекарюковка“). С. (Ib. p. 192 № 439). П. Ш.
(„Кручки“).

S. sarracenicus L. Было найдено г. В. Сукачевымъ („въ
прибрежномъ кустарникѣ ок. с. Бекарюковки“).

727. *Echinops sphaerocephalus* L. 25/VII 1904. По глинистымъ склонамъ и сорнымъ мѣстамъ. Нерѣдко. Л. (Ib. p. 189
№ 204). П. („Кручки“).

(840.) 728. *E. Ritro* L. 5/VIII 1905. По мѣловымъ склонамъ „Кручекъ“
и мѣл. обнаженіямъ по р. Ивичкѣ.

729. *Carlina vulgaris* L. 2/VII 1905. По склонамъ за „Кручками“
и оврагамъ; требуетъ глинистой почвы. П. Ш.

730.* *Lappa major* Gaertn. 14/VII 1905. По сорнымъ мѣстамъ.
Нерѣдко.

731. *L. tomentosa* Lam. 15/VII 1903. Тамъ-же. Обильно. С. (Ib.
p. 193 № 445). П. Ш.[1]).

732. *Onopordon Acanthium* L. 5/VIII 1904. По сорнымъ мѣстамъ
и пустырямъ. С. (Ib. p. 193 № 446). П. Ш.

733. *Carduus nutans* L. 6/VII 1904. По паровымъ полямъ. Часто.
С. (Ib. p. 193 № 447) П. Ш.

C. macrocephalus Dest., приводимое Линдеманномъ
(Ib. p. 190 № 208), принадлежитъ по Шмальгаузену (Ib. Т. II p. 97) къ виду *C. nutans* L.

734. *C. crispus* L. 15/VIII 1904. По садамъ и сорнымъ мѣстамъ.
Обыкновенно. С. (Ib. p. 193 № 448). П. Ш.

735. *C. acanthoides* L. 27/VII 1904. По паровымъ полямъ и около
дорогъ. Нерѣдко. С. (Ib. p. 193 № 449). П. Ш.

736. *C. hamulosus* Ehrh. 26/V 1905. По степнымъ склонамъ лога
„Дубино“ ок. сл. Соколовки. Л. (Ib. p. 190 № 208).

(850.) 737. *Cirsium eriophorum* Scop. v. *spathulatum* Grieseb. 10/VIII
1905. По вырубкамъ въ лѣсу ок. с. Сѣтного. С. (Ib.
p. 193 № 451). П. („Кручки“).

738. *C. serrulatum* MB. 15/VIII 1905. По сорнымъ оврагамъ и
садамъ ок. с. Сѣтного. Л. (Ib. p. 190 № 209).

C. palustre Scop. Приводится Линдеманномъ. (Ib.
p. 190 № 209).

739. *C. canum* MB. *a. genuinum.* 3./VII 1904. Обыкновенно по
влажнымъ лугамъ. С. (Ib. p. 193 № 454). П. Ш.

C. pannonicum Gand. Было найдено г.г. Ширяевскимъ
и Паллономъ „на лѣсныхъ полянахъ ок. Кручки“.
Л. (Ib. p. 190 № 209).

1) Нерѣдко встрѣчается помѣсь *Lappa major* Gaertn. и *L. tomentosa* L. 28/VI 1905. По вырубкамъ и опушкамъ въ Лазаревскомъ лѣсу;
сорныя мѣста въ урочищѣ „Красная Яруга“.

740. *Cirsium oleraceum* S c o p. 4/VIII 1903.   Въ Лазаревскомъ торфяникѣ на лугу ок. с. Сѣтного. П. Ш.

741.* *C. lanceolatum* S c o p. 5/VIII 1905.   По сорнымъ мѣстамъ въ лѣсахъ и на лугахъ.

742.* *C. arvense* S c o p. 2/VII 1905.   По полямъ и сорнымъ мѣстамъ. Нерѣдко.

— *v. mite* K o c h. По полямъ. Цв. тогда-же.

— *v. setosum* K o c h. По лугамъ. Цв. тогда-же.

743. *Jurinea mollis* R c h b. 9/VI 1904.   По степнымъ склонамъ и мѣловымъ обнаженіямъ. Нерѣдко. Л. (Ib. p. 199 № 212). Кл. („Бекарюковка"). С. (Ib. p. 193 № 460) [1]).

J. Eversmanni B g e. Найдено г. Паллономъ ок. г. Корочи („на кладбищѣ").

(860.) *J. polyclonos* D C.   Приводитъ Калениченко („Бекарюковка").

744. *Serratula tinctoria* L. 2/VII 1905.   По лѣсамъ. Нерѣдко. С. (Ib. p. 194 № 461). Ш. П.

745. *S. coronata* L. 18/VIII 1905.   Между кустарниками на „Кручкахъ" и по вырубкамъ въ лѣсу ок. с. Сѣтного. Рѣдко. П. („Кручки"). Ш.

746. *S. radiata* MB. 26/V 1905.   Между кустарниками въ логу „Дубино" ок. сл. Соколовки; на „Кручкахъ". Изрѣдка. Л. (Ib. p. 190 № 211). Ш.

747. *S. heterophylla* D e s f. 26/V 1905.   По лужайкамъ въ урочищѣ „Красная Яруга" и по степнымъ склонамъ ок. сл. Соколовки. Л. (Ib. p. 190 № 211).

748. *Centaurea ruthenica* L a m. v. *angustiloba* K o r s h i n s k i. 7/VI 1905.   По мѣловымъ обнаженіямъ ок. с. Бекарюковки и на „Кручкахъ". Рѣдко. Л. (Ib. p. 189 № 206). С. (Ib. p. 194 № 466). П. Ш.

749. *C. jacea* L. 3/VII 1904.   По лугамъ; обильно. С. (Ib. p. 195 № 467). П. Ш.

750.* *C. stenolepis* K e r n e r. 2/VIII 1904.   По опушкамъ Лазаревскаго лѣса и между кустарниками въ „Красной Яругѣ".

751. *C. Marschalliana* S p r e n g. 5/V 1905.   По мѣловымъ обнаженіямъ лога Портянка ок. сл. Соколовки и степнымъ склонамъ у хутора Соловьева (ок. с. Сѣтного). Нерѣдко. Л. (Ib. p. 190 № 206 „rare").

752. *C. Cyanus* L. 28/VI 1904.   По полямъ, въ посѣвахъ хлѣбовъ (особенно озимыхъ). Обыкновенно. С. (Ib. p. 194 № 470). П. Ш.

---

1) Приводимое Линдеманномъ (Ib. „Addenda etc.) — *Jurinea arachnoidea* B g e., какъ особый видъ, по Шмальгаузену (Ib. p. 110. Т. II) есть синонимъ *J. mollis* R c h b.

(870.) 753. *Centaurea scabiosa* L. 6/VII 1904. По холмамъ и между кустарниками. Нерѣдко. С. (Ib. p. 194 № 471). П. Ш.

754. *C. orientalis* L. 7/VI 1905. По мѣловымъ обнаженіямъ
вдоль р. Ивички и около с. Ржевки (Петровки). С. (Ib.
p. 194 № 473).

755. *C. maculosa* Lam. 20/VII 1905. По мѣловымъ обнаженіямъ
и степнымъ склонамъ. Нерѣдко. С. (Ib. p. 194 № 474).
П. Ш.

756. *C. arenaria* MB. Тогда-же. По песчанымъ мѣстамъ. Л. (Ib.
p. 190 № 206). С. (Ib. p. 194 № 476).

C. ovina Pall. Приводится Линдеманномъ (Ib. p. 190
№ 206).

757. *Lampsana communis* L. 18/VII 1904. По лѣсамъ и сорнымъ
мѣстамъ. С. (Ib. p. 195 № 477). П.

756. *Cichorium Intybus* L. 17/VII 1904. По сорнымъ мѣстамъ,
межамъ и дорогамъ. Обыкновенно. С. (Ib. p. 195
№ 478).

757. *Hypochoeris maculata* L. 20/VI 1904. По полянамъ въ урочищѣ „Красная Яруга". Нерѣдко. С. (Ib. p. 195
№ 479).

758. *Leontodon autumnalis* L. 5/VIII 1905. Нерѣдко по полянамъ и
лугамъ. С. (Ib. p. 195 № 480). П.

759. *L. hastilis* L. 15/VI 1905. По полянамъ. С. (Ib. p. 195
№ 481).

(880.) 760. *Picris hieracioides* L. 2/VII 1905. По холмамъ и склонамъ.
Обыкновенно. С. (Ib. p. 195 № 482).

761.* *Scorzonera purpurea* L. 21/V 1905. По мѣловымъ обнаженіямъ „Кручекъ" и ок. с. Бекарюковки.

S. austriaca Willd. Приводится Линдеманномъ (Ib.
p. 191 № 218).

S. hispanica L. Было найдено г.г. Ширяевскимъ и
Паллономъ на склонахъ „Кручекъ".

762. *Tragopogon major* Jacq. 28/VI 1904. По сухимъ холмамъ и
полямъ. Л. (Ib. p. 100 № 216). П. Ш.

763. *T. orientalis* L. 14/VII 1904. По степнымъ склонамъ. Нерѣдко.
Л. (Ib. p. 190 № 217). С. (Ib. p. 195 № 487).

— f. *undulatus* Jacq. Приводится В. Сукачевымъ для
степныхъ склоновъ и мѣловыхъ обнаженій. (Ib. p. 195
№ 487).

764.* *Taraxacum serotinum* W. K. 8/VIII 1904. По мѣловымъ обнаженіямъ по р. Ивичкѣ и ок. Лазаревки.

765. *T. officinale* Wigg. 4/VI 1903. Всюду обыкновенно по лугамъ, садамъ и сорнымъ мѣстамъ. С. (Ib. p. 195 № 490).
П. Ш.

766. *Chondrilla juncea* L. 16/VII 1904. Нерѣдко по степнымъ склонамъ. С. (Ib. 195 № 491).

767. *Crepis tectorum* L. 8/VII 1904. Обыкновенно по полямъ. С. (Ib. p. 185 № 492). П. Ш.

(890.) 768. *C. praemorsa* L. 15/V 1905. По травянистымъ склонамъ „Кручекъ". П.

769. *C. sibirica* L. 18/VII 1904. По лѣсамъ. Нерѣдко. П.

770. *Hieracium Pilosella* L. 20/V 1904. По холмамъ и степнымъ склонамъ. Нерѣдко. С. (Ib. p. 196 № 495). П. Ш.

771. *H. praealtum* Vill. 20/VI 1904. Въ логу „Большое Широкое" ок. с. Сѣтного.

772.* *H. echioides* W. K. 24/VII 1905. По лѣсистымъ яружкамъ (Пушкарскимъ) около г. Корочи.

773.* *H. umbellatum* L. 15/VIII 1905. Между кустарниками въ лѣсу ок. с. Сѣтного и въ урочищѣ „Красная Яруга".

774. *H. virosum* Pall. 2/VII 1905. По мѣловымъ обнаженіямъ „Кручекъ"; ок. с. Бекарюковки; логъ „Портянка" ок. сл. Соколовки. Ш.

775. *H. cymosum* L. 7/VI 1905. По опушкамъ „Бекарюковскаго бора". Рѣдко.

H. glaucescens Bess. (*H. Auricula* L.) Приводится Линде-манномъ. (Ib. p. 191 № 224).

H. sabaudum All. Приводитъ Калениченко для с. Бе-карюковки.

(900.) 776. *Sonchus oleraceus* L. 5/VIII 1904. По огородамъ и сорнымъ мѣстамъ. С. (Ib. p. 196 № 502).

777. *S. asper* Vill. 7/VIII 1904. По вырубкамъ въ лѣсахъ. С. (Ib. p. 196 № 503). П. Ш.

778. *S. arvensis* L. 3/VII 1904. По сухимъ лугамъ, полямъ и степнымъ склонамъ. Обыкновенно. С. (Ib. p. 196 № 504).

779. *Lactuca Scariola* L. 5/VIII 1904. По сорнымъ мѣстамъ и огородамъ. П.

(904.) 780.* *L. quercina* L. v. *sagittata* W. K. 15/VIII 1904. По сырымъ огородамъ ок. с. Сѣтного. Рѣдко.

Источники:

1. Anderson. „Geschichte der Flora Schwedens". — Engl. Jahrb.

2. Армашевскій. „Предварительный отчетъ о геологическихъ изслѣдованіяхъ губ. Курской и Харьковской". — Изв. Геол. Ком. № 7—8. 1886.

3. Барботъ-де Марни. „Геологическое изслѣдованіе отъ Курска черезъ Харьковъ до Таганрога". 1870.

4. „Бассейнъ Сейма. Изслѣдов. лѣсовод. отд. 1895—1896 г.г." — Труд. Эксп. для изсл. главн. рѣк. Евр. Рос. 1904.

5. Бекетовъ. „Примѣч. къ русскому переводу Griesebach'a: Die „Vegetation der Erde etc." Т. 1. 1884.

6. Борисякъ. „О стратиграфич. отношеніяхъ почвъ въ Харьковск. и прилегающ. къ ней губерніяхъ". — Сборн. мат., относ. къ геол. Южн. Россіи. 1867.

7. Бушъ Н. Рефератъ на работу Голенкина: „Замѣтка о Daphne Sophia Kalenicz." — Труд. Бот. Сад. И. Юрьев. Ун. Т. I. в. 1.

8. Вернеръ. „Курская губернія. Итоги статистическихъ изслѣдованій". Курскъ 1887.

9. Голенкинъ. „Замѣтка о Daphne Sophia Kalenicz". — Прил. къ прот. Им. Моск. Общ. Исп. прир. Январь 1899.

10. Горницкій. „Замѣтка объ употребленіи въ народномъ быту нѣкотор. дикорастущихъ и воздѣлыв. растеній Украинск. Флоры". — Втор. дополн. къ XX т. Труд. Общ. Исп. прир. при Хар. Ун. 1886.

11. Докучаевъ. „Русскій черноземъ". 1883.

12. его-же „Были-ли лѣса въ Южн. Россіи?" — Вѣстн. Естествозн. 1891.

13. его-же „Наши степи прежде и теперь". 1892.

14. Drude, O. „Handbuch der Pflanzengeographie". 1890.

15. Дубянскій, В. О характерѣ растит. мѣловыхъ обнаженій по наблюд. въ Воронеж. губ." — Изв. Имп. Бот. Сад. Т. III. № 7. 1903.

16. его-же „Характеръ раст. мѣловыхъ обнаженій въ бас. р. Хопра". СПБ. 1905.

17. Gerder. „Die Flora des europäischen Russlands". — Engler. Bot. Jahrb. 1891.

18. Франковскій. „Опытныя поля Курской губ." Глава изъ отч. сел.-хоз. химич. лаборатор. „Изслѣдованіе почвъ четырехъ опытныхъ полей Курск. губерн." Курскъ. 1903.

19. „Just's Jahresbericht“. XIX; 1891—1892.

20. K a l e n i c z e n k o d-r. „Quelques mots sur les *Daphnes* rus-ses etc.“ — Bullet. de la Soc. des nat. de Moscou. 1849.

21. его-же „Encore quelques mots sur le *Daphne Sophia*“. — Bullet. de la Soc. des nat. de Moscou 1873.

22. К и п р і я н о в ъ. „Геологич. изслѣд. въ Орловск. и Курск. губ.“ Зап. Мин. Общ. т. XX. 1885.

23. К о м а р о в ъ, В. „Флора Маньчжуріи“. Гл. V. — Acta Hort. Petropol. Т. XX.

24. его-же „Видъ и его подраздѣленія“. — Дневн. XI. съѣзд. Русск. Ест. и врач. 1901.

25. К о р ж и н с к і й, С. „Сѣверная граница чернозѣмно - степной области“. 1888.

26. его-же „Сѣверная граница etc.“ — Труд. Общ. Ест. при Имп. Каз. Унив. Т. XXII. в. 6. 1891.

27. К р а с н о в ъ. „Рельефъ, растительн. и почвы Харьк. губ.“ 1893.

28. К у д р я в ц е в ъ Н. „Геологич. очеркъ Орл. и Курск. губ. въ раіонѣ 45 л.“ — Мат. для геол. Росс. т. XV. 1892.

29. К у з н е ц о в ъ, Н. И. „Обзоры работъ по фито-геогр. Росс.“ за 1894.

30. его-же „Обзоры etc. за 1892—1893 г.г.“

31. его-же „Рефератъ работы Б. Федченко: Флора Западн. Тянь-Шаня“. — Труд. Бот. Сад. И. Юрьев. Унив. т. VI в. 4.

32. Л е в а к о в с к і й. „Изслѣдов. осадковъ мѣловой и слѣдующ. за нею формацій“ в. 1—2. 1874.

33. L i n d e m a n n, E. „Nova revisio florae Kurskianae“ et „Ad-denda etc.“ Bullet. d. la Soc. Imp. des nat. de Moscou. Т. XXVII. в. 1—2. 1865.

34. Л и т в и н о в ъ, Д. „Гео-ботанич. замѣтки о флорѣ Европ. Росс.“ — Bullet. d. la Soc. des nat. de Moscou. 1890.

35. его-же „О реликт. характ. флоры камен. склон. Евр. Рос.“ — Труд. Бот. Муз. Имп. Акад. Наукъ. Вып. I. 1902.

36. М и з г е р ъ, А. „Конспектъ раст. дикораст. и развод. въ Курск. г.“ — Труд. Курск. губ. Статист. Ком. Вып. III. 1869.

37. М о р о з о в ъ. „Гидрографич. очеркъ Сѣверн. Донца“. — Труд. Общ. исп. прир. при Харьк. Унив. т. VIII. 1874.

38. **М у р ч и с о н ъ.** „Геологич. описаніе Европ. Россіи". 1849.
39. **Н и к и т и н ъ.** „Слѣды мѣлов. періода въ центр. Рос." 1888.
40. его-же „Предѣлы распростран. ледниковыхъ слѣдовъ въ центр. Россіи и на Уралѣ". — Изв. геол. кабин. Т. IV. в. 4.
41. „Описаніе Курск. Коммис. уравн. ден. сборовъ etc". — Журн. М. Гос. Им. ч. XXXVI. 1850—1854.
42. **П а л л о н ъ, I.** „По поводу статей г. С у к а ч е в а о *Daphne Sophia* K a l e n. и *Orobanche cumana* W a l l r." — Труд. Бот. Сад. И. Юрьев. Унив. Т. II в. 2.
43. его-же „По вопросу о *Daphne altaica* P a l l." — Труд. Б. Сад. И. Юрьев. Унив. Т. V. в. 2.
44. его-же „Въ дополненіе къ списку растеній въ очеркѣ раст. ю.-в. ч. Курск. г. В. Сукачева". — Труд. Б. Сад. И. Юрьев. У. Т. VI. в. 1.
45. **Р у п р е х т ъ, А.** „Геоботан. изслѣдованіе о черноземѣ". — Прилож. къ X. т. Зап. И. Акад. Наукъ. 1866.
46. **S c h i m p e r.** „Pflanzen-Geographie auf physiologischer Grundlage". Jena. 1898.
47. **С е м е н о в ъ, П.** Географич. - статист. словарь Росс. Имп." Т. II. 1865.
48. „Списки населенныхъ мѣстъ по свѣд. 1862 года. Курская губернія". Т. XX. 1868.
49. **С у к а ч е в ъ, В.** „О болотн. и мѣлов. раст. ю.-в. части Курск. губ." — Труд. Общ. исп. прир. при Харьк. Унив. Т. XXXVII. 1902.
50. его-же „Замѣтка о *Daphne Sophia* K a l. и *Orobanche cumana* W a l l r." — Труд. Б. Сад. И. Юрьев. У. Т. I. в. 3.
51. его-же „Очеркъ растит. юго-вост. части Курск. губ." Изв. СПБ. Лѣсн. Инст. в. IX. 1903.
52. **Т а л і е в ъ.** „Растительность мѣлов. обнаженій Южной Россіи". Харьков. ч. I, — 1904; ч. II, — 1905 г.
53. его-же „Къ вопросу о реликтовой растительности ледниковаго періода". Харковъ. 1897.
54. его-же „Нерѣшенныя проблемы русск. бот. географіи". — Лѣсн. журн. Вып. 3—4. 1904.
55. его-же „Мѣловые боры Донецк. и Волжск. бассейновъ". Труд. Харьк. Общ. Ест. Т. XXIX.
56. его-же „Очеркъ біологіи сорныхъ растеній". — Естествозн. и географ. Кн. 9. 1896.
57. **Т а н ф и л ь е в ъ, Г.** „Предѣлы лѣсовъ на югѣ Россіи". 1894.

58. Тилло, А. „Орографія Европ. Росс. на осн. гипсом. карты“.
Труд. VIII съезд. русск. ест. и врач.

59. „Указатель городищъ и кургановъ въ Курск. губ.“ — Труд.
Курск. губ. Стат. Ком. Вып. IV. 1874.

60. Шмальгаузенъ, И. „Флора Средней и южной Россіи“.
Кіевъ. Т. I., 1895 г.; Т. II., 1897 г.

61. Черняевъ. „О произведеніяхъ растительнаго царства
Курской губерніи“. — Журн. М. Вн. Дѣлъ.
Т. XXII. 1836.

62. его-же „Конспектъ растеній дикорастущихъ и разводимыхъ въ окрестн. г. Харькова и въ
Украйнѣ“. 1859.

Къ вопросу
о коагулезообразовательной дѣятельности пепсина resp. химозина.

Д. Лавровъ.

Вопросъ о коагулезообразовательной дѣятельности обычныхъ препаратовъ пепсина и химозина, т. е. вопросъ о способности обычныхъ препаратовъ названныхъ ферментовъ производить въ сгущенныхъ растворахъ продуктовъ пептическаго перевариванія бѣлковыхъ веществъ своеобразные осадки („пластеины" по В. Завьялову[1]), Д. Кураеву[2]) и др.; „коагулезы" по Р. Вайту[3]) и Д. Лаврову[4])) является недостаточно выясненъ даже относительно тѣхъ или другихъ главныхъ пунктовъ.

Такъ напр., мнѣнія работавшихъ по данному вопросу расходятся касательно химическаго характера пластеино-, resp. коагулезогенныхъ веществъ. Одни авторы, какъ напр. А. Данилевскій, В. Окуневъ[5]), В. Завьяловъ[6]), Д. Кураевъ[7]) и др., относятъ эти вещества къ группѣ бѣлковыхъ веществъ; Н. Bayer[8]) считаетъ пластеиногенъ „пептоидомъ", — веществомъ небѣлковаго характера. По моему мнѣнію[9]), коагу-

---

1) В. Завьяловъ — Къ теоріи бѣлковаго пищеваренія, дисс. Юрьевъ, 1899 г.

2) Д. Кураевъ — Hofmeister's Beiträge Bd. I, S. 121—135; ibid. Bd. II, S. 411—424; ibid. Bd. IV, S. 476—486 (1904).

3) Р. Вайтъ — Къ вопросу о дѣйствіи сычужнаго фермента на продукты перевариванія бѣлковыхъ веществъ, дисс. Юрьевъ, 1905 г.

4) D. Lawrow — Ueber die Wirkung des Pepsins . . ., Zeitschr. f. Physiol. Ch. B. 54, 1—32 S. (1907).

5) В. Окуневъ — Роль сычужнаго фермента при ассимиліон. процессахъ организма, СПБ. 1895.

6) l. c.

7) l. c.

8) H. Bayer — Hofmeister's Beiträge, Bd. IV, S. 554—562 (1904).

9) l. c.

лезогенныя вещества являются веществами minimum двухъ типовъ: во первыхъ, они бываютъ типа альбумозъ, и во вторыхъ, они могутъ носить характеръ соединеній типа полипептидовъ E. Fischer'а.

Также и относительно самихъ пластеиновъ resp. коагулезъ мнѣнія авторовъ противорѣчивы. Такъ, по однимъ, названныя вещества суть бѣлковыя тѣла (А. Данилевскій, В. Окуневъ, В. Завьяловъ, Д. Кураевъ и др.); въ противоположность этому мнѣнію H. Bayer (l. c.) полагаетъ, что пластеины по мѣрѣ ихъ очистки утрачиваютъ характерныя реакціи бѣлковыхъ веществъ, какъ напр. біуретовую реакцію и р. Миллона. Этотъ авторъ получилъ пластеинъ, элементарный составъ котораго совершенно не походитъ на таковой бѣлковыхъ тѣлъ, а именно пластеинъ содержалъ

$$C — 38.43\ \%$$
$$H — 7.01\ \%$$
$$N — 8.05\ \%.$$

Въ моей выше указанной работѣ я привожу данныя собственныхъ опытовъ, которыя позволяютъ, мнѣ кажется, сдѣлать заключеніе, что коагулезы (возникающія подъ вліяніемъ препаратовъ пепсина или химозина) являются соединеніями minimum двухъ типовъ: или онѣ по тѣмъ или другимъ качественнымъ реакціямъ и по элементарному составу болѣе или менѣе походятъ на бѣлковыя вещества; или онѣ обнаруживаютъ совсѣмъ другой элементарный составъ, чѣмъ послѣднія названныя тѣла.

Дѣйствительно, изъ продуктовъ пептическаго перевариванія кристаллическаго яичнаго альбумина мною были получены три коагулезы слѣдующаго состава:

	I	II	III
C —	54.9 %	56.46 %	44.58 %
H —	7.43 „	7.69 „	8.07 „
N —	14.56 „	12.56 „	12.31 „

Въ настоящей работѣ я имѣлъ цѣлью предварительно опредѣлить общій характеръ продуктовъ распада коагулезъ, получаемыхъ изъ такихъ продуктовъ пептическаго перевариванія бѣлковыхъ веществъ, которые носятъ свойства полипептидовъ. Для этого мною была добыта коагулеза изъ означенныхъ продуктовъ, полученныхъ при перевариваніи лошадинаго гемоглобина, разъ перекристаллизованнаго. Перевариваніе было произведено съ помощью pepsinum Grülleri, въ присутствіи 0.5 % сѣрной кислоты, при наличности избытка хлороформа; длилось оно около 4 недѣль, протекало не интензивно. При этомъ перевариваніи не было получено кристаллизующихся resp. болѣе или менѣе легко кристаллизующихся моноаминокислотъ. Растворъ продуктовъ даннаго перевариванія былъ осажденъ фосфорновольфрамовою кислотою; а именно въ присутствіи 0.5 %-ой сѣрной кислоты, при чемъ фосфорновольфрамовая кисл. прибавлялась только до тѣхъ поръ, пока возникалъ хлопчатый, а не пылеобразный осадокъ. Фильтратъ, отдѣленный отъ полученнаго осадка, относительно очень обильнаго, былъ соединенъ съ промывными фильтратами (промываніе осадка велось 0.5 %-ою сѣрною кислотою, къ которой прибавлялось немного фосфорновольфрамовой кислоты); изъ соединенныхъ фильтратовъ сѣрная кислота и фосфорновольфрамовая были удалены ѣдкимъ баритомъ, и они были сущены сначала при 35—40 º С., потомъ при комнатной температурѣ (въ Vacuum-exsiccator'ѣ) до консистенціи жидковатаго сиропа. При стояніи этого сиропообразнаго раствора, реагировавшаго кисло, въ прохладномъ мѣстѣ втеченіе са. 7 дней не образовалось никакого кристаллическаго осадка. Изъ наиболѣе характерныхъ качественныхъ реакцій разсматриваемыхъ продуктовъ перевариванія я отмѣчу здѣсь слѣдующія (NB. для производства ниже приводимыхъ пробъ былъ примѣненъ растворъ данныхъ продуктовъ, содержавшій въ каждыхъ 100 к. с. растворъ 0.894 grm. азота; растворъ реагировалъ кисло съ синею лакмусовою бумажкою, совершенно не реагировалъ съ конго-бумажкою).

1. Послѣ прибавленія къ раствору крѣпкаго раствора ѣдкаго натра, — какъ это дѣлается при производствѣ біуретовой реакціи, — и са. 3 %-аго раствора сѣрнокислой мѣди, — этотъ послѣдній растворъ прибавляется постепенно, по каплямъ, — проба послѣдовательно окрашивается въ розово-красный цвѣтъ, розово-фіолетовый, фіолетовый, фіолетово-синій и наконецъ въ интензивный синій.

2. При постепенномъ прибавленіи къ раствору реактива Эсбаха (до равнаго объема) не получается ни слѣдовъ осадка, по крайней мѣрѣ втеченіе 24 часовъ.

3. При постепенномъ, осторожномъ прибавленіи къ испытуемому раствору 2 %-аго воднаго раствора сулемы не получается никакого осадка, или-же возникаетъ (втеченіе 12—24 часовъ) незначительная опалесценція.

4. Подкисленный сѣрною кислотою (до 0.5 %) растворъ даетъ съ фосфорновольфрамовою кислотою пылеобразный осадокъ, быстро

осѣдающій на дно пробирки, получающійся въ относительно незначительномъ количествѣ.

Подобные продукты распада бѣлковыхъ веществъ были описаны мною еще раньше [1]; болѣе подробно они были изслѣдованы Э. Свирловскимъ[2]. По всей вѣроятности, такіе продукты являются соединеніями типа полипептидовъ E. Fischer'a. Разсматриваемыя здѣсь вещества оказались относительно легко разлагающимися. Такъ напр., послѣ 2—3-кратнаго выпариванія ихъ раствора на кипящей водяной банѣ и послѣдовательнаго сгущенія такого раствора получилась кашеобразная кристаллическая масса; кристаллическій осадокъ состоялъ изъ иголочекъ, различныхъ по величинѣ, или лежащихъ отдѣльно, или собранныхъ въ пучки, шары, снопобразныя группы и т. д.

Для полученія коагулезы растворъ данныхъ коагулезогенныхъ веществъ, сгущенный (при 35—40° C.) до консистенціи жидкаго сиропа, былъ подкисленъ соляною кислотою до очень слабой реакціи съ конго-бумажною (слабое буроватое окрашиваніе) и смѣшанъ съ искусственнымъ желудочнымъ сокомъ (перевареннымъ, діализированнымъ), взятымъ въ количествѣ $1/20$ объема раствора коагулезогенныхъ веществъ. При нагрѣваніи смѣси до 40° C. реакція началась быстро, а именно уже черезъ нѣсколько минутъ растворъ замутился. Черезъ ca. 72 часа реакція повидимому закончилась (осадокъ началъ уменьшаться въ объемѣ, стоящій надъ нимъ растворъ становился все болѣе и болѣе прозрачнымъ). Осадокъ былъ отцентрофугированъ и тщательно промытъ дестиллированною водою. Повидимому, полученная коагулеза въ дестилированной водѣ не нерастворима: даже послѣ повторнаго тщательнаго промыванія коагулезы промывные фильтраты давали слѣды (незначительные) біуретовой реакціи.

Свѣже промытая коагулеза оказалась плохо растворомою въ 0.5%-ой соляной кислотѣ, медленно растворяющеюся въ 2—3%-омъ растворѣ ѣдкаго натра; она давала слѣды Миллоновой реакціи, ксантопротеиновой и p. Liebermann'a; реакціи Адамкевича совершенно не получалось. При настаиваніи ея съ 5-%-ымъ растворомъ ѣдкаго натра въ присутствіи сѣрнокислой мѣди получалось розово-фіолетовое окрашиваніе, средней степени по интензивности.

1) D. Lawrow — Zeitschr. f. physiol. Ch. Bd. 43, S. 447—463.
2) Э. Свирловскій — Къ вопросу о дѣйствіи разведен. соляной кислоты на бѣлковыя вещества, дисс. Юрьевъ 1906.

Высушенная до постояннаго вѣса при 101^0—110^0 (сушка совершалась скоро), она представлялась очень мало гигроскопическимъ веществомъ; содержаніе азота въ ней оказалось разнымъ $11.56^0/_0$.

Расщепленіе этой коагулезы было произведено съ помощью $25\,^0/_0$-ой сѣрной кислотъ, въ присутствіи олова, въ длинногорлой колбѣ, снабженной обратнымъ холодильникомъ, верхній конецъ котораго былъ закрыты длинною капиллярною трубкою. Сначала нагрѣваніе велось на кипящей водяной банѣ, а потомъ смѣсь кипятилась на песчаной банѣ. Растворѣніе коагулезы совершалось очень медленно, такъчто разложеніе велось около четырехъ сутокъ. Полученный растворъ былъ освобожденъ отъ олова и сѣрной кислоты. При испытаніи его на присутствіе базъ, а именно съ помощью фосфорновольфрамовой кислоты (въ присутствіи $0.5^0/_0$-ой сѣрной кисл.) оказалось, что онъ не содержалъ продуктовъ распада основного характера (resp. содержалъ ихъ самыя незначительныя количества, какъ примѣсь). Такъ напр., даже при $0.259\,^0/_0$-омъ содержаніи азота 10 куб. сант. раствора дали съ фосфорновольфрамовою кислотою, въ присутствіи $0.5\,^0/_0$-ой сѣрной кислоты, незначительный пылеобразный осадокъ, который спустя са. 24 часа занималъ $^1/_{20}$—$^1/_{10}$ куб. сант. (NB. фосфорновольфрамовая кисл. прибавлялась постепенно до тѣхъ поръ, пока возникалъ осадокъ). При сгущеніи растворъ далъ обильный кристаллическій осадокъ, состоящій главнѣйшимъ образомъ изъ иголочекъ.

При $0.0259\,^0/_0$-омъ содержаніи азота этотъ растворъ продуктовъ распада разсматриваемой коагулезы почти совершенно не реагировалъ съ фосфорновольфрамовою кислотою, въ присутствіи $0.5^0/_0$-ой сѣрной кислоты.

Надо замѣтить, что основные продукты распада бѣлковыхъ веществъ довольно рѣзко реагируютъ съ фосфорновольфрамовою кислотою, въ присутствіи $0.5\,^0/_0$ сѣрной кислоты, такъчто даже 0.002—$0.003\,^0/_0$-ые растворы таковыхъ продуктовъ даютъ съ названнымъ реагентомъ муть средней степени, переходящую въ осадокъ. Такимъ образомъ въ данной коагулезѣ, подвергнутой расщепленію, надо видѣть коагулезу, въ составъ которой не входятъ такіе продукты распада гемоглобина, которые имѣютъ основной характеръ; она является какъ-бы свернутымъ полипептидомъ.

Конечно, вопросъ о химической индивидуальности этой коагулезы стоитъ совершенно открытымъ.

Параллельно разложенію разсматриваемой коагулезы было произведено расщепленіе (съ помощью $25\,^0/_0$-ой сѣрной кислоты, въ присутствіи олова) коагулезъ, полученной изъ коагулезогенныхъ продуктовъ типа альбумозъ, добытыхъ при пептическомъ переваривaніи коровьяго казеина. Эти продукты были очищены отъ веществъ, неосаждающихся сѣрнокислымъ аммоніемъ и фосфорновольфрамовою кислотою (resp. плохо осаждающихся послѣднимъ названнымъ реагентомъ). Полученная изъ этихъ коагулезогенныхъ веществъ коагулеза давала довольно интенсивную біуретовую реакцію; реакціи Миллона, Адамкевича, Либермана и ксантопротеиновая получались также въ довольно рѣзкой степени. Она легко растворялась въ слабыхъ растворахъ щелочей, медленно растворялась въ 0.5 %-ой соляной кислотѣ, при чемъ, повидимому, растворѣніе происходило только частично.

Коагулеза эта очень легко промывалась водою, легко высушивалась. Высушенная до постоянного вѣса при 105—110⁰ она содержала 14.32 % азота (по Kjeldahl'ю).

При нагрѣваніи ея съ 25 %-ою сѣрною кислотою на кипящей водяной банѣ, она довольно скоро растворилась, — рѣзкое отличіе отъ коагулезы, выше описанной; разложеніе ея велось втеченіе са. 48 часовъ, при кипяченіи на песчаной банѣ.

Полученный растворъ продуктовъ ея распада, освобожденный отъ олова и сѣрной кислоты, былъ осажденъ фосфорновольфрамовою кислотою (въ присутствіи 0.5 %-ой сѣрной кислоты); осадокъ былъ промытъ 0.5 %-ою сѣрною кислотою, содержавшею фосфорновольфрамовую кислоту, при чемъ промывные фильтраты были присоединены къ первому. Осадокъ былъ разложенъ обычнымъ путемъ съ помощью ѣдкаго барита; смѣсь фильтратовъ была освобождена отъ фосфорновольфрамовой и сѣрной кислотъ также съ помощью ѣдкаго барита.

Количество азота въ растворѣ базъ оказалось равнымъ 0.3245 grm. (= 26.1 % общаго азота); въ растворѣ моноаминокислотъ было пайдено 0.917 grm. азота (=73.9 % общаго азота). Растворъ моноаминокислотъ, сгущенный до консистенціи жидкаго сиропа, превратился при стояніи при комнатной температурѣ въ кристаллическую кашу (кристаллическій осадокъ состоялъ изъ массы всякаго рода иголочекъ и мелкихъ шаровъ, имѣющихъ видъ шаровъ лейцина).

Растворъ базъ реагировалъ рѣзко щелочно, далъ при фракціонироваиномъ осажденіи его, произведенномъ съ помощью азотнокислаго серебра и амміака resp. ѣдкаго барита, гистидиновую и аргининовую фракціи; эти фракціи ближайше не были изслѣдованы.

Итакъ несомнѣнно, чта эта коагулеза содержала и продукты расщепленія основного характера, и продукты типа моноаминокислотъ.

Такимъ образомъ, вышеприведенныя данныя подтверждаютъ выводъ, сдѣланный мною въ вышеупомянутой работѣ касательно типовъ коагулезъ: повидимому таковыхъ типовъ имѣется minimum два, а именно типъ коагулезъ, получаемыхъ изъ продуктовъ перевариванія альбумознаго характера, и типъ коагулезъ, возникающихъ изъ продуктовъ перевариванія, носящихъ характеръ полипептидовъ.

Въ виду этого приходится полагать, что коагулезообразовательная дѣятельность обычныхъ препаратовъ пепсина и химозина способна проявляться и на такихъ веществахъ, каковыми являются напр. продукты перевариванія типа полипептидовъ E. Fischer'a, — веществахъ, совершенно утратившихъ основныя свойства бѣлковыхъ тѣлъ.

Говоря о коагулезообразовательной дѣятельности препаратовъ пепсина и химозина, я совершенно не предрѣшаю вопроса о томъ, какому ферменту свойственна эта дѣятельность; можетъ-быть она связана съ пепсиномъ, можетъ-быть съ химозиномъ; возможно, что въ коагулезообразовательномъ процессѣ эти два фермента не принимаютъ участія, а что онъ обусловливается дѣятельностью какого-либо того фермента, нынѣ неизвѣстнаго. Во всякомъ случаѣ, естественно видѣть въ процессѣ возникновенія коагулезъ реакцію, обратную той реакціи, какою сопровождаются протеолитическіе процессы.

Юрьевъ, 29/III 1907.

Zur Frage über
die koagulosebildende Wirkung des Pepsins resp. Chymosins.

Von

D. Lawrow.

Zur Darstellung einer Koagulose vom Typus der Polypeptide wurden die polypeptidartigen Verdauungsproducte des umkrystallisierten Pferdehämoglobins benutzt.

Für die genannten Verdauungsproducte sind vor allem folgende Reactionen characteristisch:

1. Sie werden im Allgemeinen schwierig durch Phosphorwolframsäure (in Gegenwart von Mineralsäuren) gefällt.

2. Die P.W.S.-Niederschläge dieser Substanzen treten pulverartig, wenig voluminös auf.

3. Die eingedickte Lösung dieser Substanzen erwies sich als nicht krystallisierbar.

4. Die Lösungen dieser Substanzen geben die Biuretreaktion mit rosaroter resp. rosavioletter Farbe; hierbei entsteht bei Ueberschuss des Kupfersulfats eine intensive tiefblaue Farbe.

5. Die Substanzen zeigten sich als verhältnissmässig leicht spaltbar; so zum Beispiel eine Portion der Lösung der angegebenen Substanzen, 2—3 mal auf dem kochenden Wasserbade eingedampft, verwandelte sich beim Stehen bei Zimmertemperatur in einen krystallinischen Brei.

Die eingedickte Lösung dieser Verdauungsproducte begann nach Zusatz einer Pepsinlösung in einer Menge von $1/20$ der Probe bei 37—38.º C. schon nach einigen Minuten sich zu trüben und gab nach 72 Stunden einen reichlichen, flockigen Niederschlag. Der ausgewaschene Niederschlag löste sich schwierig in 0.5 %-iger Salzsäure, gab die Biuretreaction mit rosaroter resp. rosavioletter Farbe. Die bis zum konstanten Gewichte bei 105—110º getrocknete Koagulose enthielt 11.56 % Stickstoff. Die mit 25 %-iger Schwefelsäure bei Gegenwart von Zinn ca. 96 Stunden gekochte Snbstanz gab eine Lösung der Spaltungsproducte, welche sich als unfällbar (resp. sehr schlecht fällbar) durch P.-W.-S. erwiesen. Nach Eindampfen krystallisierte sich die Lösung.

Parallel diesem Versuche wurde eine Koagulose aus den Verdauungsproducten des Caseins, und zwar vom Typus der Albumosen, dargestellt; die Koagulose enthielt 14.32 % Stickstoff. Die Substanz wurde durch Kochen mit 25 %-iger Schwefelsäure, bei Gegenwart von Zinn, gespalten. Unter den Spaltungsproducten liessen sich nachweisen sowohl die Basen (ca. 26.1 %, nach Stickstoff berechnet), als auch die Aminosäuren.

Im Allgemeinen resultiert, dass man mindestens zwei Haupttypen von Koagulosen unterscheiden kann, und zwar die Koagulosen, die bei der Spaltung bloss die Aminosäuren geben, und die Koagulosen, die ausser den genannten Säuren auch die Basen liefern.

Jurjew (Dorpat), 29. III. 1907.

Къ вопросу

о полученіи рицина изъ старыхъ и свѣжихъ сѣмянъ клещевины.

В. Н. Воронцовъ.

Не смотря на довольно обширную литературу о рицинѣ, трактующую способы извлеченія токсина изъ сѣмянъ, полученіе его въ химически чистомъ видѣ, токсическія его свойства, иммунизирующую его способность и т. д., еще многое въ данномъ вопросѣ остается открытымъ и требующимъ различнаго рода изслѣдованій.

Среди многихъ другихъ вопросовъ, сюда относящихся, почти совсѣмъ открытымъ остается также и вопросъ касательно того, какъ долго этотъ токсинъ держится въ сѣменахъ при ихъ храненіи.

Въ коллекціи Фармакологическаго Института Юрьевскаго Университета имѣются рициновыя сѣмена, хранящіяся съ 1856—1857 г., т. е. 50 лѣтъ. Онѣ были пріобрѣтены проф. Buchheim'омъ для работы Krich'а[1]). По опредѣленію маг. фарм. Ив. Вильг. Шинделмейзера, которому я здѣсь выражаю свою сердечную благодарность за любезное содѣйствіе, эти сѣмена представляютъ собою *Ricinus communis* русскаго происхожденія. — Мой глубокоуважаемый шефъ и учитель, проф. Давидъ Мелитоновичъ Лавровъ предложилъ мнѣ изслѣдовать эти сѣмена на содержаніе въ нихъ рицина.

Наличность рицина въ старыхъ сѣменахъ была попутно констатирована нѣкоторыми авторами, а именно Cruz'омъ[2]) въ хра-

---

1) Krich. Experimenta quaed. pharmacol. de oleis Ricini. — Diss. Dorpat. 1857.

2) G. Cruz. Etude toxicologique de la ricine. — Annales d'hygiéne publique et de medecine legale. T. 40. Serie III. Paris 1898.

нившихся 15-ть лѣтъ сѣменахъ и Stillmark'омъ [1]) въ сѣменахъ хранившихся около 30-ти лѣтъ. Въ доступной мнѣ литературѣ я не нашелъ никакого изслѣдованія касательно содержанія рицина въ сѣменахъ полувѣковой давности.

Параллельно нижеописываемому моему изслѣдованію старыхъ сѣмянъ мною производилось извлеченіе рицина изъ свѣжихъ итальянскихъ сѣмянъ, а именно выписанныхъ отъ фирмы Штоль и Шмитъ въ С.-Петербургѣ.

A. Литературная часть.

Довольно полный очеркъ старой литературы о ядовитомъ началѣ рициновыхъ сѣмянъ, какъ то: о мѣстѣ содержанія его въ сѣменахъ, о химической его природѣ, свойствахъ и т. д., сдѣланъ Stillmark'омъ [2]) впервые изолировавшимъ токсинъ изъ сѣмянъ и давшимъ ему названіе рицина. Нѣсколько ранѣе Stillmark'a, попытка полученія токсина изъ сѣмянъ въ нечистомъ видѣ была сдѣлана Bubnow'ымъ [3]). Неоконченныя изслѣдованія Bubnow'a продолжалъ Th. Dixson [4]). Онъ обрабатывалъ предварительно обезжиренныя съ помощью эфира сѣмена двояко: во 1-хъ, по Bubnow'у путемъ экстрагированія 1—4 % - ою HCl и — осажденія кислаго экстракта углекислою содою; токсинъ получался въ нейтрализаціонномъ бѣлковомъ осадкѣ. Во 2-хъ, онъ экстрагировалъ сѣмена съ помощью воды и изъ добытой водной вытяжки осаждалъ токсинъ алкоголемъ. При второмъ способѣ обработки токсина получалось гораздо болѣе; растворы токсина всегда содержали бѣлокъ. Токсичность растворовъ, по автору, терялась черезъ нагрѣваніе ихъ до 95—96 ° C.

---

1) H. Stillmark. Ueber Ricin.-Arbeiten d. pharmacol. Instit. zu Dorpat. III. 1889.

2) loco cit.

3) Результаты работы отдѣльно не опубликованы за смертью автора. Цит. по A. Cushny. Ueber das Ricinusgift. — Arch. f. exper. Path. u. Pharmacol. Bd. 41.

4) Th. Dixson (Sydney). On the active principle of Castor oil. — Medic. chir. Transact. T. 50. 1887; цит. по A. Cushny (l. c.) и Husemann'y. Wirchow-Hirsch Jahresbericht. Bd. I. 1887.

H. S t i l l m a r k[1]) добывалъ токсинъ, какъ изъ фабричныхъ рициновыхъ выжимокъ, такъ и изъ самихъ сѣмянъ. Сѣмена онъ предварительно шелушилъ и обезжиривалъ съ помощью эфира. Для изолированія рицина S t i l l m a r k пробовалъ различные способы, приведенные въ табличкѣ.

Экстрагированіе сѣмянъ.	Осажденіе экстракта (въ осадкѣ рицинъ).
I. Дестиллированная вода.	I. 1) углекислая сода. 2) уксуснокислый свинецъ. 3) уксус ная к-та + желѣзоси-неродистый калій.
II. 10 %-ый растворъ NaCl	II. 1) Уксусная к-та. 2) Сѣрнокислая магнезія. 3) Сѣрнокислый натрій.
III. Сильно разведенная ѣдкая на-тронная щелочь.	III. 1) Уксусная к-та.
IV. Разведенная укусусная и дру-гія к-ты.	IV. 1) Желѣзосинеродистый калій.
V. Глицеринъ.	V. 1) Алкоголь.

Болѣе всего рицина получалось при способѣ II, 2, 3, а именно 2,8—3 %, считая на высушенныя на воздухѣ ошелушенныя сѣмена. — По автору, очищенный рицинъ свѣжихъ сѣмянъ болѣе ядовитъ, чѣмъ очищенный рицинъ старыхъ. Такъ, при условіи впрыскиванія въ вену, минимальная смертельная доза рицина старыхъ сѣмянъ была равна 0.1 mgrm. p. 1 К. в. т. кошки, а минимальная смертельная доза рицина свѣжихъ сѣмянъ была равна 0.03 mgrm. p. 1 К. в. т. собаки. Кромѣ того, по автору, при введеніи рицина per os смертельныя дозы почти въ сто разъ превосходятъ таковыя же дозы при впрыскиваніи рицина въ кровь.

Рицинъ S t i l l m a r k'а давалъ бѣлковыя реакціи; осаждался изъ растворовъ сѣрнокислой магнезіей и сѣрнокислымъ аммоніемъ;

1) l. c.

не диффундировалъ черезъ искусственный пергаментъ. Нагрѣ-
ваемый до 85 ⁰ С. въ растворѣ, онъ быстро терялъ свою ядовитость, тогда какъ взятый въ сухомъ видѣ онъ переносилъ нагрѣваніе до 100—110 ⁰ С. Растворы его — водные и солевые —
при кипяченіи свертывались. Рицинъ не растворялся въ алкоголѣ и этиловомъ эфирѣ, растворялся въ глицеринѣ. — На основаніи своихъ изслѣдованій Stillmark характеризуетъ рицинъ
слѣдующимъ образомъ: „рицинъ есть бѣлковое (дающее реакціи
глобулиновъ) тѣло, такъ назыв. фитальбумоза, и относится къ
группѣ неорганизованныхъ ферментовъ“.

Кромѣ сѣмянъ *Ricinus communis*, Stillmark изслѣдовалъ
на содержаніе рицина сѣмена: *R. sanguineus (Obermanni)*, *R.
africanus*, *R. guaynensis nanus*, *R. altissimus*, *R. communis
major* (*Palma Christi*), *R. philippinensis*, *R. brasiliensis*, *R. bor-
boniensis arboreus*, *R. spectabilis* и *R. jamaicensis*. Добытый изъ
перечисленныхъ сортовъ сѣмянъ рицинъ былъ во всѣхъ отношеніяхъ идентиченъ съ рициномъ изъ сѣмянъ *R. communis L.*

Gonçalves Cruz[1]) получалъ рицинъ какъ изъ старыхъ
— ca. 15-ти лѣтнихъ неизвѣстнаго происхожденія — сѣмянъ, такъ и
изъ свѣжихъ бразильскихъ сѣмянъ. Слѣдующій методъ Cruz считаетъ
лучшимъ для полученія рицина: ошелушенныя сѣмена предварительно обезжиривались, въ теченіи сутокъ, съ помощью хлороформа ;
послѣ фильтрованія промывались хлороформомъ, который затѣмъ
отпаривался. Далѣе сѣмена въ теченіи сутокъ очищались абсолютнымъ алкоголемъ ; полученная безцвѣтная, бѣлая мука высушивалась. Повторной обработкой этой муки однимъ и тѣмже объемомъ дестиллированной воды, извлекался рицинъ въ растворѣ и
осаждался изъ послѣдняго абсолютнымъ алкоголемъ. Полученный
осадокъ очищался декантаціей и высушивался въ вакуумѣ надъ
сѣрной к-той. Повтореніемъ подобной обработки получался болѣе
или менѣе чистый препаратъ рицина въ видѣ прозрачной, стекловидной
и очень хрупкой массы. — При введеніи 0.001 mgrm. такого препарата
подъ кожу морской свинкѣ, вѣсомъ въ 384 grm., послѣдняя гибла на
17-й день. — Относительно химической природы яда авторъ думаетъ, что рицинъ есть смѣсь нѣсколькихъ бѣлковыхъ тѣлъ.

Тихомировъ[2]) констатировалъ осаждаемость рицина изъ

---

1) l. c.
2) M. Tichomiroff. Ueber Fällung von Toxalbuminen durch
Nucleinsäure. — Zeitschr. f. physiolog. Chem. Bd. 21. S. 90—96.

его растворовъ нуклеиновой к-той, при чемъ ядовитость препарата нисколько не уменьшалась. 0.005 mgrm. осажденнаго вышеозначеннымъ способомъ рицина убивали въ 5 дней мышь вѣсомъ въ 21 grm. Осажденіе нуклеиновой к-той авторъ рекомендуетъ какъ методъ полученія рицина.

Krehl и Mattes[1]) проводятъ аналогію между дѣйствіями рицина и туберкулина постольку, поскольку впрыскиваніе $1/4$ mgrm. рицина кроликамъ, особенно туберкулезнымъ, повышаетъ температуру тѣла животныхъ на 1^0 С.

Cushny[2]) получалъ рицинъ изъ выжимокъ рициновыхъ зеренъ и изъ свѣжихъ сѣмянъ; послѣднія онъ предварительно освобождалъ отъ масла съ помощью спирта и эфира. Рицинъ извлекался водой или 10 $\%$ растворомъ поваренной соли, осаждался сѣрнокислой магнезіей, растворялся въ 10 $\%$ растворѣ NaCl и повторно діализировался. Получался желтоватый растворъ рицина, сохранявшійся мѣсяцами безъ разложенія. Минимальная смертельная доза этого препарата была равна 0.04 mgrm. p. 1 К. в. т. кролика.

С. дѣлалъ попытки получить рицинъ свободнымъ отъ бѣлковыхъ веществъ. При этомъ оказалось, что 1) вытяжки рициновыхъ сѣмянъ совершенно теряли свою токсичность послѣ полнаго удаленія изъ нихъ бѣлковъ, съ помощью крѣпкаго спирта, или солей тяжелыхъ металловъ, и 2) ядовитые, не дававшіе бѣлковыхъ реакцій, растворы рицина оказывались, при выпариваніи или осажденіи ихъ алкоголь — эфиромъ, содержащими вещества, дающія Біуретовую реакцію. На этомъ основаніи С. утверждаетъ, что рицинъ не отдѣлимъ отъ бѣлковъ сѣмянъ; а поэтому онъ или самъ есть какой-то бѣлокъ, или находится съ бѣлками сѣмянъ въ особо крѣпкой связи.

Müller[3]) извлекалъ рицинъ, изъ фабричныхъ выжимокъ сѣмянъ, тимоловой водой, осаждалъ получаемые растворы 3-мя объемами алкоголя, промывалъ осадокъ эфиромъ, высушивалъ его и растворялъ въ 1 $\%$ растворѣ соды.

---

1) L. Krehl und M. Mattes. Ueber die Wirkungen von Albumosen verschiedener Herkunft, sowie einiger diesen nahestehenden Substanzen. — Arch. f. exper. Path. u. Pharmac. Bd. 36. S. 437.

2) l. c.

3) Dr. Fr. Müller. Beiträge zur Toxicologie des Ricins. — Arch. f. exper. Path. u. Pharmacol. Bd. 42. 1899. S. 302—322.

Для отдѣленія рицина отъ бѣлковъ, онъ подвергалъ эти щелочные растворы послѣдняго 24-часовому трипсинному перевариванію, при чемъ ядовитость раствора нисколько не измѣнялась. На основаніи этого Müller отрицаетъ бѣлковую природу рицина.

По Jacoby[1]) чистые препараты рицина, — полученные послѣ перевариванія его растворовъ трипсиномъ и послѣдующаго осажденія ихъ, при 60 %-ахъ насыщенія, сѣрнокислымъ аммоніемъ, — не даютъ Біуретовой реакціи, разрушаются трипсиномъ, перекисью водорода и папайотиномъ. Есть-ли рицинъ бѣлковое, или какого другого характера тѣло, Jacoby окончательно не высказывается. Минимальная смертельная доза препарата Jacoby равнялась 0.5 mgrm. p. 1 K. в. т. кролика.

Rochat[2]) высказывается за принадлежность рицина къ глобулинамъ. По автору, рицинъ при перевариваніи его съ помощью естественнаго собачьяго желудочнаго сока почти совершенно теряетъ свою токсичность.

Brieger[3]) очищалъ отъ бѣлковъ продажный рицинъ путемъ перевариванія его съ папайотиномъ и дѣйствіемъ протеолитическихъ бактерій (тифоидной, холерной и др.). Токсичность очищенныхъ препаратовъ была такова, что 0.01 mgrm. ихъ p. 1 K. в. т. убивала кролика; но всетаки такіе препараты давали бѣлковыя реакціи.

Osborne[4]) изслѣдовалъ свѣже собранныя сѣмена искусственно разводимой разновидности, *Ricinus zanzibariensis*. Истолченныя въ ступкѣ сѣмена обезжиривались съ помощью эфира; изъ обезжиренной массы рицинъ вытягивался 10 %-ымъ растворомъ поваренной соли. Дальнѣйшая обработка велась такъ, что изъ солевой вытяжки было получено три главнѣйшихъ фракціи бѣлковыхъ веществъ: фр. глобулиновъ, фр. альбуминовъ и фр.

1) M. Jacoby. Ueber die chemische Natur des Ricins. — Arch. f. exper. Path. u. Pharmacol. Bd. 46. 1901. S. 28—40.

2) G. Fr. Rochat. Bijdrage tot de kennis van het werksame bestanddeel der ricine. — Diss. Utrecht. 1902. Цит. по Maly's Jahresbericht. Bd. 32. S. 942.

3) L. Brieger. Festschr. zum 60. Geburtstag f. Rob. Koch. Цит. по Th. Osborne. (См. ниже).

4) Th. Osborne, L. B. Mendel and I. T. Harris. A study of the proteins of the castor bean, with special reference to the isolation of ricin. Americ. Journ. of Physiology. Vol. XIV. No. III. September I, 1905.

протеозъ. Фракціи подвергались повторной очисткѣ. — Токсич-
ной оказалась только очищенная альбуминовая фракція. Минимальная смертельная- доза для кроликовъ лучшаго препарата автора, при подкожномъ впрыскиваніи, была равна 0,0005 mgrm. p.
1 К. в. т.

При перевариваніи чистаго препарата рицина съ помощью
продажнаго трипсина, или свѣже приготовленнаго искусственнаго
панкреатическаго сока исчезаютъ какъ токсичность препарата,
такъ и бѣлковый его характеръ.

Осаждаемость рицина изъ его растворовъ, по автору, стоитъ
между 20—33 % насыщенія ихъ сѣрнокислымъ аммоніемъ.

На основаніи своихъ изслѣдованій Osborne утверждаетъ,
что токсинъ рициновыхъ сѣмянъ есть бѣлокъ, и именно альбуминъ,
обладающій дѣйствіемъ энзима.

Osborne констатировалъ также и неодинаковую чувствительность разныхъ животныхъ по отношенію къ рицину. Самыми
чувствительными оказались кролики, затѣмъ морскія свинки, кошки
и наконецъ лягушки. Воспріимчивость послѣднихъ повышалась
съ повышеніемъ t° окружающей ихъ среды до 25—30° С.

Итакъ, изъ приведеннаго краткаго — относящагося исключительно къ способамъ полученія рицина, химической его природѣ
и токсичности, — литературнаго обзора, видно, что у всѣхъ изслѣдователей, получавшихъ рицинъ изъ сѣмянъ, первоначальная обработка послѣднихъ заключалась въ удаленіи изъ нихъ масла посредствомъ эфира (Stillmark, Osborne, Cushny) алкоголя
(Cushny) или хлороформа (Cruz). Изъ обезжиренныхъ сѣмянъ рицинъ извлекался или водой (Dixson, Cruz, Müller), или разве-
денными к-тами (Bubnow, Dixson), или 10 % растворомъ
поваренной соли (Stillmark, Cushny, Osborne) или, наконецъ 1 %-ою содой (Müller). Дальнѣйшими пріемами обработки препаратовъ, — осажденіе алкоголемъ, сѣрнокислыми солями
магнезіи, натрія и аммонія, діализированіе, перевариваніе и т. д.,—
имѣлось цѣлью полученіе болѣе или менѣе чистаго препарата
рицина resp. отдѣленіе его отъ бѣлковъ. — Относительно-же химич-
ческой природы рицина имѣются слѣдующіе взгляды: рицинъ есть
бѣлковое вещество (Cushny), а именно или глобулинъ (Stillmark, Rochat), или альбуминъ (Osborne); 2) рцинъ есть
смѣсь бѣлковыхъ веществъ (Cruz); и 3) рицинъ не есть бѣлковое вещество (Müller). — Токсическое дѣйствіе рицина, какъ
видно изъ вышеприведенныхъ данныхъ, является, въ общемъ,

довольно интенсивно выраженнымъ, а именно дозы 0.0005 mgrm. (Osborne), 0.01 mgrm. (Brieger), 0.03 mgrm. (Stillmark), 0.04 mgrm. (Cushny), 0.5 mgrm. (Jacoby), pro Kilo вѣса тѣла, вызывали смерть опытныхъ животныхъ.

B. Экспериментальная часть.

I. Старыя сѣмена.

800,0 grm. старыхъ сѣмянъ были тщательно истолчены въ желѣзной ступкѣ. Полученная масса была почти совсѣмъ обезжирена въ перколляторѣ, въ теченіи 19-ти дней, петролейнымъ и этиловымъ эфиромъ, при комнатной t°.

Для предварительной пробы небольшая часть, — ca: чайная ложка, — обезжиренныхъ сѣмянъ была извлечена 35-ью cm³ 10 % раствора NaCl. Полученный экстрактъ былъ свѣтложелтаго цвѣта; давалъ слабую Біуретовую реакцію. Онъ былъ испробованъ, касательно его токсичности, на лягушкахъ (Rana temporaria); результаты опытовъ слѣдующіе.

Оп. № 1.
Лягушка средней величины.

27. X. 905. 10 3/4 ч. у. впрыснутъ подъ кожу спины 1 cm³ экстракта. Тотчасъ же послѣ впрыскиванія животное сильно мечется.

12 ч. д. Небольшая вялость движеній.

28. X. Ничего особенно ненормальнаго не замѣчается.

29. X. Животное сидитъ припавши на животъ; легко кладется на спинку.

30. X. Утромъ найдена мертвой.

Вскрытіе 30. X. Подъ кожей спины, на мѣстѣ впрыскиванія, довольно рѣзко выраженная гиперемія окружающихъ тканей и кровянистый транссудатъ.

Оп. № 2.
Лягушка средней величины.

27. X. 905. 10 3/4 ч. у. впрыснуто подъ кожу живота 0.5 cm³. Быстрое покраснѣніе брюшныхъ покрововъ. Пищитъ. Упала на спинку. Судорога переднихъ конечностей,

10.55 ч. у. Сидитъ обычнымъ образомъ.

12 ч. д. Небольшая вялость движеній.

28. X. idem.

29. X. Животное сидитъ, припавши на животъ. Болѣе или менѣе легко кладется на спинку.

30. X. idem.

31. X. Легко кладется на спинку. Слабо реагируетъ на пощипываніе.

1. XI. Утромъ найдена мертвой.

Вскрытіе 1. XI. Подъ кожей, на мѣстѣ впрыскиванія, незначительная отечность брюшныхъ мышцъ. Кровеносные сосуды желудка и верхней части тонкихъ кишекъ замѣтно инъэцированы. Въ слизистой желудка, въ области дна, нѣсколько точечныхъ кровоизліяній.

Контрольные опыты (см. оп. №№ 5—8) съ впрыскиваніемъ лягушкамъ 0.5—1.0 cm³ 10%-аго раствора NaCl показали, что дозы въ 0.05—0.1 grm. NaCl обычно являются для лягушекъ не смертельно токсическими.

Итакъ, предварительная проба показала, что съ помощью 10% раствора NaCl изъ означенныхъ старыхъ сѣмянъ извлекается какой-то токсинъ resp. рицинъ.

Послѣ этого было приступлено къ извлеченію рицина изъ всей массы обезжиренныхъ сѣмянъ. Послѣднія были тщательно растерты въ фарфоровой ступкѣ съ 10%-ымъ растворомъ NaCl, количество котораго, при постепенномъ прибавленіи, доведено до 3-хъ литровъ. Послѣ 2-хъ суточнаго стоянія при комнатной t⁰ — фильтрованіе. Ф-тъ (— в ы т я ж к а № 1), въ количествѣ 2200 cm³, былъ болѣе или менѣе интенсивно окрашенъ въ бурожелтый цвѣтъ, давалъ Біуретовую реакцію средней степени; при разведеніи его съ дестиллированною водою получалась опалесцирующая жидкость. Затѣмъ сѣмена были подвергнуты дальнѣйшему двукратному извлеченію съ помощью 10%-аго раствора NaCl; каждое извлеченіе продолжалось 7 дней, при t⁰ са. 25⁰ C; въ предупрежденіе гніенія прибавлялся хлороформъ въ избыткѣ.

В ы т я ж к а № 2 получена въ количествѣ 1175 cm³; желтоватаго цвѣта. Для испытанія ея на содержаніе въ ней рицина были поставлены слѣдующіе 2 опыта на лягушкахъ.

Оп. № 3.

Лягушка средней величины.

10. XI. 905. 11 ¹/₂ ч. у. впрыснутъ подъ кожу спины 1 cm³ вытяжки. Животное сильно возбуждено.

12 ¹/₂ ч. д. На 1—2 секунды кладется на спинку.

11. XI. Болѣе или менѣе легко кладется на спинку; конечности судорожно притянуты.

12. XI. idem.

14. XI. Утромъ найдена мертвой.

Вскрытіе 14. XI. Довольно рѣзко выраженная инъэкція кровеносныхъ сосудовъ желудка и тонкихъ кишекъ.

Оп. № 4.

Небольшая лягушка.

10. XI. 905. 11 ¹/₂ ч. у. впрыснуто подъ кожу спины 0.5 cm³. Животное сильно возбуждено.

12 ч. д. На 1—2 секунды кладется на спинку.

11. XI. Болѣе или менѣе легко кладется на спинку, при чемъ лежитъ съ притянутыми конечностями.

12. XI. Легко кладется на спинку.

13—16. XI. idem.

17. XI. Утромъ найдена мертвой.

Вскрытіе не производилось.

Такимъ образомъ, эти предварительные опыты показываютъ присутствіе токсина resp. рицина и во второй вытяжкѣ.

Такъ какъ рицинъ вытяжекъ содержался въ 10 %-омъ растворѣ NaCl, то для контроля были поставлены опыты на лягушкахъ съ впрыскиваніемъ имъ подъ кожу 10 % раствора NaCl.

Оп. № 5.

Маленькая лягушка.

10. XI. 905. 11,55 ч. у. впрыснуто подъ кожу спины 0.5 cm³ 10 % раствора NaCl, = 0.05 grm NaCl.

11. XI. Ничего особеннаго не замѣчается.

12. XI. idem.

14. XI. Утромъ найдена мертвой.

Вскрытіе 14. XI. Слабая инъэкція кровеносныхъ сосудовъ желудка и тонкихъ кишекъ.

Оп. № 6.

Лягушка средней величины.

10. XI. 905. 11,50 ч. у. впрыснутъ подъ кожу спины 1 cm³, = 0.1 grm. NaCl.

Была подъ наблюденіемъ до 20. XII. 905, т. е. 40 дней; никакихъ ненормальныхъ симптомовъ не было замѣчено.

Оп. № 7.

Лягушка средней величины.

16. XI. 905 впрыснутъ подъ кожу 1 cm³ = 0.1 grm. NaCl. Животное пришло въ сильное возбужденіе.

17. XI. Съ трудомъ кладется на спинку.
23. XI. Минуты на двѣ укладывается на спинку.
29. XI. idem.
30. XI. Животное сидитъ припавши на животъ.
2. XII. Ничего ненормальнаго не замѣчается.
14. XII. idem.

Въ дальнѣйшемъ, а именно до 20. XII, когда наблюденіе было прекращено, ничего ненормальнаго не замѣчалось.

Оп. № 8.

Лягушка средней величины.

16. XI. 905 впрыснуто подъ кожу 0.5 cm³, = 0.05 grm. NaCl. Животное мечется.

17. XI. Съ трудомъ кладется на спинку.
30. XI. Животное сидитъ припавши на животъ.
4. XII. Ничего ненормальнаго не замѣчается.
5. XII. idem.

Въ дальнѣйшемъ, а именно до 20. XII, когда наблюденіе было прекращено, ничего ненормальнаго не замѣчалось.

Вытяжка № 3 была получена въ количествѣ 1170 cm³, слабо желтоватой окраски. Опыты на лягушкахъ дали слѣдующіе результаты.

Оп. № 9.

Лягушка средней величины.

16. XI. 905. 12 ¼ ч. д. впрыснутъ подъ кожу спины 1 cm³ выт. № 3.

16. XI. 12 $^3/_4$ ч. д. Довольно легко кладется на спинку.

17. XI. idem.

19. XI. Вяло перевертывается со спинки.

21. XI. Утромъ найдена мертвой.

Вскрытіе, — 21. XI, — не дало никакихъ особыхъ, замѣтныхъ на глазъ измѣненій.

Оп. № 10.

Лягушка средней величины.

16. XI. 905. 12 $^1/_4$ ч. д. впрыснуто подъ кожу спины 0.5 cm^3.

17. XI. На нѣсколько секундъ кладется на спинку.

19. XI. Вялость движеній.

23. XI. Довольно легко кладется на спинку.

26. XI. idem.

27. XI. idem.

29. XI. Животное сидитъ, припавши на животъ.

1. XII. Лежитъ пластомъ на животѣ.

2. XII. Утромъ найдена мертвой.

Вскрытіе 2. XII. Довольно рѣзкая инъэкція кровеносныхъ сосудовъ желудка и кишекъ. Слизистая желудка рыхла, набухла, красна. Слизистая верхней части тонкихъ кишекъ представляетъ ту же картину, но менѣе рѣзко выраженную. Наружная стѣнка мочевого пузыря ярко краснаго цвѣта.

Такимъ образомъ и третья вытяжка содержитъ токсинъ resp. рицинъ.

Діализъ вытяжки № 1-й.

Для діализа было взято 500 cm^3 вытяжки. Внутрь діализаціоннаго мѣшка (— пергаментная бумага) прибавлялся хлороформъ въ избыткѣ, а въ наружную воду толуолъ. Діализировалось семь дней въ простой водѣ и два дня въ дестиллированной, при комнатной температурѣ. Въ мѣшкѣ выпалъ осадокъ, а объемъ вытяжки увеличился до 810 cm^3.

Осадокъ отъ діализа былъ тщательно промытъ на фильтрѣ дестиллированной водой, до полнаго исчезновенія въ промывныхъ ф-тахъ Бíуретовой реакціи и пробы Heller'a, и растворенъ въ 25 cm^3 10 $^0/_0$ - аго раствора NaCl. — Токсичность полученнаго раствора показываетъ нижеслѣдующій опытъ на лягушкѣ.

Оп. № 11.
Лягушка средней величины.

24. XI. 905. 1 ½ ч. д. впрыснутъ подъ кожу 1 cm³ раствора.

26. XI. Болѣе или менѣе легко кладется на спинку

27. XI. idem.

29. XI. Легко кладется на спинку; слабо реагируетъ на раздраженіе.

Смерть послѣдовала въ 1 часъ дня.

Вскрытіе 29. XI. Желудокъ и кишечникъ, вплоть до прямой кишки, сплошь розоваго цвѣта какъ снаружи, такъ и внутри. Въ слизистой оболочкѣ тонкихъ кишекъ — точечныя кровоизліянія.

Итакъ, этотъ опытъ показываетъ, что при діализѣ данной вытяжки возникаетъ бѣлковый осадокъ, имѣющій характеръ глобулиновъ и обнаруживающій токсическія свойства самой вытяжки; это совершенно согласуется со способностью рицина выпадать изъ его солевыхъ растворовъ вмѣстѣ съ возникающими въ этихъ послѣднихъ бѣлковыми осадками.

Изслѣдованіе соединенныхъ вытяжекъ.

Для дальнѣйшей обработки три солевыя вытяжки были соединены вмѣстѣ. Смѣсь была использована главнѣйше для раздѣленія бѣлковъ ея на альбуминовую и глобулиновую фракціи. Передъ обработкой сѣрнокислымъ аммоніемъ она еще разъ была испытана — только качественно — на токсичность, а именно на лягушкахъ.

Оп. № 12.
Лягушка средней величины.

20. XII. 905 впрыснуто подъ кожу 0.5 cm³ смѣси вытяжекъ.

30. XII. Утромъ найдена мертвой.

Вскрытіе 30. XII. Болѣе или менѣе рѣзко выраженная инъэкція кровеносныхъ сосудовъ желудка, брызжейки кишекъ и мочевого пузыря.

Оп. № 13.
Лягушка средней величины.

20. XII. 905 впрыснуто подъ кожу 0.5 cm³.

1. I. 906 найдена мертвой.

Вскрытіе не производилось.

Оп. № 14.

Лягушка средней величины.

20. XII. 905 впрыснутъ подъ кожу 1 cm³.

21. XII. Болѣе или менѣе легко кладется на спинку.

23. XII. Лежитъ ничкомъ на животѣ.

27. XII. Утромъ найдена мертвой.

Вскрытіе 27. XII. Болѣе или менѣе рѣзко выраженная инъэкція кровеносныхъ сосудовъ желудка, тонкихъ кишекъ и ихъ брызжейки.

Оп. № 15.

Лягушка средней величины.

20. XII. 905 впрыснутъ подъ кожу 1 cm³.

23. XII. Животное лежитъ припавши на животъ.

27. XII. Найдена мертвой.

Вскрытіе 27. XII. Рѣзкая инъэкція кровеносныхъ сосудовъ желудка, тонкихъ кишекъ, брызжейки и мочевого пузыря.

а. Обработка соединенныхъ вытяжекъ сѣрно-кислымъ аммоніемъ.

Смѣсь вытяжекъ была насыщена, при комнатной t⁰, сѣрнокислымъ аммоніемъ и поставлена при данной-же t⁰ на стояніе. Спустя са. одинъ часъ на поверхности смѣси собрался бѣловатый, хлопчатый бѣлковый осадокъ. Послѣдній былъ отдѣленъ черезъ фильтрованіе. Ф-тъ былъ проконтролированъ на полноту осажденія, а именно путемъ дальнѣйшаго прибавленія къ нему сѣрнокислаго аммонія и постепеннаго подкисленія его сѣрной к-той до 0,3 %, а также и опытами на лягушкахъ. При этомъ контролѣ оказалось, что первое осажденіе было почти совершенно полное.

Полученный осадокъ былъ четыре раза извлеченъ водою; вытяжки соединены вмѣстѣ и часть ихъ была подвергнута діализу — (пергаментная бумага). При діализѣ, продолжавшемся, при комнатной t⁰, 12 дней — (5 дней въ простой водѣ и 7 дней въ дестиллированной) — въ присутствіи избытка хлороформа, выпалъ относительно довольно обильный, хлопчатый осадокъ, — глобулины, который и былъ отдѣленъ фильтрованіемъ.

Ф-тъ, — альбуминовая фракція, — былъ вдвое большаго объема чѣмъ взятая для діализа жидкость. Онъ содержалъ 0.48 % бѣлковъ, считая по азоту, (опредѣленіе по Kjeld a h l 'ю). — Фракція эта оказалась ядовитою, какъ показываютъ слѣдующіе опыты.

Оп. № 16.

Лягушка средней величины.

12. XII. 905. Впрыснуто подъ кожу спины 0.5 cm³ фракціи.

14. XII. Болѣе или менѣе легко кладется на спинку.

16—29. XII. idem.

31. XII. idem. Около лягушки немного крови, которая сочится изъ плавательныхъ перепонокъ лѣвой нижней конечности.

1. I. 906. Смерть послѣдовала около полудня.

Вскрытіе 1. I. 906. Кровоизліянія подъ кожей на мѣстѣ впрыскиванія.

Инъэкція кровеносныхъ сосудовъ желудка средней степени.

Оп. № 17.

Лягушка средней величины.

12. XII. 905. Впрыснутъ подъ кожу спины 1 cm³.

14. XII. Болѣе или менѣе легко кладется на спинку.

16. XII. Лежитъ ничкомъ на животѣ.

17. XII. Утромъ найдена мертвой.

Вскрытіе 17. XII. Кровеносные сосуды желудка, верхней части тонкихъ кишекъ и ихъ брызжейки сильно инъэцированы. Мочевой пузырь розовато-краснаго цвѣта; кровеносные сосуды его инъэцированы.

Такимъ образомъ, альбуминовая фракція содержала токсинъ resp. рицинъ.

Полученный при указанномъ діализѣ вышеупомянутый бѣлковый осадокъ, — г л о б у л и н о в а я ф р а к ц і я, былъ промытъ дестиллированной водой сначала на фильтрѣ, а потомъ деканта-ціей, послѣ чего онъ извлекался 5 % и 10 % растворами NaCl. При этомъ извлеченіи часть осадка оставалась нерастворенною, не смотря на повторную обработку указанными солевыми раство-рами. Полученный растворъ глобулиновъ былъ подвергнутъ, при комнатной t⁰, діализу въ теченіи 16-ти дней. При діализѣ вы-палъ осадокъ, который былъ отфильтрованъ и растворенъ на фильтрѣ въ 10 % - омъ растворѣ NaCl. Растворъ, содержавшій 0,347 % бѣлковъ, считая по общему азоту (способъ K j e l d a h l 'я), испытывался касательно его токсичности на лягушкахъ.

Оп. № 18.

Лягушка средней величины.

13. IV. 906. Впрыснуто подъ кожу 0.5 cm³ раствора.

14. IV. Довольно легко кладется на спинку.

15. IV. Легко кладется на спинку.

17. IV. idem.

18. IV. Утромъ найдена мертвой.

Вскрытіе 18. IV. Подъ кожей, на мѣстѣ впрыскиванія, кровянистый транссудатъ. Рѣзкая инъэкція кровеносныхъ сосудовъ желудка, кишекъ и брызжейки. Желудочекъ сердца въ систолѣ; предсердія растянуты кровью.

Оп. № 19.

Лягушка средней величины.

13. IV. 906. Впрыснутъ подъ кожу спины 1 cm³.

15. IV. Немного вялыя движенія.

17. IV. Утромъ найдена мертвой.

Вскрытіе 17. IV. Сердце остановлено въ систолѣ. Незначительная инъэкція кровеносныхъ сосудовъ желудка. Мочевой пузырь сильно растянутъ свѣтлой мочей; кровеносные сосуды его стѣнки инъэцированы.

Такимъ образомъ и глобулиновая фракція содержала токсинъ resp. рицинъ.

b. Діализъ соединенныхъ солевыхъ вытяжекъ.

Для рѣшенія вопроса о способности рицина проходить, при діализированіи его солевыхъ растворовъ, черезъ пергаментную перепонку, былъ сдѣланъ слѣдующій опытъ.

20 cm³ смѣси означенныхъ соединенныхъ вытяжекъ діализировались 6 дней въ дестиллированной водѣ, при комнатной t⁰, съ прибавкой хлороформа и толуола; вода не мѣнялась. По окончаніи діализа содержимое стаканчика было выпарено, для удаленія толуола, до $\frac{1}{2}$ны объема, при t⁰ ca. 25⁰ С, доведено затѣмъ до прежняго (= 25 cm³) объема и испытано на лягушкахъ·

Оп. № 20.

Лягушка средней величины.

22. XII. 905. Впрыснуто подъ кожу 0.5 cm³.

Наблюденіе продолжалось 40 дней, а именно до 3. II. 906, при чемъ у лягушки никакихъ ненормальностей не замѣчалось.

Оп. № 21.

Лягушка средней величины.

22. XII. 905. Впрыснутъ подъ кожу 1 cm³.

Наблюденіе продолжалось 40 дней, а именно до 3. II. 906, при чемъ у лягушки ничего ненормальнаго не замѣчалось.

Итакъ, въ данномъ случаѣ не было констатировано прохожденія рицина черезъ пергаментную перепонку. Такой результатъ нашего опыта подтверждаетъ аналогичныя данныя Still-mark'а и прямо противоположенъ соотвѣтствующимъ опытамъ Cushny.

Такимъ образомъ, изъ описанныхъ опытовъ видно, что вышеозначенныя старыя, хранившіяся въ теченіи 50-ти лѣтъ рициновыя сѣмена содержатъ токсически дѣйствующее, коллоидное вещество имѣющее общія свойства рицина.

Токсичность полученныхъ изъ старыхъ сѣмянъ препаратовъ рицина испытывалась и на кроликахъ; результаты опытовъ будутъ приведены ниже.

II. Свѣжія сѣмена.

Извлеченіе рицина изъ свѣжихъ сѣмянъ производилось съ тою цѣлью, чтобы сравнить между собою препараты рицина полученные изъ старыхъ и свѣжихъ сѣмянъ. Кромѣ того, при полученіи рицина изъ свѣжихъ сѣмянъ мною были сдѣланы нѣкоторыя видоизмѣненія обычнаго способа извлеченія рицина изъ сѣмянъ, — обезжириваніе эфиромъ, извлеченіе 10 %-нымъ растворомъ NaCl (способъ А), — а именно: 1) способъ В: безъ предварительнаго обезжириванія эфиромъ, сѣмена растираются съ поваренной солью in substantia (подробности ниже) и 2) способъ С: сѣмена предварительно освобождаются отъ шелухи и затѣмъ обрабатываются какъ при способѣ В.

1. Обработка свѣжихъ сѣмянъ по способу А resp. обычнымъ способомъ.

250,0 grm. свѣжихъ сѣмянъ были истолчены въ желѣзной ступкѣ; затѣмъ ручнымъ прессомъ изъ нихъ было выжато около 30 cm³ масла. Окончательное обезжириваніе произведено въ перколляторѣ съ помощью этиловаго эфира, при комнатной t⁰, въ теченіи 12-ти дней. Изъ обезжиренныхъ сѣмянъ рицинъ извлекался 10 %-ымъ растворомъ NaCl. Получено три вытяжки неочищеннаго рицина. Первая выт. въ количествѣ 900 cm³, буровато-желтаго цвѣта; вторая свѣтло-желтаго. цвѣта, въ количествѣ 940 cm³ и третья почти не окрашенная, въ количествѣ 1550 cm³.

Какъ въ этомъ опытѣ, такъ и во всѣхъ слѣдующихъ получаемые препараты рицина не очищались, а изслѣдовались въ видѣ солевыхъ вытяжекъ.

Три вытяжки были соединены вмѣстѣ; объемъ ихъ равнялся 3400 cm³; количество извлеченныхъ бѣлковъ, считая по общему азоту вытяжекъ, (3 опредѣленія по Kjeldahl'ю), было равно 0.79 %. Такимъ образомъ всего бѣлковъ было получено 26,86 grm., что соотвѣтствуетъ 10,75 grm. бѣлковъ, считая на 100,0 grm. сѣмянъ съ шелухой и 14,34 grm. бѣлковъ, считая на 100,0 grm. сѣмянъ безъ шелухи (см. ниже табл. № 1).

На присутствіе рицина данныя вытяжки испытывались на лягушкахъ, а минимальная смертельная доза даннаго, совершенно неочищеннаго, препарата рицина устанавливалась опытами на кроликахъ.

Оп. № 22.
Лягушка средней величины.

17. IV. 906. Впрыснуто подъ кожу 0.5 cm³ смѣси вытяжекъ.
24. IV. Утромъ найдена мертвой.

Вскрытіе 24. IV. Кровянистый выпотъ подъ кожей, соотвѣтственно мѣсту впрыскиванія.

Оп. № 23.
Лягушка средней величины.

17. IV. 906. Впрыснутъ подъ кожу спины 1 cm³.
20. IV. Утромъ найдена мертвой.

Вскрытіе 20. IV. Сердце сильно растянуто кровью. Рѣзкая инъэкція кровеносныхъ сосудовъ желудка и кишекъ.

Такимъ образомъ, полученныя вытяжки свѣжихъ сѣмянъ оказались токсичными resp. содержащими рицинъ.

Оп. № 24.
Лохматый сѣрый кроликъ, самка.

1. V. 906. Вѣсъ животнаго 1830 grm. Впрыснуто подъ кожу 1,8 cm³ означенной смѣси вытяжекъ, разведенной въ 100 разъ (= 0,079 mgrm. неочищенн. рицина pro 1 krgm. вѣса тѣла).

2. V. Вѣсъ животн. 1750 grm.

3. V. „ „ 1764 „

4. V. „ „ 1715 „

5. V. „ „ 1718 „

8. V. „ „ 1730 „

9. V. „ „ 1723 „

10. V. „ „ 1750 „

12. V. „ „ 1750 „ Наблюденіе прекращено. Кроликъ повидимому нормаленъ.

Оп. № 25.

Сѣрый кроликъ, самка.

Вѣсъ животнаго 1700 grm.

Доза, способъ введенія, время наблюденія и результатъ опыта тѣже, что и въ оп. № 24.

Оп. № 26.

Сѣрый кроликъ, самецъ.

Вѣсъ животнаго 2272 grm.

12. V. 906. Впрыснуто подъ кожу 2 cm³ смѣси вытяжекъ, разведенной въ 60 разъ (= 0,11 mgrm. неочищеннаго рицина р. 1 kg. вѣса тѣла).

13. V. Вѣсъ животнаго 2170 grm.

14. V. „ „ 2000 „

Смерть въ ночь 14.—15. V.

Вскрытіе 15. V. въ 10 ч. у. Сильный метеоризмъ. Печень застойна, увеличена. Инъэкція кровеносныхъ сосудовъ кишечника выражена въ слабой степени. Червеобразный отростокъ сильно растянутъ; въ стѣнкѣ его много точечныхъ кровоизліяній. Въ верхушкахъ папиллярныхъ мышцъ лѣваго желудочка сердца 3—4 точечныхъ кровоизліянія. Въ стѣнкѣ праваго предсердія масса кровоизліяній, какъ точечныхъ, такъ и слившихся. Мочевой пузырь сильно растянутъ мочей; моча цвѣта крѣпкаго лая, содержитъ бѣлокъ.

Такимъ образомъ, минимальной смертельной дозой даннаго препарата совершенно неочищеннаго рицина была доза въ 0,11 mgrm. считая на 1 kil. вѣса тѣла кролика. Всего же смертельныхъ дозъ данныя солевыя вытяжки неочищен. рицина содержали 130363.

11*

2. Обработка свѣжихъ сѣмянъ по способу B.

Такъ какъ предварительная обработка сѣмянъ эфиромъ довольно хлопотлива и сравнительно дорога, то было предпринято изолированіе рицина изъ свѣжихъ сѣмянъ безъ обработки ихъ съ помощью эфира. Это было сдѣлано также и на основаніи слѣдующихъ соображеній: рицинъ по химической природѣ совершенно не извѣстное тѣло, обладающее, повидимому, ферментативными свойствами. Ферменты-же, вообще, являются настолько сравнительно мало устойчивыми по отношенію къ дѣйствію тѣхъ или другихъ физическихъ и химическихъ агентовъ, что нерѣдко трудно усчитать всѣ тѣ вредныя вліянія на нихъ, которымъ они могутъ подвергаться при томъ или иномъ способѣ ихъ полученія. Къ числу небезразличныхъ въ этомъ направленіи химическихъ агентовъ относятся напр. перекиси. Въ продажномъ же эфирѣ содержатся обычно перекись водорода и перекись этила — $(C_2H_5)O_4.O_3$. Rossolimo[1]) приводитъ наблюденіе когда содержавшій перекись этила эфиръ, при обработкѣ имъ воднаго раствора коффеинъ-іодъ-алкилата произвелъ расщепленіе послѣдняго съ образованіемъ періодидовъ. Возможно допущеніе, что обработка рициновыхъ сѣмянъ съ помощью эфира является небезразличной для извлекаемаго изъ нихъ рицина.

150,0 grm. свѣжихъ сѣмянъ были мелко истолчены въ желѣзной ступкѣ. Измельченная масса, въ той же ступкѣ, тщательно растиралась съ 100,0 grm. поваренной соли, прибавлявшейся, по мѣрѣ растиранія, отдѣльными порціями. Когда растираемая масса принимала болѣе или менѣе однообразный бѣловато-сѣроватый цвѣтъ, безъ замѣтныхъ глазомъ отдѣльныхъ комочковъ соли и когда она не прилипала болѣе къ стѣнкамъ ступки, растираніе оканчивалось. Растертая масса перекладывалась въ стеклянную банку, куда наливалась простая вода, до полученія массы кашеобразной консистенціи; смѣсь оставлялась на сутки въ закрытомъ сосудѣ при комнатной t⁰. На другой день добавлялась вода въ количествѣ потребномъ для полученія са. 10 % раствора NaCl, т. е. въ данномъ случаѣ — до 1 литра, и смѣсь оставлена стоять на 10 дней; ежедневно производилось тщательное встряхиваніе смѣси. По истеченіи 10-ти дней вытяжка была отфильтрована.

1) A. J. Rossolimo. Ueber die oxydirende Wirkung des unreinen Aethers. — Berichte d. deutsch. chem. Gesellsch. Jahrg. XXXVIII. Nr. 3. 774—775 (1905).

Ф-тъ получился насыщеннаго темножелтаго цвѣта, объемомъ въ 900 cm³. — Послѣ полученія первой вытяжки сѣмена уже не растирались съ NaCl in subst., а извлекались прямо 10 % растворомъ данной соли, по 5-ти дней, и потомъ фильтровались. Такимъ путемъ было получено еще двѣ вытяжки неочищеннаго рицина: одна въ количествѣ 910 cm³ и другая въ количествѣ 900 cm³.

Три вытяжки были соединены вмѣстѣ; объемъ ихъ равнялся 2710 cm³. Бѣлковъ въ смѣси вытяжекъ оказалось, считая по общему азоту вытяжекъ, (3 опредѣленія по Kjeldahl'ю), 0.68 %. Слѣдовательно, всего бѣлковъ въ вытяжкахъ было получено 18,42 grm., что соотвѣтствуетъ 12,28 grm. бѣлковъ на 100,0 grm. свѣжихъ сѣмянъ, считая на сѣмена съ шелухою, и 18,42 grm. на 100 grm. сѣмянъ безъ шелухи, (см. ниже табл. № 1). — 250,0 grm. свѣжихъ сѣмянъ, обработанныхъ по способу А, дали 26,86 grm. бѣлковъ; таковое-же количество этихъ сѣмянъ, обработанное вторымъ, видоизмѣненнымъ способомъ дало бы 30,7 grm. бѣлковъ; разница са. на 12 %.

Изъ этихъ 2-хъ опытовъ несомнѣнно видно, что предварительное обезжириваніе рициновыхъ сѣмянъ, съ помощью эфира, не является необходимымъ resp. представляется совершенно излишнимъ при извлеченіи изъ нихъ рицина.

Опытами на кроликахъ была выяснена степень токсичности полученнаго по способу В препарата неочищеннаго рицина.

Оп. № 27.
Бѣлый кроликъ, самка.

Вѣсъ животнаго 1645 grm.

1. V. 906. Впрыснуто подъ кожу 1,6 cm³ смѣси вытяжекъ, разведенной въ 85 разъ (= 0.08 mrgm. неочищеннаго рицина р. 1 kg. вѣса тѣла.
2. V. Вѣсъ 1537 grm.
3. V. Смерть около 10-ти часовъ утра.

Вскрытіе 3. V., черезъ 2 1/2—3 часа послѣ смерти. Подъ кожей, на мѣстѣ впрыскиванія, кровоподтекъ величиной въ 15-ти копѣечную серебряную монету. Въ серозныхъ полостяхъ транссудатовъ нѣтъ. Печень полнокровна. Селезенка не увеличена. Матка беременна съ массой кровоизліяній въ стѣнкѣ. Кровеносные сосуды желудка и кишечника довольно рѣзко инъэцированы.

Въ серозной оболочкѣ нижней части червеобразнаго отростка точечныя кровоизліянія. Въ слизистой оболочкѣ желудка точечныя
кровоизліянія. Въ слизистой оболочкѣ тонкихъ кишекъ масса
мелкоточечныхъ кровоизліяній (— слизистая какъ-бы осыпана
resp. окраплена). Въ слизистой оболочкѣ червеобразнаго отростка кровоизліянія. Colon сильно сокращена. Мочевой пузырь
спавшійся.

Оп. № 28.
Бѣлый кроликъ, самка.

Вѣсъ животнаго 2100 grm.

1. V. 906. Впрыснуто подъ кожу 2,1 cm^3 смѣси вытяжекъ, раз-
    веденной въ 85 разъ (= 0.08 mrgm. неочищ. рицина
    р. 1 kg. вѣса тѣла).
2. V. Вѣсъ животнаго 1980 grm.
4. V.   „   1875 „
8. V.   „   1950 „
12. V.   „   „   2005 „ Наблюденіе прекращено. Кро-
    ликъ повидимому нормаленъ.

Такимъ образомъ, въ данныхъ вытяжкахъ содержался токсинъ.

Минимальная смертельная доза даннаго препарата неочищеннаго рицина можетъ считаться равною 0,08 mgrm. на 1 kg.
вѣса тѣла кролика, при подкожномъ введеніи. А всего смертельныхъ дозъ данныя вытяжки неочищен. рицина содержали 229500.

3. Обработка свѣжихъ сѣмянъ по способу С.

При этомъ опытѣ извлеченія рицина сѣмена были освобож-
дены отъ шелухи и не подвергались предварительному обезжири-
ванію съ помощью эфира. Шелушеніе сѣмянъ производилось
посредствомъ плоскихъ щипчиковъ, при чемъ шелуха отдѣлялась
довольно легко.

100,0 grm. свѣжихъ ошелушенныхъ сѣмянъ, (съ 149,0 grm.
сѣмянъ было получено са. 49,0 grm. шелухи), были тщательно
истолчены въ ступкѣ, сложены въ стеклянную широкогорлую банку,
смѣшаны въ ней съ 2-мя литрами 10 % раствора NaCl и оставлены стоять, при комнатной t⁰, на четыре дня въ закрытомъ сосудѣ. Послѣ этого они фильтровались. Ф-тъ полученный въ
количествѣ 1900 cm^3, въ пробиркахъ являлся безцвѣтнымъ какъ
вода, въ толстыхъ-же слояхъ (— бутыль) едва замѣтнаго желтоватаго цвѣта. Вытяжки-же сѣмянъ не освобожденныхъ предвари-

тельно отъ шелухи, при равныхъ условіяхъ, были соломенножелтаго или бурожелтаго цвѣта.

Сѣмена были смыты съ фильтры 10%-ымъ растворомъ NaCl и держались, для вторичнаго извлеченія, съ 2-мя литрами означеннаго раствора NaCl въ теченіи недѣли, при условіяхъ перваго извлеченія. Второго ф-та было получено 1850 cm³.

Тѣмже способомъ было получено еще двѣ вытяжки: одна послѣ 2-хъ недѣльнаго извлеченія, въ количествѣ 1870 cm³, другая послѣ недѣльнаго извлеченія, въ количествѣ 1000 cm³. Съ реактивомъ Esbach'а послѣдняя вытяжка давала слѣды опалесценціи.

Сѣмена были подвергнуты дальнѣйшему извлеченію, при чемъ они предварительно растирались съ 200,0 grm. поваренной соли, съ послѣдующимъ добавленіемъ воды до са. 2-хъ литровъ. Послѣ тщательнаго взмѣшиванія, настаиваніе продолжалось 5 дней. По отфильтрованіи была получена вытяжка (№ 5) въ количествѣ 1930 cm³; по Esbach'у въ этой вытяжкѣ имѣлись бѣлки, а именно въ количествѣ 0.25%00. Очевидно предварительное тщательное растираніе рициновыхъ сѣмянъ съ поваренной солью, взятой in substantia, способствуетъ извлеченію изъ нихъ бѣлковъ resp. токсина.

Такимъ образомъ, только что описанная обработка показываетъ, что предварительное ошелушиваніе рициновыхъ сѣмянъ имѣетъ то существенное удобство, что солевыя вытяжки изъ ошелушенныхъ рициновыхъ сѣмянъ получаются не окрашенными.

Полученныя пять вытяжекъ были соединены вмѣстѣ и въ смѣси ихъ было произведено количественное опредѣленіе бѣлковъ по общему азоту (— способъ Kjeldahl'я, три опредѣленія). Количество бѣлковъ оказалось равнымъ 0.2%. Слѣдовательно, всего бѣлковъ смѣсь вытяжекъ содержала 17,0 grm., каковое количество и приходится на 100,0 grm. ошелушенныхъ сѣмянъ.

Сравнивая обработку по способу C (5 вытяжекъ съ 17,0 grm. бѣлковъ) свѣжихъ сѣмянъ съ обработкою по способу B (3 вытяжки съ 18,36 grm. бѣлковъ) тѣхъ же сѣмянъ, можно сдѣлать выводъ, что для почти полнаго извлеченія изъ нихъ рицина достаточно троекратнаго настаиванія ихъ съ помощью 10% раствора NaCl, при пользованіи тѣми общими пріемами, которые были мною приложены къ обработкамъ по способамъ B и C. См. также таблицу № 2-й.

Смѣсь пяти вытяжекъ неочищеннаго рицина была испытана касательно ея токсичности на кроликахъ. Результаты опытовъ слѣдующіе.

Оп. № 29.

Бѣлый кроликъ, самецъ.

3. IV. 906. Впрыснуто подъ кожу 0.7 cm³ смѣси вытяжекъ, разбавленной въ 50 разъ (= 0.02 mgrm. p. 1 kg. вѣса тѣла).

Вѣсъ животнаго 1410 grm.

5. IV.	„	„	1405	„
8. IV.		„	1365	„
9. IV.		„	1345	„
12. IV.	„	„	1330	„
13. IV.	„	„	1315	„
14. IV.	„	„	1340	„
17. IV.	„	„	1360	„
22. IV.	„	„	1400	„ Кроликъ повидимому норма-

ленъ. Наблюденіе прекращено.

Оп. № 30.

Черный кроликъ, самецъ.

27. IV. 906. Впрыснуто подъ кожу 1,4 cm³ смѣси вытяжекъ, разведенной въ 50 разъ (= 0.04 mgrm. p. 1 kg. вѣса тѣла).

Вѣсъ животнаго 1412 grm.

28. IV. „ „ 1375 „

29. IV. Смерть около 7-ми часовъ утра.

Вскрытіе 29. IV., спустя 3—3 ½ часа послѣ смерти. Болѣе или менѣе выраженный отекъ подкожной клѣтчатки на мѣстѣ впрыскиванія. Въ брюшной полости небольшой кровянистый транссудатъ. Печень полнокровна, немного увеличена. Кровеносные сосуды тонкихъ кишекъ инъэцированы въ средней степени. Кровеносные сосуды червеобразнаго отростка сильно инъэцированы; въ толщѣ стѣнки червеобр. отростка точечныя кровоизліянія. Мочевой пузырь растянутъ мутной, съ бѣлыми хлопьями, мочей; моча содержитъ бѣлокъ. Селезенка не увеличена.

Оп. № 31.

Сѣродымчатый лохматый кроликъ, самецъ.

27. IV. 906. Впрыснуто подъ кожу 2,6 cm³ смѣси вытяжекъ, разведенной въ 50 разъ (= 0.08 mgrm. p. 1 Kg. вѣса тѣла).

Вѣсъ животнаго 1327 grm.

28. IV. Утромъ найденъ мертвымъ.

Вскрытіе 28. IV. Небольшой отекъ подкожной клѣтчатки на мѣстѣ впрыскиванія. Печень полнокровна. Слизистая оболочка дна желудка розовокраснаго цвѣта. Кровеносные сосуды тонкихъ, кишекъ сильно инъэцированы. Слизистая оболочка кишекъ покрыта довольно толстымъ слоемъ слизи и содержитъ въ толщѣ своей массу мелкихъ кровоизліяній. Кровеносные сосуды верхней части червеобразнаго отростка рѣзко инъэцированы; на остальномъ протяженіи его инъэкція средней степени. Въ толщѣ слизистой оболочки червеобразнаго отростка масса мелкоточечныхъ кровоизліяній. Селезенка не увеличена.

Такимъ образомъ, минимальная смертельная доза даннаго препарата неочищеннаго рицина оказалась равною 0.04 mgrm. p. 1 Kgrm. вѣса тѣла кролика, при подкожномъ введеніи. Смѣсь же вытяжекъ содержала, слѣдовательно, 425000 минимальныхъ смертельныхъ дозъ, считая на 1 Kil. вѣса кроликовъ.

Въ нижеслѣдующей таблицѣ № 1 сопоставлены количественныя данныя, касающіяся результатовъ вышеописанныхъ обработокъ свѣжихъ сѣмянъ. — Буквы А, В и С означаютъ способы обработки сѣмянъ.

Таблица № 1.

Свѣжія сѣмена			
	A	B	C
Количество взятыхъ для обработки сѣмянъ.	250,0 grm. (сѣмянъ не ошелушенныхъ).	150,0 grm. (сѣмянъ не ошелушенныхъ).	100,0 grm. (сѣмянъ ошелушенныхъ).
Количество полученныхъ и изслѣдованныхъ вытяжекъ неочищеннаго рицина.	3	3	5
Общій объемъ полученныхъ вытяжекъ.	3,4 Litr.	2,7 Litr.	8,5 Litr.
Общее количество извлеченныхъ бѣлковъ, считая по азоту.	26,86 grm.	18,36 grm.	17,0 grm.
Количество бѣлковъ на 100,0 grm. сѣмянъ, считая на сѣмена безъ шелухи.	14,34 grm.	18,36 grm.	17,0 grm.
Минимальная смертельная доза неочищеннаго рицина, считая на 1 Kil. вѣса кролика.	0.11 mgrm.	0.08 mgrm.	0.04 mgrm.
Общее количество смертельныхъ дозъ, считая на 1 Kgrm. вѣса кроликовъ.	130363	229500	425000
Продолжительность жизни опытныхъ животныхъ.	2½ сутокъ.	2 сутокъ	около 2-хъ сутокъ

Какъ видно изъ данной таблицы, наиболѣе подходящимъ способомъ полученія рицина изъ свѣжихъ рициновыхъ сѣмянъ является способъ обозначенный буквою С. При этомъ способѣ обходится предварительное обезжириваніе сѣмянъ съ помощью эфира и получаются безцвѣтныя вытяжки, содержащія наиболѣе токсичный препаратъ неочищеннаго рицина.

Полное извлеченіе рицина изъ свѣжихъ сѣмянъ.

Для опыта были употреблены 100,0 grm. ошелушенныхъ свѣжихъ сѣмянъ, служившихъ для извлеченія токсина по способу С въ предшествовавшихъ опытахъ. Послѣ полученія только что описанныхъ пяти вытяжекъ сѣмена были подвергнуты дальнѣйшему извлеченію изъ нихъ рицина, а именно было сдѣлано еще 10-ть вытяжекъ. Послѣднія 10-ть извлеченій производились по образцу 5-ой вытяжки, т. е. сначала производилось растираніе сѣмянъ съ NaCl, а потомъ доливалась вода до полученія са. 10 $\%$ раствора NaCl. Въ полученныхъ вытяжкахъ, въ отдѣльныхъ, или въ смѣсяхъ нѣсколькихъ, производились качественныя бѣлковыя реакціи, опредѣлялось количество бѣлковъ по общему азоту (— способъ Kjeldahl'я) и опредѣлялась токсичность.

Результаты опытовъ видны изъ таблицы № 2 (см. слѣд. стр.)

Изъ приведенной таблицы видно, что:

1. даже 10-ти кратное вышеописанное извлеченіе свѣжихъ рициновыхъ сѣмянъ, съ помощью 10 $\%$ раствора NaCl, не вполнѣ истощаетъ ихъ касательно содержанія рицина.

2. Черезъ 15-ти кратное вышеописанное извлеченіе данныхъ сѣмянъ было получено около 20,42 grm. бѣлковъ, изъ корыхъ са. 83,75 $\%$ содержались въ первыхъ пяти вытяжкахъ.

3. Главнѣйшее количество рицина содержалось въ первыхъ пяти вытяжкахъ, а именно са. 98 $\%$.

Вытяжка № 3.

Эта вытяжка показывавшая, какъ видно изъ таблицы № 2, при примѣненіи реактива Esbach'а едва уловимые слѣды бѣлковъ, была испытана на наличность рицина физіологическимъ путемъ.

Таблица № 2.

№№ вытяж.	Объемы вытяжекъ.	Количество бѣлковъ въ вытяжкахъ по Esbach'у.	по азоту.	Минимальная смертельная доза для кроликовъ.	Общее количество смертельныхъ дозъ.	№ № протоколовъ опытовъ.	Способъ извлеченія.	Качественныя бѣлковыя реакціи вытяжекъ.
1	1900	0.35 %	0.2 % = 17.1 grm.	0.04 mgrm. p. 1 kgrm. вѣса тѣла.	425000	29—31	Извлеченіе съ помощью 10% раствора NaCl.	Бюретовая реакція средней степени.
2	1850	0.05 %						
3	1870	> 0				32—33		Проба Heller'a — слабое кольцо.
4	1000	Слѣды опалесценціи.						
5	1930	0.025 %						
6	2000	0.05 %	0.035 % = 0.7 grm.	0.7 mgrm. p. 1 Kg. вѣса тѣла.	1000	34—38	со ль ю.	Бюретов. реакція слабой степени. Пр. Heller'a — довольно слабое кольцо.

8350 cm³ (объемы вытяжекъ 1—5)

№	Объемъ cm³		Результатъ	% = grm	mgrm		№	Примѣчанiя
7	1430	⎫ 5180 cm³	Слѣды.	0.008 %, = 0.414 grm.	—			Бiуретов. реакцiя — 0.
8	1900	⎬	Самые минимальные слѣды.		—			Проба Heller'а — очень слабое кольцо.
9	1850	⎭	0		—			
10	1900		Едва уловимые миним. слѣды.	0.01 %, = 0.19 grm.	2,0 mgrm. p. 1 Kg. вѣса тѣла.	95	39—50	Бiуретовая реакцiя — 0. Проба Heller'а — слѣды опалесценцiи.
11	1950	⎫ 7950 = ca. 8000 cm³	Едва уловимая опалесценцiя.	0.022 %, = 1,75 grm.	—			
12	2000	⎬	Слѣды опалесценцiи.		—			
13	2000		0		—			
14	2000	⎭	0		—			Проба Heller'а — едва замѣтная диффузная муть.
15	1900		0	0.014 %, = 0.265 grm.	3,0 mgrm. p.1 Kg. в.т. не били.		51a. 52b.	Heller'ова проба — 0.
Итого	27480 cm³.			20.42 grm.				

Растиранiе объемъ съ поваренной

Оп. № 32.

Лягушка средней величины.

14. II. 906. Впрыснутъ подъ кожу спины 1 cm³ вытяжки.

За 45 дней опыта, а именно до 29. III. 06, не было никакихъ явленій.

Оп. № 33.

Лягушка средней величины.

14. II. 906. Впрыснуто подъ кожу спины 2 cm³ вытяжки.

16. II. Легко кладется на спинку.

19. II. Утромъ найдена мертвой.

Вскрытіе 19. II. Болѣе или менѣе рѣзко выраженная инъэкція кровеносныхъ сосудовъ желудка и кишекъ.

Такимъ образомъ, въ данной вытяжкѣ содержался токсинъ resp. рицинъ.

Вытяжка № 6.

Оп. № 34.

Сѣрый кроликъ, самецъ.

10. III. 906. Per os введено 50 cm³ вытяжки (=9,0 mgrm. неочищеннаго рицина р. 1 Kgrm. вѣса тѣла).

Вѣсъ животнаго 1890,0 grm.

11. III.	„	„	1867,0	„
16. III.	„	„	1848,0	„
20. III.	„	„	1940,0	„
28. III.	„	„	1960,0	„

Кроликъ повидимому здоровъ; опытъ прекращенъ.

Оп. № 35.

Черный кроликъ, самецъ.

9. III. 906. Впрыснуто подъ кожу 1 cm³ вытяжки (= 0.019 mgrm. неочищеннаго рицина р. 1 Kgrm. вѣса тѣла).

Вѣсъ животнаго 1845,0 grm.

10. III.	„	„	1816,0	„
15. III.	„	„	1805,0	„
16. III.	„	„	1759,0	„
18. III.	„	„	1812,0	„
23. III.	„	„	1830,0	„
28. III.	„	„	1850,0	„

Кроликъ повидимому здоровъ; наблюденіе прекращено.

Оп. № 36.

Сѣрый лохматый кроликъ, самецъ.

9. III. 906. Впрыснуто подъ кожу 2 cm^3 выт., (=0.038 mgrm. неочищ. риц. p. 1 Kgrm. вѣса тѣла).

Вѣсъ животнаго 1870,0 grm.

11. III.	„	„	1790,0	„
16. III.	„	„	1810,0	„
18. III.	„	„	1850,0	„
20. III.	„	„	1835,0	„
23. III.	„	„	1842,0	„
28. III.	„	„	1860,0	„ Наблюденіе прекращено; жи-

вотное повидимому здоровое, отсажено въ контрольную клѣтку.

Оп. № 37.

Сѣрый кроликъ, самка.

11. III. 906. Впрыснуто подъ кожу 5 cm^3 выт., (= 0.7 mgrm. неочищ. риц. p. 1 Kgrm. вѣса тѣла).

Вѣсъ животнаго 2455,0 grm.

12. III. „ „ 2400,0 „

Смерть въ ночь съ 12—13. III.

Вскрытіе 13. III. На мѣстѣ впрыскиванія отекъ подкожной клѣтчатки величиной съ ладонь, диффузной розово-красной окраски; отекъ пронизанъ нѣсколькими кровоизліяніями величиной съ 5—10-ти копѣечныя серебряныя монеты. Кровеносные сосуды тонкихъ кишекъ сильно инъэцированы; серозная оболочка кишекъ диффузно окрашена въ темнокровавый цвѣтъ, (окраска довольно интензивная).. Сальникъ: довольно рѣзкая инъэкція кровеносныхъ сосудовъ; масса мелкихъ кровоизліяній. Желудокъ: дно диффузно окрашено въ розовый цвѣтъ, съ 2—3 небольшими кровоизліяніями. Печень полнокровна. Селезенка не увеличена. Тонкія кишки: слизистая оболочка рѣзкаго кровавокраснаго окрашиванія, съ массой точечныхъ кровоизліяній различной величины. Мочевой пузырь наполненъ мутной, соломенно желтаго цвѣта мочей; инъэкція кровеносныхъ сосудовъ; масса мелкихъ кровоизліяній вѣстѣнкѣ пузыря. Моча содержитъ бѣлокъ.

Оп. № 38.

Свѣтлосѣрый кроликъ, самка.

11. III. 906. Впрыснуто подъ кожу 10 cm³ выт., (= 1,75 mgrm. неочищ. риц. р. 1 Kgrm. вѣса тѣла).

Вѣсъ животнаго 2012,0 grm.

12. III. „ „ 1985,0 „ Смерть около 7 часовъ вечера.

Вскрытіе 13. III. Въ брюшной полости незначительный кровянистый транссудатъ. Въ сальникѣ обильныя точечныя кровоизліянія. Кровеносные сосуды кишечныхъ стѣнокъ довольно рѣзко инъэцированы. Въ стѣнкахъ кишекъ и червеобразнаго отростка точечныя кровоизліянія. Рѣзкая гиперемія слизистой оболочки червеобразн. отростка; разбросанныя въ ней отдѣльныя точечныя кровоизліянія. Въ слизистой оболочкѣ желудка точечныя кровоизліянія въ области дна. Селезенка не увеличена. Печень полнокровна. Моча мутная, соломенножелтаго цвѣта, содержитъ немного бѣлка.

Такимъ образомъ, минимальная смертельная доза неочищеннаго рицина изъ вытяжки № 6, при подкожномъ ея введеніи, равнялась 0,7 mgrm., считая на 1 Kgrm. вѣса кролика.

При введеніи этой вытяжки per os переносились дозы са. въ 13 разъ большія.

Вытяжка № 10.

Эта вытяжка касательно ея токсичности была испытана на лягушкахъ и кроликахъ. Таблица № 3 относится къ опытамъ на лягушкахъ.

Таблица № 3.

№№ опытовъ.	Мѣсяцъ, число и годъ.	Количество введеннаго неочищ. рицина.	Результатъ опытовъ.	Продолжительность жизни животн.	Результаты вскрытія.
39.	19. IV 906	Подъ кожу 0.1 mgrm.	+	5 сутокъ.	Рѣзкая инъэкція кровеносныхъ сосудовъ желудка и кишекъ.
40.	13. IV.	id.	+	са. 4 сут.	Подъ кожей, соотвѣтственно мѣсту впрыскиванія, много слегка красноватожелтой жидкости. Болѣе или менѣе рѣзковыраженная инъэкція кровеносныхъ сосудовъ желудка и кишекъ. Начальная часть тонкихъ кишекъ внѣдрена въ желудокъ.

№№ опытовъ.	Мѣсяцъ, число и годъ.	Количество введеннаго неочищ. рицина.	Результатъ опытовъ.	Продолжительность жизни животн.	Результаты вскрытія.
41	19. IV.	Подъ кожу 0.1 mgrm.	+	11 сутокъ.	Вскрытія не производилось.
42.	13. IV.	Подъ кожу 0.2 mgrm.	+	са. 4 сутокъ.	Въ подкожныхъ лимфатическихъ мѣшкахъ довольно много кровянистаго транссудата, который на мѣстѣ впрыскиванія какъ-бы окруженъ капсулой. Довольно рѣзкая инъэкція кровеносныхъ сосудовъ малой кривизны желудка.
43.	19. IV.	id.	+	5 минутъ.	Очень растянутое сердце. (Шокъ ?)
44.	19. IV.	id.	+	1 сутки.	Средней степени инъэкція кровеносныхъ сосудовъ желудка и брызжейки кишечника.
45.	19. IV.	id.	+	1½ сут.	Обильный кровянистый транссудатъ, какъ подъ кожей, такъ и въ полости брюшины. Довольно замѣтная инъэкція кровеносныхъ сосудовъ желудка.
46.	13. IV.	Животныя посажены въ чашку наполненную вытяжкой.	+	5 минутъ.	Вскрытія не производилось.
47.	13. IV.		+	12 часовъ.	

Такимъ образомъ, въ десятой вытяжкѣ еще содержался токсинъ, resp. рицинъ.

Оп. № 48.

Черный кроликъ, самецъ.

20. IV. 906. Впрыснуто подъ кожу 10 cm³ вытяжки № 10
(= 0.9 mgrm. неочищ. риц. p. 1 Kgrm. вѣса тѣла).
Вѣсъ животнаго 1120,0 grm.

21. IV.   „   „   1037,0   „ Впрыснуто подъ кожу 10 cm³
вытяжки (= 1,0 mgrm. неочищеннаго рицина p. 1 Kgrm.
вѣса тѣла), а всего — 1,9—2,0 mgrm. p. 1 Kgrm. вѣса
тѣла.

22. IV. Вѣсъ животнаго 984,0 grm.

24. IV.   „   „   960,0   „

25. IV.   „   „   942,0   „

26. IV. Смерть утромъ.

Вскрытіе 26. IV. На мѣстѣ впрыскиванія отекъ подкожной
клѣтчатки длиною въ 8, шириною въ 6 и толщиною въ
1¹/₂ ctm. Цвѣтъ желудка и кишекъ свѣтлосѣрый. Тонкія кишки
сокращены, толщиной въ гусиное перо. Кровеносные сосуды кишекъ инъэцированы въ средней степени. Селезенка не увеличена. Со стороны сердца, легкихъ, печени, почекъ и мочевого пузыря ничего особеннаго не замѣчается.

Оп. № 49.

Сѣрый кроликъ, самка.

13. IV. 906. Впрыснуто подъ кожу 10 cm³ выт., (= 1,0 mgrm.
неочищ. риц. p. 1 Kgrm. вѣса тѣла).
Вѣсъ животнаго 1086,0 grm.

14. IV.   „   „   1077,0   „

15. IV.   „   „   1062,0   „

17. IV.   „   „   1108,0   „ Плохо ѣстъ.

18. IV.   „   „   1060,0   „

19. IV.   „   „   1055,0   „

20. IV. Впрыснуто 10 cm³ (= 1,0 mgrm. p. 1. К. в. т.).

21. IV. Вѣсъ животнаго 1070,0 grm.

22. IV.   „   „   1068,0   „

24. IV.   „   „   1086,0   „ Впрыснуто подъ кожу 20 cm³
(= 2,0 mgrm. p. 1 К. в. т.).

25. IV. Вѣсъ животнаго 1108,0 grm. Впрыснуто подъ кожу 20 cm³ (= са. 2,0 mgrm. p. 1 К. в. т.)

26. IV. Вѣсъ животнаго 1070,0 grm.

27. IV.   „   „   1100,0 - „

28. IV.   „   „   1140,0 „

29. IV.   „   „   · 1135,0 „

1. V.   „   „ , 1145,0 „

2. V.   „   „   1127,0 „   Животное, повидимому здоровое, отсажено въ контрольную клѣтку. Всего было введено неочищеннаго рицина 6,0 mgrm.

Оп. № 50.

Сѣрый кроликъ, самка.

13. IV. 906. Впрыснуто подъ кожу 5 cm³ вытяжки (= 0.5 mgrm неочищеннаго рицина p. 1 Kgrm. вѣса тѣла).

Вѣсъ животнаго 1008,0 grm.

14. IV.   „   „   947,0 „

15. IV.   „   „   947,0 „

17. IV.   „   „   922,0 „   Плохо ѣстъ.

18. IV.   „   „   930,0 „

19. IV.   „   „   930,0 „   Ѣстъ лучше.

21. IV.   „   „   1000,0 „

22. IV.   „   „   1004,0 „

24. IV.   „   „   1006,0 „   Впрыснуто подъ кожу 20 cm³ (= 2,0 mgrm. p. 1 К. в. т.).

25. IV. Вѣсъ животнаго 1000,0 grm. Впрыснуто подъ кожу 20 cm³ (= 2,0 mgrm. p. 1 К. в. т.). Довольно сильный поносъ. Почти не владѣетъ задними конечностями.

26. IV. Вѣсъ животнаго 960,0 grm.   Инфильтратъ на мѣстѣ впрыскиванія.

27. IV. Вѣсъ животнаго 940,0 grm.

28. IV.   „   „   975,0 „   Поносъ прекратился.

29. IV.   „   927,0

1. V.   „   · 883,0 „

2. V.   897,0 ˏ

3. V.   905,0

4. V.   „   „   925,0 „

5. V.   „   „   943,0 „   Почти свободно владѣетъ задними конечностями.

8. V. Вѣсъ животнаго   970,0 grm.
9. V.   „   „   980,0   „
10. V.   „   „   1003,0   „
12. V.   „   „   1002,0   „   На мѣстѣ впрыскиванія сухой
струпъ и твердый инфильтратъ. Животное, повидимому
здоровое, отсажено въ контрольную клѣтку. Всего животное получило неочищеннаго рицина 4,5 mgrm.

Такимъ образомъ, доза въ. са. 2,0 mgrm. неочищеннаго рицина р. 1 Kgrm. вѣса тѣла, при подкожномъ введеніи вытяжки
№ 10, дала смертельный исходъ.

III. Старыя сѣмена.

Въ параллель только что описаннымъ обработкамъ, по способамъ А и С, свѣжихъ рициновыхъ сѣмянъ, были произведены
опыты съ обработкой тѣми-же способами и сѣмянъ старыхъ.

1. Обработка старыхъ сѣмянъ по способу А.

Было отвѣшено 75,0 grm. старыхъ сѣмянъ, что равняется
50,0 grm. ошелушенныхъ сѣмянъ, такъ какъ шелуха составляетъ
са. $1/3$ часть сѣмянъ по вѣсу. Истолченныя въ ступкѣ сѣмена
предварительно обрабатывались въ перколляторѣ этиловымъ (пере-
гнаннымъ до 45° С.) и петролейнымъ эфирами, при комнатной t°,
въ теченіи 10-ти дней. Повторнымъ извлеченіемъ при помощи 10 %
раствора NaCl было получено три вытяжки неочищеннаго рицина.

№№ вытяжекъ.	Объемы вытяжекъ.	%-ное содер-жаніе бѣлковъ по азоту.	Общее количество извлеченныхъ бѣлковъ.
Вытяжка № 1	1750 cm³.	0.3 %.	5,25 grm.
Вытяжка № 2	1920 cm³.	0.027 %.	0,518 grm.
Вытяжка № 3	1950 cm³.	0.015 %.	0,292 grm.

Полученныя вытяжки неочищеннаго рицина были соединены вмѣстѣ и смѣсь была испытана, касательно токсичности, на кроликахъ. При стоянiи смѣсь дала небольшой бѣлковый осадокъ, въ виду чего смѣсь была отфильтрована и въ ф-тѣ опредѣлено общее количество бѣлковъ по азоту, (способъ Kjeldahl'я, 3 опредѣленiя). Общее количество бѣлковъ оказалось равнымъ 5,62 grm., что соотвѣтствуетъ 11,24 grm. бѣлковъ, считая на 100,0 grm. сѣмянъ безъ шелухи. См. ниже табл. № 4.

Оп. № 51.

Сѣрый кроликъ, самецъ.

16. III. 907. Впрыснутъ подъ кожу 1 cm³ смѣси вытяжекъ (= 1,0 mgrm. неочищ. риц. p. 1 Kgrm. вѣса тѣла).

Вѣсъ животнаго 1050,0 grm.

17. III.   „   „   995,0   „

18. III. Утромъ найденъ мертвымъ.

Вскрытiе 18. III. въ 10 ч. у. Выраженное трупное окоченѣнiе. Въ подкожной клѣтчаткѣ, на мѣстѣ впрыскиванiя, мелкоточечныя кровоизлiянiя на розоватомъ фонѣ. Въ полости брюшины и плевры довольно обильный транссудатъ мясокраснаго цвѣта. Легкiя малокровны. При разрѣзѣ кровеносныхъ сосудовъ изъ нихъ вытекаетъ жидкая темнокрасная кровь. Желудокъ: въ слизистой оболочкѣ, около входа, темнобурое окрашиванiе (кровоизлiянiе) величиной съ серебряный пятачекъ. Тонкiя кишки: довольно сильная инъэкцiя кровеносныхъ сосудовъ серозной оболочки; мѣстами сквозь стѣнку просвѣчиваютъ точечныя кровоизлiянiя. Слизистая оболочка розовокраснаго цвѣта; масса точечныхъ кровоизлiянiй у перехода въ толстыя кишки; Пейеровы бляшки пронизаны точечными кровоизлiянiями. Червеобразный отростокъ: точечныя кровоизлiянiя въ слизистой оболочкѣ. Селезенка не увеличена.

Оп. № 52.

Бѣлый кроликъ, самецъ.

16. III. 907. Впрыснуто подъ кожу 0,5 cm³ смѣси вытяжекъ (= 0.5 mgrm. неочищ. риц. p. 1 Kgrm. вѣса тѣла).

Кричитъ послѣ впрыскиванiя.

Вѣсъ животнаго 1030,0 grm.

17. III.   „   „   980,0   „

18. III. Утромъ найденъ мертвымъ.

Вскрытіе 18. III. Выраженное трупное окоченѣніе. Въ подкожной клѣтчаткѣ, на мѣстѣ впрыскиванія, разлитая краснота и нѣсколько мелкоточечныхъ геморрагій. Въ полости брюшины небольшое количество транссудата, желтовато-красноватаго цвѣта. На peritoneum parietale, соотвѣтственно сторонѣ впрыскиванія, кровоизліянія, какъ мелкоточечныя, такъ и величиной съ серебряный пятачекъ. Желудокъ: въ слизистой оболочкѣ задней resp. верхней стѣнки разбросаны мелкоточечныя кровоизліянія. Селезенка не увеличена. Сальникъ: рѣзкая инъэкція кровеносныхъ сосудовъ; масса точечныхъ кровоизліяній. Кишечникъ: слабая инъэкція кровеносныхъ сосудовъ серозной оболочки кишекъ и верхней части червеобразнаго отростка. Въ стѣнкѣ мочевого пузыря мелкоточечныя кровоизліянія. Легкія малокровны.

Оп. № 53.

Свѣтлосѣрый кроликъ, самецъ.

27. III. 907. Впрыснуто подъ кожу 0.9 cm³ смѣси вытяжекъ, разведенной въ 2 ½ раза (= 0.4 mgrm. неочищ. риц. p. 1 Kgrm. вѣса тѣла).

Вѣсъ животнаго 900,0 grm.

28. III.   „   „   865,0 „
29. III.   „   „   785,0 „

Смерть въ 4 часа вечера.

Вскрытіе 30. III. Подъ кожей, на мѣстѣ впрыскиванія, краснота съ точечными кровоизліяніями. Въ полости брюшины кровянистый транссудатъ въ количествѣ 10—12 cm³. Печень немного увеличена, застойна. На слизистой оболочкѣ дна желудка нѣсколько мелкоточечныхъ кровоизліяній. Селезенка не увеличена. Сальникъ кроваво-краснаго цвѣта, съ массой кровоизліяній. Инъэкція въ средней степени кровеносныхъ сосудовъ брызжейки. Въ стѣнкѣ верхушки червеобразнаго отростка нѣсколько точечныхъ кровоизліяній. Въ стѣнкѣ мочевого пузыря точечныя кровоизліянія. Зобная железа вся пронизана кровоизліяніями. Легкія малокровны.

Оп. № 54.

Темносѣрый кроликъ, самка.

27. III. 907. Впрыснутъ подъ кожу 1 cm³ смѣси вытяжекъ, разведенной въ 2 ½ раза (= 0.4 mgrm. неочищ. риц. pro 1 Kgrm. вѣса тѣла.)

Вѣсъ животнаго 1040,0 grm.

28. III. „ „ 985,0 „

29. III. „ „ 943,0 „

Смерть въ 4 часа вечера.

Вскрытіе 30. III. Въ подкожной клѣтчаткѣ, на мѣстѣ впрыскиванія, небольшая слизистая отечность съ отдѣльными точечными кровоизліяніями. Полость брюшины: небольшое количество кровянистаго транссудата; разлитая краснота на peritoneum parietale соотвѣтствующей сторонѣ впрыскиванія. Въ слизистой оболочкѣ желудка, около входа, нѣсколько отдѣльныхъ кровоизліяній. Селезенка не увеличена. Сальникъ яркокраснаго цвѣта съ массой точечныхъ кровоизліяній. Кишечникъ: метеоризмъ нижней части тонкихъ и спазмъ толстыхъ кишекъ; инъекція въ средней степени кровеносныхъ сосудовъ брызжейки. Слабая инъэкція кровеносныхъ сосудовъ мочевого пузыря. Зобная железа въ кровоизліяніяхъ. Легкія малокровны.

Оп. № 55.

Свѣтлосѣрый кроликъ, самецъ.

27. III. 07. Впрыснуто подъ кожу 0.5 cm³ смѣси вытяжекъ, разведенной въ 2 ½ раза (= 0.2 mgrm. неочищ. риц. р. 1 Kg. вѣса тѣла).

Вѣсъ животнаго 900,0 grm.

28. III. „ „ 866,0 „

29. III. „ „ 840,0 „

30. III. 10 ч. у. Сидѣть не можетъ. Полулежитъ на боку. Смерть въ 11 ч. у.

Вскрытіе 30. III. Подъ кожей, на мѣстѣ впрыскиванія, незначительная слизистая отечность и краснота съ отдѣльными точечными кровоизліяніями. Брюшина: въ полости незначительный кровянистый транссудатъ; стѣнка соотвѣтствующая мѣсту впрыскиванія розоватаго цвѣта. Сальникъ яркокраснаго цвѣта, съ массой мелкихъ кровоизліяній. Въ слизистой оболочкѣ передней resp. нижней стѣнки желудка нѣсколько мелкоточечныхъ кровоизліяній. Кишечникъ: серозная оболочка верхней части тонкихъ кишекъ розоватаго цвѣта; спазмъ толстыхъ кишекъ; средней степени инъэкція кровеносныхъ сосудовъ брызжейки. Селезенка не увеличена. Печень нѣсколько полнокровна. Мочевой пузырь растянутъ мочей, послѣдняя содержитъ бѣлокъ. Сердце: точечныя кровоизліянія снаружи — верхушку и въ стѣнкѣ праваго предсердія, снутри — въ верхушкахъ папиллярныхъ мышцъ лѣваго желудочка. Легкія. малокровны.

Оп. № 56.

Темносѣрый кроликъ, самецъ.

27. III. 907. Впрыснуто подъ кожу 0.5 cm³ смѣси вытяжекъ, разведенной въ 2 ¹/₂ раза (= 0.2 mgrm. неочищ. риц. p. 1 Kgrm. вѣса тѣла).

Вѣсъ животнаго 975,0 grm.

28. III.   „   „   925,0 „
29. III.   „   „   865,0 „
30. III. Утромъ найденъ мертвымъ.

Вскрытіе 30. III. Окоченѣнія нѣтъ. Въ подкожной клѣтчаткѣ, на мѣстѣ впрыскиванія, слизистая отечность, пронизанная мелкоточечными кровоизліяніями. Брюшина: въ полости незначительное количество красноватаго транссудата; сторона соотвѣтствующая мѣсту впрыскиванія розоваго цвѣта. Сальникъ сплошь яркокраснаго цвѣта, весь въ кровоизліяніяхъ. Селезенка не увеличена. Желудокъ и кишечникъ замѣтныхъ глазомъ измѣненій не представляютъ. Мочевой пузырь сильно растянутъ мочей, въ послѣдней много бѣлка. Кровоизліянія въ верхушкѣ сердца. Зобная железа пронизана точечными кровоизліяніями. Легкія малокровны.

Оп. № 57.

Сѣрый кроликъ, самка.

20. III. 07. Впрыснуто подъ кожу 2,3 cm³ смѣси вытяжекъ, разведенной въ 10 разъ (= 0.1 mgrm. неочищ. риц. p. 1 Kgrm. вѣса тѣла).

Вѣсъ животнаго 2330,0 grm.

21. III.   „   „   2200,0 „
22. III.   „   „   2120,0 „
23. III.   „   „   2215,0 „
24. III.   „   „   2225,0 „
25. III.   „   „   2185,0 „
27. III.   „   „   2220,0 „ Кроликъ, повидимому здоровый, отсаженъ въ контрольную клѣтку.

4. IV. Вѣсъ животнаго 2430,0 grm. Наблюденіе прекращено.

Оп. № 58.

Сѣрый кроликъ, самка.

20. III. 907. Впрыснуто подъ кожу 2 cm³ смѣси вытяжекъ, разведенной въ 10 разъ (= 0.1 mgrm. неочищ. риц. р. 1 Kgrm. вѣса тѣла).

Вѣсъ животнаго 2000,0 grm.

21. III.   „   „   1910,0   „
22. III.   „   „   1835,0   „
23. III.   „   „   1915,0   „
24. III.   „   „   1900,0   „
25. III.   „   1860,0   „
27. III.   „   „   1890,0.   „   Животное отсажено въ контрольную клѣтку.

4. IV. Вѣсъ животнаго 2150,0 grm. Кроликъ повидимому здоровъ; наблюденіе прекращено.

Оп. № 59.

Черный кроликъ, самецъ.

20. III. 907. Впрыснутъ подъ кожу 1 cm³ смѣси вытяжекъ, разведенной въ 10 разъ (= 0,05 mgrm. неочищенн. рицина р. 1 krgm вѣса тѣла).

Вѣсъ животнаго 2000,0 grm.

21. III.   „   „   2030,0   „
22. III.   „   1970,0   „
23. III.   „   „   1970,0   „
24. III.   „   „   1980,0   „
25. III.   „   „   1920,0   „
27. III.   „   „   1950,0   „   Животное отсажено въ контрольную клѣтку.

4. IV. Вѣсъ животнаго 2005,0 grm. Кроликъ повидимому здоровъ; наблюденіе прекращено.

Оп. № 60.

Черный лохматый кроликъ, самка.

20. III. 907. Впрыснуто подъ кожу 0.5 cm³ смѣси вытяжекъ разведенной въ 10 разъ (= 0.05 mgrm. неочищ. риц. р. 1 Kgrm. вѣса тѣла).

Вѣсъ животнаго 1065,0 grm.

21. III.   „   „   1000,0   „

22. III. Вѣсъ животнаго 925,0 grm.
23. III. „ „ 960,0 „
24. III. „ „ 955,0 „
25. III. „ „ 935,0 „
27. III. „ „ 940,0 „ Животное отсажено въ контрольную клѣтку.
4. IV. Вѣсъ животнаго 990,0 „ Кроликъ повидимому здоровъ; наблюденіе прекращено.

Такимъ образомъ, минимальная смертельная доза даннаго препарата неочищеннаго рицина, при подкожномъ его введеніи, оказалась равною 0.2 mgrm., считая на 1 Kgrm. вѣса тѣла кролика. А всего смертельныхъ дозъ данныя вытяжки неочищеннаго рицина содержали 56200.

2. Первая обработка старыхъ сѣмянъ по способу С.

50,0 grm. ошелушенныхъ старыхъ сѣмянъ, — (съ 75,0 grm. сѣмянъ было получено са. 24,0—25,0 grm. шелухи) — были истолчены въ желѣзной ступкѣ, растерты съ 200,0 grm. NaCl, къ смѣси, переложенной въ стеклянную банку, была добавлена вода до са. 10 % концентраціи NaCl. Смѣсь держалась при комнатной t⁰ 7 дней, а именно при повторномъ ежедневномъ тщательномъ встряхиваніи и затѣмъ профильтрована, — получена вытяжка № 1. Подобнымъ же путемъ было получено еще двѣ вытяжки.

№№ вытяжекъ.	Объемы вытяжекъ.	%-ное содержаніе бѣлковъ, считая по азоту.	Общее количество извлеченныхъ бѣлковъ.
Вытяжка № 1	1900 cm³	0.427 %	8,113 grm.
Вытяжка № 2	1970 cm³	0.076 %	1,49 grm.
Вытяжка № 3	1950 cm³	0.028 %	0,546 grm.

Такимъ образомъ, общее количество бѣлковъ было равно 10,149 grm., что соотвѣтствуетъ 20,298 grm. бѣлковъ, считая на 100,0 grm. сѣмянъ безъ шелухи. См. ниже табл. № 4.

Съ цѣлью выясненія токсичности даннаго препарата неочищеннаго рицина, были поставлены опыты на 8-ми кроликахъ.
Животнымъ было введено 0.033—0.066—0.09—0.13 mgrm. рицина, считая на 1 К. в. т., (оп. №№ 61—68). Животныя наблюдались до тѣхъ поръ, пока вѣсъ ихъ не начиналъ увеличиваться, и доходитъ до первоначальнаго, при чемъ они повидимому
были болѣе или менѣе нормальны. Опыты оказались отрицательными.

Въ виду того, что при описанной обработкѣ старыхъ сѣмянъ
по способу С было получено почти вдвое (20,29 grm.) бѣлковъ,
чѣмъ при обработкѣ тѣхъ же сѣмянъ по способу А (11,24 grm.)
(см. таблицу № 4), была произведена вторичная обработка этихъ
сѣмянъ по способу С.

3. Вторичная обработка старыхъ сѣмянъ по способу С.

При этомъ опытѣ я поступалъ также, какъ и въ предыдущемъ. Результаты опытовъ слѣдующіе.

№№ вытяжекъ.	Объемы вытяжекъ.	%-ное содержаніе бѣлковъ, считая по азоту.	Общее количество извлеченныхъ бѣлковъ.
Вытяжка № 1	1980 cm³	0.27 %	5,346 grm.
Вытяжка № 2	2000 cm³	0.034 %	0,68 grm.
Вытяжка № 3	1950 cm³	0.0073 %	0,142 grm.

Какъ видно изъ этой таблицы, количество извлеченныхъ при
этомъ опытѣ бѣлковъ является приблизительно въ са. $1\frac{1}{2}$ раза
меньшимъ по сравненію съ количествомъ бѣлковъ, извлеченныхъ
при предыдущемъ опытѣ.

Дальнѣйшихъ опытовъ, необходимыхъ для выясненія такихъ
разнорѣчивыхъ данныхъ я не производилъ.

Вытяжка № 1 испытывалась касательно ея токсичности на
3-хъ кроликахъ (оп. №№ 69—71). Животнымъ вводились дозы
0.02—0.04—0.06 mgrm. неочищеннаго рицина, считая на 1 Kgrm.
яѣса тѣла. Результатъ получился отрицательный. Животныя
оставались подъ наблюденіемъ 2—3 недѣли.

Послѣ этого всѣ три вытяжки были соединены вмѣстѣ. Предварительно испытанія ихъ токсичности, въ нихъ было сдѣлано опредѣленіе количества бѣлковъ, считая по общему азоту (способъ K j e l d a h l'я), каковое и оказалось равнымъ 5,93 grm., что соотвѣтствуетъ 11,86 grm. бѣлковъ, считая на 100,0 gr. сѣмянъ безъ шелухи. См. ниже табл. № 4. — Поставленные затѣмъ опыты на кроликахъ дали нижеслѣдующіе результаты.

Оп. № 72.

Черный кроликъ, самецъ.

16. III. 07. Впрыснутъ подъ кожу 1 cm^3 смѣси вытяжекъ (= 1,0 mgrm. неочищ. риц. p. 1 Kgrm. вѣса тѣла). Кричитъ послѣ впрыскиванія.

Вѣсъ животнаго 1070,0 grm.

17. III. „ „ 1050,0 „
18. III. Утромъ найденъ мертвымъ.

Вскрытіе 18. III. Выраженное трупное окоченѣніе. Въ полости плевры и брюшины небольшое количество транссудата мясокраснаго цвѣта. Селезенка не увеличена. На слизистой оболочкѣ передней, resp. нижней стѣнки желудка нѣсколько точечныхъ кровоизліяній. Тонкія кишки: средней степени инъэкція кровеносныхъ сосудовъ серозной оболочки; мѣстами, на протяженіи стѣнки кишекъ, разсѣяны точечныя кровоизліянія; слизистая оболочка розоватаго цвѣта; кровоизліянія въ Пейёровыхъ бляшкахъ. Червеобразный отростокъ: болѣе или менѣе рѣзко выраженная инъэкція кровеносныхъ сосудовъ; мелкоточечныя кровоизліянія въ стѣнкѣ верхней части отростка. Слабая инъекція кровеносныхъ сосудовъ толстыхъ кишекъ. Легкія бѣлорозоватаго цвѣта.

Оп. № 73.

Бѣлый кроликъ, самецъ.

16. III. 07. Впрысянуто подъ кожу 0.5 cm^3 смѣси вытяжекъ (= 0.5 mgrm. неочищ. рицина pro 1 Kgrm. вѣса тѣла).

Вѣсъ животнаго 1007,0 grm.

17. III. „ „ 990,0 „
18. III. Утромъ найденъ мертвымъ.

Вскрытіе 18. III. Выраженное трупное окоченѣніе. Въ подкожной клѣтчаткѣ, соотвѣтственно мѣсту впрыскиванія, кровоизліяніе величиной въ серебряную 10-ти копеечную монету. Кровянистый транссудатъ въ полости брюшины и плевры. На peritoneum parietale, соотвѣтствующей сторонѣ впрыскиванія, синевато-розоватое окрашиваніе. Селезенка не увеличена. Сальникъ розоваго цвѣта, съ массой точечныхъ кровоизліяній. Нѣсколько отдѣльныхъ точечныхъ кровоизліяній въ слизистой оболочкѣ желудка. Тонкія кишки: небольшое вздутіе; слабая инъекція кровеносныхъ сосудовъ; слизистая оболочка кое гдѣ имѣетъ мелкоточечныя кровоизліянія. Замѣтно выраженная инъэкція кровеносныхъ сосудовъ стѣнки мочевого пузыря. Легкія малокровны. При разрѣзѣ кровеносныхъ сосудовъ, изъ нихъ вытекаетъ жидкая, темнаго цвѣта, кровь.

Оп. № 74.

Сѣрый кроликъ, самецъ.

31. III. 907. Впрыснуто подъ кожу 0.9 cm³ смѣси вытяжекъ, разведенной въ 10 разъ (= 0.1 mgrm. неочищен. риц. р. 1 Kgrm. вѣса тѣла).

Вѣсъ животнаго. 900,0 grm.

1. IV. „ „ 880,0 „
2. IV. „ „ 815,0 „
3. IV. „ 795,0 „
5. IV. „ „ 800,0 „ Припухлость на мѣстѣ впрыскиванія.
6. IV. „ „ 785,0 „
7. IV. „ 770,0 „
8. IV. „ „ 760,0 „

Смерть въ ночь съ 9. IV—10. IV.

Вскрытіе 10. IV, въ 12 ч. д. Ясное трупное окоченѣніе. Подъ кожей, на сторонѣ впрыскиванія, слизистый, мѣстами довольно плотный и сросшійся съ кожей отекъ, толщиной са. въ 1 ctm. съ массой кровоизліяній и расширенными венами. Кровь въ кровеносныхъ сосудахъ и полостяхъ сердца свернутая. Легкія яркорозоваго цвѣта. Селезенка не увеличена. На протяженіи слизистой оболочки тонкихъ кишекъ и червеобразнаго отростка разбросаны кое гдѣ мелкоточечныя кровоизліянія. Мочевой пузырь сильно растянутъ мочей.

Оп. № 75.

Сѣрый кроликъ, самка.

31. III. 907. Впрыснуто подъ кожу 1,9 cm³ смѣси вытяжекъ (= 0.2 mgrm. неочищ. риц. p. 1 Kgrm. вѣса тѣла).

Вѣсъ животнаго 955,0 grm.

1. IV.	„	„	910,0 „
2. IV.		„	885,0 „
3. IV.		„	920,0 „
4. IV.		„	915,0 „
5. IV.	..	„	910,0 „
6. IV.	..	„	890,0 „
7. IV.		„	875,0 „
8. IV.	„	„	870,0 „
11. IV.	„	„	860,0 „

Смерть въ ночь съ 13.—14. IV.

Вскрытіе 14. IV. Не очень выраженное трупное окоченѣніе. Подъ кожей живота и съ боку, на мѣстѣ впрыскиванія, отекъ подкожной клѣтчатки и мѣстами сращеніе ея съ кожей и мышцами; отекъ пронизанъ кровоизліяніями, подкожныя вены расширены. Peritoneum parietale розоваго цвѣта. Довольно сильная инъэкція кровеносныхъ сосудовъ сальника. Селезенка не увеличена. Кишечникъ: довольно рѣзкая инъэкція кровеносныхъ сосудовъ брызжейки; на различныхъ мѣстахъ слизистой оболочки тонкихъ кишекъ разбросаны группы точечныхъ кровоизліяній, нѣкоторыя изъ отдѣльныхъ кровоизліяній покрыты желтоватыми корочками. Кровь въ сосудахъ и сердцѣ свернута. Легкія розовокраснаго цвѣта.

Такимъ образомъ, минимальная смертельная доза даннаго препарата неочищеннаго рицина, при подкожномъ его введеніи, была равна 0.1 mgrm., считая на 1 Kgrm. вѣса кролика. А всего смертельныхъ дозъ данныя солевыя вытяжки неочищен. рицина содержали 118600.

Въ нижеслѣдующей таблицѣ № 4 сопоставлены количественныя данныя, касающіяся результатовъ вышеописанныхъ обработокъ старыхъ сѣмянъ. Значеніе буквъ тоже самое, что и въ таблицѣ № 1-й.

Таблица № 4.

Ст а р ы я с ѣ м е н а			
	A	C (первая обработка).	C (вторая обработка).
Количество взятыхъ для обработки сѣмянъ.	50,0 grm. (считая на сѣмена безъ шелухи).	50,0 grm.	50,0 grm.
Количество полученныхъ и изслѣдованныхъ вытяжекъ неочищеннаго рицина.	3	3	3
Общій объемъ полученныхъ вытяжекъ.	5,6 Litr.	5,8 L.	5,9 L.
Общее количество извлеченныхъ бѣлковъ.	5,62 grm.	10,149 grm.	5,93 grm.
Количество бѣлковъ, считая на 100,0 grm. ошелушенныхъ сѣмянъ.	11,24 grm.	20,298 grm.	11,86 grm.
Минимальная смертельная доза препарата неочищеннаго рицина, считая на 1 Kgrm. вѣса тѣла кролика.	0,2 mgrm.	—	0.1 mgrm.
Общее количество смертельныхъ дозъ, считая на 1 Kgrm. вѣса тѣла кролика.	56200	—	118600
Продолжительность жизни опытныхъ животныхъ.	$2^1/_2$—3 сутокъ	—	$8^1/_2$ сутокъ

Такимъ образомъ, и у старыхъ сѣмянъ при обработкѣ ихъ по способу C получился болѣе токсичный препаратъ неочищеннаго рицина, чѣмъ при обработкѣ ихъ по способу A.

Сравнивая данныя таблицъ № 1 и № 4 можно сдѣлать слѣдующія общія заключенія.

1. Свѣжія рициновыя сѣмена, при обработкѣ ихъ по вышеприведеннымъ способамъ (способы А, В, С), даютъ вытяжки содержащія гораздо больше бѣлковъ, чѣмъ соотвѣтственныя вытяжки вышеозначенныхъ старыхъ рициновыхъ сѣмянъ, обработанныхъ по тѣмъ-же способамъ.

2. При обработкѣ свѣжихъ сѣмянъ по способамъ В и С получается болѣе токсичный неочищенный рицинъ, чѣмъ при обработкѣ ихъ по способу А.

3. Вышеозначенныя старыя рициновыя сѣмена содержатъ, повидимому, меньше рицина, чѣмъ вышеозначенныя свѣжія сѣмена, при чемъ получаемый изъ нихъ неочищенный рицинъ является менѣе токсичнымъ, чѣмъ неочищенный рицинъ получаемый изъ сѣмянъ свѣжихъ.

4. При обработкѣ вышеозначенныхъ старыхъ рициновыхъ сѣмянъ по способу С получается неочищенный рицинъ обладающій болѣе рѣзко выраженной токсичностью, чѣмъ неочищенный рицинъ, получаемый изъ нихъ по способу А.

5. Для полученія въ наибольшихъ дозахъ наиболѣе токсичнаго неочищеннаго рицина, какъ изъ свѣжихъ рициновыхъ сѣмянъ, такъ и изъ старыхъ рициновыхъ сѣмянъ, наиболѣе подходящимъ методомъ обработки является методъ обозначенный буквою С.

6. Предварительное обезжириваніе рициновыхъ сѣмянъ, какъ свѣжихъ, такъ и старыхъ, съ помощью эфира является совершенно излишнимъ и, повидимому, вредящимъ препарату.

IV. Кормленіе кроликовъ сѣменами.

Въ этихъ опытахъ сѣмена предварительно освобождались отъ шелухи, а затѣмъ растирались въ ступкѣ съ водой въ эмульсію, которая уже и вводилась въ желудокъ кроликовъ съ помощію зонда. Дозы сѣмянъ высчитывались на 1 Kgrm. вѣса тѣла кроликовъ.

1. Кормленіе старыми сѣменами.

Введеніемъ старыхъ сѣмянъ въ желудокъ кроликовъ имѣлось между прочимъ въ виду и такимъ путемъ констатировать наличность въ нихъ токсина resp. рицина.

Оп. № 76.

Сѣрый кроликъ, шерсть длинная, самецъ.

31. VIII. 907. Введено per os 0.3 grm. стар. сѣм. (= 0.25 grm. р.
1 Kgrm. вѣса тѣла).

Вѣсъ животнаго 1200,0 grm.

1. IX.	„	„	1295,0	„	
2. IX.		„	1320,0	„	
3. IX.	„	„	1315,0	„	
4. IX.	„	„	1312,0	„	
5. IX.	„	„	1340,0	„	
6. IX.	„	„	1315,0	„	
7. IX.	„	„	1375,0	„	
8. IX.	„	„	1360,0	„	
10. IX.	„	„	1320,0	„	Животное повидимому здорово.

Отсажено въ контрольную клѣтку.

Оп. № 77.

Бѣлый кроликъ, шерсть длинная, самка.

31. VIII. 907. Введено per os 0.412 grm. стар. сѣм. (= 0.33 grm. р.
1 Kgrm. вѣса тѣла).

Вѣсъ животнаго 1257,0 grm.

1. IX.	„	„	1360,0	„	
2. IX.		„	1400,0	„	
3. IX.	„	„	1435,0	„	
4. IX.		„	1415,0	„	
5. IX.	„	„	1440,0	„	
6. IX.	„	„	1410,0	„	
7. IX.		„	1490,0	„	
8. IX.	„	„	1505,0	„	
10. IX.	„	„	1480,0	„	Животное повидимому здорово.

Отсажено въ контрольную клѣтку.

Оп. № 78.

Бѣлый кроликъ, шерсть короткая, самецъ.

31. VIII. 907. Введено per os 0,8 grm. стар. сѣм. (= 0,5 grm. р
1 Kgrm. вѣса тѣла).

Вѣсъ животнаго 1600,0 grm.

1. IX. „ „ 1590,0 „ Не владѣетъ задними конечностями.

2. IX. Вѣсъ животнаго 1540,0 grm. Не очень сильный поносъ. Смерть въ ночь съ 2.—3. IX.

Вскрытіе 3. IX. Трупное окоченѣніе. Въ полости брюшины и плевры много желтоватаго транссудата. Печень нормальна. Сальникъ краснаго цвѣта, съ массой кровоизліяній и рѣзкой инъэкціей кровеносныхъ сосудовъ. Селезенка не увеличена. Со стороны желудка измѣненій не замѣчается. Тонкія кишки: довольно рѣзкая инъэкція кровеносныхъ сосудовъ; наполнены слизисто жидкой желтоватаго цвѣта массой. Червеобразный отростокъ безъ измѣненій. Толстыя кишки на всемъ своемъ протяженіи набиты каломъ. Мочевой пузырь: очень сильно растянутъ мочей (— мочи 115 cm^3, содержитъ бѣлокъ); точечныя кровоизліянія въ стѣнкѣ; рѣзкая инъэкція кровеносныхъ сосудовъ. Въ полости праваго желудочка сердца — точечныя, расположенныя вокругъ ostium atrioventriculorum кровоизліянія. Легкія имѣютъ мраморный (красный съ бѣлымъ) видъ.

Оп. № 79.

Сѣрый кроликъ, короткошерстный, самецъ.

1. IX. 907. Введено per ^{os} 0.952 grm. старыхъ сѣмянъ (= 0.75 grm. p. 1 Kgrm. вѣса тѣла).

Вѣсъ животнаго 1270,0 grm.

2. IX.   „   „   1150,0   „

3. IX. Смерть са. въ 6 часовъ утра.

Вскрытіе 3. IX., въ 11 ч. у. Трупное окоченѣніе. Въ полости брюшины незначительное количество транссудата желтоватаго цвѣта. Сальникъ: яркокраснаго цвѣта; весь пронизанъ точечными кровоизліяніями; довольно рѣзкая инъэкція кровеносныхъ сосудовъ. Селезенка не увеличена. На слизистой оболочкѣ дна желудка диффузное розовокрасное окрашиваніе. Тонкія кишки: на всемъ протяженіи розовокраснаго цвѣта; рѣзкая инъэкція кровеносныхъ сосудовъ стѣнки кишекъ и брызжейки; слизистая оболочка набухла, вишневокраснаго цвѣта, вся сплошь осыпана мелкоточечными кровоизліяніями; слизистая оболочка верхней части тонк. киш. (на разстояніи около $1/4$ арш. отъ cardia), на протяженіи са. 3—4-хъ вершковъ покрыта сѣрожелтоватыми, расположенными рядами, перпендикулярно къ длинной оси кишечника, трудно снимающимися струпиками. Червеобразный отростокъ безъ измѣненій. Толстыя кишки пусты, замѣтныхъ на глазъ измѣненій не представляютъ. Въ полости лѣваго желудочка имѣются 3—4 точечныхъ кровоизліянія расположенныхъ около верхушки. Легкія блѣдно-розоватаго цвѣта.

Оп. № 80.

Черный кроликъ, самецъ.

21. XII. 905. Введено per os 1,67 grm. старыхъ сѣмянъ (= 1,0 grm. p. 1 Kgrm. вѣса тѣла).

Вѣсъ животнаго 1670,0 grm.

22. XII. „ „ 1667,0 „
23. XII. „ „ 1517,0 „
24. XII. „ „ 1470,0 „
26. XII. Утромъ найденъ мертвымъ.

Вскрытіе 26. XII. Трупное окоченѣніе. Въ брюшной полости обильный кровянистый транссудатъ. На слизистой оболочкѣ желудка, въ области дна, нѣсколько точечныхъ кровоизліяній. Селезенка не увеличена. Средней степени инъэкція кровеносныхъ сосудовъ сальника. Кровеносные сосуды брызжейки тонкихъ кишекъ довольно рѣзко инъэцированы. Стѣнка червеобразнаго отростка имѣетъ многочисленныя яркокраснаго (какъ ожогъ) цвѣта пятна (кровоизліянія). Слизистая оболочка его, почти во всю длину, покрыта сѣроватозеленоватыми, сплошными, трудно отдѣляющимися пленками.

Оп. № 81.

Сѣрый кроликъ, самецъ.

21. XII. 905. Введено per os 4,65 grm. старыхъ сѣмянъ (= 2,5 grm. p. 1 Kgrm. вѣса тѣла).

Вѣсъ животнаго 1865,0 grm.

22. XII. „ „ 1856,0 „ Поносъ.
23. XII. „ „ 1727,0 „
24. XII. „ „ 1728,0 „ Поносъ прекратился.
26. XII. „ „ 1810,0 „
27. XII. „ „ 1860,0 „
28. XII. „ „ 1855,0 „
30. XII. „ „ 1880,0 „
31. XII. „ „ 1855,0 „
1. I. 906 „ „ 1840,0 „
4. I. „ „ 1867,0 „
7. I. „ „ 1867,0 „
9. I. „ „ 1882,0 „

12. I. Вѣсъ животнаго 1895,0 grm.

19. I. „ „ 1896,0 „ Кроликъ повидимому вполнѣ здоровъ; наблюденіе прекращено.

Оп. № 82.

Бѣлый кроликъ, самка.

21. XII. 905. Введено per os 10,0 grm. старыхъ сѣмянъ (= 5,0 grm. p. 1 Kgrm. вѣса тѣла).

Вѣсъ животнаго 2018,0 grm.

22. XII. „ „ 1959,0 „
23. XII. „ „ 1860,0 „
24. XII. „ „ 1780,0 „
26. XII. Утромъ найденъ мертвымъ.

Вскрытіе 26. XII. Трупное окоченѣніе. Graviditas. Въ брюшной полости немного слегка красноватаго транссудата. Кровеносные сосуды тонкихъ кишекъ и ихъ брызжейки инъэцированы въ средней степени. Кровеносные сосуды червеобразнаго отростка и толстыхъ кишекъ рѣзко инъэцированы. На слизистой оболочкѣ дна желудка 3—4 мелкоточечныхъ кровоизліянія. Гиперемія, средней степени, слизистой оболочки тонкихъ кишекъ и периферическаго конца червеобразнаго отростка. Остальная, центральная, часть слизистой оболочки червеобразнаго отростка и начальной части толстыхъ кишекъ яркокраснаго цвѣта и покрыта сѣроватобѣлыми, трудно снимающимися, пленками. Селезенка не увеличена.

Такимъ образомъ изъ этихъ опытовъ видно, что при введеніи старыхъ сѣмянъ въ желудокъ кроликовъ наступаетъ смертельное отравленіе животнаго; минимальной смертельной дозой была доза въ 0.5 grm. сѣмянъ, считая на 1 Kgrm. вѣса тѣла кролика. — II этими опытами доказывается также, въ дополненіе къ вышеприведеннымъ, наличность рицина въ хранившихся 50 лѣтъ сѣменахъ.

2. Кормленіе кроликовъ свѣжими сѣменами.

Оп. № 83.

Черный съ бѣлыми пятнами кроликъ, самецъ.

30. XI. 905. Введено per os 0.345 grm. свѣжихъ сѣмянъ (= 0.21 grm. p. Kgrm. вѣса тѣла).

Вѣсъ животнаго 1620,0 grm.

1. XII. „ „ 1610,0 „
2. XII. „ „ 1537,0 „
3. XII. „ „ 1475,0 „
5. XII. „ „ 1540,0 „
7. XII. „ „ 1580,0 „ Кроликъ повидимому совершенно здоровъ; наблюденіе прекращено.

Оп. № 84.

Лохматый сѣрый кроликъ, самецъ.

30. XI. 905. Введено per os 0.477 grm. свѣжихъ сѣмянъ (= 0.28 grm. p. 1 Kgrm. вѣса тѣла).

Вѣсъ животнаго 1740,0 grm.

1. XII. „ „ 1807,0 „
2. XII. „ „ 1800,0 „
3. XII. „ „ 1783,0 „
4. XII. „ „ 1770,0 „
5. XII. „ „ 1760,0 „
7. XII. „ „ 1792,0 „ Кроликъ повидимому совершенно здоровъ; наблюденіе прекращено.

Оп. № 85.

Сѣрый кроликъ, самка.

30. XI. 905. Введено per os 0.677 grm. свѣжихъ сѣмянъ (= 0.35 grm. p. 1 Kgrm. вѣса тѣла.)

Вѣсъ животнаго 1945,0 grm.

1. XII. „ „ 1950,0 „
2. XII. „ „ 1980,0 „
3. XII. „ „ 1970,0 „
5. XII. „ „ 2000,0 „
7. XII. „ „ 1990,0 „ Кроликъ повидимому совершенно здоровъ; наблюденіе прекращено.

Оп. № 86.

Бѣлый кроликъ, самка, шерсть короткая.

6. IX. 907. Введено per os 0.7 grm. свѣжихъ сѣмянъ (= 0.5 grm. p. 1 Kgrm. вѣса тѣла).

Вѣсъ животнаго 1410,0 grm.

7. IX.   „   „   1350,0   „
8. IX.   „   „   1255,0   „
9. IX. Найденъ мертвымъ.

Вскрытіе 9. IX., въ 2 ч. дня. Не рѣзко выраженное трупное окоченѣніе. Въ полости брюшины около 15 cm³ кровянистаго транссудата. Сальникъ кроваво краснаго цвѣта; весь въ кровоизліяніяхъ. Селезенка не увеличена. Слизистая оболочка дна желудка розоватаго окрашиванія, покрыта едва различимыми простымъ глазомъ экхимозами. Кровеносные сосуды брызжейки кишекъ рѣзко инъэцированы. Тонкія кишки: снаружи розоваго цвѣта; въ слизистой оболочкѣ разбросаны точечныя кровоизліянія. Червеобразный отростокъ: вздутъ, по всей длинѣ пронизанъ точечными, различной величины, кровоизліяніями, которыя около coecum сливаются въ сплошную массу; периферическій конецъ червеобразнаго отростка красновато фіолетоваго цвѣта. Отростокъ наполненъ газами и желтоватой жидкостью; слизистая оболочка его усѣяна точечными кровоизліяніями, у перехода въ coecum, а равно и далѣе въ толстыхъ кишкахъ, на протяженіи ca. 5 ctm., слизистая оболочка кровавокраснаго цвѣта съ массой кровоизліяній. Толстыя кишки, ca. на 3—4 вершка ниже червеобразнаго отростка, наполнены на протяженіи приблизительно 12—15 ctm слизисто-кровянистымъ полужидкимъ содержимымъ; слизистая оболочка даннаго участка покрыта кровянистой коркой, которая довольно трудно удаляется. Въ стѣнкѣ матки точечныя кровоизліянія. Мочевой пузырь: умѣренно растянутъ мочей; точечныя кровоизліянія въ стѣнкѣ; рѣзкая инъэкція кровеносныхъ сосудовъ. Многочисленныя точечныя кровоизліянія въ стѣнкахъ предсердій и лѣваго желудочка сердца (снаружи).

Оп. № 87.

Черный лохматый кроликъ.

6. IX. 907. Введено per os 1,245 grm. свѣжихъ сѣмянъ (= 0,75 grm. p. 1 Kgrm. вѣса тѣла).

Вѣсъ животнаго 1660,0 grm.

7. IX.   „   „   1615,0   „
8. IX.   „   „   1520,0   „
10. IX.   „   „   1570,0   „
11. IX.   „   „   1590,0   „

14. IX. Вѣсъ животнаго 1640,0 grm.

15. IX. „ „ 1590,0 „

18. IX. „ 1595,0 „

20. IX. „ 1610,0 „

22. IX. „ „ 1620,0 „

23. IX. „ „ 1627,0 „ Опытъ прекращенъ. Животное, повидимому совершенно здоровое, отсажено въ контрольную клѣтку.

Оп. № 88.

Черный кроликъ, самецъ.

5. XII. 905. Введено per os 1,54 grm. свѣжихъ сѣмянъ (= 1,0 grm. p. 1 Kgrm. вѣса тѣла).

Вѣсъ животнаго 1540,0 grm.

6. XII. Утромъ найденъ мертвымъ.

Вскрытіе 6. XII. Со стороны желудка измѣненій не замѣчается. Кровеносные сосуды сальника инъэцированы въ средней степени. Селезенка не увеличена. Тонкія кишки розовокраснаго цвѣта; слизистая оболочка ихъ сплошь въ кровоизліяніяхъ. Въ червеобразномъ отросткѣ многочисленныя точечныя кровоизліянія. Сердце наполнено кровяными сгустками. Легкія блѣднорозоватаго цвѣта. Довольно рѣзкая инъэкція кровеносныхъ сосудовъ мочевого пузыря; моча содержитъ бѣлокъ.

Оп. № 89.

Сѣрый лохматый кроликъ, самецъ.

5. XII. 905. Введено per os 2,5 grm. свѣжихъ сѣмянъ (= 1,42 grm. p. 1 Kgrm. вѣса тѣла).

Вѣсъ животнаго 1760,0 grm.

6. XII. „ „ 1705,0 „ Поносъ. Плохо ѣстъ.

7. XII. „ „ 1580,0 „ Поносъ пересталъ.

8. XII. „ „ 1540,0 „

9. XII. „ 1515,0 „ Ѣстъ лучше.

10. XII. „ „ 1520,0 „

12. XII. „ „ 1550,0 „

14. XII. „ „ 1580,0 „

16. XII. „ „ 1622,0 „

19. XII. „ „ 1622,0 „

21. XII. Вѣсъ животнаго 1625,0 grm.
23. XII. „   „   1630,0 „
27. XII. „   „   1632,0 „
31. XII. „   „   1675,0 „
 4. I. 906. „   „   1680,0 „
 7. I.   „   „   1692,0 „
 9. I.   „   „   1720,0 „
12. I.   „   „   1685,0 „
19. I.   „   „   1680,0 „ Кроликъ повидимому совершенно здоровъ; наблюденіе прекращено.

Оп. № 90.

Сѣрый кроликъ, самка.

5. XII. 905. Введено per os 3,5 grm. свѣжихъ сѣмянъ (= 1,84 grm. p. 1 Kgrm. вѣса тѣла).

Вѣсъ животнаго 1900,0 grm.

 6. XII. „   „   1880,0 „ Сильный поносъ. Плохо ѣстъ.
 7. XII. „   „   1870,0 „ Поносъ прекратился.
 8. XII. „   „   1890,0 „ Ѣстъ лучше.
 9. XII. „   „   1872,0 „
10. XII. „   „   1880,0 „
12. XII. „   „   1845,0 „
14. XII. „   „   1770,0 „
15. XII. „   „   1732,0 „
16. XII. „   „   1735,0 „
19. XII. „   „   1777,0 „
21. XII. „   „   1762,0 „
23. XII. „   „   1785,0 „
27. XII. „   „   1880,0 „
31. XII. „   „   1935,0 „
 4. I. 906. „   „   1910,0 „
 7. I.   „   „   1887,0 „
 9. I.   „   „   1915,0 „
12. I.   „   „   1920,0 „ Выкидышъ однимъ эмбріономъ.
19. I.   „   „   1895,0 „ Кроликъ повидимому совершенно здоровъ; наблюденіе прекращено.

Оп. № 91.

Сѣробѣлый кроликъ, самка.

13. XII. 905. Введено per os 4,25 grm. свѣжихъ сѣмянъ (= 2,43 grm. p. 1 Kgrm. вѣса тѣла).

Вѣсъ животнаго 1750,0 grm.

14. XII.	„	„	1590,0	„ Сильный поносъ.
15. XII.	„	„	1565,0	„ Поносъ.
16. XII.	„	„	1512,0	„ id.

Смерть въ 8 часовъ вечера.

Вскрытіе 17. XII. Транссудатовъ въ полостяхъ нѣтъ. Желудокъ: инъэкція въ средней степени кровеносныхъ сосудовъ; въ слизистой оболочкѣ, преимущественно въ области дна, около 15 точечныхъ и 3-ри величиной немного менѣе серебрянаго пятачка кровоизліяній; въ мѣстахъ кровоизліяній, а равно и въ другихъ участкахъ слизистой оболочки, потеря ткани — (язвы, числомъ 7 шт.), — величиной отъ просяного зерна до горошины. Печень гиперемична. Селезенка не увеличена. Кишечникъ наполненъ жидкимъ, свѣтложелтымъ содержимымъ. Кровеносные сосуды тонкихъ и толстыхъ кишекъ, брызжейки и червеобразнаго отростка инъэцированы въ средней степени. Въ червеобразномъ отросткѣ, у мѣста перехода его въ слѣпую и толстую кишки, находится поверхностная язва, величиной въ 10-ти копѣечную серебряную монету, покрытая бѣловатосѣроватымъ налётомъ.

Оп. № 92.

Сѣрый кроликъ, самка.

15. XII. 905. Введено per os 7,5 grm. свѣжихъ сѣмянъ (= 4,8 grm. p. 1 Kgrm. вѣса тѣла).

Вѣсъ животнаго 1572,0 grm.

16. XII.	„	„	1530,0	„ Поносъ.
17. XII.	„	„	1405,0	„ id.
19. XII.	„	„	1326,0	„ Поносъ прекратился.
20. XII.	„	„	1387,0	„
21. XII.	„	„	1367,0	„
22. XII.	„	„	1337,0	„

23. XII. Вѣсъ животнаго 1267,0 grm.
24. XII.   „   „   1265,0 „
26. XII.   „   „   1250,0 „
27. XII.   „   „   1255,0 „
28. XII.   „   „   1275,0 „
30. XII.   „   „   1340,0 „
31. XII.   „   „   1420,0 „
 2. I. 906. „   „   1435,0 „
 4. I.   „   „   1390,0 „
 7. I.   „   1477,0 „
 9. I.   „   „   1510,0 „
10. I.   „   „   1560,0 „
12. I.   „   „   1530,0 „
14. I.   „   „   1570,0 „
19. I.   „   „   1630,0 „ Кроликъ повидимому совершенно здоровъ; наблюденіе прекращено.

Такимъ образомъ изъ приведенныхъ опытовъ видно, что свѣжія сѣмена, вводимыя кроликамъ въ желудокъ, производятъ, подобно и старымъ сѣменамъ, смертельное отравленіе животнаго. Минимальной смертельной дозой свѣжихъ сѣмянъ являлась въ данномъ случаѣ доза въ 0.5 grm., считая на 1 Kgrm. вѣса тѣла кролика. Картина отравленія и патолого-анатомическая картина совершенно одинаковы, какъ при кормленіи кроликовъ свѣжими сѣменами, такъ и при кормленіи старыми.

Въ данныхъ опытахъ подсчитывалось, по количеству введенныхъ сѣмянъ, количество введеннаго съ ними рицина. За исходную точку высчитыванія было взято %-ное количество извлекаемыхъ изъ сѣмянъ бѣлковъ, считая на сѣмена безъ шелухи, см. табл. № 1 и табл. № 4; это количество принималось соотвѣтствующимъ количеству неочищеннаго рицина; отсюда получалось, что 1,0 grm. свѣжихъ сѣмянъ соотвѣтствовалъ 0,17 grm. неочищеннаго рицина, а 1,0 grm. старыхъ сѣмянъ соотвѣтствовалъ 0,11 grm. неочищеннаго рицина.

Результаты кормленія кроликовъ старыми и свѣжими сѣменами, а также данныя разсчета, относящагося къ количеству неочищеннаго рицина, введенному съ тою или другою дозою сѣмянъ, приводятся въ таблицѣ № 5.

Знаки таблицы: + — смертельный исходъ у опытнаго животнаго;
○ — отрицательный результатъ опыта.

Таблица № 5.

Кормленіе кроликовъ сѣменами.

	Количество введенныхъ сѣмянъ.	Количество сѣмянъ, считая на 1 Kgrm. вѣса тѣла.	Количество введеннаго съ сѣменами неочищеннаго рицина, считая на 1 Kgrm. вѣса тѣла.	Исходъ опыта.	Продолжительность опыта.
Старыя сѣмена.	0,3 grm.	0,25 grm.	27,5 mgrm.	○	10 сутокъ.
	0,412 grm.	0,33 grm.	36,3 mgrm.	○	10 сутокъ.
	0,8 grm.	0,5 grm.	55,0 mgrm.	+	2½ сутокъ.
	0,952 grm.	0,75 grm.	82,5 mgrm.	+	2 сутокъ.
	1,67 grm.	1,0 grm.	110,0 mgrm.	+	5 сутокъ.
	4,65 grm.	2,5 grm.	275,0 mgrm.	○	29 сутокъ.
	10,0 grm.	5,0 grm.	550,0 mgrm.	+	5 сутокъ.
Свѣжія сѣмена.	0,345 grm.	0,21 grm.	35,7 mgrm.	○	8 сутокъ.
	0,477 grm.	0,28 grm.	48,6 mgrm.	○	8 сутокъ.
	0,677 grm.	0,35 grm.	59,5 mgrm.	○	8 сутокъ.
	0,7 grm.	0,5 grm.	85,0 mgrm.	+	2½ сутокъ.
	1,245 grm.	0,75 grm.	127,5 mgrm.	+	12 сутокъ.
	1,54 grm.	1,0 grm.	170,0 mgrm.	+	1 сутки.
	2,5 grm.	1,42 grm.	241,4 mgrm.	○	45 сутокъ.
	3,5 grm.	1,84 grm.	312,8 mgrm.	○	45 сутокъ.
	4,25 grm.	2,43 grm.	413,1 mgrm.	+	ca. 3½ сутокъ.
	7,5 grm.	4,8 grm.	816,0 mgrm.	○	35 сутокъ.

Въ слѣдующей таблицѣ № 6 сопоставлены минимальныя смертельныя дозы неочищеннаго рицина, старыхъ и свѣжихъ сѣмянъ, полученныя при введеніи его кроликамъ какъ per os (въ видѣ сѣмянъ), такъ и подкожно (въ видѣ вытяжекъ полученныхъ по способамъ А и С).

Таблица № 6.

Сѣмена	Минимальныя смертельныя дозы при введеніи:		
	въ желудокъ (въ видѣ сѣмянъ)	подкожно	
		препаратъ способа А	препаратъ способа С.
Старыя	55,0 mgrm., = 275 дозамъ А, = 550 дозамъ С.	0,2 mgrm., — доза А.	0,1 mgrm., – доза С.
Свѣжія	85,0 mgrm., = 708 дозамъ А, = 2125 дозамъ С.	0,12 mgrm., — доза А.	0,04 mgrm., — доза С.

Изъ приведенныхъ таблицъ № 5 и № 6 слѣдуетъ, что:

1. Индивидуальное состояніе кроликовъ при введеніи имъ въ желудокъ сѣмянъ, какъ свѣжихъ, такъ и старыхъ, имѣетъ весьма важное вліяніе на исходъ отравленія.

2. Ясной разницы въ силѣ и характерѣ токсическаго дѣйствія сѣмянъ свѣжихъ и старыхъ, при введеніи ихъ въ желудокъ кроликовъ, не наблюдалось.

3. Минимальныя смертельныя дозы неочищеннаго рицина изслѣдованныхъ сѣмянъ полученныя при введеніи ихъ per os, въ нѣсколько сотенъ — тысячъ разъ превышаютъ минимальныя смертельныя дозы, полученныя при подкожномъ впрыскиваніи препаратовъ неочищеннаго рицина.

V. Общее заключеніе.

На основаніи результатовъ вышеописанныхъ опытовъ можно сдѣлать слѣдующія общія заключенія.

1. Рицинъ можетъ быть полученъ изъ сѣмянъ даже при условіи полувѣкового ихъ храненія.

2. Картина отравленія животныхъ, а равно и патолого-анатомическія измѣненія, вызываемыя полученнымъ изъ вышеозна-ченныхъ старыхъ сѣмянъ рициномъ являются вполнѣ сходными съ таковыми-же, получаемыми при отравленіи препаратами рицина изъ свѣжихъ сѣмянъ.

3. Предварительное обезжириваніе рициновыхъ сѣмянъ, какъ свѣжихъ, такъ и старыхъ, съ помощью эфира является со-вершенно излишнимъ и даже вредящимъ препарату рицина.

4. Наиболѣе подходящимъ способомъ извлеченія рицина изъ содержащихъ его сѣмянъ, какъ свѣжихъ, такъ и старыхъ, является способъ обозначенный мною какъ способъ С.

Заканчивая работу считаю своимъ пріятнымъ долгомъ выска-зать сердечную благодарность моему глубокоуважаемому шефу и учителю, проф. Давиду Мелитоновичу Лаврову, какъ за предложеніе темы для работы, такъ и за постоянное, неутоми-мое руководство и содѣйствіе при исполненіи этой работы.

г. Юрьевъ (Лифляндія)

Октябрь 1907 года.

W. N. Woronzow.

Zur Frage über die Darstellung des Ricins aus alten und frischen Ricinussamen.

(Autoreferat.)

Die Frage, wie lange sich das Ricin bei der Aufbewahrung in den Samen erhält, ist noch wenig erforscht. Die Untersuchung der Samen von *Ricinus communis*, russischer Produktion, welche in der Sammlung des Pharmacologischen Instituts der Jurjewschen Universität von 1857, resp. 50 Jahre aufbewahrt worden sind, hat ergeben, dass sie ein Toxin resp. Ricin enthalten; letzteres ist der Wirkung nach dem Ricin aus frischen Samen völlig gleich.

Ausser der gewöhnlichen Methode der Isolierung des Ricins aus den Samen — die Bearbeitung mit Aether, das Ausziehen mit einer 10% NaCl-lösung (Methode A[1]) — wurden folgende veränderte Methoden angewandt: 1) Methode B[1]: die Samen werden mit NaCl in Substantia zerrieben, ohne die Samen vorher mit Aether zu bearbeiten; zu der zerriebenen Masse fügt man Wasser bis zu einer circa 10% NaCl-lösung; die Mischung wird bei einer Zimmertemperatur gehalten und nach einigen Tagen filtriert. — 2) Methode C[1]: die Samen werden vorher von der Hülse befreit und weiter nach der Methode B[1] bearbeitet. Parallel werden Auszüge aus frischen Samen nach den drei angeführten Methoden gemacht.

Aus den Experimenten ersieht man, dass: 1) die vorhergehende Bearbeitung der Ricinussamen, wie der alten, so auch der frischen mit Aether erscheint als völlig unnütz und dem gewonnenen Ricinpräparat schädlich.

2) Um aus alten, wie auch frischen Samen eine grössere Quantität und auch stärker giftig wirkendes Ricin zu erhalten, hat sich die Methode C[1] als die geeignetste erwiesen. So gaben 100,0 grm. frischer Samen nach der Methode A[1] bearbeitet 14,34 grm. ungereinigtes Ricin, welches 130363 minimale tötliche Dosen enthält, gerechnet pro 1 Kilo des Körpergewichts der Kaninchen. 100,0 grm. frischer Samen geben nach der Methode C[1] 17,0 grm. ungereinigtes Ricin, welches 425000 minimale tötliche Dosen enthält, gerechnet pro 1 Kilo des Körpergewichts der Kaninchen. Weiter geben 100,0 grm. alter Samen nach der Methode A[1] 11,24 grm. ungereinigtes Ricin, welches 56200 minimale tötliche Dosen, gerechnet pro 1 Kilo des Körpergewichts der Kaninchen, enthält. 100,0 grm. alter Samen ergeben nach der Methode C[1] 11,86 grm. ungereinigtes Ricin, welches 118600 minimale tötliche Dosen, gerechnet pro 1 Kilo des Körpergewichts der Kaninchen, enthält.

3) Bei den angeführten Methoden der Bearbeitung (Methoden A[1], B[1] und C[1]) ergaben die frischen Samen mehr Eiweisse und Ricin, als die alten Samen.

4) Die alten Samen enthalten, augenscheinlich, weniger leicht ausziehbares Ricin, als die frischen Samen (nach den angeführten Methoden dargestellt), wobei das ungereinigte Ricin der alten Samen weniger giftig ist, als das der frischen.

Bei den Experimenten mit frischen Samen, die dahin gerichtet waren um ein möglichst vollkommenes Ausziehen des Ricins zu erzielen, ist man zu einem folgenden Schluss gekommen: 1) ein 10-maliges Ausziehen mit einer 10% NaCl-lösung genügt nicht um den Ricingehalt völlig zu erschöpfen. 2) Das Hauptquantum an Ricin, nämlich 98% und auch die grösste Quantität an Eiweissen erhält man bei den ersten 3—5-ten Auszügen, nämlich 84%.

Bei den Experimenten mit alten und frischen Samen, die den Kaninchen in den Magen eingeführt wurden, ist man zu keinem wesentlichen Unterschiede, hinsichtlich der giftigen Wirkung beider Samensorten, gelangt. So ist die minimale tötliche Dosis pro 1 Kilo des Körpergewichts gleich 0,5 grm. wie bei frischen, so auch bei alten Samen.

Bei der Vergiftung von Kaninchen mit Ricinussamen per os übt die individuelle Beschaffenheit der Versuchsthiere einen wesentlichen Einfluss auf das Resultat der Vergiftung aus. Die minimalen tötlichen Dosen bei der Einführung der Samen per os übersteigen die minimalen tötlichen Dosen bei der subcutanen Injektion des ungereinigten Ricins um einige hundert bis tausendmal. Diése Beobachtung bestätigt die Wahrnehmung einiger Autoren, dass der Magensaft das Ricin zerstört.

Оттискъ изъ Протокол. Общ. Естествоисп. при Имп. Юрьевск. Унив. 1907. XVI, 3.

Печатано въ типографіи К. Маттисена въ Юрьевѣ

Предварительный отчетъ о геологическихъ изслѣдованіяхъ въ Богучарскомъ уѣздѣ Воронежской губерніи въ предѣлахъ 75 листа десятиверстной карты Европейской Россіи.

А. А. Дубянскаго.

Лѣтомъ 1907 г. я былъ командированъ Обществомъ Естествоиспытателей при Юрьевскомъ Университетѣ для геологическихъ изслѣдованій Богучарскаго у. Данный уѣздъ занимаетъ Юговостокъ Воронежской губ. и изслѣдованною мною областью лежитъ въ юго-западной части 75 листа упомянутой карты.

Болѣе новыми геологическими изслѣдованіями Богучарскій у. обязанъ Гурову[1] (1872), Леваковскому[2] (1874) и въ особенности Женжуристу[3] (1884), который впервые пересѣкъ данный районъ съ Юга на Сѣверъ. Къ сожалѣнію эти изслѣдованія рѣдко выходятъ за предѣлы простой регистраціи выходовъ коренныхъ (мѣловыхъ и третичныхъ) породъ; въ области же постъ-пліоцена изслѣдованія исчерпываются краткимъ упоминаніемъ о встрѣченныхъ по дорогѣ лессовидныхъ суглинкахъ и большихъ валунахъ[4].

Въ своихъ изслѣдованіяхъ я надѣюсь дать болѣе обоснованную и дробную схему геологическаго строенія разсматриваемаго уѣзда, сообщить отчасти новый матеріалъ, частію же дополнить и измѣнить свѣдѣнія предыдущихъ изслѣдователей.

---

1) Гуровъ, „предварительный отчетъ о геологическомъ изслѣдованіи въ Донецкой Области, Воронежской губ.“

2) Леваковскій, „изслѣдованія осадковъ мѣловой и слѣдующихъ за ней формацій“.

3) Женжуристъ, „отчетъ о геологической экскурсіи въ Воронежскую губ.“

4) Женжуристъ, „Труды Харьковскаго Общ. Ест. Т. XIX. p. 65.“

14

Въ геологическомъ строеніи Богучарскаго у. принимаютъ участіе мѣловыя отложенія, третичныя, постъ-пліоценовыя и цѣлая серія современныхъ образованій въ видѣ сыпучихъ переносныхъ песковъ и делювіальныхъ глинъ.

Мѣловыя отложенія верхнемѣлового возраста принадлежатъ къ самымъ древнимъ материнскимъ породамъ Богучарскаго у. Имѣя крайне неровную, сильно размытую поверхность и будучи прикрыты значительной толщею третичныхъ и постъ-пліоценовыхъ породъ, они выступаютъ въ мѣстахъ болѣе сильно выраженной эрозіи, ихъ лучшія обнаженія съ наивысшими точками пріурочены главнымъ образомъ къ правымъ берегамъ рѣчныхъ долинъ и увеличиваются съ сѣвера на югъ по мѣрѣ углубленія этихъ послѣднихъ, достигая 15—20 саженъ толщины.

На лѣвомъ берегу мѣловыя отложенія тоже встрѣчаются, но значительно рѣже, здѣсь своимъ выходомъ на дневную поверхность они, въ большинствѣ случаевъ, обязаны большимъ оврагамъ и представляютъ собою сильно разрозненные (отъ нѣсколькихъ саженъ до десятковъ верстъ) острова, небольшіе, едва достигающіе 2—3 саженей вышины при 10—15 саж. максимальной длины, чаще же служатъ лишь подошвою обнажающаго ихъ оврага. Верхнимъ членомъ мѣловыхъ отложеній Богучарскаго у. является бѣлый, пишущій мѣлъ съ небольшою разновидностью, въ зависимости отъ процента содержанія песчаныхъ частицъ и кремнекислоты то совершенно мягкій, но плотный, чистый, то болѣе грубый или совсѣмъ твердый, какъ-бы, окремнѣлый, грязновато бѣлаго цвѣта. Строеніе огромныхъ мѣловыхъ толщъ почти всюду выдержано: вертикальныя и горизонтальныя трещины (ниже губковаго слоя) дѣлятъ ихъ на параллелепипеды, достигающіе сажени; ширина трещинъ доходитъ до 3—4 сантим., такъ что можно видѣть гладкую, глянцовитую горизонтальную поверхность отдѣльныхъ глыбъ; нерѣдко вертикальныя трещины заполнены красной, жирной глиной. Характерною чертою для даннаго мѣла является присутствіе въ верхнихъ частяхъ его горизонтальнаго слоя весьма богатаго губками и находящагося, повидимому, на совершенно опредѣленной высотѣ отъ нижней поверхности мѣла. Въ качествѣ постороннихъ включеній въ мѣлу довольно часто фигурируютъ бурый желѣзнякъ, сѣрный колчеданъ и въ слоѣ богатомъ губками часто встрѣчаются почковидныя, желвакообразныя различной величины кремневыя конкреціи.

Площадь распространенія мѣла значительна. Если обнажить

отложенія мѣла отъ налегающихъ на нихъ породъ, то мы будемъ имѣть рядъ мѣловыхъ полосъ, какъ бы хребтовъ, вытянутыхъ съ N на SSW почти параллельно рѣчнымъ долинамъ, болѣе широкихъ и пологихъ на сѣверѣ въ вершинахъ долинъ; по мѣрѣ удаленія на югъ полосы становятся уже, выше, разобщающія ихъ долины шире; изрѣдка будутъ вдаваться въ долины небольшіе отроги хребтовъ, а вдали отъ нихъ сильно разрозненные, но, по всей вѣроятности, не потерявшіе общей связи различной величины мѣловые острова. Въ силу этого отложенія мѣла въ орографическомъ отношеніи играютъ большую роль, усложняя рельефъ вышележащихъ породъ, а вмѣстѣ съ этимъ и рельефъ всей площади уѣзда.

Лучшія обнаженія по рѣкѣ Дону — слоб. Красногоровка, Лысогорки, Абросимово, Грушевка; по рѣкѣ Подгорной — Калачъ, Ширяева, Красноселовка, Петропавловка и по р. Кріушѣ — Ст. Кріуша, хутора Ѳоменково и Бѣлогорка. Палеонтологически мѣлъ не богатъ, а потому и трудно поддается точному опредѣленію его возрастъ. Въ толщахъ бѣлаго, пишущаго мѣла въ предѣлахъ разсматриваемаго уѣзда мною найдены.

Spongiae.

Ventriculites cervicornis G o l d f.
„   *pedester* E i c h w.
„   *radiatus* M a n t h.
„   *angustatus* R o e m.
Coeloptychium incisum R o e m.
Siphonia sp.
Poliscyphya sp.?
Maeandroptychium sp.
Cribrospongia Beumonti R e u s s

Echinoidea.

Stellaster quinqueloba G o l d f.
Pentacrinus sp.
Cidaris vesiculosa G o l d f.
Micraster cortestudinarium G o l d f.
Echinocorys vulgaris B r e y n.

Vermes.

Serpula sp.
„   sp.
    sp.

Bryozoa.

Ceriopora sp.
Eschara sp.
Eschara sp..

Brachiopoda.

Terebratula semiglobosa S o w.
    „   *carnea* S o w.
    „   *biplicata* S o w.
    „   sp.
Terebratulina striata D ' O r b.
    „   *gracilis* S c h l o t h.
Magas pumilus S o w.
Rhynchonella limbata S c h l o t h.
    „   *plicatilis* S o w.
    „   *octoplicata* S o w.
    „   *octoplicata* D ' O r b.
    „   *Mantelliana* S o w.
    „   *Cuvieri* D ` O r b.

Lamellibranchiata.

Ostrea vesicularis L a m.
    „   *lateralis* N i l s s o n.
    „   *semiplana* S o w.
    „   *Hippopodium* R e u s s. (non N i l s s o n)
    „   *sigmoidea* R e u s s.
    „   sp.
    „   *flabelliformis* N i l s.
    „   sp.
Pecten undulatus N i l s.
    „   *obliquus* S o w.
    „   *cretosus* D e f r.
    „   sp.
Lima sp.
Spondylus spinosus D e s c h.
    „   *striatus* G o l d f.
    „   sp.
Inoceramus Brongniarti S o w.
    „   *Cuvieri* S o w.
    „   *latus* M a n t.

Inoceramus labiatus S c h l o t h.

„ *striatus* M a n t e l.

„ sp.

.. sp.

Gasteropoda.

Fusus sp.

Cephalopoda.

Belemnitella mucronata D ' O r b.

Actinocamax quadratus B l v.

.. sp.

Crustacea.

Cirripedia sp.

Pisces.

Ptychodus latissimus A g a s.

Какъ видно изъ списка наряду съ сенонскими формами встрѣчаются въ нашемъ мѣлу типичныя туронскія, какъ *Inoceramus Brongniarti* S o w., *Spondylus spinosus* D e s c h. *Rhynch. Cuvieri* D ' O r b. и т. д., такъ что принадлежность даннаго мѣла къ сенону и турону несомнѣнна; установить же границу, указать, гдѣ кончается сенонъ и начинается туронъ, опредѣлить верхи и низы того и другого, оперируя съ этимъ небольшимъ и одностороннимъ матеріаломъ, трудно.

Точная запись, которую я велъ при собираніи матеріала, даетъ мнѣ возможность предполагать, что нижніе слои, по мѣстному выраженію, сыра крэйда, гдѣ преимущественно въ изобиліи встрѣчаются *Inoceramus Brongniarti* S o w., очень часто *Rhynch. Cuvieri* D ' O r b., *Rhynch. Mantelliana* S o w., *Terebratula biplicata* S o w. принадлежатъ турону; слои же ближайшіе къ губковому слою и выше его, по всей вѣроятности, сенону, такъ какъ въ этихъ слояхъ преимущественно найдены: выше цитируемыя губки, *Terebratula carnea* S o w., *Rhynchonella limbata* S c h l., *Magas pumilus* S o w., *Ostrea vesicularis* L a m., *Ananchyest ovata* G o l d f., *Bel. mucronata* D ' O r b. и т., туронскія же формы, если и встрѣчаются здѣсь, то рѣдко.

Въ нѣкоторыхъ мѣстахъ по рѣкѣ Подгорной, Тулучеевой на очень ограниченныхъ площадяхъ можно видѣть, что нижняя поверхность пишущаго мѣла постепенно обогащается кварцевымъ пескомъ и главконитомъ, становится болѣе глинистой и переходитъ въ сѣрые фосфоритъ содержащіе мергеля. Толща мергелей невелика (максимальная величина около 16 метровъ, слоб. Красноселовка), не постоянна по составу, такъ какъ къ низу становится болѣе песчаной, чѣмъ глинистой, а въ нижнихъ слояхъ переходитъ въ сыпучій почти чистый кварцевый слегка желѣзистый песокъ. Фосфориты встрѣчаются то въ видѣ полыхъ трубокъ (2—3 cm. въ діаметрѣ), то въ видѣ отдѣльныхъ сростковъ, почковидныхъ небольшихъ конкрецій, безпорядочно разсѣянныхъ по всей толщѣ главконитоваго мергеля. Положеніе пластовъ мергеля по отношенію къ выше лежащимъ слоямъ мѣла и подстилающему песку подчиненное: съ увеличиваніемъ толщъ мѣла и песка утоняется толща мергеля. Площадь распространенія главконито-глинистыхъ мергелей и песчаныхъ толщъ, какъ я уже упомянулъ, не велика; выходы ихъ мною встрѣчены на правыхъ берегахъ Подгорной и Тулучеевой въ слабодахъ Красноселовкѣ, Старой Мѣловой, между Ширяевой и Калачемъ (дача Комова), Калачъ и окрестности Калача по дорогѣ въ Ильинку и Воробьевку. Палеонтологически сравнительно съ мѣломъ мергель богатъ, но, къ сожалѣнію, окаменѣлости плохой сохранности, въ большинствѣ случаевъ многочисленныя ядра въ особенности брахіоподъ. Въ мергелѣ, но не въ нижележащемъ пескѣ, мною найдены слѣдующія формы.

Brachiopoda.

Terebratula obesa S o w.
   „   *af. obesa* S o w.
   „   *biplicata* S o w.
   „   sp.
Rhynchonella nuciformis S o w.
   „   *Lamarckiana* D'O r b.
   „   *Grasiana* D'O r b.
   „   *Cuvieri* D'O r b.
   „   *latissima* S o w.
   sp.

Lamellibranchiata.

Ostrea Nikitini A r c h a n.
   „   *Nikitini* var. A. A r k h a n.
   „   *haliotidea* S o w.
   „   *canaliculata* S o w.

Ostrea hippopodium R e u s s. (non N i l s s o n).

„ *diluviana* L i n ?

„ sp.

„ sp.

Pecten asper L a m.

„ *laminosus* M o n t.

„ *membranaceus* N i l s.

Janira quinquecostata S o w.

Lima multicostata G e i n.

„ *substriata* M u n s t ?

Spondylus spinosus D e s h

„ sp.

Inoceramus Brongniarti Sow.

„ sp.

„ sp.

Cephalopoda.

Actinocamax sp.

Pisces.

Ptychodus mammilaris A g a s s.

Ж е н ж у р и с т ъ , описывая въ своемъ отчетѣ по Воронеж-ской губ. [1]) наблюдаемые имъ въ слободѣ Старой Мѣловой Богу-чарскаго у. главконитовые мергеля, какъ мѣлъ переходящій въ песокъ, упоминаетъ, что имъ найдены въ немъ *Ostrea vesicularis* L a m., *Terebratula carnea* S o w., *Terebratula octoplicata* S o w. Вполнѣ естественно, основываясь на этихъ формахъ, причислять данные мергеля къ сенону, что и дѣлаетъ П я т н и ц к і й въ своемъ „*изслѣдованіи мѣловыхъ осадковъ въ бассейнахъ Дона и лѣвыхъ притокахъ Днѣпра*" [2]). Мнѣ лично пока не удалось отыскать на всей площади выходовъ мергелей въ Богучарскомъ у. приво-димыя Ж е н ж у р и с т о м ъ сенонскія формы; найденная же мною фауна говоритъ о болѣе древнемъ возрастѣ, чѣмъ сенонъ разсма-триваемыхъ мергелей. Присутствіе *Inoceramus Brongniarti* S o w. *Spondylus spinosus* D e s h., *Rhynchonella Cuvieri* D' O r b., *Te-*

---

1) Труды Харьковскаго Общества. Т. XIX. стр. 18.

2) Труды Харьков. Общ. Т. XXIV. стр. 114.

rebratula obesa S o w. характеризуетъ данный мергель, какъ туронъ, съ другой стороны, встрѣчающіяся въ болѣе низкихъ сильно
песчанистыхъ пластахъ *Pecten asper* L a m., *membranaceus* N i l s.,
Ostrea haliotidea S o w., *Rhynchonella nuciformis* S o w., *latissima*
S o w. указываетъ повидимому на принадлежность этихъ пластовъ
с е н о м а н у; объ этомъ до нѣкоторой степени говоритъ и петрографическій обликъ мергелей, столь характерный для сеномана
Россіи.

Лежащіе въ основаніи мергелей желѣзистые пески менѣе
изучены, о мощности ихъ трудно судить, такъ-какъ нижняя поверхность мною не встрѣчена; видимая же мощность ихъ чрезвычайно измѣнчива; максимальная величина доходитъ отъ уровня
рѣки до 2 саж. (Калачъ); южнѣе Калача верстъ на 25 въ предѣлахъ той же долины толща песковъ едва достигаетъ 1 арш.
(сл. Красноселовка). Отсутствіе окаменѣлостей лишаетъ почти и
возможности говорить о возрастѣ данныхъ песковъ, однако, если
принять во вниманіе тѣсную связь выше лежащихъ главконитовыхъ мергелей съ подстилающими ихъ песками въ видѣ проме-
жуточнаго слоя, а также отсутствіе ясно выраженнаго перерыва
между этими двумя пластами, то можно съ нѣкоторою долею вѣроятности допустить принадлежность этихъ песковъ, такъ-же какъ
и мергелей, къ сеноману.

Изученіе микрофауны разсмотрѣнныхъ мѣловыхъ отложеній
мною только начато. Для болѣе реальнаго представленія о мѣловыхъ отложеній Богучарскаго у. я приведу описаніе одного изъ
полныхъ частью искусственнаго, частью естественнаго разрѣза по
рѣкѣ Подгорной. Слоб. Ст. Мѣловая правый берегъ р. Подгорной
при поворотѣ къ селу, противъ водяной мельницы г. Фишера.

A. Въ основаніи огромныхъ мѣловыхъ и мергельныхъ толщъ
лежитъ песокъ, кварцевый, сыпучій, съ крупными угловатыми
зернами, въ зависимости отъ количества желѣзистыхъ солей то
свѣтлый, то болѣе желтый. Примѣсь главконита въ верхнихъ
частяхъ значительна; зерна его округлы, слегка продолговаты,
подъ микроскопомъ просвѣчиваютъ въ краяхъ, придаютъ цвѣтъ
этимъ слоямъ песка грязноватый; нижней поверхности песка не
обнаружено; видимая мощность до 1 $\frac{1}{2}$ метр.; палеонтологически нѣмъ.

B. На песчаныя толщи съ небольшимъ промежуточнымъ
слоемъ (сильно песчаный мергель до 1 метр. „сурка") налегаетъ

грязно бѣлый, рыхлый въ вывѣтреломъ состояніи, слегка песчаный главконито-глинистый съ фосфоритами, бурно вскипающій съ соляною кислотою мергель. Характеръ главконитовыхъ зеренъ тотъ-же; кварцевыя же песчинки здѣсь (въ мергелѣ) значительно меньше, сильнѣе истерты (болѣе округлы), изрѣдка встрѣчаются листочки бѣлой слюды. Въ верхнихъ частяхъ становится болѣе грубымъ, менѣе песчанымъ и глинистымъ и съ соотвѣтственнымъ промежуточнымъ слоемъ переходитъ въ мѣлъ.

Почти у самой границы песчаной и мергельной толщи мною найдены въ прослойкѣ ядеръ *Terebratula* (по всей вѣроятности *obesa*) нѣсколько нижнихъ створокъ `Ostrea haliotidea` S o w. (Въ слоб. Красноселовкѣ при совершенно такомъ условіи залеганія найденъ цѣлый слой съ *Ostrea haliotidea*, створки которыхъ были сильно окатаны, нерѣдко съ протертыми отверстіями). Выше, въ сильно песчаномъ мергелѣ довольно часто встрѣчаются небольшія прослойки наполненныя обломками Pecten'овъ membranaceus, laminosus, а также встрѣчаются и цѣлые экземпляры; здѣсь же найдены и экз. *Pecten asper* L a m.

Безпорядочно разбросанными въ большомъ количествѣ по всей толщѣ, за исключеніемъ нижнихъ слоевъ, оказались *Ostrea Nikitini* A r k h., въ ограничномъ количествѣ *Spondylus spinosus, Terebratula biplicata, Ostrea hippopodium* R e u s s. (non S i n z.) R h., *nuciformis*. Толща этихъ мергелей доходитъ до 3 саж.

С. Толщи выше лежащаго бѣлаго мягкаго пишущаго мѣла достигающія здѣсь 8—10 саж. окаменѣлостями бѣдны. Въ искусственной выемкѣ (противъ сада г. Фишера) мною найдены *Spondylus spinosus* D e s h., *Inoceramus striatus* G o l d f. и *Inoceramus Brongniarti* S o w.; выше, у губковаго слоя — *Terebratula semiglobosa* S o w. и въ губковомъ слоѣ *Ventriculites cervicornis, pedester, Belemnitella mucronata* S c h l o t h.

Въ мѣстахъ болѣе низкаго и сложнаго рельефа сильно размытой поверхности мѣла залегаетъ жирная, пластичная, водонепроницаемая зеленая глина, не превышающая въ своемъ слоѣ одного метра толщины; въ сухомъ видѣ сланцеватая. При тщательныхъ поискахъ найдено въ ней только одинъ зубъ ската *Hybodus* да нѣсколько почти микроскопическихъ окремнѣлыхъ тонкихъ и чрезвычайно хрупкихъ мелко ребристыхъ обломковъ, по всей вѣроятности, *Pecten*'а. Выше, непосредственно на глинѣ, но не имѣя ни съ ней, ни съ выше лежащей породой никакой связи залегаетъ конгломератъ; состоитъ онъ главнымъ образомъ изъ

крупныхъ хорошо окатанныхъ, то круглыхъ, то продолговатыхъ
съ большимъ содержаніемъ главконита кремневыхъ галекъ. Це-
ментомъ общей массы служитъ кремнекислота и желѣзистыя соли,
выдѣлившіяся вокругъ крупныхъ частей конгломерата. Верхній
слой конгломерата 1 $\frac{1}{2}$ сант. составляетъ преимущественно мелкая
мѣловая галька; толща конгломерата $\frac{1}{4}$ арш.

Въ полномъ разрѣзѣ, который рѣдко встрѣчается въ Богучарскомъ у., конгломератъ прикрывается толщей до 2-хъ саж.
зеленаго главконито-глинистаго песка съ примѣсью крупныхъ
частицъ кварца; въ большинствѣ же случаевъ упомянутый песокъ
налегаетъ непосредственно на тонкій до $\frac{1}{4}$ арш. и меньше слой
вышеописанной зеленой, жирной, сланецватой глины. Въ этомъ
пескѣ изрѣдка встрѣчаются *зубы* акулъ, *Lamna cuspidata*
Agas. (?)

Опредѣленіе затруднительно, такъ-какъ найденные экземпляры сильно потерты и у большинства отсутствуютъ коронки;
здѣсь-же найдены также потертыми *Avicula* и *Lima* sp.

Понятно, основываясь на этихъ найденныхъ органическихъ
остаткахъ трудно не только установить точный возрастъ, но даже
рѣшить, къ какой системѣ-мѣловой или третичной относятся данныя пласты.

Несогласное залеганіе зеленой пластичной глины на мѣлу
говоритъ, какъ-бы, о перерывѣ, который можно понимать какъ
перерывъ перехода отъ мѣловой къ третичной системѣ; съ другой
стороны, конгломератъ, раздѣляющій зеленую глину отъ главконитоваго песка въ одномъ случаѣ, и залеганіе главконитоваго
песка непосредственно на глинѣ, (безъ конгломерата) но на меньшемъ ея по толщинѣ слоѣ (несомнѣнно въ силу размыва) даетъ
основаніе видѣть и здѣсь перерывъ, между отложеніемъ зеленой
глины и главконитоваго песка.

Наблюденія несогласнаго залеганія мѣла и прикрывающихъ
его породъ Армашевскаго въ Области Днѣпра [1]), Пят-
ницкаго въ области верхн. теченія Псла и Ворсклы [2]) и Пав-
лова въ Симбирск губ. даютъ основаніе отчасти авторамъ этихъ
наблюденій и всецѣло Н. И. Соколову [3]) видѣть въ пластахъ,
залегающихъ на размытой поверхности мѣла, породы третичныхъ

1) Зап. Кіевск. Общ. т. VI 1883.

2) Труды Харьк. Общ. т. XXII. p. 153, 170.

3) Соколовъ, Тр. Геолог. Ком. т. IX. p. 190, 205.

отложеній. Не встрѣчая фактовъ противорѣчущихъ даннымъ выводамъ въ разсматриваемомъ районѣ, я считаю возможнымъ и выше описанныя породы, какъ несогласно залегающія, отнести къ третичнымъ; вопросъ же о перерывѣ или отсутствіи его между отложеніями зеленой глины и главконитоваго песка, а также о болѣе точномъ возрастѣ ихъ (отложеній) остается пока открытымъ.

Въ верхнихъ своихъ частяхъ главконито-глинистый песокъ съ постепенною потерею главконита и кварца переходитъ въ крайне неравномѣрную по распредѣленію песка и илистыхъ частицъ, въ общемъ грубую желтую глину, которая на высотѣ пяти футовъ постепенно замѣщается чрезвычайно тонкослоистой, илистой (почти безъ песка) жирной палевой глиной, въ максимальной своей толщѣ — 2 арш. Въ желтой, грубой глинѣ мною найдены плохо сохранившіеся отпечатки и ядра, оказавшіеся по опредѣленію В. В. Богачева.

Nucula aff. *Dixoni* M. Edw. въ двухъ разновидностяхъ:
         quadrata и *plana*
         sp.?
  „   typo *Greppini* Desh.
Sportella cf. *makromya* Desh.
Corbula sp.
Solenomya sp.
Gastropoda gn? sp?
Leda sp.
Tellina cf. *Raulini* Desh.
Psammobia rudis Desh.

Формы Парижскаго яруса *Nucula Dixoni* M. Edw. и *Psammobia rudis* Desh. опредѣляютъ, повидимому, возрастъ пластовъ, содержащихъ приведенную фауну, какъ среднеэоценовый.

Одинъ изъ полныхъ разрѣзовъ описанныхъ прикрывающихъ мѣлъ породъ можно наблюдать на правомъ берегу рѣки Кріуши въ огромномъ оврагѣ „Коваля" слободы Старой Кріуши.

Въ виду ограниченной площади распространенія желтой глины въ которой найдены отпетчатки и ядра *Nucula*, *Corbula* и т. д. и выше лежащей палевой глины мнѣ не пришлось непосредственно наблюдать связь, взаимоотношеніе этихъ породъ съ другими третичными породами, болѣе типичными, почти всюду встрѣчающимися въ Богучарскомъ у.; въ мѣстахъ мною наблюдаемыхъ упомянутыя глины были прикрыты или красною кирпичною безвалунною глиною, или сомнительными по своему происхожденію сѣрыми песками; третичныя же породы, какъ прикрывающія, въ этихъ случаяхъ отсутствовали. Самою распространенною породою третичныхъ отложеній въ Богучарскомъ у. встрѣчающеюся какъ на правыхъ, такъ на низменныхъ лѣвыхъ берегахъ является твердая, вязкая, синезеленая глина съ главконитомъ, невскипающая при дѣйствіи соляной кислотой, въ нижнихъ горизонтахъ отъ неправильныхъ охристыхъ прослоекъ и пятенъ довольно пестрая. На протяженіи 7—8 саженей своей толщины она имѣетъ 3—4 небольшихъ до $^3/_4$ арш. и меньше слоя песчаника, однороднаго по петрографическому составу съ данной глиной, болѣе твердаго въ центрѣ и постепенно рыхлаго къ своимъ поверхностямъ; разстояніе между прослойками различно. Въ верхнихъ слояхъ (данная глина) болѣе свѣтлая, почти бѣлая, раздѣленная многочисленными трещинами на неправильные параллелограммы; палеонтологически повидимому нѣма; подстилаютъ ее въ большинствѣ случаевъ вышеописанные породы: пластичная зеленая глина, иногда главконитовый песокъ или конгломератъ. Прекрасные разрѣзы пластовъ данной глины представляютъ многочисленные, глубокіе овраги юга уѣзда, на земляхъ, принадлежащихъ хуторамъ Ближней и Дальней Лысогоркѣ. На сѣверо-западѣ и почти сѣверѣ уѣзда въ окрестностяхъ селъ Квашино и Мужичье верхніе горизонты синезеленой вязкой глины переходятъ въ тонкомучнистый бѣлый мергель, содержащій довольно многочисленные обломки *спикулъ губокъ* и рѣдко обрывки *фораминиферъ*, мощность доходитъ до 3—4 саж.

Верхній членъ третичныхъ отложеній разсматриваемаго района выраженъ мощной свитой песковъ и песчаниковъ крайне разнообразныхъ въ петрографическомъ отношеніи и капризныхъ по условію залеганія. Какъ типъ этихъ отложеній можно принять толщу сыпучаго кварцеваго слегка желѣзистаго песка до 7—8 саж., прерываемую 2—3 пластами то сливного, то только плотнаго песчаника. Иногда къ кварцевому песку примѣшивается главконитъ, сыпучій песокъ нарушается непостоянными по своему составу и напластованію различными глинами. Отношеніе этихъ толщъ къ нижележащимъ тонкозернистымъ, бѣлымъ третичнымъ мергелямъ не выяснено; тѣсную-же связь ихъ съ подстилающей синезеленой глиной въ видѣ постепеннаго перехода можно считать несомнѣнной. Палеонтологически данные пласты почти нѣмы; несмотря на огромную площадь распространенія ихъ въ нихъ найдено всего: въ слоб. Петропавловкѣ [1] мшанки изъ рода *Cerio-pora* и окатанный кусокъ окремнѣлаго дерева, въ Красноселовкѣ опаловая галька съ растительными остатками и хорошо сохранившимися фораминиферами, въ сл. Подгорной многочисленные послойные трудно опредѣлимые, но по всей вѣроятности, растительные остатки.

Лучшіе разрѣзы для изученія данныхъ отложеній каменоломни въ слоб. Красноселовкѣ, Старой Мѣловой, Мѣловаткѣ, Калачъ, въ Подгорной и въ особенности въ слоб. Медово, въ ея многочисленныхъ каменоломняхъ и оврагахъ.

Простая схема третичныхъ отложеній Богучарскаго у. слѣдующая.

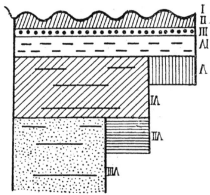

I размытая поверхность мѣла.

II жирная зеленая, пластичная глина 1 метр. съ *Hybodus* и обломками *Pecten*'a.

III конгломератъ ¼ арш.

IV главконито-глинистый песокъ съ *зубами акулъ*, до 2 саж., *Lima* и *Avicula*.

V свѣтло-желтая, грубая, песчаная глина съ отпетчатками и ядрами *Nucula*, *Leda*, *Psammobia* и т. д. и илистая жирная палевая глина.

VI синезеленая, вязкая, и плотная, главконитовая глина съ прослойками песчаника безъ окаменѣлостей, до 8 саж.

VII бѣлый мергель, тонкозернистый съ *иглами губокъ* и обломками *фораминиферъ*, 2—3 саженя.

VIII свита кварцевыхъ песковъ съ пластами песчаника, мшанки *Ceriopora*, куски *окремнѣлаго дерева* и опаловая галька съ *фораминиферами*; 8—9 саж.

1) О *Ceriopora* въ этой же слоб. упоминаетъ Жснжуристъ ibid p. 18.

Почти полное отсутствіе данныхъ палеонтологическаго характера оставляетъ вопросъ о возрастѣ описанныхъ третичныхъ отложеній открытымъ. По схемѣ, предложенной Н. А. Соколовымъ для нижнетретичныхъ отложеній юга Россіи разсматриваемыя отложенія могутъ быть распредѣлены приблизительно, конечно, такимъ образомъ

группа за № II, III, IV и V, къ такъ называемому „Бучакскому" ярусу.

группа за № VI и VII   къ Харьковскому

„   „   № VIII   „ Полтавскому.?

Какъ видно изъ сказаннаго, особенность третичныхъ отложеній выходящая изъ предѣловъ уже извѣстнаго о данныхъ отложеніяхъ Юга Россіи заключается въ томъ, что присутствіе слоевъ съ *Nucula Dixoni* M. E d w., *Psammobia rudis* D e s h. въ разсматриваемомъ районѣ расширяетъ и отодвигаетъ къ сѣверу границы, установленныя Соколовымъ, эоценоваго моря [1]).

Господствующими отложеніями, принимающими участіе въ геологическомъ строеніи Богучарскаго у. являются постъ-пліоценовыя образованія, крайне сложныя, разнообразныя по своему составу и менѣе всего изученныя на данной площади. Они представляютъ несомнѣнный интересъ уже въ силу своего положенія на окраинахъ Великаго оледенѣнія Россіи, ибо частью занимаютъ Юго-Западъ Восточно-Донского ледниковаго крыла, частью же выходятъ за границу предѣльной полосы Скандинаво-финскихъ валуновъ. По своему главному признаку-присутствію или отсутствію валуновъ постъ-пліоценовыя образованія и въ разсматриваемомъ районѣ разбиваются на двѣ группы — валунныя и безвалунныя. Первыя пользуются ограниченной площадью распространенія и не отличаются мощностью, вторыя же, имѣя свой особый районъ, куда не заходятъ валунныя отношенія, постоянно вдаются въ область этихъ послѣднихъ и своею мощностью значительно превосходятъ ихъ. Граница распространенія валунныхъ отложеній (въ Богучарскомъ у.) намѣчается по линіи: хуторъ Бѣлогорскій (на Западѣ уѣзда), Старая Мѣловая, Ст. Кріуша къ Солонкѣ въ Области Войска Донского; южнѣе этой линіи ни валуновъ, ни валунной гальки въ предѣлахъ даннаго района мною не было встрѣчено.

---

1) Изв. Г. К. XXII. Геол. изсл. по линіяхъ ж. д. — Тихорѣцкая Царицынъ и Лихая-Кривая-Музга. Стр. 415.

Болѣе типично и полно валунныя отложенія выражены въ сѣверной части уѣзда въ хут. Медвѣжьемъ, Гриневомъ, въ слоб. Банной, Коренной и въ особенности въ слоб. Мужичье. Въ великолѣпныхъ разрѣзахъ овраговъ Клиновомъ, Сапруновомъ слоб. Мужичье (лѣвый берегъ верховьевъ р. Тулучеевой) обнажаются толщи до 3—4 саж. несортированной, безпорядочной моренной смѣси песка, глины и щебня; въ однѣхъ толщахъ преобладаетъ сѣрый, крупный песокъ, чистый или слегка глинистый, но уже мелкозернистый, находясь то въ основаніи толщъ, то, напротивъ, въ болѣе верхнихъ частяхъ ея; въ другихъ же толщахъ главную массу составляетъ грубая, сильно песчаная свѣтло или темно, буро-коричневая глина; по всей толщѣ ея, преимущественно въ верхнихъ горизонтахъ, встрѣчаются то прослои песка діагонально слоистые, то быстро выклинивающіеся слои илистой, золеной, жирной глины или чрезвычайно мелкозернистой уплотненной ледниковой мути. Какъ въ тѣхъ, такъ и другихъ толщахъ встрѣчаются въ видѣ пластовъ, линзъ различной величины щебенка мѣстнаго песчаника, валунная галька; на осыпяхъ и рѣдко въ самихъ толщахъ, главнымъ же образомъ, по руслу оврага попадаются огромные валуны гнейса, гранита, достигающія 1 метр. въ діаметрѣ. Въ основаніи толщъ находится зеленая пластичная или съ примѣсью песка глина (прѣсноводная доледниковая?), которая обычно является въ этихъ мѣстахъ воднымъ горизонтомъ.

Южнѣе, по мѣрѣ приближенія къ границѣ распространенія эрратическихъ валуновъ описанныя валунныя отложенія встрѣчаются рѣже, становятся менѣе типичными и въ широтахъ уже слоб. Калача по площади распространенія и по своей мощности замѣщаются, насколько мнѣ удалось подмѣтить, отложеніями красной, кирпичной или же свѣтлой желтобурой, грубой, въ общемъ, за рѣдкимъ исключеніемъ, безвалунной глиной; только въ нижележащихъ слояхъ, подстилающихъ данную глину сохранились рѣзкіе признаки, опредѣляющіе ледниковыя отложенія въ видѣ, хотя и небольшихъ, но характерныхъ толщъ крупнаго, пестраго отъ присутствія желѣзистыхъ солей песка съ сложными, неправильными, то крупными, то чрезвычайно мелкими прослойками глинъ и тонкозернистаго песка.

Въ этихъ пескахъ и преимущественно на границѣ съ красною глиною, а иногда и въ ней самой (Калачъ, Ст. Мѣловая) встрѣчаются сѣверные валуны, да и то очень рѣдко и не крупнѣе $1/4$ арш. въ діаметрѣ. Варіаціи этихъ отложеній даже на близкомъ разстоянiи встрѣчаются довольно часто. Въ слоб. Старой Крiушѣ на правомъ берегу въ вершинѣ оврага Дубоваго обнажается въ 2—3 сажени красная однородная кирпичная глина съ плитками бураго желѣзняка ; по вертикальнымъ отдѣльностямъ, на которыя она распадается, выступаютъ выцвѣты углесолей въ видѣ мелкой, мучнистой, бѣлой пыли ; по всей толщѣ ен безпорядочно разбросана щебенка и болѣе крупные камни, повидимому мѣстнаго песчаника, съ неровною конкрецiонной поверхностью, многiе изъ нихъ (камней) имѣютъ 2—3 стороны хорошо отшлифованныя, нерѣдко подъ прямымъ угломъ. Вся толща залегаетъ на третичной глинѣ. Въ оврагѣ Дикаловомъ тойже слободы (правая сторона) неслоистая красная съ известковыми конкрецiями глина на 3-емъ саж. подстилается очень крупнымъ пескомъ, уплотненные, отдѣльные комья котораго (конгломератъ песка), несмотря на слабый цементъ и твердость зеренъ (кварцъ) несутъ идеально отшлифованныя поверхности подъ различными углами. Сѣвернѣе между Старой и Новой Крiушей красная глина нерѣдко имѣетъ прослои бурой жирной глины и мелкаго песка, преимущественно подстилается вышеописанными песками, въ которыхъ встрѣчается то единично, то небольшими гнѣздами сѣверная галька.

Описанныя ледниковыя отложенiя занимаютъ наиболѣе пониженные участки доледниковаго рельефа и всилу своего положенiя или, быть можетъ, по другимъ причинамъ значительно отличаются отъ наблюдаемыхъ въ настоящее время на данной-же площади ледниковыхъ отложенiй, расположенныхъ на водораздѣлахъ и другихъ возвышенностяхъ въ большинствѣ случаевъ на чисто мѣловыхъ или прикрытыхъ третичнымъ песчаникомъ горахъ. Въ слободѣ Калачѣ на вершинѣ мѣловой горы, что противъ вокзала, залегаютъ огромные валуны молочно-бѣлаго однороднозернистаго пришлаго песчаника съ остатками окаменѣлыхъ деревьевъ ; величина нѣкоторыхъ валуновъ доходитъ здѣсь до 2 $\frac{1}{4}$ саж. длины, 1 $\frac{1}{2}$ саж. ширины при почти саженной толщинѣ; залегаютъ они рѣдко всею поверхностью наружу, чаще нижняя поверхность скрыта, какъ-бы, вросла непосредственно въ черноземъ. Въ многочисленныхъ ямахъ, которыя рыли и роютъ мѣстные крестьяне, энергично извлекая валуны для своихъ хозяйственныхъ цѣлей, обнажается :

1) черноземъ $\frac{1}{2}$ арш., въ которомъ разбросана валунная галька (кварцъ, роговикъ, гранитъ).

2) грубоватый, пористый лессовидный суглинокъ, лишенный
гальки, иногда окрашенный въ буроватый цвѣтъ, видимая
мощность до 1 аршина.

Въ оврагахъ ближайшихъ къ валунамъ и ямамъ, гдѣ были
валуны но уже слегка на склонѣ горы, подъ черноземомъ залегаетъ „лессъ-бѣлоглазка", подстилаемый красной, грубоватой глиной,
въ которую онъ мѣстами и переходитъ, толща до 2 саж., затѣмъ
— мѣлъ ; ни галекъ, ни валуновъ, ни моренныхъ глинистопесча-
ныхъ отложеній н и ж е чернозема въ этихъ случаяхъ не наблюдалось. Въ такихъ же приблизительно условіяхъ залегаютъ на
мѣловыхъ и песчаныхъ горахъ крупныхъ размѣровъ валуны въ
слоб. Елизаветино и Коренной. На водораздѣлахъ въ степяхъ
слободъ Коренной, Собацкой, Новой и Старой Кріуши (такъ называемое „Высокое") мѣстами можно наблюдать на поверхности
чернозема довольно густой покровъ изъ сѣверной кристаллической
гальки, преимущественно кварца, гнейса, гранита и шокшинскаго
песчаника. Разрѣзы овраговъ этихъ мѣстъ выясняютъ, что въ
подстилающія черноземъ породы, за рѣдкимъ исключеніемъ, галька
н е п е р е х о д и т ъ и такимъ образомъ, часто залегаетъ выше
пористыхъ лессовидныхъ суглинковъ, а мѣстами и выше породы
чрезвычайно близкой къ лессу. Самое естественное объясненіе такого
залеганія гальки и валуновъ позднѣйшимъ (по отложеніи лессовидныхъ породъ) сползаніемъ, скатываніемъ ихъ (валуновъ) съ вышележащихъ пунктовъ въ большинствѣ случаевъ не находитъ подтвер-
жденій въ топографическихъ данныхъ окружающей мѣстности. Въ видѣ
валуновъ встрѣчены обломки довольно разнообразныхъ породъ:
граниты (рапакиви, пегматиты), гнейсы, песчаники московскаго
каменноугольнаго бассейна съ кораллами изъ рода *Caninia*, извест-
няки съ *Cyathophyllum*, шокшинскій песчаникъ, чрезвычайно часто
сланцевая галька, кварцъ, роговикъ.

Что касается безвалунныхъ послѣтретичныхъ образованій,
то они, занимая огромныя пространства, развиты по всей площади даннаго уѣзда, нерѣдко являясь на значительномъ разстояніи
единственными породами. (Юго Востокъ у., Богомолово, Огарево).
Нижній членъ этихъ отложеній выраженъ песчано-глинистыми
флювіогляціальными отложеніями ; по мѣрѣ удаленія отъ области валунныхъ отложеній они характеризуются большею равномѣрностью
элементовъ, принимаютъ болѣе однородный петрографическій составъ и иногда переходятъ въ толщи сыпучаго, однороднаго,

трудно отличимаго отъ третичнаго, сѣраго песка; толщи этихъ отложеній отъ 1 саж. до 3-хъ.

Выше залегаютъ прѣсноводныя озерныя отложенія въ видѣ жирныхъ зеленыхъ глинъ или темнокоричневыхъ съ тонкими прослойками песка и растительныхъ угольковъ; помимо обычныхъ прѣсноводныхъ молюсковъ съ *Lymnaea peregra* во главѣ въ нихъ найденъ зубъ *Elephas primigenius*, (слоб. Ст. Мѣловая, „каменный" оврагъ).

Несравненно чаще, можно сказать повсюду, на песчаноглинистыя отложенія или только пески налегаетъ, уже отчасти описанная, красная, грубая, неслоистая безъ валуновъ и щебенки кирпичная глина; сухая съ вертикальными отдѣльностями въ верхнихъ слояхъ и компактная слегка влажная въ нижнихъ слояхъ; выцвѣты углесолей, шарообразныя известковыя конкреціи, въ рѣдкихъ случаяхъ гипсъ (село Абросимово) дополняютъ ея характеристику. Нижняя сн поверхность вполнѣ обусловливается поверхностью подстилающихъ ее породъ, мѣстами же наблюдается несомнѣнный постепенный переходъ ея (красной глины) въ ниже лежащій песокъ; толща до 3-хъ саженъ.

Наибольшимъ распространеніемъ и мощностью среди послѣ третичныхъ отложеній даннаго района пользуются лессовидные суглинки, которые и являются верхнею группою этихъ отложеній. Лессовидные суглинки въ одной изъ своихъ разновидностей приближаются къ типу лесса, отличаясь отъ него большею уплотненностью, большинъ содержаніемъ углесолей и болѣе темной окраской. Въ большинствѣ случаевъ толщи ихъ на 3-емъ, 4-омъ сажнѣ теряютъ пористость, способность распадаться на вертикальныя отдѣльности и переходятъ въ нижнихъ горизонтахъ въ болѣе глинистую, компактную, слегка влажную породу, совершенно лишенную известковыхъ конкрецій „дутиковъ". Въ трехъ случаяхъ („Высокое" И. Крíуша) мною наблюдалось въ верхнихъ частяхъ ихъ не большія гнѣзда гальки изъ бѣлаго кварца, гранита, діаметръ галекъ не превышалъ 4—5 cm.; мѣстами встрѣченъ гипсъ (ст. Крíуша, Дикаловъ оврагъ). Изъ органическихъ остатковъ найдено — *Pupa muscorum* L., *Succinea oblonga* D r a p., *Planorbis marginatus* D r a p.; въ многочисленныхъ кротовинахъ помимо остатковъ современныхъ грызуновъ встрѣчены обломки челюстей съ зубами *Lagomys*. Въ слоб. Марченовкѣ (Ново-Богородицкое) въ оврагѣ „Кравцовомъ" въ вертикальной трехъ саженной стѣнѣ лессоподобнаго суглинка на первомъ сажнѣ сверху найдена нижняя челюсть съ двумя огромными зубами и обломкомъ бивня *Elephas primigenius*, ниже на $1/_2$ метра сильно изломанная у краевъ голень Bos. sp. Относительная толща этихъ суглинковъ (чрезвычайно близкихъ къ лессу) для неболь- шихъ районовъ вполнѣ опредѣляется положеніемъ подстилающихъ ее породъ. Если коренныя породы или послѣтретичныя имѣютъ уклонъ къ современному водораздѣлу, то и толща прикрывающаго ихъ суглинка соотвѣтственно уклону увеличивается къ водораздѣлу, имѣя максимумъ тамъ, гдѣ минимумъ подстилающихъ ее породъ; если же нижележащія породы достигаютъ почти уровня водораз- дѣла, то толщи суглинка въ обратномъ отношеніи уменьшаются, сокращаясь до размѣра слоя, прикрывающаго коренныя породы въ самой высшей точкѣ данной мѣстности. Зависимость же между абсолютной высотой мѣстности и толщею суглинка при не большомъ числѣ наблюденій мною пока не установлена. Взаимоотношеніе лессовиднаго суглинка и подстилающей его мѣстами красной кир- пичной глины таково; въ одномъ случаѣ наблюдается едва за- мѣтный переходъ красной глины въ суглинокъ, въ другомъ — рѣзкая граница съ гладкой, глянцовитой поверхностью между нимъ и красною глиною; въ нѣкоторыхъ случаяхъ суглинокъ за- легаетъ на явно разрушенной, волнистой поверхности красной, кирпичной глины, что, повидимому, говоритъ о перерывѣ между отложеніями лессовиднаго суглинка и данной глины. Наилучшее подтвержденіе послѣдняго положенія даютъ многочисленные раз- рѣзы овраговъ (Калачъ, Ст. Мѣловая, Ширяево и Кріуши) въ кото- рыхъ суглинокъ прикрываетъ красную глину. Изслѣдуя разрѣзы по оврагамъ [1]) я много разъ имѣлъ возможность наблюдать, что чрезвычайно мелко зернистый, пористый лессовидный суглинокъ по отношенію къ правой и лѣвой сторонѣ оврага прикрываетъ красную глину на различныхъ уровняхъ; такъ, толщи его на одной изъ сторонъ имѣютъ основаніемъ русло оврага, на про- тивуположной сторонѣ залегаютъ на уровнѣ 2—3 саж. красной, кирпичной глины; иногда красная глина на протяженіи всего раз- рѣза оврага выступаетъ 2—3 островками, причемъ, промежутки (острововъ) выполнены суглинкомъ и сама красная глина прикрыта тѣмъ-же лессовиднымъ суглинкомъ.

Что касается рельефа даннаго уѣзда, который предшест- вовалъ отложенію послѣтретичныхъ образованій, то онъ, повиди-

---

1) Я проѣзжалъ верхомъ отъ устья къ верховью не менѣе шести овраговъ въ каждой слободѣ, 3 оврага на правой и 3 на лѣвой сторонѣ.

мому, значительно разнился отъ современнаго. Огромныя толщи послѣтретичныхъ отложеній достигаютъ 10—12 саж. (Абросимово, Лысогорки, Березняги, Богомолово) не обнажая коренныхъ породъ; не менѣе огромная площадь ихъ распространенія, среди которой выходы коренныхъ породъ — небольшіе, сильно разрозненные острова; все это говоритъ за значительно пониженный рельефъ данной площади ко времени отложенія постъ-пліоцена, за широкія и глубокія долины тамъ, гдѣ теперь нерѣдко проходятъ водораздѣлы, (водораздѣлъ между р. Подгорной и р. Кріушей во многихъ мѣстахъ можетъ служить примѣромъ). Послѣтретичныя отложенія, заполняя всѣ изъяны доледниковаго рельефа, нивелируя мѣстность, несомнѣнно подняли и всю площадь уѣзда; благодаря имъ, эта (площадь) была, по всей вѣроятности, когда-то ровная, слабоволнистая степь.

На современныхъ образованіяхъ въ этомъ краткомъ отчетѣ останавливаться не буду; упомяну только, что переносные пески развиты на югѣ уѣзда, главнымъ образомъ по лѣвымъ берегамъ Дона и Подгорной; матеріаломъ для ихъ образованія послужили частью ледниковые, частью третичные пески.

При обработкѣ матеріала я много разъ пользовался совѣтами и указаніями проф. Г. П. Михайловскаго и В. В. Богачева за что н выражаю имъ свою глубокую благодарность.

Юрьевъ-Dorpat, Геологическій кабинетъ, 20/XII 1907.

Vorläufiger Bericht über die geologischen Untersuchungen im Boguscharsky'schen Kreise des Gouvernements Woresh (75-tes Blatt der zehnwerstigen Karte d. Europ. Russlands).

Von

A. Dubjansky.

Resumé.

Nach den Forschungen des Autors, die er im Sommer 1907 angestellt hat, beteiligen sich am geologischen Aufbau des gennanten Rayons Kreide-Ablagerungen sowie tertiäre und posttertiäre Ablagerungen.

Die Kreidebildungen herrschen vor auf den rechten Ufern der Flüsse: Podgornaja, Tulučejewa, Kriuscha und Don. Hier findet sich hauptsächlich weisse Schreib-Kreide, und nur ein verhältnismässig kleiner Teil des rechten Ufers des „Podgornaja" besteht aus Glaukonit-Kalkstein, unter welchem eine fossilienfreie Sandschicht lagert.

In der weissen Kreide finden sich Formen aus dem Senon und Turon, ohne dass man eine feste Grenze zwischen beiden Formationen sichern könnte.

Es wurden bestimmt:

Spongiae, *Ventriculites cervicornis* G o l d f., *pedester* E i c h w., *radiatus* M a n t h., *angustatus* R o e m., *Coeloptichium incisum* R o e m., *Siphonia* sp., *Poliscyphya* sp., *Maeandroptychium* sp., *Cribrospongia Beumonti* R e u s s. **Echinoidea,** *Stellaster quinqueloba* G o l d f., *Pentacrinus* sp., *Cidaris vesiculosa* G o l d f., *Micraster cortestudinarium* G o l d f., *Echinocorys vulgaris* B r e y n. **Vermes,** *Serpula* sp., **Bryozoa,** *Ceriopora, Eschara.* **Brachiopoda,** *Terebratula semiglobosa* S o w., *carnea* S o w., *biplicata* S o w.

Terebratulina striata D'Orb., *gracilis* Schloth., *Magas pumi-lus, Rhynch. limbata* Schloth., *plicatilis* Sow., *octoplicata* Sow,. *Mantelliana* Sow., *Cuvieri* D'Orb. **Lamellibranchiata,** *Ostrea vesicularis* Lam., *lateralis* Nils., *semiplana* Sow., *hippopodium* Reuss., *sigmoidea* Reuss., *flabelliformis* Nils., *Pecten undulatus* Nils., *obliquus* Sow., *cretosus* Defr., *Lima, Spondylus spinosus* Desh., *striatus* Goldf., *Inoceramus Brongnirati* Sow., *Cuvieri* Sow., *latus* Mant., *labiatus* Schloth., *striatus* Mant. **Gasteropoda,** *Fusus.* **Cephalopoda,** *Belemnitella mucronata* D'Orb., *Actinocamax quadratus* Blv., **Crustacea,** *Cirripedia.* **Pisces,** *Ptychodus latissimus* Agas.

Im Glaukonitkalkstein sind in Verbindung mit turonischen Formen auch senomanische gefunden worden:

Brachiopoda, *Terebratula obesa* Sow., *af. obesa, biplicata* Sow., *Rhynch. nuciformis* Sow., *Lamarckiana* D'Orb., *Grasiana* D'Orb., *Cuvieri* D'Orb., *latissima* Sow. **Lamellibranchiata,** *Ostrea Nikitini* Arkh., *haliotidea* Sow., *canaliculata* Sow., *hippopodium* Reuss., *diluviana* Lin.? *Pecten asper* Lam., *laminosus* Mant., *membranaceus* Nils., *Janira quinquecostata* Sow., *Lima multicostata* Gein., *substriata* Munst.? *Spondylus spinosus* Desh., *Inoceramus Brongniarti* Sow. **Cephalopoda,** *Actinocamax* sp. **Pisces,** *Ptychodus mamilaris* Agas.

Die tertiären Ablagerungen sind fast auf der ganzen Fläche des Kreises entwickelt; petrographisch sind sie äusserst manigfaltig: plastischer grüner Lehm, gelber Lehm, gelber Sand und Sandstein; Fossilien sind hier wenig gefunden worden, nur einige Zähne von Haifischen, versteinerte Stücke Holz, schlecht erhaltene Steinkerne und Abdrücke aus einer mittelleocänen Fauna:

Nucula aff. *Dixoni: quadrata* und *plana* M. Edw., typo *Greppini* Desh., *Sportella macromya* Desh., *Corbula, Solenomya, Leda, Tellina* cf. *Raulini* Desh., *Psammobia rudis* Desh.

Auf den starkzerstörten Grundarten (Kreide und tertiären Ablagerungen) lagern posttertiäre Bildungen: Geschiebe-Sandlehm und geschiebefreier Lehm. Erratischen Blöcken begegnet man selten; es sind Granit, Steinkohle, Kalkstein und Sandstein mit *Korallen* von der Sorte *Caninia* und *Cyathophyllum.* Die südliche Grenze der erratischen Blöcke liegt in der Linie der Gehöfte Bjelogorsky, des Dorfes St. Mjelowaja, Kriuscha und Solonka (im Gebiet des Don'schen Heeres). Der geschiebefreie Lehm zeichnet sich durch

seine Stärke aus und ist auf der ganzen Fläche des Kreises entwickelt. Die unteren Schichten bestehen aus grobem, rotem Ziegel-
Lehm, der obere Teil ist ein gelblicher, lössartiger Lehm, welcher
in seiner Verschiedenartigkeit sich dem Typus des Löss nähert. In
diesem lössartigem Lehm sind gefunden worden: *Pupa muscorum*
L., *Succinea oblonga* D r a p., *Planorbis marginatus* D r a p.,
Zähne von *Elephas primigenius* und *Lagomys*.

Thymus persistens.

И. И. Широкогоровъ.

Изъ Патологическаго Иинститута проф. В. А. Афанасьева
въ Юрьевѣ.

Не смотря на значительное количество работъ, относящихся
къ анатоміи, физіологіи и гистологіи загадочнаго органа — зобной
железы (gl. thymus), появившихся въ послѣднее время, результаты изслѣдованій ея въ названныхъ отношеніяхъ заставляютъ
желать еще очень многаго. Достаточно указать на тотъ фактъ,
что до сихъ поръ не установлено, имѣетъ ли эта железа выводной
протокъ, отрицаемый большинствомъ авторовъ, а также и то,
относится ли органъ къ лимфатической системѣ или къ железамъ
съ такъ называемой внутренней секреціей, каковы напр. gl.
thyreoidea, gl. suprarenalis, которыя выдѣляютъ такъ или иначе
вырабатываемое пми вещество въ кровь для обезвреживанія на-
копившихся въ ней продуктовъ обмѣна, ядовито дѣйствующихъ на
организмъ.

Зобная железа есть дѣтскій органъ, функціонирующій въ
утробной жизни и на второмъ году внѣутробной жизни достига-
ющій наибольшаго развитія (приблизительно около половины второго года). Съ этого времени, до десятилѣтняго возраста, пре-
бываетъ въ стаціонарномъ состояніи, а послѣ совершенно пропада-
етъ, оставляя послѣ себя лишь такъ наз. „зобное жировое тѣло",
въ которомъ, однако, по изслѣдованіямъ Waldeyer'a[1) можно
микроскопически обнаружить остатки железы въ теченіи всей жизни.
Очень рѣдки случаи, когда зобная железа остается въ теченіи
всей жизни. Одинъ изъ такихъ случаевъ встрѣтился недавно на

---

1) Докладъ въ Обществѣ Естествоиспытателей при Юрьевскомъ Университетѣ 13 декабря 1907 г.

секціи въ здѣшнемъ Патологическомъ Институтѣ, его я и предлагаю вниманію многоуважаемаго собранія. Передъ тѣмъ скажу
о развитіи, гистологіи и физіологіи зобной железы.

Зобная железа развивается у человѣка изъ 3-ей а можетъ
быть и 4-ой жаберной щели. Черезъ разростаніе эпителія вен-
тральнаго конца образуется вначалѣ солидный тяжъ, который
отчасти черезъ внѣдреніе въ него лимфоидныхъ элементовъ,
отчасти можетъ быть черезъ непосредственное превращеніе эпителія железъ въ лимфоидные элементы, пріобрѣтаетъ строеніе лимфатической железы. Хотя возможность превращенія эпителіальныхъ клѣтокъ въ лимфоидные элементы, вообще говоря, подлежитъ
большому сомнѣнію и многими отрицается, однако для thymus та-
ковое превращеніе, повидимому на лицо, Renaut[2]) наблюдалъ
его въ ранней стадіи эмбріональнаго развитія зобной железы.
Нужно однако сказать, что превращеніе зобной железы изъ эпителіальнаго органа въ лимфатическій нѣкоторые авторы принимаютъ исключительно посредствомъ внѣдренія лейкоцитовъ и вы-
тѣсненія ими эпителіальныхъ элементовъ, остатки которыхъ въ
развитой железѣ представлены такъ называемыми тѣльцами Hassal'я, о нихъ рѣчь будетъ ниже. Вначалѣ этотъ органъ бываетъ
парнымъ, а затѣмъ правая и лѣвая железы сдвигаются къ срединѣ, сливаются между собой и образуютъ одинъ дольчатый органъ.
Его двухстороннее происхожденіе видно изъ того, что посрединѣ
железы остается шовъ изъ соединительной ткани. Железа лежитъ
въ переднемъ средостѣніи позади рукоятки грудной кости (manubr.
sterni). Вѣсъ ея у доношенныхъ новорожденныхъ приблизительно
около 15 грамм. (наибольшій вѣсъ ея на второмъ году достигаетъ 20—25 гр.). Секретъ ея, вырабатываемый въ наибольшемъ
количествѣ на 9-мъ мѣсяцѣ внѣутробной жизни, имѣетъ видъ гноя.
Инволюція органа совершенно неизвѣстна, причину ея Friedleben[3]) видитъ въ дегенераціи вазомоторныхъ нервовъ, ближай-
шимъ слѣдствіемъ которой является съуженіе артерій питающихъ
органъ, облитерація ихъ, а также расширеніе венъ, вслѣдствіе
чего происходитъ нарушеніе питанія органа, разростается соединительной ткани. Это явленіе наблюдается и въ другихъ железистыхъ органахъ.

Въ гистологическомъ отношеніи зобная железа напоминаетъ
лимфатическую железу. Она состоитъ изъ отдѣльныхъ долекъ
(около 4—11 mm.), раздѣленныхъ соединительнотканными перегородками на вторичныя дольки (1 mm.), состоящія изъ аденоид-

ной ткани, которая въ периферической части дольки является болѣе плотной, чѣмъ въ центрѣ ; на этомъ основаніи можно различать корковое (периферія) и мякотное (въ центрѣ) вещество. Послѣднее окрашивается свѣтлѣе чѣмъ периферія и содоржитъ вышеупомянутыя концентрически исчерченныя тѣльца Hassal'я. Происхожденіе этихъ тѣлецъ, способъ и мѣсто ихъ образованія авторами объясняется различно. Самъ Hassal разсматриваетъ ихъ какъ клѣточныя образованія. По Kölliker'у и Jendrassik'у*) они образуются черезъ отложеніе слоями неклѣточнаго вещества вокругъ железистыхъ клѣтокъ (durch schichtweise Umlagerung eines nicht zelligen Materials um Drüsenzellen). Ecker[4] производитъ ихъ изъ железистыхъ клѣтокъ путемъ превращенія послѣднихъ и концентрическаго сліянія ихъ. По Афанасьеву[5] они происходятъ изъ разросшагося эндотелія венозныхъ и капиллярныхъ сосудовъ. Stieda[6] считаетъ ихъ ороговѣвшими эпителіальными клѣтками, His[7] и Renaut[8] смотрятъ на тѣльца Hassal'я какъ на ороговѣвшія эпидермальныя клѣтки железы, происходящей по этимъ авторамъ не изъ эндо-, а экто-дермы.

Что касается физіологической роли *thymus*, то въ этомъ отношеніи она представляетъ не меньшую загадку чѣмъ ея непонятное исчезновеніе. То обстоятельство, что зобная железа функціонируетъ у человѣка въ томъ стадіи эмбріональной жизни, когда нѣтъ еще лимфатическихъ железъ, что у пресмыкающихся и земноводныхъ, у которыхъ совсѣмъ нѣтъ лимфатическихъ железъ, *thymus* есть постоянно функціонирующій органъ, повидимому, говоритъ за роль ея какъ лимфатическаго органа. Немного пролили свѣта на этотъ вопросъ и экспериментальныя изслѣдованія. Такъ Abelous и Billard[9] экстирпировали у лягушекъ *gl. thymus* и наблюдали послѣ того явленія аутоинтоксикаціи, отъ которой животныя погибали. Нѣкоторыя явленія аутоинтоксикаціи (обезцвѣченіе кожи) проходятъ, если вводить субстанцію железы въ спинномозговой лимфатическій мѣшекъ, но отъ смерти, однако, это не спасаетъ животное. У кошекъ и кроликовъ экстирпація железы никакихъ вредныхъ послѣдствій не вызываетъ (Langerhans и Saweljew). Tarulli[10] наблюдалъ у собакъ съ экстирпированной thymus разстройства неопредѣленнаго характера, выражающіяся въ ослабленіи мускулатуры, усиленномъ ростѣ волосъ и др.

---

*) Цитир. по Schambacher'у. Ueber die Persistenz von Drüsenkanälen usw. — V. A. B. 172. 1903. S. 369.

По изслѣдованіямъ S v e h l a [11]) интравенозное впрыскиваніе экстракта зобной железы производитъ паденіе кровяного давленія. W o r m s e r [12]), исходя изъ того положенія, что зобная железа эмбріологически близко стоитъ къ щитовидной желѣзѣ, кормилъ собакъ съ вырѣзанной щитовидной железой сухой зобной железой, но получилъ отрицательные результаты. Къ такимъ же отрицательнымъ результамъ пришли C a d e a c et G u i n a r d [13]), а такъ же G l e y [14]). Незначительное содержаніе іода въ *thymus*, по мнѣнію B a u m a n'а въ формѣ Jodothyrin'а, не въ состояніи восполнить то количество его, которое вырабатывается щитовидной железой.

Функціональную связь зобной железы съ щитовидной установилъ M a r i e на томъ основаніи, что при такихъ болѣзняхъ, какъ слизистый отекъ (*myxoedema*), Базедова болѣзнь, акромегалія, въ основѣ которыхъ лежитъ измѣненіе щитовидной железы или придатка головного мозга (*hypophysis cerebri*), наблюдается въ нѣкоторыхъ случаяхъ также увеличеніе зобной железы, и которая въ такихъ случаяхъ не подвергается обратному развитію. M i k u l i c z получалъ удовлетворительные результаты при леченіи зоба (болѣзни щитовидной железы, имѣющей часто эндемическій характеръ) давая больнымъ съ пищей сухую или сырую зобную железу животныхъ.

Переходя къ патологіи зобной железы, нужно сказать, что заболѣванія ея довольно рѣдки, что и понятно въ виду того, что органъ этотъ недолго существуетъ у человѣка. Наибольшее значеніе и интересъ имѣетъ увеличеніе ея (*hyperplasia*), ведущее иногда къ внезапной смерти и наблюдается какъ у дѣтей, такъ и у взрослыхъ; само собой понятно, что въ послѣднемъ рядѣ случаевъ вопросъ о патологіи железы связанъ съ ея persistentia. Интересенъ тотъ фактъ, что гиперплязія зобной железы иногда бываетъ, такъ сказать фамильной болѣзнью. Такъ H e d i n g e r [15]) описалъ случай, касающійся одной семьи, гдѣ изъ 9 человѣкъ дѣтей 5 умерло въ возрастѣ 5—6 лѣтъ при однихъ и тѣхъ же явленіяхъ удушенія увеличенной зобной железой. У этого автора приводится нѣсколько случаевъ внезапной смерти отъ этой же причины, найденныхъ имъ въ литературѣ. Несомнѣнно, что вопросъ этотъ имѣетъ большое судебномедицинское значеніе. Довольно интересные случаи описываетъ G r a w i t z [16]). Одинъ изъ нихъ касается 8-ми мѣсячнаго ребенка, совершенно здороваго, найденнаго однажды мертвымъ въ постели. Родители обвинили въ небрежности няньку, за что послѣдняя была привлечена къ судебной отвѣтственности. Вскрытіе трупа ребенка никакихъ измѣненій въ органахъ, могущихъ объяснить внезапную смерть, кромѣ сильно увеличенной зобной железы, не обнаружило. Въ увеличеніи же-лезы авторъ видѣлъ причину смерти вслѣдствіе давленія ей на находящіяся позади ея важные жизненные органы — бронхи и сосуды, что онъ высказалъ и на судѣ. Обвиняемая была оправ-дана лишь по недостатку уликъ. Какъ бы въ подтвержденіе вы-сказаннаго авторомъ предположенія относительно причины вне-запной смерти въ приведенномъ случаѣ отъ увеличенной зобной железы ему пришлось наблюдать другой случай, гдѣ 6 мѣсячная дѣвочка, совершенно здоровый, хорошо упитанный ребенокъ, умерла на рукахъ отца въ присутствіи нѣсколькихъ знакомыхъ; въ то время какъ ребенокъ весело игралъ на рукахъ отца вдругъ сталъ задыхаться, посинѣлъ и въ теченіи нѣсколькихъ минутъ былъ мертвъ. Вскрытіемъ установлено удушеніе увеличенной зобной железой. Не подлежитъ сомнѣнію, что въ обоихъ, приводимыхъ Grawitz'емъ, случаяхъ смерть послѣдовала отъ давленія уве-личенной зобной железой на дыхательное горло и сосуды, вѣро-ятно также на блуждающій нервъ, раздраженіе котораго произ-водило затрудненіе дыханія. Такого рода разстройства чисто механическаго свойства и понятны сами по себѣ*).

Въ другихъ случаяхъ внезапной смерти увеличеніе зобной железы не настолько значительно, чтобы имъ можно было объяс-нить смерть механическими причинами. Такъ Wiesel[17] сооб-щаетъ случай смерти 18 лѣтняго молодого человѣка, который войдя въ воду для купанья лишился сознанія, упалъ, а черезъ 2 дня послѣ этого скончался. На вскрытіи была обнаружена зобная железа величиной въ небольшое яблоко, плотной консистенціи. Рядомъ съ этимъ лимфатическія железы шеи и груди, миндалевидныя же-лезы, а такъ же фолликулярный аппаратъ у основанія языка най-дены увеличенными. Микроскопическое изслѣдованіе gl. thymus обнаружило хорошо сохранившееся строеніе органа съ небольшимъ количествомъ жира. Въ обоихъ надпочечныхъ железахъ обнару-жено недостаточное развитіе мозгового вещества (hypoplasia). Въ

---

*) Измѣренія показываютъ, что на скелетѣ разстояніе отъ рукоятки грудины до позвоночника т. е. въ томъ мѣстѣ, гдѣ лежитъ зобная железа равно 2 cm.

надпочечномъ сплетеніи симпатической нервной системы обнаружено совершенное отсутствіе клѣтокъ воспринимающихъ хромъ, въ солнечномъ сплетеніи онѣ находятся въ очень незначительномъ количествѣ.

Въ такихъ случаяхъ Paltauf[18]) смотритъ на гиперплазію зобной железы какъ на частичный симтомъ общаго разстройства питанія организма, характеризующееся увеличеніемъ *gl. thymus* или ея persistentia въ связи съ гиперплазіей лимфатическаго аппарата. Такое состояніе называемое авторомъ весьма удачно „*status thymico-lymphaticus*“, встрѣчается какъ у дѣтей, такъ и у взрослыхъ и состоитъ въ ненормальной конституціи лимфатическо-хлоротическаго характера, при чемъ здѣсь бываетъ набуханіе селезенки и лимфатической ткани, а также гиперплязія зобной железы. На самую persistentia *gl. thymus* авторъ смотритъ какъ на частичное явленіе общаго разстройства питанія.

Къ такимъ именно случаямъ относится обнаруженная мной persistentia зобной железы на трупѣ 43 лѣтняго мужчины, доставленнаго на вскрытіе въ Патологическій Институтъ изъ госпитальной клиники проф. А. И. Яроцкаго и умершаго отъ крупознаго воспаленія легкихъ.

На секціи (30 ноября с. г.) найдено: трупъ очень моложаваго мущины съ необыкновенно блѣднымъ цвѣтомъ кожи, порядочно развитымъ подкожнымъ жировымъ слоемъ. Въ переднемъ средостѣніи, позади рукоятки грудины, находится тѣло величиной въ небольшое яблоко, имѣющее посрединѣ углубленіе, раздѣляющее тѣло на 2 половины. Тщательно отпрепаровавъ отъ жировой клѣтчатки, въ которой оно лежало, можно было видѣть, что тѣло это раздѣлено на нѣсколько долей, заключено въ соединительно тканную капсулу, нѣсколько уплощено въ переднезаднемъ направленіи. Вѣсъ около 20,0 gr. На разрѣзѣ ткань розоватожелтаго цвѣта, богата сосудами въ видѣ точекъ, равномѣрно разбросанныхъ по всей поверхности разрѣза. Консистенція ткани приблизительно такая же, какъ ткань щитовидной железы. Не было сомнѣнія, что мы имѣли передъ собой зобную железу. Изъ другихъ интересующихъ насъ измѣненій, найденныхъ въ этомъ случаѣ, мы отмѣтимъ сильное увеличеніе лимфатическихъ околобронхіальныхъ железъ, достигающихъ величины небольшого грецкаго орѣха, капсула ихъ напряжена, поверхность разрѣза сѣраго цвѣта, влажна. Лимфатическія железы брыжжейки такъ же слегка увеличены. Селезенка увеличена, капсула напряжена, на разрѣзѣ темнокраснаго цвѣта, Pulpa въ обильномъ количествѣ. Дiаметръ аорты нѣсколько меньше нормальнаго. Щитовидная железа видимыхъ измѣненiй не представляетъ. Анатомическiй дiагнозъ:

Pneumonia crouposa. Pleuritis adhaesiva chronica. Hypertrophia ventriculi dextri cordis. Hyperplasia glandular. lymphaticarum peribronchialium gradus maximi et mesenterialium gradus levis. Thymus persistens.

Гистологическое изслѣдованiе gland. thymus: всюду масса расширенныхъ капилляровъ, образующихъ настоящiе кровяные синусы, стѣнка которыхъ кажется состоящей изъ одного эндотелiя. Ретикулярная ткань напоминаетъ мозговое вещество лимфатическихъ железъ, клѣтки разнообразной величины и формы. Соединительная ткань въ небольшомъ количествѣ вокругъ сосудовъ. Наибольшую массу клѣтокъ составляютъ маленькiя клѣтки съ круглымъ ядромъ и узкимъ ободкомъ протоплазмы (лимфоциты); встрѣчается небольшое количество клѣтокъ такой же величины, но имѣющихъ полиморфное ядро. Слѣдующую по количеству, значительно меньшую предыдущей, группу составляютъ клѣтки средней величины съ круглымъ и полиморфнымъ ядромъ, часть ихъ имѣетъ зернистую протоплазму, въ препаратахъ, окрашенныхъ по Giemsa, нѣкоторыя клѣтки имѣютъ зернистость малиновокраснаго цвѣта (эозинофилы — нѣсколько меньшей величины, чѣмъ въ крови), нѣкоторыя синюю (базофилы), послѣднiя находятся въ значительно большемъ количествѣ, чѣмъ первыя. Наконецъ встрѣчаются отдѣльныя клѣтки — гиганты, съ большимъ, круглымъ ядромъ и большимъ количествомъ протоплазмы, въ которой иногда можно видѣть включенiя на подобiе красныхъ кровяныхъ шариковъ, окрашивающихся въ препаратахъ, обработанныхъ по van Gieson'у въ соломенно-желтый цвѣтъ. Въ вышеупомянутыхъ кровяныхъ синусахъ (т. е. расширенныхъ капиллярахъ), кромѣ красныхъ кровяныхъ шариковъ, находятся въ большомъ количествѣ лимфоциты, а также, но въ значительно меньшемъ количествѣ лейкоциты, изъ коихъ нѣкоторые имѣютъ эозилофильную зернистость. Всюду встрѣчаются кучками и отдѣльно красные кровяные шарики. Кромѣ клѣточныхъ элементовъ встрѣчаются въ небольшомъ количествѣ маленькiя, круглыя, гомогенныя тѣльца на подобiе гiалиновыхъ шаровъ довольно сильно окрашивающiяся гематоксилиномъ и метиленовой синькой. Какого происхожденiя эти тѣльца и не имѣютъ ли они какого нибудь отношенiя къ вырабатываемому железой секрету — для меня вопросъ остался совершенно не выяснен. Упоминанія о подобныхъ образованіяхъ въ *thymus* въ литературѣ я не встрѣтилъ. Hassal'евскихъ тѣлецъ въ нашемъ случаѣ находилось мало, другіе авторы, между прочимъ Schambacher [19]) въ одной гиперплязированной зобной железѣ у 2-хъ лѣтняго ребенка, ихъ совсѣмъ не находили.

Что касается изслѣдованныхъ нами лимфатическихъ железъ, то весьма рѣзко бросается въ глаза слабое развитіе въ нихъ соединительной ткани, между тѣмъ по изслѣдованіямъ Bartel и Stein'a [20]) въ возрастѣ, въ которому относится изслѣдуемый нами случай, лимфатическія железы теряютъ клѣточные элементы, уступая мѣсто все больше и больше развивающейся соединительной ткани. Въ своихъ изслѣдованіяхъ лимфатическихъ железъ при *status thymicolymphaticus* только что упомянутые авторы отмѣчаютъ атрофію фолликулярнаго аппарата, которая можетъ доходить до полнаго пропаданія лимфацитовъ, напротивъ того рѣзко выражено мозговое вещество съ слабо выраженной дифференцировкой лимфатическихъ синусовъ и мякотныхъ шнурковъ. На нашихъ препаратахъ мы кромѣ того находили сильное расширеніе капилляровъ, вслѣдствіе чего сохранившіеся мякотные тяжи и фолликулы въ большей своей части состоятъ изъ расширенныхъ капилляровъ, какъ будто имѣется здѣсь застой крови.

Въ какой связи съ persistentia thymus стоитъ такое ненормальное строеніе железъ рѣшить на основаніи одного случая нельзя, но что таковая связь имѣется, едва ли можетъ подлежать сомнѣнію и на persistentia зобной железы приходится смотрѣть какъ на частичное явленіе какого то общаго разстройства въ лимфатическомъ аппаратѣ неизвѣстнаго характера.

Литература.

1. Waldeyer, W. Die Rückbildung der *Thymus*. — Sitzungsber. der Kgl. preuss. Akad. d. Wissensch. Berlin 1890. S. 433.
2. Renaut. Traité d'histologie pratique. T. II, I, Paris 1891.
3. Friedleben, A. Die Physiologie der *Thymus* - Drüse in Gesundheit und Krankheit. — Frankfurt a. M. 1858.
4. Ecker. Blutgefässdrüsen. — Wagners Handwörterbuch der Physiologie. Bd. IV. 1853.
5. Afanassiew. Ueber die koncentrischen Körperchen der *Thymus*. — Arch. f. mikroscop. Anat. Bd. XIV. Bonn 1877.

6. S t i e d a. Untersuchungen über die *Glandula thymus, Glandula thyreoidea* und *Gland. carotica.* — Leipzig 1887.
7. H i s. Zeitschrift für wissenschl. Zoologie Bd. X. u. XI.
8. R e n a u t. S. sub 2.
9. A b e l o u s J. C. et B i l l a r d. Recherches sur le fonction du *thymus* chez la grenouille. — Archives de physiologie. An. 28. 898.
10. T a r u l l i L. Sur les effets de l'extirpation du *thymus.* — Arch. ital. de biolog. 22. XXXVII.
11. S v e h l a. Experimentelle Beiträge zur Kenntnis der inneren Sektion der *Thymus* etc. — Arch. f. experiment. Pathol. u. Pharmak. 43. 321.
12. W o r m s e r. E d m. Experimentelle Beiträge zur Schilddrüsen-frage. — P f l ü g e r' s Arch. 1897. Bd. 67. S. 526.
13. C a d e a c C. et G u i n a r d L. Quelques remarques sur le role du *thymus* chez les sujets atteintes d'une altération du corps thyroide ou ethyroides. — Comptes rendus 46. 508.
14. G l e y, E. Sur la suppleance supposée de la giande thyroide par le *thymus.* — Compt. rend. 46. 528.
15. H e d i n g e r. Ueber famil. Vorkommnis plötzl. Todesfälle bedingt durch Stat. lymphaticus. — Deutsch. Arch. 86. 1905.
16. G r a w i t z, P. Ueber plötzliche Todesfälle im Säuglingsalter. — Deutsch. med. Wochenschr. 1888. S. 429.
17. W i e s e l. Zur Pathol. des chromaffinen Systems. — V. A. B. 176. 1904. S. 103.
18. P a l t a u f. Wiener klin. Wochenschr. 1889 Nr. 46, 1890 Nr. 9.
19. S c h a m b a c h e r, A. Ueber die Persistenz von Drüsen-kanälen in der *Thymus* und ihre Beziehung zur Entstehung der H a s s a l' schen Körperchen. — V. A. B. 172. 1903.
20. B a r t e l J. u. S t e i n R. Ueber die abnormalen Lymphdrüsen-befunde und deren Beziehung zur *Status thymicolymphaticus.* — Arch. f. Anatomie und Entwickelungsgeschichte. Anat. Abt. 1906.

Thymus persistens [1].

Von

Dr. J. J. Schirokogoroff.

(Autoreferat.)

Wie bekannt, ist die *Thymus* bei Menschen eigentlich nur im embryonalen Zustande und bis zum 2-ten extra-uterinen Lebensjahr tätig. Von diesem Alter an bis zum 10-ten Jahr bleibt sie in stationärem Zustande und mit dem 10-ten Jahr beginnt sie zu verschwinden. Selten persistiert die Drüse während des ganzen Lebens. Einen solchen Fall habe ich letzthin bei der Sektion eines 43-jährigen an crupöser Pneumonie gestorbenen Mannes gefunden. Die *Thymus* war von Grösse eines kleinen Apfels, 20 gr. an Gewicht. Ausserdem, fanden sich Schwellungen der Lymphdrüsen, besonders der Bronchialdrüsen. Die Milz war auch unbedeutend vergrössert. Der Durchmesser der Aorta war für die Grösse des Körpers zu klein. Bei der histologischen Untersuchung erwies es sich, dass die *Thymus* aus reticulärem Gewebe, das an die Marksubstanz der Lymphdrüsen erinnerte, bestand. Die zelligen Elemente sind Lymphocyten und Leukocyten mit eosinophiler und basophiler Granulation (G i e m s a), ausserdem fanden sich allerdings selten Riesenzellen in deren Protoplasma rote Blutkörperchen enthalten waren. Die einzelnen oder in Haufen liegenden Blutkörperchen waren auch vorhanden. Zwischen den Zellen fanden sich stellenweise homogene Massen in der Art von Kugeln. H a s s a l' sche Körperchen waren in geringem Zahl vorhanden. In den geschwollenen Lymphdrüsen eine Atrophie des follikulären Apparates und Erweiterung der Lymphsynus.

Bei der Untersuchung bin ich zu dem Schluss gekommen, dass wir es im vorliegenden Falle mit einem *status thymicolymphaticus* zu tun haben.

---

1) Vortrag gehalten in der Naturforscher-Gesellschaft am 13. Dez. 1907. Aus dem patholog. Inst. der Universität Jurjew (Dorpat).

Объ опредѣленіи постоянныхъ k и n уравненія

$$\frac{d^2\theta}{dt^2} + 2k\,\frac{d\theta}{dt} + n^2\theta = 0.$$

А. Я. Орловъ.

§ 1. **Общія замѣчанія.** Написанное уравненіе играетъ въ высшей степени важную роль въ опытныхъ наукахъ, и въ особенности въ сейсмологіи, гдѣ имъ опредѣляется собственное движеніе большей части сейсмическихъ приборовъ. Если k значительно меньше n, то эти двѣ постянныя находятся изъ наблюденій очень просто; если же приборы снабжены сильнымъ затуханіемъ, то k можетъ быть очень близко къ n и даже больше n; тогда опредѣленіе k сопряжено съ нѣкоторыми трудностями. Что касается n, то въ большинствѣ случаевъ его можно считать извѣстнымъ, такъ какъ затуханіе устраивается такъ, что силу его можно мѣнять въ широкихъ предѣлахъ, а опытъ показываетъ, что при этомъ мѣняется только k, а n остается безъ измѣненія. Положимъ, что мы ослабили затуханіе и $2T$ есть періодъ колебанія прибора при такомъ ослабленномъ затуханіи, а ε есть коэффиціентъ[1]) остающагося еще затуханія, тогда

$$T = \frac{\pi}{\sqrt{n^2 - \varepsilon^2}}$$

откуда легко найти n.

Мы предположимъ, что θ задано графически. По этому графику съ помощью измѣрительнаго прибора можно найти θ для любого значенія t. Нужно, однако, имѣть въ виду, что на сейсмо-

----

[1]) Коэффиціентъ при $2\frac{d\theta}{dt}$ въ уравненіи $\frac{d^2\theta}{dt^2} + 2k\frac{d\theta}{dt} + n^2\theta = 0$ мы называемъ вообще коэффиціентомъ затуханія.

граммахъ Θ откладывается по оси, нѣсколько наклоненной къ нуль линіи; кромѣ того, при механической регистраціи надо принять еще во вниманіе и то обстоятельство, что- конецъ пишущаго рычага описываетъ при своемъ движеніи окружность. Если измѣняются прямоугольныя координаты, то, чтобъ получить Θ для заданнаго t, нужно ввести соотвѣтствующія поправки; необходимыя для этого формулы даны нами въ другомъ мѣстѣ [1]). Для измѣренія сейсмограммъ съ оптической регистраціей удобно пользоваться масштабами проф. Г. В. Левицкаго, у которыхъ дѣленія шкалы нанесены наклонно къ той линіи, которая должна совпадать съ нуль-линіей сейсмограммы; въ этомъ случаѣ Θ получается непосредственно изъ измѣреній.

§ 2. **Случай когда** $k = n$. Это самый важный и вмѣстѣ съ тѣмъ самый простой случай. Мы имѣемъ здѣсь:

$$(2) \qquad \Theta = e^{-nt}(A + Bt),$$

гдѣ A и B суть постоянныя интегрированія. Постоянная n намъ извѣстна; остается убѣдиться, что Θ дѣйствительно представляется уравненіемъ (2). Для этого вычислимъ произведеніе Θe^{nt} для различныхъ значеній t; если это произведеніе представляется прямой линіей, то $k = n$.

Пусть при $t = 0$, $\Theta' = 0$ и $\Theta = \Theta_0$, тогда

$$\Theta = \Theta_0 e^{-nt}(1 + nt).$$

Изъ сказаннаго слѣдуетъ, что, если разность

$$\frac{\Theta}{\Theta_0} e^{nt} - (1 + nt)$$

равна нулю, то $k = n$. Докажемъ, что, если это разность для значеній t смежныхъ съ $t = 0$ и при $t > 0$ положительна, то $k > n$; если она отрицательна, то $k < n$. Въ первомъ случаѣ мы будемъ имѣть:

$$\Theta = \Theta_0 \frac{\mu_1 e^{-\mu_2 t} - \mu_2 e^{-\mu_1 t}}{\mu_1 - \mu_2}, \quad \begin{cases} \mu_1 = k + \sqrt{k^2 - n^2} \\ \mu_2 = k - \sqrt{k^2 - n^2} \end{cases}$$

---

1) Ueber die Unters. der Schwank. der Erdrinde. Стр. 7. (Протоколы Общества Естествоисп. при Юрьевск. унив.)

во второмъ :

$$\theta = \theta_0\, e^{-kt}\, (\cos \mu\, t + \frac{k}{\mu} \sin \mu\, t), \left\{ \; \mu = \sqrt{n^2 - k^2} \right.$$

Умножимъ эти равенства на $\dfrac{e^{nt}}{\theta_0}$ и разложимъ правыя части ихъ по возрастающимъ степенямъ разности $k - n$. И въ томъ, и въ другомъ случаѣ мы получимъ слѣдующее равенство:

$$\frac{\theta}{\theta_0}\, e^{nt} = 1 + nt + \frac{n^2\,(k - n)}{3}\, t^3 + \; \ldots \ldots$$

Ненаписанные здѣсь члены разложенія содержатъ $k - n$ въ степени выше первой. Изъ полученнаго равенства слѣдуетъ, что при положительныхъ значеніяхъ t, смежныхъ съ $t = 0$, знакъ разности

$$\frac{\theta}{\theta_0}\, e^{nt} - (1 + nt)$$

совпадаетъ со знакомъ разности $k - n$; что и требовалось доказать.

§ 3. Случай, когда k не равно n, но очень близко къ n.

Мы предположимъ, что разность $k - n$ настолько мала, что ея квадратомъ можно пренебречь. Формулы предыдущаго параграфа не только позволяютъ убѣдиться, дѣйствительно ли эта разность очень мала, но могутъ служить и для самого ея опредѣленія. Для этого надо взять ту часть кривой, гдѣ произведеніе $\dfrac{\theta}{\theta_0}\, e^{nt}$ представляется формулой:

$$\frac{\theta}{\theta_0}\, e^{nt} = 1 + nt + bt^3.$$

Когда постоянный коэффиціентъ b будетъ найденъ, то $k - n$ получится изъ уравненія:

$$k - n = \frac{3\,b}{n^2}$$

Неудобство этихъ формулъ заключается въ томъ, что около максимума θ мѣняется настолько медленно, что трудно съ точностью опредѣлить тотъ моментъ, когда $\theta' = 0$. Можетъ случится, что для принятаго нами начальнаго момента θ' не равно нулю. Положимъ, что при $t = 0$, $\theta' = \theta'_0$ и $\theta = \theta_0$, тогда вообще:

$$\theta = \frac{\theta_0}{\mu_1 - \mu_2} \left[(\mu_1 + \rho) \, e^{-\mu_2} - (\mu_2 + \rho) \, e^{-\mu_1 t} \right],$$

гдѣ

$$\rho = \frac{\theta'_0}{\theta_0}.$$

Мы допустимъ, что θ'_0 настолько мало что произведеніемъ $\rho \, (k - n)$ можно пренебречь. Умножимъ опять обѣ части выписаннаго сейчасъ равенства на $\dfrac{e^{nt}}{\theta_0}$ и разложимъ его правую часть по степенямъ разности $k - n$, мы получимъ:

$$\frac{\theta}{\theta_0} e^{nt} = 1 + (n + \rho) \, t + \frac{n^2 \, (k-n)}{3} t^3 + \dots$$

Ненаписанные здѣсь члены разложенія содержатъ ρ и $k - n$ въ степеняхъ выше первой. Отсюда слѣдуетъ, что для опредѣленія $k - n$ въ разсматриваемомъ случаѣ надо взять ту часть кривой, для которой произведеніе $\dfrac{\theta}{\theta_0} e^{nt}$ опредѣляется уравненіемъ

$$\frac{\theta}{\theta_0} e^{nt} = 1 + a \, t + b \, t^3.$$

Найдя коэффиціенты a и b, мы будемъ имѣть для опредѣленія разности $k - n$ то же самое уравненіе, что и раньше, а именно:

$$k - n = \frac{3 \, b}{n^2}.$$

Равенство

$$\frac{\theta}{\theta_0} e^{nt} = 1 + a \, t + b \, t^3$$

должно быть выполнено для значительной части кривой; если этого нѣтъ, то затуханіе нужно измѣнить. Его надо усилить, если при положительныхъ и смежныхъ съ нулемъ значеніяхъ t $b < 0$, и ослабить, если при тѣхъ же значеніяхъ t $b > 0$.

§ 4. **Случай, когда** k **значительно больше** n. Если $k > n$, но не близко къ n, то опредѣленіе постоянной k не представляетъ трудности. Самый ходъ вычисленія здѣсь таковъ, что позволяетъ убѣдиться, дѣйствительно ли k больше n и не близко къ n.

Если при $t = 0$, $\theta = \theta_0$ и $\theta' = 0$, то

$$\theta = \frac{\theta_0}{\mu_1 - \mu_2}\left(\mu_1 e^{-\mu_2 t} - \mu_2 e^{-\mu_1 t}\right)$$

или

$$\theta = \frac{\theta_0 \mu_1}{\mu_1 - \mu_2} e^{-\mu_2 t}\left[1 - \frac{\mu_2}{\mu_1} e^{-(\mu_1 - \mu_2) t}\right].$$

Логариѳмируя, получимъ:

$$lg\,\theta = lg\,\frac{\theta_0 \mu_1}{\mu_1 - \mu_2} - \mu_2 M t + lg\left[1 - \frac{\mu_2}{\mu_1} e^{-(\mu_1 - \mu_2) t}\right].$$

Если k значительно больше n, то послѣдній членъ второй части этого равенства быстро приближается къ нулю и, начиная съ нѣкотораго момента, близкаго къ начальному, $lg\,\theta$ представляется прямой линіей, а первая производная отъ $lg\,\theta$ становится постоянной величиной.

Слѣдовательно, для опредѣленія постоянныхъ μ_1 и μ_2 надо взять ту часть кривой, для которой $lg\,\theta$ представляется прямой линіей:

$$lg\,\theta = A + Bt$$

и вычислить постоянныя A и B. Когда это сдѣлано, то μ_1 и μ_2 опредѣляется изъ уравненій

$$B = -\mu_2 M$$

$$A = lg\,\frac{\theta_0 \mu_1}{\mu_1 - \mu_2}$$

Если n извѣстно, то достаточно найти только B. Для этого надо измѣрить θ черезъ ровные промежутки времени, напр. черезъ τ сек., и составить первыя разности отъ $lg\,\theta$; постоянная величина къ которой стремятся эти разности будетъ равна $B\tau$. Когда B найдено, то μ_1 и μ_2 получатся изъ уравненій:

$$B = -\mu_2 M$$

$$\mu_1 = \frac{n^2}{\mu_2}$$

Въ этомъ случаѣ вычисленіе величины A даетъ возможность убѣдиться дѣйствительно ли для принятаго нами начальнаго момента $\theta' = 0$. Если θ' при $t = 0$ не равно нулю, то, какъ мы уже видѣли

$$\theta = \frac{\theta_0}{\mu_1 - \mu_2}\left[(\mu_1 + \rho)\, e^{-\mu_2 t} - (\mu_2 + \rho)\, e^{-\mu_1 t}\right],$$

$$\text{гдѣ } \rho = \frac{\theta'_0}{\theta_0}$$

Мы имѣемъ здѣсь

$$lg\,\theta = lg\,\frac{(\mu_1 + \rho)\,\theta_0}{\mu_1 - \mu_2} - \mu_2 Mt + lg\left[1 - \frac{\mu_2 + \rho}{\mu_1 + \rho}\, e^{-(\mu_1 - \mu_2)\, t}\right]$$

и слѣдовательно

$$A = lg\,\frac{(\mu_1 + \rho)\,\theta_0}{\mu_1 - \mu_2}.$$

Зная A, μ_1 и μ_2 легко найти ρ.

Если кривая собственнаго движенія прибора задана отъ начальной точки, гдѣ $\theta = 0$, то μ_1 можно найти другимъ способомъ. Пусть t_0 есть моментъ, когда $\theta = 0$; тогда

$$\mu_1\, e^{-\mu_2 t_0} - \mu_2\, e^{-\mu_1 t_0} = 0,$$

откуда

$$\mu_1\, e^{\mu_1 t_0} = \mu_2\, e^{\mu_2 t_0}.$$

Вторую часть этого равенства можно считать извѣстной. Положимъ для краткости, $\mu_2\, e^{\mu_2 t_0} = a$, тогда для опредѣленія μ_1 будемъ имѣть уравненіе:

$$\mu_1\, e^{\mu_1 t_0} = a,$$

которое равносильно такому:

$$lg\,\mu_1 + \mu_1 t_0 M = a.$$

Уравненіе же вида

$$lg\,x = a + b\,x,$$

гдѣ a и b суть извѣстныя величины, проще всего рѣшается графически. Искомая величина x есть обсцисса точки пересѣченія кривой:

$$y = lg\, x$$

съ прямой

$$y = a + b\, x.$$

Въ своей статьѣ „Объ опредѣленіи постоянныхъ собств. движенія аперіодическаго маятника" И. И. Померанцевъ тоже сводитъ вопросъ къ рѣшенію уравненія вида

$$lg\, x = a + b\, x,$$

но въ формулы И. И. Померанцева входитъ выраженіе площади, заключенной между нуль-линіей и кривой собственнаго движенія прибора. Вычисленіе этой площади требуетъ весьма подробнаго измѣренія кривой, такъ напр. И. И. Померанцевъ для одной изъ своихъ кривыхъ ($h = 3.5$) долженъ былъ измѣрить 95 ординатъ. Кромѣ того въ другой [1]) своей статьѣ И. И. Померанцевъ самъ указывалъ на то, что незначительная ошибка въ положеніи нуль-линіи можетъ вызвать уже большую ошибку въ вычисляемой механически величинѣ интеграла $\int_0^\infty \Theta\, dt$. Въ наши формулы этотъ интегралъ совершенно не входитъ.

Замѣтимъ, что, какъ нашъ способъ, такъ и способъ И. И. Померанцева годенъ для опредѣленія μ_1 и μ_2 только въ томъ случаѣ, когда k значительно больше n. Если $k > n$, но близко къ n, то первая производная, а слѣдовательно и первыя разности отъ $lg\, \Theta$, хотя и медленно, но всеже приближаются къ постоянной величинѣ; то же самое имѣетъ мѣсто и при $k = n$. Докажемъ, что если $k < n$, то съ приближеніемъ Θ къ нулю первая производная отъ $lg\, \Theta$ возрастаетъ безпредѣльно.

Допустимъ, что при $t = 0$, $\Theta = \Theta_0$, и $\Theta' = 0$, тогда:

$$\Theta = \Theta_0\, e^{-k\,t}\left(\cos\mu\,t + \frac{k}{\mu}\sin\mu\,t\right)$$

откуда

$$lg\, \Theta = lg\, \Theta_0 - k\,M\,t + lg\left(\cos\mu\,t + \frac{k}{\mu}\sin\mu\,t\right)$$

---

1) „Нѣкоторые опыты съ искусственною сейсмической платформой".

и

$$\frac{d\, lg\,\Theta}{d\,t} = -\frac{\dfrac{n^2}{\mu} M \sin \mu\, t}{\cos \mu\, t + \dfrac{k}{\mu} \sin \mu\, t}$$

Числитель дроби правой части этого равенства обращается въ нуль при $t = t_0 = 0$ и при $t = t_1 = \dfrac{\pi}{\mu}$, но знаменатель обращается въ нуль при такомъ значеніи t, которое лежитъ между t_0 и t_1. Но если $\cos \mu\, t + \dfrac{k}{\mu} \sin \mu\, t = 0$ то и $\Theta = 0$; слѣдовательно, если $k < n$, то съ приближеніемъ Θ къ 0, $\dfrac{d\, lg\,\Theta}{d\,t}$ возрастаетъ безпредѣльно.

На практикѣ вмѣсто вычисленія производной $\dfrac{d\, lg\,\Theta}{dt}$ достаточно найти $lg\,\Theta$ черезъ небольшіе равноотстоящіе промежутки времени и взять первыя разности. Если эти разности возрастаютъ безпредѣльно, то $k < n$.

§ 5. **Общій случай.** До сихъ поръ мы предполагали, что n извѣстно. Для громаднаго большинства приборовъ это условіе выполнено: Если же n неизвѣстно, то постоянныя k и n могутъ быть вычислены слѣдующимъ способомъ, годнымъ для какихъ угодно значеній k и n.

Найдемъ Θ черезъ равные промежутки времени и вычислимъ по формуламъ интерполированія производныя $\dfrac{d\Theta}{d\,t}$ и $\dfrac{d^2\Theta}{d\,t^2}$; полученныя значенія этихъ производныхъ подставимъ въ уравненіе:

$$\frac{d^2\Theta}{d\,t^2} + 2\,k\,\frac{d\Theta}{d\,t} + n^2\,\Theta = 0.$$

Если указанное вычисленіе произведено для нѣсколькихъ моментовъ времени, то получимъ рядъ уравненій, которыя и надо рѣшить относительно k и n.

Положимъ, что мы нашли два такихъ уравненія:

$$\Theta''_1 + 2\,k\,\Theta'_1 + n^2\,\Theta_1 = 0,$$
$$\Theta''_2 + 2\,k\,\Theta'_2 + n^2\,\Theta_2 = 0,$$

гдѣ Θ''_1, Θ''_2, Θ'_1, Θ'_2, Θ_1 и Θ_2 суть значенія Θ и производныхъ отъ Θ въ двухъ какихъ-нибудь произвольно взятыхъ точкахъ изслѣдуемой кривой. Для того, чтобъ эти два уравненія имѣли рѣшеніе необходимо и достаточно, чтобъ опредѣлитель

$$\begin{vmatrix} \theta'_1, & \theta_1 \\ \theta'_2, & \theta_2 \end{vmatrix}$$

не былъ равенъ нулю.

Посмотримъ, какія условія должны быть выполнены, чтобы этотъ опредѣлитель для всей кривой равнялся нулю. Если для какихъ угодно двухъ точекъ мы имѣемъ

$$\theta'_1 \theta_2 - \theta_1 \theta'_2 = 0$$

то для какихъ угодно двухъ точекъ должно быть выполнено равенство:

$$\frac{\theta'_1}{\theta_1} = \frac{\theta'_2}{\theta_2}$$

т. е. для всей кривой отношеніе $\dfrac{\theta'}{\theta}$ должно быть величиной постоянной. Пусть

$$\frac{\theta'}{\theta} = C_1,$$

тогда

$$lg\,\theta = C + C_1\,t$$

т. е. $lg\,\theta$ для всей кривой долженъ представляться прямой линіей а мы видѣли выше, что это условіе никогда не выполнено, и, слѣдовательно, написанныя выше уравненія имѣютъ рѣшеніе. Однако для точнаго опредѣленія k и n нужно, чтобъ взятыя двѣ точки не лежали обѣ въ той части кривой для которой $lg\,\theta$ мѣняется приблизительно пропорціонально времени. Такъ, напримѣръ, при $k \geqslant n$, равенство

$$lg\,\theta = C + C_1\,t$$

весьма близко выполнено при досточно большихъ t, поэтому одной только удаленной отъ начала части кривой недостаточно для опредѣленія k и n.

Вычисленіе второй производной отъ θ затрудняется тѣмъ, что даже малая ошибка въ θ уже значительно повліяетъ на опредѣляемую величину $\dfrac{d^2\theta}{dt^2}$. Эта трудность можетъ быть устранена слѣдующимъ образомъ.

Имѣя ряд значеній Θ для равноотстоящих моментов времени, найдем их первыя разности; нанесем послѣднія на разграфленную бумагу и через полученныя точки проведем плавную кривую. Так как разности должны представляться непрерывной функціей времени, то мы вправѣ за первыя разности от Θ взять ординаты плавной кривой. Точно также надо поступить и с разностями от Θ′. Такой способ вычисленія был впервые примѣнен нами[1]) к изслѣдованію нѣкоторых кривых, полученных кн. Голицыным. Bonsdorff[2]) воспользовался им для изученія движенія пузырька уровней и результаты, полученные Bonsdorff'ом, может быть, лучше всего доказывают пригодность изложеннаго здѣсь метода. Подобный же способ вычисленія был предложен проф. Wiechert'ом[3]) и для изслѣдованія сейсмограмм, полученных при землетрясеніях.

§ 7. Сопоставленіе правил для опредѣленія k и n.

I. Приборы, собственное движеніе которых опредѣляется уравненіем $\frac{d^2\Theta}{dt^2} + 2k\frac{d\Theta}{dt} + n^2\Theta = 0$, раздѣляются на три класса; для перваго класса $k < n$, для втораго $k = n$, для третьяго $k > n$. Чтоб опредѣлить, к какому классу относится прибор в том случаѣ, когда k очень близко к n, нужно измѣрить Θ через ровные промежутки времени и составить первыя разности от $lg\,\Theta$; если эти разности возрастают безпредѣльно то $k < n$; если онѣ медленно приближаются к постоянной величинѣ, то $k = n$ или k очень близко к n и больше n; если, наконец, разности быстро становятся постоянными, то k значительно больше n.

II. Для опредѣленія k и n в том случаѣ, когда k значительно больше n, нужно взять ту часть кривой, гдѣ $lg\,\Theta$ представляется прямой линіей. Пусть

$$lg\,\Theta = A + Bt$$

тогда для опредѣленія величин μ_1 и μ_2 будет имѣть такія равенства:

1) Ueber die von Fürst Galitzin angestellten Versuche etc. Протоколы Общ. Естествоисп. при Юрьевск. Унив.
2) Mitteilungen der Sternwarte zu Pulkowo Nr. 16.
3) Theorie der autom. Seismogr. стр. 117.

$$B = -\mu_2 M$$

$$A = \frac{\mu_1 \theta_0}{\mu_1 - \mu_2}.$$

Надо, слѣдовательно, найти A и B и подставить въ эти уравненія. Если n извѣстно, то достаточно найти только B, такъ какъ тогда μ_1 можно опредѣлить изъ уравненія:

$$\mu_1 = \frac{n^2}{\mu_2}.$$

Вычисленіе постоянной A можетъ служить контролемъ; нужно только имѣть ввиду, что если при $t = 0$, θ' равно не нулю, а нѣкоторой малой величинѣ, напр. θ'_0, то

$$A = \frac{(\mu_1 + \rho) \theta_0}{\mu_1 - \mu_2}, \text{ гдѣ } \rho = \frac{\theta'_0}{\theta_0}$$

Если извѣстенъ моментъ начала движенія, когда $\theta = 0$, то, обозначивъ этотъ моментъ черезъ t_0 будемъ имѣть для μ_1 еще такое равенство

$$lg\, \mu_1 + \mu_1\, M t_0 = a, \text{ гдѣ } a = \mu_2\, e^{+\mu_2 t}$$

Для опредѣленія μ_2 лучше всего поступить такъ: взять разности отъ $lg\,\theta$; постоянная величина, къ которой стремятся эти разности равна $B\tau$, если θ задано черезъ каждыя τ секундъ; зная B, легко найдемъ μ_2.

Постоянныя k и n опредѣлятся, наконецъ, изъ уравненій:

$$k = \frac{\mu_1 + \mu_2}{2}$$

$$n^2 = \mu_1\, \mu_2.$$

III. Чтобъ убѣдиться въ томъ, выполнено ли равенство $k = n$, и n извѣстно, нужно вычислить произведеніе $\theta\, e^{nt}$; если это произведеніе представляется прямой линіей, то $k = n$. Если это ра-

венство не выполнено, то надо взять ту часть кривой, гдѣ произведеніе $\frac{\theta}{\theta_0}e^{nt}$ представляется уравненіемъ:

$$\frac{\theta}{\theta_0}e^{nt}=1+at+bt^3,$$

причемъ a и b должны быть постоянными. Если окажется, что $b>0$, то $k>n$, если $b<0$, то и $k<n$; самая же разность $k-n$ опредѣлится изъ уравненія

$$k-n=\frac{3b}{n^2}.$$

При вычисленіи постоянныхъ a и b удобно пользоваться такимъ равенствомъ:

$$a+bt^2=\frac{\frac{\theta}{\theta_0}e^{nt}-1}{t}$$

IV. Если n неизвѣстно, то постоянныя k и n можно опредѣлить прямо изъ уравненія:

$$\frac{d^2\theta}{dt^2}+2k\frac{d\theta}{dt}+n^2\theta=0.$$

Такъ какъ непосредственное вычисленіе производныхъ, входящихъ въ это уравненіе очень затруднительно, то нужно пользоваться какимъ-нибудь методомъ выравниванія. Одинъ изъ такихъ
методовъ изложенъ выше въ § 5.

При вычисленіи k и n прямо изъ дифференціальнаго урав-
ненія нельзя пользоваться одной только той частью кривой, гдѣ $lg\,\theta$ близко представляется прямой линіей, поэтому выгоднѣй
всего этотъ методъ примѣнять тогда, когда $k<n$.

§ 8. Примѣры.

I. Въ прилагаемой таблицѣ даны θ и $lg\,\theta$ черезъ каждую
секунду для трехъ кривыхъ.

1 кривая			2 кривая			3 кривая		
t	Θ	$lg\,\Theta$	t	Θ	$lg\,\Theta$	t	Θ	$lg\,\Theta$
s				s		s		
0	37.20	1.570	0	30.00	1.477	—2	9.26	0.967
		—32			— 34			
1	34.55	1.538	1	27.73	1.443	—1	26.03	1.416
		—67			— 78			
2	39.56	1.471	2	23.18	1.365	0	30.00	1.477
		—84			—103			— 35
3	24.39	1.387	3	18.28	1.262	1	27.66	1.442
		—90			—119			— 84
4	19.80	1.297	4	13.89	1.143	2	22.82	1.358
		—95			—131			—115
5	15.92	1.202	5	10.28	1.012	3	17.52	1.243
		—96			—139			—138
6	12.76	1.106	6	7.46	0.873	4	12.74	1.105
		—97			—146			—159
7	10.20	1.009	7	5.34	0.727	5	8.84	0.946
		—98			—151			—177
8	8.15	0.911	8	3.77	0.576	6	5.88	0.769
		—98			—154			—196
9	6.50	0.813	9	2.64	0.422	7	3.74	0.573
		—98			—157			—217
10	5.19	0.715	10	1.84	0.265	8	2.27	0.356
		—98			—161			—242
11	4.14	0.617	11	1.27	0.104	9	1.30	0.114
		—99			—164			—282
12	3.30	0.518	12	0.87	9.940	10	0.68	9.832
		—98			—169			— 341
13	2.63	0.420	13	0.59	9.771	11	0.31	9.491
		—98			—169			—491
14	2.10	0.322	14	0.40	9.602	12	0.10	9.000

По ходу разностей отъ $lg\,\Theta$ сейчасъ же заключаемъ, что для первой кривой k значительно больше n. Для второй $k = n$ или очень близко къ n, но больше n. У третьей кривой разности такъ быстро возрастаютъ, что нѣтъ сомнѣнія въ томъ, что для нея $k < n$.

Для всѣхъ трехъ кривыхъ $n = 0.450$ и при $t = 0$, $\Theta' = 0$

II. Взявъ среднее изъ послѣднихъ пяти разностей у первой кривой, находимъ

$$- B = \mu_2\, M = 0.0982$$

откуда

$$\mu_2 = 0.226 \text{ и}$$

$$\mu_1 = \frac{n^2}{\mu_2} = 0.896.$$

III. Чтобы рѣшить, выполнено ли для второй кривой ро-
венство $k = n$, вычислимъ произведеніе Θe^{nt}, получимъ:

	2 кривая		
t	$lg\,\Theta$	$lg\,e^{nt}$	Θe^{nt}
0	1.477	0.000	30.0
			—13.5
1	1.443	0.195	43.5
			—13.5
2	1.365	0.391	57.0
			—13.5
3	1.262	0.586	70.5
			—13.6
4	1.143	0.782	84.1
			—13.4
5	1.012	0.977	97.5
			—13.4
6	0.873	1.172	110.9
			—13.6
7	0.727	1.368	124.5
			—13.2
8	0.576	1.563	137.7
			—14.0
9	0.422	1.759	151.7

Такъ какъ разности отъ Θe^{nt} остаются постоянными, то k
дѣйствительно равно n.

IV. Для опредѣленія k у третьей кривой составимъ рядъ
уравненій вида

$$\frac{\dfrac{\Theta}{\Theta_0} e^{nt} - 1}{t} = a + b\,t^2.$$

Въ промежуткѣ отъ $t = +1$ до $t = +10$ мы получимъ
такой рядъ уравненій:

$$0.446 = a + b$$
$$0.436 = a + 4\,b$$
$$0.418 = a + 9\,b$$
$$0.392 = a + 16\,b$$
$$0.359 = a + 25\,b$$
$$0.319 = a + 36\,b$$
$$0.273 = a + 49\,b$$
$$0.221 = a + 64\,b$$
$$0.166 = a + 81\,b$$
$$0.104 = a + 100\,b$$

Послѣ двукратнаго послѣдовательнаго вычитанія одного уравненія изъ другого, мы получимъ:

$$2\,b = -\ 0.008$$
$$2\,b =\ \ \ \ \ 8$$
$$2\,b =\ \ \ \ \ 7$$
$$2\,b =\ \ \ \ \ 7$$
$$2\,b =\ \ \ \ \ 6$$
$$2\,b =\ \ \ \ \ 6$$
$$2\,b =\ \ \ \ \ 3$$
$$2\,b =\ \ \ \ \ 7$$

Откуда

$$b = -\ 0.00325, \quad k - n = -\ 0.048$$

и слѣдовательно

$$k = 0.402.$$

V. Для кривой, изображенной на фиг. 21 статьи гн. Голицина „Zur Methodik der seismometr. Beobachtungen“ мы имѣемъ:

θ	$lg\ \theta$
7.42	0.870
	—108
5.78	0.762
	—154
4.05	0.608
	—230
2.39	0.378
	—235
1.39	0.143
	—298
0.70	9.845
	—398
0.28	9.447

Такъ какъ разности здѣсь быстро растутъ то $k < n$ и маятникъ былъ періодическій. Мы видимъ, какъ легко въ этомъ убѣдиться.

VI. Мы не приводимъ здѣсь примѣровъ опредѣленія k и n непосредственно изъ дифференціальнаго уравненія. Такіе примѣры желающіе найдутъ въ моей статьѣ „Ueber die von Fürst Galizin angestellten Versuche etc.“ Здѣсь умѣстно будетъ еще разъ указать на цитированную выше статью Bonsdorff’a, гдѣ прямо изъ дифференціальнаго уравненія опредѣлены k и n для 32-хъ кривыхъ собственнаго движенія пузырька уровня.

§ 9. **Заключеніе.** Найдя тѣмъ или другимъ способомъ постоянныя k и n, мы можемъ считать ихъ за окончательныя только въ томъ случаѣ, когда вычисленныя съ этими постоянными ординаты кривой согласуются съ наблюденными. Если этого нѣтъ, то найденныя значенія k и n нуждаются въ поправкахъ. Для отысканія послѣднихъ можно пользоваться, какъ это часто дѣлается въ астрономіи, дифференціальными формулами.

Нужно однако замѣтить, что расхожденіе вычисленія съ наблюденіемъ можетъ произойти и отъ того, что собственное движеніе маятника не представляется строго уравненіемъ.

$$\frac{d^2\,\Theta}{d\,t^2} + 2\,k\,\frac{d\,\Theta}{d\,t} + n^2\,\Theta = 0.$$

Это уравненіе несомнѣнно носитъ эмпирическій характеръ и его провѣрка, которая то сихъ поръ еще не сдѣлана, была бы очень желательна.

Пулково.
Январь 1908.

Матеріалы по изслѣдованію озеръ Лифляндской губерніи.

———

Materialien zur Erforschung der Seen Livlands.

Матеріалы для фауны водныхъ жуковъ озеръ Лифляндской губерніи.

Г. Г. Сумаковъ.

Beiträge zur Fauna der Wasserkäfer der Livländischen Seen.

Von
G. G. Sumakow.

Лѣтомъ текущаго года членомъ Озерной Комиссіи при Обществѣ Естествоиспытателей въ г. Юрьевѣ, Н. А. Самсоновымъ были произведены работы по изслѣдованію озера Садіярвъ, близъ ст. Таббиферъ. Многочисленныя экскурсіи г. Самсонова за время отъ 31 мая по 25 августа дали довольно богатый зоологическій матеріалъ, часть котораго *(Coleoptera)* была передана мнѣ для опредѣленія. Собранный г. Самсоновымъ матеріалъ по воднымъ жукамъ, заключаетъ въ себѣ 62 вида, принадлежащихъ къ слѣдующимъ семействамъ: *Haliplidae, Dytiscidae, Gyrinidae* и *Hydrophilidae.* Изъ 62 видовъ жуковъ 4 вида и 2 варьетета оказались новыми для фауны Прибалтійскаго края. Будемъ надѣяться, что дальнѣйшія изслѣдованія озеръ Лифляндской губерніи дають намъ новые матеріалы къ познанію фауны этого края.

При установленіи порядка родовъ и видовъ въ прилагаемомъ спискѣ обработаннаго мною матеріала я руководствовался извѣстнымъ трудомъ Ganglbauer'a „Die Käfer von Mitteleuropa“, Т. I. Жирнымъ шрифтомъ отмѣчены новые для нашей фауны виды. При опредѣленіи указаннаго ниже матеріала я пользовался любезнымъ содѣйствіемъ Ф. А. Зайцева, за что и приношу ему свою глубокую благодарность

Im Sommer des laufenden Jahres wurden von einem Mitglied der Seekommission der Naturforscher-Gesellschaft in Jurjew, dem Herrn N. A. Samsonow, Arbeiten zur Untersuchung des Sadjärwschen Sees ausgeführt, der nicht weit von der Station Tabbifer liegt. Die zahlreichen Expeditionen des Herrn S a m s o n o w vom 31. Mai bis zum 25. August ergaben ein ziemlich reiches zoologisches Material, von dem ein Teil mir zur Bestimmung übergeben wurde. Das von Herrn S a m s o n o w gesammelte Material von Wasserkäfern enthält 62 Arten, die zu den folgenden Familien gehören: *Haliplidae, Dytiscidae, Gyrinidae* und *Hydrophilidae.* Von allen Arten der Käfer erweisen sich 4 Arten und 2 Varietäten als neue in unserer Fauna. Hoffen wir, dass fernere Untersuchungen der Livländischen Seen unsere Kenntnisse in der Fauna dieser Gegend erweitern werden.

Bei der Anordnung der Gattungen und Arten auf dem beifolgendem Verzeichnisse des von mir bearbeiteten Materiales habe ich mich leiten lassen von G a n g l b a u e r ' s : „Die Käfer von Mitteleuropa", B. I. Mit fetter Schrift sind die für unsere Fauna neuen Arten bezeichnet.

Bei der Bestimmung des erwähnten Materiales bin ich in liebenswürdiger Weise von Herrn Ph. A. S a i t z e w unterstützt worden, wofür ich ihm meinen herzlichen Dank ausspreche.

Сем. (Fam.) **Haliplidae.**
Haliplus Latr.
1. *flavicollis* S t r m. — 2/VI.
2. *ruficollis* Deg. — 25/VI.
   — var. *heydeni* Wehnc. — 14/VIII.
3. *amoenus* O l. — 2/VI, 30/VII, 10/VIII.
4. *confinis* S t e p h. var. *palens* — 30/VII.

Сем. (Fam.) **Dytiscidae.**
Hyphydrus E r.
5. *ferrugineus* L. — 11/VI, 11/VII.

Hygrotus T h m s.
6. *inaequalis* F. — 2/VI.
7. *versicolor* S c h a l l. — 9—24/VIII.

Coelambus S d l.
8. *impressopunctatus* S c h a l l. — 6/VI.

Bidessus Sharp.
9. *unistriatus* I l l. — 11/VIII.

Deronectes S h a r p.

10. *depressus* F. — 10/VIII.

Hydroporus C l a i r v.

11. *granularis* L. — 11/VII, 1—9/VIII.
12. *lineatus* F. — 14/VIII.
13. *dorsalis* F. — 11/VIII.
14. *umbrosus* G y l l. — 10/VII, 11—14/VIII.
15. *palustris* L. — 1/VI, 1—11/VIII.
16. *tristis* P k. — 11/VIII.
17. *erythrocephalus* L. — 10/VII.
    — ♀ var. *deplanatus* G y l l. — 11/VIII.
18. *planus* F. — 10/VII.

Noterus C l a i r v.

19. *crassicornis* M ü l l. — 2/VI.

Laccophilus L e a c h.

20. *virescens* B r a h m. — 2/VI, 9—14/VIII.

Ilybius E r.

21. *fenestratus* F. — 27/VI, 4/VII, 10—14 V/III.
22. *similis* C. G. T h m s. — 27/VI, 4/VII, 10—14 VIII.
23. *ater* D e g. — 4/VII, 10/VIII.
24. *aenescens* C. G. T h m s. — 4/VII.
25. *fuliginosus* F. — 2/VI.

Agabus L e a c h.
Subg. G a u r o d y t e s C. P. T h m.

26. *uliginosus* L. — 11/VIII.

Subg. S c y t o d y t e s S e i d l.

27. *sturmi* G y l l. — 2/VI, 25/VI, 25/VIII.

Subg. E r i g l e n u s C. G. T h m.

28. *undulatus* S c h n k. — 11/VI, 25/VI.

Platambus C. G. T h m.

29. *maculatus* L. — 30/VII.

Nartus Z a i t.

30. *grapei* G y l l. — 11—14 VIII.

Rhantus L a c. [1])

31. *suturalis* L a c. — 10—17 VIII.
32. *exsoletus* F o r s t. — 4/VII, 10/VIII, 25/VIII.
33. *bistriatus* Bergstr. — 10/VIII.

Colymbetes B e d.

34. *fuscus* L. — 10/VIII.
35. *paykuli* E r. — 11/VII, 10—14 VIII.
36. *striatus* L.

Hydaticus T h m.

37. *seminiger* D e g. 10—14 VIII.
38. *transversalis* B r u n n. — 11/VI, 27/VI, 9/VIII.

Graphoderes C. G. T h m.

39. *biliniatus* D e g. }
40. *zonatus* H o p p e. } — 11/VI.

---

1) Въ виду встрѣтившихся у S e y d l i t z'a („Fauna Baltica", стр. 98—99) неточностей въ опредѣлительной таблицѣ для представителей рода *Rhantus* L a c., я предлагаю для облегченія занятій по опредѣленію видовъ этого рода слѣдующую переработанную мною табличку.

Veranlasst durch die Ungenauigkeit der Bestimmungstabelle für die Vertreter der Gattung *Rhantus* in S e y d l i t z („Fauna Baltica") schlage ich zur Erleichterung bei der Bestimmung der Arten dieser Gattung folgende von mir umgearbeitete Tabelle vor.

1 (10). Низъ тѣла весь черный или переднегрудь красноватая или желтая, рѣдко брюшныя кольца съ красноватыми краями или пятнами, или только переднегрудь и средина между задними бедрами у ♂ и все брюшко у ♀ желтыя.

Die Unterseite des Körpers ganz schwarz oder die Vorderbrust rot oder gelb, selten finden sich Bauchringe mit rötlichen Rändern oder Flecken, oder die Vorderbrust und die Mitte der Hinterhüften bei ♂ und das ganze Abdomen bei ♀ gelb.

2 (5). Расширенные членики на переднихъ лапкахъ у ♂ приплюснуты съ боковъ.

Die erweiterten Glieder der Vordertarsen bei ♂ seitlich comprimiert.

3 (4). Коготки переднихъ лапокъ у ♂ не удлинены, наружны коготокъ короче; коготки среднихъ лапокъ равной длины. Низъ тѣла весь черный, рѣдко края брюшка красноватые. Дл. 12 мм.

Vorderklauen des ♂ nicht verlängert, die äussere kürzer; Mittelklauen gleich lang. Unterseite ganz schwarz, selten der Rand der Abdominalsegmente rötlich. L. 12 mm.

punctatus G e o f f r.

Acilius L e a c h.

41. *sulcatus* L. — 11/VII, 10—11/VIII.
42. *canaliculatus* N i c o l. — 11/VII.

Macrodytes T h m.

43. *circumcinctus* A h r. — 10/VIII.

Сем. (Fam.) Gyrinidae.

Gyrinus L.

44. *minutus* F.
45. *marinus* G y l l. } 22/VIII.
46. *bicolor* P k.

Сем. (Fam.) Hydrophilidae.

I. Subfam. Helophorini.

Helophorus F.

Subg. M e g a l e l o p h o r u s Kuw.

47. *aquaticus* L i n n. — 2/VI.

4 (3).   Коготки переднихъ лапокъ у ♂ равной длины, явственно удлинены; коготки среднихъ лапокъ неравной длины. Низъ черный, за исключеніемъ переднегруди, рѣдко брюшныя кольца съ красноватыми пятнами. Дл. 11 мм.

Vorderklauen des ♂ von gleicher Länge deutlich verlängert; Mittelklauen von ungleicher Länge. Unterseite schwarz, die Vorderbrust gelb, selten die Abdominalsegmente rötlich gefleckt. L. 11 mm. *notaticollis* A u b é.

5 (2).   Расширенные членики переднихъ лапокъ у ♂ не сплюснуты съ боковъ.

Die erweiterten Glieder der Vordertarsen bei ♂ nicht seitlich comprimiert.

6 (7).   Переднеспинка съ однимъ чёрнымъ пятномъ на срединѣ. Коготки на переднихъ лапкахъ у ♂ съ однимъ острымъ зубомъ у основанія; внутренній коготокъ сильно удлиненъ, наружный значительно короче внутренняго; средніе коготки неравной длины. Дл. 11 мм.

Halsschild mit einem schwarzen Fleck in der Mitte, Vorderklauen des ♂ mit 1 scharfen Zahn an der Basis; die innere stark verlängert, die äussere viel kürzer als innere; Mittelklauen ungleich lang. L. 11 mm. *suturalis* L a c.

7 (6).   Переднеспинка безъ пятна на срединѣ.

Halsschild ohne schwarzen Fleck in der Mitte.

Subg. H e l o p h o r u s s. str.

48. *brevipalpis* B e d. — 10/VII.
49. *granularis* L. — 10/VII.

II. Subfam. Hydraenini.
Hydraena K u g.
Subg. H y d r a e n a s. str.

50. *riparia* K u g. — 10/VII.

III. Subf. Hydrophilini.
Berosus L e a c h.

51. *luridus* L. — 25/VI, 9/VII.

Hydrous L e a c h.

52. *aterrimus* Esch. — 10/VIII.

Hydrophilus L e a c h.

53. *caraboides* L. — 11/VIII.

Hydrobus L e a c h.

54. *fuscipes* L. — 14/VIII.

Anacaena C. G. T h m.

55. *limbata* F. — 2/VI.

8 (9). Надкрылья позади средины немного шире чѣмъ въ плечахъ. Переднеспинка на переднемъ и на срединѣ задняго края съ широкой черной каймой. 10 мм.
Flügeldecken in der Mitte nicht viel breiter als bei den Schultern. Halsschild in der Mitte der Basis und am Vorderrand mit breitem schwarzem Saum. L. 10 mm. *suturellus* H a r r.

9 (8). Надкрылья позади средины расширяются. Передній и задній край переднеспинки съ узкой черной каймой. Дл. 9 мм.
Flügeldecken nach hinten verbreitert. Halsschild am Vorder- und Hinterrand mit einem schmalen schwarzen Saum. L. 9 mm.
bistriatus B e r g s t r.

10 (1). Низъ тѣла желтый.
Die Unterseite des Körpers ist gelb.

11 (12). Членики переднихъ лапокъ у ♂ сильно расширены; коготки равной длины. Тѣло широкое, книзу широко округлено. Дл. 12—13 мм.
Vordertarsen des ♂ stark erweitert; die Klauen gleich lang. Der Körper gross und breit, hinten breit gerundet. L. 12—13.
conspulus S t r m.

Philydrus S o l.

Subg. E n o c h r u s Thm.

56. *melanocephalus* Ol. — 6/VI.

Subg. M e t h y d r u s R e y.

57. *minutus* F. — 11/VI.
58. **coarctatus** Gredl. — 8/VI.

Subg. P h i l y d r u s s. str.

59. *frontalis* F. — 8/VI.

Helochares M u l s.

60. *griseus* F. — 11/VII.

Laccobius E r.

61. *minutus* L. — 9/VIII.

Limnebius L e a c h.

Subg. L i m n e b i u s s. str.

62. *truncatulus* C. G. T h m. — 10/VII.

12 (11). Членики переднихъ лапокъ у ♂ слабо расширены; коготки переднихъ лапокъ у ♂ при основаніи сильно загнуты. Тѣло продолговатое, надкрылья книзу сужены. Дл. 9—10 мм.

Vordertarsen des ♂ schwach erweitert; Vorderklauen des ♂ an der Basis stark gekrümmt. Körper länglich, Flügeldecken nach unten schmäler. L. 9—10 mm. *exoletus* F o r s t.

a. Темные пятнышки на надкрыльяхъ сливаются такъ, что только боковыя стороны остаются желтыми.

Dunkle Fleckchen der Flügeldecken fliessen so zusammen, dass nur der Seitenrand gelb bleibt.

var. melanopterus Z e t t.

b. Коготки у ♂ почти совсѣмъ не удлинены, поперечное пятно на переднеспинкѣ ясно выражено у ♀.

Klauen des ♂ fast gar nicht verlängert, der Querfleck des Halsschildes ist bei ♀ deutlich. *var. latitans* S c h r p.

Livländische Najaden [1].

Von

Dr. J. Riemschneider.

Hochgeehrte Anwesende!

Es ist das schwierigste Gebiet im Bereich des Studiums der Binnenmollusken, das ich Sie jetzt mit mir zu betreten bitte — das schwierigste und zugleich das wichtigste in mehr als einer Beziehung — unsere Najaden.

Während die Gastropoden, wenigstens in den aktiven Perioden ihres Lebens, die Gepflogenheit haben, ihren jeweiligen Standort nach Bedarf zu verändern und die ihnen am meisten zusagenden Lokalitäten aufzusuchen, müssen die Pelecypoden *(lamellibranchiata, acephala, bivalvae)*, mit unvollkommneren Lokomotionsorganen ausgestattet und halb in den Grund ihres heimatlichen Gewässers eingegraben, alles über sich ergehen lassen was dieses Gewässer und dessen Bett ihnen zukommen lässt: Konzentration und Qualität der gelösten Bestandteile, Gasgehalt des Wassers, Temperaturverhältnisse, Druck der auf ihnen lastenden Wassersäule, Wellenschlag und Strömung, Menge und Beschaffenheit der suspendirten Partikel, die Beschaffenheit des Bodens, in welchem sie haften, der Pflanzenwuchs, die übrigen tierischen Bewohner, dazu noch alle die Eigenschaften der nächsten Umgebung des Gewässers, kurz eine grosse Anzahl von Faktoren, welche in die Ausbildung des Muschelorganismus eingreifen.

Daraus folgt nun, dass, bei ihrer weiten Verbreitung, die Bivalven ein relativ grosses Anpassungsvermögen besitzen müssen und weiter der durch die tatsächlichen Verhältnisse nahezu bestätigte Schluss, dass ebenso wie kein Gewässer dem anderen völlig gleich ist, auch jedes Gewässer die ihm eigentümlichen Bivalven führt.

Welche Schwierigkeiten aus solchen Verhältnissen für die systematische Einteilung der Najaden erwachsen müssen, liegt auf

---

1) Vortrag, gehalten in der 409. und 410. Sitzung der Dorpater Naturforschergesellschaft. 1907.

2

der Hand. So hat man denn auch eine sehr grosse Menge von
Formen beschrieben uud benannt, von denen zahlreiche als selbstän-
dige Arten gelten sollten [1]), dass ein solches Vorgehen ohne Erfolg
sein muss ist von vorneherein klar, man müsste denn konsequenter-
weise wenigstens soviele Arten, Varietäten, Subvarietäten aufstellen,
als es najadenführende Wasser giebt. Eine andere systematische
Richtung hat den Weg eingeschlagen einige wenige und weitver-
breitete Formen [2]), die auch unter der Maske lokaler Abänderung
mehr oder weniger leicht wiederzuerkennen sind, als Typen aufzustellen und ihnen alle übrigen als Standortsformen verwandtschaft-
lich anzugliedern. Mit dieser Metode ist gewiss die Forschung in
zuverlässigere Bahnen geleitet worden und sie wird ja auch in den
meisten Fällen für unser systematisches Bedürfnis ausreichend sein,
indessen wird durch sie die Schwierigkeit des Einordnens differenter
Formen erhöht, und es bleiben deren immerhin eine Anzahl mit
Zwischen- und Uebergangsmerkmalen versehener übrig, bei deren
Beurteilung, auch wenn sie noch so kritisch vorgenommen wird,
man sich des Gefühls nicht erwehren kann, man müsse sich hüten
den tatsächlichen Verhältnissen Zwang anzutun.

Meines Erachtens gibt es einen geraden Ausweg aus diesem
Dilemma: die äusseren Verhältnisse, unter denen die Nájaden leben,
müssen erforscht werden und ihr Ausdruck in der Gestaltung des
Organismus festgestellt werden, dann erst sind wir in der Lage die
systematische Klassifikation nach allgemeingültigem Prinzip vorzunehmen, indem wir dann erst Zufälligkeiten und Aeusserlichkeiten
von den Erscheinungen abtrennen können, welche viel tiefer im Organismus liegenden Eigenschaften ihre Entstehung verdanken, gleichsam eine „innere Triebkraft" (wie C. A. Westerlund sich treff-
fend ausdrückt) für deren Ausbildung darstellen; nur solche Erscheinungen können wir als massgebend für eine wissenschaftliche
Beurteilung der Najadenformen anerkennen.

Hochgeehrte Anwesende! Es freut mich besonders, konstatieren
zu können, dass der angegebene Weg bei uns durch die Arbeiten
der Seenkommission schon betreten worden ist, die Erforschung der
speziellen Eigenschaften der einzelnen Gewässer hat begonnen, es

---

1) Allein für Deutschland und das zugehörige Gebiet werden über
100 bekannte Formen der Genus *Anodonta* aufgeführt.

2) S. Clessin statuirt nicht mehr als 2 Arten von Anodonten für
das zu Deutschland gehörige Formengebiet.

erübrigt nur, dass neben den anderen Insassen dieser Gewässer namentlich auch deren Mollusken in möglichster Vollständigkeit gesammelt und untersucht werden. Herrn M. v. z. M ü h l e n s Bemühungen haben wir bereits zahlreiche und sehr interessante Objekte zu verdanken, wenn in dieser Weise fortgefahren würde zu sammeln so könnte in nicht zu langer Zeit ein Material beisammen sein, welches eine eingehende Beurteilung unserer Najaden ermöglichte, und ich glaube nicht zu viel zu sagen, wenn ich die Ansicht ausspreche, dass dann Molluskenforschung und übrige hydrologische Forschung einander von gegenseitigem Nutzen sein werden.

Nunmehr will ich daran gehen Ihnen die einzelnen Formen unserer Najaden vorzuführen. Es ist für die Allgemeinheit nicht viel Neues, was ich ihnen dabei bringen kann, es lag mir auch nur daran, das Sonderverhalten der Najaden in unserem Gouvernement zu schildern soweit die bisherige Bekanntschsft mit dem Material es zulässt; ferner ist ja wohl die Erforschung des Gegenstandes nicht abgeschlossen und es ist daher möglich dass späterhin Neues hinzukommt, dass auch Manches von dem heute Gesagten in Zukunft einer Korrektur bedürfen wird, indessen brauche ich Ihnen gegenüber nicht erst die Berechtigung einer gelegentlichen etappenweisen Feststellung des bekannt Gewordenen zu verteidigen.

Bei der systematischen Einteilung bin ich im Allgemeinen dem Prinzip der möglichsten Artvereinigung gefolgt, wo ich diesem Prinzip nicht treu geblieben bin, da haben mich gewisse, unserem Gebiete eigentümliche Verhältnisse, die in jedem speziellen Falle erörtert werden sollen, zu solcher Abweichung veranlasst.

I. Genus Anodonta Cuvier.

Muschel klein bis sehr gross, meist dünnschalig, Wirbel mehr oder weniger niedergedrückt; Schlossleiste schwach, Schlossbildung fehlt oder ist kaum angedeutet.

1. Anodonta mutabilis Clessin.

Wenn man den Standpunkt vertritt, dass Uebergangsbildungen zwischen verschiedenen Formen den Beweis für deren Zugehörigkeit zu derselben Art darstellen, so ist es sicher gerechtfertigt, den grössten Teil unserer Anodonten einer Hauptart unterzuordnen und in der Tat scheint mir bei dem gegenwärtigen Kenntnisstande der

2*

Entwickelungsbedingungen, dieses Vorgehen unseren Anforderungen
an die Systematik in der geeignetsten Weise zu entsprechen.

Wie schon der Name dieser Art besagt tritt sie uns in reichem
Gestaltenwechsel entgegen, so dass man höchstens mit einiger Berechtigung gewisse Formen als Typen herauszuheben vermag, in
denen man dann Varietäten sehen kann, welche nun ihrerseits man-
nigfach abändern, namentlich aber durch die verschiedensten Ver-
bindungsformen untereinander im Zusammenhange stehen.

Im Wesentlichen Herrn C l e s s i n's Vorgange folgend[1]) führe
ich als Varietäten folgende Formen auf:

a) var. *cygnea* L.

Unter diesem Namen werden zumeist sehr grosse Formen von
ziemlich gerundetem Umriss mit stark nach der Mitte gerückten
Wirbeln verstanden, die typische *Anodonta cygnea* der Autoren
scheint aber in Livland nicht vorzukommen, ich wenigstens habe
nur ein einziges Exemplar (aus der Stauung in Hellenorm) gesehen,
das der Beschreibung entspricht, wie sie gewöhnlich von *A. cygnea*
gegeben wird, und dieses Exemplar ist höchstens halbwüchsig. Indessen treten hier allerdings Formen auf, die bei einer Färbung
entsprechend unserer *A. piscinalis* und einer Umrissform, die der
von *A. cellensis* recht nahe steht, einige auf die echte *A. cygnea*
hinweisende Merkmale an sich tragen. Solche Exemplare stammen
z. B. aus Lauenhof. Ihre Grösse ist die von grossen *cellensis*-
Exemplaren, auch ist bei ihnen das Hinterteil recht stark entwickelt, so dass die Wirbel viel mehr nach vorne stehen als bei
typischer *cygnea*, die Muschel hat daher immer ein verlängertes
Aussehen, der Unterrand tritt aber in allen Uebergängen von fast
gestreckter bis zu stark konvex gebogener Form auf, einzelne dieser
Exemplare sind dabei stark aufgeblasen, andere von ihnen viel
weniger, als das bei unserer typischen cellensis stattzuhaben pflegt,
bei einigen sind die Wirbel erhoben, bei anderen stark niedergedrückt, die Festschaligkeit ist zuweilen viel grösser als bei *cellensis*,
bei keinem Exemplar habe ich aber die *cygnea*-Merkmale zugleich
und in solchem Grade auftreten gesehen, dass sie den Namen einer
typischen Muschel verdiente, immer fehlt das eine oder das andere
Charakteristikum. Die Färbung ist, wie schon gesagt, die unserer
A. piscinalis, also eine gelbgrüne, grasgrüne, graulich gebänderte,

---

1) Mit *A. rostrata* und *A. ponderosa* als eigenen Varietäten bin ich
von C l e s s i n's Systematik abgewichen.

mit grünen und grauen Radiärstrahlen versehene, das Perlmutter ist bei ihnen glänzend und rein. Lauenhofsche Exemplare erreichen eine Länge von 16,8 cmtr bei 6,8 cmtr' Höhe und 5,6 cmtr. Querdurchmesser.

Man kann also die Formen, welche hierzulande die eigentliche *A. cyynea* vertreten füglich als Uebergänge von dieser Form zu *A. cellensis* bezeichnen, dabei spielen noch die Färbung und bei einigen Exemplaren auch die geringe Aufgeblasenheit als *piscinalis*-Merkmale hinein[1]).

Mehr als Seltsamkeit sei hier ein Exemplar aus Walguta angeführt, das sein Aussehen vermutlich einer Krüppelbildung verdankt nnd in manchen seiner Eigenschaften zu *A. cygnea* tritt: die sehr aufgetriebenen Wirbel stehen fast über der Mitte des Längsdurchmessers, der Unterrand ist so stark konvex gebogen, wie bei keiner anderen hiesigen Muschel, das Hinterteil ist kaum stärker entwickelt als das Vorderteil, der zugerundete Schnabel sehr kurz, die Muschel ist dickschalig und sehr aufgeblasen, Länge = 10,5 Höhe = 7,0, Querdurchm. = 5,8 cmtr.

Livländische Fundorte für *A. cygnea* sind angegeben worden von S c h r e n c k aus Schwarzhof, dieser Fund lässt sich nicht mehr kontrolliren dagegen müssen die bei E. v. W a h l[2]) von verschie-Orten angegebenen *cygnea*-Funde auf die hier beschriebenen Uebergangsformen und auf *A. cellensis* bezogen werden da v. W a h l *A. cygnea* und *A. cellensis* vereinigt.

b) var. **cellensis** S c h r ö t e r.

In ihrer typischen Gestalt muss diese Varietät folgendermassen beschrieben werden: gross bis sehr gross, verlängert eiförmig, stark aufgeblasen, dünnschalig und zerbrechlich. Farbe der Epidermis ein düsteres Braun, um die Wirbel oft rostrot, welche Färbung sich gerne nach hinten längs der unteren Schildbegrenzung fortsetzt, resp. bloss auf diese Region lokalisirt ist; eine unreine blass-olivengrüne Färbung der Muschel ist weniger häufig als die braune, doch kommt sie immerhin nicht selten vor und zeigt dann

---

1) Ein Exemplar aus Friedrichshof stellt durch den stärker erhobenen Schild und den ansteigenden Oberrand bei zurückstehenden Wirbeln und stark konvexem Unterrand eine reine Zwischenform von *A. piscinalis* und *A. cygnea* dar, von letzterer hat es u. A. die relative Starkschaligkeit, Färbung für *A. piscinalis* zu unrein.

2) „Süsswasser-Bivalven Livlands". — Archiv. f. d. Naturkunde Liv-, Est- und Kurlands. Ser. II. Bd. I.

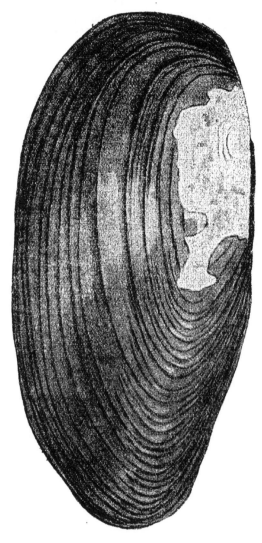

oft aschgraue Zonen namentlich in der Nähe der Wirbel und zahlreiche feine Radiärstrahlen. Die Wirbel sind sehr niedergedrückt,
dem Vorderende stark genähert, ihre Skulptur, wo sie nicht abgerieben, ist besteht aus ziemlich zahlreichen und engstehenden, niedrigen Lamellen. Jahresringe recht enge stehend, stark erhaben,
rauh. Ligament lang und schmal. Schild niedrig, gestreckt mit

deutlicher Ecke, Schildchen klein. Perlmutter oft unrein, fettfleckig.
Oberrand gestreckt, wagrecht, Vorderrand stark gerundet, Unterrand
erst gestreckt verlaufend und dem Oberrande annähernd parallel,
gegenüber der Schildecke jedoch oder etwas weiter nach hinten
ziemlich rasch aufwärts gebogen und schräg nach hinten — aufwärts ziehend. Hinterrand von der meist sehr deutlichen Schildecke in grader oder noch öfter konkaver Linie schräg abwärts, in
letzterem Falle erhält der Schnabel ein aufwärts gebogenes Aussehen. Der Winkel, unter welchem Hinterrand und Unterrand einander zustreben, ist bei beiden ungefähr derselbe, so dass das Hinterende von oben und unten ziemlich gleichmässig verschmälert
wird. Der Schnabel ist deutlich ausgebildet, mehr oder weniger
breit, gestutzt-gerundet, liegt in der Mittellinie der Muschel. Grösse
(im Mittel aus einer Anzahl normaler Exemplare): Längsdurchmesser
= 10,5, Höhendurchmesser = 5,8, Querdurchmesser = 3,4 cmtr.
Indessen sind in manchen Gewässern viel grössere Exemplare regelmässig, zuweilen wahre Ungeheuer, so befindet sich in Hrn. v. z.
M ü h l e n's Besitz ein Exemplar aus der Jaska'schen Stauung
welches 18,9 cmtr. Länge, 9,0 cmtr. Höhe, 6,3 cmtr. Quermesser
aufweist und trotz der dieser Form eigentümlichen grossen Dünn-
heit der Schalen ein Gewicht von 75,5 Gramm besitzt. In meiner
Sammlung findet sich eine ganze Anzahl von Exemplaren die über
14 cmtr. Länge bei entsprehender Höhe und Querdurchmesser
zeigen. Dagegen gehört ein altes Exemplar, von 8,9 Längs-, 4,7
Höhen- und 3,4 Querdurchmesser schon zu den kleinen und zeigt
deutliche Uebergangsmerkmale zu einer Subvarietät; noch kleinere
erwachsene Schalen dürften wohl alle gewissen Subvarietäten angehören oder verkrüppelt sein. Ein Krüppeln namentlich des Hinterendes, der Schnabelgegend kommt bei dieser Varietät ziemlich häufig
vor, dabei enthält das Hinterteil ein stark blätteriges Aussehen, und
der Längsdurchmesser kann durch Verkümmern des Schnabels ausserordentlich verkürzt werden bis zur Unkenntlichkeit der typischen
Umrissform. Auch bei völlig gesunden Exemplaren findet sich die
Erscheinung, dass der Schnabel von sehr verschiedener Länge sein
und damit die Muschel von lang ausgezogener Gestalt bis zu rund-
licher Eiform variieren kann, damit ist dann eine Annäheruug an
die var. *cygnea* angebahnt, indem der Längsdurchmesser nicht mehr
so sehr den Höhendurchmesser überwiegt. Beim Weiterschreiten in
dieser Bildungsrichtung verkürzt sich auch der horizontale Teil des
Unterrandes, derselbe erscheint somit stärker gebogen, die Wirbel

treten scheinbar oder wirklich mehr vom Vorderrande'zurück, der Schild verliert seine gestreckte Gestalt und erscheint dadurch höher, ja auch in der Färbung können sich Abänderungen finden, welche die Annäherung an den *cygnea*-Typus vollständiger machen, indem sich lebhafter gefärbte rostrote und grüne Partien zwischen das unreine Dunkelbraun der *cellensis*-Schale einschieben. Bei der vorigen Varietät haben wir indessen gesehen, dass ein völliges Uebergehen in typische *cygnea* hierzulande nicht stattfindet.

Zu der var. *piscinalis* tritt *A. cellensis* namentlich in ihren Jugendformen in Beziehungen, der Vorgang beim Wachsen der Muschel ist nämlich folgender: die jährlichen Ansatzzonen sind am Vorderende am schmalsten und verbreitern sich am Hinterende, dass muss der Schale eine um so stärkere Verlängerung des Hinterendes verleihen je mehr Ansatzzonen sie erhält, d. h. je älter sie wird. Die untere Begrenzung des Schildes wird ferner durch die stärkere Verwölbung gebildet, welche in ihrer Breite sich vom Wirbel bis zum Schnabelende erstreckt, je kürzer das Hinterende um so steiler muss diese Vorwölbung vom Wirbel bis dahin abfallen und relativ um so höher ist der Schild, — so haben wir also bei jungen *cellensis*-Exemplaren als zu *piscinalis* leitende Merkmale folgende: verkürztes Hinterteil, gerundeten Unterrand und höheren Schild. (Dem entsprechend sieht man an der unteren Schildbegrenzung einer alten *A. cellensis*, dass dieselbe vom Wirbel erst steiler abfällt, dann allmälig umbiegt, um zuletzt nahezu oder völlig wagrechten Verlauf zu nehmen). Auch die Färbung geht bei der jungen Muschel mehr in das Hellgrün des *piscinalis*-Typus, hre charakteristische Farbe erhält *A. cellensis* erst im höherem Alter durch Einlagerung dunkel färbender Substanzen in die Epidermis. Wenn ein solches Verhalten bei jugendlichen Exemplaren von A. cellensis die Regel bildet, so finden sich doch auch ältere Individuen, bei welchen der Oberrand nach dem Schildwinkel zu etwas ansteigt, dadurch erhebt sich der Schild höher, die Muschel wird breiter und der Hinterrand fällt steiler ab, zugleich sind solche Exemplare gewöhnlich weniger aufgeblasen und zeigen eine zartere, grünliche Färbung — es wird der *piscinalis* - Typus markirt.

Mit der vierten Varietät von *A. mutabilis*, mit var. *anatina* steht *A. cellensis* wohl kaum in direktem Zusammenhang sondern allenfalls durch Vermittelung anderer Formen.

A. cellensis ist hier eine von den sehr häufigen Formen und demgemäss von zahlreichen livländischen Fundorten bekannt: bei v. Wah'l[1]) finden sie und ihr verwandte Formen sich angegeben aus Euseküll, Lauenhof, Errestfer, Friedrichshof, Lodenhof, Rappin. Bei Braun[2]) ausserdem aus Treiden, Wolmar, Fellin, Burtneck-See, Werro, Walguta, Fennern. Hr. v. z. Mühlen hat sie gesammelt u. A. bei Jaska, aus dem Jaegel-Fluss, aus Saarenhof, Heidhof, Spankau. In meiner Sammlung finden sich Exemplare aus verschiedenen Seen von Samhof, aus einem Anzen'schen See und von mehreren der schon genannten Orte.

c) var. *piscinalis* Nilsson.

Diese hübsche Muschel ist in ihrer typischen Form hier bei weitem seltener als *A. cellensis*. Beschreibung: mittelgross, zusammengedrückt, sehr dünnschalig. Epidermis glänzend, grasgrün bis hellgrün bis gelbgrün (die gesättigtere Farbe meist am Hinterteil), von graulichen und rostgelben Bändern unterbrochen und mit feinen, abwechselnd grau und grünen Radiärstrahlen versehen, um die Wirbel lebhaft rostgelb, der Schild meist graulich gefärbt. Jahresringe dunkelgrau, schwarzbraun oder schwarz, glänzend, entfernt voneinander stehend, stark erhaben, glatt. Wirbel niedergedrückt, stehen auf der Grenze zwischen vorderem und mittlerem

---

1) l. c.
2) „Land- u. Süsswassermollusken d. Ostseeprovinzen". — Archiv. f. d. Naturkunde Liv-, Est- u. Kurlands, Bd. IX. Lief. 5.

Oberranddrittel oder noch etwas zurück, ihre Skulptur besteht aus ziemlich zahlreichen, engstehenden, niedrigen Lamellen. Ligament lang und schmal. Schild sehr hoch, stark zusammengedrückt, Schildchen klein, zusammengedrückt, deutlich. Perlmutter rein, schön irisirend, in der Nähe der Wirbel oft fleischrosa. Oberrand meist gradlinig, vom Vorderrand zum Schildwinkel stark ansteigend, zuweilen aber auch winklig gebrochen, indem der Anstieg vom Wirbel ab zum Schildwinkel plötzlich noch viel steiler wird als vorher. Vorderrand von der meist deutlichen Ecke des Schildchens beginnend im Anfangsteil stark, weiterhin weniger stark gebogen. Unterrand mehr oder weniger aber stets fortlaufend gebogen. Hinterrand von dem Schildwinkel in gradlinigem oder leicht konkavem Verlauf ziemlich steil schräg nach hinten abfallend und mit dem Unterrande gleich unterhalb der mittleren Längslinie einen zugerundeten, etwas schmalen Schnabel bildend. Grösse (Mittel aus mehreren erwachsenen Exemplaren): diameter longitudinalis $= 9,_7$, diameter dorsoventralis $= 5,_8$, diameter transversalis $= 2,_9$ cmtr.

Unsere *A. piscinalis* ist eine der unbeständigsten Formen, sie zeigt die Neigung in andere Varietäten überzugehen in solchem Grade, dass der Gedanke, wir hätten es möglicherweise mit einer Jugendform anderer Anodonten zu tun, die unter Umständen nicht über dieses Jugendstadium hinauskommt, nicht gar fern liegt. Ihre Beziehungen zu *A. cygnea*, wenigstens zu den Formen die bei uns für *A. cygnea* gelten müssen wurden schon bei dieser Varietät besprochen; insbesondere aber sind die Uebergänge in *A. cellensis* häufig, es giebt Zwischenformen die ebensogut zu der einen wie zu der anderen gestellt werden können: wenn der Oberrand nur wenig ansteigt, der Unterrand einen gestreckten Verlauf nimmt, so sind damit schon die Merkmale des *cellensis*-Umrisses gegeben, kommt nun hinzu, dass der Schnabel etwas breiter und gestumpftgerundet auftritt so bildet hauptsächlich nur die Färbung einen deutlichen Unterschied aber an recht alten Exemplaren verliert auch diese ihre Schönheit und geht allmälig in dunkles Braun über, zugleich sind aber sehr alte Muscheln stärker aufgeblasen, so dass es dann allein Sache des persönlichen Geschmackes ist das Exemplar *A. piscinalis* oder *A. cellensis* zu nennen.

Auch mit *A. anatina* steht *A. piscinalis* in direktem Zusammenhange: zunächst findet man bei der Ersteren Exemplare die in der Umrissform auf das Genaueste den Schalenkontour einer *A. piscinalis* nachahmen, durch geringe Grösse Färbung, relative Dick-

schaligkeit, Stellung der Jahresringe sich aber auf das Entschie-
denste als zu anatina gehörig dokumentiren, geradezu ein Mittelding
zwischen piscinalis und anatina bildet aber ein Exemplar in der
Sammlung der Naturforscher-Gesellschaft dessen Fundort nicht angegeben ist, es zeigt Grösse und ungefähre Umrissform von *A.
piscinalis*, hat auch deren entfernt stehende Jahresringe, durch die
Färbung die Dickschaligkeit, die Aufgeblasenheit und namentlich den
leicht konvexen Oberrand imitirt es gewisse *anatina*-Formen. Die
Fig. 416 in R o s s m ä s s l e r's Iconographie scheint ein hierher gehöriges
Exemplar vorzustellen, leider sagt R o s s m ä s s l e r im Text nichts
über die Schalendicke dieser Muschel. Solche Exemplare sind, wie
ich glaube wichtig für die Kenntnis der *ponderosa*-Bildungen wie
das weiterhin besprochen werden soll. Prof. v. W a h l (l. c.) der
piscinalis mit *anatina* vereinigt, hat dabei offenbar derartige Formen
im Auge gehabt, das geht auch aus seiner Charakterisierung der
A. anatina hervor, die von ihm für *A. piscinalis* angegebenen Fundorte sind deshalb nicht zu brauchen. Bei Prof. B r a u n (l. c.)
findet sich *A. piscinalis* angegeben aus Lodenhof und Walguta. Hr.
v. z. M ü h l e n sammelte sie in äusserst charakteristischen Exemplaren aus dem Spankau'schen See, ausserdem aus dem Heiligen-See
und in Lauenhof.

d) var. **anatina** L.

In der typischen Gestalt klein, mehr oder weniger dickschalig,
eiförmig, ziemlich stark aufgeblasen. Epidermis unrein oliven-gelb-
braun oder -grünbraun, an den Wirbeln vielfach rostrot, sehr fein
radiärgestrahlt. Jahresringe meist sehr enge stehend, dunkel, rauh.
Sehr oft haben die Muscheln einen starken Algen- und Schlamm-

überzug, der die ohnehin unreine Färbung noch unscheinbarer macht. Wirbel im Ganzen nicht so niedergedrückt als bei den bisherigen Formen, der Mitte des Oberrandes ziemlich nahe gerückt (meist $2/5$ des Oberrandes vor, $3/5$ hinter den Wirbeln), die Wirbelskulptur besteht aus ziemlich zahlreichen, engstehenden, niedrigen Lamellen, welche etwas vor der Mitte ihres Verlaufes winkelartig einspringen. Schild verschieden hoch, wenig zusammengedrückt mit meist undeutlicher Ecke, Schildchen klein, wenig zusammengedrückt, Ecke undeutlich. Ligament verhältnismässig breit und stark. Perlmutter kreideweiss bis bläulich, meist ohne Oelflecken. Oberrand mit konvexem sanftem Bogen nach hinten ansteigend (d. h. der vordere Fusspunkt des Bogens liegt tiefer als der hintere), Vorderrand kurz, stark gerundet, Unterrand in recht gleichmässig gebogenem Verlauf nach hinten ziehend, Hinterrand von der Schildecke in gradlinigem oder konkavem oder noch öfter in leicht konvexem Verlauf nach hinten abwärts bildet mit dem Unterrande das spitz-zugerundete Hinterende welches meist unterhalb der Mittellinie liegt. Die Grösse ist recht wechselnd und schwankt bei Exemplaren meiner Sammlung zwischen:

	diam. longit.	diam. dorsov.	diam. transv.
maxime	8,5	4,5	3,1
minime	4,5	3,3	1,9
im Mittel aus einer Anzahl normal. Muscheln	6,7	4,2	2,5 cmtr.

Die ganz grossen Exemplare zeigen aber immer Merkmale für den Uebergang in *A. piscinalis* oder *rostrata*, während die Zwergformen aus den grossen Seen, dem Wirzjärw und Peipus stammen, also wohl durch ungünstige Lebensbedingungen im Wachstum zurückgeblieben sind.

Eine Besonderheit der *A. anatina* ist es, dass sie garnicht selten eines ihrer hauptsächlichen Charakteristika wenigstens teilweise verliert, nämlich das nahe Beisammenstehen der Jahresringe; in solchem Falle zeigen sich die Zuwachsstreifen breit und glatt bis nahe an den Rand der Muschel hin, dort häufen sich dann in der Regel die Streifen allerdings derart dass diese Teile besonders nach dem Hinterende zu sehr starkblätterig und schelferig werden. In einer anderen Reihe von Fällen rückt das verschmälerte Hinterende stark abwärts, der Unterrand verläuft dann fast gradlinig und der Hinterrand wird sehr lang, dadurch erhält die Schale gewissermassen ein buckeliges Ansehen und eine annähernd dreieckige Umrissform, diese letztere kann vorbildlich für eine gewisse Reihe der *ponderosa*-Gestaltungen werden mit denen wir uns später noch beschäftigen wollen. Die Beziehungen welche *A. anatina* zu der var. *piscinalis* eingeht sind bei dieser Form schon erörtert worden. Zu den übrigen besprochenen Varietäten der *A. mutabilis* scheint *A. anatina* keine direkten ·Uebergänge herzustellen, dagegen bildet sie ausserordentlich' gerne in konsequenter, langer Formfolge die Umänderung in die Zwischenform *A. rostrata* aus in der Weise, dass das Hinterende sich verlängert, dieser Schnabel ein breites, grade abgestutztes Ende erhält, dabei treten die Jahresringe oft mehr auseinander, die Muschel wird zuweilen grösser und meist auch dünnschaliger. Von der ausgebildeten *A. rostrata* aus lassen sich allerdings Uebergänge zu *A. cellensis* finden.

Wenn man die *rostrata*-Gruppe zum Typus der *Anodonta anatina* stellen will — und ich glaube man hat bei uns ein Recht dazu, so ist die Letztere hierzulande wohl die häufigste Form, demgemäss sind für sie auch zahlreiche Fundorte angegeben worden, durch v. W a h l (l. c.) und Prof. B r a u n 19 livländische Fundorte von denen allerdings nur ein Teil sich auf wirkliche *A. anatina* bezieht, da v. W a h l *A. anatina, piscinalis* und *rostrata* vereinigt. M. v. z. M ü h l e n hat sie ausserdem gesammelt. in Saarenhof, aus dem Peipus und dem Spankau'schen See. In meiner Sammlung finden sich zudem Exemplare aus dem Wirzjärw, aus der Düna bei Kokenhusen und aus einem Kanal bei Atradsen (Kokenhusen).

e) var. *rostrata* K o k e i l.

A. rostrata ist bei uns keine selbstständige Varietät, ihr Ursprung ist hierzulande wohl stets bei *A. anatina* zu suchen, in welche sie in ununterbrochener Reihe übergehen kann, sie stellt also allenfalls eine Subvarietät vor; wenn ich ihr dennoch eine gesonderte

Besprechung widmen möchte, so hat das seinen Grund darin, dass
Muscheln die zu dieser Form gehören so praedominirend in Zahl
und Verbreitung auftreten, dass ich nicht umhin konnte, sie als einen
Typus für unser Gebiet aufzustellen; bei dem mehr oder weniger
grossen Spielraum, der gegenwärtig nach dem persönlichen Ermessen
des Einzelnen in der Najaden-Klassifikation gelassen bleibt, muss,
wie ich meine, jeder, der die Fauna eines begrenzteren Gebietes
untersucht, sich nach den jeweiligen Lokalverhältnissen richten.

Die Muschel in ihrer typischen Form ist klein bis mittelgross,
wenig aufgeblasen, dünnschalig. Die Epidermis zeigt bei den aller-
meisten Exemplaren unserer Heimat ein helles Gelbbraun das vielfach sogar in weissliche Sandfarbe übergeht, in anderen Fällen ist
ein unreines Gelbgrün vorherrschend, das bei jüngeren Exemplaren
in reineren, frischeren Tönen auftritt und sich so unter starken
Schmutzbeschlägen auch bei alten Individuen erhalten kann. Zu
anderen Malen sieht die Muschel von Schlammniederschlägen recht
dunkel aus auch kann die Epidermis von diesen düsterfärbenden
Substanzen in sich aufnehmen. Jahresringe öfter enge stehend aber
auch nicht selten entfernt voneinander. Die Wirbel ziemlich niedergedrückt, stehen etwa auf $1/3$ der Länge des Oberrandes, ihre Skulptur besteht aus zahlreichen sehr enge stehenden und niedrigen Lamellen, die Wirbel sind dem Vorende relativ sehr genähert, bei
manchen Exemplaren beträgt die Länge des Vorderteils weniger als
$1/5$ der Gesammtlänge. Die lang ausgezogene Gestalt der Muschel
kommt also auf Rechnung einer besonderen Entwickelung des Hinterendes. Schild mehr oder weniger hoch, zusammengedrückt, Schildchen klein, Ligament lang und schmal. Perlmutter bläulich, meist
stark ölfleckig. Der Oberrand steigt nach hinten zu in flach konvexem Bogen mehr oder weniger stark an, vorderrand kurz, stark
gebogen, der Unterrand ist sehr lang und entweder gleichmässig
schwach gebogen oder gestreckt verlaufend und dann erst am Hinterende aufsteigend. Der lange Hinterrand steigt von dem stumpfen
Schildwinkel gradlinig oder konkav schräg nach hinten-unten und
bildet mit dem Unterrande zusammentreffend einen langen, sehr
breiten und völlig grade abgestutzten Schnabel, diese Art der Schna-
belbildung stellt ein hauptsächliches Charakteristikum dieses Muschel-
typus dar, er hat davon seinen Namen erhalten. Grösse im Mittel
aus mehreren Exemplaren: Länge $= 7,_5$, Höhe $= 4,_2$, Querdurchm. $= 2,_4$ cmtr. Einige typische Exemplare aus dem Wasu-
la'schen See bei Dorpat weisen beträchtlichere Dimensionen auf mit
$10,_2$ cmtr. Länge bei $5,_4$ cmtr. Höhe.

Im Grunde genommen ist *A. rostrata* nichts anderes
als eine *A. anatina* mit charakteristisch verändertem
Hinterende, die dann allerdings ihrerseits weitere Veränderungen
eingehen kann.

Gegen eine solche Ableitung scheinen nun die eben erwähnten
grossen Exemplare zu sprechen deren Dimensionen weit über die
der gewöhnlichen *anatina* hinausgehen, aber wir müssen daran
denken, dass es hauptsächlich die besondere Bildung des Hinterteiles ist, die diesen Muscheln ihre grösseren Durchmesser verleiht,
wenn wir bei den genannten Exemplaren uns den Schnabel auf die
gewöhnlichen *anatina*-Umrisse reduziert denken, so wird die Grössen-
differenz zwischen ihnen und typischer anatina nicht mehr so ausgesprochen sein, zudem erinnern wir uns, dass es Uebergangsformen
von *A. anatina* zu *A. piscinalis* giebt, die beträchtlichere Grösse annehmen, man kann sich sehr wohl vorstellen das solche Exemplare
den Ausgangspunkt für die grösseren *rostrata*-Formen gebildet haben;
tatsächlich findet sich bei dem unter *A. piscinalis* zitierten Exemplar
eine Verlängerung und Verbreiterung des Schnabels angebahnt.

Bereits innerhalb des Typus kann die Muschel in ihrer Umrissform nicht unbedeutend abändern: ich besitze Exemplare aus
den Seen bei Schreibershof welche der fig. 737. in Rossmässlers
Iconographie bis auf die Grösse und Färbung völlig gleichkommen [1]),
(darunter ein solches, das in der Abwärtskrümmung des Schnabel-
endes das Rossmässler'sche Exemplar vielleicht noch übertrifft)
solche Formen stellen gewissermassen Uebertreibungen des Typus
dar, der Schnabel ist dabei derartig entwickelt dass er nahezu
ebenso breit wird wie der übrige Teil der Muschel, der Unterrand
verläuft bei diesen Formen fast völlig gestreckt, ja sogar in seinem
hinteren Teil einwärts gebogen.

Der Verlauf einer anderen Umbildungsweise ist der, dass der
Unterrand in toto sich mehr und mehr krümmt, wobei der Hinter-
rand konkaven Verlauf nimmt so dass eine Aufwärtsbiegung des
Schnabels resultiert.

Von Uebergängen in andere Formen sind die allerhäufigsten
die in die verschiedenen *anatina*-Gestalten, indem der Schnabel der
rostrata sich durch alle Abstufungen hindurch reduziert. Dass solche

---

1) Rossm. erklärt das dort abgebildete *Narenta*-Exemplar für die
gestreckteste *rostrata*-Form, die ihm vorgekommen.

Uebergangsformen zahlreicher sind als typisch ausgebildete Muscheln, kann uns nicht Wunder nehmen.

In meiner Sammlung befinden sich einige alte Exemplare aus Sam- hof, welche ihren Schnabel stark verschmälert und aufwärts gebogen ha- ben, ihr Oberrand ist sehr wenig gebogen, die Schalen sind stark aufge- blasen und die Färbung ist die dunkelbraune der *A. cellensis* man könnte sie also zu letzterer stellen, es sind aber Grenzexemplare, der lange grade abgestutzte wenn auch verschmälerte Schnabel und die geringe Grösse (diam. longit. = 8,7 , diam. dorsoventr. = 4,6 , diam. trans- vers. = 3,5) weisen deutlich auf *A. rostrata* hin, auch die relative Dickschaligkeit dieser Exemplare ist die von *A. anatina.*

A. rostrata ist die Form unserer so zahlreichen kleineren Seen in denen sie zumeist massenhaft auftritt. Sie ist bekannt von Wa- sula, Anzen, Samhof, Schreibershof, aus dem Jaegel-Fluss, von der grossen Anzahl von Fundorten die ausserdem bei v. Wahl (l. c.) und Braun (l. c.) angegeben sind, bezieht sich nur ein Teil auf sie, da sie dort mit anderen Formen zusammen angeführt wird.

f) var. *ponderosa* C. Pfeiffer.

Auch diese Form scheint keine gute Varietät vorzustellen, son- dern es ist wahrscheinlich, dass sich verschiedene der vorher ge- nannten Varietäten unter geeigneten Verhältnissen in *A. ponderosa* umbilden können, wenigstens trifft man bei dieser u. a. Exemplare

an, die in der Umrissform nahe zu *A. cellensis* treten, andere welche die Umrissbildung von *A. rostrata* besitzen, — dennoch soll sie gesondert besprochen werden, weil ihre grosse Dickschaligkeit und andere zugleich auftretende Eigenschaften sie auszeichnen, hauptsächlich aber deswegen, weil sie in ihrer ausgebildeten Gestalt immerhin auch bezüglich der Umrissform dazu neigt, manche Eigentümlichkeiten festzuhalten, die ihr das Gepräge einer gewissen Selbständigkeit verleihen, so dass man fast im Stande ist, von einem Typus der *A. ponderosa* zu sprechen, der allerdings vielfach Ausnahmen zulässt, wie sich aus dem anfangs Gesagten ergibt. Wodurch ihr Hauptmerkmal, die Dickschaligkeit in erster Linie hervorgerufen wird und ob die übrigen, sozusagen typischen Merkmale mit dieser Dickschaligkeitsbildung in direktem Zusammenhange stehen, lässt sich z. Z. nicht sagen; eingehende Untersuchungen darüber stehen noch aus.

Die am häufigsten vorkommenden Eigenschaften der *A. ponderosa* sind ausser der Dickschaligkeit folgende: mittlere Grösse, Aufgeblasenheit, grosse Sprödigkeit der Schalen, schwarzbraune Färbung der Epidermis, die Jahresringe stehen bald entfernter, bald enger. Die Wirbel stehen vom Vorderende ziemlich stark zurück, sind breit, plump, erhoben, der Schild ist erhoben, aber nicht sehr zusammengedrückt. Die Wirbelgegend ist oft weithin kariös, das Perlmutter kreideweiss, häufig fettfleckig.

Der Oberrand steigt von vorne nach hinten in konvexer Biegung an, der Vorderrand — mehr oder weniger lang — ist gut gerundet oder noch häufiger abgestutzt-gerundet, der Unterrand ziemlich gestreckt bis leicht eingedrückt, der Hinterrand steigt recht gradlinig von der ausgeprägten Schildecke mehr oder weniger schräg nach hinten ab und ist meist recht lang, so dass die Schnabelmitte zumeist unterhalb der mittleren Längslinie zu stehen kommt. Schnabel zuweilen sehr wenig, in anderen Fällen sehr stark entwickelt (Letzteres bei den *rostrata*-Formen), er ist ziemlich gradlinig abgestutzt. Je nach der stärkeren oder geringeren Entwickelung des Schnabels entstehen also Formen, die ganz den rostrata-Typus wiedergeben oder von der gerundet-dreieckigen bis rhomboiden Bildung gewisser *anatina*-Formen sind, nur grösser so dass man sie auf die früher besprochenen Uebergänge zu *A. piscinalis* beziehen kann, für welche Rossmässler's fig. 416 ein Beispiel darstellt, diese dürften wohl hauptsächlich den Ausgangspunkt für die Bildung von *A. ponderosa* respräsentiren und man kann es wohl kaum für einen Zufall ansehen, dass die dickschaligste *Anodonta*, die wir kennen, die gigantische *A. herculea* v. Middendorff aus dem östlichen Sibirien ihre Umrisse nach demselben Typus bildet.

Dass Exemplare vorkommen, die nach ihrem Schalenkontour zu

A. cellensis gehören, wurde schon mitgeteilt, freilich muss hinzugefügt werden, dass darunter solche vorhanden sind, deren Unterrand
nicht unerheblich konvex gerundet ist. Diese *cellensis*-Formen scheinen hier aber eine, allerdings relativ häufige, Ausnahme zu bilden.

    Anodonta ponderosa ist in Livland nicht häufig gefunden wor-
den; die früheren Litteraturausgaben sind nicht zu verwerten, da
sie dort mit anderen Formen zusammen angeführt worden sind. Herr
v. z. M ü h l e n hat sie gesammelt aus dem Petri-Bach bei Menzen,
ferner aus einem Bach bei Schwarzbeckshof und aus dem Peli-Bach
bei Neu-Rosen.

2. Anodonta complanata Z i e g l e r.

Muschel klein, dünnschalig, sehr zusammengedrückt, eiförmig,
am Vorder- und Hinterende fast gleichartig ziemlich spitz-gerundet.
Epidermis olivenbraun bis olivenbraungrün mit feinen dunklen Radiärstrahlen und schwarzen erhabenen Jahresringen, die am älteren
Teil der Muschel etwas entferter, nach dem Rande zu sehr enge stehen. Wirbel vom Vorderrande zurückstehend, spitz aber niedergedrückt mit Skulptur von mehreren flachen sehr feinen Lamellen die
zuweilen sehr deutliche vordere und hintere kleine Höcker tragen.
Hinterteil der Muschel stärker entwickelt als das Vorderteil. Schild

erhoben, zusammengedrückt, scharf kielförmig mit ausgeprägter Ecke,
Schildchen zusammengedrückt, klein mit mehr oder weniger deutlicher Ecke. Ligament lang und schmal. Perlmutter bläulich bis
fleischrötlich, deutlich radiär gestrahlt, zuweilen leise Andeutung
einer Schlossbildung, indem sich an der Schlossleiste links eine sehr
flache Kante und dementsprechend rechts eine ganz seichte Furche
findet. Muskelnarben sehr seicht aber deutlich. Oberrand leicht
bogenförmig-konvex, von vorne nach hinten mehr oder weniger stark
ansteigend, Vorderrand stark elliptisch gekrümmt, Unterrand ziem-

lich stark konvex, Hinterrand von der Schildecke gradlinig oder leicht konkav nach hinten-unten, bildet mit dem Unterrande den dem Vorderende ähnlichen elliptisch geformten apex, der vielfach etwas unter der mittleren Längslinie der Muschel liegt. Wirbelregion oft korrodirt. Grössenverhältnisse im Mittel aus mehreren erwachsenen Exemplaren: Längsdurchm. $= 7_{,2}$, Dorsoventraldurchm. $= 4_{,0}$, Querdurchm. $=$ etwa $1_{,7}$ cmtr.

Diese Form stellt zweifellos eine gute Art vor; abgesehen davon, dass das Tier selbst durch die Bildung der Kiemen und des Fusses sich von unsern übrigen Anodonten unterscheidet, ist auch die Schale durch ihren geringen Quermesser, ihren Kontour und die Wirbelbildung sehr gut gekennzeichnet. Ihre Variabilität ist gering: der Schild ist bald etwas mehr, bald um ein Kleines weniger erhoben, das Vorder- oder Hinterende oder beide sind bald mehr, bald weniger zugespitzt, einige Peipus-Exemplare in der Sammlung der Naturforscher-Ges. sind etwas aufgeblasener als gewöhnlich, doch bewegen sich alle diese Abweichungen in sehr mässigen Grenzen und sind in keiner Weise im Stande den Art-Typus irgendwie zu verwischen. Uebergänge zu anderen Formen bildet *Anodonta complanata* nicht.

Gegenüber den übrigen Anodonten tritt diese Art hier an Häufigkeit sehr zurück, bekannt geworden ist sie von Euseküll, aus dem Peipus, dem Schwarz-Bach, dem Petri-Bach (v. W a h l l. c.), ferner bei Riga (Braun l. c.). M. v. z. M ü h l e n hat sie ausserdem in Saarenhof gesammelt.

II. Genus Margaritana Schumacher.

Gross, dickschalig. Kardinalzähne rechts einer, links zwei, Seitenzähne entweder nur schwach entwickelt oder gänzlich fehlend. Bei uns nur eine Art.

Margaritana margaritifera L.

Muschel gross, sehr dickschalig und schwer, wenig aufgeblasen, in erwachsenem Zustande nierenförmig. Epidermis schwarzbraun mit sehr zahlreichen Jahresringen und Anwachsstreifen. Wirbel breit, niedergedrückt, dem Vorderende sehr genähert, Wirbelregion fast stets korrodirt. Hinterteil ungefähr dreimal so lang als das

Vorderteil. Schild wenig erhoben, wenig zusammengedrückt, fast ohne Ecke, Schildchen deutlich aber wenig zusammengedrückt. Ligament lang und stark. Schlosszähne derb, kegelförmig, in der linken Schale zwei in der rechten einer, Seitenzähne fehlen oder sind nur angedeutet. Perlmutter bläulichweiss, stets in grösserer oder geringerer Ausdehnung rosenrot oder lachsrot überflogen; wenn sich auf der Innenseite fettartige Flecken zeigen so sind diese von einer ölgrünen Farbenzone umgeben, eine ebensolche grüne Zone umkreist die Muskelnarben, in der hinteren Narbe finden sich feinere grüne konzentrische Streifen. Die Innenseite ist ferner verschiedentlich skulpirt: von der Wirbelgegend ausgehend findet sich eine Anzahl radiär gestellter schmal-streifenförmiger Vertiefungen die an ihrem marginalen Ende, noch eine punktförmige stärkere Impression tragen, gewissermassen wie stark verspritzte Tropfen aussehen; ausserdem findet sich eine feine chagrinartige Skulptur innerhalb des von der Mantelnarbe umschlossenen Raumes; die vordere Schliessmuskelnarbe ist stark radiär-, die hintere ausserdem noch konzentrich gestreift. Oberrand lang und gleichmässig konvex gebogen, Vorderrand stark gekrümmt, der Unterrand verläuft gestreckt oder mit einer breiten konkaven Einbiegung in seiner Mitte, der Hinterrand steigt konvex von dem sehr stumpfen Schildwinkel ab und bildet mit dem Unterrande das breite zungenförmige Hinterende dessen apex unter der Mittellinie liegt. Grösse (Mittel aus 7 erwachsenen Exemplaren): diam. longitud. = 11,4, diam. dorsoventr. = 5,5, diam. transvers = 3,5 cmtr. Mittleres Schalengewicht = $71_{,6}$ Gramm.

Jüngere Exemplare haben eine lebhafter gefärbte, stark ins Grüne spielende Epidermis, die mit feinen und dichten dunklen Radiärstrahlen geziert ist. Ihr Oberrand ist fast gerade, ebenso der Unterrand, letzterer kann sogar leicht konvexe Biegung zeigen. Das Hinterende ist nicht abwärts gebogen wie bei den alten Muscheln und weniger verlängert als bei diesen.

Unter der sehr geringen Anzahl der mir zu Gebote stehenden livländischen Exemplaren lässt sich keine irgend konstante Abweichung von der beschriebenen Normalform feststellen.

Die Flussperlmuschel scheint gegenwärtig seltener geworden zu sein, als sie es früher war; da man die Fundorte ehemals der Perlen wegen schonungslos ausgebeutet hat, so wird sie jetzt wohl an manchen Orten ausgerottet sein, wo sie früher vorkam. Leider hat mir die ältere Literatur[1]) über diesen Gegenstand nicht zu Gebote gestanden, ich konnte deswegen keine Angaben über die frühere Perlfischerei kennen lernen ausser denen, die v. Wahl[2]) macht. Jedenfalls kann heute wohl von irgend einer ergiebigen Ausbeutung der Bäche, welche unsere Muschel führen, nicht mehr die Rede sein.

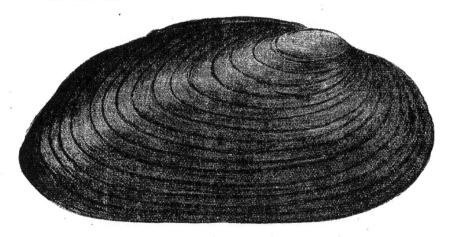

Als Fundorte für *Margaritana margaritifera* finden sich bei v. Wahl[3]) und Braun[4]) angegeben: der Schwarz-Bach, Tirse-Bach, Perl-Bach, die Waidau, der Petri-Bach, die Rause, die Palze, die Wisset und die Peddez, die Ammat, die Oger, — in welchen von diesen Wasserläufen sie heute noch existirt, vermag ich nicht anzugeben. Hr. v. z. Mühlen hat sie aus dem Peli-Bach bei Neu-Rosen.

III. Genus Unio Retzius.

Mehr oder weniger dickschalig, zuweilen sehr schwer und massiv. Das Schloss ist gut entwickelt: in der rechten Schale findet sich ein Kardinalzahn und ein langer lamellenartiger Seiten-zahn, in der linken Schale zwei Kardinalzähne und zwei Seitenzähne,

---

1) Fr. Chr. Jetze im Anhang seiner 1749 in Lübeck erschienenen Schrift „Von den Perlen, die in Livland gefischt wurden". J. B. Fischer, „Versuch einer Naturgeschichte von Livland". Königsberg, 1791.

2) l. c. p. 47.

3) l. c.

4) l. c.

welche die entsprechenden Gebilde der rechten Schale zwischen sich aufnehmen. Das Hinterteil ist bei den Unionen im Vergleich mit dem Vordertheil stets sehr verlängert.

1. Unio pictorum L.

Mittelgross bis gross, schmal, langgestreckt. Epidermis meist grüngelb mit sehr deutlichen, nicht erhabenen dunklen Jahresringen, ziemlich glänzend, oft mit feineu dunklen Radiärstrahlen versehen. Wirbel breit, ziemlich erhoben, stehen etwa auf $1/8$ des Oberrandes,

ihre Skulptur besteht aus einer Anzahl von sehr niedrigen konzentrischen Lamellen, die an einer Stelle winklig einspringen und vor sowie hinter dieser Einknickung je ein kleines stumpfes Höckerchen tragen. Diese Lamellen können auch gänzlich verschwinden, so dass nur die Höckerchen übrig bleiben. Schild lang und schmal wenig zusammengedrückt, fast ohne Ecke, Schildchen klein mit deutlicher Ecke. Hinterende von oben und unten fast gleichmässig verschmälert, in einen kurzen abgestutzt-gerundeten Schnabel auslaufend. Ligament lang und schmal. Perlmutter rein, bläulich-weiss, zuweilen rosa überflogen, selten sehr fein radiär gestrahlt. vordere Schliessmuskelnarben tief, hintere sehr seicht, Mantelnarbe deutlich. Rechter Kardinalzahn zusammengedrückt, schneidend oder mit sägeartigem Rande, linke Kardinalzähne sehr zusammengedrückt, hinterer kurz. zuweilen fast verschwindend, an der Aussenseite gekerbt, vorderer niedrig, lang, an der Innenseite gekerbt, beide oft mit sägeartigem Rande. Seitenzähne lang, dünn, scharf, von gradem Verlauf. Oberrand kaum gebogen, wagrecht; Vorderrand sehr stark gebogen; Unterrand dem Oberrande annähernd parallel, erst sehr gestreckt oder auch ganz seicht eingedrückt, am Hinterende aber in abgerundetem Winkel sich rasch schräg aufwärts richtend und ziemlich gradlinig zum apex ziehend; der Hinterrand steigt schräg und ziemlich · gradlinig nach hinten-unten, seine Konvergenz mit dem Unterrande ist ziemlich gleichmässig. Was die Grösse betrifft, so erweist· sich *U. pictorum* darin recht schwankend, am häufigsten scheinen mittelgrosse Exemplare vorzukommen deren Maasse sich um die nachstehend angegebenen Zahlen (Mittel aus mehreren Exemplaren) bewegen : diam. longitud. = 6,5, diam dorsoventr. = 3,2, diam. transvers. = 2,2 cmtr. Schalengewicht = 10,5 Gramm. Doch besitze ich ein normal geformtes Exemplar welches 8,6 centr. Länge, 4,1 cmtr. Höhe, 3,1 cmtr. Querdurchmesser bei 23,5 Gramm Schalengewicht aufweist, und in der Sammlung der Naturforscher-Gesellschaft befinden sich noch weit grössere Exemplare.

U. pictorum scheint bei uns ausserordentlich wenig zur Varietätenbildung zu neigen, v. W a h l (l. c.) hat zwar mehrere variirende Formen aufgeführt, betont aber bei Besprechung derselben ihre geringfügigen Unterschiede von. typischem *U. pictorum*. Ich habe bei einheimischen Exemplaren nur gewisse Bildungen gesehen die allenfalls dem *U. limosus* N i l s s o n entsprechen und somit als Varietät gelten könnten; ein von Hrn. v. z. M ü h l e n in Joeggsi gesammeltes Exemplar, das hierher gehört, weist folgende Merkmale auf : schmäler· als die typische Form, Epidermis am Hinterende dunkelkastanienbraun, Jahresringe engstehend,—der Unterrand biegt sich in seinem letzten Teil nur sehr wenig aufwärts, der Hinterrand steigt weiter · herab als bei der Normalform und bildet mit dem Unterrande ein relativ breites gerundetes Hinterende. ·Die beiden Kardinalzähne der linken Schale sind gleichstark entwickelt. *Limosus*-Formen scheinen auch in Euseküll und an anderen Orten vorzukommen.

Ein Exemplar aus der Sammlung der Naturforscher-Gesellschaft, welches aus Fennern stammt, weist einen ziemlich gebogenen Oberrand auf, der Hinterrand steigt weiter abwärts als gewöhnlich, der Unterrand hinten nur sehr wenig an, das Hinterende ist senkrecht abgestutzt, dabei ist das Hinterteil etwas kürzer als bei der Normalform. Durch diese Eigenschaften erinnert das Exemplar entfernt an einen südeuropäischen Verwandten unseres *U. pictorum*, an *U. Requieni* M i c h a u d, doch lässt sich aus dem Vorhandensein eines einzigen derartigen Exemplares· natürlich nicht ·auf eine allgemeinere Verbreitung *Requieni*-artiger Formen bei uns schliessen, — ein anderes, zwerghaftes Exemplar aus Kusthof, das aehnlichen Umriss besitzt, stellt eine Kümmerform vor und ist in dieser Hinsicht ebenfalls nicht zu verwerten.

U. pictorum kommt in Livland zwar weit verbreitet vor, scheint aber nirgend sehr zahlreich aufzutreten. Bei v. W a h l finden sich als Fundorte angegeben : Joeggsi-See, See bei Kôrast, See bei Euseküll, Heiligensee, Fennern, Wirzjärw, See bei Jensel, der Embach bei Haselau, Rappin. Bei B r a u n werden ausserdem genannt die Düna, die Pernau, die Gegend von Treiden, Kremon, der Bnrtneck-See, v. z. M ü h l e n sammelte die Art ferner aus dem Petri-Bach bei Menzen und in Saarenhof; Dr. P a u l L a c k s c h e - w i t z in Atradsen bei Kokenhusen.

2. Unio tumidus R e t z i u s und die zugehörigen Formen.

Muschel mittelgross, nur bei den abweichenden Formen gross oder sehr klein. Starkschalig, eiförmig mit zugespitzt-gerundetem

Hinterende, aufgeblasen. Epidermis glänzend, oft wie lackirt, stark gestreift, meist lebhaft gefärbt, gelbgrün, hellgrün, grassgrün, braungrün, kastanienbraun, mit deutlichen dunklen und grünen Radiärstrahlen. Jahresringe entfernt stehend, gut markirt, dunkel. Die Wirbel recht erhoben, spitz, stehen ungefähr auf $1/3$ des Oberrandes, ihre Skulptur besteht aus mehreren scharfen konzentrischen Lamellen, die an einer Stelle in spitzem Winkel einspringen, die beiden konvexen Teile jeder Lamelle sind mit je einem spitzen Höckerchen versehen, diese Höckerchen stehen also in zwei radiären Reihen. Ligament kurz und stark. Schild niedrig, zusammengedrückt mit stumpfer Ecke, Schildchen zusammengedrückt mit deutlicher Ecke. Perlmutter rein, bläulich-weiss oder lachsrötlich. Mantelnarbe und Schliessmuskelnarben deutlich, die hintere seicht die vordere stark vertieft. Kardinalzähne zusammengedrückt, schneidend, der rechte ziemlich stark, ist an seiner Aussenseite gekerbt, von den linken ist der hintere kürzer aber höher als der vordere, der erstere aussen

der letztere innen gekerbt, mit gezähnten freien Rändern. Seitenzähne dünn, hoch, schneidend, in ihrem schmalen Anfangsteil gleich
hinter den Kardinalzähnen gebogen, weiterhin gestreckt verlaufend.
Oberrand kurz, etwas stärker gebogen als bei U. pictorum, Vorderrand mehr oder minder deutlich abgestutzt, Unterrand in steter
konvexer Biegung verlaufend, Hinterrand von der Schildecke in
gradlinigem Verlauf schräg nach hinten abwärts, bildet in der
Mittellinie der Muschel mit dem Unterrande das stark zngespitzt-
gerundete Hinterende. Grösse (im Mittel ans 25 normalen Exemplaren): diam. longitud. = 7,0, diam. dorsoventral. = 3,6, diam.
transvers. = 2,45 cmtr. Schalengewicht = 14,0 Gramm.

Hier sei gleich einer geringfügigen Abänderung Erwähnung
getan, die so viele Uebergänge zu der Normalform zeigt, dass man
sie noch als zu dieser gehörig ansehen kann: der Oberrand ist bei
ihr etwas stärker gebogen, der Unterrand sehr gestreckt, der Hinterrand länger als gewöhnlich, dadurch kommt das Hinterende
unterhalb der Mittellinie zu stehen. Solche Muscheln zeigen in
ihren übrigen Eigenschaften ganz das Verhalten der typischen Form.
Entgegen dem Verhalten des *U. pictorum* bildet *U. tumidus* bei
uns zahlreiche Abweichungen von der beschriebenen Norm und zwar
so, dass die letztere mit verhältnismässig geringen lokalen Abänderungen immerhin bei Weitem den grössten Beitrag zu dem gesammelten Material stellt, dass aber auch recht häufige Funde vorkommen bei denen die typische Form fast bis zur Unkenntlichkeit verändert sein kann, entweder mit allen Uebergängen zur Normalform
am selben Fundort oder ganz unvermittelt, sprungweise. Bei diesen Abänderungen ist es bald das eine, bald das andere Merkmal
der Grundform, welches verloren geht, bald auch mehrere zugleich,
so dass man zuweilen Mühe hat, an der fremdartigen Erscheinung
eines oder einige der charakteristischen Merkmale des Typus wieder-
zufinden welche dann die Bestimmung erlauben. Eben deswegen,
weil diese Art nur selten in systematischer, sozusagen zielbewusster
Weise Variationen eingeht, sondern dieselben an vielen ihrer ursprünglichen Eigenschaften nach verschiedenen Richtungen hin er-
kennbar sind — ebendeswegen ist es nicht leicht, konstantere Varietäten abzuleiten trotz der ausgesprochenen Veränderlichkeit des
U. tumidus. Zwar hat man einige fixe Varietäten aufgestellt und
benannt, doch beziehen sich deren Abweichungen vom Typus in
der Hauptsache auf die Umrissform der Muschel; nun kommen bei
uns verschiedene Gestaltungen vor, die zwar in der Umrissform ge-

meinsame Aehnlichkeit mit diesen Varietäten aufweisen, dafür aber in ihren übrigen Eigenschaften sich weit von einander entfernen, ich kann z. B. einige Formen vorlegen die jede für sich genommen durch das zungenförmig verbreitete Hinterteil der var. *limicola* M ö r c h zugewiesen werden können, die sich aber in Grösse, Aufgeblasenheit, Schalendicke, Struktur und Färbnng der Epidermis sehr von einander unterscheiden. Eine beschriebene Varietät die, wie mir scheint, durch mehrfache Eigenschaften genau bezeichnet ist, die var. *Mülleri* R o s s m ä s s l e r habe ich hier nicht gesehen, sondern höchstens angebahnte Annäherungen an sie. Es wird vielleicht am zweckmässigsten sein, wenn ich Ihnen die interessanteren unter den Abweichungen einzeln vorlege und sie zu charakterisiren versuche.

Da ist zunächst eine Zwergform, die sich von normalem *U. tumidus* durch wenig mehr unterscheidet als durch die geringe Grösse, durch diese allerdings recht auffällig; wenn wir als die drei Hauptmasse für die typische Muschel in runder Zahl annehmen

	Längs- durchm.	Höhen- durchm.	Quer- durchm.	
	$7{,}0$	$3{,}5$	$2{,}5$	so messen diese kleinen Exemplare
völlig ausgewachsen,	$5{,}0$	$2{,}5$	$2{,}0$	
		im Mittel		

wobei die letzteren Zahlen auch abgerundet worden sind und zwar zu Gunsten der höheren Ziffer. Auch in der Färbung ist ein Unterschied vorhanden indem die lebhaften grünen und kastanienbraunen Farbentöne der typischen Muschel hier in unscheinbares Grünbraun, Grüngrau, Dnnkelbraun, Braungrau übergehen. An einigen Exemplaren lässt sich eine stärkere Konvexität des Uuterrandes wahrnehmen, die mit einer besonderen Erhebung der Wirbel verbunden ist, die Schlossbildung ist vielfach mangelhaft, indem namentlich auch die Kardinalzähne verhältnismässig sehr klein sind, dem Verkümmern nahekommen. Di Wirbel sind fast durchweg korrodirt. Es scheint dieses eine Form der grossen Seen zu sein, da die Exemplare der Hauptsache nach aus dem Peipus und dem Wirzjärw stammen, auch aus dem Annenhof'schen See bei Rösthof hat v. z. M ü h l e n sie gesammelt.

Eine andere Variante des *U. tumidus* ist verhältnismässig sehr dickschalig und schwer, ihr Hinterende ist stärker gerundet als bei normalen Muscheln, die Wirbel sind wenig erhoben, die Schildecke ist ganz verstrichen, der Hinterrand von seinem Beginn

konvex gebogen. Die Epidermis zeigt schwarzbraune, um die Wirbel dunkelrotbraune Färbung. Das Perlmutter ist hübsch rosenrot
überflogen, die Kardinalzähne sind sehr derb, zeigen nicht mehr
das flach zusammengedrückte Aussehen der normalen Form, sondern
haben einen annähernd dreieckigen Querschnitt, auch die Seitenzähne sind stärker geworden. Zu *U. tumidus* stellt sich diese
Muschel durch die starke Aufgeblasenheit, den abgestutzten Vorder-
und gebogenen Unterrand, sowie dadurch, dass die Kardinalzähne
der linken Schale trotz der Veränderung insofern das typische Verhalten bewahren, als der hintere dünner und höher ist wie der
vordere. Bei jüngeren Exemplaren sind die vom Normalen abweichenden Eigenschaften weniger ausgesprochen, sie stehen dem
Typus näher als die alten. M. v. z. M ü h l e n sammelte diese
Form aus dem Jaegel-Fluss.

Ebenfalls Hrn. v. z. M ü h l e n verdanke ich den Besitz einer
Varietät aus dem See von Saarenhof. In ihren alten Exemplaren
ist sie ziemlich dickschalig und schwer. Die Epidermis zeigt die
gewöhnlichen Farben des *U. tumidus* in düstern und unreinen Tönen, was sie aber besonders auszeichnet, das ist die ausserordent-
liche Verlängerung und Verschmälerung des Hinterteils dessen Länge
$^3/_4$ von der Gesamtlänge der Muschel betragen kann, dabei ist es,
wie schon gesagt, stark verschmälert, diese Verschmälerung findet
von oben und unten her recht gleichmässig statt, indem Hinterrand
und Unterrand in gleicher schwach konvexer Biegung sich einander
nähern, um den zugespitzt-gerundeten apex zu bilden (nur an einem
Exemplar verläuft der Unterrand sehr gestreckt, der Hinterrand
muss deswegen tiefer herabsteigen und das Hinterende erhält dadurch eine Neigung sich abwärts zu krümmen). Der Vorderrand
zeigt die gewöhnliche abgestutzte Bildung. Der Oberrand ist entsprechend der langgestreckten Gestalt der Muschel auch sehr lang
und dabei konvex gebogen, dieser Biegung des Oberrandes geht
eine gleiche der sehr langen Seitenzähne parallel. Die Kardinalzähne
sind recht massiv, allerdings nicht in dem Grade, wie bei der vorigen Form, sie zeigen im Uebrigen die typische Bildung. Das
Perlmutter ist meist fettfleckig. Muscheln von derartiger Umrissbildung sind nach R o s s m ä s s i e r var. *lacustris* genannt worden.

Eine fernere Varietät, welche ich durch freundliche Vermittelung
aus den Seen von Schreibershof erhalten habe, weist ebenfalls eine
bedeutende Verlängerung des Hinterteiles auf, dabei ist dieses aber
nicht verschmälert wie bei der vorigen, sondern breit, zungenförmig

gestaltet zugleich, kann die ganze Muschel ein vom Typus derartig abweichendes Aussehen erhalten, dass es vielleicht nicht überflüssig ist, näher auf sie einzugehen: Muschel nicht sehr dickschalig, gross, von beträchtlicher Höhe (Länge bis 9,0, Höhe bis 4,5 cmtr.), Wirbel breit aber erhoben stehen ca. auf $1/3$ des Oberrandes, fast stets abgerieben, Schild niedrig, lang, fast ohne Ecke, Schildchen mit Ecke, wenig zusammengedrückt, Epidermis glänzend dunkelbraun längs der unteren Schildbegrenzung angenehm kastanienbraun, die letztere Färbung kann durch Hellbraun in helle Sandfarbe übergehen. welche sich dann auf das ganze Hinterteil erstreckt. Jahresringe dunkel, deutlich, enge stehend, am Rande sehr gedrängt, bei den hellen Exemplaren entfernter stehend. Hinterteil sehr verlängert, breit zungenförmig, zeigt nicht selten Neigung, sich abwärts zu richten, Vorderteil abgestutzt. Perlmutter weiss, fettfleckig, Kardinalzähne stark, typisch geformt, Seitenzähne lang, gerade. Oberrand lang, wenig gebogen, Vorderrand oft so stark gestutzt, dass er mit gerundeter Ecke in den Unterrand übergeht, letzterer wenig konvex, gestreckt bis eingedrückt, Hinterrand lang, leicht konvex. — In denselben Seen leben völlig normal gebildete *U. tumidus*, die allenfalls in der Farbe etwas abweichen, da sie auf dem Vorderteil gelbgrün, auf dem Hinterteil hellbraun aussehen, von diesen finden sich Uebergänge zu der beschriebenen Form indem die Jahresringe sich einander nähern, das Hinterende länger und breiter wird, die Farbe dunkler; aber auch ohne diese Uebergänge wird die Stellung unserer Form bezeichnet durch die Schlossbildung, ebenso durch die des Vorderteils. Die Form gehört ihren Umrissen nach zu der var. *limicola* Mörch.

Endlich möchte ich Ihnen noch eine hübsche Form vorlegen, die Hr. v. z. Mühlen in Euseküll erbeutet hat. Bei dieser ist vorzugsweise der dorsoventrale Durchmesser verlängert, das Hinterende weniger zugespitzt als bei der Normalform, zuweilen breit gerundet. Die Epidermis hat den *tumidus*-Glanz verloren, ist matt und bis zu einem gewissen Grade rauh, dabei von einer angenehmen braunen Farbe, zuweilen mit breiten dunkelgrünen Radiärstrahlen. Die Muschel wenig aufgeblasen, die Wirbel zwar spitz aber niedergedrückt, ihre Skulptur ist in der Hauptsache die von *U. tumidus*, indessen stehen die höckertragenden Lamellen näher zusammen als bei der Normalform. Der Oberrand ist konvex gebogen ebenso der Hinter- und Unterrand, der Vorderrand nur wenig abgestutzt. Das Perlmutter ist rein und schön irisirend, öfter von lachsrötlicher Farbe und radiär gestrahlt. Seitenzähne kurz, etwas gebogen, Kardinalzähne meist typisch doch finden sich auch Exemplare mit derben dreikantigen Zähnen und ist auch bei diesen links der hintere Zahn dünner und höher als der vordere, wie denn überhaupt die Merkmale des Schlosses bei den *tumidus*-Varianten zu den treuesten gehören, — bei der vorliegenden Form ist eigentlich fast nur das Schloss für die Erkennung bestimmend, die übrigen Merkmale sind soweit verändert dass sie höchstens Hinweise auf den *tumidus*-Typus enthalten.

U. tumidus ist eine unserer häufigsten Arten, wenn nicht die häufigste überhaupt, er kommt sowohl in fliessendem als auch in stehendem Wasser vor und tritt an seinen Fundorten meist in grosser Individuenzahl auf. v. W a h l (l. c.) führt von livländischen Fundorten an Korast, Joeggsi, Heiligensee, Euseküll, Fellin, Jensel, Rappin, Peipus. B r a u n (l. c.) fügt hinzu Pernau, Düna, Pikjärw, Dorpat, Burtneek-See, v. z. M ü h l e n fand ihn ausserdem im Annenhof'schen See, in Festen, Jaegel-Fluss, Saarenhof, Lenzenhof; ich besitze die Art ferner aus dem Wirzjärw, aus Samhof, aus Schreibershof.

3. Die Gruppe des Unio batavus L a m a r c k.

Wenn man schon bei der vorigen Art um die Ableitung gut charakserisirter Varietäten in Verlegenheit sein musste, so ist das bei U. batavus in noch höherem Maasse der Fall, in so zahlreichen und untereinander verschiedenen Abänderungen tritt er auf. Es ist ganz bezeichnend, dass bald *U. crassus*, bald *U. batavus* von den verschiedenen Autoren als die Hauptform angesehen wird und die andere als Varietät, dass *U. ater* bald als eigene Art, bald als Varietät von *U. batavus* angeführt wird, denn es ist wirklich kaum möglich zu sagen welches Grundform, welches Unterform ist, dass zudem mehrere Standortsformen als selbstständige Arten beschrieben worden sind, kann ebenfalls dazu beitragen die Unsicherheit in der Begriffsbestimmung zu erhöhen. Ohne entscheiden zu wollen, welche Form in unserem Gebiet geeignet ist, den Typus zu repräsentiren, will ich aus rein practischen Gründen die Einteilung beibehalten, welche *S. Clessin* in seiner „Deutschen Excursions-Molluskenfauna" durchgeführt hat, indem ich zugleich bei jeder angeführten Varietät zu präcisiren versuche welche unter den so schwankenden Formen ich darunter verstehe; um aber auch anderen Gestaltungen gerecht zu werden, die sich zwar unter diese Varietäten einreihen lassen, jedoch gewisse abweichende Eigenschaften an sich tragen, möchte ich die Benennungen einiger, der in Rossmässlers Iconographie beschriebenen Sonderformen benutzen, insoweit sie geeignet sind den Typus solcher Unterformen zu bezeichnen; wenn ich mich auf dieses grosse und allgemein bekannte Werk mit seinen trefflichen Abbildungen berufe, bin ich im Stande, Ihnen und mir die weitläufige Beschreibung solcher Muscheln zu ersparen.

In einem gewissen jugendlichen Stadium trägt unsere Art folgende Merkmale an sich: Muschel klein bis mittelgross, ziemlich zusammengedrückt, von gestrecktelliptischer Gestalt, Vorderteil kurz, verschmälert, Hinterteil entwickelt, breit zungenförmig gerundet. Epidermis wenig glänzend, kann von dunkelgrün durch gelbe Farbentöne in Dunkelbraun bis Schwarzbraun spielen, ist oft mit breiten dunkelgrünen und gelben Radiärstrahlen geziert. Schild gestreckt, niedrig, wenig zusammengedrückt. Ligament schmal. Wirbel auf

etwas weniger denn $^1/_3$ des Oberrandes stehend, niedergedrückt mit einer Skulptur von ziemlich zahlreichen sehr enge stehenden meist scharfen aber niedrigen konzentrischen Lamellen versehen, von denen jede zwei kleine niedrige Höckerchen trägt, die vorderen und die hinteren Höckerchen stehen in je einer radiären Reihe. Die Lamellen sind in ihrer Mitte oder hinter derselben in spitz einspringendem Winkel gebrochen, mitunter verschwinden sie sodass nur die beiden Reihen der Höckerchen übrig bleiben [1]. Perlmutter rein, weiss oder rötlich, Muskelnarben vertieft, Kardinalzähne mehr oder weniger derb, dreikantig, seltener zusammengedrückt, die beiden linken gleichstark oder der hintere etwas schmächtiger. Seitenzähne mittellang, etwas gebogen. Oberrand einwenig gebogen, Vorderrand kurz,

[1] Durch das enge Beisammenstehen der Lamellen ist *U. batavus* deutlich von *U. pictorum* und *tumidus* unterschieden, nur die zuletzt beschriebene Euseküll'sche Variante des Letzteren nähert sich darin dem *U. batavus,* jedoch so dass der *tumidus*-Charakter der Skulptur immer noch erhalten bleibt.

abgestutzt-gerundet, Unterrand gestreckt oder sanft konvex, Hinter-rand stets konvex anfangs weniger, weiterhin nach unten stärker.

Viele Muscheln behalten nun die eben geschilderte Jugend-bildung auch in späterem Alter bei und diese stellen dann die Form vor die von den Autoren als *U. batavus* bezeichnet wird. Ihre Grösse ist im Mittel: diam. longitud. = 6,0, diam. dorsoventr. = 3,3, diam. transvers. = 2,2 cmtr. Schalengewicht = 8,8 Gramm.

Bei uns kommt eine zwerghafte Form vor die bis auf die ge-ringe Grösse (diam. long. = 4,7, diam. dv. = 2,6, diam. tr. = 1,7) mit *U. batavus* übereinstimmt, sie hat mit *U. fusculus* Ziegl. (Iconographie Fig. 211) grosse Aehnlichkeit.

a) var. *ater* Nilsson.

Oft bleibt die Muschel nicht auf der Entwickelungsstufe stehen, die wir als *U. batavus* kennen gelernt haben, sondern geht mit zu-nehmendem Alter weitere Veränderungen ein, die sich als eine stär-

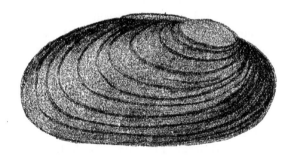

kere bogenförmige Krümmung des Ober- und Hinterrandes, nament-lich des letzteren äussern, wobei der Unterrand einen gestreckten oder konkaven Verlauf zeigt. Das Hinterteil überwiegt noch mehr, die Wirbel stehen daher dem Vorderende noch näher, die Schale wird dicker und schwerer, zuweilen in hohem Grade, nicht selten wird die Muschel auch bauchiger. Die Kardinalzähne sind stets sehr derb, von konischer Gestalt, die Seitenzähne sind dem gekrümmten Oberrande entsprechend gebogen, bei einigen Formen bedeutend. Die Epidermis nimmt rotbraune bis fast schwarze, mitunter metallglän-zende Töne an, die rotbraune Farbe erhält sich um die Wirbel am längsten. Die ganze Muschel wird grösser: diam. longit. = 6,6, diam. dorsov. = 3,7, diam. transv. = 2,5 cmtr. Gewicht = 20,0 Gramm. —

Ganz junge Exemplare von *U. ater* gleichen denen des *U. batavus*
ausserordentlich, jedoch kann man zuweilen schon an noch nicht 2
cmtr. langen Exemplaren die stärkere Krümmung des Ober- und
Hinterrandes als *ater*-Merkmal konstatieren.

Zwischen *U. batavus* und *ater* existieren mehrfache Übergangs-
formen, ausserdem bildet der Letztere aber noch einige Nebenformen
aus: eine derselben ist eine Zwergbildung (nach Analogie des *U.
fusculus*), bei ihr geht die Krümmung der Seitenzähne, des Ober-
und Hinterrandes am weitesten, die Verlängerung des Hinterrandes
ist dabei am wenigsten ausgesprochen, sie gehört zu *U. amnicus*
Z i e g l e r (Iconogr. Fig, 212).

Eine andere Gestaltung entsteht durch konkave Einziehung des
Unterrandes, während der sehr stark konvexe Hinterrand tief herab-
steigt, so dass das Hinterende eine ausgesprochene Abwärtsrichtung
erhält. R o s s m ä s s l e r hat solche Bildungen *U. decurvatus* genannt, ein sehr dickschaliges Exemplar aus Hellenorm, welches der
Fig. 339 d. Iconogr. genau entspricht, findet sich in meiner Sammlung.

Wenn der Hinterrand denselben Verlauf behält wie bei *U. decurvatus*, der Unterrand aber nicht eingezogen ist, sondern in gestreckter Richtung verläuft, so wird das Hinterende nicht so deutlich
nach abwärts gerichtet; solche Exemplare lassen gerne die ursprüngliche grüne Epidermisfärbung durch die späteren dunklen Farbstoffein-
lagerungen hindurchschimmern, es entsteht *U. atrovirens* S c h m i d t
(Iconogr. Fig. 206), wie ein Exemplar aus dem Peli-Bach zeigt.

Ein relativ recht häufiges Vorkommnis bilden die zu *U. con-
sentaneus* Z i e g l e r (Iconogr. Fig. 208, 491, 544, 742) gehörigen
Gestaltungen des *U. ater*. Sie werden dadurch charakterisiert, dass
die Wirbel ausserordentlich weit nach vorne gerückt sind, das Hinterteil also eine besonders starke Entwickelung erfahren hat, dabei
steigt der Hinterrand meist nicht so tief herab als bei den beiden
vorigen Formen, der apex steht deswegen höher als bei jenen, der
Unterrand verläuft in seinem mittleren Teil gerade oder sogar ganz
leicht konvex. Nicht selten erfahren bei ihnen die Kardinalzähne
eine nur schwache Entwickelung. Ein Exemplar aus dem Schwarz-
bach stellt einen guten Repräsentanten dieses Typus vor.

b) var. *crassus* R e t z i u s.

Sofern unter *U. crassus* Formen des *batavus* verstanden werden, bei denen die Entwickelung des Hinterteils nicht so weit geht
als bei den bisherigen, dasselbe mehr zugespitzt-gerundet erscheint

und die Muschel zugleich sehr dickschalig ist, scheint diese Varietät in ihrer vollständigen Ausbildung bei uns zu fehlen, wenigstens habe ich unter sehr zahlreichen *batavus*-Exemplaren kein einziges gesehen, das die beschriebenen Eigenschaften an sich trug. Nur ein einziges sehr kleines Exemplar aus der Pernau spitzt das sehr verkürzte Hinterende stärker zu, es ist aber zu dünnschalig, um den Namen *U. crassus* zu verdienen, gehört vielmehr wahrscheinlich zu *U. fusculus* Z i e g l. — Freilich aber fassen einige andere Autoren den Begriff des *U. crassus* weiter als C l e s s i n es tut, indem sie die kurzen und breiten dickschaligen Formen, auch wenn diese ein gerundetes Hinterende besitzen, hierher stellen und *U. crassus* als eigene Art ansehen. *Ater*-Bildungen von einem derartigen rundlich-ovalen Umriss kommen allerdings hier vor und unter ihnen ja auch recht dickschalige, indessen gehören diese zu deutlich eben dem *U. ater* an, als dass man aus ihnen eine eigene Varietät oder gar eine gute Art bilden könnte, ich kann mich vielmehr der Vermutung nicht entschlagen, dass unter dem *U. crassus* der Autoren mit auch gewisse Formen der folgenden Art, des *U. pseudolittoralis* zu verstehen sind denn auf solche passen die Beschreibungen ganz gut.

Alle die aufgeführten Formen gehen unmerklich in einander über es gibt daher eine grosse Anzahl von Exemplaren für welche man sich damit zufrieden geben muss die allgemeinen *batavus*-Merkmale an ihnen zu konstatiren: gebogener Ober- und stark gebogener Hinterrand, besondere Höhe- und Längeentwickelung des Hinterteils, niedrige sehr nach vorne gerückte Wirbel mit eigenartiger Skulptur, derbe Kardinal-, gebogene Seitenzähne bei mittlerer Grösse der Muschel. Die vorstehend aufgeführten Einzelformen stellen eben nur die Extreme gewisser divergenter Entwickelungsrichtungen innerhalb derselben Grundform vor, ja zuweilen nichteinmal das, sondern bloss verschiedene Stufen einer solchen Richtung *(U. atrovirens* und *decurvatus).*

Die Angehörigen der *batavus*-Gruppe leben nur in fliessendem Wasser, sie sind bei uns nicht viel weniger häufig und zahlreich als *U. tumidus.* v. W a h l (l. c.) stellt *U. batavus* mit *U. pseudolittoralis* zusammen unter der gemeinschaftlichen Bezeichnung *U. crassus,* die von ihm angegeben Fundorte sind deshalb nicht zu verwerten. In der Sammlung der Naturforscher-Ges. finden sich Exemplare aus Heimthal, Euseküll, Ninnegal, Kremon, Alt-Kusthof, aus der Palze-Mündung, aus dem Beie-Nebenfluss der Pernau, aus der Pernau bei Paixt, Pödja-Fluss bei Talkhof, Neu-Rosen, Menzen,

Jaska. In meinem Besitz befinden sich ausserdem Exemplare aus Hellenorm, Ayakar und aus der Livländischen Aa bei Adsel.

4. Unio pseudolittoralis Clessin.

Diese Art ist erst 1875 von Clessin[1] aufgestellt worden und ist für uns von besonderem Interesse deswegen weil sie ausser in Nordschleswig namentlich in den baltischen Provinzen ihr Verbreitungsgebiet zu haben scheint. Sie geht bei uns einige Abände-

rungen ein die bisher nicht bekannt waren, da ich über dieselben im „Nachrichtsblatt d. deutsch. malakozool. Ges."(Heft 3 d. J.) eine vorläufige Mitteilung gemacht habe so kann ich mich hier darauf beschränken den Typus zu beschreiben und die Abweichungen mehr flüchtig zu kennzeichnen.

Muschel gross, sehr dickschalig und schwer, stark aufgeblasen. Vorderteil kurz, etwas verschmälert, Hinterteil entwickelt, breit zungenförmig gerundet. Schild lang, niedrig, sehr wenig zusammengedrückt, fast ohne Ecke, Schildchen wenig zusammengedrückt mit deutlicher Ecke. Die Wirbel stehen ungefähr auf $1/4$ des Oberrandes, mässig erhoben, ihre Skulptur besteht aus mehreren niedrigen, engstehenden Lamellen mit den bekannten zwei Radiärreihen von niedrigen Höckerchen, sie ist der Wirbelskulptur von *U. batavus* sehr ähnlich. Epidermis wenig glänzend in der Jugend dunkelgrün mit dunklen Strahlen, später schwarzbraun. Jahresringe vertieft, ziemlich entfernt stehend. Perlmutter rein, milchweiss, seltener mit rötlichem Anflug, zuweilen fein chagrinartig genarbt wie bei *Margaritana.*. Muskelnarben tief. Kardinalzähne sehr massiv, von drei-

---

1) Verh. d. Ver. naturg. Unterh. Hamburg.

eckigem Querschnitt, an den einander zugekehrten Flächen gekerbt, Seitenzähne lang, gebogen, stark. Oberrand bogenförmig konvex, wegrecht, lang. Vorderrand abgestutzt-gerundet, Unterrand lang, in seiner Mitte oder hinter derselben konkav, Hinterrand konvex, lang, tief absteigend. Etwas jüngere Exemplare zeigen einen gestreckten fast geraden Oberrand und einen diesem parallelen oder sogar leicht konvexen Unterrand.

Grösse im Mittel: diam. langitud. = 9,5, diam. dorsoventr. = 4,8, diam. transvers. = 3,7 cmtr. Gewicht = 77.0 Gramm.

Unter den Exemplaren, welche ich habe untersuchen können, machen sich Abweichungen von der Norm hauptsächlich nach zwei Richtungen hin geltend: bei der einen wird der Höhendurchmesser kleiner besonders an der hinteren Hälfte der Muschel, während der Längsdurchmesser derselbe bleibt, dadurch entstehen Gestalten von schmalem und langgestrecktem Aussehen. Bei manchen von ihnen schreitet die Verkürzung des dorsoventralen Durchmessers von vorne nach hinten fort, so dass das Hinterende mehr zugespitzt erscheint, in ihren übrigen Eigenschaften bleibt dabei die Muschel dem Typus treu. In einer anderen Reihe von Fällen nimmt umgekehrt der longitudinale Durchmesser ab, während der dorsoventrale in ursprünglicher Länge erhalten bleibt, woraus ein breites gerundetes Aussehen der Muschel resultirt, die im Uebrigen ebenfalls die Verhältnisse der Normalform darbietet. Diese Gestaltung ist es, die Abbildungen und Beschreibungen der Autoren von *U. crassus* gut entspricht, z. B. Fig. 127 in Rossmässlers Iconographie — bis auf die Stellung der Wirbel, indem diese bei unsren verkürzten *pseudolittoralis*-Formen weit mehr nach vorne treten, als das bei Rossmässlers *crassus*-Abbildungen der Fall ist. Es ist z. Z. nicht möglich diese beiden Abweichungen die mit der Normalform durch Uebergänge in Verbindung stehen als Varietäten abzutrennen, sie sind noch von zu wenigen Fundorten bekannt und es ist leicht möglich, dass man in ihnen nichts mehr als lokale Varianten, Standortsformen zu sehen hat. Dagegen gibt es eine weitere Form welche schon an recht verschiedenen Orten gefunden worden ist und auch durch ein teilweise isolirtes Auftreten ohne die Gesellschaft der Normalform eine gewisse Selbstständigkeit dokumentirt, so dass ich sie doch als eine gute Varietät ansehen muss, es ist die an anderer Stelle schon genannte var. *curonica* mh.[1]) Sie unterscheidet

---

1) „Nachrichtsbl. d. deutsch. malak. Ges." 1907, Heft 3. — Vortr. i. d. Naturf.-Ges. 16./XI 1906.

sich von der Normalform dadurch, dass sie kleiner und dünnschaliger ist, dass sie ferner ihr Hinterende nicht breit gerundet sondern mehr verschmälert und zugespitzt entwickelt, und dass ihre Kardinalzähne, wenn auch stark, so doch zusammengedrückt sind; auch von ihr existiren Uebergänge zur Normalform. Diese Varietät ist in Livland bisher bei Euseküll und Fennern gefunden worden.

Unio pseudolittoralis Clessin ist auch bei uns zu Lande keine häufige Art: über die Individuenzahl an ihren Fundorten vermag ich wenig zu sagen, da ich persönlich sie nur in der Form der Varietät in Kurland gesammelt habe, dort war sie reichlich vorhanden. Der livländischen Fundorte sind nicht zahlreiche, Braun (l. c.) kennt sie nur aus Euseküll, in der Sammlung der Naturf.-Ges. ist sie ferner vertreten aus Ludenhof und Fennern. M. v. z. Mühlen hat sie ausserdem im Peli-Bach bei Neu-Rosen erbeutet.

Hochgeehrte Anwesende! Meine Mitteilungen betrafen livländische Najaden doch geht es gegenwärtig, wie ich glaube, ganz gut an das Mitgeteilte im Wesentlichen auch auf die beiden anderen Ostseeprovinzen zu beziehen, wenigstens widerspricht das mir bekannte Material aus Est- und Kurland in keiner Weise den hier gemachten Ausführungen. Allerdings ist dieses Material verhältnismässig ein sehr geringes, und es ist selbstverständlich nicht ausgeschlossen, dass neue Funde gemacht werden; um ein endgültiges Urteil über die dortigen Verhältnisse zu erlangen ist deswegen noch viel Sammelarbeit von Nöten.

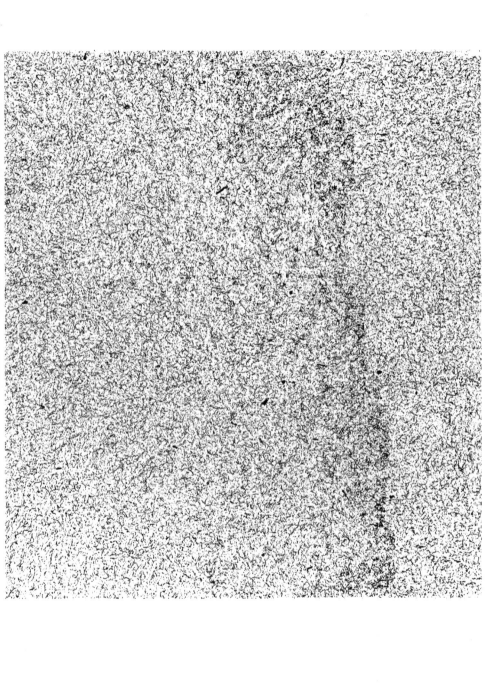

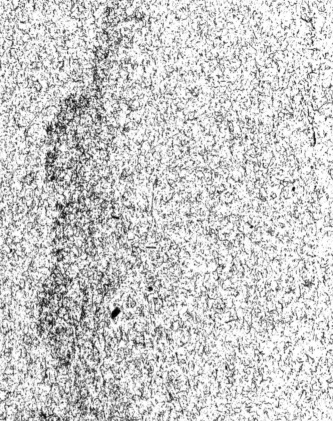